J. RIZZI

DER BROCKHAUS IN FÜNFZEHN BÄNDEN

DER BROCKHAUS

in fünfzehn Bänden

Elfter Band

Pfe – Rog

F. A. BROCKHAUS
Leipzig · Mannheim

Redaktionelle Leitung: Marianne Strzysch, Dr. Joachim Weiß

In Band 15 ist die Redaktion vollständig genannt.

Einbandgestaltung: James Rizzi

Einbandtypographie: Jürgen Sauerhöfer

Herstellung: Günter Schwab

Typographische Konzeption: Norbert Wessel

Satz: Bibliographisches Institut & F. A. Brockhaus AG
(PageOne Siemens Nixdorf)
und Mannheimer Morgen Großdruckerei
und Verlag GmbH

Druck: Neue Stalling GmbH, Oldenburg

Bindearbeit: Großbuchbinderei Lachenmaier, Reutlingen

Papier: 120 g/m² holzfrei, mattgestrichen, chlorfrei
der Papierfabrik Aconda Paper S. A., Spanien

Die Deutsche Bibliothek – CIP-Einheitsaufnahme
Der **Brockhaus**: in 15 Bänden /
[red. Leitung: Marianne Strzysch; Joachim Weiß]. –
Leipzig; Mannheim: Brockhaus.
Bd. 11. Pfe–Rog. – 1999
ISBN 3-7653-2361-6

ISBN für das Gesamtwerk 3-7653-2350-0
Band 11: 3-7653-2361-6

Printed in Germany

Pfe

Pfeffer [von grch. péperi] (Piper), Gattung der P.-Gewächse mit rd. 700 Arten in den Tropen. Die wirtsch. wichtigste Art ist der **P.-Strauch** (Echter P., Piper nigrum); Kletterpflanze mit fast runden, einsamigen, zunächst grünen, reif dann gelben bis roten Steinfrüchten. Der P.-Strauch liefert das wichtigste Welthandelsgewürz, den **schwarzen P.,** der aus den ganzen, unreif geernteten, ungeschälten Früchten besteht. Der **weiße P.** dagegen wird aus den reifen, durch Fermentation von der äußeren Schale befreiten Früchten gewonnen. Beide Sorten kommen ganz oder gemahlen in den Handel. Der brennende Geschmack des P. wird durch das Alkaloid Piperin bewirkt, der aromat. Geruch durch ein äther. Öl. – P. kam in der Antike durch Karawanen in den Mittelmeerraum, wo er von Griechen und Römern als Gewürz geschätzt wurde. Im MA. war P. ein wichtiger Handelsartikel, der den Reichtum der Städte Genua, Venedig und vieler Kaufleute begründete.

Pfefferfresser (Tukane, Rhamphastidae), Familie meist prächtig bunter Spechtvögel in trop. Wäldern Südamerikas; baumbewohnende Höhlenbrüter mit mächtigem, leuchtendem Schnabel, u.a. der bis 57 cm lange **Riesentukan** (Rhamphastos toco). Bild S. 6

Pfefferkuchen, →Lebkuchen.

Pfefferküste, histor. Name der Küste W-Afrikas zw. Monrovia und Harper, Liberia; früher wurde hier Guineapfeffer gewonnen.

Pfefferling, ein Speisepilz, →Pfifferling.

Pfefferminze, Art der →Minze.

pfeffersche Zelle [nach dem Chemiker und Botaniker Wilhelm Pfeffer, *1845, †1920], ein Gerät zur Messung des osmot. Drucks (→Osmose), wobei poröse Tonwände mit einem Niederschlag von Kupferhexacyanoferrat (II) die semipermeable Membran darstellen.

Pfeife [von lat. pipa], **1)** *Instrumentenkunde:* umgangssprachl. Bez. für eine kleine, hoch und scharf klingende Flöte (z.B. Einhandflöte, Querpfeife), im instrumentenkundl. Sinne Bez. für eine Schallquelle, bei der eine in einem röhrenförmigen Gehäuse (P.-Rohr) eingeschlossene Luftsäule zu Eigenschwingungen angeregt wird. Nach der Art der Schallerregung unterscheidet man **Labial-P.** (Lippen-P.), zu denen ein großer Teil der Orgel-P. und die Flöten gehören, und **Lingual-P.** (Zungen-P.), zu denen der andere Teil der Orgel-P. und die Rohrblattinstrumente (u.a. Klarinette, Oboe) zählen.

2) *Rauchgerät:* →Tabakspfeife.

Pfeifenfische (Aulostomoidei), Knochenfische mit Röhrenmaul und Stacheln auf der ersten Rückenflosse, z.B. die bis 18 cm lange **Meerschnepfe** (**Seeschnepfe,** Macrorhamphosus scolopax) im Mittelmeer. Bild S. 6

Pfeifenstrauch (Philadelphus), Gattung der Steinbrechgewächse; strauchige Arten, deren Gartenformen und Bastarde als Ziersträucher verwendet werden, z.B. der bis 3 m hohe **Große P.** (**Falscher Jasmin,** Philadelphus coronarius) aus S-Europa mit bis zu 3 cm großen Blüten.

Pfeffer: Spross des Pfefferstrauchs mit Blütenstand (oben) und Fruchtständen

Pfeffer

Pfeffer, eines der ältesten Gewürze, wird bereits in der altindischen Sanskritliteratur als »Pippali« erwähnt. Durch den Vorstoß Alexanders des Großen nach Indien lernten ihn die Griechen kennen. In der Antike und im Mittelalter wurde der aus Vorderindien nach Europa importierte Pfeffer, ähnlich wie Edelmetall, als Zahlungsmittel (vor allem für Tribute, Steuern und Zölle) verwendet. Im 14. und 15. Jahrhundert gebrauchte man Pfefferkörner anstelle von Geld.

Im Mittelalter wurde besonders der schwarze Pfeffer sehr geschätzt. Bis in das 15. Jahrhundert brachten die Inder den Pfeffer selbst mit Schiffen bis zum Roten Meer, der Weitertransport von dort lag in der Hand des venezianisch-arabischen Zwischenhandels. Nach der Entdeckung des Seewegs nach Ostindien Ende des 15. Jahrhunderts geriet der Pfefferhandel unter die Kontrolle der Portugiesen, das Gewürz kam nun zuerst nach Lissabon und von da nach Antwerpen und London. Mit der Intensivierung des Handels war eine Steigerung der Angebotsmenge verbunden, die Pfefferpreise fielen dementsprechend ganz erheblich. Da hierdurch aber auch die Nachfrage nach Pfeffer stark anstieg, erzielten die Gewürzhändler (»Pfeffersäcke«) weiterhin sehr gute Gewinne.

Pfefferfresser: Riesentukan (Größe bis 57 cm)

Pfeif|ente (Anas penelope), eurasiat. Art der Schwimmenten mit rotbraunem Kopf, Männchen mit grünem Flügelspiegel; typ. pfeifender Ruf.

Pfeifer, im MA. die Spieler von (Holz-)Blasinstrumenten, dann die freien Musikanten und Spielleute, die sich seit dem 12. Jh. zu Musikantenzünften (bis 1803) zusammenschlossen.

Pfeifer von Niklashausen, → Böhm, Hans.

Michelle Pfeiffer

Pfeiffer, 1) Michelle, amerikan. Filmschauspielerin, *Santa Ana (Calif.) 29. 4. 1958; vielseitige Darstellerin, u. a. in »Gefährliche Liebschaften« (1988), »Frankie & Johnny« (1991), »Batmans Rückkehr« (1992), »Wolf – Das Tier im Mann« (1994).

2) Richard, Bakteriologe, *Zduny (Wwschaft Poznań) 27. 3. 1858, †Bad Landeck in Schlesien 15. 9. 1945; Mitarbeiter R. Kochs, entdeckte den nach ihm benannten Influenzabazillus. 1896 fand er im Serum cholerakranker Tiere spezifisch wirkende Antikörper, die er »Bakteriolysine« nannte. Auf ihn gehen die Immunisierungsverfahren beim Typhus zurück.

Pfeiffer-Drüsenfieber, die → Mononukleose.

Pfeilkraut: Gewöhnliches Pfeilkraut (Höhe 30–100 cm)

Pfeifhasen (Pikas, Ochotonidae), Familie der Hasenartigen in Asien und Nordamerika; etwa 12–25 cm lang; gesellige, in Erdbauen lebende Steppen- und Gebirgsbewohner. Sie verständigen sich untereinander durch schrille Pfiffe.

Pfeil [von lat. pilum »Wurfspieß«], **1)** *Astronomie:* (lat. Sagitta) Sternbild des nördl. Himmels.

2) *Waffenkunde:* Geschoss für Bogen, Armbrust oder Blasrohr, seltener mit der Hand geschleudert (Wurf-P.). Der P. besteht aus dem geraden Holz- oder Rohrschaft und der oft mit Widerhaken versehenen Spitze aus Hartholz, Bambus, Stein, Metall, Knochen, die mit → Pfeilgift überzogen sein kann.

Pfeiler [von lat. pila], bei Gebäuden oder Brücken senkrechte, frei stehende Stütze aus Stein, Holz, Stahlbeton oder Stahl mit einem Verhältnis Höhe zu Querschnitt größer als vier.

Pfeilflügel, eine Tragflügelform für hohe Fluggeschwindigkeiten. **Positive P.** sind nach hinten, **negative P.** nach vorn abgewinkelt.

Pfeilgifte, von Naturvölkern verwendete Gifte zum Bestreichen der Pfeilspitzen, meist aus Pflanzen (z. B. → Curare), seltener von Schlangen, Käfern oder verwesenden Kadavern, um Tiere oder Menschen zu töten oder zu betäuben.

Pfeilhechte (Barrakudas, Sphyraenoidei), Unterordnung der Barschartigen; Raubfische der trop. Meere mit lang gestrecktem Körper, spitzem Kopf und kräftigen Zähnen.

Pfeilkraut (Sagittaria), Gattung der Froschlöffelgewächse, meist im temperierten und trop. Amerika; in Dtl. das 30–100 cm hohe **Gewöhnliche P.** (Sagittaria sagittifolia) mit pfeilförmigen Blättern und weißen Blüten; in stehendem, seichtem Wasser.

Pfeilkreuzler, 1935–45 faschistische Gruppierungen in Ungarn; unter F. Szálasi während der dt. Besatzung 1944–45 an der Macht.

Pfeifenfische: Meerschnepfe (Länge bis zu 18 cm)

Pfeilnaht, → Schädelnähte.

Pfeilschwänze (Schwertschwänze, Xiphosura), Ordnung im Meer lebender Gliederfüßer, bis etwa 60 cm lang; Kopfbruststück und Hinterleib haben je sechs Gliedmaßenpaare, das Hinterende trägt einen Stachel. Die P. sind auf dem Rücken gepanzert. Sie wühlen im Flachseegrund nach Kleintieren; z. B. der **Molukkenkrebs** (Tachypleus gigas) SO-Asiens und die **Königskrabbe** (Limulus polyphemus) der nordamerikan. Küsten.

Pfeifente: Männchen (Größe 46 cm)

Pfeilstern, *Astronomie:* → Barnards Pfeilstern.

Pfeilwürmer (Borstenkiefer, Chaetognatha), Gruppe durchsichtiger, etwa 3 bis 100 mm langer, pfeilförmiger Tiere im Plankton aller Meere mit Greifhaken an Mund und Augen; zwittrig.

Pfeilwurz, Nutzpflanze, → Marante.

Pfeilschwänze: Königskrabben (Länge einschließlich Schwanz 60 cm)

Pfemfert, Franz, Publizist, * Lötzen (heute Giżycko, Wwschaft Suwałki) 20. 11. 1879, † Mexiko 26. 5. 1954; 1933 Emigration in die Tschechoslowakei, 1936 nach Frankreich, 1941 nach Mexiko; als Hg. und Verleger der Zeitschrift »Die Aktion« (1911–32) Schlüsselfigur des frühen Expressionismus; zielte auch als Hg. von Anthologien auf eine Verbindung fortschrittl. Politik und moderner Kunst.

Pfennig, Abk. **Pf,** kleinste Währungseinheit in Dtl.; 1 Pf = $^1/_{100}$ Dt. Mark (DM). Urspr. Bez. für die fast einzige Silbermünze Europas (Denar), nach der Münzordnung Karls d. Gr. = $^1/_{12}$ Solidus (Schilling) = $^1/_{240}$ Pfund Silber. Bis zum 13. Jh. blieb der P. Groß- und Fernhandelsmünze mit hoher Kaufkraft; durch die dauernde Münzverschlechterung sank der P. bis zum 16. Jh. zur Scheidemünze und wurde seit dem 17. Jh. aus Kupfer geprägt. – Bis 1871 auch **Pfenning** gen., gelten seit 1873 100 P. = 1 Mark.

Pferch, durch Hürden oder Elektrozäune umgrenztes Areal, in dem sich Schafe bei Weidehaltung in der Nacht aufhalten.

Pferd, *Sport:* Turngerät von 1,60 m Länge, 35 cm Breite und 1,20 m Höhe für Damen und 1,35 m für Herren.

Pferde [von mlat. paraveredus »Postpferd«] (Einhufer, Equidae), Familie der Unpaarhufer mit nur einer Gattung (Equus), zu der → Esel, → Halbesel, → Zebras und das → Prschewalskipferd gehören (die wildpferdeähnl. Rassen Dülmener und Mustangs haben zu den echten Wild-P. keine direkte Beziehung; es sind verwilderte oder ständig in freier Wildbahn lebende Hauspferderassen). Die P. treten nur mit der Spitze der mit einem breiten Huf bekleideten Mittelzehe (3. Zehe) auf. Die 2. und 4. Mittelfußknochen sind zu schmalen Stäben verkümmert (Griffelbeine). Von den übrigen Mitgl. der Familie Equidae unterscheiden sich die (vermutlich) vom Prschewalskipferd (Wild-P.) abstammenden Haus-P. (P. i. e. S.) durch kurze Ohren, Hornwarzen an allen vier Beinen, durch den behaarten Schweif und das Wiehern. – Die P. haben sich vor rd. 60 Mio. Jahren aus einer etwa fuchsgroßen Stammform Hyracotherium in Amerika entwickelt. Sie waren zunächst waldbewohnende Laubfresser und wurden später Grasfresser in offenen Landschaften. Vor rd. 2,5 Mio. Jahren (Ende des Pliozäns) gelangte ein Seitenzweig nach Asien, während in Amerika alle P. nach der Eiszeit ausstarben. Mit den span. Eroberern kamen die P. dann wieder nach Amerika.

Hauspferde: Die P. i. e. S. sind hochbeinige Lauf- und Fluchttiere. Sie ernähren sich von Pflanzen; ihr Verdauungstrakt ist auf die ursprüngl. Steppenheimat abgestimmt, wo zur Futtersuche täglich weite Strecken zurückgelegt werden müssen, wobei kontinuierlich kleine Mengen schwer verdaul. Futters aufgenommen werden. Die Schneidezähne der P. tragen eine tütenartige Schmelzeinstülpung (Bohne), die Eckzähne sind nur beim Hengst erhalten, die Backenzähne besitzen Schmelzfalten. Die Abnutzung des Gebisses ermöglicht eine Altersbestimmung; P. können bis zu 40 Jahre alt werden, im Mittel sind es 16–18 Jahre. – Das männl. P. heißt **Hengst** (kastriert **Wallach**), das weibl. **Stute,** das junge **Fohlen.** Die Geschlechtsreife tritt mit ca. 18 Monaten ein; zuchtreif ist ein Haus-P. je

Franz Pfemfert: Holzschnitt des zeitgenössischen deutschen Künstlers Georg Tappert

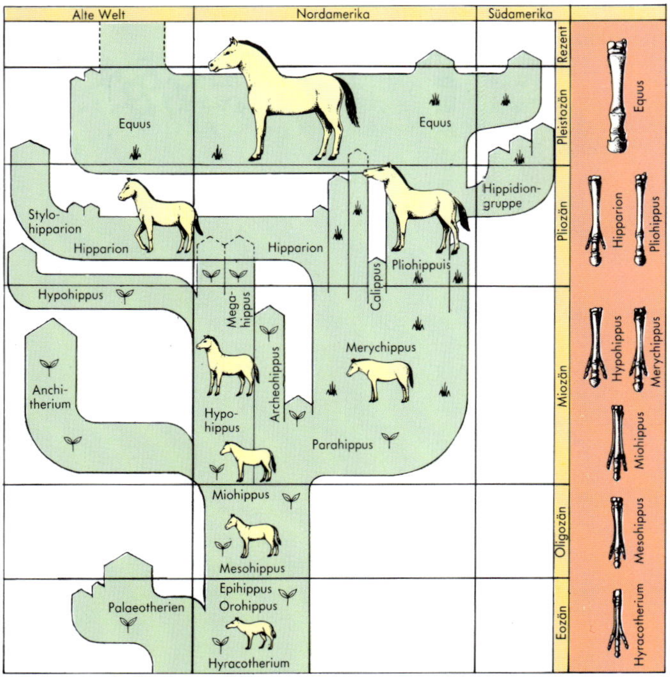

Pferde: Schema der stammesgeschichtlichen Entwicklung; die in ein Feld mit Laubblättern bzw. Grasbüscheln gestellten Tiere waren Laub fressende oder Gras fressende Pferde, die neben die Tiere gestellten Gliedmaßenskelette (abgebildete Hinterextremitäten) zeigen die Entwicklung vom dreizehigen Hyracotherium zum Einhufer (Pliohippus, Equus)

nach Rasse allerdings frühestens mit 24–30 Monaten. Die Brunst der Stuten **(Rosse)** dauert zw. 3 und 15 (selten 30) Tage. Die Trächtigkeitsdauer liegt zw. 320 und 336 (bis 360) Tagen. Einzelgeburten sind beim P. die Regel; Zwillingsgeburten sind selten. Das Fohlen saugt zw. vier und fünf Monate bei der Mutter; dann wird es abgesetzt. Die Aufzucht der Fohlen und Jung-P. erfolgt meist in Gruppen. Die Ausbildung zum Renn-, Reit-, Wagen- oder Zugpferd beginnt zw. dem 2. und 4. Lebensjahr.

Pferde

Pferde schlafen meist im Stehen, und es ist für sie nichts Ungewöhnliches, einen Monat oder länger stehen zu bleiben. Pferdebeine haben ein einzigartig ineinander greifendes System von Bändern, Sehnen und Knochen, das mühelos wie eine Schlinge das Körpergewicht auffängt, während die Muskeln vollständig entspannt bleiben. Deshalb brauchen Pferde keine bewusste Anstrengung zu machen, um stehen zu bleiben: Ihre Beine sind während des Schlafens wie verriegelt.
Schlaf im Stehen hatte in Zeiten des Lebens in der Wildnis große Vorteile, weil die Pferde dadurch weniger verwundbar und einem überraschenden Angriff ausgesetzt waren, als wenn sie auf dem Boden gelegen hätten.

Die Größe der Hauspferderassen variiert zw. 180 cm Widerristhöhe (Stockmaß), z. B. beim engl. Shire Horse, und 71 cm, z. B. beim argentin. Falabella. Nach Fell- und Langhaarfarbe unterscheidet man **Braune** (hell- bis dunkelbraunes Fell, schwarzes Langhaar und schwarze Füße), **Füchse** (rotbraunes Fell und ebensolches Langhaar, in stark variierender Schattierung vom hellen Lehmfuchs bis zum fast schwarzen Kohlfuchs), **Rappen** (schwarzes Fell und schwarzes Langhaar) sowie **Schimmel** (weißes Fell, weißes Langhaar, dunkle Augen); besondere Farbschläge sind Isabellen und Falben. Einzelne weiße Haare im Fell bezeichnet man als Stichelhaare; treten sie vermehrt auf, heißen die P. Rotschimmel, Rappschimmel oder Apfelschimmel. Vielfach weisen die P. auch mehr oder weniger große weiße Abzeichen im Fell auf, meist auf dem Nasenrücken (z. B. Blesse) oder an den Füßen. P. mit weißer Grundfarbe und unregelmäßig geformten braunen und/oder schwarzen Flecken auf dem Körper heißen → Schecken. – Aufgrund des Temperamentes und der Körperform erfolgt eine Einteilung in Vollblut-, Warmblut- und Kaltblutpferde. Zu den temperamentvollen und leicht gebauten **Vollblut-P.** gehören das Arab. und Engl. Vollblut sowie die Traber; es sind in erster Linie Sportpferde. Unter dem Begriff **Warmblut-P.** sind alle Rassen zusammengefasst, die sich als Reit- und Wagen-P. sowie für den leichten Zug eignen; hier wird noch zw. Edlem Warmblut und Schwerem Warmblut unterschieden. Das **Kaltblut-P.** ist ein auf Masse und Starkknochigkeit für den schweren Zug gezüchteter frühreifer Typ mit ruhigem Temperament.

Wirtschaftliches: Der Bestand betrug (1996) in Dtl. rund 652 000. Als Hauptmängel im P.-Handel gelten: Rotz, Dummkoller, Dämpfigkeit, Kehlkopfpfeifen, period. Augenentzündung (→ Mondblindheit), Koppen.

Recht: Für Reiter und Führer von P. gelten die für den Fahrverkehr bestehenden Verkehrsregeln sinngemäß (§ 28 StVO). Für Schäden, die durch P. verursacht werden, haftet der Tierhalter nach den Grundsätzen der → Gefährdungshaftung, §§ 833 ff. BGB.

Kulturgeschichte: Die Domestikation des vorher nur gejagten Wild-P. setzte in N- und W-Europa im 4. Jt. v. Chr. ein. Spätneolith. Domestikationszentren befanden sich im S Sibiriens, im Altai- und Sajangebirge sowie in Zentralasien. Um die Mitte des 2. vorchristl. Jt. sind P. als Last-, Reit- und Opfertiere in Indien und China bekannt. Aus dieser Zeit stammen auch die ersten Reiterbilder (u. a. Ritzzeichnungen auf Knochen). Aus dem Zweistromland stammt die älteste schriftl. Urkunde über die Existenz von P. (um 2000 v. Chr.). Nach Ägypten kamen die P. im 17. Jh. v. Chr. In Griechenland spielte die Reiterei nur eine geringe Rolle. Auch die Römer erkannten erst spät die Bedeutung eines schlagkräftigen Reiterheeres. – Das P. hatte in vielen, bes. den indoeurop. Religionen große Bedeutung. Es galt als Amme des Menschen (man trank Stutenmilch und daraus hergestellten Kumys) und wurde oft zum Träger der Seelen Verstorbener. Als wertvollster Besitz wurde es den Toten ins Grab mitgegeben. Viele Götter wurden beritten, andere in P.-Gestalt dargestellt. Sowohl bei den Sumerern (Schamasch) als auch bei den Iraniern (Mithra), Griechen (Helios) und Römern (Sol) fuhr der Sonnengott vierspännig über den Himmel, den Wagen des Hindu-Sonnengottes Surya zogen sieben Pferde. P.-Opfer sind für viele Völker bezeugt. P.-Schädel wurden in Bäumen und an Giebeln aufgehängt, u.a. als Schutz gegen Dämonen.

📖 BLENDINGER, W.: *Psychologie u. Verhaltensweise des P. Berlin u.a.* ^{5}*1988*. – SCHÄFER, M.: *Die Sprache des P. Lebensweise, Verhalten, Ausdrucksformen. Neuausg. Stuttgart 1993*. – BUURMAN-PAUL, U. *u.* PAUL, W.: *Moderne Pferdezucht u. Haltung. Vererbung, Trächtigkeit, Geburt u. Aufzucht. München u.a.* ^{5}*1994*. – STRAITON, E. C.: *Pferdekrankheiten erkennen u. behandeln. A.d. Engl. München u.a.* ^{11}*1995*.

Pferdeböcke: Weiße Oryx

Pferdeböcke (Hippotragini), Unterfamilie großer, kräftiger Antilopen in Afrika; beide Geschlechter mit langen, spießartigen oder nach hinten gebogenen Hörnern. Zu den P. gehören u.a.: Oryxantilope (Spießbock, mit den Unterarten Säbelantilope und Weiße Oryx, fast ausgerottet), Pferdeantilope und Rappenantilope.

Pferdebohne, svw. Saubohne, →Bohne.

Pferdegrippe (Pferdeinfluenza, Pferderotlaufseuche), meist 3–5 Tage dauernde, akute Viruserkrankung beim Pferd; gekennzeichnet durch Fieber, Entzündung der Schleimhäute, Lichtempfindlichkeit und Husten sowie Schwellungen der Augenpartien und des Kehlkopfs.

Pferdekopfnebel, eine Dunkelwolke etwa in Form eines Pferdekopfes vor einem Emissionsnebel im Sternbild Orion.

Pferdekopfnebel

Pferdemagenbremse, eine Fliege, →Magenbremsen.

Pferderennen, Wettbewerbe von Pferden in der jeweiligen Renngangart auf speziellen Rennbahnen. **Galopprennen** werden in der Gangart Galopp »unter dem Sattel« (leichter Rennsattel für den Reiter) gewöhnlich auf ovalen Bahnen mit Grasnarbe als Flach- und als →Hindernisrennen ausgetragen. Flachrennen erfolgen auf versch. Streckenlängen (1000–4000 m). Die Ergebnisse sind für die Vollblutzucht bedeutend. Klass. Rennen werden für dreijährige Pferde als Zuchtrennen ausgetragen, Wallache sind nicht startberechtigt. **Trabrennen** sind Leistungsprüfungen für Traber nach dem Tierzuchtgesetz und finden in der Gangart Trab auf ovalen Bahnen (Sandschicht) statt; Streckenlänge 1600–2600 m. Der Fahrer sitzt in einem Sulky. – Dachverband für den Galopprennsport in Dtl. ist das Direktorium für Vollblutzucht und Rennen e.V. in Köln, für den Trabrennsport der Hauptverband für Traber-Zucht und -Rennen e.V. in Kaarst.

Pferdesport, sportl. Einsatz des Pferdes sowohl »unter dem Sattel« (**Reitsport, Reiten** in den olymp. Disziplinen Dressurreiten, Springreiten

Pferdesport

Bei Ausgrabungen in der alten Hethiterhauptstadt Hattusa (heute Boğazkale) fanden sich fünf Tontafeln, auf denen ein von König Kikkuli verfasstes 187-Tage-Trainingsprogramm für Pferde an leichten Streitwagen verzeichnet ist. Tag für Tag sind Ernährung, Trainingsbelastung, therapeutische und hygienische Maßnahmen bis ins Detail festgelegt. Mancher Trabercoach könnte in der Schrift noch heute wertvolle Tips finden.

Robert Pferdmenges

und Vielseitigkeit sowie im Distanzreiten, Westernreiten, Wanderreiten) als auch im »Gespann« (**Fahrsport,** →Fahren). Älteste P.-Arten sind das Pferderennen und versch. Kampfspiele zu Pferd. – Für alle P.-Veranstaltungen in Dtl. außer Pferderennsport (Galopprennen, Trabrennen, →Pferderennen, →Hindernisrennen) und bestimmte Sportspiele zu Pferd (z.B. Polo) sowie für die Eintragung der Pferde und für die Genehmigung der Geldpreise ist die Dt. Reiterl. Vereinigung (Abk. FN für Fédération Nationale, Sitz: Warendorf) verantwortlich, in *Österreich* der Bundesfachverband für Reiten und Fahren (Sitz: Wien) und in der *Schweiz* der Schweizer. Verband für P. (Sitz: Ostermundigen). Internat. Dachverband ist die Fédération Equestre Internationale (FEI) mit Sitz in Bern.

Pfifferling (Hutdurchmesser bis zu 8 cm)

Pferdestärke, Einheitenzeichen **PS,** nichtgesetzl. Einheit der Leistung. 1 PS = 75 kp · m/s = 0,73549875 kW.

Pfingsten

Pfingsten ist in den christlichen Kirchen der festlich begangene Schlusstag der 50-tägigen Osterzeit, der inhaltlich verschieden ausgeprägt ist. So gilt Pfingsten in den Kirchen des Westens als Fest der Herabsendung des Heiligen Geistes und der Gründung der Kirche; in den Ostkirchen ist Pfingsten das Hochfest der Dreifaltigkeit und der Geistsendung. Als christliches Fest wird Pfingsten erstmals um 130 genannt; im 4. Jahrhundert wurde es zu einem zweiten Tauftermin neben Ostern.

Pfingsten ist von der beginnenden Sommerzeit und von vermutlich vorchristlichen Fruchtbarkeitskulten (z.B. Flurumgänge, Spenden des Wettersegens) geprägt. In vielen Orten waren Brunnenfeste (dem Pfingstwasser wurde besondere Heilkraft nachgesagt) üblich; Brunnen, aber auch Häuser, Ställe und Fahrzeuge wurden mit grünen Zweigen (»Pfingstmaien«) und Blumen geschmückt. Das Aufstellen von Pfingstbäumen und Pfingstlauben gehörte ebenso zum Brauchtum wie die Personifizierung des Festes durch laubumhüllte Maskengestalten. Da früher zu Pfingsten auch der Weideauftrieb begann, schmückte man in Mecklenburg das erste oder letzte Tier bzw. den zum Braten bestimmten »Pfingstochsen«.

Pferdmenges, Robert, Bankier und Politiker (CDU), *Mönchengladbach 27. 3. 1880, †Köln 28. 9. 1962; 1931–54 Teilhaber des Bankhauses Sal. Oppenheim jr. & Cie., Köln; 1949–62 MdB, als Mitbegründer der CDU Wirtschafts- und Finanzberater K. Adenauers.

Pfette, *Bautechnik:* im Dachstuhl längs verlaufende Balken (First-, Fuß-, Mittel-P.) zur Aufnahme der Sparren. BILD Dach

Pfifferling [ahd. phifera, zu Pfeffer] (Echter P., Eierschwamm, Gelbschwämmchen, Pfefferling, Cantharellus cibarius), Leistenpilz der Laub- und Nadelwälder; erscheint Juli bis Ende Sept.; Hut 3–8 cm breit, oft trichterförmig vertieft; wertvoller Speisepilz.

Pfingstbewegung, Sammelbez. für versch., aus der amerikan. Heiligungsbewegung des 19. Jh. entstandene religiöse Gemeinschaften **(Pfingstgemeinden, Pfingstkirchen),** in deren Zentrum die Taufe im Hl. Geist (»Geisttaufe«) steht, die sich in versch. Geistesgaben (Zungenreden [→Glossolalie], Prophetie, Krankenheilungen) zeigt. Allen gemeinsam sind fundamentalist. Bibelverständnis, rigorist. Ethik (Heiligung des Alltags), ekstat. Frömmigkeit, ein von der Apokalyptik geprägtes Geschichtsverständnis und ein starker Missionsdrang. Die Pfingstkirchen sind heute bes. in den USA und der Dritten Welt vertreten.

Pfingsten [grch. pentekostē »der fünfzigste (Tag nach Ostern)«], im Judentum das →Wochenfest; in den christl. Kirchen der Abschluss der Osterzeit (kath. Kirche: der 8. Sonntag der Osterzeit, evang. Kirchen: der 7. Sonntag nach Ostern); in den abendländ. Kirchen das Fest der Sendung des Hl. Geistes und Begründung der Kirche, in den Ostkirchen der Trinität (Pfingstsonntag) und der Geistsendung (Pfingstmontag). – *Brauchtum:* Pfingstbäume, Flurumritte, Ringreiten (Pfingstreiten), Königsschießen (Schützenfest), Jahrmärkte, Brunnenfeste. Mancherorts schmückt man das erste oder letzte Tier beim ersten Weidenauftrieb an P. **(Pfingstochse).**

Pfingstrose (Päonie, Paeonia), Gattung der P.-Gewächse mit mehr als 30 Arten in Europa, Asien und Nordamerika; ausdauernde Pflanzen mit großen, weißen, gelben, rosafarbenen oder roten Blüten. Die wichtigsten Arten sind die **Edelpäonie** (**Chines. P.,** Paeonia lactiflora) mit mehr als 3000 Gartenformen, die **Strauch-P.** (Paeonia suffruticosa) und die **Echte P.** (**Bauern-P.,** Bauernrose, Gichtrose, Klatschrose, Paeonia officinalis).

Pfinzgau, Landschaft am Oberrhein, Bad.-Württ., zw. Schwarzwald und Kraichgau; fruchtbare, lössbedeckte Gäulandschaft.

Pfinztal, Gemeinde im Landkreis Karlsruhe, Bad.-Württ., 15300 Ew.; Inst. für Chemie der Treib- und Explosionsstoffe; Baustoffindustrie.

Pfirsichbaum: Zweige mit Blüten und mit reifen Früchten

Pfirsichbaum (Prunus persica), in vielen Ländern der Erde angepflanztes Rosengewächs; bis 8 m hoher Baum oder baumartiger Strauch. Die essbaren, seidig behaarten Steinfrüchte **(Pfirsiche)** haben eine deutlich hervortretende Bauchnaht und einen dickschaligen Kern. Eine glattschalige Varietät sind die **Nektarinen.**

Pfitzner, Hans, Komponist, *Moskau 5. 5. 1869, †Salzburg 22. 5. 1949; war 1908–18 Städt. Musikdirektor und Direktor des Konservatoriums in Straßburg, 1910–16 auch Operndirektor; 1920–29 Prof. an der Akademie der Künste in Berlin, danach bis 1934 an der Akademie der Tonkunst in München. P. gelangte, von der Romantik ausgehend, zu einer eigenen Tonsprache modernen Charakters. Seine von R. Wagner, R. Schumann und J. Brahms beeinflusste Musik kennzeichnen groß geschwungene Melodik, polyphone Stimmführung und eine stark erweiterte, aber auf der Tonalität beruhende Harmonik.

Werke: Opern: Der arme Heinrich (1895); Die Rose vom Liebesgarten (1901); Palestrina (1917) u.a.; Chorwerke mit Orchester: Von deutscher Seele (1921); Das dunkle Reich (1929) u.a.; ferner Orchesterwerke, Kammermusik, Chöre, über 100 Lieder, Schauspielmusiken.

📖 Vogel, J. P.: *H. P. Reinbek 1989.*

Hans Pfitzner

Pflanzen [lat. planta], formenreiche, rd. 360 000 Arten umfassende Organismengruppe, die in weiten Gebieten der Erde das Landschaftsbild prägt und seit dem Präkambrium nachweisbar ist. Zu den P. zählen die Samen-P., Farne, Moose und Algen, jedoch nicht die →Pilze und die →Cyanobakterien. – P. sind im Allg. autotroph, d.h., sie bauen mithilfe des Sonnenlichts (→Photosynthese) ihre organ. Körpersubstanz aus anorgan. Material auf. Damit schaffen sie die Existenzvoraussetzungen für einige heterotrophe P., die heterotrophen Tiere und den Menschen, die ihre Körpersubstanz nur aus organ., von P. aufgebautem Material bilden können. Die **Algen** sind die ursprünglichste P.-Gruppe. Sie können einzellig sein sowie lockere Zellkolonien oder einfache Zellfäden bilden. Nur einige Ordnungen der Braun-, Grün- oder Rotalgen besitzen einen gegliederten Vegetationskörper (Thallus). Bei den **Moosen** andeutungsweise beginnend, tritt, fortschreitend über die **Farne** zu den **Samen-P.,** eine Gliederung des Vegetationskörpers (Kormus) in Wurzelsystem, Sprossachse und Blätter ein. – Die äußere Form (morpholog. Organisation) der P. ist der autotrophen Lebensweise durch Ausbildung großer äußerer Oberflächen (Blätter, verzweigte Spross- und Wurzelsysteme) zur Aufnahme der Sonnenenergie und von Nährstoffen am Standort angepasst. Unterschiede in Zahl, Anordnung und Größe sowie Metamorphosen der Grundorgane verursachen die Formenvielfalt der Pflanzen.

Grundbaustein der inneren Organisation der P. ist die →Zelle. Die Fortpflanzung und Vermehrung erfolgt geschlechtlich durch Vereinigung von Geschlechtszellen oder ungeschlechtlich durch Sporen. Viele P. vermehren sich zusätzlich vegetativ durch Zellverbände, die sich von der Mutter-P. ablösen. Auf Außenreize reagieren P. durch versch. Organbewegungen (→Tropismus); frei bewegliche Algen zeigen ortsverändernde →Taxien. Dem Menschen, der P. schon frühzeitig in Kultur nahm, liefern sie Nahrungs-, Futter- und Heilmittel sowie Rohstoffe für Kleidung, Behausung und Werkzeuge. – Über bedrohte P.-Arten →Rote Liste.

📖 Raven, P. H. *u.a.: Biologie der P. Aus dem Engl. Berlin u.a. 1988.* – Grohmann, G.: *Die Pflanze. Ein Weg zum Verständnis ihres Wesens,*

Pfingstrose: Edelpäonie (Höhe 60–80 cm)

Pfingstrose

In der Antike werden zwei Arten der Pfingstrose beschrieben; die Wurzel der einen Art diente als Arzneimittel bei Frauenleiden. Nach Plinius d. Ä. (1. Jahrhundert n. Chr.) ist die Pfingstrose die älteste Gartenblume. Die Kräuterbuchautoren des 16. Jahrhunderts erwähnen die Verwendung der Wurzel als Amulett gegen »Gespenster« und Epilepsie. Großblütige Arten werden in China seit Jahrhunderten kultiviert; sie wurden durch Niederländer Ende des 17. Jahrhunderts in Europa bekannt gemacht.

2 Bde. Stuttgart 1991. – Urania-Pflanzenreich, 5 Bde. Neuausg. Leipzig u. a. 1991–95.

Pflanzenfarbstoffe, chem. Verbindungen, die in Pflanzenorganen eine Färbung bewirken: **Chymochrome P.** sind wasserlöslich (z. B. in Blüten- und Laubblättern), **plasmochrome P.** fettlöslich (das Chlorophyll), **membranochrome P.** sind in die Zellwände eingelagert (Strohblumen).

Pflanzenfresser (Phytophagen), Tiere, die sich von Pflanzen ernähren, →Ernährung.

Pflanzengeographie (Geobotanik, Phytogeographie), Teilgebiet der Botanik; untersucht die Verbreitung und Vergesellschaftung von Pflanzen nach der räuml. Ausbreitung der einzelnen Arten **(florist. P.),** ihrer Abhängigkeit von Umweltfaktoren **(ökolog. P.),** den histor. Bedingungen ihrer Verbreitung **(Vegetationsgeschichte)** sowie nach Zusammensetzung und Entwicklung der Pflanzengesellschaft **(Pflanzensoziologie, Vegetationskunde).**

Pflanzengesellschaft, aus versch. Pflanzenarten zusammengesetzte Gemeinschaft von Pflanzen mit gleichen oder ähnlichen ökolog. Ansprüchen, z. B. Laubwald, Tundra, trop. Regenwald.

Pflanzenheilkunde, 1) *Botanik:* die →Phytomedizin.

2) *Medizin:* die →Phytotherapie.

Pflanzenhormone (Phytohormone), von den höheren Pflanzen synthetisierte hormonähnliche Stoffe; steuern physiolog. Reaktionen wie Wachstum, Blührhythmus, Zellteilung und Samenreifung. Zu den P. gehören u. a. Auxine, Gibberelline und Zytokinine sowie Äthylen.

Pflanzenkrankheiten, abnorme Lebenserscheinungen der Pflanzen. **Nichtparasitäre P.** werden durch abiot. Faktoren wie Überschuss oder Mangel an Wasser und Nährstoffen, Frost, Hitze, Luftverunreinigungen, Bodenvergiftungen u. Ä. hervorgerufen. **Parasitäre P.** werden durch tier. Schädlinge oder Viren, Bakterien, Pilze verursacht. – Meldepflichtig sind in Dtl. das Auftreten (und der Verdacht) von Kartoffelkrebs, von Kartoffelnematoden, der San-José-Schildlaus, der Reblaus, des Blauschimmels (Tabak), des Feuerbrands (Obst), der Scharkakrankheit (Pflaume).

📖 ELSTNER, E. F. *u. a.: Phytopathologie. Allg. u. biochem. Grundlagen. Heidelberg u. a. 1996.*

Pflanzenkrebs, bösartige Veränderungen pflanzl. Gewebe, wobei sich Wucherungen versch. Form entwickeln, die als Obstbaumkrebs, Wurzelkropf, Mauke, Hernie, Tuberkeln bezeichnet werden. Erreger sind Viren, Bakterien und Pilze.

Pflanzenkunde, die →Botanik.

Pflanzenläuse, →Blattläuse, →Schildläuse.

Pflanzennährstoffe, Sammelbez. für die von autotrophen Pflanzen aufnehmbaren und für deren Wachstum in bestimmten Mengen und Mengenverhältnissen erforderlichen chem. Elemente und Verbindungen.

Pflanzen|ökologie, die Lehre von den Wechselbeziehungen zwischen Pflanzen und Umwelt (→Ökologie).

Pflanzensauger (Gleichflügler, Homopteren, Homoptera), weltweit verbreitete Ordnung wanzenartiger Landinsekten. P. besitzen einen Saugrüssel zum Einsaugen von Säften aus pflanzl. Gewebe; die vier weichhäutigen Flügel sind – soweit vorhanden – gleichartig häutig ausgebildet (im Ggs. zu den Wanzen); unvollkommene Verwandlung. Viele Arten schädigen Kulturpflanzen. Man unterscheidet Pflanzenläuse und Zikaden.

Pflanzenschutz, 1) *Kulturpflanzenschutz:* zusammenfassende Bez. für alle biolog., physikal. und chem. Maßnahmen, um Bestände von Kulturpflanzen und Vorräte vor Schadorganismen und abiot. Schäden (z. B. Temperatur, Wind) zu schützen. Der Schutz der Pflanzen erstreckt sich auf die Vermeidung von Infektionen mit Mikroorganismen oder deren Bekämpfung, auf die Vermeidung von Fraßschäden durch Insekten und deren Larven sowie durch Schnecken, Wild, Nagetiere, Vögel u. a., auf die Abwehr parasit. Insekten oder Fadenwürmer und auf die Bekämpfung von Wildkräutern, die mit Nutzpflanzen um Wasser, Licht, Nährstoffe konkurrieren oder auf ihnen parasitieren. **Mechan. Methoden** des P. sind Umzäunungen gegen Fraßschäden, Vogelscheuchen oder die akust. Vertreibung von Vögeln, mechan. Entfernung kranker Pflanzen oder Pflanzenteile oder von Wildkräutern, das Einsammeln und Vernichten von Schnecken oder Insekten. **Biolog. Methoden** sind die Begünstigung natürl. Feinde von Schadorganismen, der Einsatz parasitierender (z. B. Schlupfwespen) oder räuber. Insekten (z. B. Marienkäfer) oder von insektenpathogenen Pilzen oder Bakterien, das Aussetzen sterilisierter Männchen und die Resistenzzüchtung. **Chem. Methoden** des P. umfassen den Einsatz von →Pflanzenschutzmitteln, von Insektenhormonen oder analogen Verbindungen sowie den Einsatz von Insektenlockstoffen in Fallen, u. a. von Sexualhormonen. Ziel des **integrierten P.** ist es, die P.-Maßnahmen im Sinne einer besseren Umweltverträglichkeit zu optimieren. Hierbei sollen alle wirtsch., ökolog. und toxikolog. Verfahren dazu verwendet werden, die Schadorganismen unter der wirtsch. Schadensschwelle zu halten, wobei die Ausnutzung natürl. Begrenzungsverfahren im Vordergrund steht. Eine solche P.-Strategie zielt ab auf sinnvolles Zusammenwirken von Maßnahmen des Pflanzenbaus, der Landtechnik in Abstimmung mit Standort und Umweltbedingungen und schließlich mit dem auf das Notwendigste beschränkten Einsatz chem.

Mittel, da diese v.a. auch durch Rückstandsbildung in Nahrung und Umwelt problematisch sind.

Die Organisation amtl. P.-Dienststellen in Dtl. besteht aus forschenden, überwachenden und administrativen Institutionen. Dazu gehört v.a. die dem Bundesministerium für Ernährung, Landwirtschaft und Forsten unterstellte Biolog. Bundesanstalt für Land- und Forstwirtschaft in Braunschweig. Rechtlich wird der P. in Dtl. durch das P.-Gesetz (vom 15. 9. 1986) geregelt.

📖 BÖRNER, H.: *Pflanzenkrankheiten u. P. Stuttgart* [6]*1990. – P. an Zier- u. Nutzpflanzen, Beiträge v.* M. BÜRKI *u.a. Neuausg. Braunschweig 1990.*

2) *Naturschutz:* der Schutz von Wildpflanzen (→Naturschutz).

Pflanzenschutzmittel, nach dem Pflanzenschutz-Ges. vom 15. 9. 1986 definiert als chem. Präparate, die Pflanzen und Pflanzenerzeugnisse vor Schadorganismen oder anderen Beeinträchtigungen schützen sowie als Wachstumsregler oder Keimungshemmer eingesetzt werden. Die häufig synonym gebrauchte Bez. **Pestizide** schließt die im häusl. Hygienebereich eingesetzten Präparate mit ein. Nach dem Anwendungsbereich können P. eingeteilt werden in →Akarizide, Bakterizide, →Fungizide, →Herbizide, →Insektizide, →Molluskizide, →Nematizide und →Rodentizide. P. können als Berührungs-(Kontakt-), Ätz-, Fraß- oder Atemgifte einwirken; sie werden als Gase, Staub, Granulat oder flüssig angewendet; Rückstände werden bei Verzehr oder Verfütterung aufgenommen; sie können umweltgefährdend sein und zu gesundheitl. Schäden führen. Höchstmengen von P. auf Lebensmitteln werden durch die Biolog. Bundesanstalt und durch das Bundesinstitut für gesundheitl. Verbraucherschutz und Veterinärmedizin vor Zulassung unter Berücksichtigung folgender Angaben geprüft: →No-Effect-Level, →ADI-Wert, →Permissible Level und →Permitted Level (→Höchstmengenverordnung). Die Anwendung bes. persistenter Chlorkohlenwasserstoffe ist in Dtl. weitgehend verboten (z.B. DDT).

Pflanzensoziologie (Vegetationskunde), Lehre von der Entstehung, Entwicklung und Zusammensetzung der Pflanzengesellschaften; Teilgebiet der Pflanzengeographie.

Pflanzenwespen (Sägewespen, Symphyta), Unterordnung der Hautflügler mit breit am Vorderkörper ansitzendem Hinterleib, also ohne »Wespentaille«. Die Weibchen setzen mit einem sägeartigen Legebohrer (kein Wehrstachel) die Eier in Pflanzen. Die Larven leben in oder an Pflanzen und spinnen zur Verpuppung Kokons; z.T. Garten- und Forstschädlinge.

Pflanzenzüchtung (Pflanzenzucht), die Schaffung neuer Kulturpflanzensorten, die den besonderen Standortverhältnissen oder den veränderten Anbaumethoden und Ansprüchen des Menschen angepasst sind. Durch Kreuzung oder durch Erzeugung von Mutationen treten neue Erbmerkmale auf, sodass Formen mit neuen Eigenschaften entstehen. Ziel der P. ist es, v.a. ertragreichere, gegen schädigende Einflüsse beständigere, auch form- und farbschönere Sorten zu erhalten. Wichtige Methoden sind: Auslesezüchtung, Kreuzungs-, Hybrid- und Mutationszüchtung. Mit den Methoden der Gentechnologie werden einige Ziele wesentlich schneller erreicht.

📖 BECKER, H.: *P. Stuttgart 1993.*

Pflaumenbaum: Zweig der Zwetsche mit reifen Früchten

Pflaster [grch.], **1)** *Bautechnik:* fester Straßen- oder Bodenbelag, auch für Uferböschungen u.a.

2) *Pharmazie:* (Emplastrum) allg. Bez. für das als Verbandsmaterial verwendete **Heft-P.** Es besteht aus Rohgummi, das auf Textilgewebe aufgestrichen wird. Während Heft-P. nur mechan. Zwecken dient, können P. auch als Arzneimittelträger (z.B. Hühneraugen-, Zug-P.) verwendet werden; zur Versorgung kleinerer Wunden wird ein mit einer antiseptisch imprägnierten Auflagefläche versehenes selbstklebendes P. benutzt; auch aus Textilgewebe oder Kunststoff hergestelltes, mit Mull versehenes Verbandsmaterial, zum Schutz der Wunde vor Infektionen.

Pflaume [von lat. prunum], →Pflaumenbaum.

Pflaumenbaum (Prunus domestica), sehr nahe mit dem Schlehdorn verwandter, in zahlreichen Zuchtformen verbreiteter, 3–10 m hoher Obstbaum, mit kugeligen oder eiförmigen Steinfrüchten **(Pflaumen).** Unterarten: **Haferpflaume** (Haferschlehe, Krieche), Früchte kugelig, gelblich grün oder blauschwarz; **Mirabelle,** mit runden, hellgelben oder hellgrünen Früchten; **Reneklode** (Reineclaude), mit grünl., kugeligen Früchten; **Zwetsche** (Zwetschge), Früchte (Zwetschen,

Zwetschgen, Pflaumen) länglich eiförmig, dunkelblau, mit leicht abwischbarem Wachsüberzug.

Pflegebedürftigkeit, → Pflegeversicherung.

Pflegekennzeichen, international vereinbarte Symbole als Hinweis auf sachgemäße Reinigung und Pflege von Textilien.

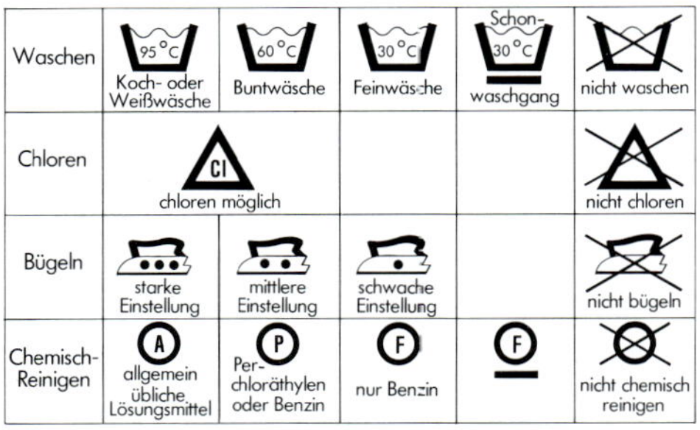

Pflegekennzeichen

Pflegekind, Kind (oder Jugendlicher), das sich regelmäßig außerhalb des Elternhauses in einem Heim (Heimpflege) oder in einer Familie (Familienpflege) zur Betreuung und Erziehung befindet. Bei der Familienpflege unterscheidet das Kinder- und Jugendhilfe-Ges. (SGB VIII) zw. Vollzeitpflege (§ 33) und Tagespflege (§ 23). Vor der Aufnahme eines P. ist die Erlaubnis des Jugendamtes einzuholen, die zu versagen ist, wenn das Wohl des Kindes oder Jugendlichen in der Pflegestelle nicht gewährleistet ist (§ 44). Tagespflege, die nicht als Gewerbe betrieben wird, bedarf keiner Erlaubnis.

pflegeleichte Textilien, nicht einheitlich normierte Bez. für Textilien aus Natur- oder Kunstfasern, die durch Veredelungsverfahren waschmaschinenfest, knitterarm, schmutz- und fleckabweisend gemacht und einfach zu bügeln sind.

Pflegesatz, Richtsatz für die Kosten der Unterbringung, Betreuung und Behandlung in Krankenhäusern, Pflegeheimen und Einrichtungen zur Rehabilitation Behinderter; wird vom Maßnahmeträger zus. mit den Sozialleistungsträgern festgesetzt.

Pflegeversicherung, 1) gesetzliche P., seit dem 1. 4. 1995 bestehender Zweig der Sozialversicherung, der unter dem Dach der gesetzl. Krankenversicherung (GKV) Leistungen bei Pflegebedürftigkeit erbringt. Die P. wird als fünfte Säule der Sozialversicherung bezeichnet. Rechtl. Grundlage ist das XI. Buch des Sozialgesetzbuchs (SGB). Träger der P. sind die **Pflegekassen,** deren Geschäfte von den Krankenkassen geführt werden. Die P. wird im Umlageverfahren über Beiträge finanziert, die die Versicherten und die Arbeitgeber je zur Hälfte tragen. Der Beitragssatz beträgt seit 1. 7. 1996 1,7 %. Dabei gilt die Beitragsbemessungsgrenze der GKV. Zur Finanzierung der P. wurde der Buß- und Bettag abgeschafft (nur in Sachsen wurde dieser beibehalten; die Arbeitnehmer tragen den P.- Beitrag dafür alleine). Versicherungspflichtig sind die Mitgl. der GKV; Mitgl. privater Krankenversicherungen können zw. einer privaten und der gesetzl. P. wählen. Beamte müssen zur beamtenrechtl. Beihilfe ergänzend eine private P. abschließen. Beitragsfrei mitversichert sind unterhaltsberechtigte Kinder und Ehepartner, sofern deren monatl. Einkommen unter der Geringfügigkeitsgrenze liegt (1998: 620 DM, neue Bundesländer: 520 DM).

Leistungen: Es wird unterschieden zw. Leistungen bei häusl. und stationärer Pflege, zw. Sach- und Geldleistungen sowie zw. Leistungen an den Pflegebedürftigen und an die Pflegeperson. **Pflegebedürftigkeit** liegt vor, wenn eine Person we-

Pflegeversicherung: Leistungen im Überblick (in DM)

Pflegeart	häusliche Pflege		Pflegevertretung[1]	Kurzzeitpflege	teilstationäre Tages- und Nachtpflege	vollstationäre Pflege	Pflege in vollstationären Einrichtungen der Behindertenhilfe
Aufwandsart	Pflegesachleistung bis DM monatlich	Pflegegeld DM monatlich	Pflegeaufwendungen bis zu 4 Wochen im Kalenderjahr bis DM	Pflegeaufwendungen bis DM im Jahr	Pflegeaufwendungen bis DM monatlich	Pflegeaufwendungen bis DM monatlich (pauschal)	Pflegeaufwendungen in Höhe von
Pflegestufe I erheblich Pflegebedürftige	750	400	400[2]	2 800	750	2 000	10 % des Heimentgelts, höchstens 500 DM monatlich
Pflegestufe II Schwerpflegebedürftige	1 800	800	800[2]	2 800	1 500	2 500	
Pflegestufe III Schwerstpflegebedürftige	2 800 (3 750[3])	1 300	1 300[2]	2 800	2 100	2 800 (3 300[3])	

[1] bei nicht erwerbstätiger Pflege; bei professioneller Pflege bis zu 2 800 DM in allen Pflegestufen. – [2] auf Nachweis werden den ehrenamtlichen Pflegepersonen notwendige Aufwendungen (Verdienstausfall, Fahrkosten usw.) bis zum Gesamtbetrag von 2 800 DM erstattet. – [3] in besonderen Härtefällen

gen Krankheit oder Behinderung für die gewöhnl. und regelmäßig wiederkehrenden Verrichtungen des tägl. Lebens auf Dauer erhebl. Hilfe braucht. Dabei werden drei Stufen unterschieden. Stufe I: erhebl. Pflegebedürftigkeit (Hilfebedarf einmal täglich), Stufe II: Schwerpflegebedürftigkeit (Hilfebedarf dreimal täglich), Stufe III: Schwerstpflegebedürftigkeit (Hilfebedarf rund um die Uhr). In der häusl. Pflege wird bei der Inanspruchnahme von Pflegeleistungen durch eine Sozialstation (»Sachleistung«) ein bestimmter Betrag gezahlt. Dieser ist wie auch die übrigen Leistungen nach der Pflegestufe gestaffelt. Das an den Pflegebedürftigen gezahlte Pflegegeld kann mit der Pflegesachleistung kombiniert werden. Bei Verhinderung der Pflegeperson wird Geld für eine Pflegevertretung gezahlt. Die P. übernimmt die Kosten für Pflegemittel (z.B. Rollstuhl, Pflegebett), gewährt Zuschüsse für den pflegebedingten Umbau der Wohnung und bietet Pflegepersonen unentgeltl. Pflegekurse an. Weitere Leistungen erbringt die P. für die stationäre Pflege in Pflegeheimen. Die Kosten für Unterbringung und Verpflegung trägt der Pflegebedürftige. Für **Pflegepersonen,** d.h. Personen, die einen Pflegebedürftigen in seiner häusl. Umgebung oder in einem anderen Haushalt pflegen, also v.a. Angehörige oder Nachbarn, übernimmt die Pflegekasse die Zahlung von Rentenversicherungsbeiträgen.

📖 BÄCKER, G. *u.a.: Die sozialen Dienste vor neuen Herausforderungen. Münster 1995. – Die Wirkungen des Pflege-Versicherungsgesetzes, hg. v.* U. FACHINGER *u.* H. ROTHGANG. *Berlin 1995.*

2) private P., die von den privaten Krankenversicherungsunternehmen durchgeführte P., die den Leistungen der gesetzl. P. entspricht. Weil der Gesetzgeber die am 1. 1. 1995 freiwillig in der privaten Krankenversicherung Versicherten zum Abschluss einer privaten P. verpflichtet hat, gelten für diese Personen günstigere Bedingungen als für die nach diesem Datum hinzu gekommenen privat Versicherten. Die Prämienhöhe richtet sich alleine nach dem Eintrittsalter. Arbeitnehmer, die in einer privaten P. sind, erhalten einen Beitragszuschuss von ihrem Arbeitgeber. Beihilfeberechtigte Beamte zahlen einen geringeren Beitrag.

Pflegschaft, die Fürsorge einer Person (Pfleger) für eine in rechtl. Hinsicht hilfsbedürftige Person oder für ein Vermögen. Im Unterschied zur →Vormundschaft bezieht sich die P. nur auf einzelne Angelegenheiten, zu deren Wahrnehmung vom Vormundschafts- bzw. Nachlassgericht eine P. bestellt wird (§§1909ff., 1960, 1706 BGB). Bei der P. werden grundsätzlich die Vorschriften über die Vormundschaft angewendet. Das Gesetz kennt die Fälle der Ergänzungs-P. für denjenigen, der unter elterl. Sorge oder Vormundschaft steht, für Angelegenheiten, an deren Besorgung Eltern oder Vormund rechtlich oder tatsächlich gehindert sind; ferner die P. wegen Abwesenheit, die P. für eine Leibesfrucht, die P. für unbekannte Beteiligte einer Rechtsangelegenheit, die P. für ein Sammelvermögen sowie die Nachlass-P. (§1960 BGB); die Amts-P. für ein nichtehel. Kind wurde zum 1. 7. 1998 beseitigt. An die Stelle der früheren Gebrechlichkeits-P. ist seit dem 1. 1. 1992 das Rechtsinstitut der →Betreuung getreten. – Das *österr.* Recht verwendet anstelle des Begriffs P. die Bez. **Kuratel** (§§269ff. ABGB). In der *Schweiz* entspricht der P. die **Beistandschaft** (Art. 392ff. ZGB).

Pflicht, 1) *Ethik:* eine verbindl. Aufgabe oder Handlung, die ihre Begründung in Normen, Instanzen, Moralvorstellungen oder freier Vernunftentscheidung findet (Kant); der berufl. oder gesellschaftl. Aufgabenkreis, dessen Erfüllung zugleich als sittl. Forderung empfunden werden kann; auch die sittl. Forderung überhaupt.

2) *Sport:* (Pflichtübung) Wettkampfteil mit vorgeschriebenen Elementen, u.a. im Kunstturnen, Rollkunstlauf, Kunstflug.

Pflichtenkollision, *Strafrecht:* die nicht rechtswidrige Verletzung einer Rechtspflicht durch eine Handlung, wenn diese Handlung das einzige Mittel war, um eine andere, höherrangige Rechtspflicht zu erfüllen, und wenn der Handelnde sich aufgrund einer Abwägung der Pflichten entschieden hat.

Pflicht|exemplar, das von jedem in Dtl. erscheinenden Druckwerk an die Dt. Bibliothek in Frankfurt am Main und die Dt. Bücherei in Leipzig unentgeltlich abzuliefernde Pflichtstück (§18 Ges. über die Dt. Bibliothek vom 31. 3. 1969).

Pflichtprüfung, gesetzlich vorgeschriebene Prüfung der Rechnungslegung bestimmter Unternehmen. Sie ist durch öffentlich bestellte Wirtschaftsprüfer oder Wirtschaftsprüfungs-Ges., genossenschaftliche Prüfungsverbände u.a. vorzunehmen. Prüfungspflichtige Unternehmen sind Aktiengesellschaften, Unternehmen bestimmter Größen und Wirtschaftszweige, Genossenschaften, Stiftungen, Wirtschaftsbetriebe der öffentl. Hand.

Pflichtteil, derjenige Teil seines Vermögens, von dem der Erblasser die P.-Berechtigten (seine ehel. und nichtehel. Kinder und Kindeskinder, seine Eltern und seinen Ehegatten) trotz der grundsätzl. Testierfreiheit nicht durch Testament von der Erbfolge ausschließen kann, es sei denn, sie haben sich schwerer, schuldhafter Verfehlungen gegen den Erblasser schuldig gemacht (§§2303ff. BGB). Der P.-Anspruch besteht in einem Geldanspruch gegen den oder die Erben in Höhe der Hälfte des Wertes des gesetzl. Erbteils. Der P.-Anspruch besteht in vollem Umfang, wenn der Berechtigte enterbt wurde oder ergänzend, wenn die testamentar. Zuwendungen den Wert des P. nicht erreichen. Lebten die Ehegatten im gesetzl. Güterstand der Zugewinngemeinschaft (→eheliches Güterrecht), so wird für die Berechnung des P. des überlebenden Ehegatten, der Erbe ist oder dem sonst etwas zugewendet worden ist (z. B. wenn der Wert der Zuwendung nicht die Höhe des P. erreicht), als P. die Hälfte des um $^1/_4$ der Erbschaft erhöhten gesetzl. Erbteils (**großer P.**) zugrunde gelegt. Ist dem Ehegatten nichts zugewendet worden, so behält er den Anspruch auf Ausgleich des Zugewinns nach Ehegüterrecht und hat daneben einen P.-Anspruch in Höhe von $^1/_2$ des gesetzl. Erbteils (**kleiner P.**). – Ähnl. Regelungen enthalten das *österr.* (§§ 765 ff. ABGB, »Noterbe«, wobei bei Vorfahren der P. nur ein Drittel des gesetzl. Erbteils beträgt) und das *schweizer.* Recht (Art. 471 ZGB).

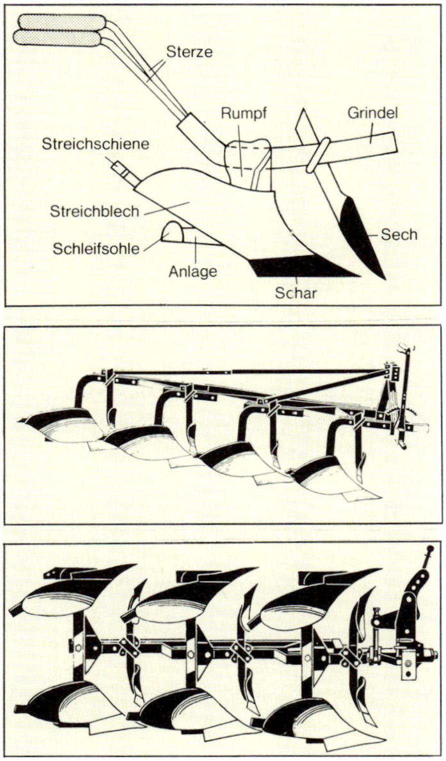

Pflug: schematische Darstellung eines Scharpflugs, darunter Beetpflug und Kehrpflug

Pflichtversicherung, Versicherung, die aufgrund gesetzl. Verpflichtungen zustande kommt, so v. a. in der Sozialversicherung. In der Individualversicherung bildet die P. die Ausnahme, z. B. Kraftfahrzeug-Haftpflichtversicherung.

Pflichtverteidiger, *Strafrecht:* →Verteidigung.

Pflug, Gerät zum Wenden und Lockern des Ackerbodens. Nach dem Verwendungszweck unterscheidet man **Saatpflüge** (Bearbeitungstiefe 20–35 cm), **Schälpflüge** (bis 15 cm) und **Spezialpflüge** (z. B. Häufelpflüge), nach der Ausbildung der Wende- bzw. Lockervorrichtung Schar-, Scheiben-, Kreisel- und Spatenpflüge. Die verbreitetste Form ist der **Scharpflug.** Je nach Anzahl der P.-Körper spricht man von Einschar- oder Mehrscharpflügen. Der P.-Körper besteht aus dem Schar, dem Streichblech mit der als Verlängerung dienenden Streichschiene, der Schleifsohle zum Abstützen der auftretenden Vertikal- und Querkräfte auf dem Boden und aus dem Rumpf, mit dem die Teile verbunden sind. Vor dem Schar ist am Rahmen (Grindel) ein Sech (in Form eines Messers oder einer Scheibe) angebracht, um Verstopfungen vor dem Pflugkörper zu vermeiden. Mit dem Schar wird aus dem Boden ein Streifen (»Erdbalken«) herausgeschnitten und mithilfe des Streichblechs gewendet. Infolge der dadurch im Erdbalken auftretenden Druck-, Zug- und Drehspannungen entstehen zahlreiche Risse, sodass die Erde in Abhängigkeit von der Bodenbeschaffenheit zerkleinert wird. Durch das Wenden wird der Erdbalken seitlich verlagert, an seiner ursprüngl. Stelle entsteht eine Furche, die beim nächsten Durchgang vom nächsten Erdbalken gefüllt wird. – Pflüge, die die Furche nur nach einer Seite wenden können, bezeichnet man als **Beetpflüge.** Kann die Furche je nach Bedarf nach der einen oder der anderen Seite gewendet werden, spricht man von **Kehrpflügen.** – Der **Scheiben-P.** besitzt als Arbeitswerkzeug schräg zur Fahrtrichtung angebrachte gewölbte, drehbare Scheiben, die die Erde über einen Abstreifer zur Seite werfen. **Kreiselpflüge** sind eine Kombination von Schar-P. und Bodenfräse. Beim **Spaten-P.** werden Spatenblätter durch ein Getriebe nacheinander in den Boden gestoßen und während des Heraushebens gewendet.

Geschichte: Der P. erscheint (auf bildl. Darstellungen) erstmals um 3000 v. Chr., in Europa in der Bronze- und der älteren Eisenzeit. Die Römer kannten einen leichten, radlosen **Haken-P.** Um Christi Geburt wurde der **Räder-P.** entwickelt. Im MA. war der schwere Beet-P. mit Radvordergestell weit verbreitet. Die Dampfmaschine ermöglichte den Einsatz schwerer, an Drahtseilen über den Acker gezogener Mehrscharpflüge. Der vor der Entwicklung der modernen Schlepperhydraulik ausschließlich verwendete **Anhänge-P.** wurde durch den **Anbau-P.** verdrängt, der über ein Dreipunktgestänge mit dem Schlepper verbunden ist.

Pflugscharbein, unpaarer Schädelknochen, der einen Teil der Nasenscheidewand bildet.

Pforr, Franz, Maler, *Frankfurt am Main 5. 4. 1788, †Albano Laziale (bei Rom) 16. 6. 1812; studierte an der Akademie in Wien, gründete dort mit F. Overbeck den Lukasbund (→Nazarener) und lebte seit 1810 in Rom.

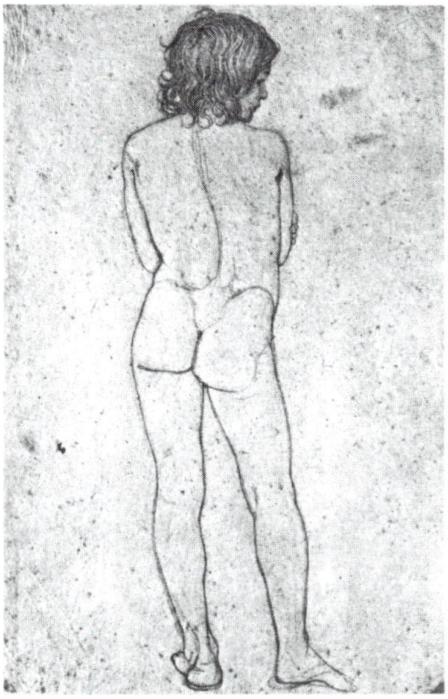

Franz Pforr: männlicher Rückenakt, undatierte Bleistiftzeichnung (Frankfurt am Main, Städelsches Kunstinstitut)

Pforta (Pforte), Stadtteil von Bad Kösen, →Schulpforta.

Pfortlader, Vene, die das mit Nährstoffen angereicherte Blut (von Magen-Darm-Kanal sowie Milz und Bauchspeicheldrüse kommend) der Leber zuführt.

Pfortladerhochdruck (Pfortaderstauung, portale Hypertension), Syndrom mit beeinträchtigtem Durchfluss des Pfortaderblutes durch die Leber infolge verschiedenartiger Abflussbehinderungen, z. B. bei Leberzirrhose (80–90 % aller Fälle), Pfortader- oder Lebervenenthrombose; führt zu druckentlastenden Umgehungskreisläufen wie Krampfadern in der Speiseröhre sowie zu Bauchwassersucht und Milzstauung.

Pforte [lat.], →Hohe Pforte.

Pförtner (Pylorus), *Anatomie:* Magenausgang.

Pforzheim, kreisfreie Stadt in Bad.-Württ., Verw.sitz des Enzkreises und des Regionalverbandes Nordschwarzwald, am N-Rand des östlichen Schwarzwaldes am Zusammenfluss von Enz und Nagold, 106 500 Ew.; FH für Wirtschaft, FH für Gestaltung, Goldschmiede- und Uhrmacherschule; Museen; Theater; Zentrum der dt. Schmuck- und Uhrenind., Metallwarenherstellung, Edelmetallscheideanstalten, Maschinenbau. – Evang. Schloss- und Stiftskirche (ehem. St. Michael, 13./14. und 15. Jh.), im Stiftschor Grablege der bad. Markgrafen; kath. Herz-Jesu-Kirche (1928/29); evang. Matthäuskirche, eine Zeltkonstruktion von E. Eiermann (1953); Reuchlinhaus (1962) mit Schmuckmuseum. – Urspr. röm. Siedlung **Portus,** 1067 erstmals erwähnt; 1535–65 Residenz der Markgrafen von Baden-Durlach.

Pforzheim Stadtwappen

Pfriem, andere Bez. für →Ahle.

Pfriemengras, →Federgras.

Pfronten, Luftkurort und Wintersportplatz im Landkreis Ostallgäu, Bayern, am N-Rand der Allgäuer Alpen, 850–885 m ü. M., 7 600 Ew.; Maschinenbau, feinmechan. Industrie.

Pfropfung (Pfropfen), →Veredelung.

Pfründe [von mlat. praebenda »Unterhalt«] (Benefizium), nach früherem kath. Kirchenrecht ein Kirchenamt, das mit einer Vermögensausstattung (Land, Geldvermögen u. a.) verbunden war, deren Erträge zum Unterhalt des Amtsinhabers **(Pfründner, Benefiziat)** bestimmt waren.

Pfullingen, Stadt im Landkreis Reutlingen, Bad.-Württ., am Fuß der Schwäb. Alb, 16 800 Ew.; Maschinenbau, Textil-, Holz-, Kunststoff- u. a. Industrie. – Spätgot. Pfarrkirche (1463), Fachwerkrathäuser (1450 und 1686), ehem. herzogl. Jagdschloss (1563), Gesellschaftshaus »Pfullinger Hallen« (1905/06, von T. Fischer). – Im 10. Jh. erstmals erwähnt, 1699 Stadt.

Pfund [von lat. pondo], **1)** *Gewichts-* und *Münzwesen:* altes Massemaß (entstanden aus →Libra), Grundgewicht und Rechnungsgröße im karoling. Münzsystem (1 P. = 240 Pfennig); vom Dt. Zollverein 1858 auf 1 P. = 500 g **(Zoll-P., metrisches P.,** Abk. **Pfd.)** festgelegt, seit 1877 bzw. 1935 in Dtl. gesetzlich nicht mehr zulässig; bis zur Einführung des metr. Systems Einheit des Gewichts in vielen Staaten mit wechselnder Benennung und Größe (Libra, Lira, Pound).

Pforzheim: Grablege der badischen Markgrafen (16. Jh.) im spätgotischen Stiftschor (um 1470) der evangelischen Schloss- und Stiftskirche

2) Währungseinheit in Großbritannien (**P. Sterling,** Zeichen £; 1 £ = 100 Pence) sowie mit spezieller nat. Bez. und Unterteilung in weiteren Ländern, →Währung, Übersicht. In der Relation 1 P. = 20 Shilling = 240 Pence bestand das P. in Großbritannien ab dem 8. Jh. bis zur Einführung der dezimal unterteilten Währung 1971.

Pfund-Seri|e [nach dem Physiker A. H. Pfund, *1879, †1949], 1924 entdeckte (infrarote) Spektralserie des Wasserstoffatoms.

Pfungstadt, Stadt im Landkreis Darmstadt-Dieburg, Hessen, im Hess. Ried, 23 700 Ew.; Museum; Maschinenbau, Elektro-, chem., Textil-, Papierind., Mälzerei, Brauerei; Spargelanbaugebiet. Das **Pfungstädter Moor** ist Naturschutzgebiet.

pH, *Chemie:* der →pH-Wert.

PH, Abk. für →**p**ädagogische **H**ochschule.

Phäaken (Phaiaken), *grch. Mythos:* ein Seefahrervolk, das auf der Insel Scheria lebt; ihr König Alkinoos nimmt den schiffbrüchigen Odysseus gastfreundlich auf (→Nausikaa) und lässt ihn nach Ithaka geleiten; zur Strafe dafür verwandelt Odysseus' Feind Poseidon Schiff und Besatzung in Stein.

Phädra (Phaidra), *grch. Mythos:* Gemahlin des Theseus, eine Tochter des Minos und der Pasiphae, Schwester der Ariadne; verleumdet ihren Stiefsohn Hippolytos, der ihre Liebe nicht erwidert, bei Theseus und veranlasst seinen Tod; darauf tötet P. sich selbst.

Phaedrus ['fɛ:-], röm. Fabeldichter, wirkte bis ungefähr 50 n. Chr., Freigelassener des Kaisers Augustus, schrieb in volkstümlichen lat. Versen Schwänke, Anekdoten und Tierfabeln.

Phaeton [grch. »der Leuchtende«], **1)** *Astronomie:* 1983 entdeckter Planetoid, ein →Apollo-Objekt. P. hat einen Durchmesser von einigen Kilometern und besitzt mit 0,14 AE den kleinsten bei einem Planetoiden bekannten Perihelabstand; seine Bahn ist nahezu mit der der Geminiden identisch.

Phallus: Der als Dämon der Fruchtbarkeit zum Gefolge des Dionysos gehörende Silen wird oft als Mischwesen aus Mensch und Pferd und mit erigiertem Phallus dargestellt (6. Jh. v. Chr.; Athen, Archäologisches Nationalmuseum)

2) *grch. Mythos:* (grch. Phaethon) ein Sohn des Sonnengottes Helios. Nachdem ihm sein Vater erlaubt hat, den Sonnenwagen zu lenken, verliert P. die Kontrolle, reißt eine Wunde in den Himmel (aus der die Milchstraße entsteht) und setzt die Erde in Brand. Durch einen Blitzstrahl des Zeus wird P. in den Fluss Eridanos geschleudert.

Phagen [grch. phageîn »essen«], die →Bakteriophagen.

Phagozytose [grch.] *die,* Aufnahme von Bakterien, Protozoen und Fremdkörpern oder eigenen Körperzerfallsprodukten in das Zellinnere durch Umfließen bei Einzellern (Amöben) und im Gewebe vielzelliger Lebewesen durch **Fresszellen** (**Phagozyten,** auch **Wanderzellen** gen., weil sie frei beweglich sind). Phagozyten, z. B. weiße Blutkörperchen, können die außerhalb der Zelle liegenden Fremdkörper in das Zellinnere aufnehmen und durch Enzyme abbauen. Unverdaul. Anteile werden wieder abgegeben. Die Zelle kann aber auch von den Abbauprodukten vergiftet werden und dabei zugrunde gehen. So entsteht z. B. Eiter aus abgestorbenen weißen Blutkörperchen. Während die P. bei Einzellern der normalen Nahrungsaufnahme entspricht, dient sie im Gewebe vielzelliger Organismen, z. B. des Menschen, der Beseitigung von schädigenden Stoffen oder Krankheitserregern.

Phaistos [ngrch. fɛs'tɔs], minoischer Palast auf Kreta; eine ältere Anlage (um 2000 v. Chr.) wurde nach 1700 von einer jüngeren überbaut, die um 1450 v. Chr. zerstört wurde.

Phaistos

1908 wurde im Palast von Phaistos auf Kreta eine kreisrunde Tonscheibe mit einem Durchmesser von 15,8 bis 16,5 cm gefunden. Auf beiden Seiten stehen Inschriften, die spiralförmig vom äußeren Rand nach innen verlaufen und eine sonst völlig unbekannte Schriftform zeigen, die nicht mit Griffeln in den Ton eingeritzt, sondern mit Stempeln eingepresst wurde.

Seite A enthält 123 Stempelungen in 31 Zeichengruppen (»Wörtern«), Seite B 119 Stempelungen in 30 »Wörtern«, die durch vertikale Striche in der Funktion von Worttrennern klar markiert sind. Insgesamt sind 45 verschiedene Zeichen zu unterscheiden. Aus dem Umfang der einzelnen Wörter (2–7 Zeichen) glaubt man auf eine Silbenschrift schließen zu können. Doch ist dies bis heute ebenso umstritten geblieben wie die Frage nach der Schriftrichtung, da sichere Beurteilungskriterien fehlen. Die Schrift ist stark piktographisch, sodass sich einzelne »Bilder« (menschliche Figuren, Fisch, Helm) erkennen lassen. Der Diskos wird heute allgemein der kretisch-minoischen Kultur zugeordnet. Dies ergibt sich aus dem Fundzusammenhang, der eine Datierung um 1600 v. Chr. erlaubt. Der Diskos befindet sich heute im archäologischen Museum von Heraklion.

Phalangen [grch.], kurze Röhrenknochen der Finger bzw. Zehen.

Phalanx [grch.] *die,* antike Kampfformation; geschlossene, mehrere Glieder tiefe Schlachtordnung von Schwerbewaffneten.

Phaleron [ngrch. 'falirɔn], der Hafen des antiken Athen, heute Stadtteil von Piräus.

phallische Phase, nach S. Freud eine Phase der menschl. Sexualentwicklung, in der sich die sexuellen Wünsche auf die eigenen Geschlechtsteile konzentrieren. Die p. P. folgt auf die orale und anale Phase und bereitet die genitale Phase vor; sie ist durch die Konfliktkonstellation des Ödipuskomplexes gekennzeichnet (auch **ödipale Phase** genannt).

Phalloidin *das, Biochemie:* Gift des Grünen Knollenblätterpilzes **(Amanita phalloides),** führt zu meist irreversiblen Leberschädigungen mit tödl. Ausgang.

Phallus [grch.] *der,* →Penis. – Als Sinnbild der Zeugungskraft aus Holz, Stein u.Ä. geformt, diente er als Fruchtbarkeitszauber, bes. in Ackerbaukulturen; in der Antike gehörte er zum Kult von Dionysos und Priapus. (→Linga)

Phanarioten (Fanarioten), die Bewohner meist grch. Herkunft des Stadtteils Phanar (Konstantinopel bzw. Istanbul). Die Oberschicht der P. stellte seit dem 16. Jh. die hohen Beamten und Geistlichen des Osman. Reiches sowie die Landesfürsten (Hospodare) in der Moldau 1711–1821 und der Walachei 1716–1821.

Phanerozoikum [grch.] *das, Geologie:* Zeit des deutlich erkennbaren Lebens, vom Kambrium bis heute, gegliedert in Paläozoikum, Mesozoikum und Känozoikum.

Phänologie [grch.] *die,* Lehre vom Einfluss der Witterung und des Klimas auf den jahreszeitl. Entwicklungsgang der Pflanzen und Tiere.

Phänomen [grch.] *das,* **1)** *allg.:* außergewöhnl. oder unerklärl. Ereignis, Vorkommnis.

2) *Philosophie:* die vom Subjekt wahrgenommene Erscheinung eines Gegenstandes (Kant: Phaenomenon; Ggs.: Noumenon, das →Ding an sich); nach Platon gegenüber den Ideen von geringerer Seinsintensität.

Phänomenalismus [grch.] *der,* erkenntnistheoret. Position, v.a. des neuzeitl. Empirismus, nach der Gegenstand menschl. Erkenntnis nicht die »realen« Dinge der Außenwelt sind, sondern deren durch die Wahrnehmung als »Sinnesdaten« vermittelte bewusstseinsimmanente Erscheinungen, die Phänomene.

Phänomenologie [grch.] *die,* die philosoph. Lehre von der Entstehung und Form der Erscheinungen im Bewusstsein; i.e.S. die um 1900 von E. Husserl begründete philosoph. Richtung: Das im Bewusstsein Gegebene soll unter Ausklammerung der Frage nach seiner Realität (phänomenolog. Reduktion) rein in seiner Wesenheit veranschaulicht werden (Wesensschau). Dadurch sollen die ihm innewohnenden Zusammenhänge einsichtig werden. Die P. beschreibt die intentionalen Akte, in denen die Bewusstseinsinhalte gegeben sind (→Intentionalität), sowie die in den Akten gegebenen gegenständl. Gehalte. Diese Wendung zum Objektiven hat bes. in der Logik, Ethik und Ästhetik erneuernd gewirkt, indem sie den Psychologismus überwand. Husserl selbst und einige seiner Anhänger entwickelten die P. zu einer Transzendentalphilosophie des reinen Bewusstseins weiter. Auf der Grundlage der P. entstanden u.a. die Philosophien Heideggers, Merleau-Pontys und Lévinas' und Beiträge zur Ontologie, Wissenschafts- und Erkenntnistheorie. Sie beeinflusste v.a. die Sozialwiss., Psychologie und Linguistik.

📖 LANDGREBE, L.: *Faktizität u. Individuation. Studien zu den Grundfragen der P. Hamburg 1982.*

Phänotyp [grch.], *Genetik:* Erscheinungsbild eines Lebewesens; es entsteht aus dem Zusammenwirken der Erbanlagen (→Gene) und der Umweltbedingungen; Ggs.: Genotyp.

Phantasie *die,* →Fantasie.

Phantom [frz. aus grch.] *das,* **1)** *allg.:* Trugbild, Hirngespinst; Geistererscheinung (z.B. Spuk).

2) *Medizin:* künstl. Nachbildung eines Organs oder eines Körperteils zu Lehrzwecken.

3) *Militärwesen:* Name eines zweisitzigen Kampfflugzeugs, eingesetzt als Jagdbomber und Jagdflugzeug sowie als Aufklärer; in den USA Ende der 1950er-Jahre entwickelt (McDonnell Douglas F-4 P.II), seitdem in versch. Versionen in die Luftstreitkräfte mehrerer Länder eingeführt.

Phantombild, *Kriminalistik:* Bild eines Gesuchten, das von der Polizei nur nach Zeugenaussagen zur Fahndung und Identifizierung hergestellt wird. Methoden zur Erstellung eines P. sind u.a. die Fotomontage, die Phantomzeichnung oder das Übereinanderlegen durchsichtiger Folien mit Kopfumrissen, Haartrachten, Mund- und Augensegmenten (»identi-kit«).

Phantomschmerz, Schmerz, der von den Nervenenden im Stumpf einer amputierten Gliedmaße ausgeht.

Phäochromozytom [grch.] *das,* Geschwulst des Nebennierenmarks mit gesteigerter Produktion der Hormone Noradrenalin und Adrenalin; führt zu ständigem oder anfallartig auftretendem Bluthochdruck (Hochdruckkrisen) sowie starkem Schwitzen, Herzklopfen und Kopfschmerzattacken; auch ein symptomarmer Verlauf ist möglich. Die Behandlung erfolgt operativ.

Pharao [von altägypt. per-a'a »großes Haus«], **1)** *der,* Titel der altägypt. Könige.

2) *das* (Pharo), ein Kartenglücksspiel.

Pharisäer [hebr.] *der,* wahrscheinlich im 2. Jh. v. Chr. entstandene religiöse, politisch aktive Bewegung im Judentum, deren Zentrum das Studium der Thora bildete, die durch sie eine lebensnahe (vergegenwärtigende) Auslegung erfuhr. Als Schriftgelehrte genossen sie zur Zeit Jesu hohes Ansehen; als Laienbewegung standen sie im Ggs. zu den Sadduzäern. Nach der Zerstörung Jerusalems (70 n. Chr.) wurden sie zu den maßgebl. Trägern der jüd. Religion (→Juden).

📖 STEMBERGER, G.: *P., Sadduzäer, Essener. Stuttgart 1991.*

Pharmaberater (Pharmareferent), Bez. für Handelsvertreter u. a. Personen, die Angehörige von Heilberufen über Arzneimittel informieren. Die Sachkenntnis muss durch ein Hochschulstudium bzw. eine Assistentenausbildung in Pharmazie, Chemie u. Ä. oder durch eine gesonderte Ausbildung erworben werden.

Pharmaka [grch.], die →Arzneimittel.

Pharmakogenetik [grch.], Teilgebiet der Pharmakologie, das sich mit der Analyse genetisch bedingter pharmakolog. Reaktionen befasst.

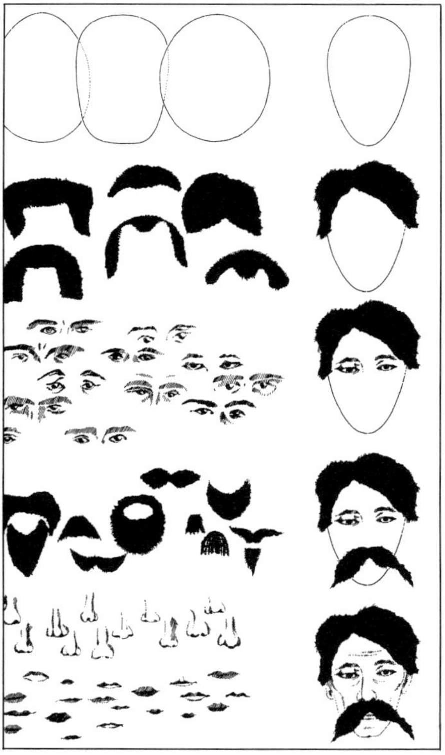

Phantombild: Beispiel für ein »identi-kit«; die Gesichtsform und bestimmte Merkmale, die den Gesichtsausdruck bestimmen, sind einzeln auf durchsichtigen Folien abgebildet und werden nach Zeugenaussagen übereinander gelegt, bis das so entstandene Bild mit den Beobachtungen der Zeugen möglichst genau übereinstimmt

Pharmakognosie [grch.] *die,* Teilgebiet der Pharmazie; Wiss. von den biogenen Wirkstoffen (Drogen, biogene Reinstoffe) und deren Produzenten (Mikroorganismen, Pflanzen, Tiere).

Pharmakologie [grch.] *die,* Lehre von den Wechselwirkungen zw. Arzneistoffen und Organismus.

Pharmakopöe [grch.] *die,* das →Arzneibuch.

Pharmakotherapie [grch.], Lehre von der Anwendung der Arzneimittel zu Heilzwecken.

Pharmazeut [grch.] *der,* Fachmann für →Pharmazie, Apotheker.

pharmazeutische Industrie, Zweig der chem. Industrie, der Arzneimittel herstellt. Eine starke Stellung am Weltmarkt hat die p. I. in Dtl., der Schweiz und in den USA.

Pharmazie [grch.] *die,* Arzneimittelkunde; Wissenschaft, die alle Kenntnisse und Fertigkeiten umfasst, die sich auf Herkunft, Beschaffenheit, Darstellung, Verarbeitung und Prüfung der Arzneimittel sowie auf die einschlägige Gesetzgebung erstrecken.

Pharos (lat. Pharus), ehem. Insel vor Alexandria, Ägypten. Der Leuchtturm von P., 299–277 v. Chr. erbaut, galt als eines der sieben Weltwunder der Antike; im 14. Jh. bei einem Erdbeben eingestürzt; Teile werden zurzeit (1997) im Hafenbecken von Alexandria geborgen.

Pharsalos (lat. Pharsalus, neugrch. Pharsala), Stadt in Thessalien; bekannt durch Cäsars Sieg über Pompeius (48 v. Chr.).

Pharyngal [grch.] *der,* →Laut.

Pharyngitis [grch.] *die,* der →Rachenkatarrh.

Pharynx [grch.] *der,* →Schlund.

Phase [grch.] *die,* **1)** *allg.:* Abschnitt, Entwicklungsstufe; Zustand.

2) *Astronomie:* die durch die unterschiedl. Stellung zu Erde und Sonne verursachten wechselnden Lichtgestalten von Mond und Planeten, von denen nur Merkur, Venus und Mars (schwach) wahrnehmbare P. durchlaufen.

3) *Schwingungs-* und *Wellenlehre:* das Argument der Funktion, die den Zustand einer Schwingung zu jedem Zeitpunkt, den einer Welle zu jeder Zeit und an jedem Ort festlegt. Bei einer harmon. Schwingung $x(t) = a \sin(\omega t + \varphi_0)$ bezeichnet man $\omega t + \varphi_0$ als P. oder **P.-Winkel** (a Amplitude, ω Kreisfrequenz, t Zeit); die **P.-Konstante** φ_0 gibt die P. zum Zeitpunkt $t = 0$ an. Die Differenz der P.-Konstanten zweier gleichfrequenter Schwingungen heißt **P.-Differenz (P.-Verschiebung).**

4) *statist. Mechanik:* der durch Ortskoordinaten und Impulse bestimmte Zustand eines mechan. Systems, z. B. eines Teilchens, der durch einen Punkt im euklid. Raum, dem **P.-Raum,** dargestellt wird. Für ein System aus N Teilchen mit je f Freiheitsgraden ist dieser $2Nf$-dimensional.

5) *Thermodynamik:* homogener (d. h. makroskopisch gleichartiger) Bereich eines heterogenen Systems, z. B. die nebeneinander bestehenden Aggregatzustände (feste, flüssige, gasförmige P.) eines Stoffes. Die versch. P. sind durch P.-Grenzflächen voneinander abgegrenzt, an denen sich ihre physikal. und chem. Eigenschaften sprunghaft ändern.

Phasen|anschnittsteuerung, elektron. Steuerung eines Wechselstroms, in dem nur ein der gewünschten mittleren Stromstärke entsprechender Teil der Halbschwingungen des Wechselstroms durchgelassen wird. Dafür wird der Stromkreis synchron mit der Wechselspannung erst zu einem entsprechend späteren Zeitpunkt als beim Nulldurchgang der Wechselspannung geschlossen. Das Ein- und Ausschalten des Wechselstroms geschieht durch steuerbare Halbleiterbauelemente. Soll nur eine Halbwelle zur P. genutzt werden, setzt man →Thyristoren ein, zur Ausnutzung beider Halbwellen dienen →Triacs oder antiparallel geschaltete Thyristoren. Durch zeitl. Verschieben der Einschaltimpulse kann die Leistungsaufnahme elektr. Verbraucher verlustfrei und damit energiesparend geregelt werden.

Phasendiagramm, ein →Zustandsdiagramm, das die Existenzbereiche der thermodynam. →Phasen eines Stoffes oder Stoffgemisches zeigt.

Phasendiskriminator, *Elektronik:* ein Frequenzdemodulator, dessen Wirkung auf dem frequenzabhängigen Phasengang einer Schaltung beruht. Der am weitesten verbreitete P. ist der Riegger-Kreis und seine Abwandlungen.

Phasengang, →Frequenzgang.

Phasengeschwindigkeit, →Geschwindigkeit, →Welle.

Phasengitter, optisches →Gitter.

Phasenkontrastverfahren, von F. Zernike entwickeltes Verfahren der Mikroskopie zur Erzeugung von Bildkontrasten, bei dem die Phasenänderungen, die das Licht an einem Objekt erfährt, in (sichtbare) Intensitätsänderungen umgewandelt werden.

Phasenraum, thermodynam. →Phase.

Phasenregel, →gibbssche Phasenregel.

Phasenschieber, Elementarschaltung, die es ermöglicht, aus einer Wechselspannung eine Spannung gleicher Frequenz (und Amplitude) zu erzeugen, deren Phase gegenüber der erregenden um einen einstellbaren Winkel verschoben ist. P. lassen sich z. B. durch eine Folge von →RC-Gliedern realisieren.

Phasen|übergang (Phasenumwandlung), Übergang eines Vielteilchensystems von einer thermodynam. →Phase in eine andere, wobei sich seine makrophysikal. Eigenschaften (z. B. Dichte, elektr. Leitfähigkeit, Magnetisierung) oder die räuml. Symmetrie der Struktur in Abhängigkeit von Temperatur, Druck, elektr. oder magnet. Feldstärke u. a. Parametern stark ändern. Qualitativ lassen sich zwei Arten von P. unterscheiden: **diskontinuierl. P. (P. I. Art)** und **kontinuierl. P. (P. II. Art),** bei denen sich die Zustandsgrößen als Funktion des intensiven Parameters am Umwandlungspunkt sprunghaft oder stetig ändern. P. I. Art sind u. a. die Umwandlungen eines Stoffes in die versch. Aggregatzustände sowie die Umwandlung der Kristallstruktur in Festkörpern. P. II. Art sind u. a. die Übergänge von Festkörpern vom paramagnet. in den ferromagnet. Zustand.

Phaser ['feɪzə, engl.] *der,* ein elektron. Effektgerät v. a. der Rockmusik, dessen Funktion auf der Aufspaltung und Phasenverschiebung eines eingegebenen Signals beruht und das einen in sich kreisenden Klangeindruck (Jeteffekt) hervorruft.

PHB-Ester, Abk. für Ester der **p-Hydroxyb**enzoesäure, i. e. S. für die Ester mit Äthyl- und Propylalkohol und ihre Natriumsalze, die in der Bundesrep. Dtl. als Konservierungsmittel für Lebensmittel gesetzlich zugelassen sind.

Phekda, Stern 2. Größe, γ im Sternbild Großer →Bär.

Phenakit [zu grch. phénax »Betrüger«] *der,* farbloses bis weingelbes trigonales Mineral der chem. Zusammensetzung $Be_2[SiO_4]$, entsteht hydrothermal oder pneumatolytisch; wegen seines Glanzes und seiner Härte als Edelstein verschliffen.

Phenanthren [grch.] *das,* kristalliner, kondensierter, trizykl. aromatischer Kohlenwasserstoff; dient u. a. zur Herstellung von Farbstoffen, Arzneimitteln und Pflanzenschutzmitteln.

Phenazin [grch.] *das,* trizykl., heterozykl., in hellgelben Nadeln kristallisierende Verbindung; Grundkörper der Phenazinfarbstoffe (→Azinfarbstoffe).

Phenol [zu grch. phaínein »scheinen«, »leuchten«] *das* (Hydroxybenzol), aromat. Verbindung; farblose, sich an der Luft rötlich färbende, kristalline Substanz von charakterist. Geruch. Die wässrige Lösung reagiert schwach sauer. P. wird v. a. zur Herstellung von P.-Harzen, Caprolactam, Bisphenol A und Adipinsäure verwendet. Das wichtigste Herstellungsverfahren beruht auf der katalyt. Oxidation von Cumol zu Cumolhydroperoxid und dessen Spaltung zu P. und Aceton in Gegenwart von Schwefelsäure. Techn. Bedeutung haben auch die Oxidation von Toluol über Benzoesäure als Zwischenprodukt und die Hydrolyse von Monochlorbenzol. – Eine **P.-Vergiftung** (Carbolvergiftung) kann nach Aufnahme von P. in den Magen oder durch die Haut, in gewerbl. Betrieben auch beim Einatmen von P.-Dämpfen entstehen. Anzeichen sind Erbrechen, Schwindel, Bewusstlosigkeit, Krämpfe, aussetzende Atmung, Pupillen-

Pharos
Der Leuchtturm auf der Insel Pharos wurde 299–277 v. Chr. von dem griechischen Architekten Sostratos von Knidos als achteckiges, 136 Meter hohes Bauwerk errichtet. Das Feuerholz wurde mit Pferdekarren auf einer spiralförmigen Rampe nach oben transportiert und dann mit Flaschenzügen auf die oberste Plattform gehievt. Das Leuchtfeuer war über 55 Kilometer weit zu sehen.

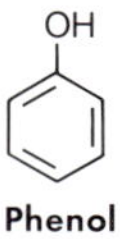

Phenol

Phenyl...:
Phenylrest

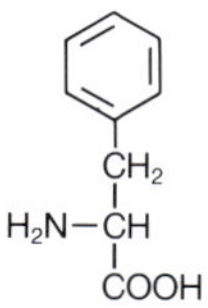

Phenylalanin

verengung, Kollaps u.a. – P. wurde 1834 von F. F. Runge im Steinkohlenteer entdeckt und **Carbolsäure (Kohlenölsäure)** genannt.

Phenole, aromat. Verbindungen, bei denen ein oder mehrere Wasserstoffatome des Benzolkerns durch die Hydroxylgruppe (OH-Gruppe) ersetzt sind. Nach der Anzahl der Hydroxylgruppen unterscheidet man **einwertige P.** (z.B. Phenol, Kresol, Xylenol), **zweiwertige P.** (z.B. Resorcin, Hydrochinon) und **dreiwertige P.** (z.B. Pyrogallol, Phloroglucin). Die P. sind feste, kristalline, in Wasser mit saurer Reaktion lösl. Stoffe, die mit Alkalilaugen Salze **(Phenolate)** bilden. Sie sind in der Natur weit verbreitet, z.B. in Pflanzenfarb-, Pflanzengerb- und Pflanzenwuchsstoffen. P. haben große Bedeutung als Ausgangsstoffe für chem. Synthesen (z.B. von Kunststoffen, Synthesefasern, Farbstoffen) und als Bestandteile von Desinfektionsmitteln und Antioxidantien.

Phiale: römische Phiale aus vergoldetem Silber (Ende des 1. Jh. n. Chr.; Paris, Louvre)

Phenolharze (Phenoplaste), gelbe bis braune Kunstharze, die durch Polykondensation von Phenolen mit Aldehyden (meist Formaldehyd) hergestellt werden. In Gegenwart von Basen und bei Formaldehydüberschuss bilden sich flüssige oder lösl., selbsthärtende Kondensationsprodukte, die **Resole.** Die Härtung verläuft über schmelzbare Zwischenstufen **(Resitol)** zu unschmelzbarem **Resit.** Wasserlösl. Resole werden als Holzklebstoffe sowie als Bindemittel für Gießereisande, Fasern und Schleifmittel verwendet. Bei der Polykondensation in Gegenwart von Säuren und bei Phenolüberschuss entstehen **Novolake,** thermoplast. Kunststoffe, die nicht selbst aushärten. Ihre Moleküle können aber mit Hexamethylentetramin als Härtungsmittel bei 140–160 °C vernetzt werden. Sie dienen u.a. als Bindemittel in härtbaren Formmassen. Mit Kolophonium modifizierte P. finden als Bindemittel für Lacke und Druckfarben Verwendung. P. waren die ersten vollsynthet. →Kunststoffe; sie kamen unter der Bez. Bakelit (Bakelite®) in den Handel.

Phenolphthalein *das,* als Indikator v.a. für die Alkali- und Acidimetrie verwendeter Triphenylmethanfarbstoff. P.-Lösungen sind im sauren sowie neutralen Bereich farblos und schlagen bei pH-Werten zw. 8,4 und 10 nach Rot um.

Phenyl..., Bez. der chem. Nomenklatur für die Gruppe $-C_6H_5$.

Phenyl|alanin *das,* Abk. **Phe,** eine essenzielle Aminosäure, die 2-Amino-3-phenylpropionsäure.

Phenylen..., Bez. der chem. Nomenklatur für die Gruppe $-C_6H_4-$.

Phenylendiamine (Diaminobenzole), Derivate des Benzols, die zwei Aminogruppen im Molekül enthalten. Die drei isomeren P. (o-, m- und p-P.) werden durch Reduktion der entsprechenden Dinitrobenzole gewonnen; farblose kristalline Substanzen dienen v.a. zur Herstellung von Farbstoffen; Entwickler in der Fotografie.

Phenylhydrazin, gelbl. bis farblose (sich an der Luft rasch dunkel färbende), kristalline oder flüssige Substanz, die als wichtiges Reagenz für den Nachweis von Verbindungen, die Carbonylgruppen enthalten (Aldehyde, Ketone, Zucker), verwendet wird. P. bildet mit diesen durch Kondensation (unter Wasserabspaltung) gut kristallisierende **Phenylhydrazone** mit meist genau bestimmbaren Schmelzpunkten. (→Osazonreaktion)

Phenylketon|urie [grch.] *die* (Brenztraubensäureschwachsinn), erbl. Störung des Aminosäurenstoffwechsels, die unbehandelt zu Schwachsinn und Pigmentarmut führt; beruht auf einem Defekt des Leberenzyms mit Störung des Umbaus von Phenylalanin zu Tyrosin. Phenylalanin wird im Blut angehäuft und z.T. in Phenylbrenztraubensäure (Ursache der schwerwiegenden Störungen) umgewandelt. P. ist durch den **Guthrie-Test** bei Neugeborenen (Nachweis eines erhöhten Phenylalaninblutspiegels) zu erkennen.

Pheromone [grch.] (Ektohormone), von Tieren in kleinsten Mengen produzierte hochwirksame Substanzen, die Stoffwechsel und Verhalten anderer Individuen der gleichen Art beeinflussen, u.a. (nach der Wirkung) Lock-, Versammlungs- und Warnpheromone.

Phi *das,* Φ, φ, der 21. Buchstabe des grch. Alphabets.

Phiale [grch.] *die,* Opferschale, flache Schale.

Phidias (grch. Pheidias), att. Bildhauer des 5. Jh. v. Chr.; schuf die Goldelfenbeinbildwerke der stehenden Athene Parthenos im Parthenon in Athen (438 geweiht, mehr als 12 m hoch; bekannt durch kleine Marmornachbildungen und Kopien der Reliefs ihres Schildes) und des sitzenden Zeus im Zeustempel in Olympia (Wiedergaben auf Münzen bezeugt). P. leitete im Auftrag des Perikles die Bau- und Bildhauerarbeiten auf der Akropolis und dürfte an den Parthenon-Skulpturen maßgebend beteiligt gewesen sein. Die Zuschreibung einiger durch kaiserzeitl. Kopien bekannter Bildwerke ist umstritten. P. soll, der Veruntreuung von Elfenbein oder Gold und wegen Gotteslästerung angeklagt, im Gefängnis gestorben oder nach Elis geflohen sein. – P. war neben Polyklet der Schöpfer der hochklass. att. Kunst, der künstlerisch und geistig vielseitigste unter den großen grch. Künstlern seiner Epoche.

📖 HÖCKER, C. *u.* SCHNEIDER, L.: *P. Reinbek 1993.*

Phidias: Kopf des Zeus, Kopie aus römisch-augusteischer Zeit, vermutlich nach dem Original des Zeus von Olympia (Kyrene, Museum)

Phil., Abk. für **Phil**ipperbrief (N. T.).

phil..., philo... [grch.], lieb..., freund...

Philadelphia, 1) antike Stadt in Lydien, heute Alaşehir, Türkei, rd. 120 km östlich von İzmir; von Attalos II. Philadelphos (159–138 v. Chr.) gegründet; in röm. Zeit auch **Neocaesarea** genannt; war einer der hellenist. Hauptorte Kleinasiens und Sitz einer frühchristl. Gemeinde.

2) [fɪlə'delfjə], Stadt im SO von Pennsylvania, USA, 1,524 Mio. Ew. (Metropolitan Area: 5,893 Mio.); bed. Wirtschafts- und Kulturzentrum der USA; Sitz eines kath. und eines uniert-ukrain. Erzbischofs; University of Pennsylvania (1740 gegr.), drei weitere Univ., medizin., Kunst- u. a. Hochschulen, Akademie der Naturwiss., Akademie der Schönen Künste, Museen (u. a. Philadelphia Museum of Art), Orchester, Planetarium; Handels-, Finanz- und Ind.zentrum; die 1790 gegr. Effektenbörse ist die älteste des Landes; Elektromaschinen-, Schiffbau, Textil-, chem. u. a. Ind., Hüttenwerke u. a.; Hafen am Delaware River. – Die großenteils schachbrettartig angelegte Stadt besitzt zahlr. Bauten des 18. Jh., u. a. Independence Hall mit der Friedensglocke (UNESCO-Weltkulturerbe), Congress Hall, Carpenter's Hall. Älteste Kirche ist die Gloria Dei Church (1700). Wichtige Bauten der späteren Entwicklung sind u. a. das Rathaus (1874–1901; 156 m hoher Turm) und das Old P. Custom House, 1824–37 Sitz der Bank der amerikan. Reg., dann Zollhaus, seit 1935 National Historic Site und Museum. Architektonisch bed. sind das Gebäude der P. Savings Funds Society (1931/32), das Forschungszentrum der University of Pennsylvania (1957–64) und das Guild House (1960–63). – 1682 wurde P. von W. Penn als Hptst. seiner Kolonie Pennsylvania gegründet. Hier wurde am 4. 7. 1776 die Unabhängigkeitserklärung der USA verkündet; 1790–1800 Sitz der Bundesreg., bis 1799 auch Hptst. Pennsylvanias.

Philae, ehem. ägypt. Nilinsel südlich von Assuan, heute vom Nassersee überflutet. P. war in der späten Pharaonenzeit eine heilige Stätte (Mysterienkulte für Isis und Horus) mit bed. Tempeln aus dem 4.–2. Jh. v. Chr. (Isistempel u. a.). 1972–80 wurden mit Mitteln der UNESCO die bis über die Hälfte im Stausee versunkenen Tempel nach Trockenlegung von P. auf die Insel Agilkia verlegt (UNESCO-Weltkulturerbe).

Philanthrop [grch.] *der,* Menschenfreund.

Philanthropismus [grch.] (Philanthropinismus) *der,* pädagog. Reformbewegung, von J. B. Basedow und seinen Anhängern (J. H. Campe, C. G. Salzmann, E. C. Trapp u. a.) vertreten. Die Philanthropen wollen die Entfaltung der natürlichen Kräfte des Kindes, bes. die Ausbildung seiner Vernunft, fördern und eine prakt. Weltorientierung vermitteln.

Philatelie [grch.] *die* (Briefmarkenkunde), systemat. Sammeln und Auswerten von Postwertzeichen u. a. postal. Materialien, die registrierend (nach dem Vollständigkeitsprinzip) oder thematisch zusammengetragen werden. Hauptsammelarten der **registrierenden P.** sind: Generalsammlung (Sammlung aller Länder), Ländersammlung (Sammlung eines Landes), Spezial- oder Forschungssammlung (Typen und Variationen bestimmter Marken oder Abstempelungen, Fehldrucke), Nebengebiete (z. B. Einschreibnummerzettel), Ganzsachen (Postkarten, Briefumschläge mit Marken oder eingedruckten Wertstempeln), Briefe und Dokumente der Vormarkenzeit (Vor-P.), Motivsammlung (z. B. Sport, Raumfahrt, Gemälde). Die **themat. P.** (z. B. Postgeschichte

Philadelphia 2) Stadtwappen

Philae: Der Isistempel aus dem 4. Jh. v. Chr. wurde in den 1970er-Jahren auf der Nachbarinsel Agilkia neu aufgebaut

eines Landes) ist in illustrativer (Briefmarke illustriert Text) oder dokumentar. Form möglich.

📖 *Die Briefmarke. Geschichte, Geschichten u. Wissenswertes, hg. v. der Deutschen Bundespost. Bonn 1991.* – STEIN, D.: *Briefmarken sammeln. Neuausg. Niedernhausen 1994.*

Gérard Philipe und Gina Lollobrigida in dem Film »Fanfan, der Husar« (1951)

Philip, Prinz von Großbritannien und Nordirland, Herzog von Edinburgh

Philemon, grch. Dichter, vielleicht aus Syrakus, *zw. 365 und 360 v. Chr., †um 264 v. Chr.; neben Menander bekanntester Vertreter der neuen grch. Komödie; von 97 in der Antike bekannten Stücken sind drei in der lat. Nachdichtung von Plautus erhalten.

Philemonbrief, Abk. **Phlm.,** im N.T. der an den Christen **Philemon** gerichtete Paulusbrief; Stellungnahme des Apostels zur Sklaverei; verfasst vermutlich während der Gefangenschaft des Paulus in Ephesos (54/55).

Philemon und Baucis, nach einer in Ovids »Metamorphosen« aufgenommenen phryg. Volkssage ein bejahrtes, treues Ehepaar; es nahm trotz Armut Zeus und Hermes gastfreundlich auf, als diese in Menschengestalt das Land durchwanderten, und erbat sich als Lohn den gleichzeitigen Tod: Philemon wurde in eine Eiche, Baucis (auch Baukis) in eine Linde verwandelt.

philharmonisch [grch.], die Harmonie, das Harmonische liebend; Bez. für künstler., v.a. musikal. Körperschaften oder Gesellschaften (schon im 17., bes. seit Anfang des 19. Jh.); der Name ging auf einige bed. Orchester über, z.B. die Berliner, Münchner, Wiener Philharmoniker, das New York Philharmonic Orchestra.

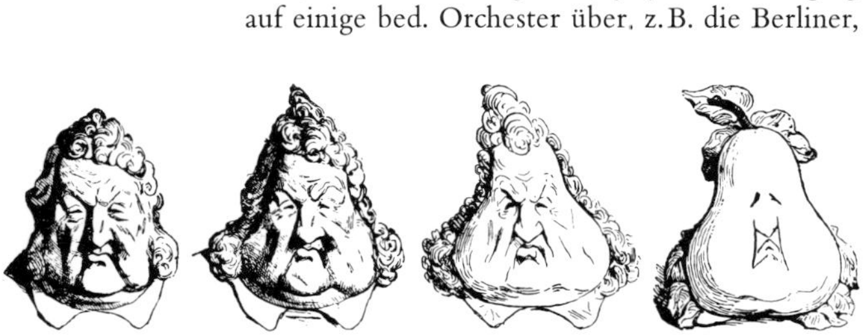

Charles Philipon: Die »Birnenskizzen«, eine Karikatur des französischen Königs Louis Philippe, wurden erstmals 1830 in der Zeitschrift »La Caricature« veröffentlicht

Philhellenen [grch. »Griechenfreunde«], im 19. Jh. Bez. für Personen, die den Unabhängigkeitskrieg (1821–30) der Griechen gegen die Türken unterstützten, u.a. der Maler E. Delacroix, die Dichter Wilhelm Müller, A. von Chamisso, V. Hugo; vorbildhaft war das aktive und literar. Engagement des engl. Dichters Lord Byron.

Philip, Prinz von Großbritannien und Nordirland (seit 1957), Herzog von Edinburgh (seit 1947), *Korfu 10. 6. 1921; Sohn des Prinzen Andreas von Griechenland und der Prinzessin Alice von →Battenberg, wurde 1947 brit. Staatsbürger unter dem Namen Mountbatten; seit 1947 ⚭ mit der brit. Königin Elisabeth II.

Philipe [fiˈlip], Gérard, frz. Schauspieler, *Cannes 4. 12. 1922, †Paris 25. 11. 1959; spielte in J. Vilars »Théâtre National Populaire«. Internat. Bekanntheit erlangte er durch den Film (»Der Idiot«, 1946; »Die Kartause von Parma«, 1947; »Fanfan, der Husar«, 1951; »Rot und Schwarz«, 1954; »Gefährl. Liebschaften«, 1959).

Philip Morris Inc. [ˈfɪlɪp ˈmɔrɪs ɪnˈkɔːpəreɪtɪd], weltweit größter Konzern der Nahrungs- und Genussmittelind., Sitze: Richmond (Va.) und New York, gegr. 1919, seit 1955 jetziger Name; produziert Tabakwaren, Bier und versch. Nahrungsmittel; erwarb andere Nahrungsmittelkonzerne wie General Foods (1986), Kraft Inc. (1988) und Jacobs Suchard AG (1990).

Philipon [filiˈpɔ̃], Charles, frz. Zeichner und Publizist, *Lyon 19. 4. 1806, †Paris 21. 1. 1862; gründete die satir. Zeitschriften »La Caricature« (1830) und »Le Charivari« (1832).

Philipp, Herrscher:

Hl. Röm. Reich: **1) P. von Schwaben,** Röm. König (1198–1208), *vor 1178, †Bamberg 21. 6. 1208; Sohn Kaiser Friedrichs I. Barbarossa, erhielt 1196 das Herzogtum Schwaben. 1206 besiegte er den welf. Gegenkönig Otto IV. (von Braunschweig), für den auch Papst Innozenz III. Partei ergriffen hatte. P. wurde vom bayer. Pfalzgrafen Otto von Wittelsbach ermordet; Grab im Dom zu Speyer.

Burgund: **2) P. II., der Kühne,** Herzog (1363–1404), *Pontoise 17. 1. 1342, †Halle (Prov. Flämisch-Brabant) 27. 4. 1404, Großvater von 3); Sohn des frz. Königs Johann des Guten, erhielt 1363 das Herzogtum Burgund und erwarb durch Heirat 1384 Flandern, Artois, Nevers, Rethel und die Franche-Comté, kaufte 1390 die Grafschaft Charolais und bereitete den Anfall der Herzogtümer Brabant und Limburg vor. Er legte den Grund zu einem mächtigen Staat zw. Frankreich und dem Hl. Röm. Reich.

3) P. III., der Gute, Herzog (1419–67), *Dijon 31. 7. 1396, †Brügge 15. 6. 1467, Enkel von 2);

kämpfte im Hundertjährigen Krieg auf engl. Seite gegen den frz. König Karl VII., schloss aber mit diesem 1435 den Frieden von Arras. Durch die Erwerbung von Holland, Hennegau, Namur, Brabant, Limburg und Luxemburg stieg Burgund zu höchster Macht auf und wurde ein Zentrum der abendländ. Kultur. 1430 stiftete P. den Orden vom →Goldenen Vlies.

Philipp II., König von Spanien: Ausschnitt eines zeitgenössischen Kupferstichs, darunter Autogramm

Frankreich: **4) P. II. August(us),** König (1180–1223), *Paris 21. 8. 1165, †Mantes (Dép. Yvelines) 14. 7. 1223; nahm am 3. Kreuzzug teil, eroberte 1203–08 fast den ganzen engl. Festlandbesitz (Normandie, Bretagne) zurück. Den Beinamen »August(us)« erhielt er nach seinem Sieg bei Bouvines (1214) über das welfisch-engl. Bündnis des dt. Kaisers Otto IV. Er modernisierte die Verw., reformierte Rechtspflege und Staatsfinanzen und gründete die Univ. Paris. Mit ihm trat die Erbmonarchie in Frankreich an die Stelle der Königswahl.

5) P. IV., der Schöne, König (1285–1314), *Fontainebleau 1268, †ebd. 29. 11. 1314, Onkel von 6); vergrößerte die Krondomäne u.a. um Lille und Douai, geriet durch Versuche, den Klerus zu besteuern, in Widerspruch zu Papst Bonifatius VIII. Nach dessen Tod 1303 ließ er den von ihm abhängigen Klemens V. zum Papst wählen, der 1309 seine Residenz in Avignon nahm und unter königl. Druck der Vernichtung des Templerordens zustimmte.

6) P. VI. von Valois, König (1328–50), *1293, †Nogent-le-Roi (Dép. Eure-et-Loir) 22. 8. 1350, Neffe von 5). Seine Ansprüche auf die frz. Krone standen gegen die des engl. Königs Eduard III.; der Streit mündete in den →Hundertjährigen Krieg.

Hessen: **7) P. I., der Großmütige,** Landgraf (1509–67), *Marburg 13. 11. 1504, †Kassel 31. 3. 1567; kämpfte 1522–23 gegen Franz von Sickingen und 1525 gegen die aufständ. Bauern in Hessen und Thüringen. 1526 führte er die Reformation ein und gründete 1527 in Marburg die erste prot. Universität. 1529 suchte er, durch die →Marburger Religionsgespräche eine Einigung zw. den Protestanten herbeizuführen. Er gewann 1534 Württemberg für Herzog Ulrich zurück. Nach der Niederlage von Mühlberg im Schmalkald. Krieg wurde P. 1547–52 (→Passauer Vertrag) von Kaiser Karl V. gefangen gehalten.

Kastilien: **8) P. I., der Schöne,** Regent und König (1506), *Brügge 22. 7. 1478, †Burgos 25. 9. 1506, Großvater von 11); einziger Sohn Maximilians I. und der Maria von Burgund; verwaltete seit 1494 die burgund. Länder und heiratete 1496 die kastil. Thronerbin Johanna (die Wahnsinnige). Beider Söhne sind die Kaiser Karl V. und Ferdinand I.

Makedonien: **9) P. II.,** König (359–336 v.Chr.), *um 382 v.Chr., †(ermordet) Aigai 336 v.Chr.; Vater Alexanders d. Gr., schuf den makedon. Einheitsstaat und begründete ein »Balkanreich«, dem er auch Griechenland angliederte.

10) P. V., König (221–179 v.Chr.), *238 v.Chr., †Amphipolis 179 v.Chr.; verbündete sich mit Hannibal und kämpfte gegen die Römer und Ätoler (1. Makedon. Krieg, 215–205 v.Chr.). Im 2. Makedon. Krieg (200–197 v.Chr.) wurde P. bei Kynoskephalai von den Römern geschlagen.

Spanien: **11) P. II.,** König (1556–98), *Valladolid 21. 5. 1527, †El Escorial bei Madrid 13. 9. 1598; Sohn Kaiser Karls V., Enkel von 8), ⚭ 1543 mit der Infantin Maria von Portugal (†1545, Sohn: Don Carlos), 1554 mit Maria I. Tudor (†1558), 1559 mit Elisabeth von Valois (†1568), 1570 mit Anna von Österreich (†1580). P. erbte von seinem Vater Spanien mit den Kolonien in Amerika, die Niederlande, die Freigrafschaft Burgund, Mailand, Neapel, Sizilien und Sardinien. Er kämpfte erfolgreich gegen Frankreich (1559 Frieden von Cateau-Cambrésis) und die Osmanen (1571 Sieg bei Lepanto); 1580 sicherte er sich – nach dem Erlöschen der Dynastie Avis – den Besitz Portugals. Der Versuch, das Eindringen der Reformation in die Niederlande zu verhindern, führte zum Aufstand (1581 Loslösung der nördl. Provinzen). Die Abwehr der engl. Einmischung dort scheiterte mit dem Untergang der →Armada 1588. In die frz. Religionskriege griff er auf kath. Seite ein, musste aber Heinrich IV. als frz. König anerkennen. Der Krieg mit Frankreich 1594–98 endete ohne greifbare Ergebnisse (Friede von Vervins). Im Inneren regierte P. mit absolutist. Macht. Sein Tod leitete den Niedergang des span. Weltreichs ein.

Philipp III., der Gute, Herzog von Burgund (Ausschnitt eines Gemäldes von Rogier van der Weyden)

Philipp I., der Großmütige, Landgraf von Hessen (Ausschnitt eines zeitgenössischen Gemäldes)

Philippi: Das Prunkkapitell gehört zur zweiten Basilika der frühchristlichen europäischen Gemeinde (6. Jh. n. Chr.)

📖 FERDINANDY, M. DE: *P. II. Größe u. Niedergang der span. Weltmacht. Wiesbaden 1977.*

12) P. V. (span. Felipe), König (1700 bis Jan. 1724 und seit Sept. 1724), vorher als frz. Prinz aus dem Haus Bourbon Herzog von Anjou, *Versailles 19. 12. 1683, †Madrid 9. 7. 1746; Sohn des Dauphins Ludwig (†1711), Enkel Ludwigs XIV. von Frankreich; bestieg als Erbe Karls II. den span. Thron, der im Spanischen Erbfolgekrieg gegen den späteren Kaiser Karl VI. behauptet wurde. Die span. Politik bestimmten P.s Gemahlinnen Marie Luise von Savoyen (*1688, †1714) und Elisabeth Farnese (→Elisabeth, Herrscherinnen, Spanien) sowie deren Berater G. Alberoni. Der Versuch, 1717–20 die im Frieden von Utrecht verlorenen span. Besitzungen in Italien zurückzuerobern, scheiterte zunächst. Jedoch brachte Elisabeths dynast. Politik 1731 das Herzogtum Parma und Piacenza an die span. Bourbonen, die im Poln. Thronfolgekrieg (1733–35/38) auch das Königreich Neapel-Sizilien als Sekundogenitur gewannen. 1724 dankte P. zugunsten seines Sohnes Ludwig ab, da er sich Hoffnung auf die frz. Krone machte; nach dessen Tod übernahm er die span. Krone wieder, ohne aber (wegen zunehmender geistiger Umnachtung) tatsächlich zu regieren. P. hinterließ ein völlig zerrüttetes Spanien.

Philippi

Bei Philippi sehen wir uns wieder!

Die Redensart geht auf Shakespeares Drama »Julius Cäsar« (IV, 3) zurück. Dort antwortet Cäsars Geist auf die Frage Brutus', weswegen er gekommen sei: »Um dir zu sagen, dass du zu Philippi/ Mich sehn sollst« (Im englischen Text: To tell thee thou shalt see me at Philippi.) Bei dem ostmakedonischen Ort Philippi wird dann durch Brutus' Niederlage und Tod die Ermordung Cäsars gerächt. Shakespeare hat sich hier vermutlich auf eine Stelle in der Cäsarbiographie des griechischen Schriftstellers Plutarch bezogen, wo die Ankündigung in der Form »Bei Philippi wirst du mich sehen« zu finden ist. Heute wird die Redensart als – gelegentlich auch scherzhafte – Drohung verwendet, mit der man ausdrückt, dass man mit jemandem noch eine Rechnung zu begleichen hat.

Philipperbrief, Abk. **Phil.,** im N.T. Brief des Apostels Paulus an die Gemeinde in Philippi; wahrscheinlich während seiner Gefangenschaft in Ephesos (54/55) verfasst.

Philippeville [filip'vil], algerische Stadt, →Skikda.

Philippi, antike Stadt in Thrakien, gehörte nach der Eroberung durch Philipp II. zu Makedonien. Bei P. siegten 42 v. Chr. Antonius und Octavianus über Cassius und Brutus. In P. gründete der Apostel Paulus die erste (bekannte) christl. Gemeinde Europas. – Gut erhaltene Stadtmauer, Akropolis, röm. Forum und röm. Theater, zwei Basiliken (5. und 6. Jh. n. Chr.).

Philippika *die,* urspr. Bez. für die Reden des Demosthenes gegen Philipp II. von Makedonien, dann für Ciceros 14 »Orationes Philippicae« gegen Marcus Antonius; danach: Straf-, Hassrede.

Philippinen (amtlich Filipino: Republika ñg Pilipinas, engl. Republic of the Philippines), Staat und Inselgruppe in Südostasien, im Malaiischen Archipel.

Staat und Recht: Nach der Verf. von 1987 sind die P. eine präsidiale Rep.; Staatsoberhaupt und oberster Inhaber der Exekutive (Reg.chef) ist der direkt gewählte Präs. (einmalige Amtszeit von sechs Jahren). Er ernennt die Mitgl. des Kabinetts. Die Legislative liegt beim Zweikammerparlament, bestehend aus Senat (24 Mitgl.) und Repräsentantenhaus (200 auf fünf Jahre gewählte und bis zu 50 vom Präs. ernannte Abgeordnete). Zum breit gefächerten Parteienspektrum gehören u.a. Laban Ng Demokratigong Pilipino (LDP), Nationalist People's Coalition (NPC) und Lakas ng EDSA – National Union for Christian Democrats (Lakas-NUCD).

Landesnatur: Die P. bestehen aus über 7100 Inseln in drei geograph. Großräumen: der größten und wirtschaftlich dominierenden Insel Luzon zus. mit Mindoro und Masbate im N, Mindanao mit den Suluinseln im S und der Inselwelt der Visayas (mit den sechs Hauptinseln Panay, Negros, Cebu, Bohol, Samar und Leyte) in ihrer Mitte. Nur die weit nach W in das Südchines. Meer vorgelagerte Inselgruppe von Palawan ist hier nicht zuzuordnen. Die Inseln sind aufgetauchte Teile ehemals zusammenhängender, durch spätere Einbrü-

Philippinen

Fläche: 300 000 km²
Einwohner: (1995) 67,581 Mio.
Hauptstadt: Manila
Verwaltungsgliederung: 15 Regionen
Amtssprachen: Filipino (Tagalog) und Englisch
Nationalfeiertage: 12. 6. und 4. 7.
Währung: 1 Philippinischer Peso (₱) = 100 Centavos (¢)
Zeitzone: MEZ +7 Std.

che stark aufgelöster submariner Gebirgsketten mit z. T. noch tätigen Vulkanen. Erdbeben sind häufig. Das trop. Klima ist durchweg maritim und steht unter Monsuneinfluss; vielfach Taifune.

Bevölkerung: Die Bevölkerung ist durch ethn. und sprachl. Vielfalt gekennzeichnet. Die ältesten Bewohner, die Aeta, gehören nicht zu den vorherrschenden Indonesiern. Polynesier, Chinesen (etwa 10 %), Inder und Weiße (Spanier) kamen erst später ins Land. Zusammenfassend werden die Bewohner der P. als Filipinos bezeichnet. Die bedeutendsten Stämme der Jungindonesier sind u. a. Bisaya, Tagalen, Iloco, Pampanganen, Bikol, die der Altindonesier u. a. Ifugao, Igoroten, Kalinga. Das Bevölkerungswachstum ist mit 2,5 % sehr hoch. – Die allg. Schulpflicht beträgt vier Jahre, der Unterricht in dieser Zeit erfolgt unentgeltlich; die Analphabetenquote beläuft sich auf 10 %. Es gibt 20 staatl. und 49 private Univ. sowie weitere Hochschulen, zumeist in Manila. – Etwa 80 % der Bev. gehören der kath. Kirche an, über 6 % der »Philippin. Unabhängigen Kirche«, rd. 9 % Protestanten, rd. 4,6 % Muslime (Moros im S, die Autonomieforderungen erheben), ferner Buddhisten und Anhänger von Naturreligionen.

Wirtschaft, Verkehr: Die P. sind traditionell ein Agrarland. Etwa 30 % der Gesamtfläche der Inseln werden landwirtsch. genutzt. Hauptnahrungsmittel ist Reis, daneben werden Mais, Bataten, Maniok, Gemüse u. a. angebaut. Exportkulturen sind Zuckerrohr und Kokospalmen (größter Kopraerzeuger der Erde), außerdem Kaffee, Ananas, Tabak, Kautschuk und Manilahanf. Agrarreformen (1972, 1988) scheiterten v. a. am Widerstand der einflussreichen Großgrundbesitzer. Der Raubbau an trop. Hölzern erbrachte jahrelang hohe Exporteinnahmen (z. T. illegale Ausfuhr), verursachte aber auch erhebliche ökolog. Schäden. Durch Rodung, Raubbau und versäumte Wiederaufforstung verringerte sich der Waldbestand auf 18 % der Gesamtfläche des Staates. Um weitere Schäden zu begrenzen, wurde 1986 und 1989 der Export von Rundholz bzw. Nutzholz eingeschränkt. Umfangreich ist die Küstenfischerei. Die reichen Vorkommen an Kupfer-, Nickel-, Eisen-, Chromerz, Kohle, Gold, Silber, Quecksilber, Asbest, Gips, Marmor und Salz werden erst wenig genutzt. Positive Wachstumsimpulse erhielt in den letzten Jahren die verarbeitende Ind. durch eine reformierte Ind.politik und das Engagement ausländ. Investoren. Auf der Halbinsel Bataan (Manilabucht) wurde eine Freihandelszone geschaffen. Neben der Nahrungs- und Genussmittelind. hat sich v. a. die Textil- und Bekleidungsind. zu einem bed. Exportzweig entwickelt; außerdem Anlagen zur Erzkonzentratgewinnung; Metall-, chem. und Zementind., elektrotechn./elektron. Ind. sowie Holzverarbeitung. – Die Eisenbahn (499 km Streckennetz) spielt nur eine geringe Rolle; Bahnlinien gibt es auf Luzon und Panay. Das Straßennetz (160 900 km) ist nur auf Luzon gut ausgebaut. Der »Pan-Philippine-Highway« (rd. 2 000 km) verläuft von Aparri in N-Luzon bis nach Davao in S-Mindanao. Von besonderer Bedeutung sind Küstenschifffahrt und Flugverkehr. Wichtigste Häfen sind Manila, Cebu, Iloilo und Zamboanga. Internat. Flughäfen: Manila sowie fünf weitere.

Geschichte: Das Gebiet der heutigen Philippinen ist seit etwa 10 000 v. Chr. permanent besiedelt. Um diese Zeit war der Meeresspiegel um rund 100 m auf die heutige Höhe angestiegen, sodass die einzelnen Inseln isoliert wurden. In mehreren Migrationswellen wanderten versch. Völker vom asiat. Festland ein, seit etwa 4000 die Alt-, seit etwa 200 v. Chr. die Jungindonesier. Stärkere Nachwirkungen hatte die Berührung mit dem chines. Kulturkreis. Die Kontakte mit dem islam. Reich von Malakka führten im 15. Jh. zur Gründung von islam. Sultanaten auf den Suluinseln und auf Mindanao.

1521 entdeckte F. de Magalhães die Inseln; 1543 wurden sie nach dem späteren span. König Philipp II. benannt. Die span. Kolonisation setzte mit den Eroberungszügen M. L. de Legazpis 1565/72 ein. 1648 wurden die P. im Westfäl. Frieden Spanien zugesprochen. Durch ihre oft rigorose Missi-

Staatswappen

RP

Internationales Kfz-Kennzeichen

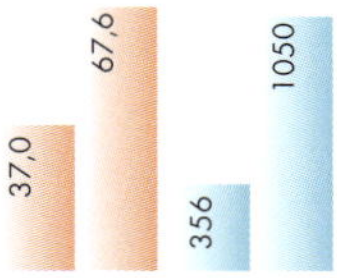

1970 1995 — Bevölkerung (in Mio.)
1970 1995 — Bruttosozialprodukt je Ew. (in US-$)

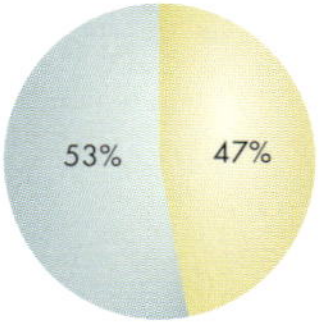

■ Stadt
■ Land

Bevölkerungsverteilung 1995

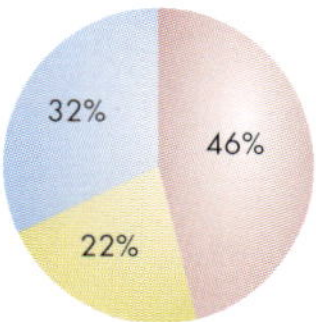

■ Industrie
■ Landwirtschaft
■ Dienstleistung

Bruttoinlandsprodukt 1995

Philippinen: Reisanbau am Fuße des Vulkans Mayon auf der Insel Luzon (links) und Landschaft in der Nähe der Hafenstadt Cebu auf der zu der Visayas-Inselgruppe gehörenden gleichnamigen Insel Cebu

onstätigkeit bekehrten span. Orden die einheim. Bev. zum Christentum. Zahlr. antispan. Bauernaufstände gingen der Unabhängigkeitsrevolution 1896–98 voraus. Im Spanisch-Amerikan. Krieg (1898) unterstützten die Filipinos die USA, die ihnen die staatl. Unabhängigkeit versprachen (am 12. 6. 1898 durch E. Aguinaldo proklamiert), sich jedoch im Frieden von Paris (10. 12. 1898) die P. von Spanien abtreten ließen. Das hatte einen mehrjährigen Guerillakrieg zur Folge. 1907 wurde ein einheim. Parlament gewählt. 1934 erhielten die P. den Status eines Commonwealth mit der Maßgabe, dass 1944 die endgültige Überführung in die staatl. Unabhängigkeit erfolgen sollte (Tydings McDuffie Act). Nach der Besetzung der P. durch die Japaner (1941/42) bildete sich eine Widerstandsbewegung (u.a. getragen von der kommunist. »Hukbalahap«). 1944/45 eroberten amerikan. Truppen die P. zurück. Am 4. 7. 1946 entließen die USA die P. in die Unabhängigkeit (Präs. M. Roxas y Acuña 1946 bis 1948), sicherten sich jedoch das Recht zur Errichtung von Militärstützpunkten (Abkommen vom 14. 3. 1947) und die fast vollständige wirtsch. Kontrolle. Missregierung, Korruption und Partisanentätigkeit der »Hukbalahap« brachten den Staat nahezu an den Rand des Ruins. Erst Präs. D. Macapagal (1961–65) versuchte, die Korruption wirksam zu bekämpfen. Unter Präs. F. E. Marcos (1965–86) wurde die »Philippinisierung« vorangetrieben; die Reg. suchte die vertraglich zugestandenen amerikan. Sonderrechte zu beschneiden. Nach inneren Unruhen verhängte Marcos 1972 das Kriegsrecht; 1973 begann ein separatist. Aufstand der Muslime (Moro).

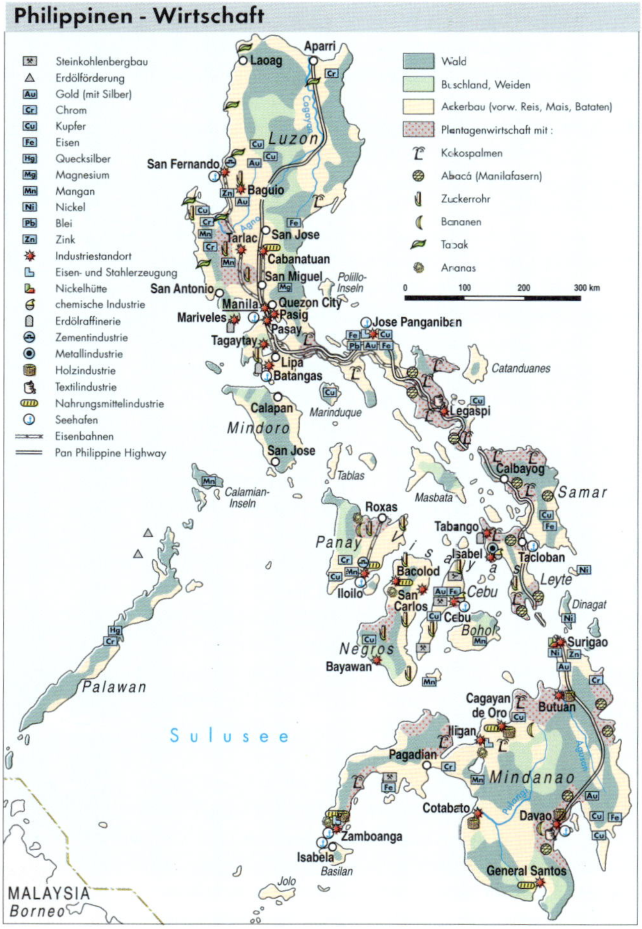

Nach Aufhebung des Kriegsrechts (1980) und Verfassungsänderungen wurde Marcos bei den Präsidentschaftswahlen 1981 wieder gewählt. Die Ermordung des Oppositionsführers B. Aquino kurz nach seiner Rückkehr aus dem Exil (Aug. 1983) löste eine schwere innenpolit. Krise aus. Anhaltende Proteste veranlassten Marcos, für den 7. 2. 1986 vorgezogene Wahlen anzuberaumen; für diese Präsidentschaftswahlen stellte die Opposition als einzige Kandidatin Corazon Aquino, die Witwe B. Aquinos, auf. Nach der (offenkundig manipulierten) Wiederwahl von Marcos musste dieser unter starkem innenpolit. Druck (Kampagne zivilen Ungehorsams, Verweigerung jegl. Unterstützung durch die USA) zugunsten von C. Aquino auf das Präsidentenamt verzichten und verließ mit seiner Familie das Land. 1986 geführte Friedensgespräche mit der maoist. Guerillabewegung New People's Army (NPA) erbrachten keinen dauerhaften Erfolg. Die eingeleitete Demokratisierung war von einer erhebl. Verschlechterung der wirtsch. Situation begleitet. Die bis in Reg.kreise reichende Opposition gegen C. Aquino organisierte sich 1988 in der mehrere Parteien umfassenden Union for National Action (UNA). 1990 kündigten die P. das Stützpunktabkommen mit den USA zum Sept. 1991 auf; die Inkraftsetzung eines neuen scheiterte am Widerstand des Senats (1992 Räumung der amerikan. Flottenbasis Subic Bay). Die Präsidentschaftswahlen 1992 gewann F. Ramos. Er sucht die Versöhnung mit den islam. Aufständischen auf Mindanao voranzutreiben. Nach der Vereinbarung eines provisor. Waffenstillstandsabkommens mit der Moro National Liberation Front (MNLF) und einer umfassenden Amnestie (1993) seitens der Regierung unterzeichneten am 2. 9. 1996 Präs. Ramos und der muslim. Rebellenführer Nur Misuari ein Friedensabkommen, das einen Guerillakrieg beenden sollte, der in den vergangenen 20 Jahren mehr als 100 000 Tote gefordert hatte. Für 1999 ist eine Volksabstimmung vorgesehen, die dann zu der von den Muslimen geforderten Autonomie im Bereich der Insel Mindanao führen könnte. Außenpolitisch strebte die Reg. Ramos eine stärkere Orientierung nach O-Asien an. Die Beziehungen zur VR China sind belastet durch den Anspruch auf die Spratlyinseln. Aus den Präsidentschaftswahlen 1998 ging J. Estrada als Sieger hervor.

📖 BRONGER, D.: *Die P. Raumstrukturen, Entwicklungsprobleme, regionale Entwicklungsplanung. Hamburg 1987.* – HANISCH, R.: *P. München 1989.*

Philippinengraben, Tiefseegraben im Pazif. Ozean, östlich der Philippinen; bis 10 540 m tief (Galatheatiefe).

philippinische Sprachen, die rd. 90 auf den Philippinen gesprochenen Sprachen, die zur westmalaiopolynes. Gruppe der austrones. Sprachen gehören. Zur zentralen Gruppe zählen u. a. Tagalog (mit Filipino, 1959–87 Pilipino gen.; standardisierte Form des Tagalog und der Amtssprache der Philippinen), Bikol, Cebuano, Bisaya und Pampangan, zur nördl. Gruppe u. a. Pangasinan, Ilokano (Iloko) und Igorot.

Philippisten, → Kryptokalvinisten.

Philippsburg, Stadt im Landkreis Karlsruhe, Bad.-Württ., an einem Altrheinarm, 12 400 Ew.; Maschinen- und Gerätebau; Kernkraftwerk (zwei Blöcke: 900 und 1350 MW). – 784 erstmals erwähnt, 1338 Stadt; bis 1623 Udenheim genannt. Die 1610–23 vom Bischof von Speyer gebaute Festung wurde 1800 geschleift.

Philips Electronics N. V. [-ılek'trɔnıks -, engl.], niederländ. Konzern der elektr. und elektron. Ind., Sitz: Eindhoven, gegr. 1891; 1912–91 firmierte das Unternehmen als Philips Gloeilampenfabrieken N. V. Das Produktionsprogramm umfasst u. a. Lichtanlagen, Unterhaltungselektronik, Mikroelektronik, Multimedia, Elektrogeräte, Fernmeldesysteme. Bis 1997 zählte auch die Grundig AG zum Philips-Konzern.

Philister [hebr.], **1)** *allg.:* Spießbürger, engherziger Mensch.

2) Volk westl. Herkunft an der SW-Küste des nach ihnen benannten Palästina (kurz nach 1200 v. Chr.). Die P. waren in einem Fünfstädtebund (Gaza, Asdod, Askalon, Gath, Ekron) zusammengeschlossen und kämpften zunächst erfolgreich gegen die israelit. Stämme. Die assyr. Besetzung beendete ihre Selbstständigkeit (Ende des 8. Jh. v. Chr.).

Phillips ['fılıps], William Daniel, amerikan. Physiker, * Wilkes-Barre (Pa.) 5. 11. 1948; erhielt zus. mit dem frz. Physiker Claude Cohen-Tannoudji (* 1933) und seinem amerikan. Kollegen Steven Chu (* 1948) für die Entwicklung von Methoden, Atome mit Laserlicht zu kühlen und einzufangen, 1997 den Nobelpreis für Physik.

Phillipsit [nach dem brit. Mineralogen William Phillips, * 1775, † 1828] *der* (Kalkharmotom), monoklines Mineral der chem. Zusammensetzung $KCa[Al_3Si_5O_{16}] \cdot 6H_2O$, in Hohlräumen vulkan. Gesteine zu finden. BILD S. 30

Phillips-Kurve, graf. Darstellung des Zusammenhangs zw. Arbeitslosenquote und Zuwachsrate der Nominallöhne, ben. nach dem brit. Ökonometriker Alban William Phillips (* 1914, † 1975). P. A. Samuelson und R. M. Solow unterstellten in Anlehnung an Phillips eine feste Beziehung zw. Nominallohn- und Preisniveauveränderung. Dadurch wurde aus der ursprüngl. P.-K. die **modifizierte P.-K.,** die den Zusammenhang von Inflationsrate und Arbeitslosenquote darstellt. Aus der P.-K. wurde damit für die Wirtschaftspolitik die Wahlmöglichkeit zw. Arbeitslosigkeit und Inflation abgeleitet. Nach Auffassung der Monetaristen wird mit der P.-K. nur eine kurzfristige Beziehung beschrieben. Langfristig ergebe sich eine senkrecht über der »natürl. Arbeitslosenquote« verlaufende P.-K.; die strukturell bedingte »natürl. Arbeitslosigkeit« ließe sich durch expansive Geld- und Fiskalpolitik auf Kosten höherer Inflationsraten nicht bekämpfen. BILD S. 30

Philodendron [grch.] *der,* aus dem trop. Amerika stammende artenreiche Gattung der Aron-

Ferdinando Marcos

Corazon Aquino

Fidel Ramos

William D. Phillips

Philodendron: Philodendron panduriforme

Phillipsit: weiße Kristalle auf Basalt

stabgewächse, mit ungeteilten oder zerschlitzten Blättern, häufig kletternd, mit Luftwurzeln. Zahlr. Arten sind beliebte Zimmerpflanzen, z. B. die Art P. panduriforme.

Philoktet, *grch. Mythos:* Gefährte des Herakles, dem dieser im Tod seinen Bogen und seine Pfeile schenkte; wurde auf dem Zug gegen Troja wegen einer übel riechenden Wunde auf Lemnos ausgesetzt, später von Odysseus und Diomedes aufgrund eines Orakelspruchs mit einer List nach Troja geholt. P. tötete mit den Waffen des Herakles Paris. – Trauerspiel von Sophokles.

Philologie [grch. »Liebe zum Wort«] *die,* Wiss. von der Erforschung von Texten, i. w. S. der kulturellen Entwicklung und Eigenart eines Volkes auf der Grundlage seiner Sprache und Literatur. Sie umfasst das gesamte Spektrum der alten **(Alt-P., klass. P.)** und neueren Sprachen und Literaturen **(Neu-P.)** und bildet auch eine Grundlage anderer Disziplinen (Geschichte, Theologie, Archäologie). Eine ihrer Aufgaben ist die Erstellung authent., den Intentionen der Autoren gerecht werdender Texte: Die Textkritik berücksichtigt dabei die gesamte handschriftl. oder gedruckte Überlieferung eines Textes. Zunächst wird der Bestand des Überlieferten festgestellt, dann diese Überlieferung kritisch auf ihre Originalität hin geprüft; hierbei müssen Textschäden festgestellt und nach Möglichkeit (auch nach Vermutung) behoben oder gebessert werden. Der so gewonnene Text wird außer auf seine Echtheit auch auf seine Einheitlichkeit hin befragt. Die textkrit. Arbeit schlägt sich nieder in der →kritischen Ausgabe. Eine sorgfältige Textkritik bildet die Voraussetzung der Textinterpretation, die auf formale, stilist. und inhaltl. Aspekte abhebt, die u. a. eine literaturgeschichtl. Einordnung des Textes erlauben.

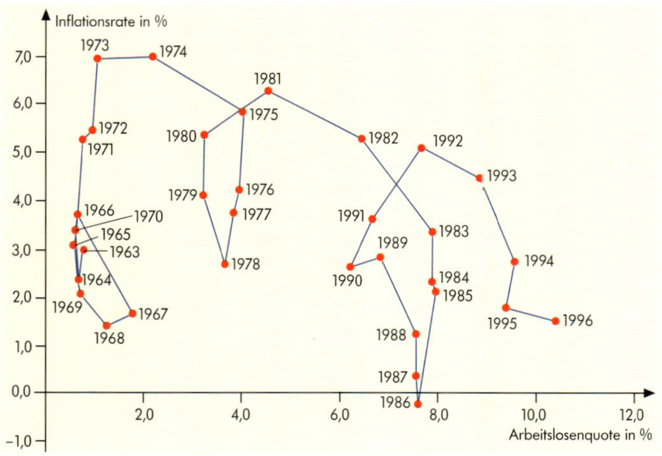

Phillips-Kurve in modifizierter Fassung für die Bundesrepublik Deutschland in den Jahren 1968–96 mit den für diese Darstellung typischen Schleifen (Phillips-Loops)

📖 PFEIFFER, R.: *Geschichte der klass. P. von den Anfängen bis zum Ende des Hellenismus. A. d. Engl. München ²1978.* – PFEIFFER, R.: *Die klass. P. von Petrarca bis Mommsen. A. d. Engl. München 1982.* – GADAMER, H.-G.: *Wahrheit u. Methode. Studienausg. Tübingen 1986.*

Philon von Alexandria, jüdisch-hellenist. Religionsphilosoph, * Alexandria um 20 v. Chr., † ebd. um 50; suchte die platonisch-aristotel. Philosophie mit dem mosaischen Gesetz durch allegor. Schriftauslegung zu verbinden; wegweisend bes. für den christl. Neuplatonismus und die Mystik.

Philopoimen, grch. Feldherr, * Megalopolis (Arkadien) um 253 v. Chr., † Messene 183 v. Chr.; der »letzte der Hellenen«, zwang Sparta, in den Achaiischen Bund einzutreten (192); von den Messeniern gefangen genommen und ermordet.

Philosemitismus [grch.] *der,* die dem →Antisemitismus entgegengesetzte Haltung, die gegenüber Juden und ihrer Religion Verständnis und Wertschätzung aufbringt.

Philosophem [grch.] *das,* philosoph. Lehrsatz.

Philosophia perennis [lat.], die seit dem Altertum (Platon, Aristoteles) durch alle Wandlungen der Geschichte in ihrem Kern »immer währende Philosophie« des Abendlandes. In diesem Sinne hat der Begriff drei Hauptbedeutungen: 1) die seit den Griechen überlieferte und im Zusammenhang entfaltete »wahre Philosophie« (G. W. Leibniz); 2) die Einheit und Kontinuität des faktisch lebendigen Philosophierens über die Zeiten hinweg (K. Jaspers) oder das rein sachhingegebene Problemdenken (N. Hartmann); 3) die scholast. Philosophie der auf einen festen theolog. Grundbestand ewig geltender philosoph. Wahrheiten sich aufbauenden Tradition des christl. Abendlandes.

Philosophie [grch. »Liebe zur Weisheit«] *die,* nach der Auffassung von Sokrates und Platon das Streben nach Weisheit. Seinen Inhalt bildet die systemat. Beschäftigung mit den Grundfragen: Was ist der Grund und Ursprung der Dinge? (Vorsokratiker) – Was bin ich? (Sokrates) – Was kann ich wissen, was soll ich tun, was darf ich hoffen? (I. Kant). Die P. richtet sich auf das Ganze der Wirklichkeit und seine Grundbestimmungen, während sich die Einzelwiss., die urspr. zur P. gehörten, mit der Erforschung der Gesetzmäßigkeiten bestimmter, umgrenzter Gegenstandsbereiche befassen.

Systematik: Platons Unterscheidung von Logik, Ethik und Ästhetik wirkte lange nach. Die Systematik des Aristoteles umfasste theoret. P. (Metaphysik, Mathematik, Physik), prakt. P. (Ethik, Ökonomik, Politik) und Schaffenswissenschaften (Poetik, Rhetorik). In der Scholastik gliederte sich P. in Metaphysik (Ontologie und Theologie), Physik (Kosmologie und Psychologie) und Ethik (Politik). Die in der akadem. P. seit dem 18. Jh. gültige Einteilung war die in →Metaphysik (oder →Ontologie), →Logik, →Ethik, →Ästhetik, →Erkenntnistheorie; sie wird z.T. noch heute aufrechterhalten. Daneben trat eine Reihe von Sonderdisziplinen in Erscheinung, wie Rechts-P., Geschichts-P., Sprach-P., Sozial-P., Kultur- und Religions-P. sowie die Wiss.theorie. Die Ausgliederung der Naturwiss. aus der P. zog sich bis ins 17. und 18. Jh. hin; Kunstwiss., Psychologie, Pädagogik, Soziologie und andere Geisteswiss. wurden seit dem 18. Jh., z.T. erst im 20. Jh. selbstständige Disziplinen.

Geschichte: Ohne Verbindung mit der abendländ. P. entwickelten sich die ind. P. (→indische Philosophie und Religion) und die →chinesische Philosophie, mit später mannigfachen Wechselwirkungen zu ihnen die →japanische Philosophie. Die abendländ. P. hat ihren Ursprung in der →griechischen Philosophie (seit 600 v. Chr.). Seit den ersten christl. Jahrhunderten erfolgte eine Verschmelzung antiken Denkens mit Inhalten christl. Glaubens; einen Höhepunkt bildete die →Scholastik. Die arabische P. (→arabische Wissenschaft; →islamische Philosophie) und die →jüdische Philosophie hatten seit dem 12. und 13. Jh. zeitweise bed. Einfluss. Seit der Renaissance entfaltete sich die abendländ. P. in sachlich abgrenzbaren Richtungen wie →Rationalismus und →Empirismus, →Idealismus und →Materialismus und in räumlich-national beschreibbaren Beiträgen (→deutsche Philosophie, →englische Philosophie, →französische Philosophie, →russische Philosophie, amerikanische P. [→Vereinigte Staaten von Amerika, Philosophie; →lateinamerikanische Philosophie] u.a.). Die P. des 20. Jh. gliedert sich in vielfältige Strömungen, v.a. →Phänomenologie, →Existenzphilosophie und →Hermeneutik; →Positivismus und →Neopositivismus, →Pragmatismus und →kritischer Rationalismus, außerdem die →kritische Theorie der Frankfurter Schule, →Strukturalismus und →Sprachphilosophie. Einen breiten Raum nehmen →Wissenschaftstheorie und Ethik (prakt. P.) ein.

📖 HIRSCHBERGER, J.: *Geschichte der P., 2 Bde. Sonderausg. Freiburg im Breisgau u.a. [13–14]1987–88, Nachdr. ebd. 1996.* – STEGMÜLLER, W.: *Hauptströmungen der Gegenwartsphilosophie, 4 Bde. Stuttgart [1–8]1987–89.* – JASPERS, K.: *Einführung in die P. München u.a. [30]1992.* – *P. im 20. Jh., hg. v.* A. HÜGLI *u.* P. LÜBCKE, *2 Bde. Reinbek 1993–94.* – STÖRIG, H. J.: *Kleine Weltgeschichte der P. Sonderausg. Frankfurt am Main 1996.*

Philotas, makedon. Reiterführer, † (hingerichtet) Prophthasia (im heutigen Afghanistan) 330 v. Chr.; Jugendfreund Alexanders d. Gr., wegen angebl. Hochverrats zum Tode verurteilt. – Drama von G. E. Lessing, 1759.

Phimose [grch.] *die,* →Vorhautverengung.

Phnom Penh: Innenhofansicht des Anfang des 20. Jahrhunderts in traditioneller Bauweise errichteten Königspalastes

Phiole [grch.-lat.] *die,* birnenförmiges Glasgefäß mit langem, engem Hals.

Phlebitis [grch.] *die,* →Venenentzündung.

Phlebo|graphie *die,* →Venographie.

Phlegmatiker [grch.] *der,* schwerfälliger Mensch (→Temperament).

Phlegmone [grch.] *die,* →Zellgewebsentzündung.

Phlegräische Felder (italien. Campi Flegrei), vulkan. Hügelland westlich von Neapel, mit Kraterwällen, Kraterseen, Solfataren und heißen Quellen; Obst-, Wein- und Gemüseanbau. Hier gründeten die Griechen ihre älteste Kolonie auf dem italien. Festland (Kyme, →Cumae). – Im grch. Mythos waren die P. F. Schauplatz des Kampfs zw. Göttern und Giganten.

Phleum [grch.], *Botanik:* die Gattung →Lieschgras.

Phloem [grch.] *das,* →Leitgewebe.

Phlogistontheorie [zu grch. phlogistós »verbrannt«], von G. E. Stahl 1697 aufgestellte Theorie, nach der alle brennbaren Körper, aber auch die unedlen Metalle, einen materiellen Bestandteil **(Phlogiston)** enthalten, der bei der Verbrennung entweicht; 1774–83 von der **Oxidationstheorie** A. L. de Lavoisiers abgelöst.

Phlox: Staudenphlox

Phlox [grch. »Flamme«] *der* (Flammenblume), zu den Himmelsleitergewächsen gehörende, überwiegend staudige Zierpflanzengattung aus Nordamerika mit strahligen weißen, roten oder violetten Blüten in meist großen, endständigen Rispen, z. B. der **Staudenphlox.**

Phnom Penh [pnɔm ˈpɛn], Hauptstadt von Kambodscha, am Mekong, 800 000 Ew.; Univ., Technikum, Nationalmuseum, Museum des Königspalastes; Ind.standort, Hafen (auch für kleinere Seeschiffe erreichbar), internat. Flughafen. –

Königspalast (Anfang des 20. Jh.) am Tonle Sap. – P. P. wurde 1434 Residenz der Khmerkönige anstelle von Angkor; 1975 Zwangsräumung der Stadt durch die »Roten Khmer«, danach bis 1981 nur Verwaltungsmetropole.

Phobie [grch.] *die,* zwanghafte Furcht vor bestimmten Gegenständen oder Situationen, z.B. →Platzangst.

Phoenix: Die Hauptstadt Arizonas hat sich seit 1867 von einer bescheidenen Flussoase zu einem über 650 km² großen Siedlungsraum mit schachbrettartigem Grundriss entwickelt

Phobos [grch.], **1)** *Astronomie:* der innere Mond des →Mars.

2) *grch. Mythos:* Verkörperung der Furcht.

Phoebe ['fø-; grch. »die Glänzende«], **1)** *Astronomie:* ein Mond des →Saturn.

2) *grch. Mythos:* (Phoibe, Phöbe) Tochter der Gaia und des Uranos (→Titanen).

Phoenix ['fø-, grch.], die Gattung →Dattelpalme.

Phoenix ['fø-], von ARD und ZDF getragener, durch Rundfunkgebühren finanzierter Ereignis- und Dokumentationskanal, gegr. 1997, Sitz: Köln.

phönikische Kunst: Baal, Bronzestatue aus Ras-Schamra (14. Jh. v. Chr.; Paris, Louvre)

Phoenix ['fi:nɪks], Hauptstadt und größte Stadt des Bundesstaates Arizona, USA, am Salt River, 1,049 Mio. Ew. (Agglomeration: 2,24 Mio.); Univ.; elektrotechn., elektron., Textil- u.a. Industrie, Flugzeugbau; nahebei altindian. Ruinen.

Phokäa (grch. Phokaia), antike Stadt in W-Kleinasien, am Golf von İzmir, heute Foça (Türkei); im 7. und 6. Jh. v. Chr. bed. Handelsplatz und Mutterstadt der grch. Kolonien Lampsakos, Massalia (Marseille) und Emporion.

Phokis, Landschaft in Mittelgriechenland, mit dem Parnass und Delphi im S und der Ebene des Kephissos im Norden.

Phokomelie [grch.] *die,* angeborene Gliedmaßenfehlbildung, bei der Hände oder Füße unmittelbar an den Schultern bzw. Hüften ansetzen.

phon... [grch.], →phono...

Phon [grch.] *das,* **1)** *Sprachwiss.:* →Phonem.

2) *Technik:* (Fon) Zeichen **phon,** Hinweiswort (keine Maßeinheit im übl. Sinn) für die subjektiv empfundene →Lautstärke, bezogen auf den Pegel (Lautstärkepegel) des Normaltones von 1000 Hz. Die P.-Skala reicht von 0 phon (Hörschwelle) bis etwa 130 phon (Schmerzschwelle).

Phonem [grch.] *das,* in der strukturellen Linguistik das kleinste lautl. Segment einer Sprache mit bedeutungsunterscheidender (jedoch nicht bedeutungstragender) Funktion (z.B. sind die Laute »d« und »t« in den Wörtern »leiden« und »leiten« P.). Die Realisierung eines P., also das tatsächlich gesprochene Segment, das phonetisch identifizierbar ist, wird **Phon** genannt. – Regelmäßig in Abhängigkeit von der lautl. Umgebung auftretende Varianten eines P. heißen Allophone oder kombinator. Varianten (z.B. ich- [ç] und ach-Laut [x]), während unabhängig vom lautl. Kontext beobachtbare Varianten freie oder fakultative Varianten genannt werden (z.B. Zungen- und Zäpfchen-r im Deutschen).

Phonematik [grch.] *die,* →Phonologie.

Phonetik [grch.] *die,* Wiss. vom Sprachschall, seiner Erzeugung durch den Sprecher und seiner Verarbeitung durch den Hörer, wobei die Gesamtheit der physikal., physiolog. und psych. Prozesse der menschl. Kommunikation mittels gesprochener Sprache zu berücksichtigen ist. Die traditionelle Bestimmung der P. als der Wiss. von den Sprachlauten ist im Hinblick auf die moderne phonet. Forschung zu eng. Die **artikulator. P.** erforscht die Erzeugung der einzelnen Sprachlaute. Die **akust. P.** analysiert die Sprachschallsignale und erforscht die physikal. Prozesse der Sprachschallerzeugung. Die **perzeptive P.** beschäftigt sich mit der Wahrnehmung und Verarbeitung von artikulierten Lauten. Die **physiolog. P.** untersucht die neurolog. Vorgänge, die die Artikulationsorgane steuern und die der Signalverarbeitung beim Hörer dienen. Die **funktionale P.** oder Phonologie beschäftigt sich mit der Funktion der Sprachlaute im Sprachsystem, mit der Festlegung des Phonemsystems sowie seiner Beschreibung.

📖 WÄNGLER, H.-H.: *Grundriß einer P. des Deutschen. Marburg* ⁴*1983.* – PÉTURSSON, M. *u.* NEPPERT, J.: *Elementarbuch der P. Hamburg* ²*1996.*

Phon: Lautstärkepegel

Untere Hörschwelle	0	mittlerer Straßenlärm	70
Blättersäuseln	10	Schreien	80
Flüstern	20	Motorrad	85
gedämpfte Unterhaltung	40	Schmerzschwelle (z.B. Flugzeug in 25 m Entfernung)	120
lautes Sprechen	60		

Phönikilen (Phönizien, grch. Phoinike, lat. Phoenicia), histor. Landschaft an der syrisch-libanesisch-israel. Mittelmeerküste, etwa zw. Latakia und Akko. Mindestens seit dem 2. Jt. v. Chr. war hier das semit. Seefahrervolk der **Phöniker** (auch **Kanaanäer, Sidonier,** in Nordafrika **Punier** genannt) ansässig, das von Stadtstaaten aus regiert wurde (u. a. Byblos, Tyros). Die P. gründeten zahlr. Handelskolonien, u. a. Karthago. Unter den selbstständigen phönik. Städten errang Tyros (Sor) die Vorherrschaft. Im 9. Jh. v. Chr. unterwarfen sich die Stadtfürsten von P. den Assyrern, 538 v. Chr. dem Perserkönig Kyros II. Sidon wurde 351 v. Chr., Tyros 332 v. Chr. zerstört. 63 v. Chr. wurde P. von Pompeius dem Röm. Reich einverleibt. – Die Religion entsprach weitgehend der kanaanäischen Religion.

📖 Herm, G.: *Die Phönizier. Das Purpurreich der Antike. Neuausg. Reinbek 69.–78. Tsd. 1987.*

phönikische Kunst, die im Küstenstreifen v. a. des heutigen Libanon und N-Israels beheimatete, aber auch andernorts entstandene Kunst des 10.–4. Jh. v. Chr.; der Begriff wird auch ausgedehnt auf die Kunst, die in diesem Raum sowie in Teilen Zyperns seit dem 12. Jh. v. Chr., in Kanaan auch früher, entstand. – Die Baukunst verwendete große Blöcke als Baumaterial, Tempel folgten meist dem syr. Typ, die Gräber sind oft in den Felsen gehauen. Durch die phönik. Inschrift wurde der steinerne Sarkophag des Königs Achiram von Byblos (um 1000 v. Chr.) bes. bekannt. In Amrit, Tyros und Sarepta, auf Sardinien und Zypern gibt es einige Großplastiken (8.–6. Jh.). Sowohl die Reliefs als auch die Kleinkunst sind von der Kunst in Ägypten, dem östl. Mittelmeerraum und Mesopotamien beeinflusst. Das Kunsthandwerk bildete v. a. die Techniken der Fayence und des Niello aus. Der Einfluss der p. K. wird v. a. im orientalisierenden Stil der grch. und etrusk. Kunst fassbar.

📖 Moscati, S.: *Die Phöniker von 1200 v. Chr. bis zum Untergang Karthagos. A. d. Italien. Neuausg. Essen 1975.* – Parrot, A. *u. a.: Die Phönizier. Die Entwicklung der p. K. von den Anfängen bis zum Ende des 3. Pun. Krieges. A. d. Frz. München 1977.*

phönikische Kunst: Silberschale aus dem Fürstengrab Tomba Bernardini in Palestrina (710–675 v. Chr.; Rom, Museo Nazionale di Villa Giulia)

phönikische Sprache, die dem Hebräischen und der moabit. Sprache nahe stehende Sprache der Phöniker; sie gehört zur Gruppe der kanaanäischen Sprachen im nordwestl. Zweig der →semitischen Sprachen. Man kennt sie fast nur aus Inschriften, deren älteste die am Sarkophag des Königs Achiram von Byblos ist (um 1000 v. Chr.). Eine jüngere Form ist die **pun. Sprache** in Karthago und dessen Einflussbereich (Nordafrika,

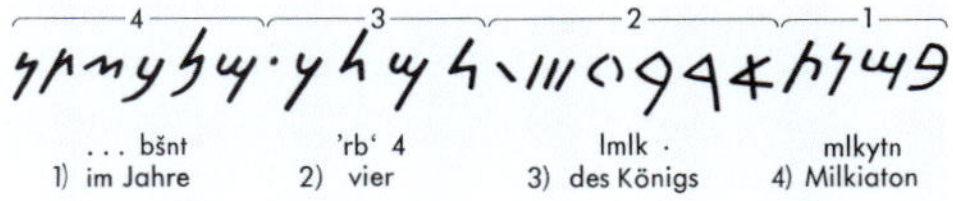

phönikische Sprache: Die von rechts nach links zu lesende phönikische Schrift auf einer phönikisch-griechischen Bilingue, einer zweisprachigen Inschrift aus Edalion auf Zypern (4. Jh. v. Chr.)

Phönikien - phönikische Kolonisation

Spanien, Sizilien, Sardinien). – Die **phönik. Schrift** ist aus den altkanaanäischen Schriften abgeleitet und eine seit dem 9. Jh. v. Chr. normierte Konsonantenschrift (22 Buchstaben). Bestimmte Zeichen (w, j) wurden als Lesehilfen für die Vokale u und i gebraucht. Die p. S. ist der Ausgangspunkt aller semit. Konsonantenschriften (z. B. Hebräisch, Arabisch) sowie der grch. und der lat. Schrift.

Phönix 1): Konsolfigur von Peter Parler am Prager Dom

Phönix (grch. Phoinix), **1)** *der, ägypt. Mythos:* myth. Vogel, der bes. im alten Ägypten verehrt wurde. Er sollte alle 500 Jahre erscheinen, sich selbst verbrennen und aus der Asche neu aufsteigen. In der Kunst versinnbildlicht der P. Auferstehung und Unsterblichkeit.

2) *Astronomie:* (lat. Phoenix) Sternbild des südl. Himmels.

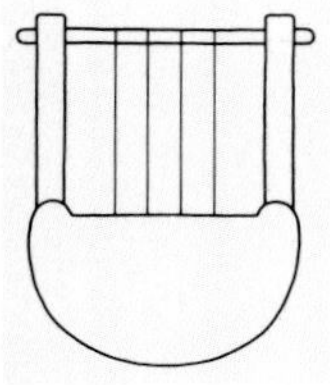

Phorminx

Phönix|inseln, Inselgruppe von acht Koralleninseln im zentralen Pazifik, 55 km², →Kiribati.

phono..., phon... [grch.], schall..., laut..., ton...

Phonographie [grch.] *die,* →Schallaufzeichnung.

Phonokardiographie, Verfahren der Kardiographie zur Aufzeichnung von →Herztönen und krankheitsbedingten →Herzgeräuschen in Form eines **Phonokardiogramms,** meist in Verbindung mit einem Elektrokardiogramm; dient v. a. der Feststellung von Herzklappenfehlern und Herzmuskelschäden.

Phonolith [grch.] *der* (Klingstein), graugrünes, seltener bräunl. Ergussgestein; Hauptbestandteile sind Sanidin und Nephelin; absondernd in plumpen Säulen oder dünnen, beim Anschlagen klingenden Platten.

Phonologie [grch.] *die* (Phonemik, Phonematik), eine auf der theoret. Grundlage der strukturellen Linguistik entstandene sprachwiss. Disziplin, die sich mit der Erforschung der bedeutungsunterscheidenden Funktion der Sprachlaute befasst. Die P. ermittelt und beschreibt die →Phoneme einer Sprache u. a. aufgrund ihrer distinktiven (unterscheidenden) phonet. Merkmale. Bei der Phonemanalyse wird die Methode der Oppositionspaarbildung angewendet (z. B. »leiden« und »leiten« im Hinblick auf Stimmhaftigkeit bzw. Stimmlosigkeit des Konsonanten im Inlaut). Die Theorie und das Verfahren der P. wurden in Europa (N. S. Trubezkoi, Prager Schule: R. Jakobson u. a.) und Amerika konsequent weiterentwickelt und bildeten die Grundlagen für die Entstehung des linguist. Strukturalismus.

📖 TRUBETZKOY, N. S.: *Grundzüge der P. Göttingen ^{7}1989.* – RAMERS, K. H. *u.* VATER, H.: *Einführung in die P. Hürth ^{4}1995.*

Phonon *das,* eine Elementaranregung der Gitterstruktur eines Festkörpers, die sich in kollektiven Oszillationen aller Gitterbausteine äußert. Die Quantenmechanik ordnet diesen Gitterschwingungen Teilchencharakter zu, die entsprechenden →Quasiteilchen sind die P. (»Schallquanten«).

Phonothek [grch.] *die,* Sammlung von Tonträgern; neben Schallplatten **(Diskothek)** auch Walzen, CDs, Tonbänder, Tonkassetten, Tonfilme.

Phonotypistin [grch.] *die,* nach Diktiergerät arbeitende weibl. Schreibkraft.

Phorminx [grch.] *die,* altgrch. Leier, nach Bildzeugnissen des 9. Jh. v. Chr. mit sichel- oder halbkreisförmigem Schallkörper und vier Saiten, die mit den Fingern oder einem →Plektron angerissen wurden.

Phosgen [engl., zu grch. phōs »Licht«] *das* (Kohlenoxidchlorid), $COCl_2$, sehr giftiges Gas, das katalytisch aus Kohlenmonoxid und Chlor hergestellt wird; diente im 1. Weltkrieg als Gaskampfstoff (Grünkreuz). Die Einatmung von P. führt nach 2–3 Stunden zu quälendem Husten, Blausucht und Lungenödem.

Phosphagene, energiereiche substituierte Guanidinphosphate, die der Zelle (z. B. Muskel) als Energiespeicher dienen.

Phosphane, →Phosphor (Verbindungen).

Phosphate [grch.], i. w. S. die Salze und Ester der versch. Phosphorsauerstoffsäuren (→Phosphor); i. e. S. die P. (V), d. h. die Salze und Ester der Phosphor(V)-säure, Orthophosphorsäure. Bes. die Calcium-P. kommen in der Natur in großen Lagerstätten vor; sie sind Ausgangsmaterialien für die Herstellung von Phosphatdüngern sowie für die Gewinnung von Phosphor und den von ihm abgeleiteten Verbindungen. Bei den Salzen der Phosphorsäure (einer dreibasigen Säure) lassen sich **primäre, sekundäre** und **tertiäre P.** mit den allgemeinen Formeln $M^{I}H_2PO_4$, $M^{I}_2HPO_4$ und $M^{I}_3PO_4$ unterscheiden (M: einwertiges Metallkation). In Wasser lösen sich alle primären und sekundären P. sowie die tertiären P. der Alkalimetalle. Beim Erhitzen gehen die primären und sekundären P. in **Meta-P.** (mit ringförmigen Molekülen) oder in hochmolekulare **Poly-P.** (mit versch. Struktur und unterschiedl. Kettenlängen) über. Technisch wichtig sind u. a. die höhermolekularen **Natriumpoly-P.,** $Na_{n+2}P_nO_{3n+1}$ mit $n = 4$ bis über 1000, die v. a. zur Wasserenthärtung (Komplexbildung mit Calciumionen) in Wasch- und Reinigungsmitteln verwendet werden (»Waschmittel-P.«); sie können mit dem Abwasser in natürl. Gewässer gelangen und Überdüngung verursachen (→Eutrophierung). Unter den Estern der Phosphorsäure, den **organischen P.** oder **Phosphorsäureestern,** sind zahlr. Alkyl- und Arylester Ausgangsstoffe u. a. für die Herstellung von Schädlingsbekämpfungsmitteln (z. B. E605), Weichmachern und Flotationsmitteln. – Biologisch wichtige Phosphorsäureester sind z. B. die →Phosphatide und die →Nucleotide.

Phosphatide [grch.] (Phospholipide, Phospholipoide), Lipide, die bes. am Aufbau Wasser abstoßender Membranen der Zellen im Organismus beteiligt sind. Zu ihnen gehören u.a. die Lecithine und die Kephaline.

Phosphatieren, Beschichtungsverfahren, bei dem Metalle, bes. Eisen, Stahl und Zink, mit Alkali- oder Schwermetallphosphatlösungen (v.a. Zink- und Manganphosphat) zur Erzeugung von Phosphatdeckschichten behandelt werden, die gegen Korrosion schützen, die Kaltverformbarkeit und die Gleiteigenschaften der Metalle verbessern oder als elektr. Isolierung dienen.

Phosphatmethode, Verfahren zur Sondierung vor- und frühgeschichtl. Siedlungen sowie von Wüstungen, da dort der Phosphatgehalt des Bodens beträchtlich höher ist als in der Umgebung.

Phosphor [zu grch. phōsphóros »Licht tragend« (nach der Leuchteigenschaft)] *der,* chem. Symbol **P,** nichtmetall. Element aus der fünften Hauptgruppe des →Periodensystems der chem. Elemente; Ordnungszahl 15, relative Atommasse 30,97376, Dichte 1,8232 g/cm³, Schmelzpunkt 44,2 °C, Siedepunkt 280,5 °C. P. ist ein sehr reaktionsfähiges Element, das in der Natur nur gebunden (meist in Form von →Phosphaten; z.B. →Apatit, →Phosphorit) vorkommt.

Elementarer P. tritt in drei kristallinen Modifikationen (als weißer, violetter und schwarzer P.) sowie in einer amorphen Form (roter P.) auf. – **Weißer P. (gelber, farbloser P.)** ist bei Zimmertemperatur eine wachsartig durchscheinende, weiße bis hellgelbe Masse. Weißer P. ist chemisch sehr reaktionsfreudig; mit Luftsauerstoff reagiert er leicht unter Erwärmung zu P.-Pentoxid; ein Teil der bei der Oxidation frei werdenden Energie wird als Licht abgegeben (Chemolumineszenz; Leuchten des weißen P. im Dunkeln). Da weißer P. selbstentzündlich ist, wird er unter Wasser aufbewahrt. – **Roter P.** ist ein rotes, amorphes oder feinkristallines Pulver, das sich bei längerem Erhitzen von weißem P. auf 450–550 °C unter Luftabschluss bildet. Er ist wesentlich weniger reaktionsfähig als der weiße P. (entzündet sich erst oberhalb 300 °C); im Gemisch mit starken Oxidationsmitteln, z.B. Kaliumchlorat, explodiert er schon beim einfachen Verreiben. Er ist im Ggs. zum weißen P. nicht giftig. – **Violetter P.** entsteht bei ein- bis zweiwöchigem Erhitzen von weißem P. auf 550–620 °C; er ist eine klare rote, violettstichige, in monoklinen Tafeln kristallisierende Substanz. – **Schwarzer P. (metallischer P.)** bildet kleine glänzende eisengraue Kristalle mit guter therm. und elektr. Leitfähigkeit. Im chem. Verhalten ähnelt er dem roten P. Gewonnen wird er aus weißem P. z.B. durch Anwendung hoher Drücke (bei 200 °C 12 000 bar).

Verbindungen: P. tritt in seinen Verbindungen mit den Oxidationsstufen −3 bis +5 auf; mit Wasserstoff bildet P. die anorgan. **Phosphane** und die organ. **Phosphine. P.-Wasserstoff,** PH_3, entsteht bei der Umsetzung von Phosphiden mit Wasser als stark riechender, giftiger und z.T. selbstentzündl. Stoff; dient u.a. für organ. Synthesen und als Begasungsmittel. **Phosphide** entstehen formal durch Ersatz der Wasserstoffatome des Phosphorwasserstoffs durch Metalle; i.d.R. schwer schmelzbare und hitzebeständige Substanzen, die durch Zusammenschmelzen von Metallen und Phosphor unter Luftabschluss hergestellt werden (z.B. Natriumphosphid, Na_3P, Calciumphosphid, Ca_3P_2). Die wichtigsten Sauerstoffverbindungen des P. sind **P.-Trioxid,** P_2O_3, eine weiße kristalline Masse, und **P.-Pentoxid,** P_2O_5; dieses bildet sich als weiße, geruchlose, flockige Masse, wenn P. mit viel Sauerstoff verbrennt. Die **P.-Sauerstoffsäuren** (»Phosphorsäuren«) haben die Zusammensetzung H_3PO_n (»Orthosäuren«) oder HPO_{n-1} (»Metasäuren«; n = 2–4) und $H_4P_2O_n$ (»Disäuren«; n = 4–7). Daneben gibt es viele Polyphosphorsäuren. Von allen sind die entsprechenden Salze bekannt. Die wichtige **(Ortho-)Phosphorsäure** H_3PO_4 entsteht durch Umsetzung von Calciumphosphat mit Schwefelsäure oder durch Lösen von P.-Pentoxid in Wasser. P.-Säure bildet harte, geruchlose und in Wasser leicht lösliche Kristalle. Ihre Salze sind die **Phosphate.** Erhitzt man die gewöhnlichen Orthophosphorsäure auf über 200 °C, so geht sie unter Wasserabspaltung in die **Diphosphorsäure (Pyrophosphorsäure),** $H_4P_2O_7$, über, die bei Temperaturen über 300 °C erneut Wasser abgibt und die **Metaphosphorsäure** HPO_3 liefert. Die wässrigen Lösungen von Pyro- und Metaphosphorsäure gehen bei längerem Stehen wieder in die Orthophosphorsäure über. Die **Phosphonsäure** (früher **phosphorige Säure**), H_3PO_3, entsteht aus P.-Trichlorid und Wasser als farblose, kristalline, wasserlösliche Masse. Ihre Salze und Ester heißen **Phosphonate** (früher **Phosphite**). – Aus weißem P. und heißer Alkalilauge entsteht die **Phosphinsäure** (früher **hypophosphorige Säure**), H_3PO_2, farblose, wasserlösl. Kristallblättchen. Ihre Salze heißen **Phosphinate** (früher **Hypophosphite**). Mit den Halogenen (X) bildet P. Verbindungen des Typs PX_3, PX_5, P_2X_4 und POX_3. Am wichtigsten ist **P.-Pentachlorid,** PCl_5.

Biolog. Bedeutung: P. gehört zu den für die Entwicklung der Pflanzen unerlässl. Nährstoffen. Die Pflanzen müssen den P.-Bedarf aus den mineral. P.-Anteilen des Bodens decken, die durch chem. Verwitterung aus dem Gestein verfügbar werden. P. ist auch für Menschen und Tiere unentbehrlich; es ist z.B. in Nucleinsäuren und Enzymen enthalten und an allen Vorgängen des Energiestoffwechsels und an Stoffwechselreaktionen (z.B. Proteinbiosynthese, Knochenaufbau) beteiligt.

Phosphoreszenz [grch.] *die,* Art der →Lumineszenz; Eigenschaft mancher Stoffe **(Phosphore),** nach Beendigung einer nichttherm. Anregung (z.B. Einwirkung von Licht oder Röntgenstrahlung) Licht auszusenden und (im Ggs. zur Fluoreszenz) nachzuleuchten. Die stark temperaturabhängigen Abklingzeiten (i. Allg. $>10^{-3}$ s) können mehrere Stunden, auch Monate andauern; der der Lichtemission zugrunde liegende Energieübergang erfolgt über metastabile Zustände in den Grundzustand. Anwendung u.a. bei Leuchtfarben und Fernsehbildröhren (→Leuchtstoffe).

Phosphorit: gelbliche Kruste auf Dolomit

Phosphorit [grch.] *der,* phosphat. Sedimentgestein, v.a. aus Apatit, Carbonaten, Tonmineralen u.a.; Rohstoff für Phosphor und Düngemittel.

Phosphoros [grch. »der Licht Bringende«] *der* (lat. Lucifer), Morgenstern, im Unterschied zu Hesperos, dem →Abendstern.

Phosphorsäure, →Phosphor (Verbindungen).

Phosphorylierung, Bez. für die enzymat. Einführung eines Phosphorsäurerests in ein Substrat, das dadurch biochemisch aktiviert wird. Als **oxidative P.** bezeichnet man die in der Atmungskette erfolgende Fixierung der chem. Energie unter Bildung von Adenosintriphosphat (ATP). Bei der **Photo-P.** in der Photosynthese wird die durch Elektronentransportvorgänge gewonnene Energie ebenfalls in Form von ATP gespeichert.

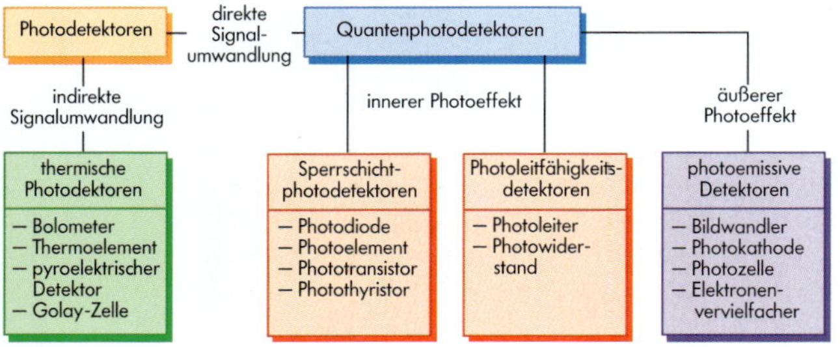

Photodetektor: Übersicht über die verschiedenen Klassen von Photodetektoren

Photios, byzantin. Universalgelehrter, *Konstantinopel um 810, † (in der Verbannung) 6.2. zw. 891 und 898; Lehrer an der kaiserl. Univ. Konstantinopel und Sekretär Kaiser Michaels III.; 858–867 und 877–886 Patriarch von Konstantinopel; wies päpstl. Jurisdiktionsansprüche anlässlich der Bulgarenmission zurück; daraufhin Absetzung und Exkommunikation (867) durch Papst Nikolaus I.; Beginn der Auseinandersetzung zw. der lat. und grch. Kirche (»Photian. Schisma«). P. bemühte sich bes. um die Mission der Bulgaren, der Chasaren und der Slawen in Mähren; einer der populärsten Heiligen der orth. Kirche, Tag: 6.2.

photo..., phot... [von grch. phōs »Licht«], fachsprachlich neben foto: licht...

Photobiologie, interdisziplinäres Forschungsgebiet, das sich mit lichtabhängigen und Licht erzeugenden Vorgängen in Organismen befasst, einschl. der Anwendung von Licht in Biologie und Medizin. Photobiolog. Vorgänge sind u.a. Photosynthese, Photonastie (durch Lichtreiz bewirkte Krümmungsbewegung von Organen), der Sehvorgang und die Biolumineszenz (die Erzeugung von sichtbarem Licht durch Lebewesen bei sehr geringer Wärmeerzeugung).

Photochemie, Teilgebiet der Chemie, das sich mit chem. Reaktionen befasst, die durch elektronisch angeregte Moleküle ausgelöst werden, sofern die absorbierte Strahlungsenergie nicht in Wärme umgewandelt oder als Strahlung (→Lumineszenz) emittiert wird.

photochromes Glas, →phototropes Glas.

Photochromie [grch.] *die* (Phototropie), reversible Farbänderung bestimmter chem. Verbindungen durch Einwirkung von Licht; nutzbar für fotograf. Verfahren und zur Informationsspeicherung.

Photodetektor (Photoempfänger, Lichtdetektor), Bauelemente der →Optoelektronik, die eine auftreffende elektromagnet. Strahlung im sichtbaren Wellenlängenbereich und in angrenzenden Wellenlängenbereichen in elektr. Signale umwandeln. Entsprechend der Art der Wechselwirkung zw. dem Licht und der Detektorsubstanz kann man zw. indirekter und direkter optisch-elektr. Signalumwandlung unterscheiden und die P. entsprechend in therm. und Quantenphotodetektoren einteilen.

Bei **thermischen P.** besteht eine Wechselwirkung mit den Gitteratomen eines Festkörpers (Photon-Phonon-Wechselwirkung), und ein Ausgangssignal wird indirekt durch eine Temperaturerhöhung der Detektorsubstanz erzeugt (z.B. →Bolometer, Thermoelement, pyroelektr. Detektor und Golay-Zelle). Therm. P. haben eine weitgehend von der Lichtwellenlänge unabhängige Photoempfindlichkeit (Arbeitsbereiche überwiegend im nahen und fernen Infrarot). **Quanten-P.** beruhen auf dem inneren oder auf dem äußeren →Photoeffekt, bei dem durch Wechselwirkung des Lichts mit den Elektronen im Festkörper direkt ein von der eingestrahlten Leistung abhängiges Signal **(Photostrom** oder **Photospannung)** erzeugt wird (Photon-Elektron-Wechselwirkung). Die auf dem inneren Photoeffekt beruhenden Quanten-P. werden in **Sperrschicht-P.** (z.B. →Photodiode, →Photoelement, →Phototransistor und Photothyristor) und **Photoleitfähigkeitsdetektoren** (→Photoleitung) eingeteilt; die auf dem äußeren Photoeffekt beruhenden P. werden auch als **photoemissive Detektoren** bezeichnet.

Photodiode, in Sperrrichtung betriebene Halbleiterdiode, die bei Lichteinstrahlung in der Sperrschicht freie Ladungsträger erzeugt, sodass ein erhöhter Strom fließt. Anwendungen finden P. zur Messung von Lichtintensitäten und zur Umwandlung von Lichtschwankungen in Stromschwankungen. (→Photoelement)

Photo|effekt (lichtelektrischer Effekt, photoelektrischer Effekt), quantenmechan. Vorgang, bei dem Elektronen durch Lichtabsorption aus ihrem Bindungszustand gelöst und für den elektr. Ladungstransport verfügbar werden. Beim **äußeren P. (Hallwachseffekt, Photoemission),** der an Festkörpern, insbesondere an Metallen, beobachtet wird, werden Elektronen **(Photoelektronen)** aus einem Festkörper herausgelöst. Ihre kinet. Energie W_k hängt nur von der Frequenz ν des eingestrahlten Lichtes und von der materialspezif. Austrittsarbeit A ab, nicht jedoch von der Lichtintensität. Beim **inneren P.,** der bes. an Halbleiterkristallen (z.B. Cadmiumsulfid), aber auch an Isolatoren auftritt, verlassen die durch Lichtabsorption angeregten Ladungsträger den Festkörper nicht. Durch Bestrahlung werden die vorher fest gebundenen Elektronen der Gitterbausteine teilweise im Kristall frei beweglich; der Übergang der Elektronen aus dem Valenz- ins Leitungsband führt zu einer elektr. Leitfähigkeit **(Photoleitfähigkeit, Photoleitung),** zu der auch die Defektelektronen einen Beitrag liefern. – Bei Bestrahlung einiger Kristalle (z.B. Kupferoxid) tritt der **Kristall-P. (Dember-Effekt)** auf. Durch das von der Lichtintensität abhängige Konzentrationsgefälle der Elektronen längs des Lichtweges treten Diffusionserscheinungen in Lichtrichtung auf, die zur Ausbildung einer Photospannung führen. Bestrahlt man Sperrschichten in Halbleitern, so tritt der **Sperrschicht-P. (Photo-Volta-Effekt)** auf, der zu einer Photospannung an der Sperrschicht führt. Beim **atomaren P. (Photoionisation)** wird ein Licht-, Röntgen- oder γ-Quant durch die Elektronenhülle eines freien Atoms vollständig absorbiert, wobei die Photonenenergie auf ein Elektron übergeht, das die Atomhülle verlässt. (→Kernphotoeffekt)

📖 HERRMANN, K. H.: *Der P. Grundlagen der Strahlungsmessung. Braunschweig u. a. 1994.*

photo|elektromagnetischer Effekt, Abk. **PEM-Effekt,** tritt in Halbleitern bei Lichteinstrahlung auf, wenn senkrecht zum Lichtstrom ein Magnetfeld angelegt ist. Der durch den Dember-Effekt (→Photoeffekt) ins Innere fließende Diffusionsstrom der Elektronen und Defektelektronen wird durch das Magnetfeld in entgegengesetzter Richtung abgelenkt. So bildet sich senkrecht zum Magnetfeld und senkrecht zum Lichtstrom eine Spannung aus **(Photo-Hall-Effekt).**

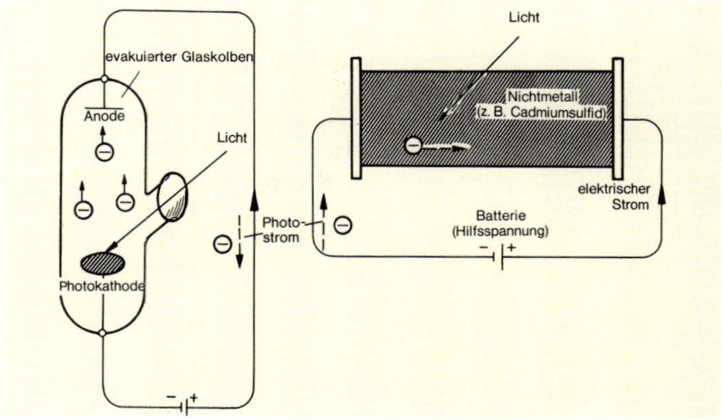

Photoeffekt (von links): schematische Darstellung des äußeren Photoeffekts (Photozelle) und des inneren Photoeffekts (Photowiderstand)

Photo|elektronen, →Photoeffekt.

Photo|element, aus Halbleitermaterial bestehendes optoelektron. Bauelement, das auf dem inneren →Photoeffekt beruht und bei Auftreffen elektromagnet. Strahlung eine elektr. Spannung abgibt. Im Ggs. zur →Photodiode benötigt das P. keine von außen angelegte Spannung, sondern erzeugt selbst aufgrund der durch die Lichteinwirkung hervorgerufenen Photospannung einen im Außenkreis (Verbraucher) fließenden Strom; Anwendung z.B. als →Solarzelle.

Photo|emission, der äußere →Photoeffekt.

Photogeologie (Luftbildgeologie), die geolog. Auswertung von Luft- und Satellitenbildern, die Aussagen über Schichtenverlauf und -lagerung, Tektonik und Faltenstrukturen ermöglichen.

Photogrammmetrie *die* (Bildmessung), Aufnahme und Auswertung urspr. nur fotograf. Messbilder zur Bestimmung von Beschaffenheit, Form und Lage beliebiger Objekte. Die P. erfährt heute eine bed. Ausweitung dank neuartiger Bildaufnahmegeräte und der digitalen Bildverarbeitung als Folge der Möglichkeiten von Optoelektronik, Computertechnik und digitalen Massenspeichern. Hauptanwendungsgebiet der P. ist die →Geodäsie. Die **terrestrische P. (Erdbildmessung),** bei der die Messbilder von erdfesten Standpunkten aus aufgenommen werden (Phototheodolit), wird im geodät. Bereich z.B. bei topograph. Aufnahmen im Hochgebirge und bei Ingenieurvermessungen genutzt. Bei der **Aero-P. (Luftbildmessung)** werden die Messbilder vorwiegend zur Herstellung topograph. Karten, für Katastermessungen und Aerotriangulationen mit einer →Messkammer vom Flugzeug aus aufgenommen (→Luftbild). Nach der Anzahl der verwendeten Bilder werden die Verfah-

Photoeffekt
Albert Einstein erhielt seinen Physik-Nobelpreis 1921 nicht für die Relativitätstheorie, sondern für die Erklärung des Photoeffekts, in der er die plancksche Hypothese von Strahlungsquanten auf das Licht erweiterte. Der Preis wurde übrigens erst 1922 verliehen.

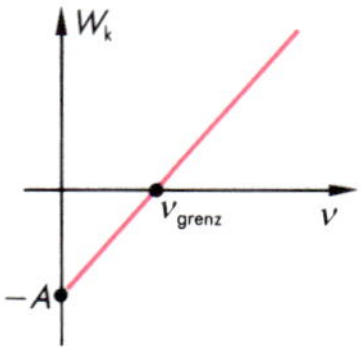

Photoeffekt: Das photoelektrische Gesetz stellt den Zusammenhang zwischen der kinetischen Energie W_k der Photoelektronen und der Frequenz ν des einfallenden Lichts unter Berücksichtigung der Austrittsarbeit A dar

Photogrammetrie: photogrammetrische Aufnahme der Statue von Ramses II. im größeren Tempel von Abu Simbel (13. Jh. v. Chr.)

ren der Einbild-, Zweibild- (Stereo-P.) und Mehrbildmessung unterschieden. Die Messbilder werden in Einzelbild-Auswertegeräten entzerrt oder an stereoskop. Doppelbild-Auswertegeräten in drei Dimensionen ausgemessen. Die P. wird auch in zahlr. anderen, nichtgeodät. Bereichen genutzt, z.B. in der Architektur- und Kunstwerkvermessung, in der äußeren Ballistik, im forstl. Vermessungswesen, in der Röntgenologie, im Polizeiwesen, im techn. Versuchswesen, im Ingenieurbauwesen.

📖 Kraus, K.: *Photogrammetrie, 2 Bde. Bonn* [3-5]*1994–96.*

Photogravüre, die →Heliogravüre.

Photo-Hall-Effekt, →photoelektromagnetischer Effekt.

Photoionisation, →Photoeffekt.

Photokathode, Elektrode, aus der bei Lichteinfall durch den äußeren →Photoeffekt Elektronen herausgelöst werden.

Photoleitung (Photoleitfähigkeit), die Änderung der elektr. Leitfähigkeit von Halbleitern oder Isolatoren infolge der Absorption elektromagnet. Strahlung, insbesondere von Licht (Photonen). Durch den inneren →Photoeffekt kann sich die Zahl quasifreier Ladungsträger oder die Beweglichkeit bereits vorhandener quasifreier Ladungsträger erhöhen.

Photolithographie, 1) *Drucktechnik:* Verfahren zur Druckformenherstellung für den Zink- und Offsetdruck. In der modernen Offset-Druckformenherstellung wird die Bearbeitung der Kopiervorlagen nicht mehr P., sondern Offsetretusche genannt, weil keine lithograph. Techniken i.e.S. angewendet werden.

2) *Halbleitertechnologie:* Verfahren der →Lithographie, bei dem Licht zur Übertragung der Maskenstrukturen auf die Halbleiterscheiben verwendet wird, dessen Wellenlänge zw. etwa 100 nm (Vakuum-UV) und 450 nm (Violett) liegt. Als Lichtquellen kommen Quecksilber- und Xenonhöchstdrucklampen zum Einsatz, aber auch gepulste Excimerlaser. Die zurzeit eingesetzten Belichtungsverfahren sind **Kontaktbelichtung** (ein mit Fotolack beschichtetes Substrat wird nach der Justierung auf die Maske gepresst und mit Licht im nahen UV-Bereich belichtet), **Proximitybelichtung** (ähnl. der Kontaktbelichtung, jedoch kleinerer Abstand zw. Maske und Substrat, 10–30 µm) und **Projektionsbelichtung** (die Strukturen der Maske werden mithilfe einer Linsen- oder Spiegeloptik auf das Substrat projiziert).

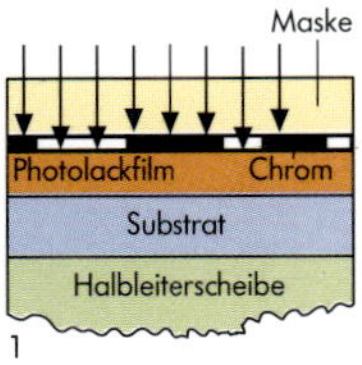

1

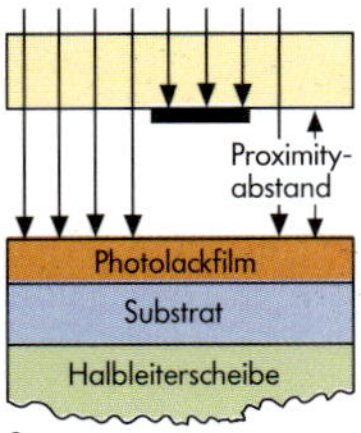

2

Photolithographie 2): schematische Darstellung der Kontaktbelichtung (1) und der Proximitybelichtung (2)

Photolyse [zu grch. lýsis »Auflösung«] *die,* Spaltung einer chem. Verbindung durch Absorption elektromagnet. Strahlung (bes. von Licht); bei der →Photosynthese die Spaltung von Wasser.

Photometrie [grch.] *die,* Arbeitsgebiet der →Lichttechnik, befasst sich mit Definition und Messung der photometr. Größen, u.a. Lichtmenge, Lichtstärke, Lichtstrom, Leuchtdichte, Beleuchtungsstärke und Belichtung. Im Ggs. zu den **Strahlungsgrößen,** die das Licht nach seiner Energie oder Leistung bewerten, liegt den photometr. Größen die Helligkeitsempfindung des menschl. Auges zugrunde (→Hellempfindlichkeitskurven). Ziel ist es, die (sichtbare) Strahlung mithilfe von **Photometern** so zu bewerten, dass zwei unter ident. Bedingungen gleich erscheinende Strahlungen die gleiche Maßzahl erhalten. Dient das Auge eines Normalbeobachters als Lichtempfänger, so spricht man von **visueller P.** (früher auch subjektive P.), bei Verwendung eines lichtelektr. Empfängers von **physikal. P.** (objektive P.). – Mit den kaum noch verwendeten **visuellen Photometern** werden die Strahlungen einer bekannten und der zu messenden Lichtquelle mit dem Auge verglichen. Zur direkten Messung des Lichtstromes (visuell oder physikalisch) dient die **Ulbricht-Kugel (Kugelphotometer),** eine innen mattweiße Hohlkugel, in deren Mitte die zu messende Lichtquelle gesetzt wird. Die auf der Kugelwand erzeugte Beleuchtungsstärke ist dem Gesamtlichtstrom proportional. Bei den **physikal. Photometern** dienen v.a. Photoelemente und -dioden als Strahlungsempfänger, deren spektrale Empfindlichkeit der des Auges angepasst ist. Ein Spezialfall der physikal. P. ist die **Spektral-P.,** bei der die Strahlung spektral zerlegt und die Strahlungsverteilung definitiver Wellenlängen bestimmt wird; sie wird z.B. in der **astronom. P. (Astro-P.)** angewandt, die sich mit der Bestimmung der Helligkeit von Gestirnen befasst.

photometrisches Strahlungsäquivalent, das Verhältnis des Lichtstroms einer monochromat. Strahlung zu deren Leistung.

Photomultiplier [-mʌltɪplaɪə, engl.], →Sekundärelektronenvervielfacher.

Photon *das* (Lichtquant, Strahlungsquant), Symbol γ, von A. Einstein geprägte Bez. für die Energiequanten der elektromagnet. Strahlung, z.B. von Licht, Röntgenstrahlung **(Röntgenquanten)** oder Gammastrahlung **(Gammaquanten).** P. sind stabile, sich mit der Lichtgeschwindigkeit *c* bewegende →Elementarteilchen der Ruhemasse null. Sie tragen eine Energie $h\nu$ und einen Impuls vom Betrag $h\nu/c$ (h plancksches Wirkungsquantum, ν Frequenz der Strahlung); die Energie beträgt für Licht einige eV, für weiche Röntgenstrahlung 100–100 000 eV und für Gammastrahlen einige MeV. Die P. repräsentieren den Teilchencharakter der elektromagnet. Strahlung (→Dualismus), der sich bes. in den wellenoptisch nicht deutbaren Erscheinungen wie →Photoeffekt und →Compton-Effekt zeigt. Die Wechselwirkungen zw. Strahlung und Materie werden als Absorption oder Emission von P. beschrieben. Wegen des Fehlens einer elektr. Ladung und eines magnet. Moments sind P. in elektromagnet. Feldern nicht ablenkbar. – Als Feldquanten des elektromagnet. Strahlungsfeldes stellen sie die Vermittler der elektromagnetischen →Wechselwirkung dar.

📖 PAUL, H.: *Photonen. Eine Einführung in die Quantenoptik. Stuttgart 1995.*

Photonenzähler, photoelektr. Strahlungsmessgerät zur Messung sehr kleiner Lichtintensitäten. Als Detektor dient die Photokathode eines →Sekundärelektronenvervielfachers.

Photonik *die,* Grundlagentechnologie der Informationstechnik; in Analogie zur Elektronik geprägte Bez. für die Informationsübertragung und -verarbeitung, die – vermittelt durch optisch nichtlineare Materialien – auf der Wechselwirkung von Lichtsignalen (Photonen) beruht; wichtig u.a. für die Entwicklung neuer opt. Elemente und Verbindungstechniken in komplexen Systemen als Grundbausteine zukünftiger opt. Computer. (→optische Datenverarbeitung)

Photo|oxidantien, Bez. für eine Gruppe äußerst reaktionsfähiger Substanzen unterschiedl. Zusammensetzung (z.B. Ozon, Stickoxide), die sich aus in der Luft befindl. (ungesättigten) Kohlenwasserstoffen (entstanden durch unvollständige Verbrennungsvorgänge oder als natürl. Ausscheidungsprodukte von Pflanzen), Stickstoffdioxid (ebenfalls aus Verbrennungsvorgängen) und Luftsauerstoff unter dem Einfluss von kurzwelligem Licht bilden und sehr rasch zu Kohlenwasserstoffen, Stickstoffmonoxid und Ozon zerfallen. P. kommen bes. im photochem. →Smog vor, lassen sich aber auch in »Reinluftgebieten« nachweisen. Durch P. kommt es u.a. zu einer Erhöhung des Ozongehaltes in der Luft.

Photophobie [grch.], die →Lichtscheu.

Photosphäre, äußerste Schicht der →Sonne, aus der der überwiegende Anteil des Sonnenlichts abgestrahlt wird.

Photosynthese, grundlegende Stoffwechselreaktion chlorophyllhaltiger Organismen (Samenpflanzen, Farne, Moose, Algen, Cyanobakterien und anderer phototropher Bakterien), die nach der Absorption von Licht zur Synthese einer energiereichen organ. Verbindung führt. Kohlendioxid (CO_2) wird aus der Luft aufgenommen und unter Energieverbrauch an Zuckermoleküle gebunden, sodass Glucose entsteht. Die Absorption des energiereichen Sonnenlichtes durch Chlorophyll führt zur Bildung von ATP und $NADPH+H^+$ (reduziertes Nicotinsäureamidphosphat). Bei der **oxygenen P.** wird Wasser (H_2O) gespalten (in Wasserstoff und Sauerstoff), bei der **anoxygenen P.** phototropher Bakterien dagegen Schwefelwasserstoff (H_2S) oder andere Moleküle. Der heutige Sauerstoffgehalt der Atmosphäre (21%) beruht allein auf der Sauerstofffreisetzung durch die Photosynthese. Ohne den freigesetzten Sauerstoff und die aufgebaute Glucose wäre ein Leben für Tiere und Menschen auf der Erde unmöglich. Die P. besteht aus zwei miteinander gekoppelten Prozessen, der Lichtreaktion und der Dunkelreaktion. Die Bruttogleichung der P. lautet:

$$6\,CO_2 + 12\,H_2O \xrightarrow[2825\,kJ]{Licht} C_6H_{12}O_6 + 6\,O_2 + 6\,H_2O$$

In der Lichtreaktion wird nach Absorption des Lichts ein Elektron angeregt und Wasser gespalten (Photolyse). Ort der Lichtreaktion sind mehrere

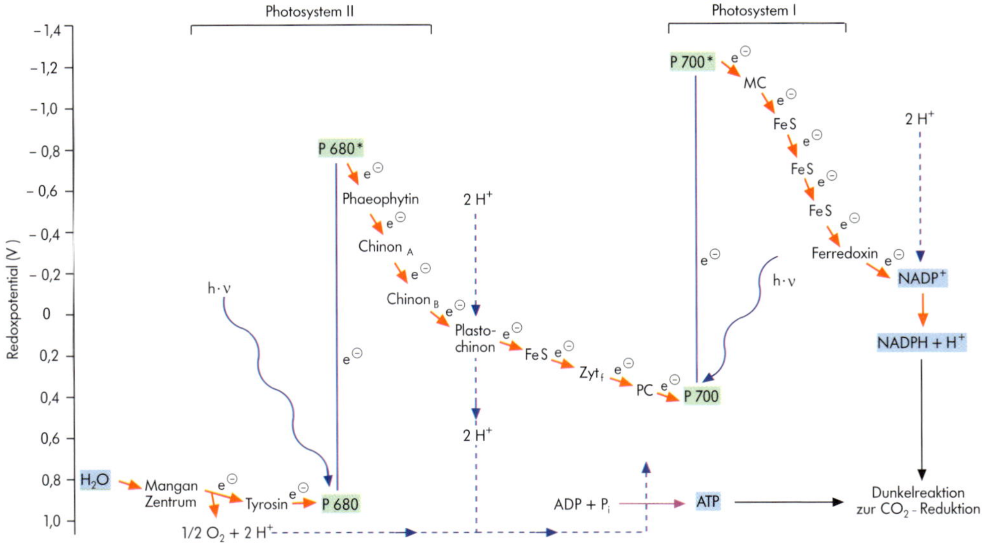

Photosynthese: Lichtreaktion

Proteinkomplexe, die in Membransysteme (Thylakoide) eingelagert sind. Diese befinden sich in Chloroplasten (Algen, höhere Pfanzen) oder liegen frei im Zytoplasma (Cyanobakterien, phototrophe Bakterien). Kernstück der Proteinkomplexe sind die verkoppelten Photosysteme I und II, welche die Chlorophylle und Carotinoide als Pigmente gebunden haben. Nach Absorption eines Photons in einem Chlorophyll- oder Carotinoidmolekül des Photosystems II wird dessen Energie zu einem zentralen Chlorophyll (P680) weitergeleitet. Ein Elektron dieses Chlorophylls wird dadurch angeregt und zum ersten Akzeptor Phaeophytin (Chlorophyll ohne Magnesium) abgegeben. Die entstandene Elektronenlücke füllt ein bei der Wasserspaltung frei werdendes Elektron über einen Tyrosinrest des Wasserstoff spaltenden Proteins. In diesem Protein werden Manganatome in einem Zyklus mehrfach reduziert, bevor Wasserstoff und Sauerstoff frei werden. Das energiereiche Elektron im Photosystem II wird vom Phaeophytin in einer Folge von Redoxreaktionen über drei verschiedene Chinone (u.a. Plastochinon), ein Eisen-Schwefel-Protein (FeS), Zytochrom $_f$ (Zyt$_f$) und Plastocyanin (PC, ein Kupfer-Protein) weitergeleitet. Es füllt die Lücke im zentralen Chlorophyll des Photosystems I (P700), die nach der Abgabe eines energiereichen Elektrons durch die vorhergehende Lichtabsorption im Chlorophyll entstanden ist. Dieses Elektron reduziert im Photosystem I zunächst ein weiteres Chlorophyll, um anschließend in Redoxreaktionen über Menachinon (MC, Vitamin K) und vier Eisen-Schwefel-Proteine (u.a. Ferredoxin) zum $NADP^+$ weitergeleitet zu werden. Zwei energiereiche Elektronen und zwei Protonen reduzieren $NADP^+$ zu $NADPH+H^+$. Mit den Redoxreaktionen findet gleichzeitig ein Protonentransport über die Thylakoidmembran statt. Der entstehende Protonengradient wird zur ATP-Bildung genutzt. Bei der Bildung eines Moleküls Sauerstoff werden vier Elektronen freigesetzt ($2H_2O \rightarrow O_2 + 4H^+ + 4e^-$). Da zum Transport jedes Elektrons zwei Photonen nötig sind, ergibt sich ein Bedarf von acht Photonen für jedes entstandene Sauerstoffmolekül.

Die Dunkelreaktion ist i.d.R. mit der Lichtreaktion gekoppelt, kann aber auch alleine im Dunkeln ablaufen. Die Enzyme dieser Reaktion liegen alle im Zytoplasma des Chloroplasten. CO_2 bindet an einen phosphorylierten Pentosezucker (C_5). Die so entstandene instabile Hexose (C_6) zerfällt in zwei C_3-Carbonsäuren, die mithilfe von ATP und $NADPH+H^+$ reduziert werden. Aus den Produkten dieser Reaktion entsteht entweder Glucose, oder der ursprüngliche Pentosezucker wird in einem komplexen Reaktionszyklus (Calvin-Zyklus) wieder zur Verfügung gestellt.

📖 LAWLOR, D. W.: *P. Stoffwechsel – Kontrolle – Physiologie, bearb. v.* D.-P. HÄDER. *A. d. Engl. Stuttgart u. a. 1990.*

Phototheodolit, → Messkammer zur Erdbildmessung im Gelände. (→ Photogrammmetrie)

Phototherapie, die → Lichtbehandlung.

Phrase 1): Beginn des ersten Satzes der Klaviersonate f-Moll op. 2,1 von Ludwig van Beethoven (oben) und Beginn des Menuetts aus der Sinfonie g-Moll KV 550 von Wolfgang Amadeus Mozart

Phototransistor, ein Transistor mit pnp- oder npn-Schichtenfolge, dessen Basis-Kollektor-Sperrschicht einer externen Lichtquelle zugänglich ist. Der P. besteht im Prinzip aus einer mit einer zusätzl. Sperrschicht zum Transistor erweiterten → Photodiode. Die durch den Lichteinfall erzeugte Spannung steuert den P. ähnlich wie die Basisspannung einen übl. Transistor. Anwendung als Strahlungsmesser, lichtempfindl. Schalt- und Signalelemente. (→ Photodetektor)

phototropes Glas (photochromes Glas), Glas, das sich durch Photochromie in seiner Transparenz den Lichtverhältnissen anpasst. (→ Brille)

Phototypie [grch.] *die,* veraltete Bez. für eine photomechanisch hergestellte Druckplatte für den Hochdruck (Buchdruck).

Photovoltaik *die,* Gebiet der Physik, das sich mit der direkten Umsetzung von Lichtenergie in elektr. Energie befasst, i.e.S. die Umsetzung von Sonnenenergie in → Solarzellen.

Photowiderstand (Photoleiter), ein optoelektron. Halbleiterbauelement, dessen Leitfähigkeit bei Zufuhr von Energie elektromagnet. Strahlung, meist Licht, zunimmt. Der P. eignet sich daher als → Photodetektor. Seine Funktion beruht auf dem inneren → Photoeffekt; er besteht aus einem Substrat mit einer meist aufgedampften dünnen Schicht aus lichtempfindl. Material (z.B. Cadmiumsulfid, Cadmiumselenid, Bleisulfid).

Photozelle (lichtelektrische Zelle), eine Stromquelle, die bei auftreffender elektromagnet. Strahlung (meist Licht) Strom abgeben kann. Man unterscheidet **Halbleiter-P.** (optoelektron. Halbleiterbauelemente mit pn-Übergang), die sich als Stromquellen (→ Solarzelle) und → Photodetektoren eignen, und **Röhren-P.,** als Spannungsquelle betriebene Röhrenphotodioden (→ Photodiode), die sinngemäß als Vakuumzellen und gasgefüllte P. bezeichnet werden; sie finden techn. kaum noch

Verwendung, da der Photostrom ohne äußere Spannungsquelle sehr gering ist.

Phrase [grch.] *die,* **1)** *Musik:* das nächstgrößere Gebilde nach dem Motiv, meist zwei Takte.

2) *Sprachwiss.:* aus einem Einzelwort oder aus mehreren, eine Einheit bildenden Wörtern bestehender Satzteil.

Phrasenstrukturgrammatik, Grammatik, die durch Einteilung und Abgrenzung von Phrasen Sätze analysiert und Satzbaupläne ermittelt. Dabei werden die syntakt. Einheiten (Konstituenten) in ihrer hierarch. Struktur schrittweise analysiert (→Konstituentenanalyse).

Phraseologie [grch.] *die,* Zusammenstellung und Lehre von den festen Fügungen, Wendungen, Wortverbindungen und Redewendungen einer Sprache.

Phrasierung [grch.] *die, Musik:* die Sinngliederung eines Stücks, d. h. die dem musikal. Sinn gemäße Abgrenzung und Verbindung der Einzelteile (Motiv, Phrase, Periode), aus denen ein zusammenhängender Satz besteht; Vorbedingung für den sinnvollen Vortrag eines Musikstücks.

phreatischer Vulkan|ausbruch, Bez. für einen explosiven vulkan. Ausbruch, z. B. wenn eine magmat. Schmelze mit Wasser zusammenkommt und dieses verdampft. Die →Maare sind durch p. V. entstanden.

Phrenologie [grch.] *die,* von F. J. →Gall vertretene Schädellehre.

Phrygi|en, histor. Landschaft im westl. Inneranatolien, Türkei. Die indogerman. **Phryger,** nach antiken Berichten aus Makedonien und Thrakien eingewandert (um 1200/1100? v. Chr.), gründeten im 8. Jh. v. Chr. ein Großreich, das um 695 v. Chr. von den Kimmeriern zerstört wurde. Seit 546 v. Chr. stand P. unter persischer, seit Alexander d. Gr. unter makedon. Herrschaft, 133 v. Chr. wurde es röm. Provinz. Die ersten christl. Gemeinden P.s gehen auf Paulus zurück. – Das **Phrygische,** eine indogerman. Sprache mit alten Beziehungen zum Griechischen ist seit dem Ende des Altertums ausgestorben.

phrygische Mütze, kegelförmige Zipfelmütze der Phryger und kleinasiat. Griechen aus Stoff oder Leder. Röm. Sklaven erhielten eine p. M. als Zeichen der Freilassung. Die frz. Revolutionäre trugen die der p. M. nachgebildete →Jakobinermütze.

phrygischer Kirchenton, auf dem Grundton e stehende →Kirchentonart (ÜBERSICHT).

Phthalate, Ester und Salze der →Phthalsäure.

Phthalocyanine, synthet. Farbstoffe, die aus einer stickstoffhaltigen makrozykl. Verbindung bestehen, in der sich meist ein Metallatom in chelatartiger Bindung befindet. P. sind äußerst beständige, farbstarke, meist blaue bis grüne Substanzen, die sich als Pigmente eignen (z. B. das tiefdunkelblaue **Kupfer-P.**); durch Einführung geeigneter chem. Gruppen können lösl. Farbstoffe für Textilien, Papier und Leder gewonnen werden.

Phthalsäure (1,2-Benzoldicarbonsäure), wichtigste der Benzoldicarbonsäuren, bildet farblose Kristalle, die beim Erhitzen in das Anhydrid übergehen. **P.-Anhydrid** ist ein bed. Zwischenprodukt, das durch katalyt. Oxidation von o-Xylol hergestellt wird. P. ist (meist in Form des Anhydrids) u. a. Ausgangsstoff für Weichmacher, Alkydharze und Farbstoffe.

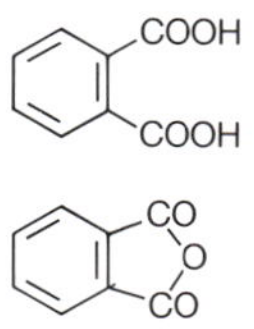

Phthalsäure und Phthalsäureanhydrid (unten)

Phuket [phuːˈked], thailänd. Insel in der Andamanensee, 543 km², 155 000 Ew.; Hauptort ist P. (46 700 Ew.); Bergbau auf Zinn, Wolfram; Verhüttung aller abgebauten Zinnerze Thailands. Straßenverbindung mit dem Festland; wichtigstes Tourismusziel im S Thailands.

pH-Wert (pH) [von lat. **p**otentia **h**ydrogenii »Stärke des Wasserstoffs«], *Chemie:* von dem dän. Chemiker S. P. L. Sørensen 1909 eingeführte Maßzahl für die in Lösungen enthaltene Konzentration an Wasserstoffionen, H^+ (bzw. Hydroniumionen, H_3O^+), d. h. für den sauren oder bas. Charakter (Acidität bzw. Basizität) einer Lösung. Der pH-W. wird als negativer dekad. Logarithmus der Wasserstoffionenkonzentration $c(H^+)$ bzw. der Wasserstoffionenaktivität $a(H^+)$ angegeben. Da in reinem Wasser die Konzentrationen der Hydronium- und Hydroxidionen gleich groß sind (je 10^{-7} Mol pro Liter), liegt der negative Logarithmus der Wasserstoffionenkonzentration (der pH-W.) des Wassers bei 7; Lösungen mit höherer Wasserstoffionenkonzentration haben einen niedrigeren pH-W. und werden als sauer bezeichnet, Lösungen mit niedrigerer Wasserstoffionenkonzentration haben einen höheren pH-W. und werden basisch (oder alkalisch) genannt.

phrygische Mütze: Das römische Brustbild zeigt einen jungen Mann mit phrygischer Mütze (1. Hälfte des 1. Jh. n. Chr.; Köln, Römisch-Germanisches Museum)

phyl..., phylo... [grch.], abstammung..., stamm....

Phyle [grch. »Volksstamm«] *die,* Unterabteilung altgrch. Stämme und Staaten; urspr. auf familienrechtl. Grundlage.

phyll..., ...phyll, phyllo... [grch.], blatt...

Geschichte der Physik (Auswahl)

um 400 v. Chr.	Demokrit vertritt eine Lehre, derzufolge alle Eigenschaften der Dinge auf unteilbare, kleinste Teilchen (Atome) zurückgeführt werden können
um 325 v. Chr.	Die Lehren des Aristoteles, u. a. einfache Bewegungsgesetze, Lehre der vier Elemente (sie blieben bis in das frühe 17. Jh. maßgeblich)
um 300 v. Chr.	»Katoptrik« von Euklid (erstes wiss. Werk zur Optik)
um 250 v. Chr.	Archimedes beschreibt den Hebelsatz und den Auftrieb
1543	N. Kopernikus führt in seinem »de revolutionibus orbium coelestium« das kopernikanische Weltbild ein
1600	Z. Janssen baut das erste Mikroskop
1608	H. Lippershey baut das erste Fernrohr
1609	J. Kepler formuliert in seiner »Astronomia nova« die keplerschen Gesetze der Planetenbewegung
1609/32	G. Galilei leitet die Gesetze des freien Falls und des Wurfs richtig her; mit seinen sorgfältigen Experimenten leitet er den Wandel der Naturphilosophie von einer spekulativen zu einer messenden Wissenschaft ein
1621	W. Snellius formuliert das Brechungsgesetz
1643	E. Toricelli erfindet das Quecksilberbarometer
1665	R. Hooke formuliert eine Wellentheorie des Lichts; 1678/90 durch C. Huygens um das Konzept der Elementarwellen erweitert
1666	I. Newton stellt das Gravitationsgesetz auf
1675	I. Newton erklärt die Spektralzerlegung des Lichts (deutet Licht als Teilchen)
1687	I. Newton veröffentlicht die »Principia« (darin die newtonschen Axiome)
ab 1734	Entwicklung der Kontinuumsmechanik (u. a. Problem der schwingenden Saite, D. und J. Bernoulli, 1734; Wellengleichung, J. L. R. d'Alembert, 1748), der Elastizitätstheorie und der Hydromechanik (hydrodyn. Druck, D. Bernoulli, 1738; L. Euler 1752/66)
1747	B. Franklin führt die elektrostatischen Effekte auf eine elektrische Substanz zurück (»Ein-Fluidum-Theorie«)
1784	P. S. de Laplace und A. L. Lavoisier entwickeln eine Wärmetheorie
1785	C. A. Coulomb findet das Kraftgesetz der Elektrostatik
1789	L. Galvani entdeckt im »Froschschenkelversuch« elektrochem. Effekte
1797	A. Volta stellt die Spannungsreihe auf
1797	J. W. Ritter begründet die Elektrochemie
1798	B. Thompson Graf Rumford weist nach, dass Wärme kein Stoff ist
um 1800	Zustandsgesetze für ideale Gase (u. a. J. L. Gay-Lussac); erste Ansätze zu einer absoluten Temperaturmessung
1801	T. Young führt Versuche zur Lichtbeugung durch und entwickelt das Interferenzprinzip, mit dem der Wellencharakter des Lichtes belegt wird
1812	D. Poisson begründet die mathemat. Elektro- und Magnetostatik (Potentialtheorie)
1814/15	J. Fraunhofer findet bei Spektraluntersuchungen des Sonnenlichts die fraunhoferschen Linien
1817	C. F. Gauß formuliert die geometr. Optik
1820	H. C. Ørsted entdeckt die magnet. Wirkung des elektr. Stromes
1820	A. M. Ampère stellt die gegenseitige Beeinflussung von stromdurchflossenen Drähten fest
1821	T. Seebeck entdeckt die Thermoelastizität
1821/23	J. Fraunhofer und J. A. Fresnel entwickeln die Beugungstheorie
1828/34	Prinzip des kürzesten Lichtwegs, davon abgeleitet das Prinzip der minimalen Wirkung (W. R. Hamilton)
1831	M. Faraday deutet die elektromagnet. Induktion (unabh. von J. Henry und E. Lenz)

Phyllit [grch.] *der,* metamorphes Gestein der Epizone mit schiefrigem Gefüge; grüngrau, violettgrau, auch schwarz (Graphit), feinkörnig, seidiger Flächenglanz; Mineralbestand: Sericit, Chlorit, Quarz, Chloritoid. P. sind Paragesteine.

Phyllochinon *das,* Vitamin K (→Vitamine).

Phyllodium [grch.] *das,* blattartig verbreiterter Blattstiel mit Assimilationsfunktion, z. B. bei einigen Akazienarten.

Phyllokakteen [grch.], die →Blattkakteen.

Phyllokladium [grch. kládos »Sprössling«] *das, Botanik:* →Flachspross, der sich aus einem Kurztrieb entwickelt hat.

Phyllosphäre [grch.], die von Mikroorganismen (Bakterien, Pilzen) besiedelte Oberfläche der Blätter und Blattscheiden.

Phylogenese [grch.] *die* (Phylogenie, Stammesentwicklung, Stammesgeschichte), die Entstehung der Lebewesen in der Vielfalt ihrer Arten im Laufe der Erdgeschichte, entweder bezogen auf die Gesamtheit der Organismen oder auf eine bestimmte Verwandtschaftsgruppe sowie die Erforschung der diesbezügl. Gesetzmäßigkeiten. Erkennbar wird der Verlauf der P. einerseits aus der vergleichenden Betrachtung der rezenten Formen im Hinblick u. a. auf Anatomie, Ontogenese, Verhalten, die Aminosäuresequenz bestimmter Proteine und das Blutserum, andererseits aus der vergleichenden Untersuchung der Fossilien (Wiss.bereich der Paläontologie), die Dokumente des Verlaufs der P. sind. Über die Rekonstruktion der P. einer Organismengruppe können die Verwandtschaftsbeziehungen der zugehörigen Arten aufgeklärt und ein phylogenet. (natürl.) System aufgestellt werden.

Phyromachos, grch. Bildhauer des 3./2. Jh. v. Chr.; einer der bedeutendsten Bildhauer der Antike. Ihm wird das in Kopie erhaltene Porträt des Philosophen Antisthenes zugeschrieben.

phys..., physi..., physio... [grch.], natur..., leben..., körper...

Physik [zu grch. physikḗ (theōría) »Naturforschung«] *die,* die Wiss. von den Naturvorgängen im Bereich der unbelebten Materie sowie von deren Eigenschaften, die der experimentellen Erforschung, der messenden Erfassung und mathemat. Darstellung zugänglich sind und allgemein gültigen Gesetzen unterliegen. Insbesondere untersucht die P. die Zustandsformen der Materie, ihre Struktur und Bewegung (Veränderung) sowie die diese hervorrufenden Kräfte und Wechselwirkungen. Die P. ist eine für andere Naturwiss. grundlegende, empir. Wissenschaft. Die Anwendung ihrer Methoden und Theorien auf angrenzende Wiss. führte zu Spezialgebieten wie Astro-P. und Kosmologie, Bio-P., Geo-P. und physikal. Chemie. Die wesentl. Aufgabe der P. besteht darin, die Fülle der von ihr untersuchten Naturerscheinungen und -vorgänge **(physikal. Phänomene)** zu erfassen, zu beschreiben und zu erklären, wobei das method. Vorgehen stets eine Einheit von Theorie und Experiment, Hypothese und Verifikation bildet. Hierin liegt die enge Berührung zw. **theoret.** und **experimenteller P.;** aus den durch exakte Beobachtung und Messung (physikal. Experimente) gewonnenen Daten werden die funktionalen Beziehungen zw. den untersuchten physikal. Größen abstrahiert und (in mathemat. Form) als physikal. Gesetze formuliert bzw. zu grundlegenden physikal. Theorien verallgemeinert. Große Bedeutung im physikal. Erkenntnisprozess haben Modellvorstellungen (physikal. Modelle). In der immer wichtiger werdenden **Computer-P.** werden solche Modelle systematisch in →Simulationen mit dem Computer modifiziert. Die Gesamtheit der in den versch. Bereichen der P. entwickelten →Modelle und Theorien sowie der daraus resultierenden Erkenntnisse bezeichnet man als **physikal. Weltbild.**

Das Gesamtgebiet der P. wird nach versch. histor. bzw. sachl. Gesichtspunkten in klass. und moderne P., Kontinuums- und Quanten-P. bzw. Makro- und Mikro-P. unterteilt, wobei sich diese Begriffe z.T. überschneiden. Unter dem Begriff **klassische P.** fasst man die bis zum Ende des 19. Jh. untersuchten Erscheinungen und Vorgänge zusammen, die anschaulich in Raum und Zeit beschreibbar sind und für die zu Beginn des 20. Jh. abgeschlossene Theorien vorlagen. Kennzeichnend für die klass. P. ist, dass der Einfluss der Messvorgänge auf die Messobjekte und damit auf die Messresultate vernachlässigt werden kann. Ihre Teilbereiche sind: die klass. →Mechanik, die →Akustik, die →Thermodynamik, die →Elektrodynamik sowie die →Optik. Eine Sonderstellung nimmt die zu Beginn des 20. Jh. entwickelte und daher meist zur modernen P. gezählte →Relativitätstheorie ein, die – als Vollendung der klass. Mechanik sowie der newtonschen Gravitationstheorie – auch der klass. P. zugerechnet wird.

Die sich seit Beginn des 20. Jh. entwickelnde **moderne P.** umfasst v.a. die nicht mehr anschaulich in Raum und Zeit beschreibbaren und unstetig ablaufenden Naturerscheinungen und -vorgänge der Mikro-P. Die von ihr untersuchten mikrophysikal. Systeme sind nur im Rahmen der →Quantentheorie und auf ihr fußender Theorien beschreibbar, in denen die Bereiche der klass. P. als Grenzfälle enthalten sind. Grundlegende Gebiete der modernen P. sind →Atomphysik, →Kernphysik, die Elementarteilchen-P. (→Hochenergiephysik) in enger Verbindung mit der Kosmologie und Relativitätstheorie (Schaffung einer einheitl. Feldtheorie der Materie). Weitere Schwerpunkte physikal. Forschung betreffen im Zusammenwirken

Geschichte der Physik (Auswahl; Fortsetzung)

1833/34	M. Faraday stellt die faradayschen Gesetze der Elektrolyse auf
1842	R. Mayer stellt das Gesetz von der Erhaltung der Energie auf [unabhängig von R. P. Joule (1843) und H. Helmholtz (1847)]
1849	Terrestrische Messung der Lichtgeschwindigkeit (H. Fizeau)
1850	J. B. L. Foucault misst die Lichtgeschwindigkeit in Medien
1857	Erste vollständige Ableitung des Gasdrucks mithilfe der kinetischen Gastheorie durch R. Clausius (die Ansätze von D. Bernoulli, 1738, waren kaum beachtet worden)
1860/70	J. C. Maxwell gibt die Geschwindigkeitsverteilung der Moleküle eines Gases an und begründet damit die Statistische Physik
1864	J. C. Maxwell formuliert die Grundgleichungen der Elektrodynamik
1873	E. Abbe entwickelt die Theorie der optischen Abbildung
1886/88	Erzeugung und Nachweis elektromagnetischer Wellen durch H. Hertz
1895	W. C. Röntgen entdeckt die von ihm so genannten X-Strahlen
1896	Erste Beobachtung radioaktiver Erscheinungen durch H. Becquerel
1900	M. Planck erklärt mit der Quantenhypothese die Strahlung des Schwarzen Körpers
1905	A. Einstein formuliert die spezielle Relativitätstheorie und wendet die Quantenhypothese erstmals auf den Photoeffekt an
1908/09	J. Perrin erklärt die Brownsche Molekularbewegung
1911	H. Kamerling Onnes entdeckt die Supraleitung an Quecksilber
1914	J. Franck und G. Hertz zeigen eine innere Struktur des Atoms
1915	A. Einstein formuliert die allgemeine Relativitätstheorie und verlangt darin die Ablenkung von Licht durch Gravitation
1919	A. S. Eddington weist die Ablenkung von Licht durch Gravitation nach
1921	O. Stern und W. Gerlach weisen die Richtungsquantelung der Atome im Mangetfeld nach und bestimmen das mangetische Moment der Atome
1923	A. H. Compton erklärt die Röntgenstreuung quantenmechanisch und bestätigt damit den Teilchencharakter des Lichts
1923	L. de Broglie entdeckt den Wellencharakter der Materie (Umkehrung des Compton-Effekts); die Materiewellen wurden 1921/27 von C. J. Davisson und L. H. Germer experimentell gezeigt, aber zunächst nicht als solche erkannt
1925	G. E. Uhlenbeck und S. A. Goudsmit führen den Begriff des Eigendrehimpulses (Spin) in die Atomtheorie ein
1925	W. Pauli formuliert das Ausschließungsprinzip, nachdem es in einem Atom nicht zwei Elektronen mit identischen Quantenzahlen gibt; 1926 führt E. Fermi dieses Prinzip in die Statist. Mechanik ein, P. A. M. Dirac gibt eine quantenmechanische Form des Prinzips
1925	W. Heisenberg gibt eine erste mathematische Formulierung der Quantenmechanik als »Matrizenmechanik«; P. A. M. Dirac verallgemeinert sie so, dass sich die klassische Mechanik als Spezialfall der Quantenmechanik ergibt
1926	E. Schrödinger gibt eine mathematische Formulierung der Quantenmechanik als »Wellenmechanik« und zeigt, dass seine, Heisenbergs und Diracs Form gleichwertig sind; M. Born interpretiert die Schrödinger-Gleichung als Aussage über Wahrscheinlichkeiten
1927	W. Heisenberg formuliert seine Unschärferelation
1928	P. A. M. Dirac führt die Quantenmechanik und die Allgem. Relativitätstheorie zusammen; dabei muss er das Positron postulieren (1932 entdeckt)
1928	G. Gammow erklärt den Alphazerfall mithilfe des Tunneleffekts
1929	E. O. Lawrence entwirft das Zyklotron, den ersten modernen Teilchenbeschleuniger
1932	J. Chadwick findet bei Streuexperimenten das Neutron, es wird schnell als Kernbestandteil erkannt (D. Iwanenko, W. Heisenberg)
1932	H. Urey u. a. berichten über das Wasserstoffisotop mit der Masse 2 (Deuterium), dessen Kern ein Neutron enthält
1932	R. A. Millikan und C. D. Anderson weisen in einer Nebelkammer das Positron aus der kosmischen Strahlung nach
1932	J. D. Cockcroft und E. T. S. Walton gelingt mit einer elektrostatischen Anlage die erste Kernzertrümmerung

Geschichte der Physik (Auswahl; Fortsetzung)

1933	E. Fermi erklärt den Betazerfall mithilfe eines zusätzlichen Teilchens, des Neutrinos (erster Nachweis 1952 durch F. Reines und C. Cowan)
1933	W. Meissner und R. Ochsenfeld zeigen, dass das Innere von Supraleitern stets feldfrei ist
1934	J. F. Joliot und I. Joliot-Curie entdecken die künstliche Radioaktivität durch Beschuss mit Alphateilchen; E. Fermi vervollkommnet das Verfahren durch Beschuss mit langsamen Neutronen und gibt damit die Schlüsseltechnik für die Kernspaltung
1935	H. Yukawa entwickelt eine Theorie der Kernkräfte und postuliert darin ein neues Teilchen, das Meson
1935	F. und H. London geben eine phänomenologische Theorie der Supraleitung
1938	O. Hahn und F. Straßmann finden beim Beschuss von Uran mit Neutronen radioaktives Barium; Lise Meitner und O. Frisch deuten das als Kernspaltung
1938	P. Kapitza stellt bei der Verflüssigung von Helium die Suprafluidität fest (Theorie: L. D. Landau, 1940)
1940	E. McMillan und P. Abelson identifizieren das erste Transuran, Neptunium
1942	US-Präsident T. Roosevelt genehmigt das Manhattan-Projekt zur Entwicklung der Atombombe; wiss. Leiter ist J. R. Oppenheimer
1942	Unter E. Fermis Leitung geht der erste kritische Kernreaktor (Oak Ridge, bei Chicago) in Betrieb
1945	Im »Trinity-Test« am 16. Juli explodiert die erste Atombombe (Plutoniumbombe)
1946	Erster Nachweis der Mesonen (μ-Meson und π-Meson) in einer Fotoemulsion durch C. F. Powell, C. M. G. Lattes und G. P. S. Occhialini
1946	F. Bloch und E. Purcell entwickeln die kernmagnetische Resonanzmethode (NMR)
1947	J. Schwinger und R. P. Feynman (und unabhängig S. Tomanaga) entwickeln die Quantenfeldtheorie (Anwendung der Quantenmechanik auf elektromagnetische Felder)
1948	D. Gabor formuliert das Prinzip der Holographie
1948	J. Bardeen, W. H. Brittain und B. Shockley bauen den ersten Transistor
1948/49	M. Göppert-Mayer (und unabhängig D. Jensen, P. Haxel und H. Suess) entwickeln ein »Schalenmodell« des Atomkerns
1950	L. D. Landau und V. L. Ginsburg stellen die Theorie der Supraleitung auf
um 1950	S. G. Shull, B. Brockhouse führen die ersten Festkörperuntersuchungen mit langsamen Neutronen durch
1951	Mit der Explosion der Wasserstoffbombe (USA) findet die erste Kernfusion auf der Erdoberfläche statt
1952	D. Glaser entwickelt die Blasenkammer zum effektiven Nachweis von Elementarteilchen
1953	M. Gell-Mann leistet mit der Einführung der Quantenzahl »Strangeness« seinen ersten Beitrag zur Klassifikation der Elementarteilchen
1953	W. Paul baut die erste Hochfrequenz-Ionenfalle, mit der spektroskopische Untersuchungen an einzelnen Atomen möglich werden
1954	Gründung des Europäischen Kernforschungszentrums (CERN) bei Genf
1955	C. H. Townes baut den ersten Maser (Mikrowellen-Quantengenerator)
1955	Entdeckung des Antiprotons durch O. Chamberlain und E. Segrè
1956	C.-S. Wu, C. N. Yang und T.-D. Lee entdecken die Paritätsverletzung (CPT-Invarianz)
1957	Theorie der schwachen Wechselwirkung (M. Gell-Mann, R. P. Feynmann u. a.)
1957	J. Bardeen, L. Cooper und J. R. Shrieffer geben die »BCS-Theorie« zur Erklärung der Supraleitung
1957	L. Esaki weist den Tunneleffekt in Halbleitern nach

mit Technik, Mathematik und Informatik die P. der kondensierten Materie (z.B. Festkörper-P., Halbleiter-P., Tieftemperatur-P., P. der Supraleiter), die Laser-P. und Plasmaphysik.

Geschichte: Der physikal. Gedanke eines Urstoffes wurde von den grch. Philosophen in versch. Weise entwickelt, u. a. Thales (Urstoff ist das Wasser), Anaximander (das »Unbegrenzte«), Anaximenes (Luft), Empedokles (Vier-Elementen-Lehre), Leukipp und Demokrit (Atome) sowie Aristoteles (geozentr. Kosmologie). Fachwiss. Entwicklungen, die sich z. T. schon auf erste planmäßige Versuche stützten, stammten u. a. von Philon von Byzanz (techn. Mechanik, Pneumatik), Euklid (geometr. Optik), Archimedes (Statik, Hydrostatik). Zu wichtigen Erkenntnissen gelangten ferner Heron von Alexandria (Begriff des virtuellen Hebelarms, erstes Minimalprinzip der P.), Ptolemäus (Strahlenbrechung) und Pappus von Alexandria (Aräometer, guldinsche Regeln) sowie Eratosthenes von Kyrene (Bestimmung des Erddurchmessers). Das grch. Wissen wurde seit dem 9. Jh. von islam. Gelehrten gesammelt, fortgebildet und an das Abendland weitergegeben. In der Renaissance wirkte u. a. Kopernikus (heliozentr. Weltbild). – Das 17. Jh. bedeutete den Sieg des kopernikanisch-keplerschen Weltsystems, die Ausbildung der Lehre vom Erdmagnetismus (W. Gilbert) und der Kinematik von Fall und Wurf (Galilei). J. Jungius, P. Gassendi und R. Boyle erneuerten die Atomistik; E. Torricelli, B. Pascal und O. von Guericke schufen die Lehre vom Luftdruck und die Vakuumtechnik; Statik und Dynamik machten durch S. Stevin und C. Huygens, die Optik durch J. Kepler, R. Descartes und Snell entscheidende Fortschritte. Newton und Huygens skizzierten erstmals die gegensätzl. Auffassungen vom Licht als Teilchen- und Wellenerscheinung. Eine Krönung dieser Epoche bildeten Newtons Erkenntnisse zur Statik und Dynamik und seine Aufstellung des Gravitationsgesetzes (1682). Die Bernoullis, d'Alembert, L. Euler, J. de Lagrange u. a. entwickelten im 18. Jh. die theoret. Mechanik weiter. Die Wärmelehre wurde durch D. G. Fahrenheit, R.-A. Réaumur, A. Celsius, die Photometrie durch J. H. Lambert, die Elektrizitätslehre durch F. Hawksbee, C. A. Coulomb u. a. gefördert; ausgebaut und vertieft wurde sie im 19. Jh. durch A. Volta (galvan. Stromerzeugung), H. C. Ørsted (Elektromagnetismus), L. Ampère (Elektrodynamik) und M. Faraday (Induktionserscheinungen, elektrochemischer Grundgesetze). Neue Entdeckungen führten zum Sieg der Wellentheorie des Lichts (T. Young, A. Fresnel), die 1865 durch J. Maxwell (Theorie des elektromagnet. Feldes) mit der Elektrodynamik vereinigt wurde. 1842 entdeckte Julius Mayer das Prinzip von der Erhaltung der Energie; R. Clausius, J. Maxwell und L. Boltzmann gelang es, die Gasgesetze mithilfe der kinet. Gastheorie statistisch zu begründen; sie gab in Verbindung mit den sich häufenden Hinweisen auf die atomist. Struktur der Materie und der Elektrizität an der Wende des 20. Jh. den Anlass zur Aufstellung der Quantenhypothese durch Planck (1900), die den Ursprung der Quantentheorie bildet, und Einstein zur Annahme einer Teilchenstruktur des Lichts (Welle-Teilchen-Dualismus).

Der Einstieg in die Mikrophysik wurde ferner durch die Entdeckung der Röntgenstrahlen (W. Röntgen) und der Radioaktivität (A. Becquerel, P. und M. Curie, G. C. Schmidt, E. Rutherford) vorbereitet. Die Entwicklung führte zur Theorie des Atombaus (N. Bohr, 1913) und zur Quanten- und Wellenmechanik der Atome (de Broglie, W. Heisenberg, E. Schrödinger, M. Born, E. P. Jordan, P. Dirac). Die Relativitätstheorie (Einstein) lieferte unerwartete Einblicke in die Zusammenhänge von Raum und Zeit und in die Natur der Gravitation. Durch die Entdeckung der Äquivalenz von Masse und Energie (Einstein) wurde die Unterscheidung der klass. P. zw. Materie und Feldern weitgehend aufgehoben. Das Komplementaritätsprinzip und die heisenbergsche Unschärferelation führten zu einem Umsturz im Weltbild der P., da das im Rahmen der klass. P. uneingeschränkt geltende Prinzip der Determiniertheit im Bereich der Mikro-P. außer Kraft gesetzt wurde. Die aus der quantenmechan. Interpretation der mikrophysikal. Vorgänge folgende Ungültigkeit des Kausalgesetzes hatte über den Bereich der P. hinaus tief greifende Konsequenzen für die allg. Erkenntnistheorie. Die Experimental-P. erlebte ab 1930 eine neue Blüte in der Atom-, Molekül- und Kern-P. Die Arbeiten von Otto Hahn, Lise Meitner u. a. führten zur Entdeckung der Uranspaltung und schließlich zur Gewinnung von Kernenergie (E. Fermi u. a.), aber auch zur Atombombe. Die Fortschritte der Physik der letzten 50 Jahre, bes. der Elementarteilchen-P. mit ihren teuren Großgeräten, sind v. a. auf zunehmende Spezialisierung und internat. Zusammenarbeit zurückzuführen.

Geschichte der Physik (Auswahl; Fortsetzung)

1958	R. Mößbauer stellt die rückstoßfreie Resonanzabsorption von Gammastrahlung fest
1959	Gründung des Forschungszentrums Deutsches Elektronensynchrotron (DESY) in Hamburg
1960	T. H. Maiman baut unter Ausnutzung des Maser-Prinzips den ersten Laser
1960	N. F. Ramsey realisiert einen stabilen Wasserstoffmaser als hochgenauen Frequenzstandard
1961	Y. Ne'eman und M. Gell-Mann entwickeln unabhängig die Theorie der Quarks (mit drei Quarks)
1962	B. Josephson sagt den Tunneleffekt an zwei Supraleitern voraus
1967	S. Weinberg und A. Salam formulieren unabhängig die Theorie der schwachen und der elektromagnetischen Wechselwirkung; die Feldquanten sind das $W^{\pm}$- und Z^0-Boson (entdeckt 1983 am CERN)
1971	D. M. Lee, D. D. Osherow und R. C. Richardson entdecken die superfluiden Phasen von Helium-3
1972	S. Glashow schlägt ein viertes Quark vor (bestätigt 1974 durch die Entdeckung des J- bzw. ψ-Teilchens durch S. Ting bzw. B. Richter)
1973	S. H. Glashow, M. Gell-Mann, H. Fritsch u. a. entwickeln die Quanten-Chromodynamik mit den Gluonen als Feldquanten
1975	W. Schawlow, T. Hänsch und H. Dehmelt schlagen ein Verfahren zur Kühlung von Atom- bzw. Ionenstrahlen mithilfe von Laserstrahlung vor; die Realisierung um 1985 (S. Chu, C. Cohen-Tannoudji, W. D. Phillips) revolutioniert die Spektroskopie
1981	K. von Klitzing entdeckt den quantisierten Hall-Effekt
1982	G. Binnig und H. Rohrer nutzen den Tunneleffekt für ein Rastermikroskop
1983	Gründung des Europäischen Zentrums für Fusionforschung (JET)
1986	G. Bednorz und A. Müller finden die ersten Hochtemperatur-Supraleiter
1991	Messungen des Zerfalls von Z^0-Bosonen am CERN belegen, dass es nur drei Neutrinoarten gibt
1994	Entdeckung des Top-Quarks am Fermi-Lab (bei Chicago); damit gilt die Quark-Theorie als gesichert
1995	E. Cornell, C. Wiemann und M. Anderson gelingt der erste experimentelle Nachweis der schon 1924 von S. N. Bose und A. Einstein vorhergesagten Kondensation eines Teilchengases
1995	D. Home und R. Chattapadhyay schlagen eine Anordnung vor, um das Gedankenexperiment von »Schrödingers Katze« durchzuführen
1996	Erste Erzeugung von Atomen aus Antimaterie am CERN

📖 LACQUENEUX, R.: *Kurze Geschichte der P. Aus dem Frz. Göttingen 1989.* – FEYNMAN, R. P.: *Vom Wesen physikal. Gesetze. A. d. Amerikan. München u. a. 1990.* – HEISENBERG, W.: *P. u. Philosophie, mit einem Beitrag v.* G. RASCHE *u.* B. VAN DER WAERDEN. *A. d. Engl. Stuttgart ⁵1990.* – *Encyclopedia of applied physics, hg. v.* G. L. TRIGG *u. a., auf zahlr. Bde. ber. New York u. a. 1991 ff.* – EINSTEIN, A.: *Mein Weltbild. Neuausg. Frankfurt am Main 1993.* – *P., bearb. v.* P. A. TIPLER. *A. d. Amerikan. Heidelberg u. a. 1994.* – WEIZSÄCKER, C. F. VON: *Aufbau der P. Neuausg. München ³1994.* – HUND, F.: *Geschichte der physikal. Begriffe. Heidelberg u. a. 1995.* – KNERR, R.: *Bertelsmann-Lexikon P. Gütersloh 1995.* – *Die großen Physiker, hg. v.* K. VON MEYENN, *2 Bde. München 1997.* – STUART, H. A. *u.* KLAGES, G.: *Kurzes Lehrbuch der P. Berlin u. a. ¹⁵1997.*

physikalische Chemie (Physikochemie), Abk. **PC,** Grenzgebiet zw. Chemie und Physik, das sich mit den bei chem. Vorgängen auftretenden physikal. Erscheinungen sowie dem Einfluss physikal. Einwirkungen auf chem. Vorgänge befasst. Wichtige Gebiete der p. C. sind Thermo-, Elektro-, Photo-, Magneto-, Kristall- und Kolloidchemie, Reaktionskinetik, (chem.) Thermodynamik sowie die theoret. Chemie (u. a. Quantenchemie).

📖 ATKINS, P. W. *u.* TRAPP, C. A.: *P. C., 2 Bde. Weinheim u. a. ²1996.*

physikalische Größen, → Größe.

physikalische Konstanten (Naturkonstanten, Fundamentalkonstanten), in den physikal. Gesetzen vorkommende universelle (nicht von einem speziellen Material abhängige) Konstanten, z.B. die Lichtgeschwindigkeit (siehe ÜBERSICHT).

physikalisches System, →System.

physikalische Therapie, die →Physiotherapie.

Physikalisch-Technische Bundesanstalt, Abk. **PTB,** Sitz: Braunschweig und Berlin, dem Dienstbereich des Bundeswirtschaftsministeriums zugeordnetes natur- und ingenieurwissenschaftl. Staatsinstitut und techn. Bundesoberbehörde für das Messwesen. Zu den Aufgaben gehört die Darstellung und Weitergabe der gesetzl. Einheiten sowie die Prüfung, Eichung und Zulassung von Messgeräten. Die PTB entstand aus den gegen Ende des 2. Weltkriegs nach West-Dtl. verlagerten Teilen der 1887 gegr. **Physikalisch-Technischen Reichsanstalt (PTR).**

Physikum [grch.] *das,* frühere Bez. für die ärztl. Vorprüfung, die nach den vier vorklin. Semestern in schriftl. Form abgelegt wird.

Physiogeographie (physische Geographie), ein Hauptzweig der allg. Geographie; umfasst Geomorphologie, Klimatologie, Hydrographie und Biogeographie (Pflanzen- und Tiergeographie).

Physiognomie [grch.] *die,* die äußere körperl. Erscheinung eines Menschen, insbesondere die Gesichtszüge.

Physiognomik [grch.] *die,* Teilgebiet der Ausdruckspsychologie, das sich mit der Deutung der Wesensart eines Menschen aus seiner Körpergestalt, bes. aus den Gesichtszügen befasst. Die moderne Anthropologie geht von rein statist. Korrelation zw. Körperbau und psych. (charakterl.) Eigentümlichkeiten aus. (→Konstitutionstypen)

Physiokratismus [grch. »Naturherrschaft«] *der,* von F. Quesnay in der 2. Hälfte des 18. Jh. begründete erste nationalökonom. Schule. Weitere Vertreter waren in Frankreich A. R. J. Turgot, V. Mirabeau, in Dtl. J. A. Schlettwein. Die **Physiokraten** entwickelten auf der Grundlage des →Naturrechts ein in sich geschlossenes System der Volkswirtschaftslehre, in dem sie von einer natürl. Harmonie der Wirtschaft ausgingen. Entsprechend sollte die bestehende, unvollkommene Ordnung (ordre positif) durch staatl. Gesetze der vollkommenen, natürl. Ordnung (ordre naturel) angenähert werden. Quesnay entwickelte das Modell eines natürl. Wirtschaftskreislaufs (»Tableau économique«, 1758), der sich durch eine Kette von Tauschakten zw. den drei sozialen Klassen eines Staates vollzieht. Dabei wird der Begriff der sozialen Klasse allein vom ökonom. Standpunkt aus definiert. Die einzige wirtsch. produktive Klasse (classe productive) bilden die in der Landwirtschaft Tätigen; die Klasse der Grundeigentümer (classe proprié-

Physikalische Konstanten[1)]

Größe	Formelzeichen	Zahlenwert[2)]	Einheit (dezimale Vielfache)	relative Unsicherheit
Lichtgeschwindigkeit im Vakuum	c_0	299 792 458	$\mathrm{m\,s^{-1}}$	Null
magnetische Feldkonstante	μ_0	$4\pi \cdot 10^{-7}$	$\mathrm{NA^{-2}}$	Null
		=12,566 370 614...	$10^{-7}\ \mathrm{NA^{-2}}$	
elektrische Feldkonstante, $1/\mu_0 c_0^2$	ε_0	8,854 187 817...	$10^{-12}\ \mathrm{Fm^{-1}}$	Null
Gravitationskonstante	G	6,672 59 (85)	$10^{-11}\ \mathrm{m^3 kg^{-1} s^{-2}}$	$1{,}28 \cdot 10^{-4}$
plancksches Wirkungsquantum, Planck-Konstante	h	6,626 075 5 (40)	$10^{-34}\ \mathrm{Js}$	$6{,}0 \cdot 10^{-7}$
$h/2\pi$	$\hbar$	1,054 572 66 (63)	$10^{-34}\ \mathrm{Js}$	$6{,}0 \cdot 10^{-7}$
Elementarladung	e	1,602 177 33 (49)	$10^{-19}\ \mathrm{C}$	$3{,}0 \cdot 10^{-7}$
Bohr-Magneton, $e\hbar/2m_e$	μ_B	9,274 015 4 (31)	$10^{-24}\ \mathrm{JT^{-1}}$	$3{,}4 \cdot 10^{-7}$
Kernmagneton, $e\hbar/2m_p$	μ_N	5,050 786 6 (17)	$10^{-27}\ \mathrm{JT^{-1}}$	$3{,}4 \cdot 10^{-7}$
Sommerfeld-Feinstrukturkonstante, $\mu_0 c_0 e^2/2h$	α	7,297 303 58 (33)	10^{-3}	$4{,}5 \cdot 10^{-8}$
Rydberg-Konstante, $m_e c_0 \alpha^2/2h$	R_∞	10 973 731,534 (13)	$\mathrm{m^{-1}}$	$1{,}2 \cdot 10^{-9}$
Bohr-Radius, $\alpha/4\pi R_\infty$	a_0	0,529 177 249 (24)	$10^{-10}\ \mathrm{m}$	$4{,}5 \cdot 10^{-8}$
Ruhemasse des Elektrons	m_e	9,109 389 7 (54)	$10^{-31}\ \mathrm{kg}$	$5{,}9 \cdot 10^{-7}$
Compton-Wellenlänge des Elektrons, $h/m_e c_0$	λ_C	2,426 310 58 (22)	$10^{-12}\ \mathrm{m}$	$8{,}9 \cdot 10^{-8}$
(klassischer) Radius des Elektrons, $\alpha^2 a_0$	r_e	2,817 940 92 (38)	$10^{-15}\ \mathrm{m}$	$1{,}3 \cdot 10^{-7}$
Ruhemasse des Protons	m_p	1,672 623 1 (10)	$10^{-27}\ \mathrm{kg}$	$5{,}9 \cdot 10^{-7}$
Ruhemasse des Neutrons	m_n	1,674 928 6 (10)	$10^{-27}\ \mathrm{kg}$	$5{,}9 \cdot 10^{-7}$
Avogadro-Konstante	N_A	6,022 136 7 (36)	$10^{23}\ \mathrm{mol^{-1}}$	$5{,}9 \cdot 10^{-7}$
Faraday-Konstante	F	96 485,309 (29)	$\mathrm{C\,mol^{-1}}$	$3{,}0 \cdot 10^{-7}$
universelle Gaskonstante	R, R_0	8,314 510 (70)	$\mathrm{J\,mol^{-1}\,K^{-1}}$	$8{,}4 \cdot 10^{-6}$
Boltzmann-Konstante, R/N_A	k	1,380 658 (12)	$10^{-23}\ \mathrm{JK^{-1}}$	$8{,}5 \cdot 10^{-6}$
Stefan-Boltzmann-Konstante, $(\pi^2/60)\,k^4/\hbar^3 c_0^2$	σ	5,670 51 (19)	$10^{-8}\ \mathrm{W\,m^{-2}\,K^{-4}}$	$34 \cdot 10^{-6}$
atomare Masseneinheit, $1\,u = m_u = \frac{1}{12} m\,(^{12}C)$	u	1,660 540 2 (10)	$10^{-27}\ \mathrm{kg}$	$5{,}9 \cdot 10^{-7}$
quantisierter Hall-Widerstand, $h/e^2 = \mu_0 c_0/2\alpha$	R_H	25 812,805 6 (12)	Ω	$4{,}5 \cdot 10^{-8}$
physikal. Atmosphäre, Normdruck	atm	101 325	Pa	Null
Normfallbeschleunigung	g_n	9,806 65	$\mathrm{m\,s^{-2}}$	Null

[1)] nach CODATA (Commitee on Data for Science and Technology), 1986. – [2)] die Ziffern in runden Klammern entsprechen der einfachen Standardabweichung taire) erwirtschaftet zwar keine Güter, setzt aber die an sie abgeführten Grundrenten in Umlauf und vermehrt so den Reinertrag; sie soll dem Staat für polit. Aufgaben zur Verfügung stehen; die unproduktive Klasse (classe stérile) schließlich umfasst alle außerhalb des Agrarbereichs Tätigen (Handwerker, Händler). Ziel der Physiokraten waren Wirtschafts- und Finanzreformen (Schaffung von Großbetrieben, Freigabe der Getreideausfuhr, Erhöhung der Geldeinnahmen der Landwirte). Der P. wurde rasch von der klass. Nationalökonomie verdrängt; seine Erkenntnisse beeinflussten jedoch nachfolgende Nationalökonomen wie A. Smith und K. Marx.

📖 GÖMMEL, R. *u.* KLUMP, R.: *Merkantilisten u. Physiokraten in Frankreich. Darmstadt 1994.*

Physiologie [grch.] *die,* als Teilgebiet der Biologie und Medizin die Wiss. und Lehre von den normalen, auch den krankheitsbedingten **(Patho-P.)** Lebensvorgängen und Lebensäußerungen der Pflanzen **(Pflanzen-P.),** der Tiere **(Tier-P.)** und speziell des Menschen **(Human-P.).** Die P. versucht mit physikal. und chem. Methoden die Reaktionen und Abläufe von Lebensvorgängen (Wachstum, Entwicklung, Fortpflanzung u.a.) bei den Organismen und ihren Zellen, Geweben oder Organen aufzuklären.

physiologische Chemie, Lehre von der chem. Natur physiolog. Vorgänge, Grenzgebiet zw. Biochemie und Physiologie.

physiologische Uhr, der →Zeitsinn.

Physiologus [grch.], Titel einer zw. dem 2. und 4. Jh. im Vorderen Orient (wohl Ägypten) entstandenen, in Griechisch verfassten Schrift, in der Tiere, Pflanzen und Steine christlich-typologisch gedeutet werden. Der P. ist die Hauptquelle christl. Tiersymbolik und liegt auch der mittelalterl. allegor. Tierdichtung zugrunde (→Bestiarium). Er wurde im MA. bearbeitet und in versch. Sprachen übersetzt; die erste dt. Übersetzung entstand um 1070 im Kloster Hirsau.

Physiotherapie [grch.] (physikalische Therapie), Bez. für Heilmaßnahmen im Rahmen der Naturheilkunde; Behandlungs- und Rehabilitationsverfahren durch Anwendung physikal. Reizwirkungen auf den Organismus, u.a. Bewegung (Krankengymnastik), Wasser (→Hydrotherapie), Licht (→Lichtbehandlung), Luft (→Klimatherapie), Heilquellen (Bäder und Trinkkuren), →Massage, →Elektrotherapie, →Ultraschalltherapie.

Physis [grch. »Natur«, »natürl. Beschaffenheit«] *die,* Natur-, Körperbeschaffenheit.

physisch 1) in der Natur begründet, natürlich; 2) die körperl. Beschaffenheit betreffend, körperlich.

Physostigmin [grch.] *das* (Eserin), giftiges Alkaloid aus dem Samen der Kalabarbohne (Physostigma venenosum); wirkt erregend auf das parasympath. Nervensystem; dient in der Augenheilkunde zur Behandlung des Glaukoms.

Phytal [grch.] *das,* Zone des bodenständigen pflanzl. Lebens im Meer.

Physiologus: Seite über den Löwen (De Leone) und den Panther (De Panthera) aus einer lateinischen Pergamenthandschrift (13. Jh.; München, Bayerische Staatsbibliothek)

phyto... [grch. phýton »das Gewachsene«, »Gewächs«, »Pflanze«], Pflanzen..., pflanzlich.

Phytochemie, die Biochemie der Pflanzen.

Phytochrom [grch.] *das,* pflanzl. blaugrünes Chromoproteid, an der Steuerung lichtabhängiger Entwicklungsvorgänge von Pflanzen beteiligt.

Phytogeographie, die →Pflanzengeographie.

Phytohormone, die →Pflanzenhormone.

Phytol [grch.] *das,* ungesättigter Alkohol, der sich verestert im Chlorophyll findet; auch Bestandteil der Vitamine E und K_1.

Phytomedizin, Wiss. von den Krankheiten sowie deren Ursachen bei Kulturpflanzen; Anwendungsbereiche: →Pflanzenschutz, Schädlingsbekämpfung, Vorratsschutz.

Phytonzide [grch.], von höheren Pflanzen gebildete Stoffe, die in und außerhalb der Pflanzen gegen Mikroorganismen (Protozoen, Bakterien, Pilze) wirksam sind; werden als gasförmige oder flüssige Substanzen von Wurzeln oder oberird. Pflanzenteilen ausgeschieden.

Phytopathologie [grch.], Lehre von den Pflanzenkrankheiten.

Phytophagen (Pflanzenfresser), Tiere, die sich von lebenden Pflanzen ernähren.

Phytotherapie, *Medizin:* Teilgebiet der Naturheilkunde, das zur Behandlung von Krankheiten getrocknete und frische Bestandteile von Heilpflanzen und die darin enthaltenen Wirkstoffe verwendet.

Pi *das,* **1)** Π, π, der 16. Buchstabe des grch. Alphabets.

2) *Mathematik:* a) Π, Zeichen für das Produkt mehrerer Faktoren; b) π, Zeichen für die **ludolphsche Zahl (Kreiszahl)** $\pi = 3{,}141\,592\,653\,589\,793...$, eine transzendente reelle Zahl, die das konstante Verhältnis von Kreisumfang ($2\pi r$) zum Durchmesser ($2r$) angibt. Die Kreisfläche A berechnet sich aus $A = \pi r^2$.

3) *Physik:* π, physikal. Symbol für das **Pion** (**π-Meson,** → Mesonen).

Pi
Die Zahl π wurde im Sommer 1997 an der Universität Tokio auf 51.539.600.000 ($= 3 \cdot 2^{34}$) Dezimalstellen berechnet; ein Ausdruck im Format dieses Lexikons hätte gut 9 Millionen Seiten. Die Rechenzeit betrug bei zwei verschiedenen Verfahren 29 bzw. 37 Stunden.

Piacenza [pia'tʃɛntsa], **1)** Provinz in der Region Emilia-Romagna, Italien, 2589 km², (1995) 267100 Einwohner.

2) Hauptstadt von 1), nahe dem rechten Ufer des Po, 107000 Ew.; Zentrum eines reichen Landwirtschaftsgebiets; Erzbischofssitz, Kunstakademie, Museen und Bibliothek; Nahrungsmittel-, chem., Zementind., Maschinenbau; in der Nähe Erdgas- und Erdölvorkommen. – Got. Rathaus (1281), Dom (1122–1233), Kirchen San Savino (12. Jh., später verändert), Madonna di Campagna (1522–28, Chor 1791), San Sepolcro (1513–33), San Sisto (1499–1511); mehrere Paläste aus der Frührenaissance. – P. wurde 218 v. Chr. von den Römern als **Colonia Placentia** gegründet. In der Stauferzeit gehörte es dem lombard. Städtebund an. 1336 kam es an Mailand, 1512 an den Kirchenstaat; 1545–1860 bildete es mit → Parma einen selbstständigen Staat.

Piacenza 2)
Stadtwappen

piacevole [pia'tʃe:vole, italien.], musikal. Vortragsbezeichnung: anmutig, gefällig, lieblich.

Pia desideria [lat. »fromme Wünsche«], Titel der theolog. Hauptschrift (1675) P. J. Speners, die zur Programmschrift des → Pietismus wurde.

Piaf, Édith, eigtl. É. Giovanna Gassion, frz. Chansonsängerin, *Paris 19. 12. 1915, †ebd. 11. 10. 1963; begann als Straßensängerin, errang seit 1937 als »Spatz von Paris« mit z. T. selbst verfassten Chansons überragende Erfolge (»Je ne regrette rien«, »Milord«).

Édith Piaf

Pi

Was treibt Mathematiker dazu, die Zahl π auf Milliarden von Dezimalstellen zu berechnen? Für praktische Zwecke ist diese Genauigkeit völlig übertrieben. Schon wenn man π auf 14 Stellen genau kennt, lässt sich der Umfang eines Kreises mit dem Radius der Erde (6400 km) mit einem Fehler unter 0,001 mm berechnen.

Trotzdem sind solche Rechnungen sinnvoll: Zum einen nutzt man sie zum Leistungsvergleich verschiedener Rechner bzw. Verfahren; zum anderen sind sie für die Zahlentheorie interessant: Ist π eine »normale« Zahl, in der alle Ziffern gleichmäßig vorkommen, oder gibt es »verborgene Perioden«? (Bislang hat man keine gefunden.)

Piaffe [frz.] *die, Pferdesport:* Figur der hohen Schule: schwungvolle, trabartige Tritte des Pferdes auf der Stelle mit erhabener Beinbewegung bei höchster Versammlung.

Piaget [pja'ʒɛ], Jean, schweizer. Psychologe, *Neuenburg 9. 8. 1896, †Genf 16. 9. 1980; einer der Hauptvertreter der Entwicklungspsychologie; Untersuchungen zur Entwicklung von Sprache, Denken, Raum-, Zeit- und Kausalvorstellungen, Weltbild und Moral des Kindes. – *Werke:* Sprechen und Denken des Kindes (1923); Das Erwachen der Intelligenz beim Kinde (1936); Psychologie der Intelligenz (1947); Biologie und Erkenntnis (1967); Einführung in die genet. Erkenntnistheorie (1970).

📖 GINSBURG, H. *u.* OPPER, S.: *P.s Theorie der geistigen Entwicklung. A. d. Engl. Stuttgart* ⁷*1993.*

Pianino [italien.] *das,* kleines → Klavier.

piano [italien.], Abk. **p,** musikal. Vortragsbezeichnung: leise, sanft; **pianissimo,** Abk. **pp,** sehr leise; **pianissimo piano,** Abk. **ppp,** so leise wie irgend möglich; **più p.,** leiser, schwächer; **mezzo p.,** halbleise.

Piano [italien.] (Pianoforte) *das,* → Klavier.

Piano, Renzo, italien. Architekt, *Genua 14. 9. 1937; bis 1977 internat. Aufträge zus. mit R. Rogers, ab 1977 v. a. mit Peter Rice. Vielfach prägt die Technologie seinen Baustil, zugleich gilt seine Aufmerksamkeit der Funktionsvielfalt und Kommunikation; nahm Erneuerungen histor. Zentren und Bauten vor. – *Werke* (mit Mitarbeitern): u. a. Centre Georges-Pompidou (Paris, 1971–77); De Menil Collection (Houston, Tex., 1981 ff.); Ausstellungs- und Kongresszentrum Genua (1990 ff.); Umbau des Turiner FIAT-Werks »Lingotto« in ein Kultur- und Wissenschaftszentrum (1994); Museum für die Sammlung Beyeler in Riehen bei Basel (1994–97); »debis-Bau« am Potsdamer Platz in Berlin (1995–97). Weiteres BILD Centre National d'Art et de Culture Georges Pompidou

Pianola [italien.] *das,* mechan. Klavier, bei dem zusätzlich Tonstärke, Tempo und Klangcharakter manuell durch Hebel reguliert werden können.

Pianopedal, → Klavier.

Piaristen (Kalasantiner), 1617 in Rom gegründeter kath. Orden für Schulunterricht und Jugenderziehung.

Piassave [portugies.] *die,* Blatt-(Bast-)Faser versch. Palmen zur Herstellung von Besen, Bürsten, Seilen, Matten.

Piasten, poln. und schles. Herrschergeschlecht, benannt nach seinem legendären Stammvater Piast. Herzog Mieszko I. (†992) ist der erste historisch fassbare Vertreter der P., die sich 1138 in mehrere

Linien spalteten. Kasimir III., d. Gr. (*1310, †1370) war der letzte Piast auf dem poln. Königsthron. Die in Masowien herrschende Linie erlosch 1526, die schles. P. starben 1675 aus.

Piaster [italien.] *der,* kleine Währungseinheit in Ägypten, Libanon, Sudan, Syrien.

Piatigorsky, Gregor, amerikan. Violoncellist russ. Herkunft, *Jekaterinoslaw (heute Dnjepropetrowsk, Ukraine) 17. 4. 1903, †Los Angeles 6. 8. 1976; trat u.a. als Duopartner von S. W. Rachmaninow und A. Schnabel auf sowie als Triopartner von V. Horowitz und N. Milstein, später von A. Rubinstein und J. Heifetz.

Piatti, Celestino, schweizer. Grafiker, Zeichner und Maler, *Wangen (bei Zürich) 5. 1. 1922; gestaltet Plakate, Bilderbücher, Buchillustrationen, Briefmarken, Wand- und Glasbilder, seit 1961 v.a. Buchumschläge, seit 1986 auch Eisenplastiken.

Piauí, Staat im N von →Brasilien, auf der NO-Abdachung des Brasilian. Berglandes; im Sertão extensive Viehhaltung.

Piave *der,* Fluss in N-Italien, 220 km lang, entspringt in den Karnischen Alpen und mündet kanalisiert ins Adriat. Meer.

Piazza [italien.] *die,* Platz, Marktplatz.

Piazzetta, Giovanni Battista, italien. Maler und Radierer, *Venedig 13. 2. 1682, †ebd. 28. 4. 1754; neben G. B. Tiepolo Hauptmeister des venezian. Rokoko, malte Altar- und Genrebilder sowie Porträts. Er verband eine malerisch-flüssige Gestaltungsweise mit dramat. Helldunkel und Sinn für den Realismus der Caravaggio-Tradition.

Piazzolla, Astor, argentin. Komponist, *Mar del Plata 11. 3. 1921, †Buenos Aires 5. 7. 1992; widmete sich v.a. dem argentin. Tango, den er durch Verbindung von argentin. Folklore mit zeitgenössischer Musik dem Konzertsaal zugänglich machte.

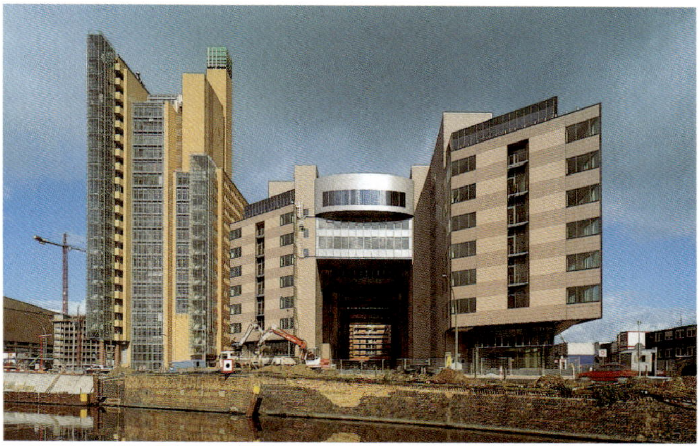

Renzo Piano: Der Berliner »debis-Bau« am Potsdamer Platz entstand in den Jahren 1995–97

Francis Picabia: »Udnie« (1913; Paris, Musée National d'Art Moderne)

Picabia, Francis, eigtl. F. Martínez de Picabia, frz. Maler, Grafiker und Schriftsteller span.-kuban. Herkunft, *Paris 22. 1. 1879, †ebd. 30. 11. 1953; wichtiger Anreger der Kunst des 20. Jh., bes. für den Dadaismus und den Surrealismus.

Jean Piaget

Picard [pi'ka:r], **1)** Charles Émil, frz. Mathematiker, *Paris 24. 7. 1856, †ebd. 11. 2. 1941; ab 1885 Prof. an der Sorbonne in Paris; bed. Vertreter der modernen Analysis, arbeitete zur Theorie der Differenzialgleichungen, zur algebraischen Geometrie und Topologie sowie zur Funktionentheorie.

2) Jean, frz. Astronom und Geodät, *La Flèche (Dép. Sarthe) 21. 7. 1620, †Paris 12. 7. 1682; entwickelte versch. Winkelmessinstrumente und führte in Frankreich 1669 die erste exakte Gradmessung aus.

3) Max, schweizer. Schriftsteller und Philosoph, *Schopfheim 5. 6. 1888, †Neggio (bei Lugano) 3. 10. 1965; kam von der Betrachtung der Kunst zur Physiognomik; leistete konservativ-religiöse Beiträge zur Kunsttheorie und Kulturkritik (»Hitler in uns selbst«, 1946; »Die Atomisierung in der modernen Kunst«, 1954).

Astor Piazzolla

Picardie *die,* Region und histor. Provinz im N Frankreichs, beiderseits der Somme, umfasst die Dép. Aisne, Oise und Somme; 19399 km², (1995) 1,86 Mio. Ew.; ein Kreidetafelland innerhalb des Pariser Beckens mit fruchtbaren Böden; Hptst. ist Amiens. – Gehörte 1435–82 zu Burgund.

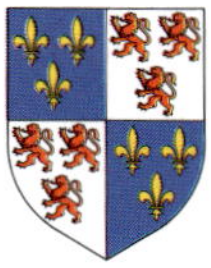

Picardie Historisches Wappen

Picasso, Pablo, eigtl. Ruiz y P., span. Maler, Grafiker, Bildhauer, Keramiker und Dichter, *Málaga 25. 10. 1881, †Mougins (bei Cannes) 8. 4. 1973; besuchte die Kunstschule in Barcelona, zeitweilig auch in Madrid und ließ sich 1904 in Paris nieder. 1901–04 (»blaue Periode«) verarbeitete er in seinen Bildern menschl. Elends Einflüsse v.a. von H. Tou-

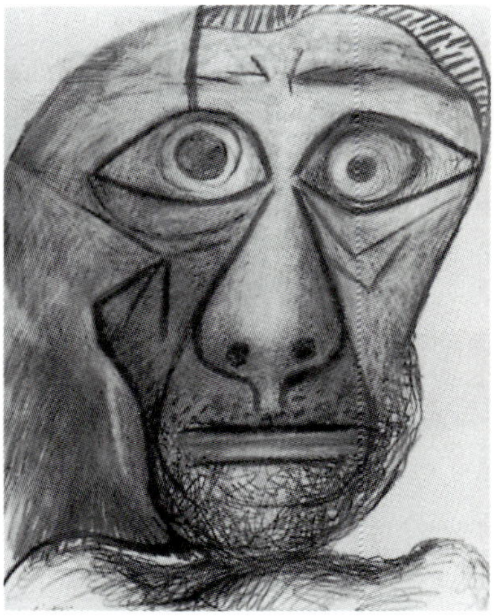

Pablo Picasso: Selbstporträt (1972) und »Les Demoiselles d'Avignon« (1907; New York, Museum of Modern Art)

louse-Lautrec, H. Daumier und P. Gauguin (»Das Leben«, 1903; Cleveland, Museum of Art); Übergang zur weniger einheitlichen »rosa Periode« (1905–07). Im Mittelpunkt stehen zunächst Motive aus der Welt des Zirkus (»Akrobat mit Kugel«, 1905; Moskau, Puschkin-Museum), dann Akte und Porträts. Die Auseinandersetzung mit iber. Plastik, mit afrikan. und ozean. Kunst sowie mit P. Cézanne (1907) ließ die Beschäftigung mit Formproblemen an die Stelle psycholog. Thematik treten (»Les Demoiselles d'Avignon«, 1907; New York, Museum of Modern Art). Gemeinsam mit G. Braque beschäftigte P. sodann das Problem, alles Gegenständliche auf eine organisierte Struktur einfacher geometr. Formen zurückzuführen. Diesem analyt. →Kubismus folgt ab 1912 der synthet. Kubismus, der bedeutungsfreie Form- und Farbelemente, bes. eingeklebte Materialien (Collage) verwendet (»Stilleben mit Flechtstuhl«, 1912; Nachlass bzw. P.-Museum Paris); 1915 Aufgabe der kontinuierl. Stilentwicklung. P. verarbeitet verschiedene (naturalist., geometr.) Stilrichtungen und kombiniert dann vorhandene Themen und Formen. Nachhaltige Impulse erhielt er in seinem Kontakt zu den Surrealisten, an deren Ausstellung er sich nach 1925 beteiligte. Die hier eröffnete Möglichkeit zur Verschlüsselung und myth. Überhöhung psych. Erfahrungen erweiterte die Ausdruckskraft in P.s Werk (»Minotauromachie«; Radierungen, 1935); Höhepunkt dieser Entwicklung ist das für den span. Pavillon der Weltausstellung 1937 geschaffene Werk »Guernica« (Madrid, Centro de Arte Reina Sofía), entstanden aus Erschütterung über die Zerstörung der bask. Stadt durch die Legion Condor. Auch mit dem Plakat der »Friedenstaube« (1949) nahm P. (seit 1944 Mitgl. der KP Frankreichs) zum polit. Geschehen Stellung. In S-Frankreich experimentierte er mit Lithographie, Linolschnitt und Keramik. Sein ebenfalls bed. plast. Schaffen (kubist. Köpfe; Konstruktionen, Materialbilder, durchbrochene Figuren und Assemblagen) gab P. selten für Ausstellungen frei. In den letzten 25 Jahren seines Lebens variierte er in Malerei und Grafik in Reihen, Serien und Metamorphosen histor. Vorbilder (Delacroix, Velázquez, Manet) und Motive der eigenen Bildwelt in unerschöpfl. Wandlungsfähigkeit. P. gilt als ein Wegbereiter und einer der wichtigsten Repräsentanten der modernen Malerei des 20. Jahrhunderts. Weitere BILDER Kubismus, Spanischer Bürgerkrieg; Modigliani

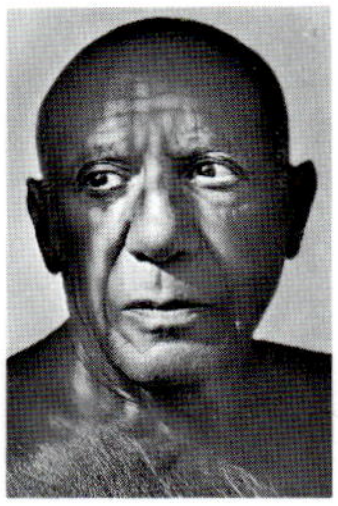

Pablo Picasso

📖 SABARTÉS, J.: *P. Gespräche u. Erinnerungen. A. d. Span. Frankfurt am Main 1990.* – DAIX, P.: *P. A. d. Frz. Köln 1991.* – RICHARDSON, J.: *P. Leben u. Werk, auf 4 Bde. ber. A. d. Engl. München 1991 ff.* – WIEGAND, W.: *P. P. Reinbek 1995.*

Auguste Piccard

Piccard [pi'ka:r], Auguste, schweizer. Physiker, *Basel 28. 1. 1884, †Lausanne 25. 3. 1962; unternahm 1931/32 die ersten Stratosphärenflüge im Ballon (16 940 m Höhe); 1953 erreichte er bei Tiefseetauchfahrten mit einem selbst entworfenen Tauchschiff (→Bathyskaph) 3150 m Tiefe. Sein Sohn Jacques P. (*1922) drang 1960 mit dem Tauchboot »Trieste« im Marianengraben bis 10 916 m Tiefe vor.

Piccinni [pi'tʃi:ni] (Piccini), Niccolò Vito, italien. Komponist, *Bari 16. 1. 1728, †Passy (heute zu Paris) 7. 5. 1800; ein Meister der italien. komischen Oper; schrieb etwa 120 Bühnenwerke (bes. erfolgreich »L'Olimpiade«, 1768, Opera seria), Oratorien und Kirchenmusik.

Michel Piccoli

Piccoli [pikɔ'li], Michel, frz. Schauspieler, *Paris 27. 12. 1925; anerkannter Darsteller komplizierter Charaktere in Film und Fernsehen (u. a. »Das

Mädchen und der Kommissar«, 1973; »Die schöne Querulantin«, 1991).

Piccolomini, **1)** Enea Silvio, Papst → Pius II.

2) Ottavio, Reichsfürst (seit 1650) P.-Pieri, Herzog von Amalfi (seit 1639), kaiserl. General, * Florenz 11. 11. 1599, † Wien 11. 8. 1656; Vertrauter Wallensteins, gleichwohl 1634 führend bei dessen Sturz, am 2. 11. 1642 von den Schweden bei Breitenfeld besiegt; führte 1648/49 als kaiserl. Vertreter die Verhandlungen mit Schweden zur Durchführung des Westfäl. Friedens.

Pichler, Walter, österr. Bildhauer, Architekt und Zeichner, * Deutschnofen (bei Bozen) 1. 10. 1936. Ausgangspunkt seines Schaffens bilden visionäre, z. T. mit H. Hollein entwickelte Architekturvorstellungen und in der Bildhauerei zw. apparativen und ritualisierten Formen vermittelnde »Prototypen« aus Bronze, Holz und Lehm.

Picht, Georg, Pädagoge und Religionsphilosoph, * Straßburg 9. 7. 1913, † Hinterzarten 7. 8. 1982; trat u. a. durch krit. Untersuchungen zum dt. Bildungswesen hervor und war einer der Wegbereiter der Bildungsreformen.

Pichurimbohne [pitʃuri:m-, Tupí] (Sassafrasnuss, Brasilianische Bohne), der vanillinreiche Samen des südamerikanischen Lorbeergewächses Nectandra puchury.

Pickelhaube, Lederhelm mit Metallbeschlag und -spitze, 1842 von der preuß. Armee eingeführt; hielt sich in abgewandelter Form im dt. Heer bis zur Einführung des Stahlhelms 1916.

Pickelhering [»Pökelhering«] (Pickelhäring), komische Bühnengestalt bei den → englischen Komödianten des 17. Jahrhunderts.

Giovanni Pico della Mirandola: zeitgenössischer Stich

Pickering, **1)** Edward Charles, amerikan. Astronom, * Boston (Mass.) 19. 7. 1846, † Cambridge (Mass.) 3. 2. 1919, Bruder von 2); Mitbegründer der modernen Astrophysik, seit 1877 Direktor des Harvard-Observatoriums. Sein umfangreiches Beobachtungsmaterial an Sternhelligkeiten und -spektren war lange Zeit die Grundlage der Stellarstatistik und des Studiums veränderl. Sterne; gab

Pablo Picasso: »Das Leben« (1903; Cleveland, Oh., Museum of Art)

u. a. zus. mit A. J. Cannas den »Henry Draper Catalogue« (9 Bde., 1918–24) mit Spektralklassifikationen von ca. 220 000 Sternen heraus.

2) William Henry, amerikan. Astronom, * Boston (Mass.) 15. 2. 1858, † Mandeville (Jamaica) 17. 1. 1938, Bruder von 1); entdeckte 1898 den Saturnmond Phoebe, sagte 1919 die Existenz von Pluto voraus.

Pickford [ˈpɪkfəd], Mary, eigtl. Gladys Mary Smith, amerikan. Filmschauspielerin, * Toronto 9. 4. 1893, † Santa Monica (Calif.) 28. 5. 1979; wurde 1909 von D. W. Griffith entdeckt; entwickelte sich mit kindlich-naiven Rollen zu einem der ersten Stars und Publikumsliebling des amerikan. Films.

Pick-up-Reaktion [ˈpɪkʌp-, engl.], Kernreaktion, bei der das stoßende Teilchen aus dem getroffenen Atomkern wenige Nukleonen herauslöst und zus. mit diesen unter Bildung eines gebundenen Zustandes weiterfliegt.

Pico, **1)** *der,* italienisch, spanisch und portugiesisch für Bergspitze.

2) Insel der portugies. → Azoren.

Pico della Mirandola, Giovanni, italien. Humanist und Philosoph, * Mirandola (bei Modena) 24. 2. 1463, † bei Florenz 17. 11. 1494; gehörte zum Kreis Lorenzos des Prächtigen. Er lud 1486 europ. Gelehrte nach Rom zu einer Diskussion über 900 Thesen, die »Conclusiones philosophicae, cabalis-

Georg Picht

Mary Pickford

Wilhelm Pieck

ticae et theologicae«, die päpstl. Verurteilung erfuhren und Sanktionen (bis 1493) zur Folge hatten. Philosophisch von M. Ficino beeinflusst, erstrebte P. de M. die Überhöhung des christl. Weltbildes im Sinne eines Bildungshumanismus. Der Mensch sei ein »Mikrokosmos«, in dem alle Möglichkeiten angelegt sind und der sich, entsprechend den Seinsstufen, für das Elementarische, Tierische oder Himmlische entscheiden kann.

📖 BAKER, D.: *G. P. della M 1463–1494. Sein Leben u. sein Werk. Dornach 1983.*

Pico de Orizaba [-'θaβa], Vulkan in Mexiko, → Citlaltépetl.

Pictor [lat.] *der* (Malerstaffelei, Maler), Sternbild des südl. Himmels.

Pidginenglisch ['pɪdʒɪn-; nach der chines. Aussprache des engl. Wortes business »Geschäft«] *das,* Verkehrs- und Handelssprache mit (stark reduziertem) engl. Grundwortschatz und vereinfachter Struktur sowie Elementen einheim. Sprachen, z. B. in Melanesien, Westafrika.

Pidginsprachen ['pɪdʒɪn-], allg. Bez. für Behelfssprachen zum Zweck des Handels und der Kommunikation, u. a. das Pidginenglisch. Im afrikan. Raum sind P., die eine europ. Sprache als Grundlage haben, und P., die auf einheim. Sprachen basieren, zu unterscheiden.

PID-Regler, Grundtyp eines → Reglers.

Piechowice [pjɛxɔ'vitsɛ] (dt. Petersdorf), Stadt in der Wwschaft Jelenia Góra (Hirschberg), Polen, in Niederschlesien, am Fuß des Riesengebirges, 7 600 Ew.; Luftkurort; Glaskunstmuseum; Kristallglashütte, Elektromotorenbau, Papierfabrik.

Pieck, Wilhelm, Politiker, *Guben 3. 1. 1876, †Berlin 7. 9. 1960; Mitgründer des Spartakusbundes (1917) und der KPD (1918/19), 1928–33 MdR, ab 1933 Exil (Paris, UdSSR), war ab 1935 Vors. der KPD, 1938–43 Gen.-Sekr. der Komintern, 1943 Mitgründer des »Nationalkomitees Freies Dtl.«, 1946–54 mit O. Grotewohl Vors. der SED und 1949–60 Präs. der DDR.

Pieper: Baumpieper (Größe 15 cm), darunter Wiesenpieper (Größe 15 cm)

Pi|edestal [frz.] *das,* Sockel, Ständer, Gestell mit schräg gestellten Beinen.

Piedmontfläche ['pi:dmɔnt-, engl.], *Geomorphologie:* flachwellige Rumpffläche am Fuß eines Gebirges.

Piel, Harry, Filmschauspieler und -regisseur, *Düsseldorf 12. 7. 1892, †München 27. 3. 1963; führte den »Sensationsfilm« im dt. Kino ein; seine Filme spielten oft im Artisten- und Abenteurermilieu (u. a. »Menschen, Tiere, Sensationen«, 1938).

Pi|emont (italien. Piemonte, frz. Piémont), Region in Norditalien, 25 399 km², (1995) 4,29 Mio. Ew.; umfasst den westl. Teil der Poebene und das anschließende Alpengebiet bis zur frz. und schweizer. Grenze, mit den Prov. Alessandria, Asti, Biella, Cuneo, Novara, Turin, Verbano-Cusio-Ossola, Vercelli; Hauptstadt ist Turin. In den Ebenen werden Futterpflanzen, Weizen und Mais, im NO Reis angebaut, im Hügelland Wein; verbreitet Obstbau. P. ist eines der wichtigsten Ind.gebiete Italiens (Hüttenwerke, Maschinen-, Fahrzeugbau, Aluminium-, chem., Textil-, Leder- u. a. Industrie).

Geschichte: P. war das Kernland des vom Haus → Savoyen geschaffenen Mittelstaates. Die Grafen (seit 1416 Herzöge) von Savoyen erwarben seit dem 11. Jh. P., Aosta, die Waadt (1536 an Bern), 1388 Nizza. Anfang des 15. Jh., unter Amadeus VIII., regierten sie einen Großteil P.s, das in der Folge die Geschichte Savoyens teilte und ein immer größeres Gewicht bekam; 1560 wurde Turin Hptst. anstelle von Chambéry. Im Frieden von Utrecht (1713) erhielt Savoyen-P. Sizilien zugesprochen, das es aber 1720 gegen Sardinien eintauschen musste. Herzog Viktor Amadeus II. wurde König von Sardinien; Kernland blieb jedoch P. Bei der Einigung Italiens wurde Savoyen mit Nizza an Frankreich abgetreten. Die liberale Verf. des Königreichs P.-Sardinien wurde Vorbild für den neuen Nationalstaat; Turin war bis 1865 Hauptstadt.

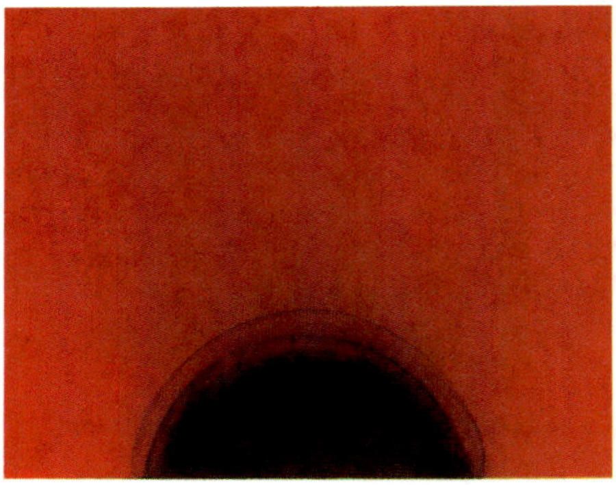

Otto Piene: »Die Sonne brennt« (1966; Düsseldorf, Kunstmuseum)

Piene, Otto, Künstler, *Bad Laasphe 18. 4. 1928; Mitbegründer der Gruppe → Zero; beschäftigt sich vorwiegend mit Lichtstrukturen (Rasterbilder, lichtkinet. Arbeiten, Rauchbilder, Luftprojekte).

Pieńsk [pjɛ̃ĩsk] (dt. Penzig), Stadt in der Wwschaft Jelenia Góra (Hirschberg), Polen, an der Lausitzer Neiße (Grenze zu Dtl.), 5 900 Ew.; Glashütten, Pappewerk.

Pieper (Anthus), weltweit verbreitete, zu den Stelzen gehörende bräunl. Singvögel; sie brüten am Boden, in Europa u. a. Baum-, Wiesen-, Brach- und Wasserpieper.

Pieper, Josef, Philosoph, *Elte (heute zu Rheine) 4. 5. 1904, †Münster 6. 11. 1997; 1946–76 Prof. in Münster; verfasste zahlreiche von der thomist. Ethik geprägte philosophisch-eth. Schriften.

Pier [engl.] *der,* seemannssprachl. *die,* → Kai.

Pierce [pɪəs], Franklin, 14. Präs. der USA (1853–57; Demokrat), *Hillsboro (N. H.) 23. 11. 1804, †Concord (N. H.) 8. 10. 1869; Jurist, 1837–42 Senator; Brigadegeneral im Mexikan. Krieg (1846–48). In seiner Amtszeit als Präs. erwarben die USA durch Kauf ein größeres Gebiet von Mexiko (1853 Gadsden Purchase).

Piercing ['pɪəsɪŋ, engl.] *das,* die Durchstechung von Körperteilen (Ohrläppchen, Bauchnabel, Lippen, Nase, Brustwarzen, Geschlechtsorgane) zum Zweck der Anbringung von Schmuckgegenständen, wie Ringe, Clips, Perlen u. a. Man unterscheidet zw. erot. und dekorativem P., Letzteres, um den eigenen Körper zu schmücken oder ein äußeres Zeichen für einen inneren Prozess zu setzen.

Piero della Francesca [-fran'tʃeska], italien. Maler, *Borgo San Sepolcro (heute Sansepolcro, Prov. Arezzo) zw. 1415 und 1420, begraben ebd. 12. 10. 1492; gilt als einer der genialsten Maler der Frührenaissance, der als Mathematiker und Theoretiker Körpervolumen, Proportionen und perspektiv. Raumdarstellung genau berechnete und mit Beobachtungen der atmosphär. Lichtverhältnisse verband. Die Klarheit der Formen und der räuml. Beziehungen, die Logik der architekton. Struktur und die Verquickung von Farbe und Licht verleihen seinen Werken höchste Monumentalität und zugleich Poesie. Er beeinflusste die ober- und mittelitalien. Malerei.

Werke: Altarwerk mit der Schutzmantelmadonna und Heiligen (nach 1445; Sansepolcro, Pinakothek), Taufe Christi (1448–50; London, National Gallery), Freskenzyklus »Legende des hl. Kreuzes« im Chor von San Francesco in Arezzo (1451–66), Bildnisse des Herzogs Federigo da Montefeltro und seiner Gemahlin Battista Sforza (1461–72; Florenz, Uffizien). Weiteres BILD Freskomalerei

📖 GINZBURG, C.: *Erkundungen über Piero. P. d. F., ein Maler der frühen Renaissance. A. d. Italien. Neuausg. Frankfurt am Main 1991.*

Piero della Francesca: Federigo da Montefeltro und seine Gemahlin Battista Sforza (1461–72; Florenz, Uffizien)

Piero di Cosimo, eigtl. P. di Lorenzo, italien. Maler, *Florenz 1461 oder 1462, †ebd. 1521; malte religiöse und mytholog. Bilder (Darstellungen aus der Prometheussage, um 1510–20), Allegorien und Porträts von eigenwilligem Erfindungsreichtum und Kolorit.

Pierre ['pi:ə], Hauptstadt des Staates South Dakota, USA, am Missouri, 12 900 Ew.; Handelszentrum eines Ackerbaugebietes.

Pierre [pjɛ:r] (Abbé P.), eigtl. Henri-Pierre Grouès, frz. kath. Theologe, *Lyon 5. 8. 1912; seit 1930 Kapuziner; seit 1938 Weltpriester; 1942–45 Mitgl. der Résistance; gründete 1949 ein Sozialwerk für Arme und Obdachlose (»Emmaus-Bewegung«).

Abbé Pierre

Pierrot [pjɛ'ro:; frz. »Peterchen«] *der,* frz. Komödienfigur; dumm-pfiffiger Diener in weißer Maske und weißem Kostüm; im 17. Jh. aus einer Dienerfigur der Commedia dell'Arte entwickelt. BILD Watteau

Piešťany ['pjɛʃtjani] (dt. Pistyan), Stadt im Westslowak. Gebiet, Slowak. Rep., im Waagtal, 33 700 Ew.; Forschungsinstitut für Rheumaerkrankungen; Heilbad dank schwefelhaltiger Thermen.

Pi|età [italien. »Frömmigkeit«] *die* (Vesperbild), →Andachtsbild.

Pi|etät [lat. pietas »Frömmigkeit«] *die,* Achtung (bes. gegenüber Toten), taktvolle Rücksichtnahme gegenüber Angehörigen von Verstorbenen.

Pietermaritzburg, Hauptstadt der Prov. KwaZulu-Natal, Rep. Südafrika, 192 400 Ew.; Univ., Bibliothek, Museen, botan. Garten; bed. Ind.standort (u. a. Metallverarbeitung, Textil-, Nahrungsmittelind.); Bahnknotenpunkt, Flughafen. – 1838 von Buren gegr., seit 1854 Stadt.

Pietersburg, Hauptstadt der Nordprovinz der Rep. Südafrika, 79 000 Ew.; in einem Rinderzucht-

Piero di Cosimo: Darstellung aus der Prometheussage (um 1510–20; München, Alte Pinakothek)

Nicolas de Pigage: Gartenfront von Schloss Benrath in Düsseldorf (1755-69)

und Bergbaugebiet; Flugplatz; östlich von P. die Univ. des Nordens.

Pietilä, Reima Frans Ilmari, finn. Architekt, *Turku 25. 8. 1923, †Helsinki 26. 8. 1993; gründete 1960 ein Büro in Helsinki, das er mit seiner Frau **Raili Inkeri Marjatta Paatelainen** (*1926) leitete. P. gestaltete seine Bauten (v.a. in Tampere) unter Berücksichtigung der landschaftl. Gegebenheiten und in Anlehnung an die traditionelle Architektur.

Arthur Cecil Pigou

Pi|etismus [lat. pietas »Frömmigkeit«] *der,* Ende des 17. Jh. entstandene Bewegung des Protestantismus, die eine geistl. Erneuerung der Kirche zum Ziel hatte. Gegen die einseitig auf die Lehre ausgerichtete evang. Theologie betonte der P. das Ideal eines an der Bibel orientierten prakt. Christentums, das sich in lebendiger (Christus-)Frömmigkeit und tätiger Nächstenliebe äußert und seine Grundlagen im regelmäßigen Bibelstudium und der individuellen »Wiedergeburt« (Bekehrung) hat. Begründer des luth. P. ist F. J. Spener. Die Anhänger wurden spöttisch **Pietisten** (Frömmler) genannt. Zentren des P. bestanden in Halle (A. H. Francke), Württemberg (J. Bengel, *1687, †1752; F. C. Oetinger, *1702, †1782) und am Niederrhein (G. Tersteegen); maßgeblich von ihm beeinflusst war N. L. Graf von →Zinzendorf. Der P. prägte nachhaltig die gesellschaftl., polit. und pädagog. Entwicklung und wirkte auf die dt. Literatur (→Empfindsamkeit) des 18. Jh.; im 19. Jh. fand er seine Fortsetzung in den →Erweckungsbewegungen und wird heute v.a. durch die →Gemeinschaftsbewegung repräsentiert.

Willem Pijper

📖 SCHARFE, M.: *Die Religion des Volkes. Kleine Kultur- u. Sozialgeschichte des P. Gütersloh 1980.* – SCHMIDT, MARTIN: *P. Stuttgart u. a.* [3]*1983.*

Pietra dura [italien. »harter Stein«] *die,* ornamentales Mosaik, das aus verschieden geformten Platten von farbigem Marmor, auch mit Einlagen von Edelsteinen, Korallen und Perlmutter, fugenlos aneinander gefügt und poliert wird; bes. in Florenz seit Mitte des 16. Jh. für Antependien, Tischplatten u.a. verwendet (Florentiner Mosaik).

Pietro da Cortona, italien. Maler, →Cortona, Pietro da.

Pieyre de Mandiargues [pjɛːr də mãˈdjarg], André, frz. Schriftsteller, *Paris 14. 3. 1909, †ebd. 13. 12. 1991; schrieb surrealist. Lyrik, Erzählungen und Romane (u.a. »Das Motorrad«, 1963), die Fantastisches und Absurdes verschmelzen.

Pi|ezo|elektrizität (Piezoeffekt, piezoelektrischer Effekt), die von Jacques (*1855, †1941) und P. Curie 1880 entdeckte Erscheinung, dass an best. Kristallen bei Deformation unter mechan. Beanspruchungen (Druck, Zug, Torsion) eine Spannung entsteht. Die positiven und negativen Gitterbausteine werden durch die Deformation so verschoben, dass ein elektr. Dipolmoment entsteht, das sich im Auftreten von (scheinbaren) Ladungen an der Oberfläche des nach außen neutralen Kristalls äußert. Außer den natürl. piezoelektr. Kristallen (z.B. Quarz, Turmalin) haben bestimmte keram. Materialien, sog. **Piezokeramiken** (z.B. Titanate, Niobate) gute piezoelektr. Eigenschaften, die eine techn. Anwendung zulassen (u.a. als Sensoren, in Feuerzeugen als **Piezozünder).** Durch elektr. Wechselfelder können umgekehrt an piezoelektr. Kristallen mechan. Schwingungen erzeugt werden. Dieser **inverse piezoelektr. Effekt,** die →Elektrostriktion, wird z.B. in der Hochfrequenztechnik (Quarzuhren), für die Flüssigkeitszerstäubung (Tintenstrahldrucker) oder zur Ultraschallerzeugung ausgenutzt.

Raima Pietilä und Raili Paatelainen: Kaleva-Kirche in Tampere (1964-66)

Pigage [piˈgaːʒ], Nicolas de, frz. Architekt, *Lunéville 2. 8. 1723, †Mannheim 30. 7. 1796; seit 1749 als »Intendant der Gärten und Wasserkünste« in kurpfälz. Dienst, ab 1762 als Gartendirektor verantwortlich für die Anlage des Schwetzinger Schlossgartens. Im Spätwerk näherte er sich dem Louis-seize-Stil. – *Werke:* Kabinettsbibliothek des

Mannheimer Schlosses (1755–57); Schloss Benrath (1755–69; heute zu Düsseldorf); Bauten im Schwetzinger Schlosspark (1761–85); Karlstor in Heidelberg (1773–81).

Pigalle [pi'gal], Jean-Baptiste, frz. Bildhauer, * Paris 26. 1. 1714, † ebd. 21. 8. 1785. Sein Werk zeigt Spannungen zw. barocker, bis zur Hässlichkeit übersteigerter Naturtreue und bereits klassizist. Tendenzen in der klaren Linienführung und Glätte der Oberflächenbehandlung. – *Werke:* Statuette des Merkur (1744, Paris, Louvre; Wiederholung in großem Maßstab, 1748; Berlin, Museumsinsel, Bode-Museum; Gegenstück: Sitzende Venus, ebd.); Grabmal des Marschalls Moritz von Sachsen (1753–76; Straßburg, St. Thomas).

Pigmente [lat.], **1)** *Biologie:* i. w. S. Sammelbez. für alle in Pflanze, Tier und Mensch auftretenden farbgebenden Substanzen, i. e. S. für die in bestimmten Zellen (Zellbestandteilen) abgelagerten Farbstoffe. Die wichtigsten pflanzl. P. sind Chlorophyll, Carotinoide, Anthocyane und Flavone; tier. P. sind bes. Melanine, Carotinoide, Guanin und Gallenfarbstoffe.

2) *Chemie* und *Technik:* unlösl. anorgan. oder organ. → Farbmittel, die im Gegensatz zu den Farbstoffen im Anwendungsmedium unlöslich sind. Durch Fällen von gelösten Farbstoffen mit Fällungsmitteln erzeugte P. werden als **Farblacke** bezeichnet. **Leucht-P.** werden durch kurzwelliges Licht oder ultraviolette Strahlung zu Fluoreszenz oder Phosphoreszenz angeregt (z. B. mit Schwermetallionen dotiertes Zinksulfid).

Pigou ['pɪgəʊ:], Arthur Cecil, brit. Volkswirtschaftler, * Ryde (Isle of Wight) 18. 11. 1877, † Cambridge 7. 3. 1959; Prof. in Cambridge (1908–43) und führender Vertreter der Cambridger Schule; trug zur Entwicklung der Wohlfahrtstheorie (z. B. Einbeziehung der Grenznutzen- und Grenzproduktivitätstheorie) sowie der Geld- und Beschäftigungstheorie bei, z. B. Quantitätstheorie, Vermögenseffekt des Geldes zur Überwindung gesamtwirtschaftl. Unterbeschäftigung **(Pigou-Effekt).**

Pijper ['pɛjpər], Willem, niederländ. Komponist, * Zeist 8. 9. 1894, † Leidschendam (Prov. Südholland) 18. 3. 1947; ein Hauptvertreter der Neuen Musik in den Niederlanden; Oper »Halewijn«, (1993), Sinfonien, Konzerte, Kammer- und Klaviermusik, Chöre, Lieder.

Pik [frz. pic, eigtl. »Spitze«], **1)** *der, Geographie:* russisch für Berggipfel.

2) *das, Kartenspiel:* (Schippe) Farbe der frz. Spielkarte, eine stilisierte Lanzenspitze in Schwarz; entspricht dem Grün der dt. Spielkarten.

pikant [frz.], gut (und ziemlich scharf) gewürzt; im übertragenen Sinn: leicht frivol, schlüpfrig.

pikaresker Roman [span. pícaro »Schelm«] (Picaroroman), der → Schelmenroman.

Pike [frz.] *die,* Stoßwaffe mit langem, hölzernem Schaft und Eisenspitze; in den Heeren des 16. und 17. Jh. Waffe der **Pikeniere.**

Pikee [frz.] *der* oder *das* (Piqué), Baumwoll- oder Viskosegewebe mit musterbildender, straff gespannter Steppkette und Füllschuss, der sich zw. dem leinwandbindigen Obergewebe und dem Untergewebe befindet. Der Füllschuss ergibt mit der Steppkette die reliefartige Musterung.

Pikes Peak ['paɪks 'pi:k, engl.], Berg am O-Rand der Rocky Mountains, nahe Colorado Springs, USA, 4304 m ü. M.; Skigebiet.

Pikett [frz. »kleine Abteilung von Soldaten«] *das, Militärwesen:* in der Schweiz einsatzbereite Mannschaft im Heer und bei der Feuerwehr.

pikieren [frz.], junge Pflanzen auspflanzen, verziehen.

Pikkolo [italien. »klein«] (Piccolo), bei Musikinstrumenten Zusatzbez. für die kleinste Ausführung mit der höchsten Tonlage, z. B. **Violino piccolo,** kleine Geige; heute meist Kurzform für **Piccoloflöte.**

Piko, Vorsatzzeichen **p,** Vorsatz vor Einheiten für den Faktor 10^{-12} (Billionstel); z. B.: 1 Pikofarad = 1 pF = 10^{-12} F.

Pikrinsäure (2,4,6-Trinitrophenol), gelbe, kristalline, stark saure Substanz. P. oder ihre Salze **(Pikrate)** wurden früher zum Färben u. a. von Wolle und als Sprengstoff verwendet. In der Analytik dient P. als Reagenz, z. B. zum Nachweis von Alkaloiden und Kreatinin.

Pikromerit *der,* Mineral, der → Schönit.

Pikten [»die Bemalten«] (lat. Picti), röm. Name für die vorkelt. oder kelt. Stämme in Schottland nördlich des Antoninuswalls, zw. Forth- und Clydemündung. Seit dem späten 3. Jh. bedrängten die P. das röm. Britannien. Im 6. Jh. wurden sie von Columban d. Ä. christianisiert; ihr Königreich vereinte der Skotenkönig Kenneth I. (MacAlpin) im 9. Jh. mit seinem Reich.

Piktogramm [lat.-grch.] *das,* eindeutiges und einfaches Bildzeichen, eine allg. verständlich stilisierte bildl. Darstellung zur Informationsvermittlung. P. werden z. B. auf Flughäfen eingesetzt.

Piła ['piu̯a] (dt. Schneidemühl), Hauptstadt der Wwschaft Piła, Polen, 75 200 Ew.; Glühlampen-, Chemiefaserwerk, feinmechan., Leinenindustrie. – Erhielt 1513 Stadtrecht und gehörte bis 1772 zu Polen, dann bis 1807 (Netzedistrikt) und seit 1815 (Prov. Posen) zu Preußen; 1922–45 Hptst. des Reg.-Bez. Schneidemühl; 1945 an Polen.

Pilaster [italien.] *der, Baukunst:* mit der Wand verbundener, nur wenig aus ihr hervortretender Pfeiler, im Unterschied zur → Lisene mit Basis und Kapitell.

Pilatus *der,* mehrgipfliger Bergstock am N-Rand der Alpen, südlich von Luzern, Schweiz,

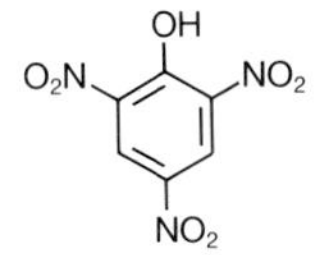

Pikrinsäure

1

2

3

4

5

6

Piktogramm: 1–3 Piktogramme der Deutschen Bahn AG: 1 Geldwechsel, 2 Nichtraucher, 3 Fluchtweg; 4–6 Piktogramme des Deutschen Sportbundes: 4 Leichtathletik, 5 Fechten, 6 Basketball im Tomlishorn 2120 m ü. M.; von Alpnach (Alpnachstad) Zahnradbahn (bis 48% Steigung), von Kriens Seilbahn zum P.-Kulm (2070 m ü. M.).

Pilger

Der Jakobspilger

Schon von weitem war der Pilger an seiner eigentümlichen Tracht zu erkennen; zeitgenössische Darstellungen betonen den Hut mit dem breiten, nach vorn aufgeschlagenen Rand, den weiten Mantel und den Wanderstab. An Hut und Mantel trug man stolz die Pilgerzeichen: die Jakobsmuschel, die an den Besuch des Grabs des heiligen Jakobus in Santiago de Compostela erinnerte, zwei gekreuzte Schlüssel, die auf eine Pilgerreise nach Rom, in die Stadt des heiligen Petrus, schließen ließen. Solche Abzeichen waren mehr als nur ein beliebtes Souvenir. Nach der Rückkehr in die Heimat sicherten sie ihrem Träger hohes Ansehen, und mancher ließ sich das Pilgerzeichen ins Grab legen, um auch auf der letzten Reise des Beistands »seines« Heiligen gewiss zu sein.

Pilger (Holzschnitt von Lucas Cranach d. Ä., undatiert)

Pilatus, Pontius, fünfter röm. Statthalter von Judäa (26–36 n. Chr.), † möglicherweise durch Selbstmord 39 n. Chr.; beteiligt an der Hinrichtung Jesu; wurde wegen seiner despot. und antijüd. Amtsführung auf Verlangen der Juden abberufen. Ein Inschriftfragment aus Caesarea (Israel) trägt seinen Namen.

Pilaw (Pilau) [türk.] *der,* Reisgericht mit Hammel- oder Hühnerfleisch.

Pilbara [pɪlˈbɑːrə], Halbwüstengebiet in Western Australia, vom Gebirgszug der **Hamersley Range** (bis 1235 m ü. M.) durchzogen; Ende des 19. Jh. Goldfunde, seit den 1960er-Jahren wichtigstes Eisenerzrevier Australiens.

Pilcher [ˈpɪlʃə], Rosamunde, engl. Schriftstellerin, * Lelant (Cornwall) 22. 9. 1924; zahlr. ihrer in Cornwall und Schottland angesiedelten Unterhaltungsromane avancierten zu Bestsellern, die auch verfilmt wurden.

Pilcomayo *der,* rechter Nebenfluss des Paraguay, 2500 km lang; entspringt im Hochland von Bolivien, mündet unterhalb von Asunción.

Pilger (älter Pilgrim), ein aus religiösen Motiven zeitweise oder dauernd heimatlos Wandernder. Die häufigste Form der **Pilgerschaft** ist die → Wallfahrt zu einer hl. Stätte.

Pillendreher: Heiliger Pillendrehe (Größe 2–4 cm) beim Rollen einer Kotpille

Pilgerstraßen, Reiserouten der Wallfahrer im MA., meist identisch mit wichtigen Handelsstraßen. Pilgerziele waren Rom mit dem Grab Petri und Jerusalem mit dem Hl. Grab. Der **Jakobsweg** führte auf mehreren Routen von Mittelfrankreich über die Pyrenäen an das Grab des Apostels Jakobus d. Ä. in Santiago de Compostela. Entlang des Wegs errichtete man neben Herbergen und Hospitälern monumentale Kirchen (Tours, Limoges, Toulouse), die die Macht des kluniazens. Ordens demonstrierten.

📖 Hell, V. *u.* Hell, H.: *Die große Wallfahrt des Mittelalters. Tübingen* [4]*1985.*

Pilgerväter (Pilgrim Fathers), die ersten puritan. Ansiedler in Neuengland, die mit anderen Siedlern 1620 auf der »Mayflower« den Atlantik überquerten und die Kolonie Plymouth gründeten.

Pilgram, Anton, Bildhauer und Baumeister, * Brünn um 1460, † Wien 1515; tätig in Südwest-Dtl., dann in Brünn und seit 1511 in Wien als Leiter der Dombauhütte; schuf, bes. von der oberrhein. Kunst beeinflusst, Bildwerke von ausdrucksstarkem Realismus: Kanzelträger aus Öhringen (um 1485–90; Berlin-Dahlem); Orgelfuß (1513) und Kanzel mit den Büsten der vier Kirchenväter (1514/15) im Stephansdom in Wien (beide mit Selbstbildnis).

Pilgrim (Piligrim), Bischof von Passau (seit 971), † Passau 21. 5. 991; bemühte sich um die Missionierung der Ungarn. Sein Versuch, mit gefälschten Urkunden **(Lorcher Fälschungen)** seine Kirche als Nachfolgerin des spätantiken Bistums Lorch (Lauriacum) zu erweisen und als Metropolitansitz einer donauländ. Kirchenprovinz durchzusetzen, scheiterte. P. erscheint im Nibelungenlied.

Pillau, Stadt in Russland, → Baltisk.

Pille [lat.] *die,* früher übl. Arzneizubereitung in Kugelform; auch Kurzbez. für Antibabypille (→ Empfängnisverhütung).

Pillendreher (Scarabaeus), v. a. in S-Russland und im Mittelmeerraum verbreitete Gattung etwa 2–4 cm großer, schwarzer Kotkäfer; verfertigen aus Huftierkot entweder Futterpillen für die eigene Ernährung oder Brutpillen für die Ernährung der Larven. Die bekannteste Art ist der im alten Ägypten als Bringer der Wiedergeburt und des Glücks verehrte **Heilige P.** (Scarabaeus sacer).

Anton Pilgram: Selbstbildnis an der Kanzel im Stephansdom in Wien (1514/15)

Pillenfarn (Pilularia globulifera), seltener Wasserfarn in Mitteleuropa an Teichufern, mit Pfriemenblättchen und grundständigen, pillenähnl. Sporenfrüchten.

Pillenwespe, Gattung der → Lehmwespen.

Pillnitz, Stadtteil im SO von Dresden; Schloss- und Parkanlage an der Elbe, ehem. Sommerresidenz des sächs. Hofes, mit Wasser- und Bergpalais (1720/21 bzw. 1723; beide in »chines.« Stil) von M. D. Pöppelmann. Mit beiden Bauten ist das dreiflügelige Neue Palais (1818–26, in »japan.« Stil, von C. F. Schuricht) durch Galerien verbunden; Orangerie (1724 ff.) von Z. Longuelune; im Schloss P. das Kunstgewerbemuseum Dresden.

Pilnjak, Boris Andrejewitsch, eigtl. B. A. Wogau, russ. Schriftsteller, * Moschaisk (Gebiet Moskau) 11. 10. 1894, † (hingerichtet) Moskau 21. 4. 1938; einer der meistbeachteten Erzähler der sowjetruss. Literatur, die er durch Experimente und lyrisch-ornamentale Sprachführung bereicherte (»Das nackte Jahr«, R., 1922; »Die Wolga fällt ins Kaspische Meer«, R., 1930).

Pilon [pi'lɔ̃], Germain, frz. Bildhauer und Medailleur, * Paris um 1536/37, † ebd. 3. 2. 1590; schuf Stein-, Bronzebildwerke, Münzen, Medaillen, in deren klarer, geschlossener Form sich die frz. Renaissanceplastik zur Reife entwickelte (in Zusammenarbeit mit F. Primaticcio Doppelgrabmal Heinrichs II. und der Katharina von Medici, 1563–71; Abteikirche in Saint-Denis).

Pilot [frz. pilote, von italien. pilota, zu grch. pēdón »Steuerruder«] *der,* der Flugzeugführer. Nach der VO über Luftfahrtpersonal (LuftPersV) unterscheidet man nach abgelegten Prüfungen und dadurch erworbenen Berechtigungen: Privatflugzeugführer, Berufsflugzeugführer 2. und 1. Klasse, Verkehrsflugzeugführer, ferner Privat-, Berufs- und Verkehrshubschrauberführer, Motorsegler- und Segelflugzeugführer (ferner Freiballon- sowie Luftschiffführer).

Pilotanlage, *Technik:* im kleineren Maßstab betriebene Versuchsanlage, in der techn. Erfahrungen in der Prozessführung gesammelt und die techn. und wirtsch. Parameter optimiert werden.

Pilotballon (Wetterballon), kleiner, unbemannter, frei fliegender Ballon, dessen Abdrift durch Peilung gemessen wird. So lassen sich bei bekannter Steiggeschwindigkeit die Richtung und Geschwindigkeit des Höhenwindes berechnen.

Pilotstudie [aus engl.], die → Leitstudie.

Pilottonverfahren, *Elektroakustik:* Verfahren zur hochfrequenten Rundfunkübertragung stereophoner Signale auf derselben Trägerfrequenz (→ Stereophonie).

Piloty [-ti], Karl von (seit 1860), Maler, * München 1. 10. 1826, † Ambach (heute zu Münsing, Kr. Bad Tölz-Wolfratshausen) 21. 7. 1886; bedeutendster Vertreter realist. Historienmalerei in Dtl. (Seni vor der Leiche Wallensteins, 1855; München, Neue Pinakothek).

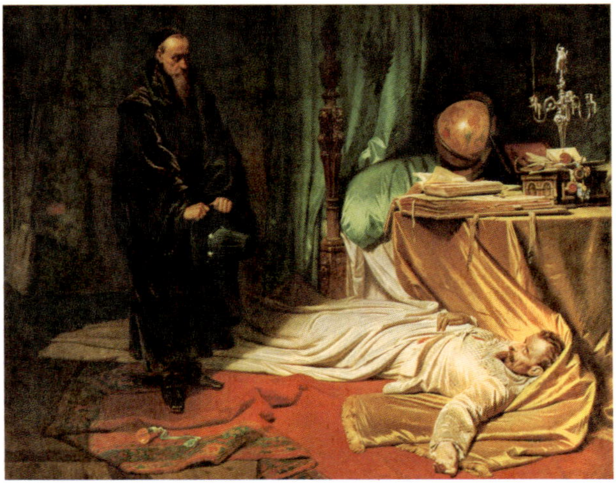

Karl von Piloty: »Seni vor der Leiche Wallensteins« (1855; München, Neue Pinakothek)

Pilsen (tschech. Plzeň), Hauptstadt des Westböhm. Gebiets, Tschech. Rep., im Pilsener Becken, 172 200 Ew.; Hochschule für Maschinenbau und Elektrotechnik, medizin. Hochschule; Theater, Museen; Zentrum des Schwermaschinen- und Fahrzeugbaus (Škodawerke) sowie der Brauind. (Pilsener Bier); chem., Glas-, Bekleidungsind.; Spielbank; internat. Nahrungs- und Genussmittelmesse (»Ex Plzeň«). – Got. Kirche St. Bartholomäus (1497 vollendet) mit der »Pilsener Madonna« (1390), Renaissancerathaus (1554–74), Franziskanerkloster mit Kirche aus dem 14. Jh. (barock umgebaut), barocke ehem. Dominikanerkirche. – Um 1295 als königl. Stadt gegr.; 1633/34 Hauptquartier

Boris Andrejewitsch Pilnjak

Pillnitz

Was könnte einen Baum veranlassen, sich ein Eigenheim errichten zu lassen?

Die garstige Winterkälte eines ungewohnten Klimas! Im Park von Pillnitz steht ein Kamelienbaum, mittlerweile über 250 Jahre alt. Das dendrologische Wunder, heute 8,60 m hoch, imposante 11 m im Durchmesser, trägt bis zu 35 000 Blüten. Es ist die letzte von insgesamt vier Kamelien, die im 18. Jahrhundert aus Japan nach Europa gebracht wurden (die anderen kamen nach Kew in London, Schloss Herrenhausen bei Hannover sowie Schloss Schönbrunn bei Wien, sind aber längst eingegangen).

Die Pillnitzer Kamelie jedoch gedeiht bis heute. Zunächst wurde sie im Kübel gehalten, dann, als sie zu groß wurde, eingepflanzt und im Winter mit einem ofengeheizten Holzhäuschen umgeben. 1905 geriet dieses bei −20 °C in Brand, das Löschwasser gefror sofort und die Kamelie glich einem vereisten Wasserfall. Im Frühjahr trieb sie dennoch wieder aus. 1992 erhielt sie, nach mehreren Zwischenlösungen, ein 13 m hohes, aufklappbares, auf Schienen fahrbares, elegantes Gehäuse aus Glas und Stahl, das sie seither per Klimacomputer im Winter schützt.

Pilze: Die wichtigsten einheimischen Giftpilze

dt. Name (lat. Bezeichnung)	*Inhaltsstoffe*	*Wirkungsweise*	*Verwechslungsmöglichkeiten*
Fliegenpilz (Amanita muscaria)	Alkaloide Muscarin und Muscaridin	Wirkung nach 30 Minuten; verstärkter Speichelfluss, verstärkte Nasenschleimhautsekretion, tränende Augen, langsamer Puls, Erstickungsgefahr, Rauschzustand	Kaiserling
Birkenreizker (Lactarius torminosus)	unbekannter Giftstoff	Magen- und Darmstörungen	Edelreizker, Speisetäubling
Kartoffelbovist (Scleroderma citrinum)	unbekannter Giftstoff	Magen- und Darmstörungen	jung mit anderen Bovisten und Stäublingen
Blasse Koralle, Bleicher Ziegenbart (Clavaria pallida)	unbekannter Giftstoff	Darmkoliken, Erbrechen, Durchfall	mit anderen essbaren Keulenpilzen
Frühlingsknollenblätterpilz (Amanita verna), Grüner Knollenblätterpilz (Amanita phalloides), Spitzhütiger Knollenblätterpilz (Amanita virosa)	Polypeptide Amantin und Phalloidin	Wirkung nach 8–40 Stunden; Erbrechen, Durchfall, Schweißausbruch, Durst, Schüttelfrost, schwacher Puls, Leber- und Nierenschädigung, Tod nach 2–5 Tagen	Rosablättriger Schirmpilz, Ritterlinge, Champignon, jung mit Bovisten und Champignons
Frühjahrslorchel (Gyromitra esculenta)	Gyromitrin, Helvellasäure	Übelkeit, Erbrechen, Durchfall, Leberschwellung, Gelbsucht, Bewusstlosigkeit, Tod	Speisemorchel
Riesenrötling (Entoloma lividum)	Alkaloid Muscarin	wie Ziegelroter Risspilz	Schildrötling, Nebelgrauer Trichterling
Gifttrichterling (Clitocybe rivulosa)	Alkaloid Muscarin	wie Ziegelroter Risspilz	Nelkenschwindling
Schwefelritterling (Tricholoma sulphureum)	unbekannter Giftstoff	Magen- und Darmstörungen	Grünling, Erdritterling
Satanspilz (Boletus satanas)	unbekannter Giftstoff	Magen- und Darmstörungen	Steinpilz, Flockenstieliger Hexenröhrling
Grünblättriger Schwefelkopf (Hypholoma fasciculare)	unbekannter Giftstoff	Magen- und Darmstörungen	Stockschwämmchen
Carbolchampignon (Agaricus xanthoderma)	unbekannter Giftstoff	Reizung der Magenschleimhaut	Schafchampignon
Ziegelroter Risspilz (Inocybe patouillardi)	Alkaloid Muscarin	Wirkung nach 15–30 Minuten; Übelkeit, Brechreiz, Schwindel, Schweißausbrüche, Speichel- und Tränenfluss, Lungenödem, Kreislaufkollaps	Mairitterling

Pilsen
Stadtwappen

Józef Klemens Piłsudski

Wallensteins, der hier seine Offiziere zur Unterzeichnung eines Treueides (Pilsener Revers; 31. 1. und 20. 2. 1634) bewog.

Pilsener Bier, helles, untergäriges Vollbier mit starkem Hopfenaroma und höchstens 12,5% Stammwürzegehalt (→Bier).

Piłsudski [piu̯'sutski], Józef Klemens, poln. Politiker und Marschall (seit 1920), *Zułowo (heute Sulowo, bei Vilnius) 5. 12. 1867, †Warschau 12. 5. 1935; 1887 für fünf Jahre nach Sibirien verbannt, 1893 Mitbegründer der Poln. Sozialist. Partei, stellte sich im Interesse der Eigenstaatlichkeit Polens im 1. Weltkrieg auf die Seite der Mittelmächte und befehligte 1914–16 auf österr. Seite die 1. Brigade der Poln. Legionen. Nach der Proklamation des Königreichs Polen (1916) durch die Mittelmächte geriet P. in Konflikt mit diesen (1917/18 in dt. Haft). 1918–22 war er »Staatschef« des unabhängigen Polen. Im Krieg gegen Sowjetrussland (1920–21) konnte P. durch sein strateg. Geschick (»Wunder an der Weichsel«) die drohende militär. Niederlage in einen Sieg wenden. Im Frieden von Riga (1921) erreichte er die Verschiebung der poln. Grenze um ca. 250 km nach O. Nach einem Staatsstreich errichtete P. 1926 ein autoritäres Regime. 1926–35 war er Kriegsmin. und 1926–28 sowie 1930 MinPräs.; schloss Nichtangriffspakte mit der Sowjetunion (1932) und Deutschland (1934).

Pilum [lat.] *das,* der etwa 2 m lange Wurfspieß der röm. Legionäre, je zur Hälfte aus hölzernem Schaft und eiserner Spitze.

Pilzdecke, *Bautechnik:* kreuzweise bewehrte, mit den Stahlbetonstützen durch lastverteilende Pilzköpfe biegefest verbundene Stahlbetondecke.

Pilze (Mycophyta), Organismengruppe mit mehr als 100 000 Arten. Da den P. Chlorophyll fehlt, sind sie heterotrophe Parasiten bei Pflanzen, Tieren und Menschen oder Saphrophyten auf to-

Pilze: Speisepilze (Auswahl)

dt. Name (lat. Bezeichnung)	*Aussehen*	*Standort*
Austernseitling (Pleurotus ostreatus)	graublauer bis brauner Hut, randständiger, kurzer, weißer Stiel	tote Laub- und Nadelbäume
Birkenpilz (Leccinum scabrum)	graubrauner bis schwarzer Hut, hoher, weißer Stiel mit grauschwarzen bis hellbraunen Schuppen	Birken
Brätling (Lactarius volemus)	orangebrauner Hut, Stiel heller	Laub- und Nadelwald
Brauner Ledertäubling (Russula integra)	rotbrauner Hut, ockergelbe Lamellen, weißer Stiel	Nadelwald
Butterpilz (Suillus luteus)	gelbbrauner Hut mit meist schmieriger Oberhaut	Kiefernwald
Gelber Ziegenbart[1)] (Ramaria aurea)	hell- bis goldgelb, dicker, weißlicher Strunk mit zahlreichen dichtstehenden, wiederholt gegabelten Ästen	Laubwald
Goldröhrling (Suillus grevillei)	orangegelber bis goldgelber Hut, weißer, beringter Stiel	Lärchenwald
Hallimasch[2)] (Armillariella mellea)	gelber bis hellbrauner, schuppiger Hut, schuppiger Stiel	auf Baumstümpfen
Edelreizker (Lactarius deliciosus)	ocker-orangeroter, gezonter Hut, Stiel mit dunklen Flecken	Kiefernwald
Krause Glucke (Sparassis crispa)	gelblich, blumenkohlartiges Aussehen	an Kiefern
Maronenröhrling (Xerocomus badius)	brauner Hut, hellbrauner Stiel	Nadel- und Laubwald
Parasolpilz (Macrolepiota procera)	grauer bis rötlichbrauner schuppiger Hut, Stielknolle	Nadel- und Laubwald
Perlpilz (Amanita rubescens)	blassrötl. bis braunroter Hut mit hellgrauen Pusteln, Stiel mit Manschette	Nadel- und Laubwald
Pfifferling (Cantharellus cibarius)	Hut und Stiel eigelb	Nadel- und Laubwald
Heiderotkappe (Leccinum rufescens)	orangefarbener bis orange-ockerfarbener Hut, weißer Stiel mit dunklen Schuppen	v. a. unter Birken
Schafporling (Albatrellus ovinus)	kalkweißer Hut, dicker Stiel	Nadelwald
Schopftintling[1)] (Coprinus comatus)	hoher, walzenförmiger, schuppiger, weißer Hut	Ruderalflächen, Parkanlagen
Speisemorchel (Morchella esculenta)	braungelber, tiefgrubiger Hut, weißer, hohler Stiel	Ruderalflächen, sandige Gebüsche
Speisetäubling (Russula vesca)	fleischfarbener bis rosabrauner Hut, weißer Stiel	Nadel- und Laubwald
Steinpilz (Boletus edulis)	dunkelbrauner Hut, Röhren erst weiß, später gelb	Nadel- und Mischwald (saure Böden)
Stockschwämmchen (Kuehneromyces mutabilis)	zimtbrauner Hut, schuppiger Stiel	auf Baumstümpfen (Nadel- und Laubwald)
Totentrompete (Craterellus cornucopioides)	ganzer Pilz düster bis dunkel gefärbt, Hut tief getrichtert	Buchenwald
Waldchampignon (Agaricus silvaticus)	dunkelbrauner, schuppiger Hut, beringter Stiel	Fichtenwald
Wiesenchampignon (Agaricus campestris)	weißseidiger, feinschuppiger Hut, rosa Lamellen (später braunschwarz), kurzer Stiel mit Ring	gedüngte Wiesen, Weiden

[1)] jung essbar. – [2)] roh giftig

ten Organismen und auf zersetzter organ. Substanz. Die höheren P. werden in einem eigenen Reich der Pilze **(Fungi)** zusammengefasst, die niederen P. **(Schleim-P.)** dagegen zu den Einzellern gezählt. Die höheren P. durchziehen das Substrat mit Zellfäden (Hyphen), die oft ein dichtes Geflecht (Myzel) bilden. Die Zellwände der P. bestehen aus Chitin, bei den meisten Arten der

Pimpernuss: blühender Zweig und Früchte der Gefiederten Pimpernuss

Wilhelm Pinder

Robert Pinget

Schleim-P. aus Cellulose. Als Reservestoffe speichern P. Glykogen und Fett. P. vermehren sich ungeschlechtlich durch versch. Sporenarten, während bei der geschlechtl. Fortpflanzung Gameten verschmelzen. – Die P. gliedern sich in sechs Abteilungen, u.a. verschiedene Schleim-P. und die **Echten Pilze** (Algen-P., Joch-P., Schlauch- und Ständer-P.), zu denen etwa 99% aller Arten gehören. Unter ihnen gibt es zahlreiche essbare Arten (**Speise-P.**, z.B. Champignon, Stein-P., Trüffel). Ihr Nährwert ist gering, ihr Vitamin- und Mineralstoffgehalt entspricht etwa dem der Pflanzen. **Gift-P.** (z.B. Knollenblätter-P., Fliegen-P., Giftreizker) enthalten bestimmte Substanzen als Stoffwechselbestandteile in so hohen Anteilen, dass nach Verzehr Vergiftungserscheinungen auftreten (→Pilzvergiftung). – Viele Arten der Echten P. leben mit dem Wurzelsystem verschiedener Waldbäume in Symbiose (Mykorrhiza). Große wirtschaftl. Schäden entstehen durch Rost- und Brand-P., die jedes Jahr einen erhebl. Teil der Weltgetreideernte vernichten. Auch die Erreger von Pflanzenkrankheiten in Wein- und Obstkulturen (z.B. Mehltau-P.) verursachen große Schäden. – Viele Schlauch-P. leben in Symbiose mit Cyanobakterien oder Grünalgen und bilden mit diesen die →Flechten. Die Hefe-P. sind zur Wein- und Bierbereitung, im Bäckereigewerbe und bei der Käsebereitung wichtig. Andere Schlauch-P. werden industriell gezüchtet, v.a. zur Gewinnung von Antibiotika und Enzymen. Die Wissenschaft von den P. ist die **Mykologie.** – Über P.-Bekämpfungsmittel →Fungizide.

📖 Bon, M.: *Pareys Buch der P. Aus dem Engl. Hamburg 1988.* – Hausner, G.: *P. Die wichtigsten Speise- u. Giftpilze. München u. a. [2]1991.* – Schwantes, H. O.: *Biologie der P. Stuttgart 1996.*

Pilz|erkrankungen, die →Mykosen.

Pilzfelsen, pilzförmiger Einzelfelsen; entsteht in aridem Klima durch bodennahen Windschliff, im humiden Bereich durch Verwitterung, wenn die unteren Gesteinsschichten weniger widerstandsfähig sind als die überlagernden, sowie an der Küste durch eine allseitig wirkende Brandung an einem Felspfeiler.

Pilzvergiftung (Myzetismus), Vergiftung durch den Genuss von Giftpilzen oder verdorbenen Speisepilzen (Bildung tox. Eiweißzersetzungsprodukte). Symptome einer P. sind Magen-Darm-Katarrh (etwa 2 Std. nach Pilzgenuss) oder Zeichen des akuten Leberversagens (12–36 Std. nach Verzehr; Leberkoma), ferner Schwindel, Benommenheit, Atemlähmung; gelegentlich tödlich.

Hilfeleistung bis zum Eintreffen des Arztes (die angegebene Reihenfolge ist einzuhalten): 1) Brechmittel (ein bis zwei Gläser lauwarme starke Kochsalzlösung, kein Apomorphin) eingeben; 2) Kohletabletten und Glaubersalz verabreichen; 3) rohe Milch, rohes Ei (mit Wasser verdünnt) einflößen; bei Bewusstlosigkeit nichts einflößen. (→Knollenblätterpilze)

Piment [lat.] *der* (Nelkenpfeffer, engl. Gewürz), als Gewürz verwendete getrocknete, unreife Beeren eines auf den Westind. Inseln beheimateten Myrtengewächses, dem **P.-Baum** (Pimenta dioica).

Pimpernuss [von pimpern »klappern«] (Klappernuss, Staphylea), Gattung der P.-Gewächse; Sträucher oder kleine Bäume mit gegenständigen, dreizähligen oder gefiederten Blättern, mit weißen oder rötlichen Blüten in Rispen oder Trauben und blasiger Frucht mit kugeligen Samen, die in der reifen Frucht klappern (pimpern); mehrere Arten, v.a. die aus Vorderasien und Südeuropa stammende **Gefiederte P.** (Staphylea pinnata), werden auch als Ziersträuche gepflanzt.

Pimpf, Bez. für Mitgl. des nat.-soz. Jungvolks.

Pimpinelle [zu lat. piper »Pfeffer«] *die* (Pimpernelle, Bibernelle, Pimpinella), Doldenblütlergattung in Eurasien und Afrika: außer dem →Anis z.B. die auf trockenen Wiesen Europas und W-Asiens heim. **Kleine P.** (**Wilder Kümmel,** Pimpinella saxifraga), bis 60 cm hohe Staude mit rosafarbenen Dolden.

PIN, →**p**ersönliche **I**dentifikations**n**ummer.

Pinakothek [grch.] *die,* in röm. Zeit Bez. für einen für Tafelbilder bestimmten Raum, in der Neuzeit Bez. für einen vermutlich für Tafelbilder verwendeten Raum der Propyläen auf der Athener Akropolis. Seit der Renaissance wurde die Bez. wieder verwendet bes. für Gemäldegalerien in Italien, in München für die **Alte P.** (1826–36 von L. von Klenze) und die **Neue P.** (1846–53 von August von Voit; zerstört im 2. Weltkrieg, Neubau von A. von Branca, 1981 eröffnet).

Pinar del Río, Provinz-Hptst. in W-Kuba, 128600 Ew.; Zentrum des wichtigsten Tabakanbaugebietes von Kuba; chem., Tabakindustrie.

Pinatubo, Vulkan im N der Insel Luzon, Philippinen, 1475 m ü.M.; brach nach 611-jähriger Ruhe im Juni 1991 erneut aus. Lawinen aus heißer Asche, Schutt oder Schlamm, verstärkt durch intensive Regenfälle, wirkten sich im Umkreis von mehr als 300 km aus. Die bis in 30 km Höhe geschleuderten Aschemassen hatten überregionale klimat. Auswirkungen.

Pincheffekt ['pɪntʃ-; engl. to pinch »kneifen«], das Zusammenziehen eines von genügend großen elektr. Strömen durchflossenen →Plasmas zu einem dünnen, komprimierten Plasmaschlauch oder -faden infolge der Wechselwirkung des Plasmastroms mit dem von ihm erzeugten Magnetfeld. Der P. wird bes. zur Aufheizung und Begrenzung eines Plasmas für Kernfusionen genutzt.

Pincus ['pɪŋkəs], Gregory, amerikan. Physiologe, *Woodbine (N.J.) 9. 4. 1903, †Boston (Mass.) 22. 8. 1967; entdeckte die Verwendbarkeit weibl. Geschlechtshormone zur Empfängnisverhütung (Antibabypille; hormonale Ovulationshemmer).

Pindar, grch. Dichter, *Kynoskephalai (bei Theben) 522 oder 518 v. Chr., †Argos nach 446 v. Chr.; trat kurz nach 500 als Dichter und Komponist lyr. Chorlieder auf, in denen Vers, Musik und Tanzbewegung eine Einheit bildeten. P. steht am Ausgang der archaischen Zeit. Seine Lyrik deutet die Welt als einen gottgewirkten Sinnzusammenhang. Die Gedichte mit Beispielen aus dem Mythos und den zahlr. Sentenzen sind durch strengen Aufbau, hohes Pathos und einen bildhaften, schon im Altertum als dunkel empfundenen Stil gekennzeichnet. Von seinen Werken sind die Siegesgesänge (Epinikien) für die Preisträger der Olymp., Pyth., Nemeischen und Isthm. Wettkämpfe erhalten, seine Paianen und Dithyramben in Bruchstücken.

Pinder, Wilhelm, Kunsthistoriker, *Kassel 25. 6. 1878, †Berlin 13. 5. 1947; Prof. in Darmstadt, Breslau, Straßburg, Leipzig, München und Berlin; Erforscher und Interpret der dt. Kunst in Auseinandersetzung mit der europäischen. – *Werke:* Dt. Barock (1912); Die dt. Plastik vom ausgehenden MA. bis zum Ende der Renaissance, 2 Bde. (1914–28); Der Naumburger Dom und seine Bildwerke (1925; mit W. Hege); Der Bamberger Dom und seine Bildwerke (1927; mit W. Hege); Vom Wesen und Werden dt. Formen, 4 Bde. (1937–51).

pin-Diode (PIN-Diode), spezielle Halbleiterdiode. Zwischen dem p- und dem n-leitenden Gebiet befindet sich eine i-Zone (i, Abk. für intrinsic, »eigenleitend«) mit hoher Sperrspannung. Anwendung zum Gleichrichten hoher Spannungen.

Pindos *der,* Gebirge in W-Griechenland, im Smolikas 2637 m ü. M., trennt Thessalien von Epiros und Ätolien; Nationalpark bei Konitsa.

Pinene [lat.], Bez. für drei isomere, ungesättigte bizykl. Terpenkohlenwasserstoffe (α-, β- und δ-P.), die in Terpentinölen enthalten sind (α-P. bis zu 95 %). P. dienen zur Herstellung von Kampfer und Riechstoffen.

Pinerolo, Stadt in der Prov. Turin, Piemont, Italien, 35 300 Ew.; Papier-, Textil-, elektrotechn. Ind., Maschinenbau. – Dom (11. Jh.), Kirche San Maurizio (11. Jh.) mit Fürstengruft des Hauses Savoyen. – 981 erstmals erwähnt, im 14. Jh. als Festung ausgebaut.

Pinge, die →Binge.

Pinget [pɛ̃'ʒɛ], Robert, frz. Schriftsteller schweizer. Herkunft, *Genf 19. 7. 1919, †Tours 25. 8. 1997; lebte seit 1946 in Paris; nutzt in seinem erzähler. Werk die Techniken des →Nouveau Roman, um sich in immer neuen Variationen mit dem Schreiben auseinander zu setzen (Romane »Passacaglia«, 1969; »Apokryph«, 1980), in mehreren Werken durch die Figur des »Monsieur Traum« (Nov.n, 1982; »Theo oder die neue Zeit«, R., 1991). P. schrieb auch Dramen und Hörspiele. Weiteres BILD Nouveau Roman

Pingo in der Tundra Kanadas, Northwest Territories

Pingo [eskimoisch] *der* (Hydrolakkolith, Eisvulkan), in Dauerfrostgebieten meist vergesellschaftet auftretender Hügel mit unter erhebl. hydrostat. Druck stehendem Eiskern, bis 50 m hoch, bis 200 m Durchmesser.

Pinguine [frz., von lat. pinguis »fett«, »plump«] (Sphenisciformes), Ordnung flugunfähiger Meeresvögel der südl. Halbkugel. Beim Tauchen nach Nahrung (Fische, Krebse) dienen die Flügel als Ruder, die mit Schwimmhäuten versehenen Füße als Steuer. An Land stehen die P. aufrecht und benutzen die steifen Schwanzfedern als Stütze. Die größte Art ist der 115 cm lange **Kaiser-P.** (Aptenodytes forsteri); das einzige Ei wird vom Männchen etwa 63 Tage lang auf den Füßen gehalten und in einer Brutfalte des Bauches bebrütet; erst nach dem Schlüpfen des Jungen hilft das Weibchen beim

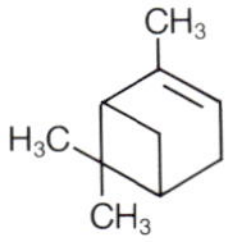

α-Pinen

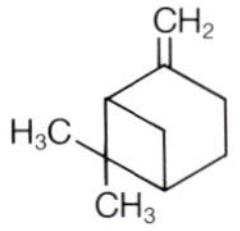

β-Pinen

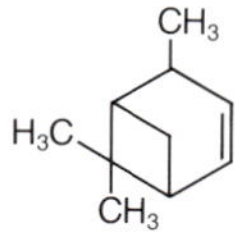

δ-Pinen

Pinene

Pinguine

Wo verbringen Pinguine ihre Jugend?

Die Ausrüstung von jungen Kaiserpinguinen mit Minisendern brachte der Wissenschaft überraschende Ergebnisse. Man stellte fest, dass die kälte-, eis- und schneefesten Vögel im Alter von sechs Monaten die Eltern verlassen und erst nach fünf Jahren in heimatliche Gefilde zurückkehren.

In der Zwischenzeit tummeln sie sich bis weit in den Norden. Einer der Youngster befand sich nach drei Monaten schon 2 845 km von zu Hause weg in einem eisfreien Meeresgebiet. Da gibt es dann freilich keine Hüpfer mehr auf eine Eisscholle – es muss ständig geschwommen werden!

Pinguine (von oben): Brillenpinguin (Größe 70 cm), Felsenpinguin (Größe 55 cm), Kaiserpinguin (Größe 115 cm)

Füttern. Weitere P. sind der **Brillen-P.** (Spheniscus demersus) SW-Afrikas und der **Felsen-P.** (Eudyptes crestatus) auf den Falklandinseln.

Pinile [lat.] *die* (Pinus pinea), im Mittelmeergebiet verbreiteter, bis zu 25 m hoher Baum der Gattung Kiefer mit schirmförmig-flacher Krone. Die Samen **(P.-Nüsse, P.-Kerne, Pineolen, Pignolen, Pinoli)** mit harter Schale und ölreichem Kern sind wohlschmeckend. Der vielschuppige P.-Zapfen war in der Antike und im frühen MA. ein Lebenssymbol.

Pink Floyd [-flɔɪd], engl. Rockgruppe, 1965 in London gegr., mit Syd Barrett (*1946; Gitarre), 1968 durch David Gilmour (*1944) ersetzt, Rick Wright (*1945; Keyboard), Roger Waters (*1944; Bassgitarre; alle drei auch Gesang) und Nick Mason (*1945; Schlagzeug); entwickelte einen eigenen Sound mit intensiver Verwendung elektronisch erzeugter Klänge; 1983 aufgelöst, tritt seit 1987 als Trio (ohne Waters) auf.

📖 SCHAFFNER, N.: *P. F. Vom Underground zur Supergroup. A. d. Engl. München 1994.*

Pinne, 1) *Navigation:* (Kompass-P.) spitzer Stift, auf dem die Magnetnadel oder die Rose des →Kompasses leicht drehbar ruht.

2) *Schifffahrt:* (Ruder-P.) waagerechter Hebel zum Bedienen des Steuerruders auf Booten.

3) *Technik:* 1) (Finne) keilförmige oder spitze Seite des Hammers; 2) kleiner Nagel, Reisszwecke.

Pinneberg, 1) Kreis in Schlesw.-Holst., 664 km², (1996) 284 900 Einwohner.

2) Kreisstadt von 1), an der Pinnau (44 km lang), 39 100 Ew.; elektron. Ind., Herstellung von Dachpappe, Fahrzeug- und Gerätebau; Mittelpunkt bed. Baumschul- und Rosenzuchtgebiete. – 1351 erstmals erwähnt; 1875 Stadt.

Augusto Pinochet Ugarte

Pinochet Ugarte [pino'tʃe(t)-], Augusto, chilen. General und Politiker, *Valparaíso 25. 11. 1915; wurde im Aug. 1973 Oberkommandierender des Heeres, führte im Sept. 1973 den blutigen Militärputsch gegen Präs. S. Allende Gossens. 1973–81 war er Vors. der Militärjunta; seit 1974 zugleich Staatspräs., regierte mit diktator. Mitteln, musste nach Volksentscheid (1988) sein Amt als Präs. 1990 aufgeben; bis März 1998 Oberbefehlshaber des Heeres, danach Senator auf Lebenszeit.

Pinot [pi'no, frz.] *der* (Burgunderrebe), Name meist hervorragender Rebsorten: 1) **P. noir,** Blauer Spätburgunder; 2) **P. gris,** Grauburgunder, Ruländer; 3) **P. blanc,** Weißburgunder; 4) **P. meunier,** Müllerrebe.

Pinscher, Sammelbez. für eine Gruppe von Haushunderassen. Der **Deutsche P.** ist ein schlanker, wendiger Haus- und Wachhund mit glatthaarigem, schwarz bis braunrot gefärbtem Fell (Widerristhöhe 40–48 cm).

Pinie: Pinien erreichen eine Höhe von bis zu 25 m

Pinsel, Handwerkszeug zum Auftragen von Flüssigkeiten oder zum Reinigen, das aus in einem Griff gefassten Borsten besteht. Beim **Kluppen-P.** werden gebündelte Haare an den Enden mit einem Faden oder Draht umwickelt oder in Pech, Kitt, Leim o. Ä. getaucht; diese »Besteckung« wird in eine Höhlung im Holzgriff geklebt; beim **Kapsel-P.** befinden sich die Borsten in einer runden oder ovalen Metallkapsel, beim **Flach-P.** in einem breiten, flachen Blech; beim **Ring-P.** nimmt ein Ring die Borsten auf, die von innen her an den Ring gedrückt und eingeklebt sind; der dünne Stiel wird von unten hineingetrieben. Bei den **Bürsten** genannten P. werden die Borsten in Rillen des Holzkörpers gepresst und geklebt. – Es werden Tierhaare, pflanzl. und synthet. Fasern (→Borsten), oft vermischt, verwendet.

Pinseläffchen, Art der →Krallenaffen.

Pinselschimmel (Penicillium), Gattung der Schlauchpilze, die auf organ. Stoffen Schimmel(rasen) bilden; ihre Sporen (Konidien) sitzen auf pinselförmigen Konidienträgern. Einige Arten erzeugen Antibiotika (Penicillin), andere, z. B. Penicillium roquefortii, dienen bei der Käsebereitung.

Pinscher: Deutscher Pinscher (Widerristhöhe 40–48 cm)

Pinselzüngler (Loris), australisch-papuan. Papageiengruppe, bei der in Anpassung an die Nahrung (Blütennektar, weiche Früchte) die Zunge vorn pinselartig aufgefasert ist.

Pinsk, Stadt im SW von Weißrussland, an der Pinamündung in den Pripjet, 124 800 Ew.; Bekleidungs-, Kunstleder-, Holz- und Nahrungsmittelindustrie. – P. war ab Ende des 12. Jh. Hptst. des Fürstentums P.; es kam um 1318 unter litauische, 1521 unter poln. Herrschaft (1581 Magdeburger Stadtrecht) und 1793 an Russland. 1921 polnisch; 1939 von der Roten Armee eingenommen.

Pint [paɪnt], Einheitenzeichen **pt,** Hohlmaß in Großbritannien: 1 pt = 0,568 l; in den USA für Flüssigkeiten: 1 **Liquid Pint** = 1 liq pt = 0,473 l, für Schüttgüter: 1 **Dry Pint** = 1 dry pt = 0,551 l.

Pinter [ˈpɪntə], Harold, engl. Schriftsteller, *London 10. 10. 1930; zunächst Schauspieler (David Baron), begann seit 1950 Lyrik, Bühnenstücke und Drehbücher für Film und Fernsehen zu schreiben. In seinen frühen Stücken dem absurden Theater verpflichtet, nähert er sich später einem neuen Realismus. Kommunikationsverlust und Identitätsverfall, Ununterscheidbarkeit von Realität und Fantasie und brüchig gewordene menschl. Beziehungen sind Themen seiner effektvollen Stücke (u.a. »Die Geburtstagsfeier«, gedruckt 1959; »Der Hausmeister«, 1960; »Schweigen«, 1969; »Niemandsland«, 1975; »Betrogen«, 1978; »Turtle Day«, 1984; »The Heat of the Day«, 1988); Drehbuch zu »Die Geliebte des frz. Leutnants« (1981).

📖 Eikmeyer, H.: *Angst u. Furcht in den Dramen H. P.s. Frankfurt am Main 1990.*

Pinturicchio [pintuˈrikkjo], eigtl. Bernardino di Bettodi Biagio, italien. Maler, *Perugia 1454 (?), †Siena 11. 12. 1513; Schüler von Perugino, mit dem er 1481–83 in der Sixtin. Kapelle in Rom zusammenarbeitete. Meisterwerke sind die Fresken in der Kapelle Santa Maria in Aracoeli (um 1485) und in der Bibliothek des Doms in Siena (1502–05).

Pin-up-Girl [pɪnˈʌp gəːrl, engl.] *das,* aus Illustrierten ausgeschnittenes, an die Wand geheftetes Bild eines attraktiven, meist leicht bekleideten Mädchens; ein Modell für ein solches Bild.

pinxit [lat. »hat gemalt«], Abk. **p., pinx.,** Vermerk auf Gemälden, Stichen u.a., oft hinter der Signatur des Künstlers.

Pinyin [chines., eigtl. »Laute zusammensetzen«] *das,* das seit 1979 in der Volksrep. China auch im Verkehr mit dem Ausland offiziell verwendete Transkriptionssystem der chines. Begriffszeichen mit lat. Buchstaben (20 Konsonanten, 6 Vokale); wurde Ende 1957 innerhalb des Landes genehmigt. In China selbst hat es die tradierte Zeichenschrift abgesehen von wenigen Ausnahmen (z.B. in der Telegrafie) nicht ersetzt.

Pinzette [frz.] *die,* zangenartiges Instrument mit federnden Armen zum Fassen kleiner Gegenstände und zum ärztl. Gebrauch.

Pinzettfisch (Chelmon rostratus), Borstenzähnerart; bis zu 18 cm lange Korallenfische im trop. Indopazifik, haben bes. lange Schnauze, mit der u.a. kleine Krebse aus Korallenstöcken gezogen werden; Zierfisch.

Pinzgau, Teil des Bundeslandes Salzburg, Österreich, umfasst die Talschaft der oberen Salzach (oberhalb der Taxenbacher Enge) sowie der oberen Saalach (Mitter-P.), zw. Kitzbüheler Alpen und Hohen Tauern; Pferde- und Rinderzucht (»Pinzgauer«); Fremdenverkehr; Tauern-, Stubach-, Kaprun-Kraftwerk.

Piombino, Hafenstadt in der Toskana, Italien, gegenüber der Insel Elba (Fährverbindung), 36 800 Ew.; Eisenhütten, Stahlwerke, Werften. – Kastell (seit dem 12. Jh. bezeugt). Nahebei liegt **Populonia,** eine ehem. etrusk. Hafenstadt; Museum. Bild S. 64

Piombo, → Sebastiano del Piombo.

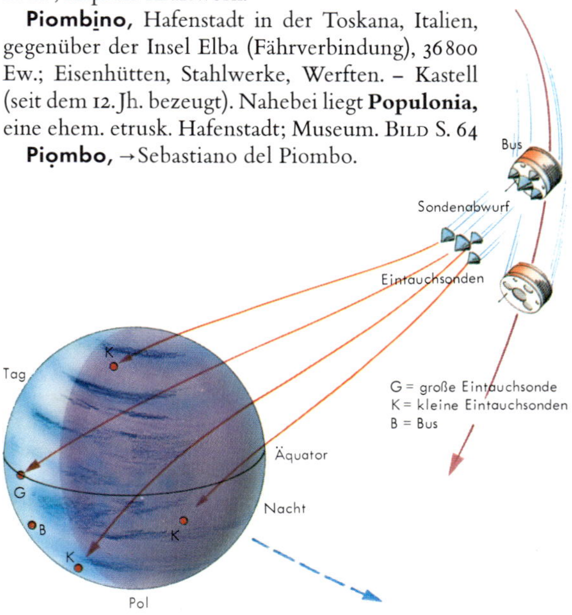

Pioneer: Venussonde in der Endphase des Programmablaufs

Pioneer [paɪəˈnɪə, engl.], Name einer Serie unbemannter amerikan. Raumsonden zur Erforschung des interplanetaren Raums sowie einiger Planeten. Seit 1958 (P. 1) wurden 15 P.-Sonden gestartet. **P. 10** (Start 1972) passierte im Dezember 1973 den Planeten Jupiter in 131 400 km Entfernung, kreuzte im Juni 1979 die Uranusbahn, im April 1983 die Plutobahn und im Juni 1983 die Neptunbahn. Damit verließ P. 10 als erste Raumsonde unser Sonnensystem. **P. 11** (Start 1973) flog im Dezember 1974 in nur 42 000 km Entfernung am Jupiter vorbei und erreichte im September 1979 als erster Raumflugkörper den Planeten Saturn (Entfernung etwa 21 400 km), wobei neben vielen wiss. Messdaten die ersten Nahaufnahmen des Saturns und seines Ringsystems übertragen wurden (daher in **P.-Saturn** umben.). Im Mai 1978 wurde im Rahmen des P.-Venus-Programms **P.-Venus 1** gestartet, die im Dezember 1978 in eine ellipt. Umlaufbahn um die Venus einschwenkte. **P.-Venus 2** (Start August 1978) erreichte die Venus ebenfalls im Dezember 1978. Einzelsonden drangen in die Venusatmosphäre ein und schlugen an

Harold Pinter

versch. Plätzen auf der Venusoberfläche auf; der Orbiter verglühte 1992. Nachfolgeprojekt war die Sonde →Magellan.

Piombino: Ruinen der ehemaligen etruskischen Hafenstadt Populonia

Pionen, die Pi-Mesonen (→Mesonen).

Pionier [frz. »Fußgänger«, »Fußsoldat«] *der,* **1)** *allg.:* Wegbereiter, Vorkämpfer.

2) *Militärwesen:* unterster Mannschaftsdienstgrad bei der P.-Truppe der Bundeswehr.

Pioniertruppe, in der Bundeswehr zu den Kampfunterstützungstruppen gehörende Truppengattung des Heeres, die auf techn. Aufgaben spezialisiert ist.

Pionium, ein →exotisches Atom.

Heinz Piontek

Piontek, Heinz, Schriftsteller, *Kreuzburg in Oberschlesien (heute Kluczbork) 15. 11. 1925; auf Wortverdichtung und Stilisierung abzielende Lyrik (»Die Furt«, 1952; »Klartext«, 1966; »Morgenwache«, 1991); schrieb auch Erzählungen (»Nach Markus«, 1991), Essays und Romane (»Dichterleben«, 1976; »Zeit meines Lebens«, 1984). P. erhielt 1976 den Georg-Büchner-Preis.

Piotrków Trybunalski ['pjɔtrkuf tri-] (dt. Petrikau), Hpst. der Wwschaft Piotrków, Polen, 81400 Ew.; Bergbaumaschinenbau, Glashütten, elektrotechn. Ind., Baumwollverarbeitung. – Got. Pfarrkirche (14./15. Jh.), barocke Jesuitenkirche (17./18. Jh.). – Erhielt Ende des 13. Jh. Stadtrecht.

Luigi Pirandello

Piovene, Guido, italien. Schriftsteller, *Vicenza 27. 7. 1907, †London 12. 11. 1974; schrieb psycholog. Romane und Erzählungen: »Mörder vor dem Anruf« (1943), »Mitleid unerwünscht« (1946), »Kalte Sterne« (1970).

Pipa [indian.] *die* (Pipakröte, Wabenkröte, Pipa pipa), Froschlurch Guayanas und Brasiliens, bis 20 cm lang.

Pipe [paɪp, engl.] *die,* vulkan. →Durchschlagsröhre.

Pipeline ['paɪplaɪn; engl. »Rohrleitung«] *die,* über größere Strecken verlegte Rohrleitung zum Transport von Flüssigkeiten (v.a. Erdöl oder Erdölprodukte), Gasen (v.a. Erdgas) oder feinkörniger Feststoffe (Zement, Kohle, Erze u.a.), die in Wasser als Trägerflüssigkeit homogen suspendiert sind. Die Rohre bestehen aus Beton oder Stahl und weisen einen Durchmesser bis zu 1,20 m auf, sind teilweise kunststoffbeschichtet und mit Korrosionsschutzmitteln versehen. Je nach den klimat. und geograph. Verhältnissen werden sie ober- oder unterirdisch (auch auf dem Meeresboden) verlegt. Ventile sorgen dafür, dass bei Bruch einer Erdöl-P. der Ölverlust begrenzt bleibt. In bestimmten Abständen in die P. eingebaute Pumpstationen (meist mit Kreiselpumpen arbeitend) sorgen für den zur Beförderung des Gutes notwendigen Druck.

Pipelineverarbeitung ['paɪplaɪn-] (Fließbandverarbeitung, engl. Pipelining), *Datenverarbeitung:* Verfahren der Parallelverarbeitung, bei dem jeder Befehl in Verarbeitungsabschnitte unterteilt wird, für die jeweils eine eigene Verarbeitungseinheit existiert.

Piper [lat.], die Pflanzengattung →Pfeffer.

Piper ['paɪpə], John, brit. Maler und Grafiker, *Epsom and Ewell 13. 12. 1903; malte zunächst abstrakt, später realistisch v.a. Landschaften und Architekturdarstellungen.

Piperidin [zu lat. piper »Pfeffer«] *das* (Hexahydropyridin), giftige bas. Flüssigkeit, die technisch durch katalyt. Hydrierung von →Pyridin hergestellt und v.a. als Lösungsmittel sowie als Zwischenprodukt für Synthesen verwendet wird. In der Natur findet sich P. als Baustein zahlreicher →Alkaloide (z.B. im Piperin).

Pipa (Länge bis 20 cm)

Piperonal [lat.] *das,* das →Heliotropin.

Pipette [frz.] *die,* geeichter Stechheber (→Heber) zum Abmessen von Flüssigkeiten, als Voll-P. und als Messpipette.

Pippau *der* (Grundfeste, Crepis), Gattung der Korbblütler; Milchsaft führende Kräuter mit meist gelben oder roten Blütenkörbchen; in Mitteleuropa häufig der gelb blühende **Wiesen-P.** (Crepis biennis), auf Hochgebirgsmatten der **Gold-P.** (Crepis aurea) mit orangeroten Blütenkörbchen.

Pippin (Pipin), fränk. Hausmeier und Fürsten aus dem Hause der →Karolinger:

1) P. der Ältere, P. I., †um 640, Großvater von 2); Hausmeier Dagoberts I., durch die Ehe seiner Tochter mit dem Sohn des Arnulf von Metz Ahnherr der Karolinger.

2) P. der Mittlere, P. II. (P. von Heristal), *um 635, †714, Enkel von 1); seit 687 Hausmeier des ganzen Frankenreichs, dessen weiteren Zerfall er verhinderte.

3) P. der Jüngere, P. III., fälschlich »der Kleine«, »der Kurze«, *um 715, †Saint-Denis 24. 9. 768, Sohn Karl Martells, Enkel von 2); erhielt als Hausmeier 741 Neustrien, Burgund und die Provence, sein Bruder Karlmann Austrasien, Alemannien und Thüringen. Sie setzten 743 formell den Merowinger Childerich III. als König ein. 747 vereinigte P. das ganze Frankenreich und ließ sich 751 zum König wählen. 754 und 756 unterstützte er Papst Stephan III. gegen die Langobarden und machte ihm die →Pippinsche Schenkung. Vor seinem Tod teilte P. das Reich unter seine Söhne Karlmann und Karl (den Großen).

Pippinsche Schenkung, die Übereignung bestimmter Gebiete aus urspr. römisch-byzantin. Besitz, die von den Langobarden unter Aistulf besetzt worden waren, durch Pippin III. an den Papst (754/756). Die als Restitution verstandene P. S. schuf die Grundlage des späteren →Kirchenstaats. Ihr territorialer Umfang ist nicht mehr genau zu bestimmen.

Pips [lat. pituita »Verschleimung«] *der,* volkstüml. Bez. für Erkrankungen der Luftwege bei Geflügel.

Piqué [pi'ke, frz.] *der* oder *das,* →Pikee.

Pir [pers.-türk. »Alter«], *Islam:* Vorsteher eines geistl. Ordens; Schutzpatron eines Handwerks; entspricht dem arab. Scheich.

Piracicaba [pirasi'kaba], Stadt im brasilian. Staat São Paulo, 283 600 Ew.; landwirtsch. Hochschule, methodist. Univ.; Nahrungsmittelind., Zuckerfabriken, Landmaschinenbau.

Pirandello, Luigi, italien. Schriftsteller, *Agrigent 28. 6. 1867, †Rom 10. 12. 1936; Journalist, Hochschullehrer für italien. Literatur; einer der bedeutendsten Dramatiker und Erzähler des 20. Jh.; schrieb Novellen, Romane und Dramen, begann 1925 mit prakt. Theaterarbeit (Gründung des »Teatro d'arte«, das er bis 1928 leitete). 1934 erhielt er den Nobelpreis für Literatur. In seinen antiillusionist. Stücken gestaltet er die unentwirrbaren Beziehungen zw. Schein und Sein, die Fragwürdigkeit jedes Ichbewusstseins, u. a. in »So ist es, wie es Ihnen scheint« (1918), »Sechs Personen suchen einen Autor« (1921), »Heinrich der Vierte« (1922); ähnlich auch im erzähler. Werk, das moderne narrative Techniken mit psycholog. Fundierung verbindet, so in seinem berühmtesten Roman »Mattia Pascal«, (1904). Meisterhaft sind die rd. 240 »Novellen für ein Jahr« (15 Bde., 1922–37).

📖 Rössner, M.: *P., Mythenstürzer. Wien u. a. 1980.* – Schenk, I.: *L. P. – Versuch einer Neuinterpretation. Frankfurt am Main u. a. 1983.*

Piranesi, Giovanni Battista, italien. Kupferstecher und Baumeister, *Mogliano Veneto (bei Tre-

Pipeline: Abschnitt der oberirdisch verlaufenden 1300 km langen Alaska-Pipeline

Giovanni Battista Piranesi: Trajanssäule, Radierung aus der 1748–74 in einzelnen Blättern erschienenen Folge »Vedute di Roma«

Willibald Pirckheimer (Ausschnitt einer Kreidezeichnung von Albrecht Dürer, 1503; Berlin, Kupferstichkabinett)

Dominique Georges Pire

Pirmasens Stadtwappen

viso) 4. 10. 1720, †Rom 9. 11. 1778; schuf Ansichten v. a. antiker und barocker Baudenkmäler Roms in maler., durch scharfe Helldunkelgegensätze gesteigerter Monumentalität (»Vedute di Roma«, 137 Blätter, 1748–74); ferner Aufnahmen röm. Altertümer (»Antichità romane«, 4 Bde., 1756); Umgestaltung der Kirche Santa Maria del Priorato in Rom (1764–66).

Piranhas [-njas], die →Pirayas.

Pirat [lat.-grch.] *der,* Seeräuber (→Piraterie).

Piratenküste (Seeräuberküste, engl. Pirate Coast), Bez. für die Küstenlandschaften der Arab. Halbinsel im SO des Pers. Golfs. Viele geschützte Buchten dienten früher den Seeräubern als Schlupfwinkel.

Piraterie *die,* auf hoher See von einem privaten Schiff (Seeräuberei) oder Luftfahrzeug (→Luftpiraterie) aus gegen ein anderes Schiff oder Luftfahrzeug begangene Gewalttaten, Freiheitsberaubungen oder Plünderungen. Die an der P. Beteiligten dürfen von jedem Staat auf hoher See oder in anderen völkerrechtl. Gemeinschaftsräumen verfolgt und bestraft werden (Grundlage: Seerechtskonventionen von 1958 und 1982).

Piräus (grch. Peiraieus, neugrch. Piräefs), Hafenstadt am Golf von Ägina, Griechenland, Teil der Agglomeration Groß-Athen und wichtigster Hafen Griechenlands, 196 400 Ew.; Wirtschaftshochschule, Archäolog. und Marinemuseum; Erdölraffinerie, Maschinenbau, Zement-, Gummi-, Nahrungsmittel-, Textil-, chem. Ind., Schiffbau; Ausgangspunkt vieler Schifffahrts- und Fährlinien. – Der Hafen wurde 493 v. Chr. von Themistokles ausgebaut und 461–456 v. Chr. durch die »Langen Mauern« mit Athen verbunden; 86 v. Chr. von Sulla zerstört, bis 1835 bedeutungslos.

Pirayas [portugies., aus Tupí] (Piranhas, Serrasalmus), Gattung räuberisch lebender Sägesalmler (→Salmler) in Gewässern des trop. Südamerika. P. sind hochrückige, seitlich stark abgeflachte Schwarmfische mit sehr scharfen Zähnen. Sie jagen v. a. Fische, greifen aber, bes. bei dichter Besiedlung, auch größere Wirbeltiere an. Bekannteste Art ist der bis zu 35 cm lange **Piraya** (Serrasalmus piraya) im Unterlauf des Amazonas.

Pirayas: Serrasalmus piraya (Länge bis 35 cm)

Pirchan, Emil, österr. Bühnenbildner, Maler und Schriftsteller, *Brünn 27. 5. 1884, †Wien 2. 12. 1957; führender expressionist. Bühnenbildner der 20er-Jahre v. a. in Berlin und Wien. – *Schriften:* Bühnenmalerei (1946); 2000 Jahre Bühnenbild (1949); Kostüm-Kunde (1952).

Pirckheimer (Pirkheimer), Willibald, Humanist, *Eichstätt 5. 12. 1470, †Nürnberg 22. 12. 1530; Freund A. Dürers und J. Reuchlins, 1496–1523 Ratsherr in Nürnberg; befehligte die Nürnberger Hilfstruppe im »Schwabenkrieg« Maximilians I. (1499); er übersetzte grch. Schriftsteller (Plutarch, Lukian u. a.) ins Lateinische.

📖 ECKERT, W. P. *u.* IMHOFF, C. VON: *W. P. Dürers Freund im Spiegel seines Lebens, seiner Werke u. seiner Umwelt. Köln* [2]*1982.*

Pire [piːr], Dominique Georges, belg. kath. Theologe, *Dinant 10. 2. 1910, †Löwen 30. 1. 1969; seit 1928 Dominikaner in La Sarte (Gem. Huy), gründete 1950 die »Hilfe für heimatlose Ausländer« (»Europadörfer«); Friedensnobelpreis 1958.

Pirelli S.p.A., italien. Unternehmen der Gummi- und Kunststoffverarbeitung (v. a. Reifen, Kabel); gegr. 1920, seit 1942 jetziger Name; Sitz: Mailand.

Pirenne [piˈrɛn], Henri, belg. Historiker, *Verviers 23. 12. 1862, †Uccle 24. 10. 1935; Prof. in Gent, bahnbrechende Arbeiten zur Wirtschafts- und Sozialgeschichte (»Gesch. Belgiens«, 4 Bde., 1900–32; »Geburt des Abendlandes«, 1937).

Piringebirge (bulgar. Pirin), waldreiches Hochgebirge in SW-Bulgarien, im Wichren 2915 m ü. M.; mit Karen und Trogtälern. Der **Naturpark Pirin** gehört zum UNESCO-Welterbe.

Pirmasens, kreisfreie Stadt und Verw.sitz des Landkreises Südwestpfalz, Rheinl.-Pf., zw. Pfälzerwald und Westrich, 47 900 Ew.; Amt für Verteidigungslasten, Prüf- und Forschungsinst. für die Schuhherstellung, Fachbereiche der FH Kaiserslautern; Schuhmuseum; bed. Schuhind. mit Internat. Messe für Schuhfabrikation und Pirmasenser Lederwoche International; ferner Maschinenbau, Investitionsgüter- und chem. Industrie – 820 erstmals erwähnt; 1769 Stadtrecht; kam 1736 an Hessen-Darmstadt, 1816 an Bayern.

Pirmin (Pirminius), Mönchsbischof und Wanderprediger, †Hornbach (bei Zweibrücken) 3. 11. 753; westgot. (oder span.) Herkunft, gründete die Klöster Reichenau (Bodensee), Murbach (Elsass) und Hornbach (Pfalz); Heiliger, Tag: 3. 11.

Pirna, Kreisstadt des Landkreises Sächsische Schweiz in Sachsen, am Austritt der Elbe aus dem Elbsandsteingebirge, 39 100 Ew.; elektrotechn., Glas-, Möbelind., Strömungsmaschinenbau, Sandsteinbrüche. – Bürgerhäuser (16. und 17. Jh.), Marienkirche (1502–46), Rathaus (16. Jh.), Kapitelhaus (15. Jh., heute Museum) eines ehem. Dominikanerklosters; über der Stadt Festung Sonnenstein (v. a. 16. Jh.). – P. entstand um 1200 im Schutz einer Burg und erhielt Mitte des 13. Jh. Stadtrecht.

Pirogge [russ.] *die,* mit Fleisch, Fisch, Kraut, Eiern, Pilzen u.a. gefüllte Hefeteigpastete.

Pirol [mhd. piro, nach dem Gesang] *der* (Goldamsel, Oriolus oriolus), etwa 25 cm langer von S-Schweden bis NW-Afrika und Indien verbreiteter Singvogel; Männchen goldgelb mit schwarzen Flügeln, Weibchen und Junge grünlich; Zugvogel.

Piroplasmen [lat.-grch.], Protozoen, die bes. in roten Blutkörperchen leben und diese zerstören, z.B. →Babesia und Theileria.

Piroplasmosen, durch Infektion mit Piroplasmen verursachte und durch Schildzecken übertragene Tiererkrankheiten (v.a. der Haustiere) mit fieberhaftem Verlauf; durch die Zerstörung der roten Blutkörperchen kommt es zur Ausscheidung des Blutfarbstoffs mit dem Harn und zur Anämie. (→Küstenfieber)

Pirosmanaschwili (Pirosmani), Niko, georg. Maler, *Mirsaani (Kachetien) 1862, †Tiflis 5. 5. 1918; Autodidakt; bed. Vertreter der naiven Malerei; schuf farbenfrohe Wirtshausschilder, Porträts, Landschafts- und Genreszenen.

Pirouette [piruˈɛtə, frz.] *die,* **1)** *Ballett, Eis-, Rollkunstlauf:* schnelle mehrfache Drehung auf dem Standbein um die eigene Körperlängsachse.

2) *Pferdedressur:* Figur der hohen Schule: Wendung des Pferdes (auf einem Hinterfuß) um 360 Grad in versammeltem Galopp.

Pirquet [-ˈkɛ], Clemens Freiherr von, österr. Kinderarzt, *Hirschstetten (heute zu Wien) 12. 5. 1874, †Wien 28.2. 1929; begründete die Allergielehre, führte den Tuberkulintest ein.

Pisa, 1) Provinz in der Toskana, Italien, 2448 km², (1996) 384600 Einwohner.

2) Hauptstadt von 1), am Arno, 12 km oberhalb seiner Mündung, 94800 Ew.; Erzbischofssitz, Univ. (gegr. 1343), landwirtsch. und tierärztl. Inst., Ingenieurschule, PH, Museen; Fahrzeug-, Textil-, Porzellan-, pharmazeut. Ind., Marmor- und Alabasterverarbeitung, Spiegelfabrik; Flugplatz. – Im NW der Altstadt liegt die Piazza del Duomo (UNESCO-Weltkulturerbe) mit Dom Santa Maria Assunta, eine fünfschiffige roman. Basilika (1063–1118) mit Kanzel (BILD) von G. Pisano, Baptisterium (1152 begonnen) mit Kanzel, von N. Pisano (BILD), Campanile (»Schiefer Turm«, 1173 begonnen, durch Bodensenkung nach SO geneigt), Friedhof (→Camposanto); zahlr. Kirchen und Paläste des MA. und der Renaissance. – P., im Altertum die Hafenstadt **Pisae,** war seit dem 5. Jh. v.Chr. etruskisch und wurde 180 v.Chr. röm. Kolonie. Im MA. wurde es eine der bedeutendsten Handelsstädte Italiens. Im 11. Jh. kamen Sardinien und Korsika in den Besitz P.s. Nach einer Niederlage gegen Genua (1284) begann der polit. und wirtsch. Abstieg. 1406 kam P. an Florenz. Durch

Pisa 2): Ansicht der mit 54 Mamorsäulchen versehenen Westfassade des 1063–1118 erbauten fünfschiffigen Doms Santa Maria Assunta mit dem 55 m hohen Campanile, dem »Schiefen Turm« (12. Jh.), im Hintergrund

die Versandung des Hafens und den Aufstieg Livornos (16. Jh.) verlor P. seine frühere Stellung.

Pisa, Konzile von, zwei Konzile in Pisa: Das **1. Konzil** (1409) wurde zur Beilegung des Abendländ. →Schismas einberufen. Es setzte die Päpste Benedikt XIII. (in Avignon) und Gregor XII. (in Rom) ab und wählte Alexander V. zum Papst, der sich jedoch nicht gegen sie durchsetzen konnte. Das **2. Konzil** (1511/12) wurde gegen Papst Julius II. einberufen, dann nach Mailand verlegt und in Lyon aufgelöst. Es setzte Julius II. ab, der im Gegenzug das 5. Laterankonzil einberief.

Pisa 2) Stadtwappen

Pisan [piˈzã], Christine de, frz. Schriftstellerin und Philosophin, *Venedig 1365, †bei Paris 1430; verdiente nach dem Tod ihres Mannes den Lebensunterhalt ihrer Familie als Schriftstellerin und Verlegerin; verfasste Essays zu gesellschaftl. und polit. Themen sowie Gedichte. In ihrem Werk (u.a. »Das Buch von der Stadt der Frauen«, 1405) bekämpft P. die männl. Vorurteile, aus denen die Selbstzweifel, Resignation und Passivität der Frauen entspringen würden.

Pisanello, eigtl. Antonio Pisano, italien. Maler, Zeichner und Medailleur, *Pisa vor dem 22. 11. 1395, †Rom (?) vermutlich Okt. 1455; gelangte, ausgehend vom Schönen Stil der Gotik, zu immer schärferer Erfassung der Wirklichkeit. In seinen Gemälden, Fresken (Verona, San Fermo) und Handzeichnungen verbindet sich feinster ornamentaler Sinn mit Naturtreue. P. trug wesentlich zur Entwicklung der italien. Porträtkunst bei. BILD S. 68

Pirol: Männchen (Größe etwa 25 cm)

Pisano, 1) Andrea, italien. Goldschmied, Bildhauer und Baumeister, *Pontedera (bei Pisa) zw. 1290 und 1295, †Orvieto zw. 26. 8. 1348 und 19. 7. 1349, Vater von 5). Einziges gesichertes Werk ist die älteste der drei Bronzetüren des Florentiner Baptisteriums mit Reliefs aus dem Leben Johan-

Pisanello: Porträt einer Prinzessin von Este (um 1433; Paris, Louvre)

nes' des Täufers in 28 got. Vierpassrahmen (vollendet 1336); zugeschrieben werden ihm auch die sechseckigen Marmorreliefs am Untergeschoss des Campanile mit Darstellungen der Handwerke und der freien Künste (wohl ab 1334 in Arbeit; Originale heute im Dommuseum).

📖 KREYTENBERG, G.: *A. F. u. die toskan. Skulptur des 14. Jh. München 1984.*

Andrea Pisano: Überführung des Leichnams Johannes' des Täufers, Relief am Südportal des Baptisteriums in Florenz (1330–36)

2) Antonio, genannt → Pisanello.

3) Giovanni, italien. Baumeister und Bildhauer, * Pisa (?) zw. 1245 und 1250, † Siena (?) bald nach 1314, Sohn von 4); Mitarbeiter seines Vaters an der Kanzel in Siena (1265–67) und am Brunnen in Perugia (1278); wurde 1284 Dombaumeister in Siena und mit dem Bau der Westfassade betraut, für die er die Skulpturen (heute Dommuseum) schuf; 1297 Dombaumeister in Pisa, wo er für das Baptisterium die Bildwerke der got. Geschosse gestaltete. P. hat zwei große Kanzeln geschaffen, 1297–1301 für Sant'Andrea in Pistoia, 1302–12 die von Stützfiguren getragene des Doms in Pisa, außerdem v. a. Madonnen. Seine anfangs an den antikisierenden Stil des Vaters anknüpfende Kunst setzt die Kenntnis der frz. Gotik voraus, unterscheidet sich aber von dieser durch ihr leidenschaftl., den Ausdruck steigerndes Temperament. BILD Kanzel

📖 AYRTON, M.: *G. P. Bildhauer. A. d. Engl. Frankfurt am Main 1970.*

4) Niccolò (Nicola), italien. Bildhauer, * in Apulien (?) um 1225, † Pisa (?) bald nach 1278, Vater von 3); einer der bedeutendsten europ. Bildhauer des MA., tätig in der Toskana, dort seit 1258 nachweisbar. Seine Kanzel des Baptisteriums in Pisa (1260 signiert) verbindet got. Formen (erstmals in Italien im got. Sinn gestaltete Gewandfiguren) und das Bildprogramm der frz. Gotik mit Vorbildern antiker Sarkophagreliefs. In der Domkanzel von Siena (1265–67), die er, wie den Brunnen auf dem Domplatz in Perugia (1278), mit seinem Sohn Giovanni schuf, wandelt sich sein Reliefstil zu erzähler. Reichtum und dramat. Zuspitzung der Szenen.

📖 SWARZENSKI, G.: *Nicolo P. Meister der Plastik. Frankfurt am Main 1926.* – POESCHKE, J.: *Die Sieneser Domkanzel des Nicola P. Berlin 1973.*

5) Nino, italien. Bildhauer, * Pisa (?) um 1315, † ebd. (?) vor dem 8. 12. 1368, Sohn und Schüler von 1); schuf in Anlehnung an frz. Plastik Grabmäler und Madonnenbildwerke.

Piscator, Erwin, Regisseur und Theaterleiter, * Ulm (heute zu Greifenstein, Lahn-Dill-Kr.) 17. 12. 1893, † Starnberg 30. 3. 1966; engagierte sich für neue Formen und Ziele des Theaters (polit. Demonstration, Dokumentarstil); gründete das Proletar. Theater in Berlin (1920/21); Regisseur an der Berliner Volksbühne (1924–27). Nach Entlassung eröffnete er die P.-Bühne; arbeitete 1931–36 in der UdSSR, dann in Paris und den USA und seit 1951 wieder in Dtl.; 1962–66 leitete er die Freie Volksbühne in Berlin (u. a. Uraufführungen); Schriften zur Theatertheorie.

Erwin Piscator

📖 GOERTZ, H.: *E. P. Reinbek [3]1995.*

Pisces [lat.], das Sternbild → Fische.

Pischpek, bis 1926 Name der kirgis. Hauptstadt → Bischkek.

Piscis austrinus [lat.] (Südlicher Fisch), ein Sternbild am Südhimmel.

Písek (dt. Pisek), Stadt im Südböhm. Gebiet, Tschech. Rep., an der Wottawa, 29 400 Ew.; Elektrogeräte- und Werkzeugmaschinenbau, Holzindustrie. – Got. Burg (13. Jh., mehrfach umgebaut); über die Wottawa mittelalterliche Steinbrücke (»Hirschbrücke«, 13. Jh.) mit barocken Statuen. – Um 1240 als Stadt nach dt. Recht angelegt.

Pisidien, antike Berglandschaft im südl. Kleinasien, nördlich der pamphyl. Ebene, im W-Taurus, Türkei. Die Burgen der krieger. **Pisider** waren für Perser und Makedonier uneinnehmbar.

Niccolò Pisano: »Das jüngste Gericht«, Relief an der Kanzel des Baptisteriums in Pisa (1260 signiert)

Piso, bedeutendste Familie des röm. plebejischen Geschlechts der Calpurnier; bekannt v.a.:

1) Gaius Calpurnius P., Konsul (wohl 41 n. Chr.), † (Selbstmord) 19. 4. 65; war 65 Mittelpunkt der nach ihm benannten **pisonischen Verschwörung** gegen → Nero.

2) Lucius Calpurnius P. Frugi, Geschichtsschreiber und Konsul (133 v. Chr.); verfasste die »Annales« von den Anfängen Roms bis 146 v. Chr.

Pisolith [grch.-lat.] *der,* Mineral, → Aragonit.

Pissarew, Dmitri Iwanowitsch, russ. Literaturkritiker, * Snamenskoje (Gouv. Orel) 14. 10. 1840, † (ertrunken) Dubulti (heute zu Jūrmala) 16. 7. 1868; bed. Förderer und Theoretiker des gesellschaftskrit. Realismus in der russ. Literatur; Hauptvertreter des russ. »Nihilismus«.

Pissarro, Camille, frz. Maler und Grafiker, * Charlotte Amalie (Jungferninseln) 10. 7. 1830, † Paris 13. 11. 1903; seit 1855 in Paris, bed. Vertreter des Impressionismus (v. a. Landschaften und Großstadtszenen). P. schuf ferner zahlr. Radierungen und Grafiken.

Pissemski, Alexei Feofilaktowitsch, russ. Schriftsteller, * Ramenje (Gebiet Kostroma) 23. 3. 1821, † Moskau 2. 2. 1881; begann, von N. W. Gogols vermeintl. Realismus (»natürl. Schule«) und von G. Sand beeinflusst, mit Skizzen über das Leben der einfachen Leute, schrieb dann Romane und Dramen, in denen er soziale Probleme behandelte (u. a. »Tausend Seelen«, 1858; R.).

Pistazie [grch. aus pers.] *die* (Pistacia), Gattung der Sumachgewächse, v. a. im Mittelmeerraum, in S- und O-Asien, in den südl. USA und in Zentralamerika; harzreiche kleine Bäume oder Sträucher. Als Nutzpflanze v. a. die bis zu 10 m hohe **Echte P.** (Grüne Mandel, Pistacia vera), deren grünl. Samen (**Pistazie,** Grüne Mandel, Alepponuss) gesalzen gegessen werden oder als grüne Zutat (Wurst, Eiscreme) Verwendung finden. Die **Terpentin-P.** (Terebinthe, Pistacia Terebinthus) liefert ein wohlriechendes Terpentin. Wesentl. Bestandteil der Macchie des Mittelmeergebietes ist der → Mastixstrauch.

Pistazie: Echte Pistazie (Höhe bis zu 10 m)

Pistazit *der,* Mineral, ein pistaziengrüner, eisenreicher Epidot.

Piste [frz.] *die,* **1)** *allg.:* unbefestigter Verkehrsweg.

2) *Luftfahrt:* Start- und Landebahn auf einem Flughafen.

3) *Sport:* Rennstrecke, -bahn (Rad- und Motorsport, Skisport, Bobrennen, Rodeln).

4) *Zirkus:* die Umrandung der Manege.

Pistoia, 1) Provinz in der Toskana, Italien, 965 km², (1995) 265 700 Einwohner.

2) Hauptstadt von 1), im NW des Beckens von Florenz, 86 400 Ew.; Gartenbaufachschule; Metallwaren-, chem., Leder-, Schuh-, Textilindustrie. – Dom (gegr. im 5. Jh., neu erbaut 12./13. Jh., spätere Veränderungen), Baptisterium (1338–59), Palazzi Pretorio (14. Jh.) und del Commune (ab 1294; Museum); aus der Renaissance stammt die Arkadenfront des Ospedale del Ceppo (1514), zahlr. Kirchen. – P., das röm. **Pistoria,** kam 1329 (endgültig 1401) an Florenz.

Pistole [frz.] *die,* anfangs die von Philipp II. von Spanien eingeführten doppelten Goldescudo oder Doblon (→ Dublone); seit 1640 Nachahmungen u. a. in Frankreich (→ Louisdor) und Deutschland.

Camille Pissarro: »Die roten Dächer« (1877; Paris, Musée d'Orsay)

Pistole [aus tschech. píšťala, eigtl. »Pfeife«, »Rohr«] *die,* kurzläufige, mit einer Hand zu bedienende Handfeuerwaffe (Faustfeuerwaffe) für den Nahkampf und als Selbstverteidigungswaffe sowie für sportl. Zwecke (i. d. R. Luft-P. und Kleinkaliber-P.). Bei den derzeit verwendeten **Selbstlade-P.** (erste brauchbare Typen seit Ende des 19. Jh.) mit im Griff untergebrachtem Stangenmagazin für 6–10 Patronen wird nach dem Schuss durch den Rückstoß die Hülse ausgeworfen und die P. selbsttätig neu geladen und gespannt.

Michelangelo Pistoletto: »Disegnatr ce«, Siebdruck auf Edelstahl (1976–79; Eindhoven, Van Abbe-Museum)

Geschichte: Die Stammform der P. ist das im 14. Jh. aufkommende Faustrohr. Mit der Einführung des Luntenschlosses im 15. Jh. entwickelte sich die P. zu einer vom →Gewehr abgrenzbaren eigenständigen Waffenart. Eine entscheidende Verbesserung der **Vorderlader-P.** brachte Anfang des 16. Jh. die Erfindung des Radschlosses. Im 17. Jh. wurde die Radschloss-P. durch die Steinschloss-P. abgelöst. Die Erfindung des Perkussionsschlosses (um 1830) führte zur Entwicklung der Sonderform Revolver, die erste einsatzfähige **Hinterlader-P.** (mit Nadelzündung) entstand 1845. Anfang des 20. Jh. konnte sich die Selbstlade-P. gegenüber dem in der 2. Hälfte des 19. Jh. dominierenden Revolver durchsetzen.

Pitcairn

Nach Pitcairn gibt es keine Flugverbindung. Die Inselbewohner werden durch ein Schiff versorgt, das viermal im Jahr vorbeikommt, aber nur, wenn Wind- und Strömungsverhältnisse es zulassen; erst 1993 erhielt die Insel ihren ersten Faxanschluss. Das alles scheint die Pitcairner aber nicht zu stören, denn als ein amerikanischer Millionär vor einigen Jahren in die Entwicklung der Insel investieren wollte, lehnten sie dieses Angebot ab. Inzwischen verlassen jedoch viele der jungen Insulaner ihre allzu abgelegene Heimat, sodass man nun doch daran denkt, endlich eine Start- und Landebahn zu bauen. Ob das allerdings vom Mutterland finanziert wird, ist fraglich, denn der britische Rechnungshof, das National Audit Office (NAO), hat herausgefunden, dass der britische Steuerzahler ohnehin im Jahr 3 691 Pfund für jeden Bewohner von Pitcairn bezahlen muss.

Pistọlenschießen, alle Wettbewerbe im Schießsport mit Faustfeuerwaffen vom Kaliber 4,5 mm sowie 5,6 mm bis 11,43 mm. Olymp. Wettbewerbe werden mit Luftpistole auf 10 m Entfernung, Freie Pistole auf 50 m, Schnellfeuerpistole auf 25 m, Sportpistole auf 25 m ausgetragen. Daneben gibt es Wettbewerbe des Vorderladerschießens: Perkussionsrevolver 25 m, Perkussionspistole 25 m und Steinschlosspistole 25 m. Damenwettbewerbe gibt es in den Disziplinen Luftpistole 10 m, Sportpistole (Kleinkaliber) 25 m und Perkussionsrevolver 25 m.

Pistolẹtto, Michelangelo, italien. Maler, *Biella 25. 6. 1933. Nach Aktionen und Happenings entstehen seit 1962 Arbeiten in einer Kombinationstechnik aus Fotografie und Malerei. In seinen Spiegelbildern aus poliertem Stahl und Fotokollagen integriert er die Spiegelung des Betrachters in das Bildgefüge. P. schuf mit ähnlichen Intentionen auch Skulpturen aus Schaumstoff. Weiteres BILD Environment

Piston [pɪsˈtɔ̃, frz.] *das,* Bez. für das Pumpenventil bei Blechblasinstrumenten; auch Kurzbez. für das →Kornett.

Piston [ˈpɪstn], Walter, amerikan. Komponist, *Rockland (Me.) 20. 1. 1894, †Belmont (Mass.) 8. 11. 1976; schrieb neoklassizist. Sinfonien sowie Konzerte und Kammermusik.

Pistyan [ˈpɪstjan], Stadt in der Slowakei, →Piešťany.

Pịsum [lat.], die Pflanzengattung →Erbse.

Pisz [piʃ] (dt. Johannisburg), Stadt in der Wwschaft Suwałki, Polen, am O-Rand der Johannisburger Heide (1000 km², Kiefernwald), 16900 Ew.; Holzverarbeitung; Fremdenverkehr.

Pitavạl, François Gayot de, frz. Rechtsgelehrter, *Lyon 1673, †ebd. 1743; gab eine Sammlung denkwürdiger Rechtsfälle »Causes célèbres et intéressantes« heraus (20 Bde., 1734–43). Der Name P. galt später allg. für Sammlungen von Strafrechtsfällen.

Pitcairn [ˈpɪtkeən], Vulkaninsel im südl. Pazifik, bis 300 m ü. M., 4,6 km², (1993) 55 Ew. (in Adamstown); Gartenbau, Viehzucht, Fischfang; einzige Einnahmequelle ist der Verkauf von Briefmarken an Sammler. – 1767 entdeckt, 1790 siedelten sich die meuternde Besatzung der »Bounty« und Tahitier an; seit 1898 brit. Kolonie.

Pitești [piˈteʃtj], Hauptstadt des Kr. Argeș, Rumänien, am Argeș, 184200 Ew.; TH; Zentrum der rumän. Chemieind., Erdölraffinerie (um P. Erdölförderung), Automobil-, Maschinen-, Stahlbau, Holz-, Nahrungsmittel-, Textil-, Schuhindustrie.

Pithecạnthropus [grch. »Affenmensch«] *der,* urspr. Bez. für die 1891/92 nach planmäßiger Suche auf Java entdeckten fossilen Menschenreste; heute werden sie unter der Bez. Homo erectus (→Mensch) zusammengefasst.

Pitot-Rohr [piˈto-; nach dem frz. Ingenieur Henri Pitot, *1695, †1771], Gerät zur Messung des Gesamtdrucks (p_P) in einem strömenden Medium; meist Teil eines Staurohres; besteht aus einer rechtwinklig gebogenen Röhre, deren einer Schenkel der Strömung entgegengerichtet und an deren anderem Ende ein Manometer angeschlossen ist.

Pitt, 1) William, d.Ä., 1. Earl (seit 1766) of Chatham, brit. Staatsmann, *London 15. 11. 1708, †Hayes (heute zu London) 11. 5. 1778, Vater von 2); ab 1735 Mitgl. des Unterhauses, 1746–55 Kriegszahlmeister, 1756/57, 1757–61 und 1766–68 Außenminister. Im →Siebenjährigen Krieg konnte P. als Bundesgenosse Preußens die frz. Vormacht zur See und in den Kolonien brechen.

2) William, d.J., brit. Staatsmann, *Hayes (heute zu London) 28. 5. 1759, †Putney (heute zu London) 23. 1. 1806, Sohn von 1); 1782/83 Schatzkanzler und als Führer der Tories 1783–1801 sowie 1804–06 Premiermin.; setzte der durch den Nordamerikan. Unabhängigkeitskrieg gefährdeten wirtsch. Lage Großbritanniens umfassende Zoll- und Finanzreformen entgegen und trug dazu bei, dass die polit. Entscheidungsbefugnis von der Krone an das Kabinett unter Führung des Premiermin. überging. P. wurde der Inspirator der europ. Koalitionen gegen Frankreich; er ließ den Aufstand in Irland (1798) niederschlagen und erreichte 1800 die Zustimmung des irischen Parlaments zur Union mit Großbritannien.

William Pitt d. Ä.: Ausschnitt aus einem Gemälde des englischen Porträtmalers Richard Brompton (undatiert; London, National Portrait Gallery) und **William Pitt d. J.:** Ausschnitt aus einem Gemälde des englischen Künstlers John Hoppner (1805; London, National Portrait Gallery)

Pittakos, grch. Staatsmann in Mytilene auf Lesbos, lebte um 600 v. Chr.(?). Er befreite seine Vaterstadt von der Tyrannis und schuf eine vortreffl. Gesetzgebung. P. wird zu den →Sieben Weisen gerechnet.

Pittermann, Bruno, österr. Politiker, *Wien 3. 9. 1905, †ebd. 19. 9. 1983; 1957–67 Vors. der SPÖ und (bis 1966) Vizekanzler, war 1964–76 Präs. der Sozialist. Internationale.

Pitti, Palazzo, für den Kaufmann Luca Pitti (*1394, †1472) errichteter Palast (1457–66) in Florenz, 1560ff. von B. Ammanati ausgebaut und durch einen Laufgang über den Arno mit den Uffizien verbunden; im 17. Jh. erweitert (1865–70 Residenz des Königs von Italien) und als Gemäldegalerie der Medici eingerichtet; beherbergt heute auch die Galleria d'Arte Moderna, Antikengalerie und Silberkammer.

Pittsburgh: Die 1759 gegründete Stadt liegt am Zusammenfluss von Allegheny River und Monongahela River zum Ohio

Pittsburgh ['pɪtsbə:g], Stadt im Bundesstaat Pennsylvania, USA, am Zusammenfluss von Allegheny River und Monongahela River zum Ohio; 358 900 Ew. (Metropolitan Area 2,39 Mio. Ew.); Carnegie-Mellon University mit dem Carnegie Institute of Technology und dem Mellon College of Science, Carnegie-Bibliothek, University of P. (1787 gegr.) und Duquesne University. P. liegt im Mittelpunkt reicher Eisenerz- und großer Steinkohlenlager; Entwicklung zu einem der größten Schwerindustriebezirke der Erde; seit den 1950er-Jahren Strukturwandel von der Stahlind. zu Hochtechnologiebranchen. – 1759 gegr. als **Fort Pitt** an der Stelle des 1758 von den Briten zerstörten frz. Forts Duquesne. Der seit 1764 unter dem Namen P. um das Fort entstandene Handelsposten erhielt 1816 Stadtrecht.

Pittsburgh Stadtwappen

Pittura metafisica [italien. »metaphys. Malerei«], Richtung der modernen italien. Malerei. Die Bez. wurde zuerst von G. De Chirico und C. Carrà für ihre 1917 in Ferrara entstandenen Bilder verwendet, die im Ggs. zum →Futurismus stehen und ein neues Verhältnis zur Dingwelt ausdrücken. In ihren Bildern stellten die Künstler eine Kulissenwelt dar, die durch ungewohnte Objektverbindungen fremd und rätselhaft erscheint. BILDER Carrà, De Chirico

Pityriasis [grch.] *die,* Sammelbez. für durch kleieförmige Schuppung charakterisierte Hautkrankheiten unbekannter Ursache; die **Kleienpilzflechte** (P. versicolor) wird durch den Hautpilz Malassezia furfur hervorgerufen.

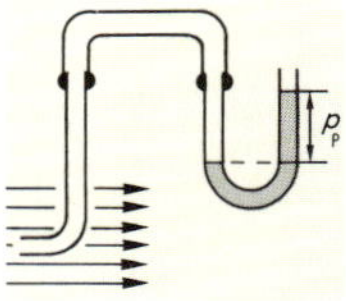

Pitot-Rohr zur Messung des Gesamtdrucks p_P

Pityusen, Inselgruppe der →Balearen.

Pitztal, rechtes Seitental des oberen Inn in Tirol, Österreich, in den Ötztaler Alpen, vom Pitzbach durchflossen, 40 km lang; Fremdenverkehr, am Talende Tunnelbahn (Schrägstollenbahn) im Mittags-

Papst Pius IV. (Ausschnitt eines zeitgenössischen Kupferstichs)

kogel (bis 2860 m ü. M.) zum Ganzjahresskigebiet (hier Pitzpanoramabahn bis auf 3440 m ü. M.).

Piura, Hauptstadt des Dep. P. in Peru, in der Küstenwüste, 286500 Ew.; kath. Erzbischofssitz, TU, Univ.; Baumwollhandel und -verarbeitung.

Pius, Päpste: **1) P. II.** (1458–64), eigtl. Enea Silvio Piccolomini, latinisiert Aeneas Silvius, *Corsignano (heute Pienza, bei Siena) 18. 10. 1405, †Ancona 15. 8. 1464; Jurist, nichtgeistl. Teilnehmer am Konzil von Basel; als Papst Gegner des →Konziliarismus; seit 1442 Kanzleisekretär Kaiser Friedrichs III., seit 1456 Kardinal; Staatsmann und einer der bedeutendsten Humanisten seiner Zeit.

2) P. IV. (1559–65), eigtl. Giovanni Angelo Medici, *Mailand 31. 3. 1499, †Rom 9. 12. 1565; führte von 1562 an das Tridentin. Konzil (→Tridentinum) fort und veröffentlichte 1564 dessen Beschlüsse, darunter das allg. katholische Glaubensbekenntnis (»Professio fidei Tridentinae«).

Papst Pius VII. (Ausschnitt einer zeitgenössischen Lithographie)

3) P. V. (1566–72), eigtl. Michele Ghislieri, *Bosco Marengo (bei Alessandria) 17. 1. 1504, †Rom 1. 5. 1572; Dominikaner, seit 1557 Kardinal; seit 1558 Großinquisitor, Wegbereiter der →katholischen Reform; führte den »Catechismus Romanus« (1566), das »Breviarium Romanum« (1568) und das »Missale Romanum« (1570) ein; Heiliger, Tag: 30. 4.

4) P. VI. (1775–99), eigtl. Giovanni Angelo Braschi, *Cesena 25. 12. 1717, †Valence 29. 8. 1799; seit 1773 Kardinal; bekämpfte Jansenismus, Febronianismus und Josephinismus; verurteilte die Erklärung der Menschen- und Bürgerrechte der Frz. Revolution; wurde nach dem Einmarsch frz. Truppen in Rom (1798) für abgesetzt erklärt und als Gefangener nach Frankreich gebracht.

Papst Pius IX.

5) P. VII. (1800–23), eigtl. Luigi Barnaba Chiaramonti, *Cesena 14. 8. 1742, †Rom 20. 8. 1823; Benediktiner, seit 1785 Kardinal; schloss 1801 ein Konkordat mit Frankreich; wirkte 1804 an der Kaiserkrönung Napoleons I. mit; nach dem Verlust des Kirchenstaates (1809) Gefangener der Franzosen; 1814 Rückkehr nach Rom und Reorganisator des wiederhergestellten Kirchenstaates.

6) P. IX. (1846–78), eigtl. Giovanni Maria Mastai-Ferretti, *Senigallia (bei Ancona) 13. 5. 1792, †Rom 7. 2. 1878; seit 1840 Kardinal; unter seinem Pontifikat 1854 Dogmatisierung der Unbefleckten Empfängnis Marias, 1870 der päpstl. →Unfehlbarkeit (durch das 1. Vatikan. Konzil) und Verlust des Kirchenstaats (1870); politisch Gegner des Liberalismus und Förderer des polit. Katholizismus (→Ultramontanismus); Hauptgegner Bismarcks in der ersten Phase des →Kulturkampfs.

Papst Pius X.

7) P. X. (1903–14), eigtl. Giuseppe Sarto, *Riese (bei Treviso) 2. 6. 1835, †Rom 20. 8. 1914; seit 1893 Patriarch von Venedig und Kardinal; förderte das Bibelstudium (1909 Gründung des Päpstl. Bibelinstituts), initiierte Reformen in Kirchenmusik, Liturgie und Priesterausbildung und veranlasste die Vereinfachung und Neufassung des Kirchenrechts (→Codex Iuris Canonici); theologisch verurteilte er den →Modernismus und führte den sog. Antimodernisteneid ein; Heiliger, Tag: 21. 8.

8) P. XI. (1922–39), eigtl. Achille Ratti, *Desio (bei Mailand) 31. 5. 1857, †Rom 10. 2. 1939; seit 1919 Nuntius in Polen; seit 1921 Erzbischof von Mailand und Kardinal; in sein Pontifikat fällt die Lösung der →Römischen Frage durch die →Lateranverträge (1929) und der Abschluss zahlr. Konkordate, darunter das →Reichskonkordat mit dem nat.-soz. Dt. Reich (1933); schuf die →Katholische Aktion; wandte sich in der Enzyklika »Mit brennender Sorge« (1937) gegen die nat.-soz. Kirchenpolitik und Weltanschauung; trat öffentlich gegen den Antisemitismus auf.

Papst Pius XII. (um 1950)

9) P. XII. (1939–58), eigtl. Eugenio Pacelli, *Rom 2. 3. 1876, †Castel Gandolfo 9. 10. 1958; seit 1917 Nuntius für Bayern (bis 1925), 1920–29 Nuntius für das Dt. Reich; seit 1929 Kardinal; seit 1930 Staatssekretär Pius' XI. P. war ein glänzender Diplomat; die zw. 1924 und 1933 mit Dtl. abgeschlossenen Konkordate (Bayern, Preußen, Baden, außerdem das →Reichskonkordat) waren im Wesentlichen sein Werk. In sein Pontifikat fallen die Dogmatisierung der Aufnahme Marias in den Himmel (1950) und 33 Heiligsprechungen. Die Kirche leitete er streng zentralistisch und autoritär (seit 1944 ohne Staatssekretär). Umstritten sind seine Stellung zu faschist. Diktaturen und sein »Schweigen« zur nat.-soz. Judenverfolgung. – Zeitstück von R. Hochhuth »Der Stellvertreter« (1963).

Pixel [Akronym aus engl. picture element »Bildelement«] *das, Elektronik* und *Datenverarbeitung:* bei der gerasterten, digitalisierten Bilddarstellung (z. B. Fernseher, Computerbildschirm, Grafikdrucker) das kleinste darstellbare und adressierbare Element eines Bildes **(Bildpunkt),** dem genau ein Grauwert oder eine Farbe zugeordnet ist. In der Technik hochintegrierter Schaltungen und Halbleiterbildsensoren die kleinste Fläche, die in einem Lithographieprozess oder Ätzschritt noch aufgelöst werden kann.

Piz [pɪts, ladin.] *der,* Berggipfel, z. B. Piz Buin in der Silvretta.

Pizarro [pi'θarrɔ], **1)** Francisco, span. Konquistador, *Trujillo (Prov. Cáceres) 1478, †(ermordet) Ciudad de Los Reyes (heute Lima) 26. 6. 1541, Bruder von 2); ging 1502 nach Westindien und eroberte von Panama aus 1532/33 das Inkareich; den Inkaherrscher Atahualpa ließ er hinrichten. 1535 gründete P. Lima.

2) Gonzalo, span. Konquistador, *Trujillo (Prov. Cáceres) 1502 oder 1511, †(hingerichtet) Cuzco 10. 4. 1548, Bruder von 1); 1538 Statthalter von Quito, führte 1546 einen Aufstand gegen den span. Vizekönig, wurde 1548 besiegt und enthauptet.

Pizzetti, Ildebrando, italien. Komponist, *Parma 20. 9. 1880, †Rom 13. 2. 1968; strebte eine Erneuerung der italien. Oper an, indem er dem dramat. Element Vorrang vor dem lyr. Element gab; Opern: »Fra Gherardo« (1928), »Clitennestra« (1965) u. a.

pizzicato [italien. »gezupft«], Abk. **pizz.,** *Musik:* Spielanweisung für Streichinstrumente, die Saiten mit den Fingern zu zupfen; aufgehoben durch →coll'arco.

Pjandsch *der,* linker Quellfluss des Amudarja in Afghanistan, größtenteils in Tadschikistan (streckenweise Grenzfluss zw. beiden Ländern), 920 km lang; entspringt im südl. Pamir, durchfließt enge, schluchtenreiche Täler und vereinigt sich unterhalb der Stadt P. mit dem →Wachsch.

Pjöngjang (P'yŏngyang), Hauptstadt von Nord-Korea (seit 1948), am Taedonggang, Stadtprovinz mit 1800 km² und 2,64 Mio. Ew.; Univ., wiss. Akademie, Museen, Bibliotheken; Zentrum der Schwerind. mit Stahlwerk, Maschinen- und Fahrzeugbau, Aluminiumgewinnung, Textil-, Elektro-, chem. Ind.; U-Bahn, internat. Flughafen; nächster Hafen ist Namp'o. – Eine der ältesten Städte Koreas, der Legende nach um 1050 v. Chr. gegr.; wurde 427 n. Chr. Hptst. des nordkorean. Königreichs Koguryŏ. Ab dem 7. Jh. (Einigung Koreas) nur noch regionales Verw.zentrum des NW; 1910–45 unter japan. Herrschaft.

Pkm, Abk. für **P**ersonen**k**ilo**m**eter, Produkt aus zurückgelegter Strecke und Anzahl der beförderten Personen.

Pkw (PKW), Abk. für **P**ersonen**k**raft**w**agen (→Kraftwagen).

pK-Wert, *Chemie:* gebräuchl. Maßzahl für die Stärke von Elektrolyten in (verdünnten) wässrigen Lösungen; definiert als der negative dekad. Logarithmus der Gleichgewichtskonstanten (→Massenwirkungsgesetz) einer chem. Reaktion; dient meist zur Kennzeichnung der Stärke schwacher Basen und Säuren.

PL/1 [Abk. für engl. **p**rogramming **l**anguage No. **1**], eine imperative, für wiss. und kommerzielle Anwendungen und zur Systemprogrammierung geeignete →Programmiersprache. Sie vereinigt in sich Konzepte der älteren Programmiersprachen ALGOL 60, COBOL und FORTRAN und bietet viele Möglichkeiten, wodurch sie sehr umfangreich und nur schwer überschaubar ist.

Placebo [lat.] *das* (Scheinmedikament, Leermedikament), einem Arzneimittel nachgebildetes Präparat, das jedoch keine Wirkstoffe enthält. Durch Verwendung von P. bei der klin. Prüfung neuer Arzneimittel können subjektiv-psych. von objektiv-pharmakolog. Wirkungen unterschieden werden.

Placenta [lat.] *die,* der →Mutterkuchen.

Placet [lat.] *das, Kirchenrecht:* →Plazet.

Plädoyer [plɛdwa'je:, frz.] *das,* zusammenfassender Vortrag vor Gericht, bes. die Schlussausführungen von (in dieser Reihenfolge) Staatsanwalt und Verteidiger im Strafprozess.

Plafond [pla'fɔ̃, frz.] *der,* **1)** *Baukunst:* flache Decke eines Raumes.

2) *Wirtschaft:* bestimmter Höchstbetrag, z. B. bei der Kreditgewährung (Kredit-P.); bis 1993 bestand ein Kredit-P. für die Aufnahme von Kassenkrediten durch Bund und Länder bei der Dt. Bundesbank.

plagal [grch. »seitlich«], *Musik:* **plagaler Schluss,** Schlussbildung mit der Harmoniefolge Subdominante-Tonika im Unterschied zum »authent.« Schluss (→Kadenz). **Plagaler Ton,** seit dem 9. Jh. Bez. für den 2., 4., 6. und 8. Kirchenton.

Plagiat [frz.] *das,* geistiger Diebstahl, teilweise oder vollständige Übernahme eines fremden literar., musikal. oder bildner. Werkes unter Vorgabe eigener Urheberschaft.

Plagioklase [grch. »Schiefspalter«], eine Reihe trikliner, weiß bis mattgrüngrauer →Feldspäte.

Plaid [pleɪd, engl.] *das,* seltener *der,* Reisedecke, urspr. die als Kilt getragene Decke der Schotten aus kariertem Wollstoff (Tartanmuster).

Plakat [aus niederländ.] *das,* öffentl. Anschlag behördl., polit., kulturellen oder kommerziellen Charakters, um die Aufmerksamkeit einer möglichst breiten Öffentlichkeit zu erreichen. P. müssen daher ihrer Form nach auffällig, aus der Entfernung erkennbar und ihrem Inhalt nach schnell erfassbar sein. – Das P. entwickelte sich seit der 2. Hälfte des 15. Jh. aus Anzeigen, Flugblättern und Handzetteln. Die P.-Produktion des 16. bis 18. Jh. wurde v. a. vom Schausteller-P. bestritten. Erst im 19. Jh. wurde das Bild-P. zum wesentl. Werbemittel für die beginnende Markenartikelindustrie. Mit der Lithographie bot sich die Möglichkeit, P. in großem Format und in hoher Auflage herzustellen. Die P.-Kunst erlebte in den 1890er-Jahren in Frankreich ihren ersten Höhepunkt. Als Begrün-

Papst Pius XI.

Francisco Pizarro
(Ausschnitt eines Kupferstichs, 17. Jh.)

Ildebrando Pizzetti

Plakat

1

2

3

4

1 Henri de Toulouse-Lautrec: »Aristide Bruant dans son cabaret« (1892) | **2** Tadeusz Trepkowski: »Nie«, Beitrag zu einem Plakatwettbewerb anlässlich des Völkerkongresses für den Frieden 1952 in Wien | **3** Plakat des Politgrafikers Klaus Staeck von 1972 | **4** Raymond Savignac: Werbeplakat für die italienische Tageszeitung »Il Giorno« aus dem Jahr 1956

der des modernen Bild-P. gilt J. Chéret; fast gleichzeitig traten T. A. Steinlen und v. a. H. de Toulouse-Lautrec hervor, der, angeregt durch den japan. Holzschnitt, eine neue Form der P.-Gestaltung entwickelte, indem er Schrift und Bild zu einer Einheit verband, Linie und Fläche stark kontrastierte. Diese Reduzierung auf wenige Bildelemente führte in Paris L. Cappiello in seinen wegweisenden, heiteren P. weiter. Das Jugendstil-P. (weiteres BILD) hatte in ganz Europa bed. Vertreter, in Frankreich P. Bonnard, M. Denis, A. Mucha, die Belgier F. Khnopff, H. van de Velde, in Großbritannien D. Hardy und A. V. Beardsley, in Dtl. T. T. Heine und O. Eckmann. Mit der Ausbreitung der kommerziellen und polit. Werbung nach der Jahrhundertwende gewann das P. große publizist. Bedeutung, an der die künstler. Bewegungen der Zeit wie Kubismus (A. M. Cassandre), Expressionismus (M. Pechstein, César Klein, W. Jaeckel), Konstruktivismus und Bauhaus (El Lissitzky, L. Moholy-Nagy, O. Schlemmer) Anteil hatten. Die Fotomontage wurde integrierender Bestandteil, bes. im Film-P. (J. Tschichold). Soziales und polit. Engagement lagen den P. von K. Kollwitz, J. Heartfield, G. Grosz und W. Majakowski zugrunde. Nach dem 2. Weltkrieg entstand in zahlr. Ländern (u. a. Frankreich, Polen, ČSFR, Japan, Schweiz) eine bemerkenswerte und richtungweisende Plakatkunst.

🕮 MÜLLER-BROCKMANN, J. *u.* WOBMANN, K.: *Fotoplakate von den Anfängen bis zur Gegenwart. Aarau u. a. 1989.* – AHRLÉ, F.: *Galerie der Straße. Die großen Meister der Plakatkunst. Frankfurt am Main 1990.* – *Plakatkunst von Toulouse-Lautrec bis Benetton, hg. v.* J. DÖRING. *Ausst.-Kat. Museum für Kunst u. Gewerbe Hamburg. Heidelberg 1994.*

Plakette [frz.] *die, Kunst:* kleine Tafel aus Metall mit einer religiösen, mytholog., allegor. Reliefdarstellung oder auch einem Bildnis. P. dienten als Schmuckelement, kamen aber auch selbstständig vor, bes. im kirchl. Gebrauch.

plan [lat.], eben, flach, glatt.

Plan [frz.], **1)** *allg.:* das (schriftlich-bildlich festgehaltene) Ergebnis eines mehr oder weniger intensiven, systematisch-kognitiven Prozesses.

2) *Kartographie:* 1) Karte in großem Maßstab, auf der Bestehendes geometrisch genau fixiert ist (Kataster-P.); 2) Detail einer kartograph. Darstellung (Lage-P.); 3) Grundriss (eines Gebäudes); 4) der Übersicht dienende geometrisch und kartographisch vereinfachte Karte (Stadt-P.); 5) Darstellung eines angestrebten Zustandes (Bebauungsplan).

Planarilen [lat.], zu den →Strudelwürmern gestellte, frei lebende Plattwürmer.

Planartechnik, grundlegende Technologie zur Herstellung von Halbleiterbauelementen (monolith. Schaltkreise), bei der alle Bauelemente und Verbindungsleitungen in Ebenen (planar) angeordnet sind. Durch Strukturierung mithilfe der Photolithographie (→Lithographie) entstehen die pn-Gebiete in ihren endgültigen Abmessungen. Als Halbleitermaterial wird Silicium verwendet, das an seiner Oberfläche eine Siliciumdioxidschicht bildet, die die pn-Übergänge schützt und die Maskendiffusion ermöglicht.

Planche [plãʃ, frz.] *die,* Fechtbahn.

Planchon [plãˈʃɔ̃], Roger, frz. Regisseur, Theaterleiter und Dramatiker, *Saint-Chamond (Dép. Loire) 12. 9. 1931; seit 1957 Leiter des Théâtre de la Cité in Villeurbanne (bei Lyon), seit 1972 Kodirektor des Théâtre National Populaire ebd.; schuf dort bed. Inszenierungen mit gesellschaftspolit. Bezug.

Planck, 1) Gottlieb, Jurist, *Göttingen 24. 6. 1824, †ebd. 20. 5. 1910; seit 1867 Abg. in Preußen und im Norddt. Bund, war maßgeblich an der Ausarbeitung des BGB und der ZPO beteiligt.

2) Max, Physiker, *Kiel 23. 4. 1858, †Göttingen 4. 10. 1947; Prof. in Kiel und Berlin, 1930–37 und 1945/46 Präs. der Kaiser-Wilhelm-Gesellschaft zur Förderung der Wiss. (→Max-Planck-Gesellschaft zur Förderung der Wissenschaften e. V.), einer der bedeutendsten Physiker des 19./20. Jh.; Hauptarbeitsgebiete: Strahlungstheorie und Thermodynamik. Er leitete 1900 das Strahlungsgesetz für die Wärmestrahlung schwarzer Körper ab (→plancksches Strahlungsgesetz), postulierte die Quantelung der Energie und entdeckte dabei die Existenz einer neuen Naturkonstante (→plancksches Wirkungsquantum). Damit begründete P. die →Quantentheorie und revolutionierte die klass. Physik. 1918 erhielt er den Nobelpreis für Physik. Die Dt. Physikal. Gesellschaft stiftete 1928 die Max-Planck-Medaille, deren erster Preisträger er war.

🕮 *M. P. Ein Leben für die Wissenschaft, hg. v.* J. L. HEILBRON. *A. d. Amerikan. Stuttgart 1988.*

Max Planck
(um 1930)

plancksches Strahlungsgesetz, beschreibt die Ausstrahlung elektromagnet. Energie (Wärme-, Licht- u. a. Strahlung) durch einen →schwarzen Körper **(planckscher Strahler)** in Abhängigkeit von der Temperatur T des Körpers und der Wellenlänge λ (bzw. Frequenz ν) der Strahlung. Bei der Ableitung dieses Gesetzes postulierte M. Planck die Wärmestrahlung in einen Hohlraum als ein System von linearen harmon. Oszillatoren, deren Energien nur diskrete (gequantelte) Werte $W = h \cdot \nu$ annehmen können (h plancksches Wirkungsquantum). Für die spektrale →Strahldichte eines schwarzen Strahlers lautet das p. S.:

$$L_\lambda(\lambda, T) = \frac{2hc^2}{\lambda^5} \cdot \frac{1}{(e^{hc/\lambda kT} - 1)}$$

(c Lichtgeschwindigkeit, k Boltzmann-Konstante).

plancksches Wirkungsquantum [nach M. Planck] (Planck-Konstante), Formelzeichen h, →physikalische Konstante mit der Dimension einer Wirkung, die eine fundamentale Rolle im Bereich der Mikrophysik spielt, u.a. als Proportionalitätsfaktor in der Beziehung zwischen der Energie W eines Strahlungsquants und der Frequenz ν der entsprechenden elektromagnetischen Strahlung: $W = h \cdot \nu$, $h \approx 6{,}626 \cdot 10^{-34}$ J s. Häufig wird auch die Größe $\hbar$ (»h quer«), $\hbar = h/2\pi$, verwendet.

Pläner [zu plan], heller Mergelkalk der Oberkreide am N-Rand der dt. Mittelgebirgsschwelle.

Planet, *Astronomie:* →Planeten.

planetarische Nebel, gasförmige galakt. →Nebel.

Planetarium [grch.-lat.] *das,* Vorrichtung zur anschaulichen Darstellung des Sternhimmels, der scheinbaren Bahnen der Gestirne, auch zur Vorführung zahlr. Vorgänge aus Astronomie, Raumfahrt u.a. In einem **Projektions-P.** werden das Bild des Fixsternhimmels und die Stellung von Sonne, Mond und Planeten für beliebige Erdorte in Vergangenheit und Zukunft an die Innenseite des kuppelförmigen Zuschauerraumes projiziert. Die Bewegungen der Himmelskörper werden (im Zeitraffertempo) durch mechan. Bewegungen von Projektoren mittels Motoren und Getrieben erzielt. Moderne P. verfügen über programmierbare Computersteuerungen sowie mehrdimensionale Simulationsprogramme und zahlr. audiovisuelle Vorführgeräte. Bei einem Zeiss-P. werden etwa 9 000 Sterne (mehr als mit dem bloßen Auge erkennbar), zahlr. Sternhaufen, Nebel, die Milchstraße und die versch. Sternbilder projiziert. Die Kuppeldurchmesser liegen zw. 8 und 30 m.

Planeten [von grch. plánētes »die Umherschweifenden«] (Wandelsterne), nicht selbstleuchtende große Himmelskörper, die sich nach den keplerschen Gesetzen in ellipt. Bahnen um ein sie beleuchtendes Zentralgestirn (Sonne, Stern) bewegen. Die heute bekannten neun P. unseres Sonnensystems sind (nach wachsender Entfernung von der Sonne geordnet): Merkur, Venus, Erde, Mars, Jupiter, Saturn, Uranus, Neptun und Pluto, die letzten drei sind mit bloßem Auge nicht sichtbar. Nach einem 10. P. (→Transpluto) wurde gesucht; genauere Berechnungen der Neptunbahn machen seine Existenz jedoch unwahrscheinlich. – Aufgrund ihres unterschiedl. Aufbaus werden die ersten vier, relativ kleinen P. **(erdähnl.** bzw. **terrestr. P.)** von den Riesen-P. **(jupiterähnl.** bzw. **iovian. P.)** unterschieden, die v.a. aus gasförmiger Materie bestehen; Pluto gehört zu keiner der beiden Gruppen. Die Erdbahn trennt die **äußeren (oberen) P.** von den **inneren (unteren) P.** Merkur und Venus. Während die inneren P. sich auf ihrer scheinbaren Bahn am Himmel nie weit von der Sonne entfernen und deshalb nur als Abendstern oder Morgenstern sichtbar sind, können die äußeren P. den ganzen Gürtel der Ekliptik durchlaufen und daher auch in Opposition zur Sonne gelangen. Die P. drehen sich rechtläufig um ihre Achse, deren Neigung ähnlich der der Erdachse ist. Nur bei Uranus liegt die Rotationsachse fast in seiner Bahnebene, und bei Venus ist eine entgegengerichtete Drehung gemessen worden. Die Abstände der P. von der Sonne unterliegen einer gewissen Gesetzmäßigkeit (→Titius-Bode-Reihe). Die P. sind (ausgenommen Merkur) mit einer mehr oder weniger dichten Atmosphäre umgeben. Außer bei den inneren P. Merkur und Venus sind bei allen P. →Monde bekannt. – 1992 fand man bei der radioastronomischen Untersuchung eines Pulsars Anomalien, die auf die Existenz eines extrasolaren Planetensystems schließen lassen.

Planetarium: Das Zeiss-Projektionsplanetarium Modell IV kann die tägliche Himmelsdrehung von 24 Stunden in einer beliebigen Zeit zwischen 36 Minuten und 30 Sekunden reproduzieren

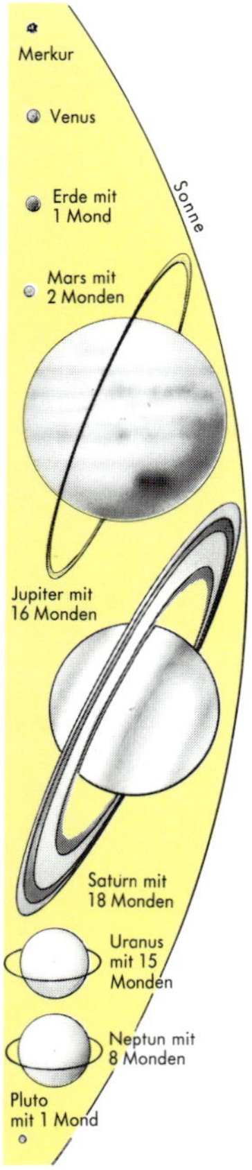

Planeten: Größenverhältnisse der Planeten unseres Sonnensystems im Vergleich zur Sonne

📖 MAROW, M. J.: *Die P. des Sonnensystems. A.d. Russ. Thun 1987.* – ENGELHARDT, W.: *P., Monde u. Kometen. Darmstadt 1990.* – MORRISON, D.: *Planetenwelten. A.d. Amerikan. Heidelberg u.a. 1995.* – SCHNEIDER, R. U.: *Planetenjäger. Die aufregende Entdeckung fremder Welten. Basel u. a. 1997.*

Planetengetriebe (Umlaufgetriebe), Zahnradgetriebe mit mindestens drei Zahnrädern (Sonnenrad, Hohlrad, Planetenrad; **Planetensatz**), bei dem sich mindestens ein Rad (Planetenrad) außer um seine eigene Achse auch noch mit dieser Achse um ein anderes Rad (Sonnenrad) dreht und mit diesem und einem äußeren Hohlrad im Eingriff steht. Werden zwei der drei Glieder angetrieben oder festgehalten, führt das dritte eine zwangläufige Bewegung mit einer bestimmten Übersetzung aus. P. werden bes. in automat. Kfz-Getrieben, Nabenschaltungen bei Fahrrädern und Flaschenzügen verwendet.

Planetensystem, i. e. S. die Gesamtheit der die Sonne (oder einen anderen Fixstern) umkreisenden Planeten, i. w. S. das gesamte →Sonnensystem.

Planetoiden [grch. »Planetenähnliche«] (Asteroiden, Kleinplaneten), große Gruppe (nur im Fernrohr sichtbarer) kleiner Himmelskörper, die sich in keplerschen Bahnen fast ausschließlich zw. Mars und Jupiter um die Sonne bewegen. Sie füllen damit die Lücke in der →Titius-Bode-Reihe der Planetenabstände aus. Die Gesamtzahl der P. mit einem Durchmesser über 1 km wird auf 1 Mio. geschätzt (zz. sind etwa 6 000 P. nummeriert, jährlich kommen etwa 10 % hinzu); ihre Gesamtmasse wird mit 5 % der Mondmasse angegeben, die scheinbaren visuellen Helligkeiten liegen zw. 6^{m} und 22^{m}. Aufgrund der periodischen Helligkeitsschwankungen scheinen selbst die größten P. keine sphär. Gestalt aufzuweisen, sondern sind unregelmäßig geformt. Die vier hellsten und größten P. sind **Ceres** mit 1023 km Durchmesser, **Pallas** (608 km), **Vesta** (538 km) und **Juno** (288 km). Die kleinsten bekannten P. haben Durchmesser von einigen hundert Metern. Im Ggs. zu den Planeten umrunden die P. die Sonne auf z. T. recht exzentr. Bahnen; ihre Bahnbewegung ist rechtläufig. Der mittlere Abstand von der Sonne beträgt etwa 2,9 AE, die mittlere Umlaufzeit etwa 4,5 Jahre, schwankt aber von 1,47 (Hermes) bis 14,04 Jahren (Hidalgo). Die Bahnen der P. Adonis, Hermes, Apollo und Icarus (→Apollo-Objekte) liegen bei größter Sonnennähe innerhalb der Venusbahn, letztere sogar innerhalb der Merkurbahn. Hermes ist 1937 der Erde bis auf doppelte Mondentfernung nahe gekommen, die Bahn von Hidalgo reicht bis fast an die Saturnbahn heran. Eine Gruppe von P. umläuft die Sonne im gleichen Abstand wie Jupiter, jedoch jeweils 60 Grad vorauseilend oder nachfolgend (→Trojaner). Es gibt schätzungsweise etwa 1000 die Erdbahn kreuzende P. mit einem Durchmesser von über 1 km, die mit der Erde zusammenstoßen könnten. – 1978 fand man beim P. →Herculina Hinweise für die Existenz von **P.-Monden;** 1993 fertigte die Sonde Galileo Bilder des P. →Ida mit seinem Mond Dactyl an.

Planfeststellung, insbesondere bei großen Neubauvorhaben (z. B. Abfallbeseitigungsanlage) erforderliches förml. Verwaltungsverfahren, in dem die Stellungnahmen aller Beteiligten (Behörden, Gemeinden) ermöglicht werden und nach Prüfung von Einwendungen der Plan durch Beschluss festgesetzt wird (§§ 72–78 Verwaltungsverfahrens-Ges.). Um Interessen und Rechte der Betroffenen zu berücksichtigen, sind die öffentl. Auslegung der Planungsentwürfe und eine ausreichende Einwendungsfrist vorgeschrieben. Mit der P. treten unmittelbare Rechtsfolgen ein, z. B. Nutzungseinschränkungen für Anliegergrundstücke. Der P.-Beschluss kann von den Betroffenen vor dem Verwaltungsgericht angefochten werden.

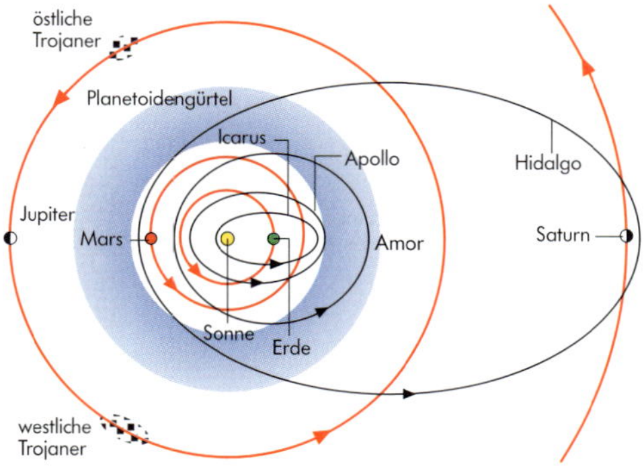

Planetoiden: Schema des Planetoidengürtels zwischen Mars und Jupiter sowie einiger Planetoidenbahnen mit großer Exzentrizität

Planfläche, *Optik:* ebene Begrenzungsfläche bei Prismen, Linsen u. a.

Planica [pla'ni:tsa], Hochtal in den Julischen Alpen, in Slowenien, bed. Wintersportgebiet.

Planierraupe, ein Flachbagger, →Bagger.

Planiglob [zu lat. planus »flach«, »eben«] *das,* kartograph. Wiedergabe der Erdoberfläche in zwei Kreisflächen (Erdhalbkugelkarten).

Planimeter [lat.-grch.] *das,* Gerät zum Messen des Flächeninhalts ebener (auch krummlinig begrenzter) Figuren, meist durch Umfahren der Umrandungslinie mit einem Fahrstift.

Planimetrie [lat.-grch.], die ebene →Geometrie.

Planisphäre [grch.], **1)** *Astronomie:* das →Astrolabium.

2) *Kartographie:* zusammenhängende Wiedergabe der gesamten Erdoberfläche mit ellipt. Umriss, auch mit Darstellung der Pole als Linien.

plankonkav [lat.], mit einer ebenen und einer nach innen gewölbten Fläche; **plankonvex,** mit einer ebenen und einer nach außen gewölbten Fläche (→Linse).

Christophe Plantin: Druckerzeichen

Christophe Plantin (Ausschnitt eines Kupferstichs von Hendrick Goltzius)

Plankton [grch. »Umhertreibendes«] *das,* die Gesamtheit der im Wasser frei schwebend lebenden Tiere **(Zoo-P.)** und Pflanzen **(Phyto-P.),** mit geringer oder ohne Eigenbewegung. Es wird zw. **Meeres-P.** (Hali-P.) und **Süßwasser-P.** (Limno-P.) unterschieden. Die zum P. gehörenden Lebewesen bezeichnet man als **Planktonten** oder **Plankter.** Zum Zoo-P. gehören Radiolarien, Flagellaten, Quallen, Krebstiere u.a., zum Phyto-P. u.a. Dinoflagellanten, Kiesel- und Goldalgen. Die Zusammensetzung des P. ist von Temperatur, Salzgehalt, Sauerstoff und Licht abhängig. Alle Planktonten sind wichtige Glieder der Nahrungsketten, das Phyto-P. ist außerdem Sauerstofflieferant. Viele Fische und die Bartenwale ernähren sich ausschließlich von Plankton. Die Verschmutzung der Meere und der Süßgewässer bedeutet eine große Gefahr für das P.; bereits geringe Ölkonzentrationen verringern das Wachstum.

📖 Sommer, U.: *Algen, Quallen, Wasserfloh. Die Welt des P. Berlin u. a. 1996.*

planparallel, von zwei parallelen Ebenen begrenzt, z.B. bei einer planparallelen (Glas-)Platte für opt. Zwecke.

Plansee, Gebirgssee östlich von Reutte, Tirol, Österreich, 976 m ü. M., 2,8 km^2, 76 m tief, Zufluss vom Heiterwanger See, Abfluss zum Lech.

Plansichter, zum Trennen von feinkörnigem Gut eingesetzte Siebmaschine mit einem Satz übereinander angeordneter, meist mit Gewebe unterschiedl. Maschenweite bespannter Siebe, die durch Kurbel- oder Exzenterantrieb in eine rotierende bzw. hin- und hergehende Bewegung versetzt werden.

Planspiel (Unternehmensspiel), eine v.a. in der Ausbildung von Führungskräften verwendete Methode. Anhand eines der Wirklichkeit angenäherten Modells werden (betriebswirtsch.) Entscheidungen getroffen, deren wirklichkeitsrelevante Auswirkungen dann geprüft werden.

Planta, schweizer. Adelsgeschlecht aus Graubünden, das in den Bündner Wirren des 17. Jh. die katholische, österr.-span., d.h. habsburg. Partei gegen die frz.-venezian. Partei anführte. Pompejus P. (*1570, †1621) wurde von polit. Gegnern unter Führung von J. Jenatsch ermordet. Sein Bruder Rudolf war 1639 an der Ermordung Jenatschs beteiligt.

Plantage [plan'ta:ʒə, frz.] *die,* landwirtsch. Großbetrieb, der auf den Anbau mehrjähriger Nutzpflanzen und Dauerkulturen zur Erzeugung hochwertiger Exportprodukte spezialisiert ist.

Plantagenet [plæn'tædʒɪnɪt] (Anjou-P.), engl. Königshaus, das 1154–1399 in direkter Linie und 1399–1485 in den Zweiglinien Lancaster und York herrschte. Der Name stammte von einem Ginsterbusch (lat. planta genista), den Graf Gottfried V. (frz. Geoffroi) von Anjou (*1113, †1151) als Helmzier trug.

Plantin [plã'tɛ̃], Christophe, frz. Buchdrucker und Verleger, *Saint-Avertin (bei Tours) um 1520, †Antwerpen 1. 7. 1589; gründete 1555 eine Druckerei und Verlagsbuchhandlung in Antwerpen; druckte 1569–72 eine achtbändige Bibel in vier Sprachen (»Antwerpener Polyglotte«). P.-Drucke zählen zu den typograph. Meisterwerken.

Planung, die gedankl. Vorwegnahme der Mittel und Schritte sowie deren Abfolge, die zur effektiven Erreichung eines Zieles notwendig scheinen. Im umfassenderen Sinne meint P. den geistigen, dann auch organisatorisch und institutionell ausgeformten Vorgang, durch Abschätzungen, Entwürfe und Entscheidungen festzulegen, auf welchen Wegen, mit welchen Schritten, in welcher zeitl. und organisator. Abfolge und unter welchen Rahmenbedingungen und schließlich mit welchen Kosten und Folgen ein Ziel erreichbar erscheint. Die Notwendigkeit, angesichts knapper Ressourcen und Zeit Entscheidungen zu treffen und vorhandene Bedürfnisse zu befriedigen, macht P. ebenso erforderlich wie die Zukunftsunsicherheit und die Unübersichtlichkeit von Umweltbedingungen und der Nebenfolgen eines jeden Handelns. Sie ermöglicht die Verringerung von Komplexität und soll so die für Entscheidungen, Handeln und Daseinsvorsorge notwendige Stabilität, Sicherheit und Vorausschau gewährleisten.

Von besonderer Bedeutung ist die P. in Unternehmen (Unternehmens-P.), z.B. als Beschaffungs-, Produktions-, Absatz-, Personal-, Finanzplanung. Neben der Unterscheidung nach dem Sachgegenstand kann P. auch nach der zeitl. Reichweite in kurz-, mittel- und langfristige, nach der Rangfolge in Primär-, Sekundär-, Tertiär-P., nach dem Konkretisierungsgrad in Rahmen- (Global-) und Detail-P. bzw. strateg. und operative P. unterschieden werden. – Überbetriebl. P. erstreckt sich zunehmend auf die Bereiche Infrastruktur (z.B. Verkehrs-P.), Raumordnung (z.B. Regional-P.), Bildungswesen, Umweltschutz usw. und ist Grundlage für das Handeln der Einzelwirtschaften. Volkswirtsch. P. wird auch in marktwirtsch. orientierten Gesellschaften als Aufgabe der Wirtschaftspolitik betrachtet. Erfolgreiche P. setzt eine rechtzeitige Einbeziehung der Betroffenen (Bürgerbeteiligung, Mitbestimmung) voraus.

📖 *Handwörterbuch der P., hg. v.* N. Szyperski *u. a. Stuttgart 1989.* – Luhmann, N.: *Polit. P. Aufsätze zur Soziologie von Politik u. Verwaltung. Opladen ^{4}1994.* – Pfohl, H.-C. *u.* Stötzle, W.: *P. u. Kontrolle. München 1997.*

Planungshoheit, als Bestandteil ihres Selbstverwaltungsrechts die Befugnis der Gemeinden, über die baul. Gestaltung des Gemeindegebiets zu bestimmen, d.h. sie durch Flächennutzungspläne vorzubereiten und durch Bebauungspläne zu leiten (Art. 28 Abs. 2 GG, § 1 Abs. 3 Baugesetzbuch). Die gemeindl. Planung ist den Zielen der Raumordnung und Landesplanung anzupassen.

Planungswertausgleich, Abschöpfung von Wertzuwächsen bei Grundstücken, die auf Änderung von Bebauungsplänen oder auf öffentl. Investitionen beruhen (→ Bodenwertzuwachssteuer).

Planwirtschaft, Wirtschaftsordnung, bei der (im Ggs. zur Marktwirtschaft) eine zentrale Planungsbehörde entsprechend allg. Zielvorgaben der staatl. Führung mithilfe staatl. Pläne die gesamte Volkswirtschaft steuert. Da der Begriff P. jedoch zu Unrecht impliziert, dass marktwirtsch. Ordnungen Planung ausschließen, sind für zentralist. P. Bezeichnungen wie **Zentralverwaltungswirtschaft** (W. Eucken) treffender. – Ausgeprägt zentralist. P. sind die durch staatl. und genossenschaftl. Eigentum charakterisierten Volkswirtschaften sozialist. Staaten. Ausgehend von längerfristigen Perspektivplänen werden in mehrjährigen Plänen (Fünfjahrpläne, umfassendere Planungen über 10 Jahre), schließlich in Jahresplänen (Jahresvolkswirtschaftspläne) die vorgegebenen Zielstellungen konkretisiert und auf Wirtschaftsbereiche und Betriebe aufgeschlüsselt. Die Betriebspläne mit Festlegungen auf Produktionsziele, Preisgestaltung, Investitionsvorhaben, Exportauflagen, Löhne und Gehälter u.a. erlangen Rechtsverbindlichkeit, sodass nur noch in einem engen Rahmen die Möglichkeit besteht, über Plankorrekturen auf veränderte Marktbedingungen zu reagieren. Volkswirtschaftler wie L. Edler von Mises und M. Weber haben frühzeitig die unvermeidl. Ineffektivität zentralist. P. nachgewiesen und die mit ihr verbundene Ausdehnung einer unproduktiven Bürokratie u.a. parasitärer Erscheinungen als Hauptgefahr erkannt. Nachdem auch in der Praxis der sozialist. Länder die Nachteile der zentralist. P. gegenüber Volkswirtschaften mit marktwirtsch. Strukturen immer deutlicher wurden, wurde seit Ende der 1980er-Jahre in fast allen diesen Ländern die P. reformiert bzw. abgelöst.

📖 DRZYMALLA, J.: *Planung im sowjet. Wirtschaftssystem. Frankfurt am Main u.a. 1991. – Markt, Staat, Planung. Histor. Erfahrungen mit Regulierungs- u. Deregulierungsversuchen der Wirtschaft, hg. v.* S. POLLARD *u.* D. ZIEGLER. *Sankt Katharinen 1992. – P. am Ende – Marktwirtschaft in der Krise?, hg. v.* W. GERKE. *Stuttgart 1994.*

Planzeiger, rechter Winkel mit Maßstabsteilung auf beiden Schenkeln zur Bestimmung der Lage eines Punktes auf einer Karte mit Gitternetz.

Plaque [plak; frz. »Blatt«] *die, Medizin:* 1) Hautfleck; 2) weißlich gelber, zuweilen auch dunkel verfärbter, bakteriell besiedelter weicher Zahnbelag. P. ist Ursache für Zahnschmelzentkalkungen und Zahnfleischerkrankungen; sie fördert die Bildung von → Zahnstein.

Plasma [grch. »Gebilde«] *das,* **1)** *Biologie:* das Zytoplasma der → Zelle.

2) *Mineralogie:* Name für grün gefärbten Jaspis.

3) *Physik:* Gemisch aus freien Elektronen, positiven Ionen und Neutralteilchen eines Gases, die sich durch ständige Wechselwirkung untereinander und mit Photonen in verschiedenen Anregungszuständen befinden. Der Plasmazustand heißt auch **4. Aggregatzustand.** Ein P. ist quasineutral, d.h., es hat im Mittel die gleiche Anzahl positiver und negativer Ladungen. P. hat eine große elektr. Leitfähigkeit und ist diamagnetisch. Plasmen werden durch Stoßionisation mit Elektronen oder durch eine Gasentladung erzeugt. Die wichtigsten Parameter zur Beschreibung sind Dichte, Druck, Temperatur und die mittlere freie Weglänge zwischen zwei Stößen. Grob unterscheidet man **Niederdruck-P.** und **Hochdruck-P.** (Druck kleiner oder größer als der Atmosphärendruck) sowie **kalte P.** und **heiße P.** (Temperatur $T < 10^5$ K bzw. $T > 10^6$ K). Ein **Fusions-P.** (→ Kernfusion) setzt $T > 10^8$ K voraus. Im Rahmen internat. Forschungsprogramme (→ ITER) werden große Anstrengungen unternommen, um ein P. aus Deuterium oder Tritium von so hoher Temperatur und Dichte zu erzeugen, dass eine kontrollierte Kernfusion stattfinden kann; ein Fusionsreaktor soll die dabei frei werdende Energie technisch nutzbar machen. – In der Natur findet man P. in den höchsten Atmosphärenschichten, im Weltraum (interstellares Gas), in den Sternatmosphären und im Inneren der Sterne. P. treten auch in elektr. Entladungen, Blitzen oder in Flammen auf.

4) *Physiologie:* das Blut-P., → Blut.

Plasmabrenner, Gerät zur Erzeugung eines heißen Plasmastrahls. Beim **Lichtbogen-P.** wird ein strömendes Gas (z.B. Argon, Stickstoff) von einem Lichtbogen ionisiert und auf Temperaturen von 10 000–20 000 K aufgeheizt, beim **Hochfrequenz-P.** wird das strömende Gas durch Anlegen eines hochfrequenten elektromagnet. Feldes mithilfe einer Induktionsspule (Frequenzen von etwa 20 MHz) ionisiert. Anwendung u.a. zum Aufspritzen (Plasmapistole) von Materialien als hochtemperaturfeste Überzüge auf Werkstücken oder zum Schweißen, Schmelzen und Schneiden von v.a. nicht leitenden Werkstoffen, zur Spektralanalyse.

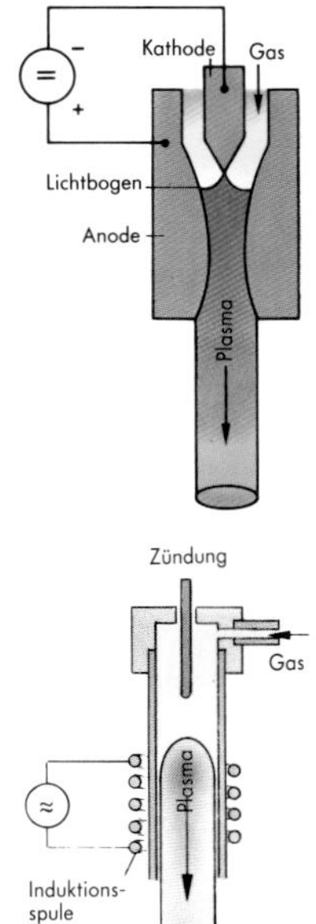

Plasmabrenner: Schemata eines Lichtbogen- und eines Hochfrequenzplasmabrenners (unten)

Plasmachemie, Forschungsrichtung der Chemie, die sich mit den unter Bedingungen eines → Plasmas (z.B. bei hohen Temperaturen oder in elektr. Entladungen) ablaufenden Reaktionen befasst, z. B. die Bildung von Acetylen durch therm.

Cracken von Methan oder die Synthese von Stickstoffmonoxid aus Luft im Lichtbogen.

Plasma|ersatzstoffe (Plasmaexpander, Plasmavolumenexpander), *Medizin:* überwiegend isoton. Kolloidlösungen auf Dextran- oder Gelatinebasis, die zum raschen Blutvolumenersatz nach akuten Blutverlusten als intravenöse Infusion gegeben werden. P. sind keine echten Blutersatzmittel, da sie die spezif. Transportfunktionen des Blutes nur zu einem geringen Teil mit übernehmen und ihre Verweildauer im Blut nur Stunden beträgt.

Plasmaphysik, Teilgebiet der Physik, befasst sich mit Eigenschaften und Anwendungen ionisierter Gase (→Plasma).

Plasmaschwingungen, Schwingungen in einem Plasma, die durch äußere Störungen hervorgerufen werden, sodass die Teilchen auf einer charakterist. Plasmafrequenz schwingen. Infolge der hohen Drücke und der therm. Bewegung können sich P. auch als **Plasmawellen** ausbreiten. Diese treten z.B. als Raumladungswellen (Langmuir-Wellen), magnetohydrodynam. (wie die Alfvén-Wellen) und elektromagnet. Wellen auf.

Plasmatriebwerk, zum Antrieb von Raketen eingesetztes elektrodynam. Triebwerk (kein →Raketentriebwerk i.e.S.). Der Antriebsstrahl wird dadurch erzeugt, dass ein aufgeheiztes Plasma durch elektr. und magnet. Kräfte beschleunigt wird.

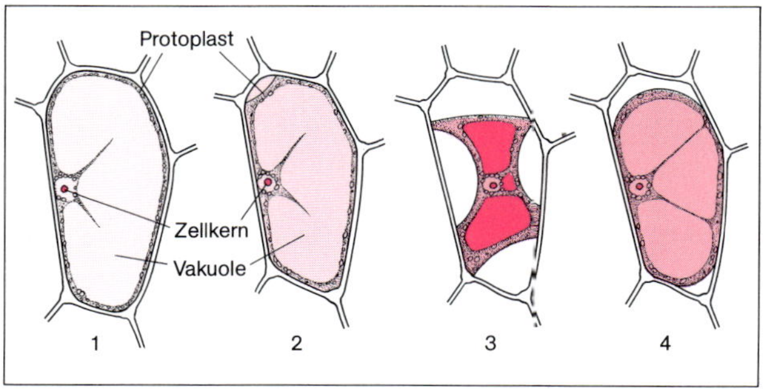

Plasmolyse am Beispiel einer Epidermiszelle: 1 Epidermiszelle in Wasser; 2 Epidermiszelle in Kaliumnitratlösung, das Volumen nimmt unter Kontraktion der Zellwand ab, oben links beginnende Plasmolyse; 3 vollendete Plasmolyse nach längerer Einwirkung der Kaliumnitratlösung, der Zellsaft ist stark konzentriert; 4 Deplasmolyse nach Übertragung in Wasser

Plasmatron [grch.] *das,* eine Weiterentwicklung der Bogenionenquelle, einer Form der Ionenquelle. Die zw. Glühkathode und Anode gezündete Bogenentladung wird dabei durch eine Zwischenelektrode und ein starkes inhomogenes Magnetfeld zw. dieser und der Anode eingeschnürt, sodass es zu einer vollständigen Ionisation des Gases auf kleinem Volumen kommt.

Plasmaverfahren, *Werkstofftechnik:* Sammelbez. für Verfahren, die zur Behandlung, Modifizierung oder Beschichtung einer Oberfläche aus beliebigem Material die Teilchen- oder Energieströme aus einem Plasma nutzen. Zu den P. zählen u.a. Plasmaspritzen, ein therm. Spritzverfahren zur Beschichtung, Lichtbogenplasmaschmelzen, wobei mithilfe eines Lichtbogens Schrott in großen Elektroöfen zu Stahl verarbeitet werden kann, Plasmawärmebehandlungsverfahren, die zur thermochem. Oberflächenbehandlung von Werkstoffen dienen, Plasma-CVD-Verfahren (→CVD-Verfahren) und Plasmareinigung, wobei durch Partikelbeschuss aus einem sauerstoffhaltigen Plasma Verunreinigungen von Kunststoff- oder Metalloberflächen abträgt.

Plasmavolumen|expander, *Medizin:* →Plasmaersatzstoffe.

Plasmawellen, →Plasmaschwingungen.

Plasmazellen, Zellen des lymphat. Gewebes und des Knochenmarks, die bei bestimmten Krankheiten auftreten. P. entstehen aus B-Lymphozyten und sind wichtige Produzenten antigenspezif. Antikörper (Immunglobuline).

Plasmide, extrachromosomale Erbträger in Bakterien; kleine ringförmige, doppelsträngige DNS-Moleküle. P. tragen oft wichtige Gene, u.a. Resistenzfaktoren gegen Antibiotika und Sulfonamide.

Plasmodium [grch.-lat.] *das,* **1)** Zytoplasmakörper mit mehreren Zellkernen, z.B. bei Amöben und Schleimpilzen.

2) Erreger der →Malaria.

Plasmolyse [grch.] *die,* bei vakuolisierten Pflanzenzellen die Ablösung des Protoplasten (→Zelle) von der Zellwand, eine künstlich auslösbare osmot. Erscheinung in einer hyperton. Lösung eines Salzes (z.B. Kaliumnitrat) oder Nichtelektrolyten, deren osmot. Druck höher ist als der des Zellsaftes; dabei wird der Zelle Wasser entzogen. – Ersetzt man die hyperton. Lösung durch Wasser, so tritt der rückläufige Vorgang, die **Deplasmolyse,** ein. (→Osmose)

Plasmon *das,* Schwingungsquant der Plasmawellen, die bei kollektiven Anregungen von Elektronen in Festkörpern auftreten; ein →Quasiteilchen.

Plasmozytom [grch.] *das* (multiples Myelom, Kahler-Krankheit), zur Krankheitsgruppe der bösartigen Non-Hodgkin-Lymphome gehörende Wucherung von Plasmazellen im Knochenmark mit Bildung abartiger Proteine sowie Knochenzerstörung, Anämie und Nierenschädigung.

Plassenburg, Festung über →Kulmbach in Bayern.

Plastiden, Zellorganellen der Pflanzen, die meist von zwei biolog. Membranen umgeben sind. P. vermehren sich durch Teilung und besitzen innerhalb der Zelle eine gewisse genet. Selbstständigkeit, da sie eine eigene DNS haben. Man unterscheidet folgende P.-Typen: **Proplastiden** mit charakterist. Einschlüssen wie Stärke und Lipidtröpfchen; **Chloroplasten** mit hoher Chlorophyllkonzentration, in denen die →Photosynthese abläuft; **Leukoplasten** bilden aus Zucker Stärke; **Chromoplasten** sind durch Carotinoide gelb bis rot gefärbt; sie haben kein Chlorophyll. – Die Farbpigmente tragenden P. wie Chloro- und Chromoplasten heißen auch **Chromatophoren.**

Plastik [frz. aus grch.] *die,* →Bildhauerkunst; auch das einzelne Werk dieser Kunst.

Plastik [engl.] *das,* allgemeinsprachlich für Kunststoff.

Plastinationsverfahren [zu griech. plássein »bilden«, »formen«], ein Konservierungsverfahren, hauptsächlich für biolog. und medizin. Präparate, bei dem entsprechend vorbehandelte Gewebe mit einer Kunststofflösung durchtränkt und anschließend gehärtet werden.

plastisch, 1) körperhaft, räumlich; 2) formbar, modellierfähig, bildhauerisch.

plastische Chirurgie, Teilgebiet der Chirurgie, das die (Wieder-)Herstellung der organ. Funktionen bei angeborenen oder verletzungsbedingten Körperschäden oder die Beseitigung von Verunstaltungen mittels plast. Operationen zum Ziel hat. Die **konstruktive p. C.** versucht operativ nichtvorhandene Körperteile neu zu bilden. In der Unfallchirurgie ist die **rekonstruktive p. C.** bedeutend; z.B. werden Finger und Hände bzw. Zehen und Füße, abgerissene Nasenspitzen und Ohrläppchen meistens erfolgreich angenäht (replantiert). Die **anaplast. Chirurgie** befasst sich mit der Defektdeckung durch Transplantation von Haut und Weichteilgewebe. Im Unterschied zu diesen Bereichen werden in der **kosmet. (ästhet.) Chirurgie** Operationen an funktionstüchtigen Organen vorgenommen. Dadurch soll das äußere Erscheinungsbild eines Menschen verbessert oder verändert werden. Zu den Haupteingriffen gehören die Beseitigung altersbedingter Falten der Gesichtshaut (→Facelifting) sowie von übermäßigem Fettansatz, v.a. auch an Bauch und Oberschenkeln (Dermolipektomie) durch Absaugen und/oder operatives Abtragen des Fettgewebes, Korrekturen der Nase, der weibl. Brust (→Mammaplastik) und der Ohrmuscheln.

plastisches Hören, zweiohriges Hören (Richtungshören, binaurales Hören), bei elektroakust. Anlagen v.a. durch →Stereophonie und Pseudostereophonie hervorgerufen.

plastisches Sehen, zweiäugiges Sehen (binokulares Sehen), ermöglicht die Tiefenwahrnehmung. (→Raumbildverfahren)

Plastizität [grch.] *die, Werkstoffkunde:* Verformbarkeit von Werkstoffen durch äußere Kräfte, die eine nach Aufhören der Beanspruchung fortdauernde Verformung **(plast. Deformation)** ergibt (Ggs.: →Elastizität). Bei Metallen und spröden Werkstoffen (z.B. Marmor, Glas, Kristalle) tritt P. bei Belastung über die →Fließgrenze hinaus auf. Die P. spielt bei der spanlosen Umformung eine Rolle.

Plastoponik *die,* Bodenverbesserung durch Zugabe von 4 bis 12 mm großen Kunststoffflocken, die Nährsalze und Spurenelemente tragen.

Plastron [plasˈtrɔ̃; frz. »Brustharnisch«] *der* oder *das,* **1)** *Fechtsport:* 1) Stoßkissen zum Training der Genauigkeit der Treffer; 2) Schutzpolster für Brust und Arme.

2) *Kleidung:* Krawattenform der Herrenmode des 19. Jh. (gelegtes und mit Nadel befestigtes Tuch), heute gelegentlich noch beim Cutaway und in der Reiterkleidung.

3) *Tracht:* Miedereinsatz aus Weisszeug, Brusttuch, Stecker.

Platää (grch. Plataiai), antike Stadt in Südböotien, Griechenland. Hier siegten 479 v.Chr. die Griechen unter Pausanias über die Perser.

Platane: Ahornblättrige Platane

Platane [grch.] *die* (Platanus), Gattung der P.-Gewächse, 30–40 m hohe, sommergrüne Bäume mit in Platten sich ablösender Borke, ahornähnl. Blättern und Blüten in kugeligen Köpfchen. Die Früchte hängen einzeln oder zu mehreren an einem langen Stiel herab. Als Park- und Alleebäume werden in Mitteleuropa neben der **Amerikan. P.** (Platanus occidentalis) aus Nordamerika mit dreilappigen Blättern v.a. die **Morgenländ. P.** (Platanus orientalis) aus SO-Europa bis Kleinasien mit fünf- bis siebenlappigen Blättern sowie (am häufigsten) die Kreuzung beider Arten, die auch im Großstadtklima gedeihende **Ahornblättrige P.** (Platanus acerifolia × hybrida) mit drei- bis fünflappigen Blättern kultiviert.

Plateau [plaˈtoː, frz.] *das,* Hochebene.

August Graf von Platen Hallermund: (Kupferstich, um 1830)

Platen, August Graf von P. Hallermund (Hallermünde), Dichter, *Ansbach 24. 10. 1796, †Syrakus 5. 12. 1835; anfangs Offizier, studierte 1818–26 Jura, Philosophie und Naturwissenschaften; ab 1826 in Italien; bed. Lyriker, der das ästhet. Moment und die virtuose Handhabung anspruchsvoller lyr. Formen (Sonett, Ode, Ghasel) in den Vordergrund stellt; daneben verfasste er polit. Gedichte, die seine freiheitl. Gesinnung dokumentieren (»Polenlieder«, 1831/32 entstanden, hg. 1844). Breitere

Platereskenstil: Die um 1525 entstandene Fassade der Universität von Salamanca zeigt die für den Platereskenstil kennzeichnende Aufrasterung der Schaufläche in kleinteilige Schmuckelemente

Wirkung hatte er nur mit den von seinem Italienerlebnis geprägten Gedichten (»Das Grab im Busento«, Ballade, 1820; »Sonette aus Venedig«, 1825).

📖 BUMM, P. H.: *A. Graf von P. Eine Biographie. Paderborn u. a.* ²*1996.*

Platereskenstil [span. plateresco »nach Art von Silberschmiedearbeit«], gegen Ende des 15. Jh. aufgekommener Stil der span. Baukunst, der bis zur Mitte des 16. Jh. vorherrschte, bes. in Fassadendekorationen. Der P. verschmolz spätgot. und maur. Elemente des →Mudéjarstils mit Schmuckformen der italien. Frührenaissance.

Platforming ['plætfɔ:mɪŋ; Kw. aus engl. **pla**tinum and re**forming** process] *das,* →Reformieren.

Plath [plæθ], Sylvia, amerikan. Schriftstellerin, *Boston (Mass.) 27. 10. 1932, †(Selbstmord) London 11. 2. 1963; ab 1959 in Großbritannien; ⚭ mit dem Schriftsteller Ted Hughes (*1930); schrieb bekenntnishafte Lyrik (»Ariel«, hg. 1965) in bilderreicher Sprache und kühner Formgebung; außerdem »Die Glasglocke« (R., 1963).

Plathelminthes, die →Plattwürmer.

Platin [span. platina, Verkleinerung von plata (de argento) »(Silber)platte«] *das,* chem. Symbol **Pt,** Element aus der achten Gruppe des →Periodensystems der chem. Elemente, Hauptvertreter der →Platinmetalle; Ordnungszahl 78, relative Atommasse 195,08, Dichte 21,45 g/cm³, Schmelzpunkt 1769 °C, Siedepunkt 3830 °C. P. ist ein grauweißes, silbrig glänzendes Edelmetall, das an der Luft und gegen nicht oxidierende Säuren beständig ist. Es ist löslich in Königswasser und wird von geschmolzenen Alkalien in Gegenwart von Sauerstoff angegriffen. Auch mit einigen Elementen wie Silicium, Phosphor, Arsen, Antimon, Schwefel, Selen und versch. Schwermetallen reagiert P. bei höherer Temperatur. Ähnlich wie Palladium absorbiert P. große Mengen an Wasserstoff.

P. kommt in der Natur fast nur gediegen und meist zus. mit den übrigen P.-Metallen vor. Gebunden kommt P. in Form der Minerale Cooperit (PtS) und →Sperrylith zus. mit einigen primären Chromeisenerzen und Magnetkiesen vor (Kanada, Rep. Südafrika). Zur Gewinnung werden die P.-Metalle zunächst aus den Erzen durch →Flotation angereichert, oder man geht schon von Konzentraten, z. B. von den bei der Reinigung von Nickel anfallenden Anodenschlämmen, aus. Aus den Konzentraten werden zuerst die unedlen Begleitmetalle entfernt; anschließend zerlegt man das Gemisch der P.-Metalle durch geeignete Methoden (u. a. Entfernen von Ruthenium und Osmium als Tetroxide; Kristallisation der übrigen Metalle als Komplexsalze, Trennung durch Ionenaustauscher, Flüssig-Flüssig-Extraktion usw.), wobei man bei P. einen Reinheitsgrad von 99,999 % erreicht.

Verwendet wird P. (auch in Form von Legierungen) zur Herstellung von Schmuck, für medizin. und chem. Geräte, für elektr. Schaltkontakte, Elektroden und korrosionsbeständige Apparateteile (z. B. Spinndüsen). Große Bedeutung hat P. als Katalysator, wobei fein verteiltes P. auf Trägermaterialien (z. B. Asbest, Drahtnetze) aufgebracht oder als fein verteilte poröse Masse (»P.-Schwamm«) verwendet wird. Auch die zur Reinigung von Autoabgasen verwendeten Vorrichtungen (→Katalysator) enthalten in den katalytisch wirksamen Schichten u. a. Platin.

Platine [frz.] *die,* **1)** *Elektronik:* →gedruckte Schaltung.

2) *Fertigungstechnik:* ein Blechzuschnitt als ebene Ausgangsform in der spanlosen Fertigung, z. B. zum Drücken oder Tiefziehen. Die runde P. heißt auch **Ronde.**

Platinmetalle, Sammelbez. für das in der achten Nebengruppe des Periodensystems stehende

Element Platin und die ihm ähnl. Metalle: Ruthenium, Rhodium, Palladium **(leichte P.)** und Osmium, Iridium **(schwere Platinmetalle).**

Plạton (lat. Plato), grch. Philosoph, *Athen 427 v.Chr., †ebd. 348/347 v. Chr.; gründete in Athen zw. 387 und 385 die →Akademie. Seine Philosophie ist entscheidend geprägt von seinem Lehrer Sokrates und von Euklid und den Pythagoreern beeinflusst; sie nimmt die Form des sokrat., stufenweise zur Erkenntnis führenden Dialogs auf. Kernstück seiner Philosophie ist die Ideenlehre: Die Ideen sind die Urgestalten (»eidos«) der sinnlich erfahrbaren Dinge, ihr Seins- und Erkenntnisgrund. Sie sind unveränderlich und ewig; ihre denkende Erfassung ist nicht Erfahrung, sondern »Erinnerung« (Anamnesis), da die Seele aus den sinnl. Gegebenheiten als solchen keine Wesenserkenntnis schöpfen kann. Die der sinnl. Erfahrung zugängl. Dinge sind in ihrem Sein durch die »Teilhabe« an den Ideen konstituiert; sie sind deren Abbilder oder »Schatten«. Von ihnen gibt es daher kein strenges Wissen, sondern nur ein »Meinen«. Die Ideen ihrerseits stehen zueinander ebenfalls in einem Verhältnis der Teilhabe und bilden in der Idee des Guten als des obersten Prinzips eine Sinneinheit. Von der →Dialektik als Instrument seines Denkens unterscheidet P. den Mythos als gestalthafte Erfassungsweise. – Als Ziel seiner Ethik bestimmt P. das gute Leben und die Glückseligkeit, die ihre Erfüllung und geistige Voraussetzung letztlich in der Idee des Guten haben. Um den Weg zum Guten, dem göttl. Weltprinzip, offen zu halten, soll in der Seele die Vernunft über das Muthafte und das Begehren herrschen. Dann ergibt sich als ihre rechte Ordnung die Grundtugend der Gerechtigkeit. – Entsprechend den drei Seelenteilen soll der für P. ideale Staat, dargestellt in der »Politeia«, aufgebaut sein: Über den erwerbenden Stand erhebt sich der Kriegerstand. Aus ihm werden durch Bewährung die Herrscher ausgewählt, die, in der Ideenschau lebend, den Staat regieren.

Im Einzelnen bildete P.s Philosophie die Grundlage des metaphys. und ethischen Idealismus, der zunächst in der Akademie (bis 529 n.Chr.) weiterentwickelt und später von der neuplaton. Geisteshaltung (→Neuplatonismus) durchdrungen wurde. Unter den Kirchenvätern waren viele, bes. Augustinus, von P. beeinflusst. Schon hier, bes. aber in der Scholastik sowie in der jüd. und arab. Philosophie, flossen platon. Gedanken mit neuplaton. zusammen. 1428 kam der vollständige grch. Text der Werke P.s von Konstantinopel nach Venedig. Von der Platon. Akademie in Florenz (gegr. 1459; geleitet von Marsilio Ficino, *1433, †1499) aus verbreitete sich der **Platonismus** über ganz Europa, eine eigtl. platon. Schule bildete sich jedoch nur in England (Cambridger Schule, →englische Philosophie). Der Dt. Idealismus des 19. Jh. brachte eine Neubelebung der platon. und neuplaton. Denkrichtung (Hegel). In neuerer Zeit zeigte sich ein tief greifender Einfluss P.s in der Phänomenologie E. Husserls und in der Wertphilosophie.

Platon:
römische Kopie eines nach dem Tode Platons geschaffenen Bildnisses; der lange Bart galt in der Zeit des Philosophen als Zeichen würdigen Alters (4. Jh. v. Chr.; München, Glyptothek)

Von P. sind zahlr. Dialoge und Briefe erhalten: 1. frühe (»sokrat.«) Periode: Apologie (Verteidigungsrede des Sokrates), Kriton (über den Gesetzesgehorsam), Laches (über die Tapferkeit), Euthyphron (über die Frömmigkeit), Protagoras (über die Lehrbarkeit der Tugend), Gorgias (gegen die Sophisten); 2. mittlere Periode: Menon (Anamnesislehre), Phaidon (über die Unsterblichkeit der Seele), Phaidros und Symposion (über den Eros), Politeia (über den Idealstaat); 3. späte Periode (Alterswerk): Parmenides (die Ideenlehre), Theaitetos (Erkenntnislehre), Sophistes (Metaphysik), Politikos (über den philosophisch gebildeten Staatsmann), Philebos (Kritik des Hedonismus), Timaios (Naturphilosophie), die Gesetze (»Nomoi«, Staatslehre) u.a.

📖 GADAMER, H.-G.: *P.s dialekt. Ethik. Neuausg. Hamburg 1983.* – JASPERS, K.: *Plato. München ^{3}1985.* – SZLEZÁK, T. A.: *P. u. die Schriftlichkeit der*

Platon

Das Höhlengleichnis

Den Zustand des Alltagsverständnisses, das von der Erkenntnis der Wahrheit weit entfernt ist, verglich Platon in der »Politeia« mit der Lage von Gefangenen in einer Höhle: Sie sitzen gefesselt und blicken nur auf die Wand vor ihnen, sie sehen die Schatten von Gegenständen, die oben, außerhalb der Höhle, im Licht eines Feuers, vorbeigetragen werden. Weil sie nichts anderes kennen, halten sie die Schatten für das Wahre. Den Übergang der Seele in die Region wahrer Erkenntnis versuchte Platon an der Befreiung der Gefesselten und ihrem allmählichen Aufstieg aus der Höhle ins Sonnenlicht deutlich zu machen: So wie der Befreite schließlich die Sonne erblickt, trifft die Seele zuletzt unter allem Erkennbaren auf die Idee des Guten; diese bringt Wahrheit und Vernunft im Bereich des Erkennbaren hervor. Schulung der Erkenntnis bedeutet, wie Platon damit aufzeigt, die Umwendung der ganzen Seele.

Andrei Platonow

Rudolf Platte

Platterbse: Wiesenplatterbse (Höhe 30–100 cm)

Philosophie. Berlin u. a. 1985. – BORMANN, K.: *P. Freiburg im Breisgau u. a. [2]1987.* – FINDLAY, J. N.: *Plato u. der P. Eine Einführung. A. d. Amerikan. Königstein im Taunus [2]1994.* – ZEHNPFENNIG, B.: *P. zur Einführung. Hamburg 1997.*

Platonische Akademie, nach dem Vorbild der →Akademie Platons von dem Platoniker Giorgos Gemistos Plethon angeregte und von Cosimo de' →Medici gestiftete Akademie; bestand 1459–1522. Mitglieder waren u. a. Marsilio Ficino (*1433, †1499) und Pico della Mirandola.

platonische Liebe, geistige, nichtsinnl. Liebe.

platonischer Körper, *Geometrie:* →Körper.

platonisches Jahr, *Astronomie:* →Präzession.

Platonow, Andrei Platonowitsch, russ. Schriftsteller, *Woronesch 1. 9. 1899, †Moskau 5. 1. 1951; schrieb Gedichte und v. a. psychologisch motivierte, irrational verfremdete Erzählwerke (»In der schönen und grimmigen Welt«, Erz., 1965; »Die Kutschervorstadt«, Erz.en, 1968; »Die Baugrube«, R., 1968; »Unterwegs nach Tschevengur«, R., 1972).

Plattdeutsch, Bez. für die niederdt. Mundart.

Platte [von grch. platýs »eben«], **1)** *Bautechnik:* ebenes, flaches Bauelement aus hartem steifen Material.

2) *Fototechnik:* Glasscheibe mit lichtempfindl. Schicht(en) für fotograf. Aufnahmen.

3) *Geomorphologie:* ebene Landoberfläche, die sich über das Niveau ihrer Umgebung erhebt.

Platte, Rudolf, Schauspieler, *Dortmund 12. 2. 1904, †Berlin (West) 18. 12. 1984; Charakterdarsteller; durch zahlreiche Theater-, Film- und Fernsehrollen einer der bekanntesten dt. Komiker.

Plattenbalken, *Bautechnik:* im Stahlbetonbau ein T-förmiger Verbundkörper.

Plattenkalk, dichter Kalkstein mit plattenförmiger Absonderung, z. B. im Muschelkalk, bes. im Malm (Solnhofener P.). P. lässt sich schneiden, schleifen und polieren; wird zu lithograph. Druckplatten und im Baugewerbe verarbeitet.

Plattensee (ungar. Balaton), See in Ungarn, am Südostfuß des Ungar. Mittelgebirges, mit 591 km^2 der größte See Mitteleuropas, 106 m ü. M., 78 km lang, bis zu 15 km breit; flacher (durchschnittlich 3 m, maximal 11 m tief) Steppensee, fischreich; am N-Ufer Weinbaugebiete; bed. Fremdenverkehr, Kurorte; z. T. Naturschutzgebiet.

Plattenspieler, elektroakust. Wiedergabegerät, mit dem die auf Schallplatten gespeicherten Schallaufzeichnungen in entsprechend modulierte Wechselspannungen umgewandelt und dann mittels Verstärker und Lautsprecher hörbar gemacht werden. Der P. besteht aus dem von einem Elektromotor angetriebenen Laufwerk, das den Plattenteller antreibt, und dem über dem Plattenteller schwenkbaren bzw. tangential geführten Tonarm mit einem elektr. Tonabnehmer; dieser tastet mit seiner Abtastnadel (Saphir oder Diamant) die Rillen der auf dem Plattenteller liegenden Schallplatte ab. Die Nenndrehzahlen des Plattentellers betragen 33 und 45 Umdrehungen je Minute.

Plattentektonik, die Weiterentwicklung der Theorie der →Kontinentalverschiebung zur Erklärung von Aufbau und Entwicklung der Erde, fußt v. a. auf geophysikal., petrolog. und geolog. Untersuchungen im ozean. Bereich. Danach besteht die →Lithosphäre aus sechs großen, mehr oder weniger starren Platten, zw. die kleinere Platten eingeschaltet sind, die sich auf der Asthenosphäre bewegen. Wo diese Platten auseinander driften, entstehen Dehnungsfugen (→Seafloor-Spreading), in denen aufsteigende vulkan. Schmelzen untermeer. Schwellen bilden, deren Umgebung sich durch hohe Seismizität und starke Wärmestrahlung auszeichnet. Zugleich wird an den mittelozean. Rücken ständig neue ozean. Kruste gebildet, die sich symmetrisch nach beiden Seiten ausbreitet. Dort, wo sich die Platten aufeinander zu bewegen, werden durch Unterschiebung der einen unter die andere Platte (Subduktionszone) die überlagernden Sedimente gestaucht und zu Kettengebirgen oder Inselbögen aufgefaltet. Bei Transformstörungen bewegen sich Platten horizontal aneinander vorbei.

📖 SEIBOLD, E.: *Das Gedächtnis des Meeres. München 1991.* – STROBACH, K.: *Unser Planet Erde. Ursprung u. Dynamik. Berlin u. a. 1991.*

Platter, Thomas, schweizer. Humanist, *Grächen (Wallis) 10. 2. 1499, †bei Basel 26. 1. 1582; war Ziegenhirt und Seilergeselle; wurde Buchdrucker und Verleger Calvins, 1544–78 Leiter der lat. Stadtschule in Basel; bed. Autobiographie.

Platt|erbse (Lathyrus), artenreiche Gattung der Schmetterlingsblütler mit Fiederblättern und häufig langer Blattranke; in schattigen Wäldern die **Frühlings-P.** (Lathyrus vernus) mit rotvioletten Blüten; an Wegen und auf Äckern die rot blühende **Knollen-P.** (**Erdnuss-P., Ackernuss,** Lathyrus tuberosus), auf Wiesen die gelb blühende **Wiesen-P.** (Lathyrus pratensis). Eine häufige Zierpflanze ist die **Duftende P., Gartenwicke** oder **Duftwicke** (Lathyrus odoratus) mit vielfarbigen langstieligen Blüten.

Platte River ['plæt 'rɪvə], rechter Nebenfluss des Missouri in Nebraska, USA, 500 km lang; entsteht durch Zusammenfluss von **North P. R.** (1094 km) und **South P. R.** (711 km), mündet bei Omaha.

Plattfische (Flachfische, Pleuronectiformes, Heterosomata), Ordnung der Knochenfische, deren frei schwimmende, zweiseitig symmetr. Larve zum Bodenleben übergeht. Dabei werden Teile des Kopfskeletts mit einem Auge auf die (spätere) obere Seite verlagert. Die »blinde Unterseite« (bei den meisten Arten die linke) bleibt hell oder farblos. Alle P. leben am Grund und wühlen sich z.T. in den Sand ein. Sie schwimmen durch wellenförmige Bewegungen des Körpers oder kriechen mit dem Flossensaum auf dem Grund. Von den Familien der P. sind am ursprünglichsten die **Ebarmen** (Psettodidae) mit Stachelstrahlen an der Rücken- und Afterflosse; nur zwei Arten im Indopazifik und an der W-Küste Afrikas. Alle übrigen Familien haben keine Stachelstrahlen. Die weltweit verbreiteten **Butte** (Familie Bothidae) sind stets linksäugig. In europ. Gewässern lebt der **Steinbutt** (**Tarbutt,** Scophthalmus maximus), der bis 1 m lang wird, und der bis 70 cm lange **Glattbutt** (**Kleist,** Scophthalmus rhombus). Bei den **Schollen** (Familie Pleuronectidae) sind die Augen meist auf der rechten Seite. Die größte Art in europ. Gewässern ist der **Heilbutt** (Hippoglossus hippoglossus), ein geschätzter Speisefisch, der im S des Ostatlantik bis zur Biskaya vorkommt (bis 2,5 m, maximal 4 m lang und 300 kg schwer). Die **Doggerscharbe** (**Scharbenzunge,** Hippoglossoides platessoides) wird etwa 50 cm lang und ist vom Weißen Meer bis zur südl. Nordsee verbreitet. Die **Scholle** (**Goldbutt,** Pleuronectes platessa), wird bis 95 cm lang und bewohnt das Eismeer und den Nordatlantik bis zum westl. Mittelmeer. Die **Flunder** (**Graubutt,** Platichthys flesus), höchstens 50 cm lang, ist vorwiegend rechtsäugig und bewohnt die Küstengewässer von Nordnorwegen bis zum Schwarzen Meer; dringt auch häufig z.B. in die Elbe und in den Rhein vor. Die **Kliesche** (**Scharbe,** Limanda limanda) wird maximal 40 cm lang. Ihr Verbreitungsgebiet erstreckt sich von Nordnorwegen bis zur Biskaya. Ein geschätzter Speisefisch ist die **Rotzunge** (Glyptocephalus cynoglossus), die bis 50 cm lang wird und den nördl. Atlantik bis zur Biskaya bewohnt. Die **Zungen,** **Seezungen** oder **Echten Zungen** (Familie Soleidae) sind meist rechtsäugig und haben einen schlanken Körper. Die **Gemeine Seezunge** (**Zunge,** Solea solea) wird bis 50 cm lang, bewohnt den O-Atlantik bis N-Afrika und das Mittelmeer; sehr guter Speisefisch. Die **Hundszungen** (Familie Cynoglossidae) sind linksäugig, bewohnen die Küsten trop. und gemäßigter Meere, fehlen aber im europ. Raum.

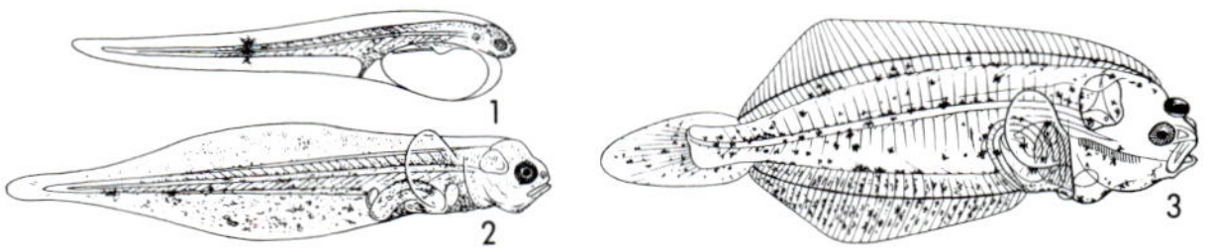

Plattfische: Als Larven sind die Plattfische noch symmetrisch gebaut, erst im Verlauf der Metamorphose wird der Körper asymmetrisch; 1 Larve aus einem zwei Tage alten Ei (3,1 mm lang), 2 Larve kurz vor Beginn der Flossensaumbildung (7,2 mm lang), 3 Larve in Umwandlung mit dem Auge auf der Körperkante (10,2 mm lang)

Plattfuß, →Fußdeformitäten.

Plattentektonik

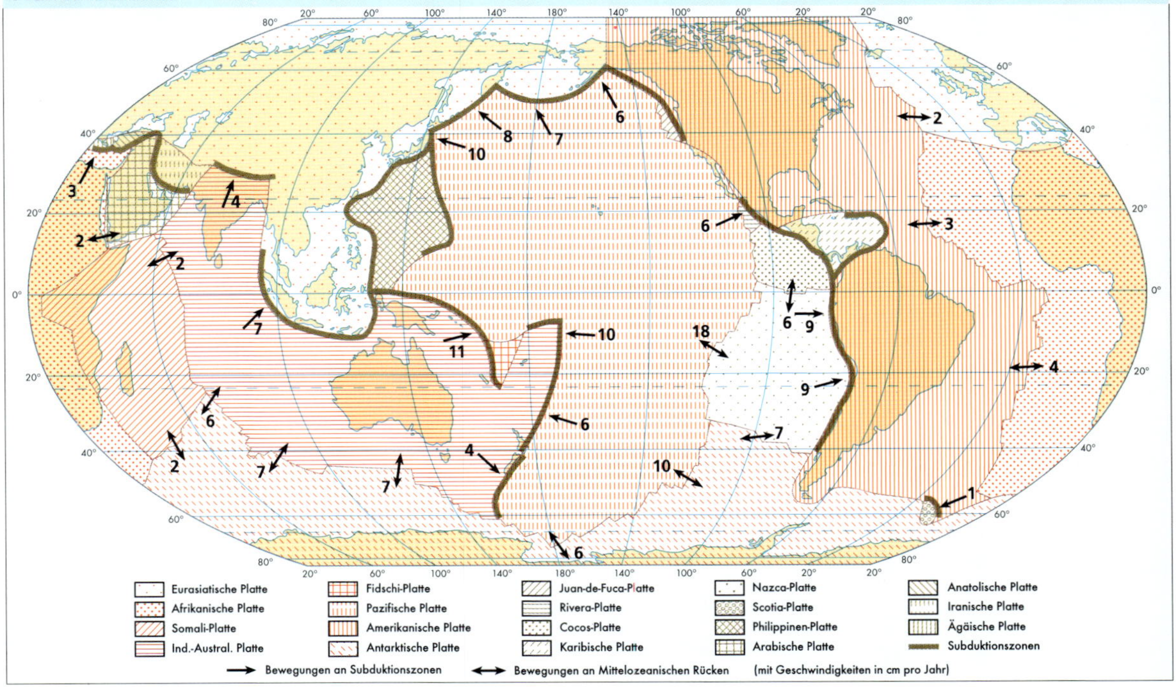

Plauen
Stadtwappen

Plattmuscheln:
Schalen der Baltischen Plattmuschel (Größe bis zu 3 cm)

Plattwanzen:
Bettwanze (Länge bis zu 8 mm)

plattieren, 1) *Metallbearbeitung:* eine höherwertige Metallschicht auf ein anderes Metall aufbringen, z. B. durch Angießen, Aufwalzen und Aufschweißen oder durch Verfahren der Galvanotechnik. (→ Dublee)

2) *Textiltechnik:* ein Fadensystem mit einem anderen überdecken oder einen minderwertigen Faden mit einem besseren umwickeln, um Aussehen oder Gebrauchseigenschaften zu verbessern.

Plattling, Stadt im Landkreis Deggendorf, Bayern, an der Isar, 12 000 Ew.; Orgel-, Maschinenbau, Zucker-, Fleischwaren-, Papierfabrik. – Jacobskirche (13. Jh.). – 868 erstmals erwähnt, 1888 Stadt.

Plattmuscheln (Tellmuscheln, Tellinidae), Familie z. T. prächtig gefärbter Muscheln im Pazifik und Atlantik, z. B. in der Nord- und Ostsee die **Balt. P. (Rote Bohne,** Macoma baltica).

Plattwanzen (Cimicidae), Familie Blut saugender Wanzen mit rd. 20 Arten, braun, abgeplattet, Flügel zurückgebildet. P. kommen bei Vögeln und Säugetieren vor, seltener bei Kriechtieren. Die bekannteste Gattung ist **Cimex,** zu der die **Bettwanze** (Cimex lectularius) gehört, ein bis zu 8 mm langer, stummelflügeliger Blutsauger am Menschen u. a. Warmblütern, lebt tagsüber in Ritzen, hinter Tapeten u. Ä. Der Stich verursacht juckende Quaddeln; Bekämpfung durch Insektizide und Begasung befallener Wohnungen.

Plattwürmer (Plathelminthes), Klasse der Würmer mit abgeplattetem Körper; z. T. Schmarotzer mit stark vereinfachtem Körperbau und reduzierten Sinnes- und Verdauungsorganen, z. B. Strudel-, Saug- und Bandwürmer.

Platy [grch.] (Xiphophorus maculatus), Art der lebend gebärenden Zahnkarpfen aus Mexiko und Guatemala; friedl. Aquarienfisch.

Platzangst (Agoraphobie), Furcht (Phobie) vor dem Überschreiten von Plätzen und Straßen.

Platzhirsch, der stärkste Hirsch am Brunftplatz.

Platzierung, *Wirtschaft:* Unterbringung (Verkauf) neu ausgegebener Wertpapiere beim Publikum. (→ Emission)

Platzpatrone, Manövermunition für Handfeuerwaffen, die Mündungsfeuer und -rauch sowie den Abschussknall eines scharfen Schusses simuliert, ohne dass harte Teile das Rohr verlassen.

Platzverweis, 1) *Polizei- und Ordnungsrecht:* die polizeil. Befugnis, Personen von einem bestimmten Ort zu verweisen, wenn sie eine konkrete Gefahr verursachen (können).

2) *Sport:* → Feldverweis. **P. auf Zeit,** in versch. Sportarten sofortiger, zeitlich befristeter Spielausschluss.

Platzwechsel, Wechsel, bei dem der Ausstellungsort auch Zahlungsort ist. Ggs.: Distanzwechsel.

Plauen, kreisfreie Stadt und Verw.sitz des Vogtlandkreises in Sachsen, an der Weißen Elster, 67 800 Ew.; kultureller und wirtsch. Mittelpunkt des Vogtlandes; Stadttheater, Vogtlandmuseum; Textilind. (u. a. Spitzen), Druck-, Werkzeugmaschinenbau, Glühlampenwerk. – Alter Stadtkern um den Altmarkt mit dem Alten Rathaus (1508, nach Stadtbrand 1548 erneuert), der Johanniskirche (1122 geweiht; nach 1548 als Hallenkirche erneuert), der Lutherkirche (1693–1722) und dem in drei Patrizierhäusern (18. Jh.) untergebrachten Vogtlandmuseum. Vom 1945 zerstörten Schloss der Vögte wurde der Burgfried (»Roter Turm«) wiederhergestellt. – Urspr. slaw. Siedlung **(Plawe);** 1122 erstmals erwähnt; entstand als Stadt gegen 1220, um 1244 durch eine Neustadt erweitert; seit dem 13. Jh. Hauptort des Vogtlandes; fiel 1466 an Kursachsen, gehörte 1656–1718 zu Sachsen-Zeitz.

Plauer See, 1) drittgrößter See der Mecklenburg. Seenplatte, Meckl.-Vorp., 39 km² groß, bis 24 m tief, von der Elde durchflossen; Erholungsgebiet.

2) seenartige Erweiterung der Havel westlich von Brandenburg an der Havel, in die hier der Elbe-Havel-Kanal mündet; 17 km² groß; Erholungsgebiet.

Plautus, Titus Maccius, lat. Komödiendichter, *Sarsina (bei Cesena) um 250 v. Chr., †Rom 184 v. Chr.; bearbeitete ausschließlich grch. Komödien für die röm. Bühne. Von seinen vielen Komödien sind 21 erhalten, darunter »Amphitruo«, »Aulularia«, »Menaechmi«, »Miles gloriosus«. Seine Komödien sind oft von derber Komik, lebendig im Dialog und sehr bühnenwirksam; sie waren wegweisend für das europ. Lustspiel.

Play-back ['pleɪbæk, engl.] *das,* besondere Art der Herstellung und Reproduktion einer Tonfilmaufnahme. Während der Bildaufnahme wird die vorher unter günstigen akust. Bedingungen aufgezeichnete Tonaufnahme (Musik, Sprache) über Lautsprecher wiedergegeben (»zugespielt«); die Sänger/Schauspieler richten sich nach dieser Wiedergabe (synchrone Mundbewegungen beim Singen/Sprechen); Anwendung u. a. beim Fernsehen, v. a. bei Shows.

Playboy ['pleɪbɔɪ, engl.] *der,* (jüngerer), aufgrund seiner wirtsch. Unabhängigkeit v. a. dem Vergnügen lebender Mann; weibl. Entsprechung: **Playgirl.**

Playboy ['pleɪbɔɪ, engl.], amerikan. Männerzeitschrift, 1953 gegr. von Hugh Marston Hefner (*1926); eine dt. Ausgabe erscheint seit 1972.

Play-off ['pleɪɔf, engl.] *Sport:* in Meisterschaftsendrunden System von Ausscheidungsspielen; der Verlierer scheidet aus dem Turnier aus.

Plazenta [lat.] *die* (Placenta), der → Mutterkuchen.

Plazentatiere (Plazentalier, Placentalia), Unterklasse der Säugetiere, deren Embryonen stets durch eine Plazenta ernährt werden.

Plazet *das* [lat. placet »es gefällt«] **1)** *Kirchenrecht:* (Placet) Zustimmungsformel, bes. bei Konzilen.

2) *Staatskirchenrecht:* (landesherrl. P., lat. Placetum Regium, Exequatur) das aus eigener Macht beanspruchte Recht des Staates, kirchl. Erlasse vor ihrer Veröffentlichung zu prüfen und zu genehmigen; in Dtl. durch die Weimarer Verf. beseitigt.

Plebejer [lat.] *der,* Angehöriger der →Plebs.

Plebiszit [lat. »Volksbeschluss«] *das,* **1)** *Geschichte:* im alten Rom der in den Versammlungen der Plebs gefasste, zunächst nur für sie verbindl. Beschluss; seit 287 v. Chr. von gleicher Geltung wie ein vom Gesamtvolk erlassenes Gesetz.

2) *Staatsrecht:* die →Volksabstimmung.

3) *Völkerrecht:* eine Abstimmung, bei der die stimmberechtigte Bev. eines bestimmten Gebietes darüber entscheidet, ob sie im bisherigen Staatsverbund verbleiben oder ihn wechseln will, z. B. bei Gebietsabtretung u. Ä. (→Option).

Plebs [lat.], **1)** *der, allg.:* niederes Volk, Pöbel.

2) *die, Geschichte:* im alten Rom urspr. die gesamte Bevölkerung, die nicht zu den altadligen Familien, den →Patriziern, gehörte; in der späteren Republik die nicht dem Senatoren- oder Ritterstand, seit der Kaiserzeit auch die nicht der geistigen Oberschicht angehörende Bevölkerung.

Plechanow, Georgi Walentinowitsch, russ. Revolutionär, *Gudalowka (heute Gebiet Lipezk) 11. 12. 1856, †Terijoki (heute Selenogorsk, Gebiet Leningrad) 30. 5. 1918; zunächst Anhänger der →Narodniki; emigrierte 1880 und gründete 1883 in Genf die erste russische marxist. Gruppe (»Befreiung der Arbeit«); 1889–1904 Mitgl. der Exekutive der 2. Internationale. P. übte auf Lenin großen Einfluss aus (gemeinsame Gründung der Zeitschrift »Iskra«, 1900). Nach der Spaltung der Sozialdemokrat. Arbeiterpartei Russlands (1903) unterstützte er die Menschewiki. 1917 wandte er sich gegen Lenins Kurs einer revolutionären Machtergreifung; theoret. Schriften, u. a. »Über die Rolle der Persönlichkeit in der Geschichte« (1898).

Georgi Plechanow

Plečnik [ˈpleːtʃnik], Jože (Josef), slowen. Architekt, *Ljubljana 23. 1. 1872, †ebd. 6. 1. 1957; Pionier der modernen Architektur, u. a. Umbau des Hradschin in Prag (1921–35), National- und Universitätsbibliothek in Ljubljana (1936–40).

Pléiade [pleˈjaːdə, frz. pleˈjad], frz. Dichterkreis der Renaissance, dem in wechselnder Zusammensetzung sieben Dichter angehörten (P. Ronsard, J. Du Bellay, E. Jodelle u. a.). Sie wollten das Französische zu einem den antiken Sprachen ebenbürtigen sprachl. System ausbauen und die frz. Lyrik durch die Nachbildung antiker und italien. Formen erneuern.

📖 Wittschier, H. W.: *Die Lyrik der P. Frankfurt am Main 1971.*

Pleinairmalerei [plɛnˈɛːr-, frz.], die →Freilichtmalerei.

Pleiße *die,* rechter Nebenfluss der Weißen Elster, 90 km lang, entspringt südwestlich von Zwickau, mündet in Leipzig; mehrfach gestaut.

Pleißenland, Gebiet beiderseits der Pleiße um Altenburg, Chemnitz und Zwickau; nach 1158 Reichsgutsbezirk, ab 1308/11 (1329) der Landesherrschaft der Wettiner eingegliedert.

Pleistozän [grch.] *das* (früher Diluvium), das quartäre Eiszeitalter (→Holozän, →Eiszeitalter).

p-Leitung, die Defektelektronenleitung im →Halbleiter.

Plejaden 1): Die hellsten Sterne des Sternhaufens sind auch mit bloßem Auge zu erkennen

Plejaden 1)

Plejaden, 1) *Astronomie:* (Siebengestirn) mit bloßem Auge sichtbarer offener Sternhaufen (M 45) im Sternbild Stier, der wahrscheinlich aus 300 bis 500 Sternen besteht. Der Name Siebengestirn ist irreführend, weil mit bloßem Auge nur sechs Sterne heller als 5^m, aber neun Sterne heller als 6^m gesehen werden (→Größenklasse). Die P.-Sterne sind in interstellare Staubmaterie eingebettet, die im Licht der Sterne leuchtet und auf fotograf. Aufnahmen als **P.-Nebel** erkennbar ist (ein Reflexionsnebel).

2) *grch. Mythos:* (Pleiaden) die sieben Töchter des Atlas und der Okeanide Pleione, von Zeus als Siebengestirn an den Himmel versetzt, um sie vor den Nachstellungen des Jägers Orion zu retten.

Plektron [grch.] *das* (Plektrum), Plättchen aus Holz, Schildpatt, Horn, Elfenbein, Metall oder Kunststoff zum Anreißen oder Schlagen der Saiten von Zupfinstrumenten.

Plenterwald (Femelwald), Form des vorzugsweise reich gemischten Hochwaldes (mit ungleichaltrigen Bäumen), dessen Kronendach ständig neu aufgelockert wird; ökologisch günstig.

Plenum [lat. »voll«] *das,* die Vollversammlung eines Kollegiums (Plenarsitzung), insbesondere der Mitgl. einer Volksvertretung.

Plesiosaurier: Das etwa 200 Millionen Jahre alte versteinerte Skelett des Plesiosaurus brachypterygius aus dem Posidonienschiefer von Holzmaden hat eine Länge von 2,8 m (Holzmaden, Museum Hauff)

Ulrich Plenzdorf

Plenzdorf, Ulrich, Drehbuchautor und Schriftsteller, *Berlin 26. 10. 1934; war Szenarist und Filmdramaturg bei der DEFA. Sein Bühnenstück »Die neuen Leiden des jungen W.« (gedruckt 1973; auch als Erz.) bewirkte eine breite Diskussion über Lebensgefühl und Selbstverwirklichung von Jugendlichen in der DDR. P. verfasste auch Filmerzählungen und -szenarien, u.a. »Die Legende von Paul und Paula« (1974; erweitert als Roman u.d.T. »Legende vom Glück ohne Ende«, 1979), »Liebling Kreuzberg« (1993), ferner »Buridans Esel« (Dr., UA 1976).

pleo..., pleio..., plio... [grch.], mehr..., mehrfach.

Pleochroismus [grch. »Mehrfarbigkeit«] *der,* Eigenschaft mancher optisch anisotroper, farbiger Kristalle, in Abhängigkeit von Strahl- und Schwingungsrichtung des durchstrahlenden Lichtes verschiedenfarbig zu erscheinen; Grund ist die unterschiedl. Absorption in zwei **(Dichroismus)** bzw. drei **(Trichroismus)** ausgezeichneten Richtungen.

Helmuth Plessner

Pleonasmus [grch. »Überfluss«] *der,* gedanklich überflüssige Häufung sinnverwandter Wörter, z.B. »leider zu meinem Bedauern«; kann, als rhetor. Figur verwendet, der nachdrückl. Veranschaulichung dienen (ÜBERSICHT Redefiguren).

Plesiosauri|er [grch.] (Plesiosauria), ausgestorbene, von der Mittleren Trias bis zur Oberkreide bekannte Unterordnung bis 14 m langer Reptilien mit langem Hals, kleinem Schädel, kurzem Schwanz, paddelartigen Gliedmaßen. Die bekanntesten Gattungen sind Elasmosaurus (z.B. mit der größten Art Elasmosaurus platyurus) und Plesiosaurus (z.B. mit der Art Plesiosaurus brachypterygius). Vollständige Skelette wurden bes. im Lias von Schwaben, Franken und England gefunden.

René Pleven

Pleskau, Stadt in Russland, →Pskow.

Pleskauer See, See in Russland, mit dem →Peipussee verbunden.

Pleß, Stadt in Polen, →Pszczyna.

Plessner, Helmuth, Philosoph, *Wiesbaden 4. 9. 1892, †Göttingen 12. 6. 1985; 1951–63 Prof. ebd.; neben M. Scheler der Begründer der philosoph. Anthropologie; Werke auch zur Soziologie und Politik. – »Die Stufen des Organischen und der Mensch« (1928), »Diesseits der Utopie« (1966), »Philosoph. Anthropologie« (1970).

Plessur|alpen, von der Plessur durchflossene Gebirgsgruppe im Kt. Graubünden, Schweiz, zw. Rheintal, Albula, Davoser Tal und Prättigau, im Aroser Rothorn 2980 m ü.M.

Plettenberg, Stadt im Märkischen Kr., NRW, im Sauerland, 29400 Ew.; Eisenverarbeitung (aus dem ehem. Erzbergbau hervorgegangen).

Pleuelstange (Schubstange, Kurbelstange, Treibstange), beim Kurbelgetriebe von Kraft- und Arbeitsmaschinen der Teil, der die hin- und hergehende Bewegung, z.B. des Kolbens, in eine rotierende Bewegung, z.B. der Kurbel, und umgekehrt die rotierende in eine gerade gehende Bewegung umwandelt.

Pleura [grch.] *die,* das →Brustfell.

Pleura|erguss, →Rippenfellentzündung.

Pleuritis *die,* die →Rippenfellentzündung.

Pleuston [grch.] *das,* Lebensgemeinschaft der Pflanzen und Tierarten, die auf oder in der Wasseroberflächenschicht leben.

Pleven [plɛ'vɛ̃], René, frz. Politiker, *Rennes 13. 4. 1901, †Paris 13. 1. 1993; Jurist, während des 2. Weltkriegs in der Widerstandsbewegung, in der Vierten Republik mehrmals Min., 1951–52 Min.-Präs.; legte 1950 einen Plan über die Aufstellung einer gemeinsamen europ. Armee vor **(Plevenplan).**

Plewen, Stadt in der Region Lowetsch, Bulgarien, 130400 Ew.; in einem Agrargebiet des Donauhügellandes; Weinbauinstitut; Weinkellereien, Nahrungsmittel-, Textil-, chem., Zementind., Maschinenbau, Erdölraffinerie (westlich von P. Erdölförderung). – Urspr. thrak. Siedlung; im 1./2. Jh. römisch, ab 1266 ungarisch; Ende 14. bis Ende 19. Jh. osmanisch (Festung).

Plexiglas®, Handelsname für harte, thermoplast., glasartig durchsichtige Kunststoffe aus →Polymethacrylat.

Plexus [lat.] *der* (Geflecht), netzartige Verbindung von Nerven (z.B. das →Sonnengeflecht) oder Blutgefäßen.

Pleydenwurff (Pleidenwurff), Hans, Maler, *Bamberg um 1420, begraben Nürnberg 9. 1. 1472; dort seit 1457 nachweisbar. Mit ihm setzte sich ein durch die niederländ. Kunst vermittelter neuer Wirklichkeitssinn in der Nürnberger Malerei durch. Zu seinen Schülern gehörte M. Wolgemut. –

Werke: Löwenstein-Diptychon (um 1456; Basel, Kunstmuseum, und Nürnberg, German. Nationalmuseum); Hochaltar für St. Elisabeth in Breslau (1462; Tafeln in Breslau, Museum, und Nürnberg, German. Nationalmuseum); Kreuzigung (um 1470; München, Alte Pinakothek). – Sein Sohn Wilhelm P., † Nürnberg 1494, schuf mit M. Wolgemut die Holzschnitte für die Weltchronik von H. → Schedel.

Plicht [ahd. »Ruderbank vorn im Schiff«] *die* (Cockpit), der offene, tief gelegene Sitzraum auf Segel- und Motorbooten.

Plievier [pliv'je:], Theodor, urspr. T. Plivier, Schriftsteller, * Berlin 12. 2. 1892, † Avegno (Kt. Tessin) 12. 3. 1955; lebte 1933–45 im Exil, zuletzt in der Sowjetunion; stand bis nach dem 2. Weltkrieg dem Kommunismus nahe. Seine Romane zeigen starkes sozialkrit. Engagement, z. B. »Des Kaisers Kulis« (1929). Bes. bekannt wurde die Romantrilogie über Hitlers Russlandfeldzug (»Stalingrad«, 1945; »Moskau«, 1952; »Berlin«, 1954), die zugleich eine realist. Chronik des dt. Zusammenbruchs ist.

Plinius, 1) P. der Ältere, Gaius P. Secundus, lat. Schriftsteller, * Comum (heute Como) 23 oder 24 n. Chr., † Stabiae (heute Castellammare di Stabia) 79 beim Vesuvausbruch, Onkel und Adoptivvater von 2); von seinen Schriften ist die »Naturgeschichte« (»Naturalis historia«) in 37 Büchern erhalten, in der er als Erster in enzyklopäd. Kompilation alle Erscheinungen der Natur dargestellt hat.

2) P. der Jüngere, Gaius P. Caecilius Secundus, röm. Redner und Schriftsteller, * Comum (heute Como) 61 oder 62 n. Chr., † um 113, Neffe und Adoptivsohn von 1); war unter Trajan Konsul und später Statthalter von Bithynien. Seine in neun Büchern veröffentlichten Briefe (97–109) geben ein anschaul. Bild der zeitgenöss. röm. Gesellschaft.

Hans Pleydenwurff: Kanonikus Graf von Löwenstein, rechter innerer Flügel des Löwenstein-Diptychons (um 1456; Nürnberg, Germanisches Nationalmuseum)

Plitvicer Seen: Die beiden untersten Seen mit den Sastavcifällen (im Vordergrund) bilden den Abschluss der Seenkette

Pliozän [grch.] *das,* fünfte und jüngste Abteilung des → Tertiär.

Plissee [frz. »gefaltet«] *das,* Gewebe oder Maschenware mit dicht angeordneten, gleichmäßig verlaufenden gewebten, genähten oder eingepressten (plissierten) Falten.

Plissetzkaja, Maja Michailowna, russ. Tänzerin und Choreographin, * Moskau 20. 11. 1925; wurde 1943 Mitgl. des Moskauer Bolschoi-Balletts (seit 1962 Primaballerina), hervorragende Interpretin klass. und moderner Rollen; choreographierte und verkörperte die Hauptrollen u. a. in »Anna Karenina« (1972), »Die Möwe« (1980, nach der Musik ihres Mannes R. K. Schtschedrin); 1984–86 Leiterin des Opernballetts in Rom, 1987–90 des span. Nationalballetts in Madrid.

Plitvicer Seen ['plitvitsər-] (kroat. Plitvička jezera), Seenkette am N-Fuß der Kleinen Kapela, Kroatien; 16 treppenförmig aufgereihte Seen, die durch Kalktuffdämme (über die das Wasser in Stromschnellen oder Fällen fließt) aufgestaut und voneinander getrennt sind; Nationalpark P. S. (UNESCO-Welterbe).

PLL [Abk. für engl. **p**hase-**l**ocked **l**oop »Phasenregelschleife«], Analogschaltung zur Phasen- und Frequenzsynchronisation zweier Schwingungen;

Theodor Plievier

Maja Plissetzkaja (um 1965)

Anwendung z. B. bei Stereodecodern, Demodulatoren, zur Klangerzeugung in Synthesizern.

PL/M [Abk. für engl. **p**rogramming **l**anguage for **m**icroprocessors], in Anlehnung an PL/1 speziell für Mikrocomputer geschaffene, höhere Programmiersprache.

PLO, Abk. für **P**alestine **L**iberation **O**rganization, →Palästinensische Befreiungsorganisation.

Plochingen, Stadt im Landkreis Esslingen, Bad.-Württ., an der Einmündung der Fils in den Neckar, 13 100 Ew.; Maschinenbau, keram., elektrotechn. und Kunststoffind., Brauerei; Endpunkt der Neckarschifffahrt. – Spätgot. Stadtkirche (15. Jh.); Ottilienkapelle (1328).

Płock [puɔtsk] (dt. Plozk), Hauptstadt der Wwschaft P., Polen, an der Weichsel, 125 900 Ew.; Masowien-, Diözesanmuseum, Kulturzentrum Darmstadt-Haus (im ehem. Wohnhaus E. T. A. Hoffmanns), Zoo; Erdölraffinerie, Maschinenbau, Leichtind.; Flusshafen mit Werft. – Roman. Dom (12. Jh.); klassizist. Bürgerhäuser. – Seit dem 11. Jh. Hauptort von Masowien, seit 1075 Bischofssitz, 1138–1351 Residenz der masow. Herzöge, wurde 1237 Stadt; kam 1495 zu Polen, 1793–1807 preußisch, fiel 1815 an Kongresspolen.

Karl Ploetz

Plöckenpass (italien. Passo di Monte Croce), Pass in den Karn. Alpen, →Alpenstraßen, ÜBERSICHT.

Plöckenstein (tschech. Plechý), Berg im Böhmerwald am Dreiländereck zw. dt., österr. und tschech. Staatsgebiet, mit dem Hauptgipfel (1378 m ü. M.) an der österr.-tschech. Grenze; auf tschech. Gebiet Stifter-Denkmal am **P.-See,** einem Karsee.

Ploetz [plœ-], Karl, Gymnasiallehrer, *Berlin 8. 7. 1819, †Görlitz 6. 2. 1881; schrieb den weit verbreiteten »Auszug aus der alten, mittleren und neueren Geschichte« (1863, seit 1869 »Hauptdaten der Weltgeschichte«, seit 1986 »Der große P. – Auszug aus der Geschichte«).

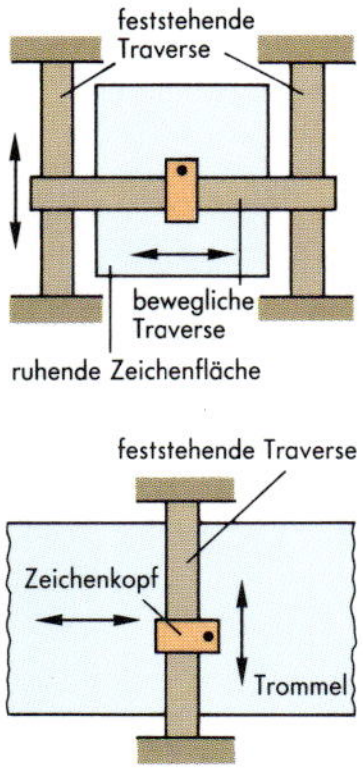

Plotter: Prinzip eines Flachbett- und eines Trommelplotters (unten)

Ploiești [plo'jeʃtj], Hauptstadt des Kr. Prahova, Rumänien, am SO-Abhang der Karpaten, inmitten eines Erdölgebiets, 254 100 Ew.; Hochschule für Erdölingenieure; Erdölraffinerie, Maschinenbau (Erdölausrüstungen), chem., Nahrungsmittelind.; Verkehrsknotenpunkt.

Plombe [frz.] *die,* **1)** Sicherungssiegel an Räumen und Behältern, z. B. im Zollverkehr.

2) *Medizin:* →Zahnfüllung.

Plön, 1) Kreis in Schlesw.-Holst., 1083 km², (1996) 127 200 Einwohner.

2) Kreisstadt von 1) in Schlesw.-Holst., in der Holstein. Schweiz, 13 000 Ew.; Luftkurort zw. dem **Kleinen** und dem **Großen Plöner See;** Max-Planck-Inst. für Limnologie, Bundesforstamt. – Ehem. Schloss (1633–36); klassizist. ehem. Rathaus (1816–18). – Erhielt 1236 lüb. Stadtrecht; 1636–1761 Residenz der Herzöge von Schleswig-Holstein-Sonderburg-Plön.

Plotin (grch. Plotinos), grch. Philosoph, *Lykonpolis (heute Assiut) um 205, †Minturnae (Kampanien) 270; der bedeutendste Denker des →Neuplatonismus. Neben platon. nahm er auch aristotel., stoische und gnost. Gedanken auf. Als Quelle des Seins nimmt seine Philosophie das eigenschaftslose Ur-Eine (Gott, »das Gute«) an. Aus ihm geht die Weltvernunft (Geist, Nus) hervor, in der die Ideen ihre Stätte haben, dann die Weltseele. Körperwelt und Materie werden als Spiegelung der Ausstrahlung (Emanation) des Einen im Nichtseienden, der Materie, verstanden. Dieser Emanation entspricht umgekehrt die Sehnsucht nach dem göttl. Ursprung, den der Mensch in ekstat. Schau erreichen kann; so findet er zu seinem eigentl. Selbst zurück (P. soll viermal die ekstat. Vereinigung mit der Gottheit erlebt haben). – P. wirkte auf die Kirchenväter, z. B. auf Augustinus, und, insbes. über →Dionysios Areopagita, auf die Scholastik und Mystik, später auf G. Bruno, Berkeley, Shaftesbury, Goethe, Novalis, Schelling, Hegel, E. von Hartmann u. a.

📖 SZLEZÁK, T. A.: *Platon u. Aristoteles in der Nuslehre P.s. Basel 1979.* – SIEGMANN, G.: *P.s Philosophie des Guten. Eine Interpretation von Enneade VI 7. Würzburg 1990.*

Plotter [engl. »Planzeichner«] *der,* computergesteuerte Ausgabeeinheit (Peripheriegerät) zur graf. Darstellung von Zeichnungen, Schriften u. a. nach digitalen oder analogen elektromagnet. Signalen. Zu den Grundtypen von P. gehören der **Flachbett-P.,** bei dem der Zeichenkopf (der Schreibstift, Farbdüse o. Ä. enthält) die Zeichenbewegung in beiden Richtungen ausführt, während die ebene Zeichenfläche ruht; beim **Trommel-P.** liegt der Zeichenträger auf einer rotierenden Walze, der Zeichenkopf bewegt sich in Querrichtung. **Laser-P.** erzeugen mithilfe von Ladungsveränderungen in Halbleiterschichten ein sehr feines Raster des Bildes.

Plötze [aus dem Slaw.] *die* (Rotauge, Rutilus rutilus), 25–40 cm langer Karpfenfisch v. a. in Süßgewässern des nördl. und gemäßigten Eurasien; Körper silberglänzend mit rötl. Flossen und rotem Augenring.

plötzlicher Kindstod (Säuglingstod, Krippentod, engl. Sudden Infant Death Syndrome, Abk. SIDS), plötzl. Tod von anscheinend völlig gesunden Säuglingen und Kleinkindern, bei dem überwiegend keine eindeutige Klärung der Todesursache möglich ist; ereignet sich mit einer Häufigkeit von etwa 2 ‰ meist während der ersten sechs Lebensmonate. Es kommt hierbei zu einem Atemstillstand im Schlaf (Schlafapnoe), der auf eine Unterfunktion der zentralen Atemregulation zurückgeführt wird, wobei Infektionskrankheiten eine verstärkende Wirkung haben können. Zur Vorbeugung werden elektron. Geräte eingesetzt, die die Atmung überwachen und beim Aussetzen eine Warn- und Weckfunktion erfüllen.

Plowdiw, Hauptstadt der Region P. in Bulgarien, an der Maritza, 345200 Ew.; Univ., Hochschulen, Forschungsinstitute, Theater, Museen; zweitgrößte Stadt des Landes, bed. Handelsplatz; chem., Textil-, Tabak-, Nahrungsmittel- u.a. Ind., Blei- und Zinkhütten; internat. Messe; Verkehrsknotenpunkt, Flugplatz. – P., das thrak. **Pulpudeva,** wurde 342/341 v. Chr. von Philipp II. von Makedonien erobert **(Philippopolis).** Seit 46 n. Chr. war es römisch (Hptst. der Prov. Thrakien, Ausgrabungen). Im MA. stand es abwechselnd unter bulgar. und byzantin. Herrschaft; 1364 von den Türken erobert **(Filibe).** 1878–85 Hptst. von Ostrumelien.

Plozk, Stadt in Polen, → Płock.

Pludra, Benno, Schriftsteller, *Mückenberg (heute zu Lauchhammer) 1. 10. 1925; schreibt einfühlsame Kinder- und Jugendbücher (»Lütt Matten und die weiße Muschel«, 1964; »Tambari«, 1969; »Insel der Schwäne«, 1980; »Das Herz der Piraten«, 1985; »Siebenstorch«, 1991).

Pluhar, Erika, österr. Schauspielerin, *Wien 28. 2. 1939; seit 1959 Mitgl. des Wiener Burgtheaters; auch Film- und Fernsehrollen; seit 1972/74 als Chansonsängerin bekannt.

Plumbikon [Kw., zu lat. plumbum »Blei«] *das,* eine Bildaufnahmeröhre, bei der als lichtempfindl. Schicht (Speicherplatte) eine Halbleiterschicht aus Bleimonoxid verwendet wird. Das P. hat eine hohe Licht- und Spektralempfindlichkeit; bes. geeignet für professionelle Farbkameras.

Plumeau [ply'mo:, frz.] *das,* kurzes dickes Federdeckbett.

Plumpbeutler, Beuteltiere, → Wombats.

Plumpudding ['plʌm-; engl. plum »Rosine«] (eigtl. Plumcake), in England als Weihnachtsspeise beliebte Süßspeise aus Nierenfett, Rosinen, Zitronat, Gewürz, die mit Würfelzucker belegt, mit Rum oder Weinbrand übergossen und angezündet wird.

Plünderung, 1) *Strafrecht:* rechtswidrige Wegnahme oder Abnötigung von Sachen unter Ausnutzung der durch → Landfriedensbruch hervorgerufenen Störung der öffentl. Ordnung, wird als ein bes. schwerer Fall des Landfriedensbruchs bestraft (§ 125a StGB).

2) *Völkerrecht:* jede Wegnahme privaten Eigentums in Zusammenhang mit Kriegshandlungen oder einer krieger. Besetzung, sofern sie nicht als → Requisition kriegsrechtlich erlaubt ist. Die P. ist durch die Haager Landkriegsordnung, auch in Bezug auf Staatsbesitz, untersagt und nach den Genfer Konventionen eine schwere Verletzung des Völkerrechts (→ Kulturgüterschutz).

Plunkett ['plʌŋkɪt], Edward John, Lord Dunsany, ir. Erzähler und Dramatiker, *London 24. 7. 1878, †Dublin 25. 10. 1957; schrieb fantastisch-iron. Erzählungen (»Jorkens borgt sich einen Whisky«, 1954), Dramen und Romane (»Die Königstochter aus Elfenland«, 1924).

Plural [lat.] *der,* Abk. **Pl.,** *Sprachwiss.:* Mehrzahl, Form der flektierenden Wortarten (→ Numerus).

Pluraletantum [lat.] *das,* nur im Plural vorkommendes Wort, z. B. Ferien, Masern.

Pluralis Majestatis [lat.] *der* (Pluralis maiestaticus), an den hellenist. Höfen entstandene Sitte, dass Regierende von sich im Plural sprechen.

Pluralis Modestiae [lat.] *der,* Plural der Bescheidenheit; Bezeichnung der eigenen Person, z. B. eines Autors, im Plural, um das anspruchsvolle »ich« zu vermeiden.

Benno Pludra

Pluralismus [lat.] *der,* **1)** *Philosophie:* jede Lehre, die eine Vielheit von Prinzipien, Elementen oder Bereichen der Wirklichkeit annimmt, im Unterschied zum Monismus und Dualismus; auch die gleichberechtigte Geltung versch. Standpunkte oder Normensysteme. – Methodologisch bedeutet P. ein wiss. Verfahren, das sich einer Vielzahl von Methoden bedient (Methodenpluralismus).

Erika Pluhar

2) *Sozialwiss.:* normativer (d. h. Sollzustände angebender) oder empir. (d. h. Istzustände bezeichnender) Begriff für vielgliedrige polit. Ordnungen, in denen polit. Macht durch Recht und institutionelle »checks and balances« gezähmt ist, die einzelnen Bürgern oder Interessenverbänden ein hohes Maß an Autonomie und polit. Beteiligung gewähren und offen für Konflikte und Konsensbildung zw. den Interessen und Ideen sind. In der Staatsformenlehre kennzeichnet P. Strukturmerkmale polit. Systeme (Demokratie im Ggs. zu Diktatur) und in der Verbände- und Policy-Forschung (Analyse von Staatstätigkeit) die bilaterale, gering zentralisierte und transsektoral (bereichsübergreifend) gering koordinierte Interessenvermittlung zw. Staat und Verbänden. Meist charakterisiert P. eine bestimmte Form der polit. Willensbildung (»pluralist. Prozess der Artikulation und Bündelung von Interessen«) und eines bestimmten Typs von Demokratie (»pluralist. Demokratie« im Ggs. zu »Wettbewerb der polit. Eliten« oder »partizipator. Demokratie«).

📖 *P. in Gesellschaft u. Kirche – Ängste, Hoffnungen, Chancen, hg. v.* P. M. Zulehner. *München u. a. 1988.* – Olson, M.: *Die Logik des kollektiven Handelns. A. d. Engl. Tübingen* ³*1992.* – *P. u. Parlamentarismus in Theorie u. Praxis, hg. v.* J. Hartmann *u.* U. Thaysen. *Opladen 1992.*

Pluralwahlrecht (Mehrstimmenwahlrecht), Wahlrecht, bei dem einem Teil der Wähler eine oder mehrere zusätzl. Stimmen zugebilligt werden, um diese zu bevorzugen (z.B. Familienväter, Eigentümer). In Dtl. bestand bis 1918 in einigen Ländern ein P., allerdings nicht in Preußen (→Dreiklassenwahlrecht). Das P. ist mit dem Grundsatz der gleichen Wahl nicht vereinbar.

Plus [lat. »mehr«] *das,* **1)** *allg.:* Vorteil, Gewinn; Haben; Überschuss.

2) *Mathematik:* →Pluszeichen.

Plüsch [frz. peluche »Wollsamt«] *der, Textiltechnik:* in gewebter Form ein Kettensamt mit 2 mm hohem Pol, zunehmend auch in gewirkter oder gestrickter Form. P. wird v.a. für Möbelbezüge, Vorhänge, Spieltiere und Oberbekleidung verwendet.

Plusquamperfekt [lat. »mehr als vollendet«], *Sprachwiss.:* Zeitstufe des Verbs zur Bez. einer in der Vergangenheit schon abgeschlossenen Handlung. (ÜBERSICHT Verb)

Pluszeichen, mathemat. Zeichen + (gesprochen plus), Rechenzeichen für die Addition, Vorzeichen vor positiven Zahlen.

Plutarch (grch. Plutarchos), grch. Philosoph und Historiker, *Chaironeia um 46 n.Chr., †um 120; beeinflusst von Platon, der Stoa und der peripatet. Schule. Seine »Bioi paralleloi«, vergleichende Beschreibungen der sittl. Lebensführung bed. Griechen und Römer (z.B. Pyrrhos Marius, Alexander Cäsar), haben zum inneren Ausgleich der griech.-röm. Kultur der Kaiserzeit beigetragen. P.s Schriften ist die Übermittlung zahlr. Zitate aus verloren gegangenen Werken zu verdanken.

📖 ZIEGLER, K.: *Plutarchos von Chaironeia. Stuttgart ²1964.*

Pluto *der,* **1)** *Astronomie:* Zeichen ♇, der von der Sonne aus gezählt 9. und äußerste der bekannten →Planeten im Sonnensystem. P. bewegt sich in 247,7 Jahren (1 P.-Jahr) auf einer stark ellipt. Bahn (die mit rd. 0,248 die größte Exzentrizität unter den Planetenbahnen aufweist) mit einer mittleren Entfernung von 5,96 Mrd. km oder 39,4 astronom. Einheiten um die Sonne (Periheldistanz 4,4 Mrd. km, Apheldistanz 7,4 Mrd. km); die P.-Bahn ist um 17,1 Grad zur Ekliptik geneigt, das ist die größte Neigung aller Planetenbahnen. P. wurde 1930 von C. Tombaugh als Stern 15. Größe entdeckt, nachdem mehrere Jahrzehnte nach ihm gesucht worden war, weil nach Berücksichtigung der Neptunstörung noch Unregelmäßigkeiten in der Uranusbewegung verblieben. Die Existenz eines weiteren Planeten jenseits von P. (Transpluto) ist unwahrscheinlich. – P. hat einen Durchmesser von etwa 2285 km, sein rund halb so großer Mond **Charon** (Durchmesser ca. 1190 km) umkreist ihn in 6,4 Tagen in einer Entfernung von annähernd 20000 km, woraus sich die Masse des Gesamtsystems als etwa 0,3% der Erdmasse bestimmen lässt. Die mittlere Dichte des P. beträgt – im Gegensatz zu älteren Annahmen – etwa 1,9 g/cm³. Da man für P. eine Rotationsdauer von ebenfalls 6,4 Tagen bestimmt hat, vollführen beide Körper als Folge ihrer gegenseitigen Gezeitenkräfte eine »doppelt gebundene« Rotation (»Hantelrotation«). Geht man davon aus, dass Charon sich in der Äquatorebene des P. bewegt, dann ist die Drehachse des P. je nach Drehsinn um rund 80 oder 100 Grad geneigt. P. hat eine Atmosphäre aus Methan, seine Oberfläche besteht aus Methaneis.

Pluto

Üblicherweise werden die Planeten unseres Sonnensystems nach der Entfernung von der Sonne geordnet. Der Planet Pluto ist demnach der neunte, der äußerste Planet. Seine Bahn ist jedoch sehr exzentrisch, sodass er sich zu bestimmten Zeiten innerhalb der Neptun-Bahn befinden kann, dann also der achte Planet ist. Dies ist seit 1979 (bis 2003) der Fall.

Astronomische und physikalische Daten des Pluto

Äquatordurchmesser	2284 km
Masse	$1{,}791 \cdot 10^{29}$ kg
mittlere Dichte	2 g/cm³
Rotationsdauer	6 Tage 9 h 18 min
Dauer eines Umlaufs um die Sonne	247,7 Tage
mittlere Entfernung zur Sonne	5966 Mio. km

2) *grch. Mythos:* Gott der Unterwelt, →Pluton.

Plutokratie [grch. »Herrschaft der Reichen«] *die,* Herrschaftsform, bei der die polit. Vormachtstellung der Herrschenden vorwiegend durch ihren Besitz begründet ist.

Pluton [grch.], **1)** *der, Geologie:* magmat. Tiefengesteinskörper von verschiedenartiger Form und Größe, der innerhalb der Erdkruste erstarrt ist.

2) *grch. Mythos:* (lat. Pluto) urspr. der Gott des Reichtums, der aus der Erde kommt, nach der Gleichsetzung mit →Hades wurde er zum Herrscher über die Unterwelt und die Verstorbenen. Die Römer nannten ihn **Dis** und **Orcus**.

Plutonismus *der,* **1)** *Geologie:* zusammenfassende Bez. für die magmat. Tätigkeit im Erdinnern, v.a. für die Entstehung, Veränderung, Wanderung und Platznahme natürl. Gesteinsschmelzen innerhalb der Erdkruste.

2) *Geologiegeschichte:* von dem schott. Geologen James Hutton (*1726, †1797) begründete, heute überholte Lehre, nach der alle Gesteine magmat. Ursprungs sind; Ggs.: →Neptunismus.

Plutonite (plutonische Gesteine, Intrusivgesteine, Tiefengesteine), innerhalb der Erdkruste erstarrte, gut kristallisierte magmat. Gesteine, v.a. granit. und granodiorit. Gesteinstypen mit Silikatmineralen. Während ihrer Entstehung intrudieren sie in das Nebengestein und bilden meist mächtige Gesteinskörper, die Plutone.

Plutonium *das,* chem. Symbol **Pu,** radioaktives Element aus der Reihe der →Actinoide im Periodensystem der chem. Elemente, eines der →Transurane; Ordnungszahl 94, relative Atommasse 244, Dichte 19,737 g/cm^3, Schmelzpunkt 640 °C, Siedepunkt rd. 3200 °C. P. ist ein unedles, silberweißes Schwermetall, das v.a. künstlich in Kernreaktoren hergestellt wird und in der Natur nur in sehr geringen Mengen in Uranmineralen vorkommt. Das technisch wichtigste P.-Isotop ^{239}Pu, ein Alphastrahler mit einer Halbwertszeit von 24 110 Jahren, wird in größeren Mengen im Brutreaktor erzeugt (→Brüten). ^{239}Pu kann, ähnlich wie ^{235}U, durch Einfang therm. Neutronen zur Kernspaltung veranlasst werden; zur krit. Masse angehäuft, kann dabei eine kernphysikal. Kettenreaktion ausgelöst werden. ^{239}Pu wird deshalb als Spaltstoff (Kernbrennstoff) für bestimmte Kernreaktoren und für Kernwaffen verwendet. Außerdem dient ^{239}Pu als Ausgangsstoff für die Herstellung schwerer Transurane (z.B. von Curium und Americium). – In seinen Verbindungen tritt P. mit den Oxidationszahlen +2 bis +7 auf, von denen +3 und +4 bevorzugt sind. In seinem chem. Verhalten ähnelt P. dem →Uran. – Wegen seiner hohen Alphastrahlungsaktivität und seiner starken Neigung zur Ablagerung in den Knochen gehört P. zu den gefährlichsten unter den bekannten giftigen Stoffen. Einatmung von P.-Staub kann Lungenkrebs hervorrufen, Ablagerungen im Knochen wirken radioaktiv auf den gesamten Organismus; schon die Einwirkung weniger Mikrogramm P. führt zu tödl. Strahlungsschäden.

📖 SPLIETH, B.: *P. Der giftigste Stoff der Welt. Reinbek 1987.*

Plutos, altgrch. Gott des Getreidevorrats, dann des Reichtums, Sohn des Iasion und der Demeter, meist als Knabe mit Füllhorn dargestellt

Pluviale [mlat. »Regenmantel«] *das* (Cappa), *kath. Kirche:* liturg. Obergewand des Priesters u.a. bei der feierl. Vesper, die durch Beräucherung gekennzeichnet ist (daher auch **Rauchmantel**).

Pluvialzeit [lat.], Epoche höherer Niederschläge, bes. während des quartären Eiszeitalters und des Holozäns.

Plymouth ['plɪməθ], Stadt in der Cty. Devon, S-England, an der Küste des Ärmelkanals am Plymouth-Sound, 258 100 Ew.; FH, Meereslaboratorium; Stützpunkt der Kriegsmarine, Handels- und Jachthafen; chem., Textil-, feinmechan. und elektron. Ind., Maschinen- und Schiffbau. – 1086 im Domesday Book als **Sudtone** gen., erhielt 1311 Stadtrecht; im 16. Jh. Ausgangshafen engl. Entdecker und Abenteurer (F. Drake, W. Raleigh). Von hier segelte die engl. Flotte gegen die span. Armada (1588). 1620 brachen von P. die Pilgerväter mit der »Mayflower« nach Neuengland auf.

Plymouthbrüder ['plɪməθ-] (Darbysten), 1826 von J. N. Darby (*1800, †1882) in Plymouth gegründete christl. Bewegung. Die P. erwarten die baldige Wiederkunft Jesu Christi und lehnen feste kirchl. Organisationsformen ab. Mittelpunkt ihrer (formlosen) Versammlungen ist das »Brotbrechen«, zu dem nur die Würdigen (»Geheiligten«) zugelassen werden; weltweit rd. 300 000, in Dtl. (»Freier Brüderkreis«) rd. 30 000 Mitglieder.

Plzeň ['plzɛnj], Stadt in der Tschech. Republik, →Pilsen.

Pm, chem. Symbol für →Promethium.

pneum..., pneumo... [grch.], atem..., luft...

Pneuma [grch. »Hauch«, »Wind«, »Atem«] *das,* in der stoischen Philosophie das allgemeine, alldurchdringende Prinzip; in der christl. Theologie der →Heilige Geist; in der Gnosis das von der Materie unterschiedene, rein geistige Prinzip.

Pneumatik [grch.] *die,* Teilgebiet der Technik, das sich mit den Verfahren und Geräten zur Anwendung von Gasen, bes. Druckluft, in Maschinenanlagen als Energieträger für Arbeitsprozesse und Steuerungen befasst.

pneumatische Konstruktionen, durch Druckdifferenz von Luft in ihrer Lage und Form stabilisierte biegeweiche Membranen, z.B. bei pneumat. Baukonstruktionen (→Traglufthalle).

Pneumatolyse [grch.] *die, Petrographie:* Lagerstätten bildender Vorgang, Endstadium der magmat. Kristallisation, in dem überkrit. Gase wirksam werden und auf die bereits erstarrte Gesteinsschmelze sowie auf das Nebengestein einwirken.

Pneumokokken [grch.], zu den Streptokokken gehörende Bakterien (Diplokokken), die im Nasen-Rachen-Raum bei fast allen Erwachsenen symptomlos vorkommen, bei geschwächten Patienten aber auch Krankheiten verursachen können, u.a. Lungen-, Mittelohr-, Gehirnhautentzündung, Sepsis.

Pneumonie [grch.] *die,* die →Lungenentzündung.

Pneumothorax [grch.] (Kurzbez. Pneu), Luftansammlung im Brustfellraum durch Verletzung der Brustkorbwand von außen **(offener P.)** oder durch spontanes oberflächl. Einreißen der Lunge an dünnwandigen Stellen (meist Randemphysemblasen). **Spontan-P.** führt zum Zusammenfallen (Lungenkollaps) von einzelnen oder mehreren Lungenlappen.

pnp-Transistor, ein bipolarer →Transistor.

pn-Übergang [Abk. für **p**ositiv-**n**egativ-], das Übergangsgebiet von einem p- zu einem n-Halbleiter (→Halbleiter). Das starke Konzentrationsgefälle der Ladungsträger an der Grenzschicht bewirkt, dass einige Löcher aus dem p-leitenden in den n-leitenden und umgekehrt einige Elektronen aus dem n-leitenden in den p-leitenden Bereich

Plymouth
Stadtwappen

diffundieren und dort mit den jeweiligen Ladungsträgern rekombinieren. Da die Akzeptoren und Donatoren, die die Ladung der Elektronen und Löcher kompensieren, ortsfest im p- bzw. n-Be-

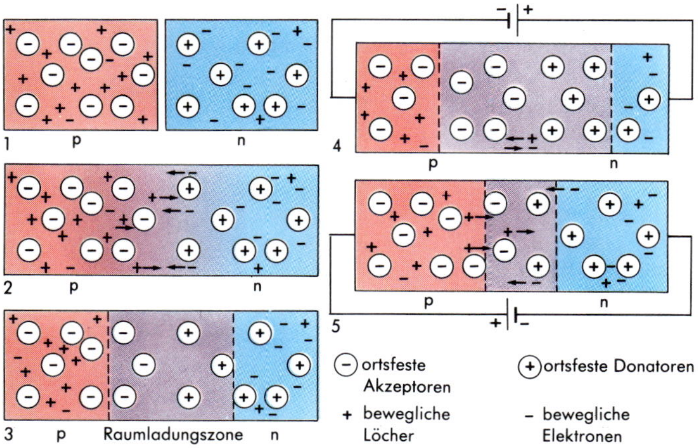

pn-Übergang in schematischer Darstellung: 1 p- und n-Material sind noch getrennt, 2 Die Zusammenfügung von p- und n-Materialien bewirkt, dass die beweglichen Elektronen und Löcher ins jeweilige benachbarte Gebiet diffundieren, 3 Nach einiger Zeit bildet sich ein Gleichgewichtszustand, da die entstehende Raumladungszone einer weiteren Diffusion entgegenwirkt, 4 Die angelegte Gleichspannung verbreitert die Raumladungszone (Sperrfall), 5 Die angelegte Gleichspannung reduziert die Raumladungszone (Flussfall)

reich eingebaut sind, führt das wechselseitige Eindringen von Elektronen und Löchern in das andere Gebiet zu einer elektr. Aufladung des pn-Ü.; dabei kommt es zu einer positiven Aufladung des n-Gebiets und zu einer negativen Aufladung des p-Gebiets. Da das elektr. Feld dieser Raumladungen der Diffusion entgegenwirkt, bildet sich ein Gleichgewichtszustand aus, der durch Anlegen einer äußeren elektr. Spannung beeinflusst werden kann. Liegt der Pluspol der Spannungsquelle an der n-leitenden, der Minuspol an der p-leitenden Seite, hat das elektr. Feld die gleiche Richtung wie das Raumladungsfeld und verstärkt dessen Wirkung **(Sperrfall),** d.h., es kann kein Strom durch den pn-Ü. fließen. Ein geringer Sperrstrom fließt jedoch auch im Sperrfall, weil durch therm. Energie in der Raumladungszone ständig Elektron-Loch-Paare gebildet werden, die vom Raumladungsfeld getrennt werden. Bei Umkehrung der äußeren Polung wird das Raumladungsfeld reduziert, sodass laufend neue Ladungsträger über die Grenze fließen und einen Strom aufrechterhalten, der steil mit der angelegten Spannung anwächst **(Flussfall).** Auf dieser Gleichrichterwirkung beruht die techn. Bedeutung des pn-Ü. Sie wird z.B. in Halbleiterdioden und Transistoren zur Steuerung elektr. Ströme ausgenutzt.

Po, chem. Symbol für →Polonium.

Po [italien. pɔ] (lat. Padus), Strom in Oberitalien, der größte Fluss Italiens, 652 km lang. Er entspringt 2020 m ü.M. am Nordfuß des Monte Viso in den Cott. Alpen, tritt bei Saluzzo in die →Poebene ein. Bei Ferrara zweigt er mehrere Nebenarme ab und mündet in einem Delta, das infolge der reichen Sinkstoffe immer weiter (jährlich um 70–80 m oder 50 ha) in das Adriat. Meer hinauswächst. Der Unterlauf ist von Dämmen eingefasst, die das Strombett über die Ebene erhöht haben. Wichtige Nebenflüsse sind von den Alpen Tessin, Adda, Oglio, Mincio, vom Apennin Tanaro, Trebbia, Taro und Secchia. Der P. führt im Frühjahr und Herbst Hochwasser; die Schifffahrt ist unbedeutend. Kanäle verbinden den P. (über Etsch und Brenta) mit Chioggia und Venedig.

Poaceae [lat.], die Süßgräser, →Gräser.

Pobeda, Pik (russ. Pik Pobedy, »Siegesberg«), höchster Gipfel des Tienschan, über ihn verläuft die Grenze zw. Kirgistan und China, 7439 m ü.M., stark vergletschert; Erstbesteigung 1938.

Pocci [ˈpɔtʃi], Franz Graf von, Zeichner, Schriftsteller und Musiker, *München 7. 3. 1807, †ebd. 7. 5. 1876; schrieb Singspiele (mit eigener Musik), Bühnenstücke, Lieder, Puppenspiele und Kindergeschichten; berühmt v.a. durch seine selbst illustrierten Kinderbücher und die Puppenkomödien für das Kasperltheater.

Pochen (Poch), ein Karten-Brett-Spiel, bei dem man wettet (pocht), die höchste Zahl von Karten des gleichen Wertes oder entsprechende Kartenkombinationen zu besitzen. Das runde Pochbrett hat eine Vertiefung (Teller) in der Mitte (Pochkasse) und acht kreisförmig angeordnete Teller, in die die Spieler je eine Spielmarke einlegen. Der Spieler mit dem höchsten Poch gewinnt.

Franz Graf von Pocci: Illustration aus dem 1871–77 entstandenen »Lustigen Komödienbüchlein«

Pochette [pɔˈʃɛt; frz. »Täschchen«] *die* (Taschengeige), kleines, in eine Rocktasche passendes dreisaitiges Streichinstrument, das vom 16. bis zum

19. Jh. von Tanzmeistern im Unterricht gebraucht wurde; im 18. Jh. baute man auch ein viersaitiges Instrument mit Violinkorpus und sehr langem Hals.

pochieren [-'ʃi:-, frz.], in siedender Flüssigkeit garen, z. B. Eier.

Pochkäfer, → Klopfkäfer.

Pöchlarn, Stadt im Bezirk Melk, Niederösterreich, am rechten Ufer der Donau, 4000 Ew.; Hanf- und Jutespinnerei, Möbelind., Glasfabrik. – P. ist das **Bechelaren** des Nibelungenlieds.

Pockels-Effekt [nach dem Physiker Friedrich Pockels, *1865, †1913] (linearer elektrooptischer Effekt), das Auftreten oder die Verstärkung der Doppelbrechung in Kristallen mit bestimmten Symmetrieeigenschaften in elektr. Feldern aufgrund der unterschiedl. Änderung der Brechzahlen mit der Feldstärke für die versch. Kristall- und Schwingungsrichtungen. Die **Pockels-Zelle** ist ein Modulator und Schalter für polarisiertes Licht auf der Grundlage des Pockels-Effekts.

Pocken (Blattern, Variola), hochansteckende, akute, meldepflichtige Infektionskrankheit, die seit 1979 als weltweit ausgerottet gilt. Erreger ist das zur Familie Poxviridae gehörende Variolavirus. Die Übertragung erfolgt durch Tröpfchen-, Schmier- und Staubinfektion. Die Inkubationszeit beträgt 7–11 Tage.

Die **echten P.** (Variola major, Variola vera) werden durch Orthopoxvirus variola hervorgerufen; nach einem Initialstadium von 2–4 Tagen mit hohem Fieber, Kopf-, Kreuz- und Gliederschmerzen, Entzündung der oberen Luftwege und einem vorübergehenden Ausschlag kommt es unter kurzzeitigem Fieberabfall im anschließenden Eruptionsstadium zur charakterist. Ausbildung von blassroten, juckenden Flecken, die sich zu Knötchen, Bläschen und Pusteln entwickeln. Sie breiten sich i. d. R. vom Kopf her über den ganzen Körper aus und trocknen unter Borken- und Schorfbildung ein. Nach Abstoßung der (infektiösen) Krusten bleiben die **P.-Narben** zurück. Das Überstehen der Krankheit verleiht lebenslange Immunität. Bei unvollständiger Immunität kommt es zu einem in der 2. Phase stark abgemilderten Verlauf **(Variolois).** Eine leichtere Krankheitsform stellen die **weißen P.** oder **Milch-P.** (Variola minor oder Alastrim) dar, die durch Orthopoxvirus alastrim verursacht werden; sie hinterlassen keine Immunität gegenüber den echten P. Die allg. Impfpflicht gemäß Reichsimpf-Ges. vom 8. 4. 1874 wurde durch Ges. vom 18. 5. 1976 aufgehoben; internat. Impf- und Quarantänebestimmungen bleiben jedoch in Kraft.

Geschichte: Die P. sind als endem. Krankheit schon seit etwa 1000 v. Chr. in China, Indien und Arabien bekannt; in Europa kam es im 6. Jh. zur ersten sicher belegten Epidemie; ihr folgten weitere im 13. Jh. in England und Ende des 15. Jh. in Dtl. Noch im 19. Jh. waren die P. in Europa endemisch verbreitet; 1871–73 wurden in Dtl. 175 000 Fälle mit mehr als 100 000 Todesopfern registriert.

Die Schutzimpfung geht auf E. Jenner zurück, der 1796 wiss. nachwies, dass auch Kuhpockenlymphe (Vakzination) als Impfstoff gegen die »echten P.« immunisiert.

poco [italien. »wenig«, »etwas«], Teil von musikal. Vortragsbezeichnungen, z. B. **p. allegro,** etwas schnell; **p. forte,** etwas stark.

Podagra [auch -'dagra, grch.] *das,* → Gicht.

Podest [grch.] *das,* auch *der,* niedriges kleines Podium; Treppenabsatz.

Pocken

Der schwedisch-königliche Leibarzt Nils Rosen von Rosenstein hatte bereits 1764 beobachtet, dass jemand, der die Pocken durchgemacht hatte, nicht von neuem befallen wurde, und verteidigte leidenschaftlich die Impfung mit Pocken, obschon er selbst dadurch 1756 eine Tochter verloren hatte.

Die Schutzkraft der auch auf den Menschen übertragbaren, aber für ihn ungefährlichen Kuhpocken war ebenfalls im 18. Jahrhundert bekannt. So impfte der englische Pächter Benjamin Jesty 1774 seine Frau und zwei Söhne. Um 1790 hatte der Schullehrer Plett bei Kiel zahlreiche Kinder mit Kuhpocken geimpft.

Als wissenschaftlich abgesichertes Heilverfahren wurde die Kuhpockenimpfung jedoch erst durch den englischen Landarzt Edward Jenner eingeführt. Nach jahrzehntelangen Beobachtungen impfte Jenner am 14. 5. 1796 den achtjährigen Knaben James Phipps mit Kuhpocken; 1798 veröffentlichte er die ersten Ergebnisse. Die allgemeine Schutzimpfung setzte sich gleichwohl nur zögernd durch. Erst 1874 wurde in Deutschland ein Impfgesetz erlassen, das die Zwangsimpfung einführte.

Podestà [italien., von lat. potestas »Herrschaft«] *der,* **1)** der von den Staufern in kaisertreuen Städten in Italien eingesetzte kaiserl. Vogt; seit dem 12./13. Jh. ein adliges Stadtoberhaupt, das zur unparteiischen Verw. von auswärts berufen wurde.

2) 1815–1918 der Bürgermeister einer Stadt in den österr. Teilen Italiens; 1926–45 der von der faschist. Regierung ernannte Bürgermeister.

Podgorica [-tsa] (1946–92 Titograd), Hptst. von Montenegro, Jugoslawien, an der Morača, 118 100 Ew.; Univ., Metall-, Möbel-, Tabakind.; Verkehrsknotenpunkt, Flugplatz. – 1326 erstmals erwähnt.

Nikolai Podgorny

Podgorny, Nikolai Wiktorowitsch, sowjet. Politiker, *Karlowka (bei Poltawa) 18. 2. 1903, †Moskau 11. 1. 1983; 1960–66 Mitgl. des Präsidiums, 1966–77 des Politbüros der KPdSU, war 1965–77 Vors. des Präsidiums des Obersten Sowjets der UdSSR (nominelles Staatsoberhaupt).

Podhale [pɔt'xalɛ], Landschaft zw. Beskiden und Hoher Tatra in Polen, Erholungs- und Wintersportgebiet; Siedlungsraum der zu den → Goralen zählenden **Podhalen.**

Podium [lat.] *das,* erhöhte Plattform.

Podiumtempel, in der etrusk. Baukunst ein Tempel auf hohem Unterbau mit Freitreppe an der Frontseite; von den Römern übernommen.

Podlachilen (poln. Podlasie), histor. Landschaft in Polen, zw. Narew und mittlerem Westl. Bug.

Podolilen, histor. Landschaft in der westl. Ukraine, ein von Tälern zerschnittenes fruchtbares Tafelland. – P. stand nach dem Zerfall des Kiewer Reiches zunächst unter tatar. Oberhoheit; der östl. Teil geriet um 1370 in litauischen Besitz. 1430 kam West-P., 1569 auch Ost-P. an Polen; 1672–99 unter osman. Herrschaft. Der Hauptteil P.s fiel durch die 2. Poln. Teilung (1793) an Russland.

Podolsk, Stadt im Gebiet Moskau, Russland, 208 500 Ew.; Maschinen-, Dampfkesselbau, Buntmetallerzverhüttung, Kabelherstellung.

Podsol [russ.] *der,* → Bleicherde.

Johann Christian Poggendorff (Ausschnitt eines Holzstichs, um 1870)

Poe [pəʊ], Edgar Allan, amerikan. Schriftsteller, *Boston (Mass.) 19. 1. 1809, †Baltimore (Md.) 7. 10. 1849; als Kritiker, Literaturtheoretiker, Lyriker und Erzähler einer der bedeutendsten Wegbereiter der von der Romantik ausgehenden Literatur des 19. Jh.; verfasste melodisch-stimmungsvolle Versdichtungen wie »Tamerlane« (1827) und dunkle, rätselhafte Gedichte mit starker Wirkung auf die frz. Symbolisten; Meister und theoret. Begründer der Kurzgeschichte. Seine Kriminalerzählungen, z. B. »Der Doppelmord in der Rue Morgue« (1841), »Der entwendete Brief« (1844), wirkten nachhaltig auf die Weiterentwicklung der Kriminalliteratur. Hervorragendes Beispiel der fantast. Schauererzählung ist »Der Untergang des Hauses Usher« (1839); Beispiele der Abenteuererzählung sind »Der Goldkäfer« (1843) und »Die denkwürdigen Erlebnisse des Arthur Gordon Pym« (1838).

📖 Zumbach, F. T.: *E. A. P. Eine Biographie. Tb.-Ausg. München 1989.*

Edgar Allan Poe: Ausschnitt eines zeitgenössischen Holzstichs

Hans Poelzig: Das Große Schauspielhaus in Berlin nach dem Umbau 1918/19

Poebene (italien. Pianura Padana, Padania), das vom Po durchflossene Tiefland Oberitaliens, aus dem sich inselartig das Hügelland von Monferrato, die Monti Berici und die Euganeen erheben; zw. Alpen und Apennin, etwa 50 000 km², sehr fruchtbar (Weizen, Mais, Reis, Futterpflanzen, Obst und Wein; intensive Viehzucht), dicht besiedelt; bed. Großindustrie, v. a. um Mailand und Turin.

Poel [pø:l], Ostseeinsel in der nordöstl. Wismarbucht, Meckl.-Vorp., 2 800 Ew.; 37 km², bis 27 m ü. M., im N und W mit einer bis 12 m hohen Kliffküste. P. ist mit dem Festland durch Damm und Brücke verbunden; Fremdenverkehr.

Poelzig ['pœ-], **1)** Hans, Architekt, *Berlin 30. 4. 1869, †ebd. 14. 6. 1936, Vater von 2); lehrte in Breslau, Dresden, 1920–35 in Berlin; 1919–21 Vors. des Dt. Werkbundes; gehörte zu den Hauptvertretern expressionist. Architektur, spätere Bauten näherten sich dem → Internationalen Stil. Seine bedeutendste Leistung war der Umbau des Großen Schauspielhauses in Berlin (1918/19, nicht erhalten).

2) Hans Peter, Architekt, *Breslau 6. 8. 1906, †Duisburg 26. 1. 1981, Sohn von 1); ab 1954 Prof. an der TU Berlin; richtungweisend auf dem Gebiet des Krankenhausbaus (u. a. Univ.-Klinik in Köln, 1963); entwarf auch Siedlungsbauten.

Poem [grch.] *das,* größere, auch zyklische lyr. Dichtung mit oft ausgeprägt epischen Zügen.

Polesie [grch.] *die,* Dichtung, Dichtkunst.

Poésie pure [poe'zi py:r; frz. »reine Dichtung«], Begriff der Dichtungstheorie, erstmals 1830 von C.-A. Sainte-Beuve verwendet; er bezeichnet eine Dichtung, die sich als Selbstzweck, frei von allen außerkünstler. Zielsetzungen versteht **(absolute Dichtung).** Eine P. p. wurde gefordert und künstlerisch umgesetzt von den Vertretern des → L'art pour l'art und des frz. Symbolismus (S. Mallarmé, P. Valéry u. a.).

Poeta laureatus [lat. »lorbeergekrönter Dichter«] *der,* Bez. eines Dichters, der nach dem urspr. antiken Brauch der Dichterkrönung durch feierl. Bekränzung mit Lorbeer ausgezeichnet wurde; im MA. wieder aufgenommen; in England als Poet laureate institutionalisiert.

Poetik [grch.] *die,* die Lehre von der Dichtkunst, ihrem Wesen und ihrer Wirkung, ihren Erscheinungsweisen, ihren Form- und Gattungsgesetzen und ihren Gestaltungsmitteln. Als Theorie der Poesie gehört sie in den Bereich der Literaturwiss., als Reflexion über den Charakter von Kunstwerken ist sie Teil der Ästhetik. Die P. der Antike (Aristoteles; »Ars poetica« des Horaz) war wesentlich gesetzgebend (normativ). Die Periode von Renaissance und Humanismus bis zum Barock brachte eine Blütezeit der Poetiken, die im Wesentlichen in einer Auslegung der antiken P. bestanden. Erst der Geniebegriff des ausgehenden 18. Jh. und die geschichtl. Auffassung der Dichtung u. a. durch G. B. Vico und J. G. Herder bewirkten eine Abkehr von einer normativ-rationalist. Ästhetik und eine Hinwendung zu einer empirisch-psycholog. Betrachtungsweise. Die moderne Literaturwiss. bezieht Untersuchungen zur gesellschaftl. Gebundenheit und Wirkungsweise künstler. Zeichensprache und Strukturen ein; sie hat Anstöße v. a. durch den sprachtheoret. Strukturalismus, die Text- und Kommunikationstheorie und die Hermeneutik erhalten.

📖 Braak, I.: *P. in Stichworten. Literaturwissenschaftl. Grundbegriffe. Eine Einführung, bearb. v.* M. Neubauer. *Unterägeri ^{7}1990.*

Poggendorff, Johann Christian, Physiker, *Hamburg 29. 12. 1796, †Berlin 24. 1. 1877; arbeitete bes. über Elektrizität und Magnetismus und war u. a. an der Entwicklung des Galvanometers beteiligt; seit 1824 Hg. der »Annalen der Physik und Chemie«. – **poggendorffsche Täuschung,** →optische Täuschungen.

Poggio Bracciolini ['pɔddʒo brattʃo'li:ni], Gian Francesco, italien. Humanist, *Terranuova (heute Terranuova Bracciolini, bei Florenz) 11. 2. 1380, †Florenz 30. 10. 1459; entdeckte in Klosterbibliotheken Dtl.s, der Schweiz und Frankreichs viele Handschriften der klass. röm. Literatur. Seine Briefe, Dialoge und moral. Traktate haben für die Geschichte des Humanismus größte Bedeutung; auch Autor der Samml. »Schwänke und Schnurren« (1471 herausgegeben) und einer Geschichte von Florenz in acht Büchern (1453 ff.).

Pogorelić [-litç] (Pogorelich), Ivo, kroat. Pianist, *Belgrad 20. 10. 1958; gilt v. a. als bed. Interpret der Werke F. Chopins.

Pogrom [russ. »Verwüstung«] *der* oder *das,* 1) eine mit Plünderungen und Mord verbundene Judenverfolgung, meist initiiert von staatl. Stellen, z. B. im zarist. Russland und im nat.-soz. Dtl. (→Kristallnacht); 2) im 20. Jh. allgemein Bez. für eine Ausschreitung gegen Mitglieder nat., religiöser oder rass. Minderheiten.

P'ohang [phɔhaŋ], Hafenstadt an der O-Küste von Süd-Korea, 317 800 Ew.; Eisen- und Stahlwerk, Schiffbau, Fischkonservenfabrik; Flughafen.

Pohjanmaa ['pɔh-], finnisch für →Österbotten.

Pohjois-Karjala ['pɔh-] (Nordkarelien), östlichste Prov. Finnlands, 21 585 km^2 (davon 3 476 km^2 Wasserfläche), (1994) 178 100 Ew.; umfasst das Wald- und Seengebiet im Nahbereich der Grenze zu Russland. Hptst. ist Joensuu.

Pohl, Robert Wichard, Physiker, *Hamburg 10. 8. 1884, †Göttingen 5. 6. 1976; 1916–52 Prof. ebd.; arbeitete über Röntgenstrahlen und den lichtelektr. Effekt, schuf Grundlagen für die moderne Festkörperphysik; setzte mit seinen Lehrbüchern der Experimentalphysik neue didakt. Maßstäbe.

Pöhl, Karl Otto, Volkswirtschaftler, *Hannover 1. 12. 1929; 1980–91 Präs. der Dt. Bundesbank.

Pohnpei (früher Ponape), größte Insel der Ostkarolinen im westl. Pazifik, bildet mit acht Koralenatollen den Gliedstaat P. von →Mikronesien.

Poikilotherme, die →Kaltblüter.

Poincaré [pwɛ̃ka're], **1)** Jules Henri, frz. Physiker und Mathematiker, *Nancy 29. 4. 1854, †Paris 17. 7. 1912, Vetter von 2); Prof. in Caen und Paris, begründete die moderne Topologie, lieferte Beiträge zur Lösung des Dreikörperproblems und von Differenzialgleichungen. Er arbeitete u. a. zur Himmelsmechanik, Thermodynamik, Elektrizitätstheorie und Optik und gilt als ein Vorläufer der einsteinschen (speziellen) Relativitätstheorie; bed. seine philosoph. und wissenschaftstheoret. Bücher, u. a. über die Grundlagen der Wiss. (»Wiss. und Hypothese«, 1901; »Der Wert der Wiss.«, 1905) oder das Problem des Raumes.

2) Raymond, frz. Politiker, *Bar-le-Duc 20. 8. 1860, †Paris 15. 10. 1934, Vetter von 1); Rechtsanwalt, war 1912–13 MinPräs. und Außenmin., 1913–20 Staatspräs.; pflegte intensive Beziehungen zu Großbritannien und Russland (Unterstützung der russ. Balkanpolitik). 1920 war er Vors. der Reparationskommission. Als MinPräs. (1922–24) veranlasste er die Besetzung des Ruhrgebiets. 1926–29 war er nochmals MinPräs. und gleichzeitig (bis 1928) Finanzmin.; sanierte den Staatshaushalt und stabilisierte den Franc.

Poinsettie *die, Botanik:* der →Weihnachtsstern.

Pointe ['pwɛ̃t(ə), frz.] *die,* geistreicher, überraschender Schlusseffekt (z. B. beim Witz); »springender Punkt« einer Angelegenheit.

Pointe-Noire [pwɛ̃t'nwa:r], Hafenstadt am Atlantik, Rep. Kongo, 572 200 Ew.; Erdölraffinerie, Werft, Nahrungsmittel-, Holz-, chem. Ind.; Überseehafen, auch bed. Exporthafen für Gabun, die

Ivo Pogorelić

Robert Pohl

Henri Poincaré

Raymond Poincaré

Zentralafrikan. Rep. und Tschad; Eisenbahnlinie nach Brazzaville, internat. Flughafen.

Denis Poisson (Ausschnitt einer zeitgenössischen Lithographie)

Pointer ['pɔɪntə, engl.] *der,* engl. Jagdhunderasse (Vorsteh- und Stöberhunde) mit kurzem weißen Fell mit gelben, brauen oder schwarzen Flecken; Widerristhöhe 54–62 cm.

Pointillismus [pwɛ̃-; von frz. point »Punkt«] *der,* der →Neoimpressionismus.

Point of Sale [pɔɪnt əv 'seɪl, engl.], Abk. **POS,** (Point of Purchase, Abk. POP), Bez. für den Standort des Warenangebots. Durch Werbemaßnahmen und Verkaufsförderung (Sonderregale, untermalende Musik u.a.) sollen die Käufer in den Verkaufsräumen in ihrer Kaufentscheidung beeinflusst werden **(POP-Werbung).** – In Handel und Bankwesen auch Bez. für den Zahlungsort, an dem →POS-Systeme eingesetzt werden.

Sidney Poitier

Poirier [pwa'rje], Anne, frz. Künstlerin, *Marseille 31. 3. 1942; gehört mit ihrem Mann Patrick P. (*1942), mit dem sie seit 1970 zusammenarbeitet, zu den Vertretern der →Spurensicherung und der →individuellen Mythologie.

Poise ['poa:z; frz., nach dem frz. Arzt J. L. M. Poiseuille, *1799, †1869] *das,* Einheitenzeichen **P,** nicht gesetzl. Einheit der dynam. Viskosität: $1\,P = 1\,dyn \cdot s/cm^2 = 0{,}1\,Pa \cdot s$ (Pascalsekunde).

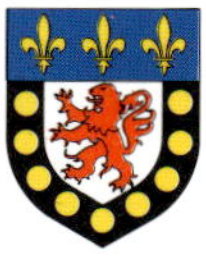

Poitiers Stadtwappen

Poisson [pwa'sɔ̃], Siméon Denis, frz. Mathematiker und Physiker, *Pithiviers (Dép. Loiret) 21. 6. 1781, †Paris 25. 4. 1840; trug wesentlich zum Ausbau der Potenzialtheorie bei **(P.-Gleichung),** die er zur Lösung elektrostat. und magnet. Probleme anwandte. P. befasste sich u.a. mit Wärmeleitung und Wahrscheinlichkeitstheorie und gab als Grenzfall der Binomialverteilung die nach ihm ben. **P.-Verteilung** an, bei der die Wahrscheinlichkeit für das Eintreffen eines bestimmten Ereignisses sehr klein, die Anzahl der unabhängigen Wiederholungen sehr groß ist.

Anne und **Patrick Poirier:** »Die Geburt des Pegasus« (1985; Privatbesitz)

Pointer (Widerristhöhe 54–62 cm)

Poitier ['pwa:ti:eɪ], Sidney, amerikan. Schauspieler und Regisseur, *Miami (Fla.) 20. 2. 1924; seit 1949/50 beim Film. P. ist der erste schwarze Darsteller, dem der film. Durchbruch gelang; Charakterrollen, u.a. in »Saat der Gewalt« (1955), »Flucht in Ketten« (1958), »Porgy and Bess« (1959), »Lilien auf dem Felde« (1962), für den er als erster schwarzer Darsteller den Oscar erhielt, »In der Hitze der Nacht« (1966), »Shoot to kill« (1988), »Sneakers – Die Lautlosen« (1992).

Poitiers [pwa'tje], Hptst. der Region Poitou-Charentes und des Dép. Vienne, Frankreich, 82 500 Ew.; Mittelpunkt des Poitou; Bischofssitz; Univ., Handelshochschule; archäolog. Museen; Metall verarbeitende, elektrotechn., chem., Holz-, Textil-, Leder- und Nahrungsmittelindustrie. – Taufkapelle Saint-Jean (4. Jh., Umbau in merowing. Zeit, Narthex um 1000; mit merowing. Sarkophagen und Fresken 12./13. Jh.), zweitürmige Kathedrale Saint-Pierre (12.–15. Jh.), roman. Kirchen Saint-Hilaire-le-Grand und Notre-Dame-la-Grande (11./12. Jh.), Sainte-Radegonde (11., 13. und 15. Jh., urspr. um 560 gegründete Abteikirche). 10 km nördlich des Stadtzentrums entstand Ende der 1980er-Jahre der Technologie- und Freizeitpark »Futuroscope« mit Kongresszentrum. – P., das galloröm. **Limonum,** später **Civitas Pictonum,** war im MA. die Hptst. der Grafschaft Poitou. Durch den Sieg bei P. (17. 10. 732) konnte Karl Martell das Vordringen der Araber aufhalten.

Poitou [pwa'tu], histor. Provinz in W-Frankreich, umfasst das fruchtbare Plateau zw. dem Armorikan. und dem Zentralmassiv sowie das nordwestlich anschließende Küstengebiet Marais poitevin; Zentrum ist Poitiers. – Der gallorömische **Pictavus pagus** kam 418 n. Chr. an die Westgoten, 507 zum Fränk. Reich. Die Grafen von P. wurden im 10. Jh. zugleich Herzöge von Aquitanien; die Grafschaft war 1152/54 bis 1204/24 und 1360 bis 1370/73 englisch, fiel 1416 an die frz. Krone.

Poitou-Charentes [pwatuʃa'rɑ̃t], Region in W-Frankreich, umfasst die Dép. Deux-Sèvres, Vienne, Charente und Charente-Maritime, 25 809 km^2, (1995) 1,609 Mio. Ew.; Hptst. ist Poitiers.

Pokal [italien., aus grch. baúkalis »enghalsiges Gefäß«], *der,* **1)** *allg.:* kelchartiges Trinkgefäß mit Fuß, Schaft, oft auch mit Deckel.

2) *Sport:* (Cup) Siegestrophäe in bestimmten Wettbewerben (nach dem Pokalsystem).

Pokalsystem, (K.-o.-System), *Sport:* Austragungsmodus für Turniere und Pokalwettbewerbe. Der Verlierer einer Spielrunde scheidet aus.

Pökeln, Konservierungsverfahren, bei dem Fleisch in eine Pökellake (15–20%ige Kochsalzlösung) eingelegt **(Nasspökelung),** schichtweise mit Pökelsalz bestreut **(Trockenpökelung)** oder durch Kanülen manuell oder maschinell mit Pökellake beimpft **(Spritzpökelung, Schnellpökelung)** wird.

Poker [engl., verwandt mit dt. Pochen] *das* und *der,* internat. Kartenglücksspiel amerikan. Herkunft zw. mindestens zwei Teilnehmern mit 52 frz. Karten; zahlr. Spielarten. Es kommt beim P. nicht nur auf eine günstige Kartenverteilung, sondern v.a. auf die Fähigkeit des »Bluffens« an.

Pokorny [-ni], Julius, österr. Sprachforscher und Keltologe, *Prag 12. 6. 1887, †Zürich 8. 4. 1970; Prof. in Berlin, Bern, Zürich, München, schrieb u.a. »Altirische Grammatik« (1925), »Zur Urgesch. der Kelten und Illyrier, Tl. 1« (1938, Tl. 2 und Tl. 3 in: Ztschr. für celt. Philologie, Bd. 16, 1936, und Bd. 20, 1940), »Indogerman. etymolog. Wb.« (2 Bde., 1959–69).

Pokrowsk, bis 1931 Name der russ. Stadt →Engels.

Pol [grch.-lat. »Drehpunkt«, »Achse«] *der,* **1)** *Astronomie* und *Geographie:* Durchstoßpunkt der Rotationsachse eines sich drehenden Körpers durch die Oberfläche. Bei Himmelskörpern, bes. der Erde, werden →Nordpol und →Südpol unterschieden. Die **Himmels-P.** sind die Durchstoßpunkte der Rotationsachse der Erde durch die Himmelssphäre.

2) *Elektrotechnik:* Anschlussklemme einer Spannungs- oder Stromquelle: **Plus-P.** (P. mit Elektronenmangel), **Minus-P.** (P. mit Elektronenüberschuss).

3) *Mathematik:* auf der Kugel ausgezeichneter Punkt zur Festlegung eines Systems von Polarkoordinaten; in der analyt. Geometrie →Polare; in der Funktionentheorie eine Singularität **(P.-Stelle),** d.h. eine Stelle, an der der Wert der Funktion unendlich groß ist.

4) *Physik:* →Dipol, →Magnet, →Multipol.

5) *Textiltechnik:* an der Oberseite textiler Flächen senkrecht angeordnete Fadenschlingen oder Faserbüschel (z.B. bei Samt-, Frottiergeweben).

Pola, italien. Name der kroat. Stadt →Pula.

Polaben [»Elbanwohner«], westslaw. Stamm des frühen MA. nördlich der unteren Elbe, gehörte zu den Abodriten; i.w.S. alle zw. der unteren Elbe und der Oder ansässigen Slawenstämme.

Polack (Pollack, Polegkh, Polonus), Jan, Maler, *vermutlich Krakau um 1435, †München 1519; seit 1482 in München nachweisbar und hier der führende Maler der ausgehenden Spätgotik. Seine Werke zeigen neben poln. Einflüssen Elemente des Stils von V. Stoß und H. Pleydenwurff. BILD S. 100

Poitiers: Das in Form eines großen Kristalls erbaute Filmtheater »Kinémax« ist Teil des Technologie- und Freizeitparks »Futuroscope«

Polanen [zu slaw. pole »Feld«], **1)** (russ. Poljane) ostslaw. Stammesverband, der im 9. und 10. Jh. am mittleren Dnjepr siedelte und den Kern des Kiewer Reiches bildete.

2) westslaw. Stamm, der im 9. und 10. Jh. an der Warthe siedelte; an der Bildung des poln. Staates beteiligt, der nach ihm seinen Namen erhielt.

Polanica Zdrój [-'nitsa zdruj] (dt. Bad Altheide), Stadt in der Wwschaft Wałbrzych (Waldenburg), Polen, in Niederschlesien, 7300 Ew.; Kurort dank kohlensäurehaltiger Eisenquellen; Glashütte, Elektroind., Sägewerk.

Poker

Poker gilt als das Nationalspiel der Vereinigten Staaten schlechthin, als Spiel der Pioniere und Abenteurer, als rechtes Männerspiel: Dafür hat schon die Mythen bildende Kraft des Wildwestfilms gesorgt, der das Ritual um Geld, Karten und Colts in zahlreichen Varianten effektvoll in Szene setzte. Zwar ist das moderne Pokerspiel wirklich in den USA entstanden, doch gab es schon vor 3 000 Jahren Grundformen in Persien. Bei seinem Vorläufer namens »As« gab es bereits Paar, Drilling, Full House, Vierling – und geblufft wurde auch schon. Die Kreuzfahrer brachten das Spiel dann nach Europa, wo es vor allem in Italien (»Primiera«) und Frankreich (»Bouillotte« und »Brelan«) weiterentwickelt wurde. Von dort gelangte es mit französischen Pflanzern nach Louisiana, um sich dann übers ganze Land zu verbreiten. Im Sezessionskrieg war es bei den Soldaten der Nord- und ebenso der Südstaaten beliebt. Es wurde natürlich auf den Raddampfern des Mississippi gespielt und in den Saloons des Westens. Und es eroberte die Spielerkreise in den großen Städten wie Chicago und New York.

Roman Polanski

Polanski, Roman, poln. Filmregisseur und -schauspieler, *Paris 18. 8. 1933; filmte in Polen, Großbritannien und (bis 1974) in den USA, seit 1976 frz. Staatsbürger; drehte surrealistisch beeinflusste Filme wie »Das Messer im Wasser« (1962), »Ekel« (1965), »Tanz der Vampire« (1966), »Rosemaries Baby« (1968); »Chinatown« (1974), »Bitter Moon« (1992), »Der Tod und das Mädchen« (1995); auch Theater- und Opernregisseur.

polar [lat.], entgegengesetzt wirkend, unvereinbar; die Pole betreffend.

Polardiagramm, 1) *Flugzeugtechnik:* diagrammat. Darstellung der aerodynam. Eigenschaften eines Tragflügels oder eines Flugzeugs in einem rechtwinkligen Koordinatensystem durch einen als **Polare** bezeichneten Kurvenzug. Jeder Punkt dieser Kurve beschreibt für einen zugehörigen und beigeschriebenen Anstellwinkel α Größe und Richtung der resultierenden Luftkraft F_R durch deren Komponenten Widerstandskraft F_W (in Zuströmrichtung) und Auftriebskraft F_A (senkrecht dazu). Anstelle dieser Kraftkomponenten können auch deren dimensionslose Beiwerte (Widerstandsbeiwert C_W und Auftriebsbeiwert C_A) aufgetragen werden.

2) *Mathematik:* Darstellung eines funktionalen Zusammenhangs in Polarkoordinaten (→Koordinaten).

Polare [lat.] *die,* **1)** *Flugzeugtechnik:* →Polardiagramm.

2) *Geometrie:* die Verbindungsgerade der Berührungspunkte *A* und *B* der beiden Tangenten durch einen Punkt *P* der Ebene an einen Kegelschnitt. *P* heißt der **Pol** zur P. in Bezug auf den gegebenen Kegelschnitt.

polare Bindung, →chemische Bindung.

Polarforschung, die Erforschung der Polargebiete, zunächst Entdeckungsfahrten, dann zugleich geograph., geolog., geophysikal., wetter- und meereskundl., biolog. und wirtsch. Untersuchungen, verbunden mit der Erkundung von Verkehrsmöglichkeiten, neuerdings auch mit strateg. Planungen. In der Gegenwart haben feste, modern ausgerüstete Landstationen mit Überwinterungsmöglichkeit Bedeutung erlangt. Organisator. Zentrum der dt. P. ist das 1980 gegr. Alfred-Wegener-Inst. für Polar- und Meeresforschung in Bremerhaven. Als dt. Forschungsstationen wurden 1976 in der Antarktis die Georg-Forster-Station und 1981 die Georg-von-Neumayer-Station (1992 durch die Neumayer-Station ersetzt), 1991 in der Arktis (Spitzbergen) die Karl-Koldewey-Station errichtet. Zur Geschichte der P. →Arktis (ÜBERSICHT) und →Antarktis (ÜBERSICHT).

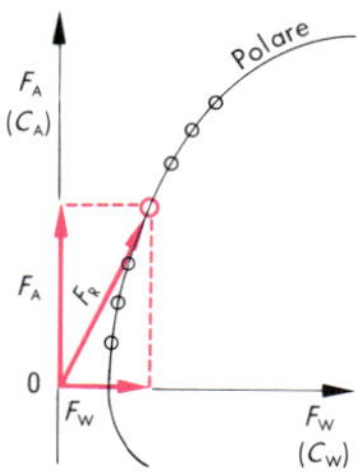

Polardiagramm 1)

Polarfront, 1) *Meereskunde:* Grenze zw. den kalten polaren und wärmeren subpolaren Wassermassen.

2) *Meteorologie:* die →Front zw. polarer Kaltluft und subtrop. Warmluft.

Polarfuchs, eine Art der →Füchse.

Polargebiete, die um die geograph. Pole der Erde gelegenen Land- und Meeresgebiete: die →Arktis und die →Antarktis.

Polargrenze, durch klimat. Faktoren bestimmter Grenzsaum, in dem polwärts die Verbreitung von bestimmten Pflanzen und Tieren, von Besiedlung u.a. endet. Da für jede Gegebenheit andere klimat. Faktoren lebensentscheidend sind, hat auch jede die für sie spezif. Polargrenze.

Polarimeter [lat.-grch.] *das,* Gerät zum Messen der Drehung der Polarisationsebene von Licht durch ein optisch aktives Material, z.B. eine Zuckerlösung **(Saccharimeter);** besteht in der einfachsten Form aus Polarisator und Analysator, zw. die die zu untersuchende Probe gestellt wird (→Polarisation).

Polaris, der →Polarstern.

Jan Polack: »Gnadenstuhl«, Mitteltafel des Hochaltars in der Schlosskapelle Blutenburg in München (1491)

Polarisation [lat.] *die,* **1)** *allg.:* das Vorhandensein oder die Erzeugung polarer (entgegengesetzter) Eigenschaften bei naturwiss. Experimenten; das Herausbilden von Gegensätzlichkeiten, die Aufspaltung (in zwei Lager).

2) *Elektrizitätslehre* und *Magnetismus:* a) **dielektr. P.,** durch ein äußeres elektr. Feld hervorgerufene temperaturunabhängige Verschiebung der zuvor zusammenfallenden Schwerpunkte der negativen und positiven elektr. Ladungen durch Deformation der Elektronenhüllen oder Verschiebung geladener Atome oder Atomgruppen in Kristallen **(Elektronen-P.** bzw. **Atom-P.);** b) **parelektr. P.,** die temperaturabhängige Verstärkung und Ausrichtung vorhandener permanenter elektr. Dipolmomente in parelektr. Substanzen durch Vergrößerung des Abstands der Ladungsschwerpunkte polarer Moleküle **(Atom-P.)** oder Ausrichtung der vorher regellos orientierten Dipolmomente **(Orientierungs-P.);** als Maß für die Erscheinungen der dielektr. und der parelektr. P. wird die vektorielle Feldgröße $\boldsymbol{P}$, die **elektr. P.,** verwendet, $\boldsymbol{P}=\boldsymbol{D}-\varepsilon_0\boldsymbol{E}$ ($\boldsymbol{D}$ elektr. Flussdichte, $\boldsymbol{E}$ elektr. Feldstärke, ε_0 elektr. Feldkonstante); c) **magnet. P. (*J*.),** wird als Maß für die Magnetisierung analog zur elektr. P. gebildet, $\boldsymbol{J}=\boldsymbol{B}-\mu_0\boldsymbol{H}$ ($\boldsymbol{B}$ magnet. Flussdichte, $\boldsymbol{H}$ magnet. Feldstärke, μ_0 magnet. Feldkonstante).

3) *Elektrochemie:* (elektrochem. P., galvan. P., elektrolyt. P.) Potenzialdifferenz einer Elektrode oder eines galvan. Elements im Strom führenden und stromlosen Zustand. Die P. wird z.B. durch chem. Veränderungen an den Elektroden während des Stromflusses (Überspannungen) oder durch die bei der Elektrolyse erzwungenen Konzentrationsänderungen im Elektrolyten verursacht.

4) *Elektrodynamik* und *Optik:* Eigenschaft elektromagnet. Strahlung, bes. des Lichts, unter bestimmten Bedingungen eine innere Ausrichtung senkrecht zur Ausbreitungsrichtung zu zeigen. Sie erklärt sich aus dem transversalen Charakter der elektromagnet. Wellen: In einer ebenen Welle schwingen die elektr. und die magnet. Feldstärke senkrecht zueinander und senkrecht zur Ausbreitungsrichtung. In natürl. Licht ändern sich die Richtungen dieser Schwingungen statistisch; alle Lichtquellen mit Ausnahme der Laser emittieren unpolarisiertes Licht. Beim Durchgang des Lichts durch eine besondere opt. Vorrichtung **(Polarisator)** werden jedoch nur bestimmte Schwingungsrichtungen zugelassen. Bei **linearer P.** bleibt die Schwingungsrichtung zeitlich konstant; bei **zirkularer P.** läuft der Endpunkt des elektr. Feldstärkevektors $\boldsymbol{E}$ mit bestimmter Geschwindigkeit auf einem Kreis um, bei **ellipt. P.** auf einer Ellipse. Polarisatoren zur Erzeugung polarisierten Lichts sind in erster Linie **P.-Prismen** wie das →Nicol-Prisma; zunehmend werden **P.-Folien** benutzt. Das aus dem Polarisator kommende Licht wird von einer zweiten Vorrichtung der gleichen Art **(Analysator)** nur dann voll durchgelassen, wenn deren Vorzugsrichtung zur ersten parallel steht. Im anderen Fall wird es je nach der Verdrehung des Analysators gegen den Polarisator geschwächt und in der 90°-Stellung ausgelöscht. – Lässt man natürl. Licht unter einem Einfallswinkel von etwa 57° **(Brewster-** oder **P.-Winkel)** auf eine ebene Glasplatte fallen, so ist das reflektierte Licht vollständig linear polarisiert. Weitere Methoden zur Erzeugung polarisierten Lichts nutzen die Doppelbrechung oder die unterschiedl. Absorbierbarkeit der beiden senkrecht zueinander linear polarisierten Anteile des natürl. Lichtes in gefärbten doppelbrechenden Kristallen (→Pleochroismus) wie Turmalin aus. Eine Drehung der P.-Richtung um die Fortpflanzungsrichtung als Achse bewirken Stoffe, deren Moleküle eine schraubenartige Struktur haben, z.B. Kristalle (Quarz) und Zuckerlösungen. Je nach dem Drehsinn dieses **opt. Drehvermögens** unterscheidet man links- und rechtsdrehende Stoffe (→optische Aktivität). – Künstlich erzeugte elektromagnet. Wellen (Radiowellen, Funkwellen) sind immer linear polarisiert.

5) *Quantenelektrodynamik:* (P. des Vakuums, Vakuum-P.) eine der dielektr. P. der Materie analoge Eigenschaft des Vakuums, die z.B. eine geringfügige Abschirmung eines Elektrons bewirkt.

6) *Quantenmechanik:* Bez. für Materiewellen (→Korpuskularstrahlen), deren Elementarteilchen-Spins parallel ausgerichtet sind.

Polarisationsfilter, →Lichtfilter.

Polarisationsmikroskop, ein mit linear polarisiertem Licht arbeitendes Mikroskop zur Untersuchung optisch anisotroper Materialien (Kristalle, Minerale, Gesteine u.a.). Das Objekt erscheint im Analysator in den durch seine Doppelbrechung und Dicke bedingten Interferenzfarben.

Polarisator [lat.] *der,* optische →Polarisation.

Polarität [lat.] *die,* Verhältnis der Gegensätzlichkeit zw. zwei voneinander abhängigen, sich gegenseitig bedingenden Momenten.

Polaritätsprofil (semantisches Differenzial), Messverfahren der empir. Sozialforschung zur Bestimmung der Bedeutung oder Gefühlsqualität be-

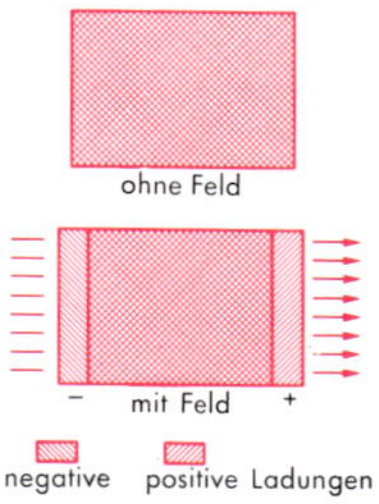

Polarisation 2): dielektrische Polarisation

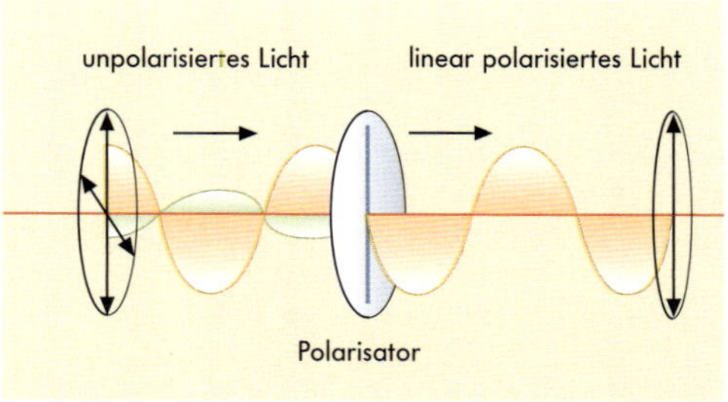

Polarisation 4): Aus einem Lichtbündel wird durch einen Polarisator Licht herausgefiltert, das nur in einer Ebene schwingt

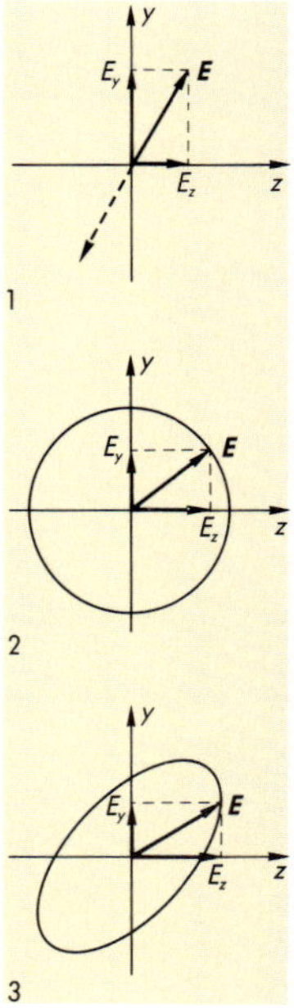

Polarisation 4): Verhalten des elektrischen Feldstärkevektors $\boldsymbol{E}$ bei 1 linearer, 2 zirkularer und 3 elliptischer Polarisation; die Welle breitet sich in *x*-Richtung, das heißt senkrecht zur *y*-*z*-Ebene aus

Polarlicht bei Lübeck am 24. März 1991

liebiger Objekte für befragte Personen, das von C. E. Osgood entwickelt wurde. Es werden dabei aus adjektiv. Gegensatzpaaren (aktiv–passiv, schön–hässlich) gebildete Polaritätsskalen zugrunde gelegt. Die Versuchspersonen nehmen dann eine ihren Eindrücken entsprechende Zuordnung innerhalb dieser Skala vor.

Polarkreise, die Breitenkreise in 66° 33' nördl. **(nördl. P.)** und südl. **(südl. P.)** Breite. Die P. trennen (im mathemat. Sinn) die Polarzonen von den gemäßigten Zonen.

Polarlicht, nächtl. Leuchterscheinungen in den Polargebieten (**Nordlicht** auf der nördl., **Südlicht** auf der südl. Erdhalbkugel), die in 70–1000 km Höhe auftreten. Sie beruhen auf dem Eindringen solarer Korpuskularteilchen in die Erdatmosphäre nahe den magnet. Polen, die Gasteilchen zum Leuchten anregen.

Polarstern

Die meisten Tips, wie man ihn ortet, gehen aus vom Großen Bären, auch Großer Wagen genannt. Über zwei Sternen dieses Sternbilds in fortlaufender Linie ... usw. usw. Nur, man vergisst immer, über welchen Sternen er nun sein soll. Hier die einfachere Lösung: Über dem Sternbild des Großen Bären ist der genauso gut erkennbare Kleine Bär zu sehen. Und der Polarstern ist schlicht der hellste Stern dieses Sternbilds. Der Polarstern ist zurzeit weniger als 1° vom nördlichen Himmelspol entfernt und wird sich ihm in den nächsten 100 Jahren bis auf 28' nähern. Eine gute Orientierung, wenn es nicht regnet!

Polarmeere, das → Nordpolarmeer und die antarkt. Randmeere (→ Südpolarmeer).

Polarnacht, die Zeit, während der die Sonne in den Polarzonen länger als 24 Stunden unter dem Horizont bleibt; die Länge der P. nimmt nach den Polen hin zu. Infolge der Lichtbrechung in der Erdatmosphäre erscheint die Sonne über den Horizont angehoben; deshalb ist die P. an den Polen kürzer als ein halbes Jahr. – **Polartag,** die Zeit, während der in den Polarzonen die Sonne länger als 24 Stunden über dem Horizont bleibt (→ Mitternachtssonne).

Polarographie [lat.-grch.] *die,* Verfahren der chem. Analyse zur qualitativen und quantitativen Bestimmung gelöster Stoffe durch elektrolyt. Abscheidung von Ionen. Für jeden Stoff ist dabei eine bestimmte Mindestspannung notwendig. Die Art und Menge der abgeschiedenen Stoffe lässt sich daher aus der stufenförmigen Strom-Spannungs-Kurve **(Polarogramm)** bestimmen.

Polaroid-Verfahren, → Sofortbildfotografie.

Polar|route [-ru:tə], Flugroute über das Nordpolargebiet: a) kürzeste Flugroute von Europa über Grönland nach der W-Küste der USA (Los Angeles) und b) die Flugverbindung über den Nordpol nach Japan.

Polarstern (Nordpolarstern, Nordstern, Polaris), Stern 2. Größe, hellster Stern im Sternbild des Kleinen Bären (→ Bär).

Polartag, → Polarnacht.

Polarzonen, die beiden Kugelkappen der Erde jenseits der beiden → Polarkreise.

Polbewegung (Polschwankung), durch ständige Verlagerung der Rotationsachse der Erde bedingte, teils period., teils irreguläre Wanderung der Erdpole. Mit der P. verbunden ist eine ständige Veränderung der geograph. Länge und Breite **(Breitenschwankung)** sowie der Grundebene des Äquatorsystems. Ursachen sind u.a. jahreszeitl. Massenverlagerungen auf der Erdoberfläche und Resonanzeffekte sowie Verlagerungen im Erdkörper (durch Erdbeben und Vulkanausbrüche).

Połčnica [pɔu̯tɕ'nitsa], sorb. Name von → Pulsnitz.

Połczyn Zdrój ['pɔu̯tʃin 'zdruj] (dt. Bad Polzin), Stadt in der poln. Wwschaft Koszalin (Köslin), Polen, auf dem Pommerschen Höhenrücken, 9000 Ew.; Moor-, Sol- und Eisenbad.

Polder (fries. Koog), durch Eindeichung gewonnenes und gegen Überflutung geschütztes Neuland, → Groden.

Polemik [grch. pólemos »Krieg«] *die,* literar. oder wiss. Auseinandersetzung, publizist. Fehde, auch unsachl. Kritik, Angriff.

Polen

Fläche: 312685 km²
Einwohner: 38,388 Mio.
Hauptstadt: Warschau
Verwaltungsgliederung: 49 Woiwodschaften
Amtssprache: Polnisch
Nationalfeiertag: 3. 5.
Währung: 1 Złoty (Zł) = 100 Groszy (Gr)
Zeitzone: MEZ

Polen [zu Pol], *Metallurgie:* das Entfernen von Gasen und Oxiden aus der Metallschmelze durch Einleiten von Wasser, Wasserdampf oder Druckluft, urspr. durch Eintauchen frischen Holzes.

Polen (poln. Polacy), westslaw. Volk, das Staatsvolk Polens; größere Gruppen leben auch in den USA (rd. 6,5 Mio.), in Litauen, Lettland, Weißrussland, der Ukraine und Russland (rd. 1,1 Mio.), in Brasilien (rd. 850 000) und Frankreich (rd. 750 000). – Die P. entstanden aus den im Flussgebiet der Oder und Weichsel ansässigen westslaw. Stämmen unter Führung der Polanen. Die Siedlungsgebiete dieser Stämme bilden seit dem 9./10. Jh. die Kernräume der polit. Landschaften Polens.

Polen (amtlich poln. Rzeczpospolita Polska), Staat im O Mitteleuropas, grenzt im W an Dtl., im N an die Ostsee, im NO an das russ. Gebiet Kaliningrad (Königsberg) und an Litauen, im O an Weißrussland und die Ukraine und im S an die Slowak. Republik und die Tschech. Republik.

Staat und Recht: Nach der Verf. von 1997 (am 25.5. angenommen) ist P. eine parlamentar. Rep. Staatsoberhaupt ist der Präs. der Rep., der auf fünf Jahre direkt gewählt wird und dessen Stellung durch besondere Befugnisse in der Außen- und Sicherheitspolitik und im Staatsnotstand gekennzeichnet ist. Das Parlament besteht aus zwei Kammern, die in besonderen Fällen als Nationalversammlung zusammentreten: dem Abg.haus (poln. »Sejm«, 460 auf vier Jahre gewählte Mitgl.) und dem Senat mit 100 Senatoren, die in den 49 (seit 1. Jan. 1999 16) Woiwodschaften auf vier Jahre gewählt werden. Der vom Vertrauen des Sejm abhängige, vom Staatspräs. ernannte Min.rat (Reg.), geführt von einem MinPräs., leitet die Exekutive. Wichtigste Parteien sind: Bündnis der Demokratischen Linken (SLD), Polnische Bauernpartei (PSL), Union der Freiheit (UW, früher Demokrat. Union), Union der Arbeit (UP), Konföderation Unabhängiges Polen (KPN), Parteiloser Block zur Unterstützung der Reformen (BBWR).

Landesnatur: P. ist größtenteils ein Tiefland, mehr als 71% seines Territoriums liegen unter 200 m ü. M. Es ist von eiszeitl. Ablagerungen bedeckt und durch vorwiegend ostwestlich verlaufende Niederungen im Bereich eiszeitl. Urstromtäler gegliedert. An die Jungmoränenlandschaft der Weichseleiszeit im N (Balt. Landrücken) mit ihren Seenplatten und Endmoränenzügen (Pommersche und Masur. Seenplatte) schließt sich in Mittel-P. die schwach wellige Altmoränenlandschaft der Saaleeiszeit an. Nach S tauchen aus der glazialen Decke die z. T. lössbedeckten Tafeln und Stufenlandschaften des poln. Mittelgebirges auf, das östlich der Weichsel aus dem Lubliner Hügelland und Roztoce (in P. bis 390 m ü. M.), westlich davon aus dem Kleinpoln. Berg- und Hügelland (Łysogóra im Kielcer Bergland, 612 m ü. M.) besteht. Das Becken von Sandomierz und die geolog. Mulde des oberschles. Beckens trennen das Bergland vom Gebirgsgürtel der Sudeten und Karpaten; die höchsten Zonen sind Riesengebirge und Hohe Tatra (Meeraugspitze, poln. Rysy, 2499 m ü. M.). Hauptflüsse sind Weichsel und Oder. P. besitzt ein Übergangsklima, das von SW nach NO zunehmend kontinentaler wird.

Bevölkerung: Die Bev. besteht fast ausschließlich aus Polen; von den etwa 1,3% Angehörigen nat. Minderheiten sind die Polendeutschen die größte Gruppe, gefolgt von Ukrainern und Weißrussen. Großstädte mit (1994) über 500 000 Ew. sind Warschau, Lodz, Krakau, Breslau und Posen. Am dichtesten sind die zentral- und südpoln., am schwächsten die nordostpoln. Wwschaften besiedelt. Allg. Schulpflicht besteht vom 8. bis zum 16. Lebensjahr, 8-jährige Primär-, 4-jährige allgemein bildende Sekundarschulen; außerdem Berufs- und beruflich-techn. Fachschulen und (seit 1989) weltl. und kirchl. Gymnasien, die zur Hochschulreife führen. P. besitzt 11 Univ. (eine kath. in Lublin), 18 TH (Polytechnika) sowie 35 weitere Hochschulen. 97% der Bev. sind Katholiken.

Wirtschaft, Verkehr: P., vor dem 2. Weltkrieg ein Agrarland, entwickelte sich ab 1950 zu einem

Staatswappen

PL

Internationales Kfz-Kennzeichen

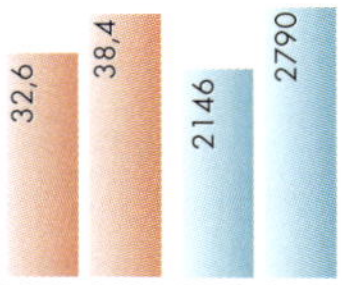

1970 1995 Bevölkerung (in Mio.)
1970 1995 Bruttosozialprodukt je Ew. (in US-$)

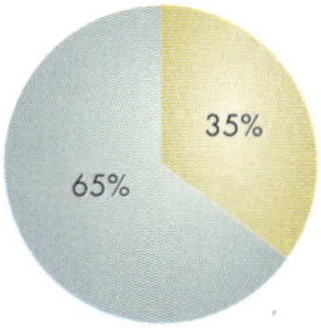

Stadt
Land
Bevölkerungsverteilung 1995

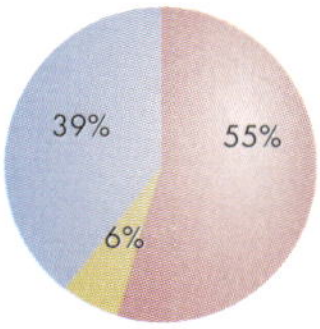

Industrie
Landwirtschaft
Dienstleistung
Bruttoinlandsprodukt 1995

Polen: Weichsellandschaft bei Tczew (links); Karsee am Fuß der Meeraugspitze in der Hohen Tatra, dem höchsten Berg Polens

Industrie-Agrar-Staat. Die nach sowjet. Vorbild etablierte Planwirtschaft brachte das Land jedoch in eine schwere Krise, die 1981–83 zu großen sozialen Unruhen führte (→Solidarność). Im Okt. 1989 wurde der Übergang zur privaten Marktwirtschaft eingeleitet, deren Verwirklichung mit erhebl. wirtsch. Problemen verbunden ist (hohe Auslandsverschuldung, Arbeitslosigkeit). In der Landwirtschaft, auch unter der sozialist. Herrschaft zu 80% privat bewirtschaftet, herrschen Kleinbetriebe vor. Angebaut werden bes. Roggen, Kartoffeln, Futterpflanzen und Weizen, ferner Zuckerrüben, Raps und Gemüse. Bed. sind Rinder-, Schweine-, Pferde- (wegen des geringen Mechanisierungsgrades) und Geflügelhaltung (v.a. Gänse für den Export). Der Wald nimmt 28% der Landesfläche ein (zu 80% Nadelhölzer). Bed. ist die Hochseefischerei. Eine wichtige Rolle spielt der Bergbau, bes. wegen der großen Steinkohlenvorkommen in Oberschlesien. Die Braunkohle (in Südwest-P. an der Grenze zum sächs. Gebiet um Zittau, Konin, Turek, Bełchatów südlich von Lodz) wird in umweltbelastenden Großkraftwerken verstromt. In Niederschlesien werden große Kupfervorkommen abgebaut und verhüttet. Ferner werden Blei-, Zink- und Eisenerze sowie Schwefel (Tarnobrzeg), Salz, im Karpatenvorland etwas Erdgas und -öl gefördert. Neben den traditionellen Ind.standorten Warschau, Lodz, dem Oberschles. Ind.gebiet (um Kattowitz), Danzig und Stettin entstanden neue Ind.zentren in Nowa Huta (zu Krakau) und Tschenstochau (Eisenhüttenind.), Płock (Erdölverarbeitung), Puławy, Włocławek und Thorn (Chemiewerke), Konin (Aluminiumhütte), Legnica, Glogów und Lubin (Kupferhütte). Die wichtigsten Zweige der verarbeitenden Ind. sind Maschinen-, Fahrzeug- (Automobile, Lokomotiven, Waggons) und Schiffbau (v.a. in Danzig), die Nahrungsmittel-, Baustoff-, Holz- und Papier- sowie die Textilind. (Zentrum Lodz). Exportiert werden Maschinen und Transportmittel, v.a. Schiffe, Chemikalien, bes. Schwefel, Steinkohle, Koks und Elektrizität, Metalle, bes. Kupfer, sowie Textilien und Bekleidung. Haupthandelspartner sind die EU-Staaten (v.a. Dtl.), Ukraine, Russland, Tschech. und Slowak. Republik. – Hauptverkehrsträger ist die staatl. Eisenbahn mit einem Streckennetz von

Polen - Wirtschaft

22 655 km (davon 50 % elektrifiziert), das befestigte Straßennetz ist 232 000 km lang, das Binnenwasserstraßennetz (Schiffsverkehr auf Oder, Weichsel, Warthe und Gleiwitzkanal) 3 997 km. Wichtigste Hochseehäfen sind Stettin (mit Außenhafen Swinemünde), Danzig und Gdynia; internat. Flughafen in Warschau. Hauptanziehungspunkte des Fremdenverkehrs sind die Hohe Tatra, Beskiden und Sudeten (bes. Riesengebirge), die Ostseeküste und die Masurischen Seen sowie Warschau, Krakau, Tschenstochau (Wallfahrtszentrum), Breslau u. a. Städte. Viele Heilquellen führten zur Entstehung von Kurorten in den Sudeten (Kudowa Zdrój, Polanice Zdrój und Duszniki Zdrój) und Beskiden (Rabka, Krynica).

Geschichte: *Der frühe Piastenstaat* (10. Jh.–1138): Erster historisch fassbarer Herrscher eines poln. Staates war Herzog Mieszko I. (um 960–992) aus dem Geschlecht der → Piasten. Sein Reich umfasste v. a. den Raum um die mittlere Warthe (Siedlungsgebiet der Polanen, sog. »Groß-P.«) und die mittlere Weichsel (Masowien) sowie um den Goplo-See. 966 trat er zum lat. Christentum über. Sein Sohn Boleslaw I. Chrobry (992–1025) gewann Klein-P. (Polonia Minor, um Krakau), Schlesien, vorübergehend Mähren, die Westslowakei, Pommern und die Lausitz und stieß bis Kiew (1018) vor; zugleich wurde P. (so die um 1000 bei ausländ. Chronisten aufgekommene Staatsbez.) durch die Gründung des Erzbistums Gnesen (1000) auch kirchlich selbstständig. 1025 ließ sich Boleslaw I. Chrobry zum König krönen.

Die Zeit der Teilfürstentümer (1138–1320): Nach Aufteilung des Landes unter seine Söhne und Einführung der Senioratserbordnung durch Boleslaw III. Krzywousty (1102/07–1138) zerfiel das Land in Teilfürstentümer. Pommern schied 1181 endgültig aus der losen Abhängigkeit aus, während Schlesien ab 1163 eine Sonderentwicklung nahm und sich um 1300 der böhm. Lehnshoheit unterstellte. Eine schwere äußere Bedrohung stellte der Einfall der Mongolen dar (1241 Niederlage eines polnisch-dt. Ritterheeres bei Liegnitz). Im 12. Jh. setzte eine intensive Kolonisierung aus dem Gebiet des Hl. Röm. Reiches ein, als Fürsten und kirchl. Institutionen versuchten, neue Siedler für ihre Güter heranzuziehen (→ deutsche Ostsiedlung). Die dt. Neusiedler prägten v. a. das Bild der Städte. Zur Abwehr der heidn. Prußen rief Herzog Konrad I. von Masowien 1226 den Dt. Orden nach Polen. Nach der 1283 abgeschlossenen Unterwerfung der Prußen weitete der Orden seine weltl. Herrschaft 1308 über das von P. beanspruchte Pommerellen aus. Die Auseinandersetzung mit dem Dt. Orden sowie das Erstarken der Bürgerschaft und des Adels bestimmten die Entwicklung im 14. und 15. Jh. maßgeblich.

Polen, Verwaltungsgliederung (1997)

Woiwodschaft	Fläche in km²	Ew. in 1 000	Ew. je km²	Hauptstadt
Biała Podlaska	5 348	309,1	58	Biała Podlaska
Białystok	10 055	701,3	70	Białystok
Bielsko-Biała	3 704	922,4	249	Bielsko-Biała
Bydgoszcz	10 349	1 134,5	110	Bromberg
Chełm	3 866	249,5	65	Chełm
Ciechanów	6 362	436,5	69	Ciechanów
Częstochowa	6 182	780,6	126	Tschenstochau
Elbląg	6 103	493,6	81	Elbing
Gdańsk	7 394	1 463,4	198	Danzig
Gorzów	8 484	512,5	60	Landsberg an der Warthe
Jelenia Góra	4 379	524,4	120	Jelenia Góra
Kalisz	6 512	723,1	111	Kalisz
Katowice	6 650	3 915,1	589	Kattowitz
Kielce	9 211	1 134,4	123	Kielce
Konin	5 139	480,3	93	Konin
Koszalin	8 470	524,6	62	Koszalin
Kraków*)	3 254	1 239,9	381	Krakau
Krosno	5 702	509,2	89	Krosno
Legnica	4 037	525,0	130	Legnica
Leszno	4 154	398,3	96	Leszno
Łódź*)	1 523	1 108,5	728	Łódź
Łomża	6 684	353,5	53	Łomża
Lublin	6 792	1 027,9	151	Lublin
Nowy Sącz	5 576	740,5	133	Nowy Sącz
Olsztyn	12 327	775,4	63	Allenstein
Opole	8 535	1 024,2	120	Oppeln
Ostrołęka	6 498	410,5	63	Ostrołęka
Piła	8 205	496,6	61	Piła
Piotrków Trybunalski	6 266	643,3	103	Piotrków Trybunalski
Płock	5 117	521,5	102	Płock
Poznań	8 151	1 358,3	167	Posen
Przemyśl	4 437	415,8	94	Przemyśl
Radom	7 294	764,1	105	Radom
Rzeszów	4 397	749,9	171	Rzeszów
Siedlce	8 499	661,8	78	Siedlce
Sieradz	4 869	412,7	85	Sieradz
Skierniewice	3 960	423,8	107	Skierniewice
Słupsk	7 453	428,0	57	Słupsk
Suwałki	10 490	488,1	47	Suwałki
Szczecin	9 982	993,8	100	Stettin
Tarnobrzeg	6 283	610,2	97	Tarnobrzeg
Tarnów	4 151	697,7	168	Tarnów
Toruń	5 348	673,2	126	Thorn
Wałbrzych	4 168	736,3	177	Wałbrzych
Warszawa*)	3 788	2 415,2	638	Warschau
Włocławek	4 402	435,0	99	Włocławek
Wrocław	6 287	1 137,7	181	Breslau
Zamość	6 980	491,5	70	Zamość
Zielona Góra	8 868	677,2	76	Zielona Góra
Polen	312 685	38 649,9	124	Warschau

*) Stadtwoiwodschaft

Die Piasten (1320–70): Herzog Wladislaw Łokietek errang zu Anfang des 14. Jh. die Oberherrschaft über ganz P. und ließ sich 1320 in Krakau zum König krönen. Sein Sohn Kasimir III., d. Gr. (1333–70), der letzte der Piasten, verzichtete zugunsten des Dt. Ordens auf Pommerellen (Westpreußen) und dehnte das Reich nach SO (Galizien, Wolhynien, Podolien) aus. Er schuf ein allg. poln. Landrecht und gründete die Univ. Krakau (1364).

Das polnisch-litauische Reich im 15. Jahrhundert

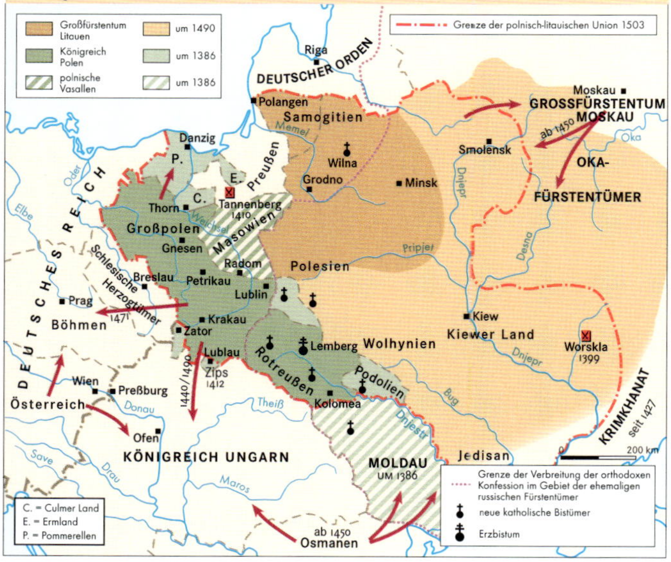

Sigismund II. August, König von Polen (Ausschnitt eines zeitgenössischen Kupferstichs)

Stanislaus II. August Poniatowski, König von Polen (Ausschnitt eines zeitgenössischen Gemäldes)

Das Haus Anjou (1370–86) *und die Jagiellonen* (1386–1572): Ludwig I., d. Gr. (1370–82), ein Neffe Kasimirs aus dem Haus Anjou, konnte sich die Zustimmung des poln. Adels zur Nachfolge für sich und seine Tochter Jadwiga (→ Hedwig 1) nur durch eine großzügige Privilegienerteilung erkaufen. In den Unionen von Krewo und Krakau 1385/86 wurde festgelegt, dass sich der bisher heidn. Großfürst Jagiełło von Litauen taufen lassen und die Erbin Jadwiga zur Frau nehmen sollte. Als König Wladislaw II. (1386–1434) vereinigte er das multinat. und mehrkonfessionelle Doppelreich P.-Litauen zunächst in Personalunion. Dieser Übermacht unterlag der Dt. Orden 1410 bei Tannenberg und dann im »Dreizehnjährigen Krieg« (1454–66). Im 2. Thorner Frieden von 1466 musste er für das ihm verbliebene Ostpreußen die poln. Lehnshoheit anerkennen, während Pommerellen mit dem Culmer Land und Ermland ein besonderer Ständestaat unter der Herrschaft des poln. Königs wurde. 1561 kam auch Livland an P., Kurland wurde poln. Lehen. Durch die Lubliner Union von 1569 wurden Litauen und der westpreuß. Ständestaat ganz mit P. verschmolzen; doch behaupteten die dt. Städte Thorn, Elbing und v. a. Danzig sowie das Bistum Ermland ihre Selbstständigkeit. Der eindringende Protestantismus wurde durch die kath. Gegenreformation zurückgedrängt. Die Königsgewalt war schon seit dem 15. Jh. durch die wachsende Macht des Adels, der »Schlachta«, geschwächt worden, die ihren polit. Mittelpunkt im poln. Reichstag fand.

Wahlkönigtum (1572–1795): Seitdem die Jagiellonen 1572 mit Sigismund II. August ausgestorben waren, wählte der poln. Adel ausländ. Fürsten zu Königen, so Stephan Báthory von Siebenbürgen (1575/76–86 als Stephan IV. Báthory) und die aus dem schwed. Haus Wasa stammenden Monarchen Sigismund III. (1587–1632), Wladislaw IV. (1632–48) und Johann II. Kasimir (1648–68). P. verlor 1629 Livland an Schweden und musste 1657/60 zugunsten Brandenburgs auf die Lehnshoheit über Ostpreußen verzichten. Nachdem gegenüber Russland bis 1619 einige Gebietsgewinne erzielt werden konnten und 1610–12 sogar die Übernahme des Zarenthrons möglich schien, brach in der Ukraine ein großer Aufstand der Kosaken aus, die sich 1654 unter die Herrschaft der russ. Zaren stellten. Weitere Ostgebiete (Kiew) gingen im Frieden von Andrussowo (1667) verloren. Im Kampf gegen die Türken errang P. unter Johann III. Sobieski (1674–96) im Bündnis mit Österreich militär. Erfolge (1683 Sieg in der Schlacht am Kahlenberg); es gewann Podolien zurück. Warschau (seit 1596 Hptst.) wurde im 18. Jh. ausgebaut. Die Wahl des sächs. Kurfürsten August des Starken zum König von P. (1697–1706, 1709–33) verstrickte das Land in den Nord. Krieg, in dem Russland bereits als die ausschlaggebende Macht in P. auftrat. Sein Sohn August III. (1733–63) konnte sich im Poln. Thronfolgekrieg nur dank der russ. Hilfe gegen Stanislaus Leszczyński durchsetzen, und der letzte poln. König Stanislaus II. August Poniatowski (1764–95) musste sich der russ. Kaiserin Katharina II. beugen. Schließlich kam es zu den drei Teilungen P.s (1772, 1793 und 1795), wobei sich Russland (zu etwa $^{2}/_{3}$), Preußen und Österreich (zu je etwa $^{1}/_{6}$) des Landes bemächtigten und P. damit von der Landkarte Europas verschwand. Noch 1791 war eine demokrat. Verfassung (die erste geschriebene in Europa) verabschiedet worden. Ein nat. Aufstand 1794 unter Führung T. Kościuszkos scheiterte an der russisch-preuß. Übermacht.

Unter der Herrschaft der Teilungsmächte (1795 bis 1918): Das 1807 durch Napoleon I. aus preuß. Teilungsgebieten errichtete Herzogtum Warschau wurde im Ergebnis des Wiener Kongresses (1814/15) um Posen und Krakau verkleinert und als Königreich P. **(Kongress-P.)** in Personalunion mit Russland vereinigt. Krakau erhielt den Status einer Freien Stadt (bis 1846); die Österreich zugesprochenen Gebiete wurden 1849 als Kronland Galizien reorganisiert. Alle Versuche zur Wiederherstellung des Nationalstaates (Novemberaufstand 1830/31, Aufstandsversuche in Galizien 1846 und Posen 1848, Januaraufstand 1863) wurden blutig niedergeschlagen. Kongress-P. sah sich einer heftigen Russifizierungspolitik ausgesetzt. Seitdem bewahrten die Polen hier und im österr. Galizien für lange Zeit ihre nat. Identität durch Pflege ihrer Sprache und Kultur.

Der Ausbruch des 1. Weltkriegs belebte die Hoffnung auf Wiederherstellung der Eigenstaatlichkeit (zunächst Proklamation eines poln. Königreichs ohne Territorialabgrenzung durch die Mittelmächte am 5. 11. 1916). Am 8. 1. 1918 forderte der amerikan. Präs. W. Wilson die Bildung eines unabhängigen poln. Staates mit Zugang zur Ostsee. Am 7. 10. 1918 rief der Regentschaftsrat die Unabhängigkeit P.s aus; Staatschef der Rep. P. war 1918–22 J. Piłsudski.

Polen zw. den Weltkriegen (1918–39): Durch den Versailler Vertrag bekam P. den größten Teil der Provinz Westpreußen (»Poln. Korridor«) und fast die ganze Provinz Posen. Danzig wurde Freie Stadt. Oberschlesien, wo trotz mehrerer poln. Aufstände die Abstimmung vom 20. 3. 1921 eine dt. Mehrheit ergab, wurde geteilt (→Schlesien, Geschichte). Von Österreich erhielt P. →Galizien; das Teschener Gebiet musste 1920 entlang der Olsa mit der Tschechoslowakei geteilt werden. Ein poln. Vorstoß auf Kiew (April/Mai 1920) löste den Polnisch-Sowjet. Krieg (1920/21) aus; die Gegenoffensive Sowjetrusslands scheiterte schließlich am poln. Sieg in der Schlacht bei Warschau (16. 8. 1920, »Wunder an der Weichsel«). Im Frieden von Riga (18. 3. 1921) wurde eine Grenze gezogen, die mehr als 200 km östlich der →Curzon-Linie verlief. 1920 hatte P. zudem das Wilnagebiet annektiert. Die innere Konsolidierung (formal beendet mit Annahme der Verf. vom 17. 3. 1921) wurde erschwert durch die polit. Zersplitterung der Parteien, die wirtsch. Rückständigkeit, die in der Teilungszeit entstandenen unterschiedl. Wirtschafts-, Bildungs-, Justiz- und Verw.systeme sowie durch die Existenz starker nat. Minderheiten (31% der Gesamtbev.). Außenpolitisch war P. in das frz. Allianzsystem einbezogen (Bündnis vom 19. 2. 1921). Die restriktive Politik gegenüber der dt. Minderheit, die dt. Weigerung, die neue dt. O-Grenze anzuerkennen, ein »Zollkrieg« um die oberschles. Kohle, andererseits der politisch-ideolog. Gegensatz zum Sowjetsystem schlossen eine Kooperation P.s mit seinen beiden größten Nachbarn aus.

Am 12. 5. 1926 übernahm Marschall J. K. Piłsudski in einem Staatsstreich die Macht (1926–28 und 1930 MinPräs., 1926–35 Kriegsmin.), errichtete unter formaler Beibehaltung von Verf. und Parlament ein autoritäres System und setzte 1935 eine autoritäre Präsidialverfassung durch. Zur außenpolit. Absicherung wurden Nichtangriffsverträge mit der Sowjetunion (1932) und Dtl. (1934) abgeschlossen. Außenmin. J. Beck strebte den Aufstieg P.s zur ostmitteleurop. Führungsmacht im Rahmen eines »Dritten Europa« von der Ostsee bis zur Adria an.

Nach dem Tod Piłsudskis 1935 wurde das Militär unter Marschall E. Rydz-Śmigły staatsbestimmend. Die Verschärfung der Minderheitenpolitik, auch gegenüber der dt. Volksgruppe, engte die außenpolit. Manövrierfähigkeit ein. Im Okt. 1938 wurde die Tschechoslowakei zur Abtretung des Olsagebietes gezwungen. Der verstärkte außenpolit. Druck des Dt. Reiches 1938/39 (Forderung nach Angliederung Danzigs an Dtl. und nach Errichtung exterritorialer Verkehrswege durch den Poln. Korridor) veranlasste P. wieder zu engerer Anlehnung an die Westmächte. Die Kündigung des Dt.-Poln. Nichtangriffspakts durch Hitler (28. 4. 1939) hoffte P. durch die brit. Garantieerklärung (31. 3. 1939) und das polnisch-brit. Beistandsabkommen (25. 8. 1939) ausbalancieren zu können. Doch im Dt.-Sowjet. Nichtangriffspakt (»Hitler-Stalin-Pakt«)

Polen

Noch ist Polen nicht verloren

*Mit dieser Redensart möchte man zum Ausdruck bringen, dass man eine bestimmte unangenehme Lage für noch nicht ganz aussichtslos hält, dass durchaus noch nicht alles verloren ist. Die oft etwas scherzhaft gebrauchte Redensart hat sich aus den Anfangsworten der polnischen Nationalhymne entwickelt, im polnischen Original: »Jeszcze Polska nie zginęła«. Der polnische Politiker und Schriftsteller Józef Wybicki (*1747, †1822) schrieb 1797 dieses von einem unbekannten Komponisten vertonte Lied, das seit 1918 offizielle polnische Nationalhymne ist. Populär geworden war das Lied zunächst als Marschlied einer polnischen Legion, die der General Jan Henryk Dąbrowski als Hilfstruppe Napoleons in Oberitalien aufgestellt hatte, und zwar unter dem Namen »Dąbrowskimarsch«.*

Polnische Teilungen

Józef Klemens Piłsudski

Władysław Sikorski

vom 23. 8. 1939 war in einer Geheimklausel u. a. die Aufteilung P.s vereinbart worden. Der dt. Angriff auf P. am 1. 9. 1939 löste den 2. Weltkrieg aus.

Polen im 2. Weltkrieg: Das poln. Heer konnte sich gegen die dt. Wehrmacht und die seit dem 17. 9. 1939 einrückende Rote Armee nicht behaupten. Ein dt.-sowjet. Grenz- und Freundschaftsvertrag (28. 9. 1939) teilte sodann P. entlang der Flüsse Narew, Bug und San in ein dt. und ein sowjet. Gebiet auf. Die v. a. von Ukrainern und Weißrussen bewohnten östl. Gebiete (200 280 km² mit 13,5 Mio. Ew., darunter 3,5 Mio. Polen) wurden der Ukrain. SSR und der Weißruss. SSR eingegliedert (1940/41 Zwangsdeportation von weit über 1 Mio. Polen nach Zentralasien und Sibirien). West-P. (90 000 km² mit 10 Mio. Ew.) wurde am 8. 10. 1939 dem Dt. Reich angeschlossen, der Rest am 26. 10. 1939 als Dt. Generalgouv. P. (98 000 km² mit über 10 Mio. Ew.) organisiert, dem 1941 Galizien angegliedert wurde. Der nat.-soz. Terror nahm mit Zwangsverpflichtungen nach Dtl., Deportationen und der Ausrottung – anfangs der jüd., später auch anderer poln. Bev.teile – in den Konzentrations- und Vernichtungslagern immer größere Ausmaße an. 1939–45 kamen 6,03 Mio. Polen, unter ihnen rd. 3 Mio. Juden, ums Leben.

In Paris wurde 1939 unter General W. Sikorski eine Exilreg. gebildet, die eine Exilarmee aufstellte. Die von den Alliierten als Krieg führender Bundesgenosse anerkannte, nach der frz. Niederlage von London aus operierende Exilregierung schloss am 30. 7. 1941 ein Bündnis mit der Sowjetunion, das die Aufstellung einer poln. Armee aus 80 000 Kriegsgefangenen unter General W. Anders ermöglichte. Die Entdeckung der Massengräber poln. Offiziere bei →Katyn im April 1943 führte jedoch zum Bruch mit der sowjet. Führung. Die Exilreg. wurde von Großbritannien zu einem Ausgleich mit der Sowjetunion gedrängt, lehnte aber die Anerkennung der Curzon-Linie ebenso ab wie eine kommunist. Reg.beteiligung im befreiten P. Mit den ab 1943 rekrutierten Einheiten unter General Z. Berling beteiligten sich die poln. Kommunisten an der Seite der Roten Armee an der militär. Befreiung P.s. 1939 waren erste Widerstandsorganisationen entstanden, die sich im Febr. 1942 mit einer der Londoner Exilreg. unterstellten »Armee im Lande« (»Armia Krajowa«, AK) eine militär. Organisation schufen. Kommunist. Widerstandsgruppen wurden in der »Volksarmee« (AL) zusammengefasst. Ein Aufstand im Warschauer Getto 1943, der den Abtransport der Juden in die Vernichtungslager aufhalten sollte, wurde durch die dt. Besatzungsmacht blutig unterdrückt. Als im Juli 1944 die Rote Armee den Bug überschritt und das von prosowjet. Kräften gebildete »Lubliner Komitee« (eigtl. »Poln. Komitee der Nat. Befreiung«) eine kommunist. Verw. aufzubauen begann, löste die AK den Warschauer Aufstand (1. 8.–2. 10. 1944) aus, den die dt. Wehrmacht jedoch nieder-

Polen im 20. Jahrhundert

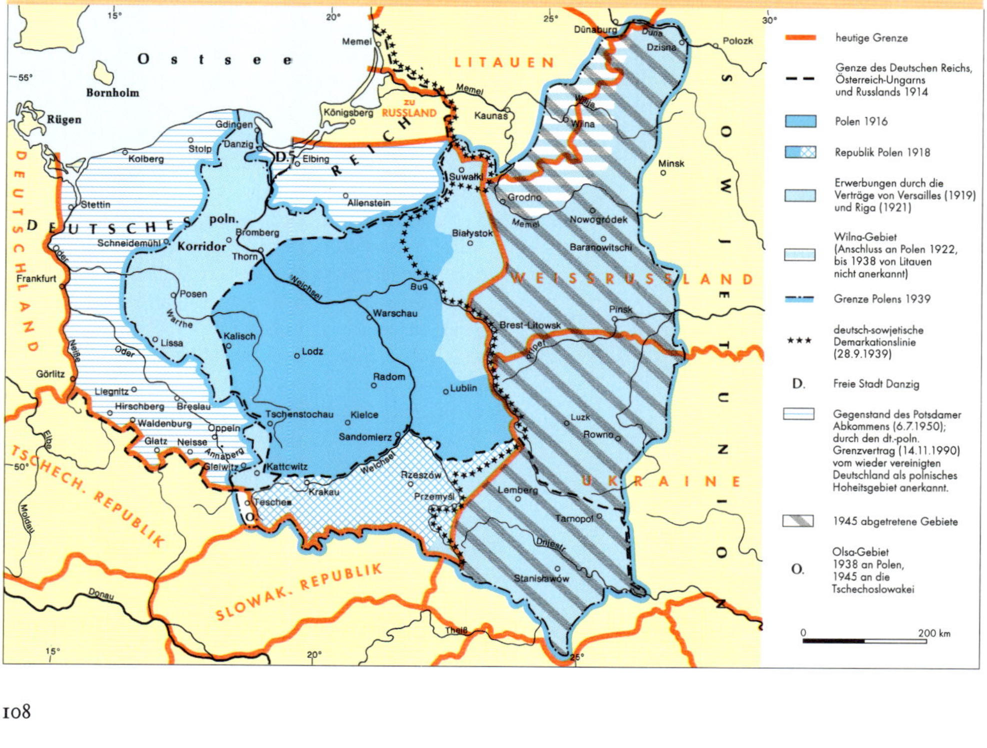

schlagen konnte. Das Lubliner Komitee (seit 1. 1. 1945 in »Provisor. Reg.«) übernahm in den von der Roten Armee freigekämpften poln. Gebieten die Reg.gewalt und mit sowjet. Unterstützung auch die Verw. in den dt. Ostgebieten. Mit dem →Potsdamer Abkommen (2. 8. 1945) unterstellten die Siegermächte des 2. Weltkriegs die ehem. ostdt. Gebiete bis zur Oder und Neiße sowie das südl. Ostpreußen und Danzig poln. Verw. (vorbehaltlich einer endgültigen Regelung der W-Grenze in einem Friedensvertrag). Dafür musste P. auf das Gebiet östlich der Curzon-Linie (rd. 180000 km²) zugunsten der UdSSR verzichten (fixiert im polnisch-sowjet. Abkommen vom 16. 8. 1945). Das poln. Staatsgebiet umfasste rd. 313000 km². Mit der jetzt vor der Potsdamer Konferenz einsetzenden Vertreibung der Deutschen (Höhepunkt 1945/46) und der Zwangsumsiedlung der Polen aus den an die Sowjetunion gefallenen Ostgebieten kam es zu einer großen Bev.verschiebung.

Nachkriegszeit (1945–52): Aus Vertretern der »Provisor. Reg.« und Exilpolitikern wurde am 28. 6. 1945 eine »Reg. der Nat. Einheit« gebildet, in der Kommunisten Schlüsselpositionen innehatten. Die Sowjetunion sicherte sich einen starken Einfluss auf P. u.a. durch den Abschluss eines Freundschafts- und Beistandsvertrags (21. 4. 1945). Mit Ausnahme der oppositionellen Poln. Bauernpartei (PSL) wurden alle Parteien in einem »Demokrat. Block« zusammengefasst, der von der kommunist. Poln. Arbeiterpartei (PPR) unter Gen.-Sekr. W. Gomułka beherrscht war und die Wahl zum Parlament (19. 1. 1947) für sich entschied. Mit der Annahme der »Kleinen Verf.« (19. 2. 1947) begann die offene Kursnahme auf die Errichtung einer Volksdemokratie. B. Bierut (Kommunist) wurde Staatspräs. (1947–52) und J. Cyrankiewicz (Sozialist) MinPräs. (1947–52, 1954–70). Nach dem Ausschluss Jugoslawiens aus dem »sozialist. Lager« (1948) wurden die poln. Nationalkommunisten als »Rechtsabweichler« aus führenden Positionen entfernt und verhaftet (u.a. Gomułka). 1948 fusionierten nach Säuberungen PPR und Sozialist. Partei (PPS) zur Vereinigten Poln. Arbeiterpartei (PZPR), deren Führung B. Bierut übernahm. Nach einer Bodenreform und der Verstaatlichung der Ind., der Banken und des Verkehrswesens in den ersten Nachkriegsjahren vollzog sich 1947 der Übergang zur zentralen Planwirtschaft. 1949 wurden in Landwirtschaft und Kleingewerbe Zwangskollektivierungen und Enteignungsmaßnahmen eingeleitet. Damit ging eine verschärfte Reglementierung, bald eine offene Verfolgung der kath. Kirche einher. Die nach 1949 forcierte Industrialisierung brachte unter großem Konsumverzicht der Bev. eine Umgestaltung der Wirtschaftsstruktur. Im Görlitzer Vertrag (6. 7. 1950) erkannte die DDR die Oder-Neiße-Linie an.

Polen: Das hermetisch abgeriegelte Warschauer Getto im April 1943 kurz vor dem Aufstand

Die Volksrepublik Polen (1952–89): Mit der volksdemokrat. Verf. vom 22. 7. 1952 nahm das Land offiziell die Staatsbez. »Volksrep. P.« an. Als Mitgl. des Rates für gegenseitige Wirtschaftshilfe (seit 1949) und des Warschauer Pakts (seit 1955) fügte sich P. in den Ostblock ein. Unter dem Eindruck der Entstalinisierung in der Sowjetunion kam es im Juni 1956 zum Posener Aufstand; im Okt. 1956 wurde Gomułka an die Spitze der PZPR zurückberufen. Bei fester Einbettung in das »sozialist. Lager« änderte er den polit. Kurs: Wiedereinführung der bäuerl. Privatwirtschaften, Fortsetzung der Industrialisierung unter Verstärkung des Konsumgütersektors, Begrenzung der sowjet. Stationierungstruppen und Entlassung des als Verteidigungsmin. amtierenden sowjet. Marschalls K. K. Rokossowski, Normalisierung der Beziehungen zur kath. Kirche. Blockinterne Rücksichtnahmen zwangen zu Beginn der 60er-Jahre zu einer Verschärfung des innenpolit. Kurses (Einschränkung der kirchl. Wirkungsmöglichkeiten und geistiger Freiheiten; antisemit./antizionist. Tendenzen in Verbindung mit Kritik an der Nahostpolitik Israels; es folgten Studentenstreiks im März 1968, die zur Ausschaltung der reformfreudigen parteiinternen Opposition führten). Die poln. Beteiligung an der militär. Niederwerfung des »Prager Frühlings« in der ČSSR im Aug. 1968 sicherte Gomułka die Unterstützung der sowjet. Reg. bei der Zurückdrängung seiner Gegner im Innern (v.a. die nationalkommunistische Opposition um Innenmin. M. Moczar) und beim Abschluss des Dt.-Poln. Vertrages (7. 12. 1970).

Władysław Gomułka

Edward Gierek

Streiks und Arbeiterunruhen in den Küstenstädten führten im Dez. 1970 zur Entlassung Gomułkas und zur Machtübernahme durch E. Gierek, dem zus. mit MinPräs. P. Jaroszewicz eine wirtsch. Konsolidierung gelang. 1972 übernahm H. Jabłonski das Amt des Staatsratsvors. (bis 1985). Nach

Die polnischen Staatsoberhäupter

Piasten	
Mieszko I.	um 960-992
Bolesław I. Chrobry (»der Tapfere«)	992-1025
Mieszko II. Lambert	1025-1034
Kasimir I. Odnowiciel (»der Erneuerer«)	1034/39-1058
Bolesław II. Smiały (»der Kühne«) oder Szczodry (»der Freigebige«)	1058-1079
Wladislaw I. Herman	1079-1102
Zbigniew und Bolesław III. Krzywousty (»Schiefmaul«)	1102-1107
Bolesław III. Krzywousty	1102/07-1138
Regierende Fürsten von Krakau (Senioren) während der Zeit der Teilfürstentümer	
Wladislaw II. Wygnaniec (»der Vertriebene«)	1138-1146
Bolesław IV. Kędzierzawy (»Kraushaar«)	1146-1173
Mieszko III. Stary (»der Alte«)	1173-1177
Kasimir II. Sprawiedliwy (»der Gerechte«)	1177-1194
Mieszko III. Stary	1198-1202
Wladislaw Laskonogi (»Steifbein«)	1202
Leszek Biały (»der Weiße«)	1202-1210
Mieszko Plątonogi (»Schlenkerbein«)	1210-1211
Leszek Biały	1211-1227
Wladislaw Laskonogi	1227-1229
Konrad I. von Masowien	1229-1232
Heinrich I. Brodaty (»der Bärtige«)	1232-1238
Heinrich Pobożny (»der Fromme«)	1238-1241
Konrad I. von Masowien	1241-1243
Bolesław V. Wstydliwy (»der Keusche«)	1243-1279
Leszek Czarny (»der Schwarze«)	1279-1288
Heinrich Probus	1288-1290
Przemysł II. (1295/96 poln. König)	1290-1291
Wenzel II. von Böhmen (aus der Dynastie der Přemysliden, ab 1300 poln. König)	1291-1305
Wenzel III. von Böhmen	1305-1306
Vereinigtes Königreich Polen	
Wladislaw I. Łokietek (»Ellenlang«) (König ab 1320)	1306-1333
Kasimir III. Wielki (»der Große«)	1333-1370
Anjou	
Ludwig I., der Große	1370-1382
Hedwig (Jadwiga)	1382-1386/99
Jagiellonen	
Wladislaw II. (Jagiello)	1386-1434
Wladislaw III.	1434-1444
Kasimir IV. Andreas	1447-1492
Johann I. Albrecht	1492-1501
Alexander	1501-1506
Sigismund I., der Alte oder der Große	1506-1548
Sigismund II. August	1548-1572
Wahlkönige	
Heinrich III. (von Frankreich)	1573-1574/75
Stephan IV. Báthory	1575/76-1586
Sigismund III. Wasa	1587-1632
Wladislaw IV. Wasa	1632-1648
Johann II. Kasimir Wasa	1648-1668
Michael Korybut Wiśniowiecki	1669-1673
Johann III. Sobieski	1674-1696
August II., der Starke	1697-1706
Stanislaus I. Leszczyński	1704/06-1709
August II., der Starke	1709-1733
Stanislaus I. Leszczyński	1733-1736
August III.	1733-1763
Stanislaus II. August Poniatowski	1764-1795
Präsidenten der Republik Polen	
J. Piłsudski (»Staatschef«)	1918-1922
G. Narutowicz	1922
S. Wojciechowski	1922-1926
I. Mościcki	1926-1939
W. Raczkiewicz (im Exil)	1939-1947
Vorsitzender des Landesnationalrates	
B. Bierut	1944-1947
Präsident der (volksdemokratischen) Republik Polen	
B. Bierut	1947-1952
Vorsitzende des Staatsrates der Volksrepublik Polen	
A. Zawadzki	1952-1964
E. Ochab	1964-1968
M. Spychalski	1968-1970
J. Cyrankiewicz	1970-1972
H. Jabłonski	1972-1985
W. Jaruzelski	1985-1989
Präsidenten der Republik Polen	
W. Jaruzelski	1989-1990
L. Wałęsa	1990-1995
A. Kwaśniewski	seit 1995

Wojciech Jaruzelski

erneuten Streiks und Arbeiterunruhen 1976 bildete sich das »Komitee zur Verteidigung der Arbeiter« (KOR). Die mit der Wahl des Krakauer Kardinals K. Wojtyła zum Papst (16. 10. 1978) Johannes Paul II. einsetzende religiöse Erneuerungsbewegung unterstützte die Forderung nach tief greifenden Reformen. Ausgelöst durch wirtsch. Schwierigkeiten (v. a. Missverhältnis zw. Kaufkraft und Warenangebot) kam es 1980 zu einer landesweiten Streikbewegung (Zentrum u. a. in Danzig); sie konnte nur durch Zulassung unabhängiger Gewerkschaften (am 17. 9. 1980 Gründung und am 10. 11. 1980 gerichtl. Bestätigung der →Solidarność unter Führung L. Wałęsas) und durch weitere Zugeständnisse (Danziger Abkommen vom 31. 8. 1980) beendet werden. Gierek wurde als 1. Sekretär der PZPR Anfang Sept. 1980 durch S. Kania ersetzt. Im Febr. 1981 übernahm General W. Jaruzelski das Amt des MinPräs., im Okt. 1981 auch das des Parteichefs. Die sich rapide zuspitzende innenpolit. und wirtsch. Situation sowie die sich abzeichnende Möglichkeit einer sowjet. Intervention veranlassten ihn zur Verhängung des Kriegsrechts (13. 12. 1981); ein »Militärrat der Nat. Rettung« unter seinem Vorsitz übernahm die Macht. Streiks wurden untersagt, viele Gewerkschaftsaktivisten und Intellektuelle interniert. Anfängl. Widerstand in den Betrieben wurde gewaltsam unterdrückt, die Gewerkschaft im Okt. 1982 endgültig verboten. Nach Aufhebung des Kriegsrechts (22. 7. 1983) wurden zwar fast alle Internierten freigelassen, doch blieben zahlr. Beschränkungen (einschl. des Verbots der »Solidarność«) aufrechterhalten. Die Ermordung des Priesters J. Popiełuszko (1984) löste neue Spannungen aus. Zur Überwindung wirtsch. Schwierigkeiten legte die Reg. ein Reformprogramm vor, das in einem Referendum im Nov. 1987 abgelehnt wurde. Da es den Reg. Z. Messner (1985–88) und M. Rakowski (1988/89) nicht gelang, die innenpolit. Krise zu überwinden, wurden Anfang Febr. 1989 Gespräche mit der Opposition am »runden Tisch« aufgenommen. Ergebnisse waren u.a. die Wiederzulassung von »Solidarność« und die Einrichtung einer zweiten Parlamentskammer. Die Parlamentswahlen im Juni 1989 brachten einen überwältigenden Sieg der Opposition; das Bürgerkomitee »Solidarność« erhielt im Sejm alle 161 der Opposition zugestandenen Sitze, in der 2. Kammer 99 von 100 Sitzen. Der seit 1985 als Vors. des Staatsrats amtierende Jaruzelski wurde am 19. 7. 1989 zum Staatspräs. gewählt (bis Dez. 1990). Am 24. 8. 1989 wurde der Oppositionspolitiker T. Mazowiecki Reg.chef.

Republik Polen (seit 1989): Im Rahmen der im Dez. 1989 verabschiedeten Verf.änderungen wurde die Staatsbez. »Rep. P.« wieder eingeführt. 1990 löste sich die PZPR auf, ein Teil ihrer Mitgl. gründete die »Sozialdemokratie der Rep. P.«. Im Dez. 1990 wurde Wałęsa zum Staatspräs. gewählt (Rücktritt als Vors. der Gewerkschaft »Solidarność«). MinPräs. J. K. Bielecki (Jan.–Dez. 1991) setzte den marktwirtsch. orientierten Reformkurs fort. Mit den wachsenden wirtsch.-sozialen Problemen bei der Umsetzung der Reg.politik büßte auch die »Solidarność«-Bewegung, die seit ihrer Einbindung in die Reg.verantwortung politisch zersplitterte, an Popularität und Einfluss ein. Die Parlamentswahlen im Okt. 1991 erbrachten keine klare Mehrheit; MinPräs. einer Mehrparteienkoalition wurde J. Olszewski, der das Tempo der marktwirtsch. Reformen zu drosseln suchte.

Nach der Abberufung Olszewskis (Juni 1992) führte Hanna Suchocka (Demokrat. Union) von Juli 1992 bis Mai 1993 als MinPräs. eine Koalitionsreg. von sieben aus der Gewerkschaft »Solidarność« hervorgegangenen Parteien. Ein Reg.programm zur »Allg. Privatisierung« (Privatisierung von rd. 600 Staatsbetrieben, Ausgabe von Volksaktien) wurde Ende April 1993 vom Sejm gebilligt. Ein restriktives Abtreibungs-Ges. polarisierte die Gesellschaft und setzte die Reg.koalition einer Zerreißprobe aus. Nach vorgezogenen Neuwahlen im Sept. 1993, bei denen v.a. das Linksbündnis SLD und die Poln. Bauernpartei (PSL) Stimmengewinne zu verzeichnen hatten, wurden Korrekturen an dem prinzipiell befürworteten marktwirtsch. Kurs gefordert. Bei den Präsidentenwahlen setzte sich im Nov. 1995 A. Kwaśniewski, der Kandidat der Linksallianz, gegen Staatspräs. L. Wałęsa durch, sieht sich jedoch seit Sept. 1997 im Sejm einer liberal-konservativen Mehrheit gegenübergestellt (MinPräs. J. Buzek, seit Okt. 1997).

In seiner Außenpolitik schloss P. im Nov. 1990 mit Dtl. einen Grenzvertrag (Festlegung der Oder-Neiße-Linie als endgültige dt.-poln. Grenze), im Juni 1991 einen Nachbarschaftsvertrag. Das nach Mitgliedschaft in der EU und der NATO strebende P. wurde 1991 Vollmitgl. des Europarates und schloss im selben Jahr mit der EU ein Assoziierungsabkommen. Zugleich bemühte sich die poln. Diplomatie um eine aktive Nachbarschaftspolitik (Visegrád-Allianz, →Visegrád). In der außen- und sicherheitspolit. Konzeption gewann die Gestaltung einer frz.-dt.-poln. »Achse« eine Schlüsselstellung. Neben dem vorrangigen Ziel der vollständigen Westintegration P.s sucht P. gutnachbarl. Beziehungen zu seinen östl. Nachbarn (v.a. zu Russland). 1994 stellte die poln. Regierung den Antrag auf Aufnahme in die EU und unterzeichnete das NATO-Programm »Partnerschaft für den Frieden«. Im Juli 1997 luden die Staats- und Reg.chefs der NATO P. zu Beitrittsverhandlungen ein.

📖 RHODE, G.: *Geschichte P.s. Ein Überblick. Darmstadt ³1980.* – BARTOSZEWSKI, W.: *Uns eint vergossenes Blut. Juden u. Polen in der Zeit der »Endlösung«. Frankfurt am Main 1987.* – DÖNHOFF, M. GRÄFIN: *Polen u. Deutsche. Frankfurt am Main 1991.* – OBERZILL, G. H.: *P. Olten u.a. ²1991.* – PELZER, F.: *P. Eine geograph. Landeskunde. Darmstadt 1991.* – MICHNIK, A.: *Der lange Abschied vom Kommunismus. Reinbek 1992.* – *P. nach dem Kommunismus, hg. v.* E. OBERLÄNDER. *Stuttgart 1993.* – JUCHLER, J.: *Osteuropa im Umbruch. Polit., wirtschaftl. u. gesellschaftl. Entwicklungen 1989–1993. Zürich 1994.* – ZERNACK, K.: *P. u. Rußland. Zwei Wege in der europ. Geschichte. Berlin 1994.* – *P. Geschichte, Kunst u. Landschaft einer alten europ. Kulturnation, Beiträge v.* I. BENTCHEV *u.a. Köln ⁵1996.* – SCHMIDT-RÖSLER, A.: *P. vom Mittelalter bis zur Gegenwart. Regensburg 1996.*

Polendeutsche, dt. Minderheit in Polen, v.a. in (Ober-)Schlesien, Ermland und Masuren, etwa 1 Million. Mit dem Verlust der →deutschen Ostgebiete an Polen war auch die zwangsweise →Vertreibung der dt. Bev. (etwa 6,9 Mio. Vertriebene) verbunden; nur eine Minderheit verblieb in ihrer alten Heimat (1950: etwa 1,1 Mio.). Bis 1990/91 offiziell ignoriert und isoliert, ist ihnen erst mit dem Dt.-Poln. Nachbarschaftsvertrag vom 17. 6. 1991 die sprachl., kulturelle und religiöse Identität nach KSZE-Norm zugesichert. Als Volksgruppenorganisation wirkt der »Zentralrat aller Dt. Freundschaftskreise«; ab 1991 im Sejm vertreten.

📖 URBAN, T.: *Deutsche in Polen. Geschichte u. Gegenwart einer Minderheit. München ³1994.*

Polenow, Wassili Dmitrijewitsch, russ. Maler, *Sankt Petersburg 1. 6. 1844, †Gut Borok (heute Polenowo, Gebiet Tula) 18. 7. 1927; Mitgl. der →Peredwischniki; vielfigurige Kompositionen zu

Lech Wałęsa

Tadeusz Mazowiecki

Aleksander Kwaśniewski

Jerzy Buzek

Wassili Polenow: »Moskauer Hof« (1877; Moskau, Tretjakow-Galerie)

histor. und bibl. Sujets. Seine Landschaften zählen zu den besten Leistungen russ. Pleinairmalerei.

Polenta [italien.] *die,* dicker Maisgriesbrei, erkaltet in Stücke geschnitten und gebraten.

Polesilen (russ. Polessje, früher Pripjetsümpfe, Rokitnosümpfe), Niederung im S von Weißrussland, im NW der Ukraine und im W von Russland, rd. 270 000 km^2; umfasst das Einzugsgebiet des Pripjet und erstreckt sich über den Dnjepr bis zur Desna. Das dünn besiedelte Gebiet besteht zu einem Viertel aus Sümpfen; durch Entwässerung wurde Acker- und Weideland gewonnen.

Polessk (dt. Labiau), Stadt im Gebiet Kaliningrad (Königsberg), Russland, an der Deime, vor deren Mündung in das Kur. Haff; Fischereiverarbeitung. – Ordensburg (14.–16. Jh.). – 1258 erstmals erwähnt; erhielt 1642 Stadtrecht.

Polflucht, langsames Verschieben der Kontinente in Richtung auf den Äquator, verursacht durch die Erdrotation und die durch Schwereverteilung bedingte Polfluchtkraft.

Polgar, Alfred, österr. Schriftsteller, *Wien 17. 10. 1873, †Zürich 24. 4. 1955; Theaterkritiker in Wien und Berlin (1925–33), emigrierte von Paris 1940 in die USA, kehrte 1947 nach Europa zurück. Als Meister der kleinen Prosa schrieb P. Glossen, Skizzen, Essays und Novellen mit der geistvoll-iron. Skepsis der Wiener Tradition (Kritiken und Essays: »An den Rand geschrieben«, 1926; »Ja und nein«, 4 Bde., 1926/27; »Standpunkte«, 1953; Erzählungen: »Geschichten ohne Moral«, 1943; »Begegnung im Zwielicht«, 1951), Komödien.

Polhöhe, die in Winkeleinheiten gemessene Höhe des Himmelspols über dem Nordhorizont; gleich der geograph. Breite.

Polhöhenschwankung (Polschwankung, Polbewegung), die durch ständige Verlagerung der Rotationsachse der Erde bedingte Wanderung der Erdpole; bedingt eine ständige kleine Änderung der geograph. Länge und Breite **(Breitenschwankung)** aller Erdorte. Ursache der P. ist v. a. das Nichtzusammenfallen von Rotations- und Symmetrieachse sowie Massenverlagerungen auf der Oberfläche und im Inneren der Erde, die jahreszeitlich oder durch Erdbeben u. a. bedingt sind.

Poliakoff, Serge, frz. Maler und Grafiker russ. Herkunft, *Moskau 8. 1. 1906, †Paris 12. 10. 1969; lebte ab 1923 in Paris, 1938 entstanden seine ersten abstrakten Gemälde. P. entwickelte einen eigenen Stil, für den wenige streng gegliederte und verzahnte Formen von meist kräftigem Kolorit kennzeichnend sind.

Police [pɔ'liːsə, frz.] *die,* Versicherungsschein.

Polier [zu frz. parler »sprechen«], Vorarbeiter der Maurer und Zimmerleute.

Polieren [lat.], *Fertigungstechnik:* Feinbearbeitungsverfahren zum Herstellen glatter und hochglänzender Oberflächen. Beim mechan. P. werden die Werkstoffoberflächen mit Poliermitteln – z. B. feine mit Öl oder Alkohol versetzte Pulver aus Eisenoxid (Polierrot), Aluminiumoxid (Tonerde), Chromoxid (Poliergrün), Calcium- und Magnesiumoxid (Wiener Kalk) u. a. – mithilfe von rotierenden Scheiben aus weichem Tuch oder Leder oder in rotierenden Trommeln (Trommel-P.) mechan. geglättet. Beim elektrochem. P. wird das Werkstück in einen Elektrolyten als Anode geschaltet, wodurch sich v. a. Rauheitsspitzen und Verunreinigungen auflösen. Beim chem. P. erfolgt die Glättung durch chem. Reaktionen an der Werkstückoberfläche. Dieses wird dazu in ein Glanzbad (Salpetersäure, Chromsäure) getaucht.

Alfred Polgar: Porträt des zeitgenössischen österreichischen Zeichners B. F. Dolbin (Marbach am Neckar, Schiller-Nationalmuseum)

Poliklinik [eigtl. Stadtklinik, zu grch. pólis], einem Krankenhaus oder einer Klinik angeschlossene Abteilung zur ambulanten Untersuchung.

Poliomyelitis [grch.] *die* (Kurzbez. Polio), die spinale → Kinderlähmung.

Pọlis [grch. pólis »Stadt«] *die,* im antiken Griechenland der Stadtstaat; nach myken. Zeugnissen Bez. für die »Burg« und die damit verbundene Siedlung. In archaischer Zeit Bez. für das Siedlung und Umland umfassende Gemeinwesen. Die P. verstand sich als Gemeinschaft von Bürgern **(Politen),** für die es feste soziale und ethn. Zugehörigkeitskriterien gab (Abgrenzung z.B. gegen Sklaven und Fremde, die →Metöken). Sie war gekennzeichnet durch Selbstverw. und eine Verf., in der die polit. Rechte und Pflichten des Einzelnen festgelegt waren. Die Verf. konnte demokratisch oder oligarchisch sein. Die Vollbürger waren die Träger der Souveränität; alle großen polit. Fragen entschied die Volksversammlung. Sie konnten in den Rat gewählt oder durch Los aufgenommen werden. Die Blütezeit der P. lag im 6.–4. Jh. v. Chr.

POLISARIO (Frente POLISARIO, Abk. für span. Frente **Po**pular para la **Li**beración de **Sa**guia el Hamra y **Río** de Oro, dt. »Volksfront für die Befreiung von Saguia el Hamra und Río de Oro«), Befreiungsbewegung, gegr. 1973, kämpft v. a. mithilfe Algeriens für die Errichtung eines unabhängigen Staates in der →Westsahara.

Polịtbüro, bis 1990/91 das Führungsgremium der meisten kommunist. Parteien.

Politẹsse [Kw. aus Polizei und Hostess] *die,* Hilfspolizistin für den ruhenden Verkehr.

Political Correctness [pəˈlɪtɪkl kəˈrektnɪs; engl. »polit. Korrektheit«] *die* Abk. **PC**, Anfang der 1990er-Jahre an den Univ. der USA geprägter, umstrittener Begriff für eine »richtige« Einstellung, die alle Handlungen und Ausdrucksweisen ablehnt, die Personen aufgrund ihrer Rasse, ihres Geschlechts, ihrer Zugehörigkeit zu einer bestimmten sozialen Schicht, ihrer körperl. oder geistigen Behinderung oder ihrer sexuellen Neigung diskriminieren. – Im Hinblick auf die Unschärfe des Begriffs und seiner Inhalte wird PC von Kritikern als Mittel gesellschaftl. Zensur abgelehnt.

📖 BEHRENS, M. *u.* RIMSCHA, R. VON: *»Polit. Korrektheit« in Dtl. Bonn* [2]*1995.*

Politik [frz., von grch. politikḗ (téchnē) »Kunst der Staatsverwaltung«], auf die Durchsetzung bestimmter Ziele insbes. im staatl. Bereich und auf die Gestaltung des öffentl. Lebens gerichtetes Verhalten von Individuen, Gruppen, Organisationen, Parteien, Klassen, Parlamenten und Regierung. Aus der Interessenbestimmtheit ergibt sich der Kampfcharakter der P. Ihre Legitimation findet P. in einem demokrat. System letztlich in der Zustimmung (der Mehrheit) der Betroffenen, in totalitären Systemen wird sie aus der herrschenden Ideologie abgeleitet. Nach dem Gegenstand oder Bereich des polit. Handelns unterscheidet man z.B. Außen-, Wirtschafts-, Gesundheits-P., nach der jeweiligen Ebene z.B. Bundes-, Landes- und Kommunal-P., nach dem Handlungs- und Interessenträger z.B. Partei-, Verbands-P., nach den Grundsätzen des polit. Handelns z.B. Macht-, Interessen-, Hegemonial-, Friedens-, Real-P. Zu den polit. Systemen →Staat.

Serge Poliakoff: Abstrakte Komposition (1951; Privatbesitz)

Von der Antike (Platon, Aristoteles) über das MA. (Thomas von Aquin, Scholastik) bis ins 18. Jh. war die P. der prakt. Philosophie zugeordnet. In Antike und MA. wurde sie als Lehre von der rechten Ordnung des Gemeinschaftswesens verstanden. Dagegen sind bei N. Machiavelli Erwerb, Gebrauch und Verlust von Macht durch den Fürsten Hauptinhalt der P.; von hier aus entwickelte sich die Lehre der Staatsräson, nach der die Verwirklichung des »Wohls des Staates«, d h. auch Machtgewinn, Ziel und Hauptinhalt der P. bildet. Die moderne Naturrechtslehre (S. von Pufendorf, J. Locke) begreift P. als auf diesseitige Ziele ausgerichtetes Handeln zum Wohl des Gemeinwesens. Die Lehre von der Staatsräson setzte sich v. a. im kontinentalen Europa durch, das seitdem das polit. Handeln vornehmlich dem Staat und seinen Organen zuordnete. Einflussreich für das P.-Verständnis des 20. Jh. wurde M. Weber, der unter P. v. a.

Polis

Träger der hellenistischen Kultur war die Polis, die Stadt; selbst das »weltweite« Römische Reich blieb im Grunde nach dem Modell eines Stadtstaates organisiert. Wie der Kosmos besaß auch sie eine feststehende, »objektive« Ordnung hierarchischer Art – vom niederen materiellen zum höheren geistigen Sein –, die es durch die Vernunft zu erkennen und durch die Erziehung, die Paideia, für die Lebenspraxis zu vermitteln galt.

den Kampf um die Macht verstand. Diese Ansätze wurden radikalisiert von C. Schmitt, der das Freund-Feind-Verhältnis als zentral für die P. begriff. Der Marxismus bestimmte P. wesentlich als Klassenkampf. Neuere Strömungen wenden sich gegen die Einengung des Politischen auf seine Machtstruktur und verweisen auf die gesellschaftl. Ordnung als Wirkungsbereich polit. und sozialen Handelns. In den angelsächs. Ländern wurde die Bindung an die Forderungen der prakt. Philosophie nie völlig aufgegeben; der Staat ist das Instrumentarium, das den Interessen der Gesellschaft dienlich zu machen ist.

📖 STERNBERGER, D.: *Drei Wurzeln der P. Tb.-Ausg. Frankfurt* [6]*1989.* – *Der Begriff der P., hg. v.* V. GERHARDT. *Stuttgart 1990.* – *P.-Lexikon, hg. v.* E. HOLTMANN. *München 1991.*

politische Beamte, Beamte auf Lebenszeit, die ein Amt bekleiden, bei dessen Ausübung sie in fortdauernder Übereinstimmung mit den grundsätzl. polit. Ansichten und Zielen der Reg. stehen müssen (§31 Beamtenrechtsrahmen-Ges.; z.B. Staatssekretäre, RegPräs.); sie können jederzeit in den einstweiligen Ruhestand versetzt werden.

politische Bildung, die Gesamtheit der pädagog. Bemühungen, Jugendliche und Erwachsene an die polit. Mündigkeit, das Verständnis, die Mitverantwortung und die kritisch-aktive Teilnahme am polit. Geschehen heranzuführen. Im Schulwesen tritt die p. B. als Unterrichtsprinzip innerhalb versch. Fächer (z.B. im Geschichtsunterricht) auf, seit der Weimarer Rep. als eigenes Fach (Staatsbürgerkunde), heute unter zahlr. Namen, auch mit anderen Unterrichtsinhalten zu einem »Integrationsfach« zusammengefasst: Politikunterricht, Politik, Politik/Wirtschaft, Gemeinschafts- oder Sozialkunde, Gesellschaftslehre. An den Hochschulen etablierte sich die polit. Wissenschaft als Studienfach; polit. Stiftungen, Vereinigungen, Bundes- und Landeszentralen für p. B. u.a. wurden geschaffen.

📖 GAGEL, W.: *Geschichte der p. B. in der Bundesrep. Dtl. 1945–1989. Opladen 1994.* – SUTOR, B.: *Politik. Ein Studienbuch zur p. B. Paderborn 1994.*

politische Dichtung (politische Literatur), Bez. für literar. Werke, die polit. Ideen, Ereignisse und Themen behandeln, um so auf die Meinungsbildung, Handlungsweisen und Vorgänge in Staat und Gesellschaft einzuwirken. Zur p. D. rechnet man z.B. die Arbeiterliteratur, die gesellschafts- und sozialkrit. Dichtung, die literar. Behandlung des Krieges, vaterländ. Dichtung und z.T. die Frauenliteratur. Bevorzugte Verfahren sind Satire, Parodie, Travestie und Kontrafakturen bekannter Texte; bevorzugte Gattungen sind v.a. Kleinformen der Lyrik (z.B. Gedicht, Lied), Epik (Kurzgeschichte) und Drama (z.B. Sketch, Hörspiel). P. D. hat es zu allen Zeiten und in allen literar. Epochen, insbesondere jedoch in polit. Krisen- und Umbruchzeiten gegeben. Berühmt sind für die Antike Aischylos und Aristophanes, im deutschsprachigen Raum im MA. bes. Walther von der Vogelweide und die Kreuzzugsdichtung, in der Zeit der Reformation und des Bauernkrieges Ulrich von Hutten. Mit der gegen Fürstenwillkür gerichteten Dichtung (C. D. F. Schubart, Gebrüder Stolberg, Schiller) setzte die p. D. in der 2. Hälfte des 18. Jh. in Dtl. ein. In den 30er-Jahren des 19. Jh. war es v.a. die Gruppe des →Jungen Deutschland, die große Bedeutung mit breitenwirksamer polit. Publizistik gewann; die Lyrik Heines, G. Herweghs und F. Freiligraths gab der entstehenden Arbeiterbewegung wichtige Impulse. Der 1. Weltkrieg führte zu einer verstärkt sozialkrit. und antibürgerl. Dichtung. Nach dem 1. Weltkrieg er-

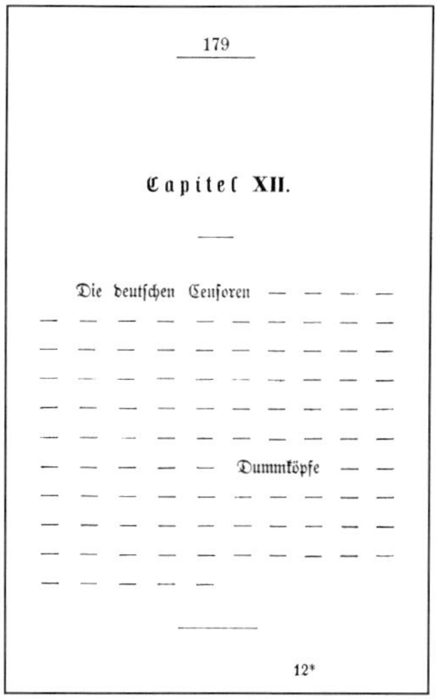
179

Capitel XII.

Die deutschen Censoren — — — —
— — — — — — — — — — — — —
— — — — — — — — — — — — —
— — — — — — — — — — — — —
— — — — — — — — — — — — —
— — — — — — — — — — — — —
— — — — — Dummköpfe — —
— — — — — — — — — — — — —
— — — — — — — — — — — — —
— — — — — — — — — — — — —
— — — —

12*

politische Dichtung: Heinrich Heines Kommentar zu den Zensurverhältnissen seiner Zeit aus seinem Werk »Reisebilder«, Band 2, 5. Auflage 1856 (Erstauflage 1827)

starkte die p. D. wieder (E. Toller, L. Frank, J. R. Becher, F. von Unruh, B. Brecht). Eine radikale Indoktrination der Literatur erzwang die Kulturpolitik des Nationalsozialismus; in Reaktion darauf gewannen insbesondere die Literatur der inneren Emigration und die Exilliteratur an Bedeutung. Die deutschsprachige p. D. unmittelbar nach dem 2. Weltkrieg war v.a. vom Krieg und von den Auswirkungen von Krieg und Faschismus geprägt. Dabei haben die Hinweise auf das notwendige polit. Engagement des Schriftstellers als Teil der öffentl. Meinung durch Ereignisse, die zur Stellungnahme herausforderten, wie der Vietnamkrieg, die Studentenunruhen 1968, die Anti-Atom- und die Friedensbewegung sowie das zentrale Problem einer weltweiten ökolog. Bedrohung zunehmend an Bedeutung gewonnen. (→Utopie)

📖 *Geschichte der polit. Lyrik in Dtl., hg. v.* W. HINDERER. *Stuttgart 1978.* – *Schriftsteller u.*

Politik in Deutschland, hg. v. W. LINK. *Düsseldorf 1979.*

politische Geographie (Staatengeographie), der Zweig der Geographie, der die Wechselbeziehungen zw. den geograph. Gegebenheiten und den polit. Zuständen erforscht.

politische Ökonomie, zuerst von Vertretern des Merkantilismus (z.B. A. de Montchrétien, 1615) geprägter Begriff für die Wirtschaftslehre des absolutist. Staatshaushalts. Seit dem 18. Jh. war der Begriff p. Ö. lange Zeit ein Synonym für Nationalökonomie, Sozialökonomie und →Volkswirtschaftslehre. Die p. Ö. als Bestandteil des →Marxismus **(Politökonomie)** ist das Ergebnis der marxschen Kritik der p. Ö., einer Analyse der Entstehung, Struktur und Entwicklung der kapitalist. Produktionsweise. Die **p. Ö. des Sozialismus** war als Bestandteil des Marxismus-Leninismus die wirtschaftstheoret. Grundlage der Zentralverwaltungswirtschaft in den kommunist. Staaten.

Die in den 1960er-Jahren entstandene **Neue p. Ö. (ökonom. Theorie der Politik)** wendet Methoden und Instrumente der ökonom. Analyse auf polit. (nichtmarktmäßige) Entscheidungsprozesse an. Während die traditionelle Theorie der Wirtschaftspolitik den Einfluss von wirtschaftspolit. Maßnahmen auf die Wirtschaft untersucht, analysiert die neue p. Ö. das polit. und ökonom. Handeln als ein sich wechselseitig bedingendes. Die polit. Instanzen werden dabei nicht als neutrale, nur am Gemeinwohl und anderen wirtschaftspolit. Zielen orientierte und über den egoist. Interessen der Bürger stehende Akteure verstanden; vielmehr wird ihrem Verhalten die Prämisse zugrunde gelegt, dass sie, wie die übrigen Wirtschaftssubjekte auch, ihre individuellen Vorteile anstreben und sich dafür polit. Institutionen und Instrumente nutzbar machen.

📖 ZINN, K. G.: *P. Ö. Apologien u. Kritiken des Kapitalismus. Opladen 1987.*

politische Polizei, Bez. für besondere Polizeiorgane (z.T. auch Geheimpolizei gen.), deren Aufgabenfeld die polit. Strafsachen sind. Die p. P. bildete sich in der Monarchie aus; sie hat in allen modernen Diktaturen und totalitären Systemen eine wesentl. Funktion als Instrument der Herrschaftssicherung (z.B. GPU, Geheime Staatspolizei). Dies geschieht unter Anwendung rechtswidriger Willkür bis zu systemat. Terror. – In Dtl. gibt es keine p. P. im eigentl. (histor.) Sinne. Den Verf.schutzämtern des Bundes und der Länder stehen polizeil. Befugnisse nicht zu; die präventive und repressive Bekämpfung verfassungsfeindl. Bestrebungen obliegt den ordentl. Polizeibehörden. Bei den Behörden der Kriminalpolizei sind z.T. besondere Kommissariate oder Abteilungen zur Aufklärung und Verfolgung von Staatsschutzdelikten gebildet worden. Zur p. P. der DDR →Staatssicherheitsdienst.

politischer Katholizismus, im 19. Jh. entstandene Bez. zur Kennzeichnung des Katholizismus als polit. Kraft; umfasst als Sammelbegriff die verschiedenen, von der kath. Kirche und ihrer Lehre inspirierten polit. Aktivitäten zur Durchsetzung spezifisch kath. (oder »christl.«) Interessen und Grundsätze im neuzeitl. Staat und der modernen Gesellschaft; in der gesellschaftspolit. Diskussion häufig abschätzig als Inbegriff einseitig klerikaler, päpstl. und kirchenorientierter Sonderinteressen gebraucht. Organisatorisch-personell wird der p. K. von der kirchl. Hierarchie, den kath. Verbänden, Vereinen, Bildungseinrichtungen und Medien getragen, geistig hat er seine Grundlagen v.a. in der kath. Soziallehre. Eine bes. Bedeutung kommt den in polit. Parteien organisierten Katholiken zu.

📖 LÖNNE, K.-E.: *P. K. im 19. u. 20. Jh. Frankfurt am Main 1986.*

politisches Testament, seit dem 16. Jh. übl. Vermächtnis eines Fürsten oder Staatsmanns an seinen Nachfolger. Unter anderem haben Kaiser Karl V., Richelieu, der Große Kurfürst, Friedrich d. Gr., Kaiser Franz I. von Österreich hinterlassen.

politische Straftaten, alle gegen Bestand oder Sicherheit des Staates, gegen die obersten Staatsorgane oder gegen die polit. Rechte der Bürger gerichteten Straftaten (bes. Hoch- und Landesverrat, Rechtsstaatsgefährdung). Im Sprachgebrauch ist die Grenze zw. p. S. im Rechtssinne und politisch motivierter Kriminalität oft fließend. In völkerrechtl. Verträgen ist häufig vereinbart, dass bei p. S. keine Auslieferung des Täters erfolgt (Ausnahmen: Tötungsverbrechen).

politische Wissenschaft (Politikwissenschaft, Politologie), Bez. für die Wiss. von den institutionellen Formen, den Prozessen, Inhalten und normativen Grundlagen der Politik. Sie untersucht hauptsächlich die Geschichte der polit. Ideen und der modernen Politiktheorien, die internat. Beziehungen der Staaten sowie die Struktur und Dynamik polit. Systeme einschließlich ihres Vergleichs. Darüber hinaus analysiert sie im Einzelnen Macht- und Herrschaftsverhältnisse sowie die polit. Organisierung und Interessenvermittlung (z.B. Parteien, Wahlverhalten, polit. Beteiligung). Dabei betrachtet die p. W. als Arbeitsfeld (traditionelle) polit. Theorien, empirisch-analyt. Methoden und thematisiert kritisch die sozialen und ökonom. Rahmenbedingungen von Politik.

Politologie *die,* →politische Wissenschaft.

Polizei [mlat. policia, aus grch. politeía »Staatsverwaltung«], 1) die gesamte Tätigkeit von Verw.behörden (z.B. Bau- und Gewerbeaufsicht) und Vollzugsorganen (uniformierte P.) zur Abwehr von Gefahren für die öffentl. Sicherheit und Ordnung sowie zur Beseitigung bereits eingetretener Störungen (materieller P.-Begriff); 2) die im Vollzugsdienst tätigen Dienstkräfte, d.h. die uniformierten P.-Kräfte und die Kriminal-P. (institutioneller Polizeibegriff).

In Dtl. ist die P. grundsätzlich eine Angelegenheit der Länder (P.-Hoheit der Länder). Sie tragen und regeln die P.-Organisation des Landes und erlassen allg. P.-Gesetze. Während die P.-Organisation in den einzelnen Ländern Unterschiede aufweist, stimmt das Recht des polizeil. Handelns weitgehend überein. Danach ist die allg. Vollzugs-P. für den gesamten polizeil. Vollzugsdienst zuständig, soweit dieser nicht Sonderpolizeibehörden (z.B. Wasserschutz-P., Grenz-P.) vorbehalten ist. Daneben gibt es die Kriminal-P. (oft organisatorisch verbunden mit der allg. Vollzugs-P.), die Bereitschafts-P., die Landeskriminalämter als zentrale Dienststellen für kriminalpolizeil. Aufgaben und die P.-Schulen. Der Bund hat eine Regelungsbefugnis hinsichtlich einiger nur ihm zustehender P.-Behörden (Art. 73 Nr. 10 GG, z.B. Bundeskriminalamt, Bundesgrenzschutz); ferner kann er zahlr., v.a. der Gefahrenabwehr dienende Spezialmaterien wie das Gewerbe-, Lebensmittel-, Gesundheits-, Umweltschutz- und Verkehrsrecht regeln.

Um bundesweit die Fahndung der P. effektiver zu gestalten, ist beim Bundeskriminalamt ein elektron. Informationssystem (Inpol) eingerichtet worden, das neben seiner Funktion als Fahndungsdatei heute u.a. auch eine Haft-, Ermittlungs- und Straftäterdatei enthält.

Hauptaufgabe der P. ist die Gefahrenabwehr. Darüber hinaus ist ein wesentl. Bestandteil polizeil. Tätigkeit die Mitwirkung bei der Verfolgung strafbarer Handlungen und Ordnungswidrigkeiten (§163 StPO, §152 GVG). Bei der Gefahrenabwehr ist die (Vollzugs-)P. grundsätzlich nur insoweit (sachlich) zuständig, als die allg. Ordnungsbehörden oder die Sonderordnungsbehörden nicht oder nicht rechtzeitig handeln können. In ähnl. Weise obliegt der (Vollzugs-)P. der Schutz von privaten Interessen und Rechten nur dann, wenn gerichtl. Schutz nicht rechtzeitig zu erlangen ist und wenn ohne polizeil. Hilfe die Gefahr besteht, dass die Verwirklichung des privaten Rechts vereitelt oder wesentlich erschwert wird. Die Gefahrenabwehr kann mit eigenen Mitteln der P. oder durch Einschreiten gegen Dritte erfolgen. Grundlage ist die polizeil. Generalermächtigung (**polizeil. Generalklausel** der allg. P.-Gesetze), sofern nicht Spezialermächtigungen (z.B. nach Gewerbeordnung, Immissionsschutz-Ges.) in Betracht kommen. Nach der Generalermächtigung ist Voraus-

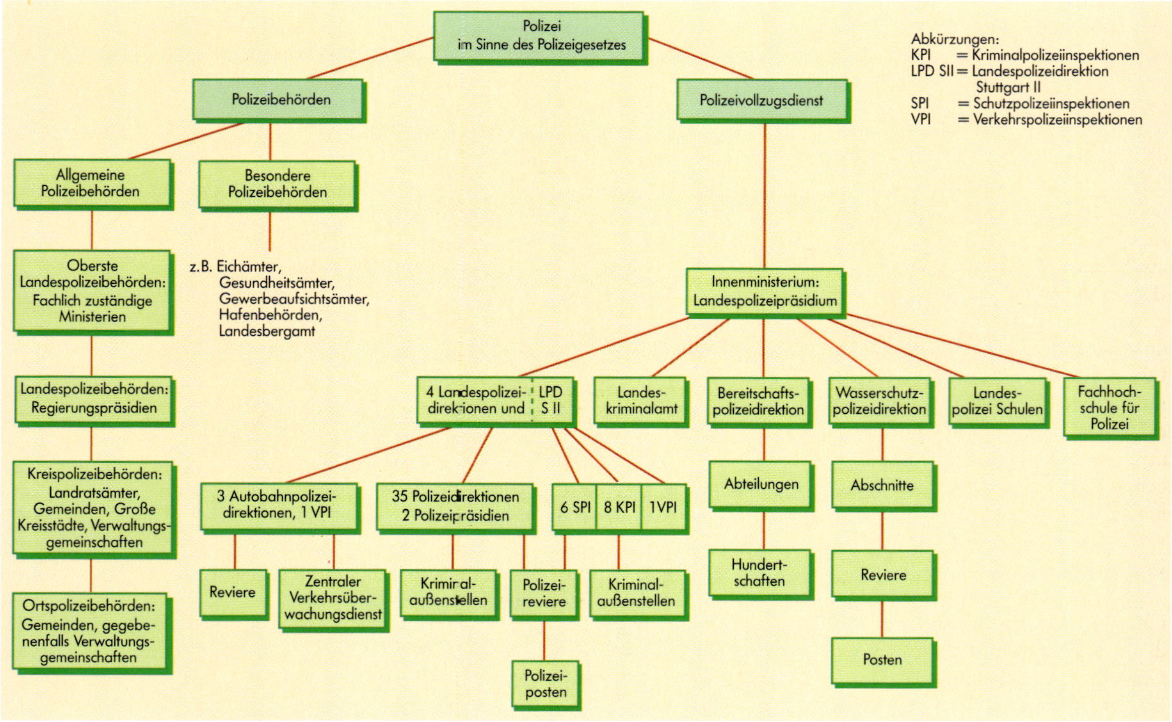

Polizei: Organigramm der Polizei des Landes Baden-Württemberg setzung für ein Einschreiten das Vorhandensein einer Gefahr für die Allgemeinheit oder den Einzelnen, durch die die öffentl. Sicherheit oder Ordnung bedroht wird. Eine Gefahr besteht bei erkennbarer Wahrscheinlichkeit eines Schadenseintritts. Gefahrenabwehr ist auch die Beseitigung bereits eingetretener Störungen. Ein Einschreiten erfolgt nach pflichtgemäßem Ermessen (Opportunitätsprinzip). Die Maßnahmen unterliegen dem Grundsatz der Verhältnismäßigkeit und müssen sich im Rahmen der Grundrechtsbeschränkungen bewegen. Dies gilt bes. für eine Reihe typischer polizeil. Eingriffe in Freiheit und Eigentum der Bürger, für die die Generalklausel oft nicht ausreicht, sodass in den P.-Gesetzen Sonderregelungen erfolgt sind. Zu diesen »polizeil. Standardmaßnahmen« gehören u.a. Identitätsfeststellung von Personen, Mitnahme zur Dienststelle (Sistierung), erkennungsdienstl. Maßnahmen, Vorladung und Vorführung, Schutzgewahrsam.

Formen polizeil. Handelns sind rein tatsächl. Handlungen (Realakte) und Rechtshandlungen (Regelungen) wie P.-Verordnungen, P.-Verfügungen und polizeil. Erlaubnisse. **P.-Verordnungen** sind der Gefahrenabwehr dienende Gebote oder Verbote, die für eine unbestimmte Anzahl von Fällen an eine unbestimmte Anzahl von Personen gerichtet sind (nur in Ländern mit materiellem P.-Begriff). **P.-Verfügungen** sind Verw.akte, die der Regelung von Einzelfällen dienen; sie richten sich an bestimmte Personen oder einen bestimmten Personenkreis (Allgemeinverfügung). **Polizeil. Erlaubnisse** sind bes. da erforderlich, wo eine Betätigung mit Gefahr verbunden ist. Vollstreckungsfähige P.-Verfügungen können mit Zwangsmitteln durchgesetzt werden (P.-Zwang). Ohne vorausgehende Verfügung kann Zwang angewendet werden, wenn dies zur Gefahrenabwehr notwendig ist. Zwangsmittel sind: Ausführung einer zu erzwingenden Handlung auf Kosten des Pflichtigen **(Ersatzvornahme),** Festsetzung eines **Zwangsgeldes** und Einwirkung auf Personen oder Sachen durch **körperl. Gewalt** und durch Waffen. Bei Ordnungswidrigkeiten ist unter bestimmten Voraussetzungen neben gebührenfreier die gebührenpflichtige Verwarnung zulässig. P.- und Ordnungsbehörden können auch Bußgelder verhängen. Gegen Maßnahmen der P.- und Ordnungsbehörden kann man sich i.d.R. durch Widerspruchsverfahren und, soweit dies erfolglos war, durch verwaltungsgerichtl. Klage wehren.

In *Österreich* unterscheidet man Sicherheits-P. und Verw.-P. Erstere umfasst jene Maßnahmen, die der Abwehr und der Unterdrückung der allg. Gefahren für Leben, Gesundheit und Sicherheit, öffentl. Ruhe und Ordnung im Inneren dienen. Die Verw.-P. ist für die Abwehr von bereichstyp. Gefahren und den Schutz von materienspezif. Ordnungsinteressen (z.B. Gewerbe-P.) zuständig. Innerhalb der Sicherheits-P. bestehen die allg. und die örtl. Sicherheits-P.; Letztere ist Aufgabe der Gemeinden. Die allg. Sicherheits-P. umfasst die Bekämpfung von gerichtlich strafbaren Delikten (Kriminal-P.), die Vorsorge für die Sicherheit des Staates (Staats-P.) sowie die Sorge für Ordnung und Sicherheit im Allgemeinen. In der *Schweiz* sind primär die Kantone zuständig für den Erlass polizeil. Vorschriften. Sie verfügen über stehende P.-Truppen u.a. Kontrollorgane. Die kantonale P.-Hoheit erstreckt sich nur auf das Gebiet des betreffenden Kantons, doch sind die Kantone bes. auf dem Gebiet der Strafverfolgung zu gegenseitiger Rechtshilfe verpflichtet. Der Bund hat hier nur eine beschränkte Gesetzgebungskompetenz auf dem Gebiet der Gewerbe-P., des Straßenverkehrs und des Gesundheitsschutzes. Der Vollzug der bundesrechtl. Erlasse erfolgt weitgehend durch die Kantone. Als bundesrechtl. Organ ist die Bundesanwaltschaft und die ihr zugeordnete gerichtl. P. zuständig für strafrechtl. Ermittlungen bei einer Reihe von Delikten, die vom Bundesstrafgericht beurteilt werden. (→Europol, →Interpol)

🕮 HARNISCHMACHER, R. *u.* SEMERAK, A.: *Dt. Polizeigeschichte. Stuttgart u.a. 1986.* – GÖTZ, V.: *Allgemeines P.- u. Ordnungsrecht. Göttingen* [12]*1995.* – MÖLLER, M. *u.* WILHELM, J.: *Allgemeines P.- u. Ordnungsrecht mit Verwaltungszwang u. Rechtsschutz. Köln* [4]*1995. – Handbuch des Polizeirechts, hg. v.* H. LISKEN *u.a., bearb. v.* H. BÄUMLER *u.a. München* [2]*1996.*

polizeiliche Generalklausel, →Polizei.

polizeiliches Führungszeugnis, →Führungszeugnis.

Polizeirufanlagen, fernmeldetechn. Einrichtungen zum Alarmieren der Polizei in Notfällen. Öffentl. P. sind das Fernsprechnetz (→Notruf) und die →Fernsprechnotrufsäulen. Daneben gibt es nichtöffentl. P. zum Schutz von Banken, Geschäften u.a., die von Hand ausgelöst werden oder automatisch als Raumschutzanlagen arbeiten.

Polizeischulen, Ausbildungsstätten in den Bundesländern (Landespolizeischulen), in denen Anwärter für den mittleren Dienst Grundlagenunterricht in rechtl. und Verwaltungsfragen, Verkehrslehre, Einsatzlehre, Staatsbürgerkunde, Soziologie, Psychologie u.a. Fächern erhalten. Das Studium der Anwärter für den gehobenen Polizeivollzugsdienst an speziellen Fachhochschulen (mit Praktika bei Polizeidienststellen) erfolgt in der Zuständigkeit der Länder (Schutz-, Wasserschutz- und z.T. Kriminalpolizei) oder des Bundes (Bundeskriminalamt und Bundesgrenzschutz).

Polizeistaat, ein Staatswesen, in dem das polit., wirtsch. und soziale Leben durch repressive Kon-

Angelo Poliziano (Porträt auf einer Medaille, um 1494)

trollmaßnahmen reglementiert wird, im Ggs. zum Rechts- und Verfassungsstaat. Die Regierung übt die Staatsgewalt ohne jegl. Bindung an Verfassung oder institutionalisierte Kontrolle aus und greift auch in die persönl. Freiheit und Privatsphäre der Bürger ein, i.d.R. durch willkürl. Machtausübung seitens der Polizei, v.a. der Geheimpolizei. Polizeistaatlich geprägt waren die absolutist. Staaten des 17. und 18. Jh. sowie das zarist. Russland; im 20. Jh. wurden unter dem Nationalsozialismus und unter dem Kommunismus Varianten des P. praktiziert.

Polizeistunde (Sperrzeit, Sperrstunde), der Zeitpunkt, zu dem Schank- und Speisewirtschaften sowie öffentl. Vergnügungsstätten geschlossen werden müssen, ferner die Zeitspanne, in der keine Betriebsleistungen erfolgen dürfen und in der den Gästen ein Verweilen in den Betriebsräumen verboten ist. Die P. wird durch VO der obersten Landesbehörde festgesetzt (meist 1 Uhr); örtl. Ausnahmen sind möglich. – In *Österreich* kann die P. vom Landeshauptmann, in der *Schweiz* von den Gemeinden angeordnet werden.

Poliziano, Angelo, eigtl. Angiolo Ambrogini, italien. Humanist und Dichter, *Montepulciano 14. 7. 1454, †Florenz 29. 9. 1494; Kanzler von Lorenzo de' Medici, erhielt 1480 den Lehrstuhl für grch. und röm. Literatur der Univ. Florenz. P. war der führende klass. Philologe Italiens im 15. Jh.; seine Tanzlieder, aber auch seine lat. und grch. Gedichte gehören zu den schönsten der Renaissance. In italien. Sprache schrieb er u.a. die unvollendeten »Stanze per la giostra« (entstanden 1475–78, gedruckt 1494, dt. u.d.T. »Der Triumph Cupidos«) und »Orpheus« (1471, gedruckt 1494), das erste weltl. Drama der italien. Literatur.

Waleri Poljakow

Poljakow, Waleri Wladimirowitsch, russ. Arzt und Kosmonaut, *Tula 27. 4. 1942; ab 1971 am Institut für medizinisch-biolog. Probleme (IMBP) in Moskau tätig, ab 1972 Ausbildung zum Kosmonauten, seit 1992 stellv. Direktor des IMBP. Nachdem er 1988/89 einen 241 Tage langen Aufenthalt an Bord der Raumstation →Mir absolviert hatte, erreichte P. 1994/95 mit 438 Tagen die bisher längste Aufenthaltsdauer eines Menschen im All.

Polje [russ. »Feld«] *das,* großes, wannenförmiges Becken in Karstgebieten, mit flachem Boden.

Sydney Pollack

Polk [pəʊk], James Knox, 11. Präs. der USA (1845–49), *Mecklenburg County (N. C.) 2. 11. 1795, †Nashville (Tenn.) 15. 6. 1849; Demokrat. Unter ihm wurde 1846–48 der Krieg gegen Mexiko geführt; außerdem legte der Vertrag (1846) mit Großbritannien die Grenze in Oregon auf den 49. Breitengrad fest.

Polka [tschech., eigtl. »Polin«] *die,* tschech. Nationaltanz; um 1830 in Böhmen entstandener Paartanz im lebhaften 2/4-Takt, neben dem Walzer beliebtester Gesellschaftstanz des 19. Jh. Varianten sind u.a. die Kreuz-P. und die P.-Mazurka (im 3/4-Takt).

Polke, Sigmar, Künstler, *Oels 13. 2. 1941. Seine großformatigen »Rasterbilder« haben die unpersönl. Reproduktionstechnik der Massenmedien zum Thema, seine Stoffbilder auf gemusterten Dekorationsstoffen ironisieren subjektiv betonten Farbauftrag und triviale Kunsterwartung. Seine geistvoll-iron., nur scheinbar naive Bildsprache gewann starken Einfluss auf die dt. Malerei seit Ende der 1970er-Jahre.

Sigmar Polke: Wachtturm III (1985; Stuttgart, Staatsgalerie)

Poll [pəʊl, engl.] *der,* urspr. der Stimmzettel, in den USA bes. die Wählerliste; allg. die Stimmabgabe, übertragen auch die Meinungsumfrage (Opinion poll).

Pollack *der* (Pollak), bis 1,2 m langer Dorschfisch.

Pollack [ˈpɔlæk], Sydney, amerikan. Filmregisseur, *Lafayette (Ind.) 1. 7. 1934; drehte u.a. »Dieses Mädchen ist für alle« (1965), »Jeremiah Johnson« (1971), »Tootsie« (1982), »Jenseits von Afrika« (1985), »Havanna« (1989), »Die Firma« (1993).

Pollaiuolo, Antonio del, eigtl. A. di Iacopo d'Antonio Benci, italien. Bronzebildner, Goldschmied, Gießer, Maler, Kupferstecher, *Florenz 17. 1. 1432, †Rom 4. 2. 1498; als Maler tätig in Werkstattgemeinschaft mit seinem Bruder Piero (*1443, †1496). Die Darstellung der im Raum bewegten, vielansichtigen Figur ist sein Beitrag zur Skulptur der Renaissance, zunächst in der Kleinplastik. Sein Kupferstich (BILD) »Schlacht der nackten Männer« (um 1475) war wegweisend für die Aktdarstellung. Seine Hauptwerke sind die für die Peterskirche in Rom geschaffenen Bronzegrabmäler für Sixtus IV. (1481–93) und Innozenz VIII. (1493–97).

Pollakis|urie [grch.] *die,* Drang zu häufiger Harnentleerung.

Pollen [lat. »Staubmehl«] *der* (Blütenstaub), Gesamtheit der Pollenkörner (→Pollenkorn) einer Blüte.

Pollenallergie, der →Heuschnupfen.

Pollenanalyse, Methode zur Bestimmung der Flora der erdgeschichtlich jüngeren Vegetationsperioden aus Pollenkörnern. Deren für jede Pflanzenart charakterist. Form erlaubt nach Jahrtausenden noch Rückschlüsse z. B. auf die Geschichte der Kulturpflanzen.

Pollenkorn, ungeschlechtl., durch Reifeteilung aus den diploiden Pollenmutterzellen in den **Pollensäcken** der Staubblätter entstehende haploide männl. Fortpflanzungszelle (Mikrospore) der Samenpflanzen. Im P. entwickelt sich bei der Reifung der männl. Mikrogametophyt, bestehend aus einer vegetativen und einer darin eingeschlossenen generativen Zelle, die sich vor oder nach der Blütenbestäubung in zwei Spermazellen teilt. Nach Übertragung auf die Narbe (bzw. auf die nackte Samenanlage der Nacktsamer) treibt die innere Wand zum **Pollenschlauch** aus; dieser dringt in die Samenanlage ein, wo die Befruchtung stattfindet. Das einzelne **Pollenkorn** hat einen Durchmesser von 0,0025–0,25 mm. Der Inhalt wird durch eine zweischichtige Wand geschützt. Die innnere Schicht **(Intine)** ist zart und besteht aus Cellulose und Pektinen. Die äußere Schicht **(Exine)** besteht aus Sporopolleninen, die zu den chemisch widerstandsfähigsten Stoffen des ganzen Pflanzenreichs zählen. Sie weist Aussparungen bzw. Dünnstellen (Keimporen, Aperturen) auf, durch die der Pollenschlauch auswachsen kann. Darüber hinaus ist sie oft stark mit Leisten, Bälkchen, Stacheln oder Warzen skulpturiert. Diese Strukturen sind oft sehr spezifisch, sodass sich P. oftmals sicher einzelnen Gattungen und auch Arten zuweisen lassen (→Pollenanalyse).

Poller, *Schifffahrt:* kurzer, oben meist verdickter Pfosten aus Gusseisen, Stahl, seltener Holz auf dem Schiffsdeck und am Kai zum Festzurren der Taue eines anlegenden Schiffes.

Polling ['pəʊlɪŋ, engl.] *das* (Sendeaufruf), *Datenverarbeitung:* Abfragemethode, bei der regelmäßig ein zentraler Rechner die Empfangs- und Sendebereitschaft einer Datenendstation (untergeordneter Rechner, Peripheriegerät) prüft.

Pollini, Maurizio, italien. Pianist, *Mailand 5. 1. 1942; zählt zu den führenden Pianisten der Gegenwart; bekannt v. a. als Interpret der Klavierwerke L. van Beethovens, F. Schuberts, F. Chopins sowie zeitgenöss. Komponisten (u. a. P. Boulez, L. Nono); tritt seit 1978 auch als Konzert- und Operndirigent auf.

Pollock ['pɔlək], Jackson, amerikan. Maler, *Cody (Wyo.) 28. 1. 1912, †East Hampton (N. Y.) 11. 8. 1956; gilt als der bedeutendste Vertreter des →Actionpainting; verwendete die Tropf-(»Dripping«-)Methode statt des Pinsels. BILD Actionpainting

Pollucit [grch.-lat.] *der,* farbloses bis weißes kub. Mineral der chemischen Zusammensetzung $(Cs,Na)[AlSi_2O_6] \cdot 12\,H_2O$; bildet meist derbe Massen in Granitpegmatiten; wichtigstes Cäsiumerz.

Pollution [lat.] *die,* spontaner, meist nächtl. Samenerguss (→Ejakulation), oft mit sexuellen Träumen verknüpft; häufig in der Pubertät.

Pollux, 1) *der, Astronomie:* Stern 1. Größe, β im Sternbild Zwillinge.

2) *grch. Mythos:* (grch. Polydeukes) einer der →Dioskuren.

polnische Kunst. Seit den Anfängen im 10. Jh. stand die Kunst Polens unter wechselnden Einflüssen aus Mitteleuropa und Italien. Sie entwickelte erstmals im 14. Jh. eigenständige Stilvarianten und nahm um 1800 betont nat. Charakter an. Die mittelalterl. **Baukunst** setzte zu Ende des 9. Jh. ein (Rundkapellen auf dem Wawel, dem Krakauer Burgberg). Seit Mitte des 13. Jh. verbreiteten die Zisterzienser die got. Baukunst. Eigenständige poln. Bautypen entwickelten sich mit den Domen in Krakau (1320–64) und Gnesen (1342 ff.) sowie der Kollegiatskirche in Wiślica (um 1350 ff.). Im N entstanden im 14. und 15. Jh. zahlr. Deutschordensburgen, die Städte erhielten Befestigungen und Rathäuser mit mächtigen Türmen, Krakau eine Universität (Collegium Maius, 1492–97). König Sigismund I. berief italien. Renaissancebaumeister nach Polen: Das Wawelschloss in Krakau wurde

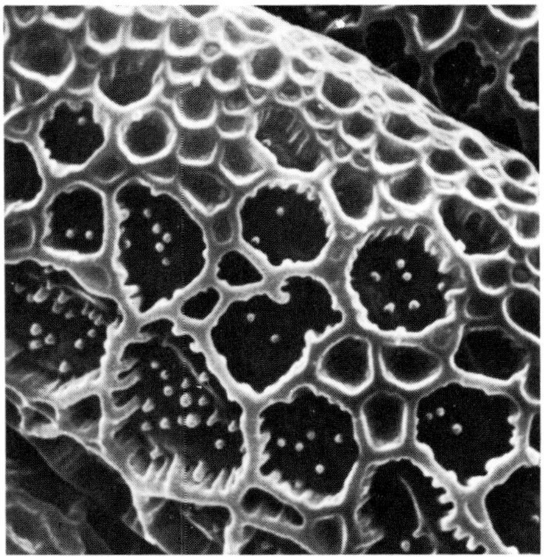

Pollenkorn: Exine des Ananasgewächses Billbergia morelli (6000fache Vergrößerung)

polnische Kunst

| 1

| 2

| 3

| 4

| **1** Die Gnesener Bronzetür im Portal der südlichen Vorhalle des 1342–1415 erbauten Doms zu Gnesen gehört zu einem Vorgängerbau aus der Zeit um 1170 | **2** Schloss Wilanów am südlichen Stadtrand von Warschau, 1677–96 als Sommerresidenz für König Johann III. Sobieski erbaut, gilt als eines der Hauptwerke der polnischen Barockarchitektur | **3** Die 1643/44 entstandene, 22 m hohe Sigismundsäule mit dem Bronzestandbild König Sigismunds III. Wasa am Schlossplatz in Warschau ist das Wahrzeichen der Stadt; das auf eine ehemalige gotische Burg aus dem 13./14. Jh. zurückgehende Königsschloss (rechts) wurde als Residenz der polnischen Könige mehrfach umgebaut und nach der Zerstörung 1939/40 ab 1971 wiederhergestellt | **4** Tadeusz Kantor, »Urgent« (1965; Privatbesitz)

1502–35 von Meister Francesco (†1516) und B. Berecci umgebaut, der auch die Sigismund-Kapelle am Dom errichtete (1519–33). In die bürgerl. Architektur drangen Renaissanceelemente insbesondere als vorgeblendetes Dekorationssystem ein (»poln. Attika«). Die barocke Baukunst war zunächst römisch geprägt (Jesuitenkirchen, u.a. St. Peter und Paul in Krakau, 1596–1619), der Niederländer Tylman van Gameren baute hochbarock oder im paladian. Stil (u.a. Palais Krasiński, 1680–95; Warschau). Zum Zentrum des künstler. Lebens wurde das Ende des 17. Jh. von A. V. Locci gebaute Schloss Wilanów bei Warschau. Ende des 18. Jh. herrschte der elegante »Stanislaus-August-Klassizismus« (Umbau des königl. Schlosses und von Schloss Łazienki in Warschau durch D. Merlini). – Im 19. Jh. dominierten historist. Tendenzen, denen Ende des 19./Anfang des 20. Jh. einige Architekten durch Aufgreifen nat. Formen (u.a. Holzbauweise, Landhausstil) zu begegnen suchten. Beispielhaft gelang nach dem 2. Weltkrieg die Rekonstruktion histor. Gebäude und schwer zerstörter Städte (Warschau, Danzig, Breslau); Neugestaltung ganzer Städte. – Frühe Beispiele poln. **Plastik** sind die Gnesener Bronzetür und die Reliefsäulen von Strzelno (beides um 1170). Im 14. und 15. Jh. entstanden die Königsgräber des Krakauer Doms. Das Grabmal König Kasimirs IV. (1492) ist eine Arbeit von V. Stoß, der mit dem Marienaltar für die Marienkirche (1477–89) in Krakau auch sein Hauptwerk hinterließ. Der wichtigste Bildhauer des ausgehenden 18. Jh. war A. Le Brun, in der 1. Hälfte des 19. Jh. J. Tatarkiewicz und im 20. Jh. X. Dunikowski. – Die got. **Malerei** in Polen ist durch Einflüsse v. a. aus Böhmen und dem byzantin. Bereich bestimmt. Im 16. Jh. waren mehrere Nürnberger Maler (H. von Kulmbach, H. Dürer) in Krakau tätig. Neben der am Ende des 16. Jh. ins Land gebrachten italien. Renaissancemalerei behauptete sich (bis zum Ende des 18. Jh.) ein sarmatischer Stil mit oriental. Zügen. J.-P. Norblin markierte den Übergang vom Rokoko zum Realismus des 19. Jh., dessen Hauptvertreter P. Michałowski, J. Matejko sowie M. und A. Gierymski wurden. Symbolisten wie J. Malczewski und S. I. Witkiewicz leiteten zur Moderne über, die einen Konstruktivismus als bedeutendste poln. Eigenleistung hervorbrachte (W. Strzemiński, H. Berlewi, K. Kobro). Bedeutung erlangte v. a. in Krakau der Jugendstil um die Künstlergruppe »Sztuka«; ihr wichtigster Vertreter war der Maler, Dichter und Kunsthandwerker S. Wyspiański (*1869, †1907). Experimentelle Offenheit kennzeichnet auch die p. K. nach dem 2. Weltkrieg (T. Kantor, T. Brzozowski, Magdalena Abakanowicz, R. Opatka, Z. Jurkiewicz, Z. Gostomski). Die poln. Grafik erlangte internat. Ansehen, v. a. in der Plakatkunst.

Die Vielfalt der heutigen, parallel zu den westl. Strömungen verlaufenden Kunstformen spiegelt auch die relative Offenheit, die innerhalb der p. K. mit gewissen Schwankungen unter dem kommunist. Regime ab Ende der 1950er-Jahre herrschte. Im Gegensatz zur westl. Kunst spielt in Polen das Menschenbild nach wie vor eine besondere Rolle, wofür als wegweisende Persönlichkeit v. a. J. Panek zu nennen ist. In Gemälden, Skulpturen und Installationsarbeiten setzten sich Künstler wie M. Balka, L. Korokiewwicz, J. Modzelewski, E. Dwumik und Anna Beller mit der zeitgenöss. Realität auseinander. Auf einer eher symbol. Ebene arbeiten Künstler wie T. Ciecierski, A. Szewczyk, Hanna Luczak, P. Kurra und K. Klipsa. Die konstruktivist. Tradition, die in Polen Ende der 1960er und in den 1970er-Jahren v. a. mit seriellen Untersuchungen verstärkt in Erscheinung trat, ist noch immer sehr lebendig und wird von Künstlern wie L. Tarasewicz, M. Chlanad und Zuzanna Baranowska spielerisch-assoziativ fortgeführt. Die Trennung zw. einer figurativen und einer abstrakten Kunst spielt in Polen für den einzelnen Künstler kaum eine Rolle, da beide Richtungen als Ausdruck einer ästhetisch-konstruktiven Haltung zur realen Umwelt gesehen werden.

📖 Ostrowski, J. K.: *Die poln. Malerei vom Ende des 18. Jh. bis zum Beginn der Moderne. München 1989.* – *Junges Polen. P. K. um 1900, Redaktion:* C. Sternberg *u.* C. Zangs. *Ausst.-Kat. Städt. Museum Schloß Rheydt, Mönchengladbach 1991.* – *Kunst in Polen – p. K. 966–1990. Eine Einführung, bearb. v.* S. Muthesius. *Königstein im Taunus 1994.* – *Knaurs Kulturführer in Farbe. Polen, hg. v.* M. Mehling, *Beiträge v.* S. K. Dmitriev *u. a., Fotografie:* A. Milovsky. *München 1995.*

Polnische Legionen, 1) die 1797 von dem poln. General J. H. Dąbrowski in Italien aufgestellten poln. Freiwilligentruppen, die im Heer Napoléon Bonapartes kämpften. 2) von J. K. Piłsudski 1914 in Galizien geschaffene militär. Verbände, die bis 1917 aufseiten der Mittelmächte unter österr. Oberkommando gegen Russland kämpften.

polnische Literatur. Die frühesten literar. Zeugnisse, in lat. Sprache abgefasst, sind religiöse und historiograph. Prosawerke aus dem 12. Jh. Seit dem 14. Jh. entstanden Predigten, Lieder, Bibelübersetzungen, Legenden u. a. in poln. Sprache.

Renaissance (1500–1620): Unter dem Einfluss der italien. Renaissance entstand der poln. Humanismus, der erstmals eine umfangreiche Literatur in poln. Sprache hervorbrachte: zunächst Prosaübersetzungen mittelalterl. Stoffe, dann poln. Originalprosa. Erster bed. Vertreter war M. Rej. Die moralisch-didaktische und publizist. Ausrichtung zeigte sich bes. in den polit. Traktaten von A. Frycz Modrzewski und seines Gegners S. Orzechowski, in den historiograph. Werken von M. Bielski und B. Paprocki sowie in den Heiligenviten und Predigten des Jesuiten P. Skarga. Höhepunkt dieser Epoche ist die Lyrik J. Kochanowskis.

Barock (1620–1764): Die wechselvollen Ereignisse (Kriege, Kosakenaufstände) spiegeln sich in der Literatur wider: in histor. Epen (W. Potocki), histor. Gesängen (W. Kochowski), in Reimchroniken (S. Twardowski) und Satiren (K. Opalińskis). Die Lyrik erlebte durch den »christl. Horaz«, M. K. Sarbiewski (Sarbevius), durch S. Zimorowic und J. A. Morsztyn, die den Konzeptionismus und den Marinismus übernahmen, einen neuen Aufschwung. Mitte des 18. Jh. schrieben W. Rzewuski und Urszula Radziwiłłowa an frz. Vorbildern ausgerichtete Dramen.

Aufklärung (1764–95): Sie stand im Zeichen der geistigen Erneuerung Polens. Kritik an den bestehenden Missständen übten Satiren (A. Naruszewicz, I. Krasicki, F. Bohomolec), Fabeln (Krasicki, F. D. Kniaźnin, S. Trembecki) und Komödien (Bohomolec, F. Zabłocki, J. U. Niemcewicz). Am Anfang des modernen poln. Romans stehen die Prosawerke Krasickis. Die Lyrik war durch die empfindsamen Gedichte F. Karpińskis sowie die patriot. Lieder und Liebesgedichte Kniaźnins vertreten. Neben der empfindsamen »Comédie larmoyante« hob sich die von der Folklore beeinflusste kom. Oper »Die Krakauer und die Gora-

Adam Mickiewicz: Stich (1828); **Juliusz Słowacki:** Lithographie (um 1835); **Zygmunt Krasiński:** zeitgenössischer Holzstich; **Henryk Sienkiewicz:** Foto (um 1890)

Cyprian Norwid

Witold Gombrowicz

len« (1794) von W. Bogusławski, dem Schöpfer des poln. Theaters, ab.

Klassizismus und Empfindsamkeit (1795 bis 1822): Nach der 3. Poln. Teilung (1795) setzte der »Warschauer Klassizismus« die aufklärer. Tendenzen fort (histor. Gesänge von J. U. Niemcewicz, 1816), förderte die Entwicklung der poln. Sprache und die Ausbildung der Tragödie (A. Feliński), Ode (K. Koźmian) und Satire (S. K. Graf Potocki). Fast gleichzeitig erschienen sentimentale Werke, wie die Idylle »Wiesław« (1820) von K. Brodziński und der Roman »Malwina« (1816) von Maria Wirtemberska. Durch »Balladen und Romanzen« (1822) und das Epos »Grażyna« sowie die dramat. Fragmente »Dziady« (1823) von A. Mickiewicz kam die Romantik zum Durchbruch.

Romantik (1822–63): Nach dem Verlust der Staatlichkeit übernahm die Literatur die polit. Aufgabe, die nat. Einheit zu wahren. Die Werke der drei großen Romantiker A. Mickiewicz, J. Słowacki und Z. Krasiński sahen in diesem Sinn v. a. im poet. Drama die den persönl. und gesellschaftl. Konflikten des Menschen am besten entsprechende Form. Die von Mickiewicz formulierte messianist. Ideologie vom Polen als Christus der Völker wurde im dramat. Schaffen Słowackis philosophisch überhöht und wich dann der myst. Vorstellung einer Revolution aus dem Geist. Beide Dichter ragten auch als Lyriker hervor. Die zeitgenöss. Bühne wurde von histor. Dramen und Komödien beherrscht (A. Graf Fredro »Zemsta«, 1834). In der Versepik sind das poln. Nationalepos »Herr Thaddäus oder der letzte Eintritt in Litthauen« (1834) von Mickiewicz und das Epos »Beniowski« (1841) von Słowacki zu nennen. Die große Prosaform wurde durch die histor. Romane J. I. Kraszewskis und die fiktiven Memoiren alter poln. Adliger (H. Rzewuski, I. Chodźko) gefördert.

Positivismus (1864–90): Nach Tendenzromanen und -erzählungen setzte sich der krit. Realismus mit verschärfter sozialer Problematik durch (Eliza Orzeszkowa, H. Sienkiewicz, der 1905 den Nobelpreis erhielt, und B. Prus). Daneben gab es histor. Romane, die Patriotismus predigten (J. I. Kraszewski u. a.). In der Dramatik ragten die Tragödien und Komödien C. K. Norwids hervor.

Modernismus (1890–1918): In dieser auch »Junges Polen« (»Młoda Polska«) gen. Epoche nahm die Lyrik, von westeurop. Symbolisten beeinflusst, neuen Aufschwung mit der Natur- und Liebeslyrik von K. Tetmajer-Przerwa, der »L'art-pour-l'art«-Dichtung S. Przybyszewskis, den hymn. Liedern von J. Kasprowicz und der Reflexionslyrik L. Staffs. Beim Drama ragen die Bühnenwerke von

Stanisław Wyspiański: Selbstporträt (1902; Varsovie, Nationalmuseum)

S. Wyspiański heraus (»Die Hochzeit«, 1901; histor. Dramen), auch die gesellschaftskrit. Komödien Gabriela Zapolskas, die histor. Tragödien K. H. Rostworowskis und die expressionist. Dramen T. Miciński. Im Roman wurden die positivist. Tendenzen fortgesetzt (W. S. Reymont »Die Bauern«, 1904–09; Nobelpreis 1924). S. Żeromski behandelte gesellschaftl. und geschichtl. Themen. W. Berent und K. Irzykowski setzten sich mit jungpoln. Konzeptionen auseinander. Große Bedeutung hatte die Literaturkritik.

Zwischenkriegszeit (1918–39): Um die Zeitschrift »Skamander« (1920–28 und 1935–39) bildete sich eine Dichtergruppe, die für alltägl. Sprache und Inhalte in der Poesie eintrat, sonst aber das »Programm der Programmlosigkeit« verkündete (J. Tuwim, A. Słonimski, J. Lechoń, K. Wierzyński, J. Iwaszkiewicz). Um »Zdrój« (1917–22) gruppierten sich die Expressionisten J. und W. Hulewicz, J. Wittlin u.a.; entscheidende Impulse kamen von den Futuristen T. Czyżewski, A. Stern. Die »Krakauer Avantgarde« scharte sich um T. Peiper und die Zeitschrift »Zwrotnica« (1922–27), deren Konzeption in »Linia« (1931–33) von A. Ważyk, J. Przyboś und J. Kurek weiterentwickelt wurde. Die Prosa beschäftigte sich hauptsächlich mit dem Weltkrieg und dem polit. und wirtsch. Wiederaufbau des Staates (Żeromski, A. Strug, J. Kaden-Bandrowski, J. Weyssenhof). Höhepunkte der Romanliteratur sind die Familiensaga »Nächte und Tage« (1932–34) von Maria Dąbroneska, Zofia Nałkowskas psycholog. Gesellschaftsanalyse »Die Schranke« (1935), die psycholog. Romane M. Choromańskis und Maria Kuncewiczowas, der proletar. Roman Wanda Wasilewskas sowie die antirealist., grotesken Romane von S. I. Witkiewicz, B. Schulz und W. Gombrowicz.

Nachkriegszeit: Der 2. Weltkrieg und die Zeit dt. Okkupation forderten unter den Schriftstellern viele Opfer. Nach 1945 herrschten in der Prosaliteratur zunächst Themen wie Kriegszeit (Z. Nałkowska, W. Żukrowski), KZ-Erlebnisse (T. Borowski), Nachkriegswirren (J. Andrzejewski, »Asche und Diamant«, 1948) vor. In der Lyrik spiegelte sich der Krieg in den Gedichten von T. Różewicz, Staff, Tuwim, W. Broniewski, J. Przyboś, C. Miłosz (Nobelpreis 1980) wider. Bes. beliebt war K. I. Gałczyński mit seinen grotesk-satir. Gedichten und Liebeslyrik. Der 1949 beschlossene sozialist. Realismus wurde mit der organisator. und personellen Gleichschaltung des Kulturlebens begonnen und führte zum Verlust künstler. Vielfalt. Die künstler. Monotonie wurde 1954 durch Staffs Gedichtband »Wiklina« durchbrochen; 1955 begann die Kritik an der staatl. Kulturpolitik. Als programmat. Schrift des »Tauwetters« gilt A. Ważyks »Ein Gedicht für Erwachsene« (1955), der eine Welle der »Abrechnungsliteratur« auslöste (K. Brandys, J. Andrzejewski, J. Broszkiewicz). Dem polit. Umbruch im Okt. 1956 folgte eine Welle von Übersetzungen moderner Werke, von formalen und themat. Experimenten. In der Prosa entstanden große Romane (J. Iwaszkiewicz), historische Erzählwerke und Sciencefictionliteratur (S. Lem), doch bald trat die kleine Erzählform in den Vordergrund: in der Darstellung des sozialist.

Czeslaw Miłosz

Alltags (M. Hłasko, A. Brycht, S. Grochowiak, M. Nowakowski, W. Odojewski), in der Schilderung des Dorflebens (E. Bryll), in grotesken und surrealen Sujets (S. Mrożek, S. Zieliński). Bes. reich an formalen Versuchen und themat. Varianten ist die Lyrik nach 1956. Zu den bereits bekannten Dichtern (T. Różewicz, W. Woroszylski, W. Wirpsza, Z. Herbert) trat eine neue Generation, für die künstler. Raffinement und iron. Haltung kennzeichnend sind (Wisława Szymborska, Grochowiak, J. Harasymowicz). Als Dramatiker haben sich v.a. Grochowiak und Mrożek durchgesetzt.

Eine neue Krise des literar. Lebens begann 1968; die studentischen Märzunruhen veranlassten einige Schriftsteller zur Solidarisierung (z.B. L. Kołakowski), die Augustereignisse in der Tschechoslowakei wurden u.a. von Andrzejewski (Publikationsverbot) und Mrożek (danach im Ausland) scharf verurteilt. Die antisemit. Kampagne (seit 1967) zwang einige Autoren zum Verlassen des Landes. Die Lyrik reagierte darauf mit der sprach- und gesellschaftskritisch eingestellten Generation der »Neuen Welle« (J. Kornhauser, A. Zagajewski). In der Prosa profilierte sich die Dorfthematik (neben J. Kawalec, T. Nowak und E. Redliński v.a. W. Myśliwski), eine Hinwendung zum sprachl. Experiment machte sich bemerkbar. Zu einer bis Ende der 80er-Jahre andauernden Polarisierung führte das im Dez. 1981 verhängte Kriegsrecht, das die Auflösung, Suspendierung oder linientreue Neugründung von Kulturverbänden zur Folge hatte. Die polit. Ereignisse dieser Zeit fanden ein vielfältiges Echo in der Literatur, die im Untergrund oder im Ausland gedruckt wurde: u.a. in den Erzählungen von M. Nowakowski, bei J. Głowacki, Brandys oder Z. Herbert. Daneben war jedoch nach 1985 eine Tendenz zur apolit., individualist., sprachlich-ästhetisch ausgerichteten Lyrik und Prosa festzustellen. Die Ablösung des kommunist. Regimes (1989) und die Einführung von polit. Plu-

Jerzy Andrzejewski

Stanislaw Lem

Sławomir Mrożek

Zbigniew Herbert

Andrzej Szczypiorski

ralismus und Marktwirtschaft führten zu einer Krise des literar. Lebens und zur Verminderung der literar. Produktion. Durch Übersetzungen westl. Unterhaltungsliteratur ging der p. L. ein großer Teil des Lesepublikums verloren, gefragt blieben v.a. Publikationen der ehemaligen poln. Exilliteratur sowie bis dahin verbotene Werke. Einen themat. Schwerpunkt bilden in den letzten Jahren v.a. Prosawerke, die das komplizierte polnisch-jüd. Verhältnis und die dt.-poln. Beziehungen gestalten (Maria Nuroswka, A. Szczypiorski, P. Huelle, J. Rymkiewicz, P. Szewc).

📖 MACIĄG, W.: *Die poln. Gegenwartsliteratur 1939–1976. A. d. Poln. München 1979.* – MIŁOSZ, C.: *Geschichte der p. L. Aus dem Engl. Köln 1981.* – MIĄZEK, B.: *P. L. 1863–1914. Darstellung u. Analyse. Wien 1984.* – FLEISCHER, M.: *Die poln. Lyrik von 1945 bis 1985. Entwicklung – Generationenfolge – Periodisation. Essen 1986.* – KUCZYNSKI, K. A.: *P. L. in dt. Übersetzung von den Anfängen bis 1985. Darmstadt 1987.* – SCHOLZE, D.: *Zwischen Vergnügen u. Schock. Poln. Dramatik im 20. Jh. Berlin (Ost) 1989.* – RITZ, G.: *Die poln. Prosa 1956–1976. Bern u. a. 1990.* – MIĄZEK, B.: *P. L. des Mittelalters u. der Renaissance. Frankfurt am Main u. a. 1993.* – KUHNKE, I.: *Poln. schöne Lit. in dt. Übersetzung, 1900–1992/93. Mainz [2]1995.* – *Die Dichter Polens. Hundert Autoren vom Mittelalter bis heute, hg. v.* K. DEDECIUS. *Neuausg. Frankfurt am Main 1996.*

polnische Musik. Älteste Musiküberlieferung findet sich im bis heute lebendigen Volkslied, zu dessen Eigenheiten fünfstufige Tonleitern (Pentatonik), Kirchentonarten, asymmetr. Rhythmen und kurzmelod. Bildungen gehören. Schon um 1100 ist das Tanzlied bezeugt, das bis in die Neuzeit die vorrangige Gattung blieb. Volkstänze wie Polonaise, Mazurka und Krakowiak zeigen in ihrer charakterist. Rhythmik nat. Eigenart.

Im 10. Jh. wurde der Gregorian. Gesang eingeführt, die ersten mehrstimmigen Quellen stammen aus dem ausgehenden 13. Jh. Vor allem italien. Musiker und Komponisten am königl. Hof (zunächst in Krakau, dann in Warschau) beeinflussten die p. M. im 16./17. Jh. Die Instrumentalmusik entwickelte sich seit Anfang des 17. Jh. Getragen von der nat. Welle des 19. Jh., gründete J. Elsner (* 1769, † 1854) in Warschau eine Musikschule, aus der u. a. F. Chopin (BILD) hervorging. Im Schaffen Chopins erlangte die p. M. Weltgeltung. S. Moniuszko schuf die poln. Nationaloper »Halka« (1848). Zu einem eigenen Klangstil gelangte K. Szymanowski durch die Verarbeitung von internat. Moderne und poln. Volksmusik. J. Koffler (* 1896, † 1943 oder 1944) übernahm etwa 1928 die Zwölftontechnik. In den 1930er- und 1940er-Jahren herrschten Folklorismus und Neoklassizismus (A. Tansman, A. Panufnik) vor. Die Techniken der seriellen und experimentellen Musik nahmen insbesondere W. Lutosławski (BILD) und K. Penderecki auf (BILD), die, ebenso wie K. Serocki, T. Baird und B. Schäffer, internat. Geltung erlangten. Ferner traten hervor: W. Kilar, H. M. Górecki, Z. Penherski, Z. Rudziński, T. Sikorski und Z. Krauze sowie K. Meyer.

Polnischer Korridor, → Korridor.

Polnischer Thronfolgekrieg, europ. Krieg 1733–35/38 um die Thronfolge in Polen nach dem Tod Augusts II., des Starken. Österreich und Russland unterstützten den sächs. Kurfürsten Friedrich August II. (Sohn August des Starken), Frankreich den poln. Exkönig Stanislaus I. Leszczyński. Nach der Besetzung Warschaus und der Einnahme Danzigs durch russ. Truppen (1734) wurde jedoch Friedrich August II. im Wiener Präliminarfrieden (1735) als König August III. von Polen anerkannt. Frankreich setzte mit Spanien und dem Königreich Sardinien den Krieg gegen Österreich in Italien und am Rhein erfolgreich fort. Im Wiener Frieden (1738) wurde Stanislaus mit den Herzogtümern Bar und Lothringen entschädigt.

polnische Sprache, zur westl. Gruppe der slaw. Sprachen gehörende Sprache mit 37,37 Mio. Sprechern in Polen und rd. 10 Mio. im Ausland. Kennzeichnende Merkmale sind die Erhaltung der urslaw. Nasale und die feste Betonung auf der vorletzten Silbe sowie das fein differenzierte System palataler Zischlaute (ś, ź, ć). Geschrieben wird das Polnische mit lat. Buchstaben. Für die spezifisch poln. Laute benutzt man Buchstabenkombinationen oder diakrit. Zeichen, z. B. ą [ɔ̃], cz [tʃ], ę [ɛ̃], ł [unsilb. kurzes u], rz [ʒ], sz [ʃ], ż [ʒ]. Die p. S. ist mit Personen- und Ortsnamen in lat. Chroniken seit dem 10. und 11. Jh. sowie in Glossen seit dem 12. Jh. überliefert. Älteste literar. Sprachzeugnisse stammen aus dem 14. Jahrhundert.

Polnische Teilungen (1772, 1793, 1795), → Polen (Geschichte).

Polnisch-Sowjetischer Krieg, 1920–21 geführter Krieg zw. Polen (verbündet mit der »Ukrain. Nationalrepublik« unter Ataman S. Petljura) und Sowjetrussland um die Grenzziehung zw. beiden Staaten (→ Polen, Geschichte).

Polo [tibet.] *das,* (Pferdepolo) Torspiel zweier Mannschaften von je vier berittenen Spielern, die mit 1,2–1,4 m langen Schlägern (P.-Stöcken) ausgerüstet sind und den etwa 130 g schweren Hartball von etwa 8 cm Durchmesser ins gegner. Tor spielen sollen. Die Pferde haben gewöhnlich unter 1,5 m Widerristhöhe. Das Spielfeld ist 274 m × 182 m groß, die Tore 7,3 m breit und oben offen. Gespielt werden vier bis acht Gänge zu je 7,5 Minuten.

Polo, Marco, venezian. Reisender und Kaufmann, * Venedig 1254, † ebd. 8. 1. 1324; begleitete seinen Vater Niccolò und dessen Bruder Maffeo 1271–75 auf einer Reise nach China an den Hof des

Mongolenherrschers Kubilai, dessen Gunst er gewann und der ihn 1275–92 zu versch. Missionen einsetzte (zeitweilig Statthalter einer Provinz). P. bereiste große Teile des Reiches. Erst 1292 erhielt er die Erlaubnis, zus. mit seinem Vater und Onkel das Land zu verlassen; sie kehrten über Sumatra, Vorderindien, Persien, Armenien und Trapezunt 1295 zurück. 1298/99 in genues. Gefangenschaft diktierte er einem Mitgefangenen seinen Reisebericht, der großen Einfluss auf die geograph. Vorstellungen des 14./15. Jh. hatte.

Ausgaben: Il milione. Die Wunder der Welt, übers. v. E. Guignard. Zürich [6]1994. – Von Venedig nach China. Die größte Reise des 13. Jh., hg. v. T. A. Knust. Neuausg. Darmstadt 1996.

📖 Zorzi, A.: *M. P. Düsseldorf* [2]*1983. – M. P. u. die Seidenstraße, bearb. v.* J.-P. Dège *u. a. Aus dem Frz. Ravensburg 1992.*

Polonaise [polo'nɛːzə, frz.] *die,* im 16. Jh. in Polen entstandener paarweise geschrittener Tanz im überwiegend geraden Takt, der bis heute in Europa als Eröffnung von Tanzveranstaltungen dient; seit dem 17. Jh. auch ein Instrumentalstück v. a. im $^3/_4$-Takt.

Polonium [nach der poln. Heimat (nlat. Polonia) der Entdeckerin Marie Curie] *das,* chem. Symbol **Po,** radioaktives Element aus der sechsten Hauptgruppe des →Periodensystems der chemischen Elemente; Ordnungszahl 84, relative Atommasse 209, Dichte 9,2 g/cm^3, Schmelzpunkt 254 °C, Siedepunkt 962 °C. P. ist ein silberhelles, in zwei Modifikationen unterschiedlicher Dichte auftretendes Schwermetall. Infolge seiner Radioaktivität regt es im Dunkeln die umgebende Luft zu hellblauem Leuchten an. Verwendet wird P. als Strahlungs- und Ionisationsquelle. Von den mehr als 30 instabilen Isotopen kommen einige in den radioaktiven Zerfallsreihen vor und tragen eigene Bez., z. B. **Radium F** für ^{210}Po, **Radium A** für ^{218}Po, **Thorium A** für ^{216}Po. In sehr geringen Mengen ist P. in Uranmineralen enthalten, z. B. in der Pechblende (→Uranpecherz), in der es 1898 durch P. und M. Curie entdeckt wurde. Künstlich hergestellt wird P. in Kernreaktoren durch Neutroneneinfang aus dem Wismutisotop ^{209}Bi. – In seinen chem. Eigenschaften liegt P. zw. Tellur und Wismut; in seinen Verbindungen tritt es v. a. in den Oxidationsstufen +2, +4 und +6 auf.

Polowzer, russ. Name der →Kumanen.

Pol Pot (auch Saloth Sar), kambodschan. Politiker, *Memot (Prov. Kompong Thom) 19. 5. 1928, †Anlong Veng (im Grenzgebiet zu Thailand) 15. 4. 1998; Mitbegründer der KP, deren Führung er 1963 als Sekretär des ZK übernahm. Gestützt auf die →Roten Khmer, kämpfte er in einem Bürgerkrieg (1970–75) gegen die »Khmerrepublik« unter Lon Nol. Nach dem Sieg seiner Truppen (1975) errichtete er als MinPräs. (1976–79) ein Terrorregime, dem zw. 1 und 2 Mio. Kambodschaner zum Opfer fielen. 1979 durch eine militär. Intervention Vietnams gestürzt, ging er wieder in den Untergrund. 1979 wurde P. P. wegen Völkermordes in Abwesenheit zum Tode verurteilt; seit 1997 von ehem. Anhängern gefangen gehalten.

Marco Polo: Stahlstich aus dem Jahr 1850

Polschwankung, →Polhöhenschwankung.

Polsequenz (internationale P.), Bez. für 329 um den Nordpol des Himmels gruppierte Sterne mit abnehmender, präzise bestimmter Helligkeit der 2. bis 20. Größenklasse. Sie dienen als Standard bei der Helligkeitsbestimmung anderer Sterne.

Polstärke (magnetische P.), magnetostat. Größe, die der elektr. Ladung der Elektrostatik entspricht (»magnet. Ladung«).

Polstelle, *Mathematik:* →Pol.

Polsterpflanzen, ausdauernde, polsterig-buschig verästelte und dicht beblätterte Wüsten-, Felsen-, Alpenpflanzen; im Gartenbau zum Bepflanzen von Freiflächen, Trockenmauern u. Ä.

Poltawa, Hptst. des Gebiets P., Ukraine, in der Dnjeprniederung, 325 000 Ew.; Observatorium der Ukrain. Akademie der Wiss., mehrere Hochschulen, Museen; Maschinen-, Gerätebau, Textil-, Nahrungsmittel-, Lederind.; Eisenbahnknotenpunkt, Flughafen. – Im Großen Nord. Krieg errang hier Peter d. Gr. 1709 den entscheidenden Sieg über die Schweden.

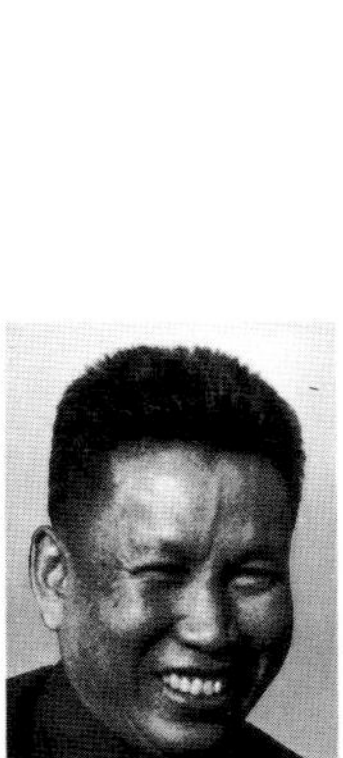

Pol Pot

Polwanderung, vermutete Verlagerung der Rotationspole der Erde relativ zur Erdoberfläche im Lauf der Erdgeschichte, im Ggs. zur period. →Polbewegung. Bild S. 126

poly... [grch.], **1)** *allg.:* viel...

2) *Chemie:* Vorsilbe für Verbindungen mit sich wiederholenden Atomgruppen.

Polyacrylharze (Acrylharze), Polymere der Acrylsäure und der Methacrylsäure sowie deren Ester, Amide und Nitrile.

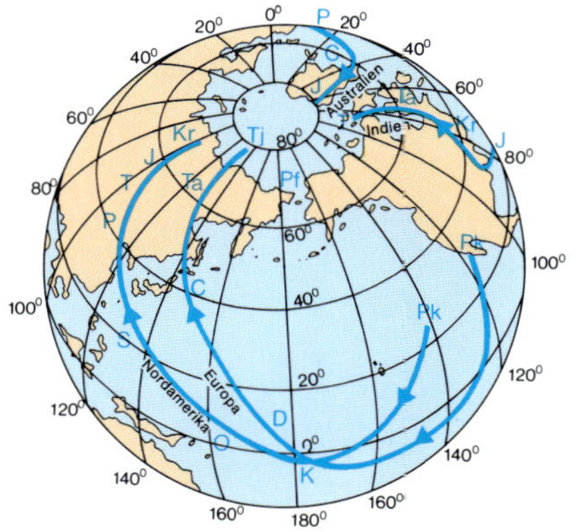

Polwanderung: scheinbare Polwanderungskurven im Verlauf der Erdgeschichte nach paläomagnetischen Messungen für verschiedene Kontinente: Pk Präkambrium, K Kambrium, O Ordovizium, S Silur, D Devon, C Karbon, P Perm, T Trias, J Jura, Kr Kreide, Ta Alttertiär, Tj Jungtertiär, Pl Pleistozän

Polyacrylnitril *das,* Abk. **PAN,** durch Polymerisation von →Acrylnitril z. B. in wässriger Emulsion hergestellter Thermoplast. Wegen der stark polaren Nitrilgruppen (CN-Gruppen) sind die Anziehungskräfte zw. den Kettenmolekülen sehr groß, sodass P. sich beim Schmelzen zersetzt und nur in stark polaren Lösungsmitteln löslich ist. Bedeutung hat P. v. a. für die Herstellung von Polyacrylnitril- und Kohlenstofffasern.

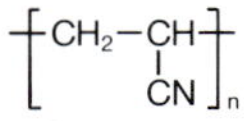

Polyacrylnitril

Polyaddition, Reaktion meist versch. Monomere zu Polymeren **(Polyaddukte)** unter Anlagerung reaktionsfähiger Gruppen (z. B. –OH) an Mehrfachbindungen (z. B. Polyurethane) oder unter Öffnung ringförmiger Moleküle (z. B. Epoxidharze). Die P. verläuft ohne Abspaltung niedermolekularer Stoffe (z. B. Wasser).

Polyamide, Abk. **PA,** Polymere mit der wiederkehrenden Gruppe –CO–NH– (Carbonsäureamid). P. sind teilkristalline Thermoplaste (→Kunststoffe). Sie lassen sich durch Polykondensation von Diaminen (z. B. Hexamethylendiamin) mit Dicarbonsäuren (z. B. Adipinsäure) herstellen; ein anderer Syntheseweg geht von Aminocarbonsäuren oder deren zykl. Säureamiden, den Lactamen, aus. So entsteht z. B. bei der ringöffnenden Polymerisation von ε-Caprolactam in Gegenwart von etwas Wasser zunächst die ε-Aminocapronsäure, die unter Rückbildung des Wassers der Polykondensation unterliegt. P.-Typen werden nach der Anzahl der zusammenhängenden Kohlenstoffatome bezeichnet. Die größte techn. Bedeutung haben P. 6 (PA 6, Perlon) und P. 66 (PA 66, Nylon). Bis Mitte der 1950er-Jahre nur zum Verspinnen von Polyamidfasern genutzt, haben P. seitdem als zähe und abriebfeste techn. Kunststoffe im Fahrzeugbau (z. B. Lenkräder, Gaspedale), in der Elektrotechnik oder für Folien zunehmende Bedeutung erlangt. Aromat. P. heißen →Aramide.

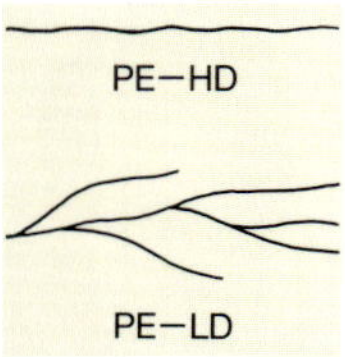

Polyäthylen: schematische Darstellung der Struktur der Molekülketten von PE-HD und PE-LD

Polyandrie [grch. »Vielmännerei«] *die,* eine Form der Polygamie, →Ehe.

Polyarthritis, akute oder chron., an mehreren Gelenken gleichzeitig auftretende Entzündung.

Polyäthylen (Polyethylen), Abk. **PE,** durch Polymerisation von Äthylen hergestellter teilkristalliner, thermoplast. Kunststoff. P. niedriger Dichte (**LDPE, PE-LD,** Abk. für **l**ow **d**ensity **p**oly**e**thylene) wird durch Polymerisation bei hohem Druck in Gegenwart von Sauerstoff oder Peroxiden als Radikalbildnern hergestellt. Die geringe Dichte ist auf verzweigte und damit sperrige Molekülketten zurückzuführen. P. hoher Dichte (**HDPE, PE-HD,** Abk. für **h**igh **d**ensity **p**oly**e**thylene) wird in W-Europa v. a. in Gegenwart von Ziegler-Natta-Katalysatoren bei niedrigem Druck und Temperaturen unter 100 °C hergestellt. PE-HD besteht überwiegend aus unverzweigten Molekülketten. P. hat im Vergleich zu anderen Kunststoffen niedrige Festigkeit und Härte, aber hohe Zähigkeit. P. ist ein Massenkunststoff mit breitem Anwendungsspektrum. Aus PE-LD werden v. a. Folien (Tragetaschen, Säcke), aber auch Rohre und Kabelisolierungen hergestellt. PE-HD wird v. a. durch Blasformen (zu Flaschen für Reinigungsmittel, Benzinkanister u. a.) und Spritzgießen (zu Mülltonnen, Flaschenkästen u. a.), aber auch zu Folien (z. B. für Deponieabdichtungen) verarbeitet. PE-Abfälle können recycelt werden.

📖 Schipp, C.: *Untersuchungen von Polyestermischungen u. Polyethylen mit Hilfe der Neutronenkleinwinkelstreuung. Aachen 1992.*

$$HOOC-(CH_2)_4-COOH \; + \; H_2N-(CH_2)_6-NH_2 \longrightarrow$$

$$HOOC-(CH_2)_4-CO-NH-(CH_2)_6-NH_2 + H_2O \text{ usw. zu PA 66}$$

Polyamide: Herstellung von PA 66 durch Polykondensation von Adipinsäure (oben links) und Hexamethylendiamin (oben rechts)

Polybios, grch. Geschichtsschreiber, *Megalopolis in Arkadien um 200 v. Chr., †um 120 v. Chr.; war 170/169 Reiterführer des Achaiischen Bundes, kam 168 als Geisel nach Rom, wurde Erzieher und Freund des Scipio Aemilianus. Er verfasste eine die Epoche von 264 bis 144 v. Chr. umfassende Weltgeschichte in 40 Büchern (nur Buch I–V vollständig erhalten).

Polycarbonate, Abk. **PC,** Polyester der Kohlensäure, die durch Polykondensation von Diphenolen mit Phosgen oder Diphenylcarbonat gewonnen werden. P. sind bes. schlagzähe, glasklare, schwer entflammbare Kunststoffe mit Dauereinsatztemperaturen bis etwa 135 °C. Sie werden, z.T. glasfaserverstärkt, für Gehäuse (Trafos, Kameras u.a.), Verglasungen, Schutzhelme, Essgeschirr u.a. verwendet.

Polychlorbiphenyle (polychlorierte Biphenyle), Abk. **PCB,** Chlorkohlenwasserstoffe, die durch Chlorierung von →Biphenyl in Gegenwart von Eisenchloridkatalysatoren hergestellt werden. P. eignen sich wegen ihrer hohen therm. und chem. Stabilität und ihres hohen elektr. Widerstandes bes. als Isolier-, Hydraulik- und Kühlflüssigkeiten. Sie können Leberschäden und Hautkrankheiten (Chlorakne) hervorrufen; ein Krebs erregendes Potenzial ist erwiesen. Wegen ihrer hohen Beständigkeit und Fettlöslichkeit reichern sie sich über die Nahrungskette an. Die Anwendung von P. ist deshalb heute auf geschlossene Systeme beschränkt. In Dtl. sind Herstellung, In-Verkehr-Bringen und Verwendung von PCB verboten.

Polychromie [zu grch. chrõma »Farbe«] *die,* Vielfarbigkeit; die farbige Gestaltung in Malerei, Plastik, Kunsthandwerk, Architektur. Polychromgestaltung findet sich, abgesehen von klassizist. Strömungen des 18./19. Jh. in Europa und z.T. im 20. Jh., in allen Epochen und Kulturbereichen.

Polydeukes (lat. Pollux), *grch. Mythos:* →Dioskuren.

Polyeder [grch.] *der* (Vielflach), aus Vielecken zusammengesetzte geschlossene Fläche oder der von ihr begrenzte Körper. Es gibt nur fünf reguläre P. (platon. Körper): Würfel, Oktaeder, Dodekaeder, Ikosaeder und Tetraeder.

Polyene, Sammelbez. für organ. Verbindungen, die mehrere Kohlenstoffdoppelbindungen enthalten. P. sind sehr reaktionsfähig. Besitzen sie mehr als vier konjugierte Doppelbindungen im Molekül, so sind sie farbig. Natürliche P. sind z.B. die Carotinoide.

Polyester, Polymere mit der wiederkehrenden Estergruppe –CO–O–, die durch Polykondensation von Dicarbonsäuren mit mehrwertigen Alkoholen hergestellt werden. **Gesättigte P.** (Abk. **SP**) sind amorphe oder teilkristalline Thermoplaste mit hoher Steifigkeit und Härte; sie werden meist aus Terephthalsäure (bzw. deren Derivaten, z.B. Dimethylterephthalat) und Äthylenglykol oder 1,4-Butandiol hergestellt und zur Erzeugung von Synthesefasern (Handelsname z.B. Diolen), Folien und techn. Artikeln sowie als Lackharze verwendet. Bei der Polykondensation von Alkoholen mit ungesättigten Dicarbonsäuren (z.B. Maleinsäure) entstehen **ungesättigte P.** (Abk. **UP**), die meist in Styrol gelöst als flüssige Reaktionsharze in den Handel kommen. Ungesättigte P. werden ohne Zusätze als Gießharze sowie als Bindemittel in

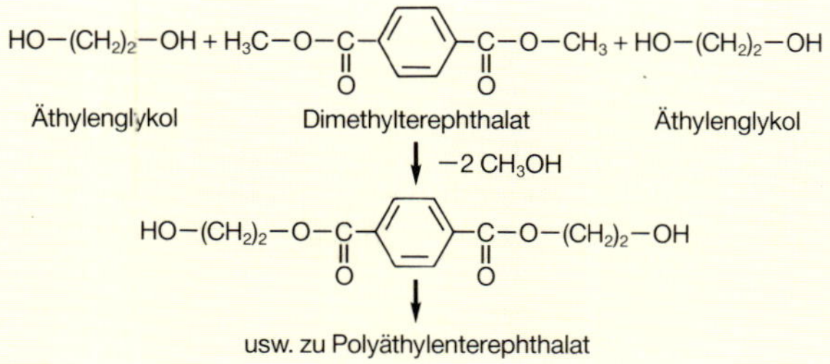

Polyester: Prinzip der Herstellung von gesättigten Polyestern aus Dimethyltherephthalat und Äthylenglykol

härtbaren Formmassen und Lacken verwendet. Durch die Schichtung von ungesättigten P. und Glasgeweben (Laminieren) werden z.B. Tanks, Schwimmbecken, Bootskörper u.a. hergestellt.

Polygamie [zu grch. gámos »Ehe«] *die,* **1)** eine Form der →Ehe.

2) *Biologie:* Bez. für die geschlechtl. Verbindung mit mehreren Partnern.

Polyglobulie [zu lat. globulus »Kügelchen«] *die,* Vermehrung der roten Blutkörperchen und des roten Blutfarbstoffs infolge Sauerstoffmangels.

polyglott [grch.], in mehreren Sprachen abgefasst; mehrere Sprachen sprechend.

Polygnot (grch. Polygnotos), grch. Maler aus Thasos, tätig etwa 480–440 v. Chr., schuf nach den Perserkriegen aus Beschreibungen des Pausanias bekannte Wandgemälde. P. wandte als einer der Ersten Schattierung und perspektiv. Mittel an.

Polygon [grch.] *das* (Vieleck), geometr. Gebilde aus *n* Punkten $P_1, P_2, ..., P_n$, den **Ecken,** und *n* Verbindungsstrecken (geschlossenen ebenen **P.-Zügen**) $\overline{P_1P_2}, ..., \overline{P_{(n-1)}P_n}, \overline{P_nP_1}$, den **Seiten** des P.; nach der Anzahl der Ecken unterscheidet man Dreieck,

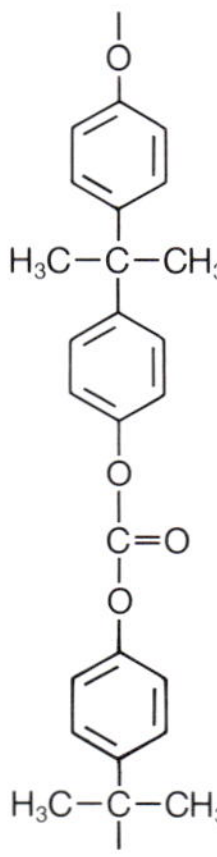

Polycarbonate: Ausschnitt eines Polycarbonatmoleküls

Polybios

Der griechische Geschichtsschreiber, der als Befehlshaber der achäischen Kavallerie kämpfte, kam nach der Niederlage Makedoniens bei Pydna 168 v. Chr. nach Rom, wo er in der vornehmen Familie der Scipionen in einer Art Hausarrest festgehalten wurde. Er entwickelte sich nicht nur zu einem intimen Kenner des römischen Lebens, sondern kam auch zu der Überzeugung, dass die römische Verfassung und Sozialstruktur der griechischen überlegen sei. Demgemäß sah er im Aufstieg Roms keinen Zufall, auch nicht das Ergebnis bloßer militärischer Überlegenheit. Er nahm sich vor, seine griechischen Landsleute darüber aufzuklären und verfasste daher eine Universalgeschichte, in der er Roms Aufstieg darstellte und erklärte. Sie bietet nicht nur eine Fülle geschichtlichen Materials, sondern beeindruckt auch durch das Niveau, mit dem ein hochgebildeter Grieche den welthistorischen Prozess der römischen Expansion mit den Mitteln analysiert, die das griechische politische Denken bereitgestellt hatte. Polybios verarbeitete eine Jahrhunderte alte historiographische Tradition zu einem hochreflektierten und doch vitalen Werk eigenen Charakters.

Viereck, allg. *n*-Eck. Verlaufen die Verbindungsstrecken nichtbenachbarter Ecken, die **Diagonalen,** im Inneren des P., so bezeichnet man es als **konvexes P.,** überschneiden sich zwei oder mehr Seiten, wird es **überschlagenes P.** genannt.

Polygonboden, in Gletschernähe auftretender Frostmusterboden, gekennzeichnet durch polygonale, meist sechseckige Spaltensysteme.

Polygynie [grch. »Vielweiberei«] *die,* eine Form der Polygamie, →Ehe.

Polyhistor [grch.] *der,* Gelehrter, der über das Gesamtwissen seiner Zeit verfügt. Diese umfassende Bildung (Enzyklopädismus) galt bes. dem 17. und 18. Jh. als Ideal. Beispiele sind Aristoteles, Maimonides, Albertus Magnus und Leibniz.

Polyhymnia, *grch. Mythos:* die Muse der Pantomime und des ernsten Liedes.

Polykarp, Bischof von Smyrna, *um 79/89, †155/156 oder 168/169. Der Bericht über sein Martyrium ist eine der ältesten christl. Märtyrerakten. Heiliger, Tag: 23. 2.

Polyklet: Diadumenos, römische Marmorkopie des um 425 v. Chr. entstandenen Originals aus Bronze (Athen, Archäologisches Nationalmuseum)

Polyklet (grch. Polykleitos), grch. Bildhauer aus Argos (nach Plinius d. Ä. aus Sikyon), tätig etwa 450–410 v. Chr., neben Phidias der bedeutendste grch. Bildhauer. Seine Bronzestatuen sind in zahlr. röm. Marmorkopien erhalten und gelten als Hauptwerke der klass. Epoche der grch. Kunst. Seine Schrift »Kanon« (→Kanon) legte die Maßverhältnisse des menschl. Körpers fest. P. wendete den →Kontrapost an und gab seinen Statuen damit eine s-förmige, rhythmisierte Kurve.

📖 STEUBEN, H. VON: *Der Kanon des P. Doryphoros u. Amazone. Tübingen 1973.* – *P. Der Bildhauer der griech. Klassik, hg. v.* H. BECK *u. a., Ausst.-Kat. Liebighaus, Frankfurt am Main. Mainz 1990.*

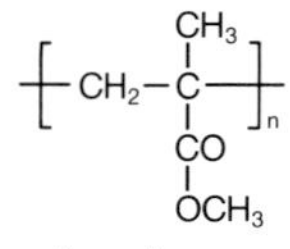

Polymethacrylate: Polymethylmethacrylat

Polykondensation, Reaktion, bei der meist zwei versch., mit reaktionsfähigen Gruppen ausgestattete Monomere unter Abspaltung kleinerer Moleküle (z. B. H_2O, CH_3OH) zu Polymeren **(Polykondensaten)** umgesetzt werden.

Polykrates, Tyrann von Samos (seit etwa 538 v. Chr.), †Magnesia am Mäander 522 v. Chr.; beherrschte mit seiner Flotte weithin das Ägäische Meer. Er entfaltete eine großartige Bautätigkeit und zog Dichter und Künstler an seinen Hof. Durch den pers. Satrapen Oroites wurde er nach Magnesia gelockt und grausam getötet. – Ballade von Schiller: »Der Ring des P.« (1797).

Polykristall (Vielkristall), aus vielen Kristalliten (Kriställchen) aufgebautes Kristallaggregat; Ggs.: Einkristall.

Polymenorrhö [grch.], Zyklusstörung, zu häufige, in zu kurzen Abständen auftretende Regelblutung; beruht auf hormonaler Fehlregulation.

Polymere [zu grch. méros »Teil«], Verbindungen, deren Moleküle aus einer großen Anzahl Struktureinheiten **(Monomere)** aufgebaut sind. Die **Homo-P.** bestehen aus gleichen, die **Co-P.** aus versch. Monomeren. Die mittlere Anzahl der im P.-Molekül enthaltenen Monomere heißt **Polymerisationsgrad. Bio-P.** sind am Aufbau der belebten Natur beteiligt, z. B. Cellulose, Stärke, Nucleinsäuren. **Synthet. P.** werden durch Polyreaktionen (Polymerisation, Polykondensation, Polyaddition) hergestellt. Nach ihrer Struktur unterscheidet man **ataktische** (organ. Reste liegen regellos auf der einen oder der anderen Seite der Hauptkette), **syndiotaktische** (organ. Reste liegen in regelmäßiger Abfolge auf der einen und der anderen Seite der Hauptkette) und **isotaktische P.** (alle organ. Reste sind nach einer Seite ausgerichtet). Die P. haben als Kunststoffe und Chemiefasern große Bedeutung.

📖 *Polymer handbook, hg. v.* J. BRANDRUP *u. a. New York u. a. 1989.* – ELIAS, H.-G.: *P. Von Monomeren u. Makromolekülen zu Werkstoffen. Zug u. a. 1996.*

Polymerisation *die,* Reaktion zur Synthese von →Polymeren, bei der meist ungesättigte Monomere (z. B. Alkene) an aktive Atomgruppen (Radikale, Ionen) angelagert und im Ggs. zur →Polykondensation keine niedermolekularen Reaktionsprodukte abgespalten werden. Durch Comonomere mit bestimmten Kohlenwasserstoffketten oder funktionellen Gruppen lassen sich der Polymerkette definierte Verzweigungen aufpfropfen. P. können durch Radikale oder Ionen gestartet und durch Metallverbindungen (z. B. →Ziegler-Natta-Katalysatoren) katalysiert werden. Die Produkte der P. heißen **Polymerisate.**

Polymeth|acrylate, thermoplast. →Kunststoffe, die durch radikal. Polymerisation von Methacrylsäureestern hergestellt werden. Besondere Bedeutung hat **Polymethylmethacrylat** (Abk.

PMMA), das opt. klar und witterungsbeständig ist und eine sechsmal höhere Schlagzähigkeit als Glas hat; allerdings ist es brennbar. Es wird als **Acrylglas** (Handelsname **Plexiglas**) für Verglasungen u.a. verwendet. Durch Beschichtung mit Siliconharzlacken lässt sich die Kratzfestigkeit verbessern.

Polymetrik [grch.] *die* (Polymetrie), in der mehrstimmigen Musik das gleichzeitige Gegeneinanderstellen verschiedener metr. Bildungen innerhalb eines Stückes, z.B. eine Gruppe im $^3/_4$- gegen eine Gruppe im $^4/_4$-Takt.

Polymorphie [grch.] *die* (Polymorphismus), **1)** *allg. fachsprachlich:* (Hetero-, Pleomorphie, Poly-, Pleo-, Heteromorphismus) Vielgestaltigkeit.

2) *Genetik:* das gleichzeitige Vorkommen mehrerer genetisch verschiedener, diskontinuierl. Phänotypen (→Variabilität) innerhalb einer Population als Folge chromosomaler Strukturveränderung **(Chromosomenpolymorphie).**

3) *Kristallographie:* Bez. für das Auftreten von zwei oder mehr kristallinen Phasen (Modifikationen) und entsprechenden Kristallformen bei gleicher chem. Zusammensetzung (z.B. Pyrit und →Markasit bei FeS_2). Die P. von chem. Elementen heißt auch →Allotropie. Das Auftreten zweier spiegelbildlich gleicher Modifikationen wird als **Enantiomorphie** bezeichnet.

4) *Morphologie:* Ausbildung versch. Formen der Individuen einer Art, z.B. Verschiedengestaltigkeit der beiden Geschlechter **(Sexualdimorphismus),** geschlechtl. und ungeschlechtl. Generation bei Generationswechsel oder der Individuen zeitlich getrennter Generationen **(Saisondimorphismus).** Bei Staaten bildenden Insekten ist meist eine **soziale P. (Kasten-P.)** vorhanden.

5) *Sprachwiss.:* das Vorhandensein mehrerer Formen für eine grammat. Kategorie; z.B. wird im Deutschen der Plural des Substantivs durch versch. Endungen wie *-n* (Bauern), *-en* (Frauen), *-er* (Rinder), *-e* (Tage), Umlaut (Mütter), Umlaut und Endung *-er* (Bücher), *-e* (Bäume) u.a. gebildet.

Polyneikes, *grch. Mythos:* Sohn des Ödipus und der Iokaste; einer der →Sieben gegen Theben.

Polynesi|en, zusammenfassende Bez. für die Inseln im zentralen Pazifik, auf denen traditionell Polynesier leben oder lebten; zu Ozeanien gehörend. Im Grenzbereich zu Melanesien liegt Fidschi. P. erstreckt sich von den Hawaii-Inseln bis Neuseeland und von den Ellice-Inseln bis zur Osterinsel. Neben den Staaten Kiribati (Phoenix-, Linieninseln), Neuseeland, Tonga, Tuvalu (Ellice-Inseln) und Westsamoa umfasst P. folgende nichtselbstständige Inseln und Inselgruppen: Amerikanisch-Samoa, Cookinseln, Frz.-P., Hawaii-Inseln, Niue, Pitcairn, Tokelauinseln, Wallis und Futuna sowie zahlr. einzelne kleine Inseln. Die polynes. Inseln liegen in einem Meeresgebiet von rd. 50 Mio. km² und haben zus. eine Landfläche von 294 000 km² und eine Bev. von rd. 5 Mio. Menschen.

📖 FEINBERG, R.: *Polynesian seafaring and navigation. Kent, Oh., 1988.* – SCHELLHORN, K. M.: *Polit. Entwicklungen im Südpazifik. Sankt Augustin 1988.* – KREISEL, W.: *Die pazif. Inselwelt. Darmstadt 1991.*

Polynesier: Darstellung des Gottes Tangaroa bei der Erschaffung der Götter und Menschen, Holzfigur von der Insel Rurutu, Französisch-Polynesien (London, Britisches Museum)

Polynesi|er, die einheim. Bewohner von →Polynesien, etwa 1,06 Mio. Menschen. Einer ersten Besiedlung Zentralpolynesiens (Tonga, Samoa) um 1200 v. Chr. folgten Ausbreitungen zu allen bewohnbaren Inseln, z.T. mit Mehrfachbesiedlungen. Trotz der großen Entfernungen zeigen die Inselgruppen sprachliche und kulturelle Gemeinsamkeiten: Polytheismus, Priester als Verbindung zu den Gottheiten (höchster Gott ist der Weltschöpfer Tangaroa), eine soziale Schichtung in Adlige, Freie und z.T. auch Sklaven sowie – anders als in den anderen Kulturen Ozeaniens – eine Berufsgruppe von Handwerkern und Künstlern, die sogar einen eigenen Gott hatte. Aus Holz, seltener aus Stein (→Osterinsel) gefertigte figurale Götterdarstellungen haben bes. auf Hawaii (hier neben vorzügl. Federarbeiten), den Marquesasinseln, Neuseeland (Maori) und auf Nukuoro ein hohes Maß an künstler. Entfaltung erreicht. Eine bed. Rolle spielt die ornamentale Oberflächengestaltung, die sich an die Tatauierung menschl. Gesichter anlehnt. Hoch entwickelt waren Bootsbau und Navigation. Wesentl. Vorstellungen der P. waren Mana (die überaus wirkungsvolle Kraft) und Tabu (der Inbegriff des zu Meidenden).

📖 STINGL, M.: *Kunst der polynes. Inselwelt. A. d. Tschech. Leipzig 1990.*

Polymorphie 4): Weibchen (links) und Männchen einer Art des Nashornkäfers (Herkuleskäfer) als Beispiel für einen Sexualdimorphismus

Polyneuritis [grch.], →Nervenentzündung.

Polynom [grch.] *das,* mathemat. Ausdruck aus zwei oder mehr additiv oder subtraktiv verknüpften Gliedern, in denen neben Konstanten, den **Koeffizienten** des P., eine oder mehrere Unbestimmte auftreten. Ein Ausdruck der Form $P(x) = a_0 + a_1x + \ldots + a_nx^n$ mit $a_n \neq 0$ heißt P. vom Grade n in einer Unbestimmten; die **Nullstellen** sind die Werte von x, bei denen $P(x) = 0$ ist.

Polyolefine, durch Polymerisation von Alkenen (Olefinen) hergestellte Kunststoffe, z. B. → Polyäthylen, → Polypropylen.

Polyosen, die → Hemicellulosen.

Polyp [grch. »Vielfuß«] *der,* **1)** *Medizin:* gestielte, meist gutartige Schleimhautgeschwulst, z. B. im Magen, in Gebärmutter, Nase oder bes. zahlreich im Darm **(Polyposis).**

2) *Zoologie:* die fest sitzende Form der → Hydrozoen und der → Scheibenquallen; auch fälschl. Bez. für → Kraken.

Polyphem, *grch. Mythos:* ein → Kyklop, Sohn des Poseidon. Odysseus landete auf seiner Insel und wurde von ihm gefangen gehalten, doch konnte er ihn überlisten und blenden. Deshalb verfolgte Poseidon Odysseus mit seinem Zorn.

Polyphonie [grch.] *die,* die Mehrstimmigkeit einer Komposition, bei der jeder Stimme selbstständige melod. Bedeutung zukommt; Ggs.: Homophonie. Die Lehre von der Nebeneinanderführung versch. selbstständiger Stimmen ist der → Kontrapunkt (BILD). Ein wichtiges Kunstmittel der P. ist die → Nachahmung. Blütezeiten des rein polyphonen Stiles liegen im 14. Jh. (G. de Machaut) und im 16. Jh. (A-cappella-P. von G. P. da Palestrina und O. di Lasso) sowie im frühen 18. Jh. (harmon. P., J. S. Bach) und im frühen 20. Jh. (atonale P., A. Schönberg).

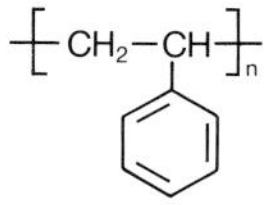

Polystyrol

📖 BUKOFZER, M. F.: *Music in the Baroque era. Neuausg. London 1948, Nachdr. ebd. 1983.* – APEL, W.: *Die Notation der polyphonen Musik, 900–1600. A. d. Amerikan. Leipzig [4]1989.*

Polyphylie [grch.] *die* (Mehrstämmigkeit), *Biologie:* stammesgeschichtliche Herkunft systemat. Gruppen von Organismen von nicht miteinander verwandten Vorfahren.

Polyploidie [grch.] *die,* das Vorhandensein von mehr als zwei Chromosomensätzen in Zellen oder Geweben. P. entsteht durch Mutation oder künstlich, z. B. durch Colchicin; wird bei der Züchtung neuer Kulturpflanzen genutzt.

Polypol [grch.] *das,* ideale → Marktform, bei der vielen kleinen Anbietern viele kleine Nachfrager gegenüberstehen (beiderseitiges P.) und sich der Preis auf einem vollkommenen Markt frei bildet (vollständige oder atomist. Konkurrenz). Ein P. auf einem unvollkommenen Markt heißt monopolist. Konkurrenz (→ Monopol).

Polypropylen, Abk. **PP,** durch Polymerisation von Propylen hergestellter thermoplast. Kunststoff. Bei 30–80 °C, niedrigem Druck (1–5 bar) und in Gegenwart von → Ziegler-Natta-Katalysatoren wird überwiegend **isotakt. P.** gebildet. Es ist teilkristallin, hat eine höhere Festigkeit und eine höhere Erweichungstemperatur als Polyäthylen. Isotakt. P. wird u. a. durch Spritzguss zu Teilen für die Elektrotechnik, den Automobilbau und Haushaltsgeräte sowie durch Extrudieren zu Fasern und Folien verarbeitet. **Ataktisches P.** ist klebrig-weich bis gummiartig.

Polyrhythmik, das gleichzeitige Erklingen unterschiedl. Rhythmen; ein wichtiges Stilmittel in der Neuen Musik und vielfältig ausgeprägt in der außereurop. Musik, im Jazz sowie in der populären Musik (z. B. lateinamerikan. Tänze).

Polysaccharide (Glykane), hochpolymere Kohlehydrate, in denen Monosaccharide oder ihre Derivate durch glykosid. Bindungen miteinander verknüpft sind, z. B. Cellulose, Pektine.

Polysäuren, polymere anorgan. Säuren, die durch Wasserabspaltung aus einfachen anorgan. Säuren entstehen. Bei den **Iso-P.** ist am Aufbau der P. nur ein Säure bildendes Element beteiligt (z. B. bei den Kieselsäuren). Bei den **Hetero-P.** liegen zwei versch. Säure bildende Elemente vor (z. B. bei der 12-Molybdo-phosphorsäure).

Polysemie [grch.] *die, Sprachwiss.:* das Vorhandensein mehrerer Bedeutungen zu einem Wort, z. B. *Pferd* (Tier, Turngerät, Schachfigur); im Sprachgebrauch (im Kontext) eindeutig verwendet.

Polysklerose, die → multiple Sklerose.

Polystyrol, Abk. **PS,** durch Polymerisation von Styrol hergestellter amorpher, thermoplast. Kunststoff. P. ist glasklar, hat mittlere Festigkeit und Härte sowie geringe Schlagzähigkeit. Der billige Massenkunststoff wird zu Bauteilen für Radio- und Fernsehgeräte, Einwegverpackungen für Lebensmittel u. a. verarbeitet. **Schlagfestes P.** ist ein Zweiphasensystem aus hartem P. und darin eingelagerten Kautschukpartikeln (Styrol-Butadien-Copolymerisate), die dem Werkstoff höhere Zähigkeit verleihen. Es wird für Maschinenverkleidungen, Gehäuse von Elektrogeräten, Kühlschrankinnenteile und Sanitärartikel verwendet.

Polysyndeton *das, Sprachwiss.:* Aneinanderreihung gleichgeordneter syntakt. Einheiten (Wörter, Wortgruppen, Sätze) durch dieselbe Konjunktion; Ggs.: Asyndeton (ÜBERSICHT Redefiguren).

polysynthetisch, *Sprachwiss.:* vielfach zusammengesetzt; ein Sprachtypus, → Sprache.

Polytechnikum, in versch. Ländern Bez. für eine höhere techn. Fachschule, auch für eine Hochschule (Frankreich, Schweiz); in Dtl. wurden die höheren techn. Fachschulen in Ingenieurschulen und diese 1968 in Fachhochschulen überführt.

polytechnische Bildung, technisch-wirtsch. Grundbildung, i. e. S. die prakt. Kenntnis von Arbeitswelt und Technik (Produktion) und ihrer gesellschaftstheoret., wirtschaftstheoret. und wiss. Grundlagen, die für alle allgemein bildenden Schulen der sozialist. Staaten verpflichtender Bestandteil war und in enger Verbindung zw. Schule und Betrieben vermittelt wurde. In Dtl. wird eine polytechn. Grundbildung als Einführung in die Arbeits- und Berufswelt unter Bez. wie Arbeitslehre (Polytechnik), Arbeit/Beruf, techn. Werken, Wirtschaftslehre u.a. angeboten. Österreich kennt als 9. Schulstufe u.a. den Polytechn. Lehrgang.

Polytetrafluor|äthylen (Polytetrafluorethylen), Abk. **PTFE,** durch Suspensions- oder Emulsionspolymerisation von Tetrafluoräthylen hergestellter Kunststoff (Handelsname u.a. Teflon). P. zersetzt sich beim Schmelzen, sodass eine Formgebung nur durch Pressen und Sintern möglich ist. Es ist chemikalien- und temperaturbeständig, unbrennbar und zeichnet sich durch geringe Haftfähigkeit und sehr gute Gleiteigenschaften aus; Verwendung u.a. im chem. Apparatebau, in der Elektrotechnik, zum Beschichten von Bratpfannen.

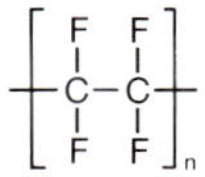

Polytetrafluoräthylen

Polytheismus [grch.] *der,* die gleichzeitige Verehrung einer Vielzahl von Göttern, die meist nach Art menschl. Personen vorgestellt werden; ihre Beziehungen spiegeln die jeweiligen soziokulturellen menschl. Verhältnisse wider: neben den antiken Religionen der Hinduismus in seiner volkstüml. Form und versch. Naturreligionen. Ggs.: →Monotheismus.

Polytonalität, das gleichzeitige Erklingen mehrerer, meistens zweier (Bitonalität) Tonarten; findet sich in vielen Werken seit 1910, so bei I. Strawinsky und D. Milhaud.

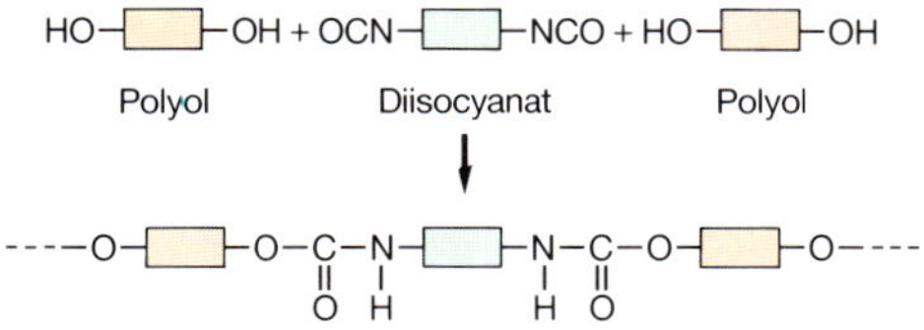

Polyurethane: Prinzip der Polyaddition von Polyol und Diisocyanat zu Polyurethan

Polyurethane, Abk. **PUR,** Kunststoffe, die durch Polyaddition aus mehrwertigen Alkoholen (Polyole, z.B. 1,4-Butandiol) und mehrwertigen Isocyanaten (z.B. Toluoldiisocyanat) hergestellt werden. Bei Zusatz von etwas Wasser reagiert ein Teil der Isocyanatgruppen unter Abspaltung von Kohlendioxid (CO_2), das als chem. Treibmittel das Polyaddukt zum Aufschäumen bringt. **P.-Schaumstoffe** werden nach direktem Vermischen der Reaktionskomponenten (unter Zusatz von Hilfsstoffen) als Blöcke oder durch direktes Ausschäumen von Hohlräumen (z.B. Kühlmöbel, Autositze, Schuhsohlen) hergestellt. Zweikomponentenlacke mit P. als Bindemittel **(DD-Lacke)** haben als Anstriche für Schiffe, Kraftfahrzeuge, Holz, Beton und als Elektroisolierlack große Bedeutung.

🕮 Leppkes, R.: *P. Werkstoff mit vielen Gesichtern. Landsberg a. Lech 1993.*

Polyurie *die* (Harnflut), Ausscheidung abnorm erhöhter Harnmengen (bis zu 20 l täglich); tritt u.a. bei Diabetes, bestimmten Nierenerkrankungen oder bei Ausschwemmung von Wasseransammlungen im Gewebe (Ödeme) auf.

Polyvinylchlorid, Abk. **PVC,** thermoplast. Kunststoff, der aus Vinylchlorid durch Polymerisation hergestellt wird. P. ist wegen seines hohen Chlorgehalts gegen Chemikalien sehr beständig. Es dient deshalb als **Hart-PVC** im chem. Apparatebau zum Auskleiden von Behältern oder zur Herstellung von Rohrleitungen (Abflussrohre, Dachrinnen) oder Formteilen. P. wird z.B. im Spritzguss- und Strangpressverfahren verarbeitet, lässt sich biegen, schweißen, verformen und verschäumen. Das durch Zusatz von Weichmachern hergestellte **Weich-PVC** dient zur Isolierung und Ummantelung von Drähten und Kabeln, zur Herstellung von Wand- und Betonbelägen, Schläuchen, Schaumstoffen u.a. – P. ist zwar schwer entflammbar, brennt aber in der Flamme unter Freisetzung von Chlorwasserstoff (Salzsäure). Aus diesem und anderen ökologischen Gründen ist die Verwendung von P. umstritten.

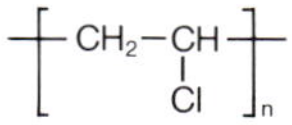

Polyvinylchlorid

🕮 Pohle, H.: *PVC u. Umwelt. Eine Bestandsaufnahme. Berlin u.a. 1997.*

polyzyklische Aromaten (polyzyklische aromatische Kohlenwasserstoffe, Abk. PAK), aus mehreren kondensierten (anellierten) Benzolringen bestehende Kohlenwasserstoffe, die bei der Pyrolyse organ. Substanzen entstehen und sich in geringen Mengen in Teer, Pech, Bitumen, Ruß, Räucherrauch u.a. finden. P. A. mit vier bis sechs Benzolringen gehören zu den Krebs erzeugenden Stoffen, v.a. das →Benzpyren.

Polyzythämie *die,* Blutkrankheit mit Vermehrung der roten Blutkörperchen, des roten Blutfarbstoffs, der Gesamtblutmenge sowie der weißen Blutkörperchen und der Blutplättchen. Die Kranken zeigen eine auffallend rote, etwas ins Bläuliche spielende Farbe der Haut und der Schleimhäute und neigen zu Thrombosen. Die Ursache der P. ist unbekannt.

Polzin, Bad, Stadt in Polen, →Połczyn Zdrój.

Pomaken (bulgar. Pomazi), die im 16.–18. Jh. zum Islam übergetretenen Bulgaren.

Pombal [põm'bal], Sebastião José de Carvalho e Mello, Graf von Oeyras (seit 1755), Marquis von P. (seit 1770), portugies. Staatsmann, *Soure (bei Coimbra) 13. 5. 1699, †Pombal (bei Leiria) 8. 5. 1782; zunächst Diplomat, 1750–77 leitender Minister König Josephs I., führte im Geist des aufgeklärten Absolutismus umfassende Reformen durch, die von Josephs Nachfolgerin Maria I. meist aufgehoben wurden.

Sebastião José de Carvalho e Mello Pombal (zeitgenössische Darstellung)

Pombo, Álvaro, span. Schriftsteller, *Santander 23. 6. 1939; schreibt anspruchsvolle Romane, in denen er sich mit den Problemen der Persönlichkeitsentwicklung und Identitätssuche (v.a. Heranwachsender) beschäftigt (»Der Held der Mansarden von Mansard«, 1983; »Leichte Vergehen«, 1986, u.a.); auch Erzählungen.

Pomeranze [italien.] *die* (Bitterorange, Citrus aurantium), in SO-Asien beheimateter, u.a. im Mittelmeerraum kultivierter Baum; Früchte, Fruchtschalen und Blätter werden in der Parfümerie- und Likörind. verwendet. Die innere Fruchtschale wird kandiert zu Orangeat verarbeitet.

Pomeranze: Zweig mit Blüten und Frucht

Pomesanilen, altpreuß. Landschaft östlich von Nogat und Weichsel zw. Grudziąz und Elbing. – Das urspr. slawische, im 6. und 8. Jh. von Pruzzen besiedelte Gebiet wurde zwischen 1233 und 1236 vom Dt. Orden erobert (ab 1283 dt. Besiedlung). Das 1243 begründete Bistum umfasste P. und Pogesanien sowie den Marienburger Werder; sein zum Herzogtum Preußen gehörender Teil wurde 1525 luth.; die kath. gebliebenen Teile fielen an das Bistum Culm, 1821 an das Bistum Ermland.

Pommersfelden: Das Barockschloss Weißenstein wurde 1711–18 unter Johann Dientzenhofer und Johann Lukas von Hildebrandt (Treppenanlage, 1711–15) erbaut

Pommer, altes Holzblasinstrument, → Bomhart.

Pommerellen (Pomerellen), Gebiet in Polen, westlich der unteren Weichsel und nördlich der Netze, der östl. Teil des Pommerschen Höhenrückens; hügelige, seenreiche Landschaft.

Geschichte: Während der Völkerwanderung vom westslaw. Stamm der Pomoranen besiedelt. Ende des 12. Jh. entstand das slaw. Herzogtum P. mit dem Hauptort Danzig unter der Herrschaft der Samboriden (bis 1294). 1308 besetzte der Dt. Orden das Land, das 1466 unter poln. Hoheit kam und 1772 mit Ausnahme Danzigs an Preußen fiel; bildete bis 1919 den Hauptteil der Provinz Westpreußen; danach als Wwschaft P. bis 1939 im Wesentlichen identisch mit dem Poln. Korridor; 1939–45 zum (dt.) Reichsgau Danzig-Westpreußen, 1945 wieder an Polen.

📖 SCHUMACHER, B.: *Geschichte Ost- u. Westpreußens. Würzburg* ^{7}*1987.*

Pommern, dt. Neustamm an der Ostseeküste zw. Rügen und der Danziger Bucht, seit dem 12. Jh. entstanden aus der westslaw. Urbev. und niederdt., holländ. sowie wenigen schwed. Kolonisten. In Sprache und Kultur überwog in Vorpommern und an der Küste niedersächs., zw. Zara und Rega niederfränk. und in Ostpommern mitteldt. Einschlag. Die östlich der Oder lebenden P. wurden 1945 ausgewiesen (→ Vertreibung).

Pommern (poln. Pomorze), Großlandschaft südlich der Ostsee von der Darßer Nehrung im W bis zum Zarnowitzer See im O. Die untere Oder mit Dammschem See, Papenwasser und Stettiner Haff trennt das in Dtl. (Meckl.-Vorp.) gelegene **Vorpommern** (West-P.) von **Hinterpommern** (Ost-P.) in Polen. Die Oberflächengestalt P.s ist von eiszeitl. Aufschüttungen geformt worden. Ost-P. wird vom **Pommerschen Höhenrücken** mit der **Pommerschen Seenplatte** (u.a. Dratzig-, Vilm-, Großer Böthinsee), 200–260 m ü.M., durchzogen. Dem Hügelland ist eine breite Ausgleichsküste mit Strandseen (u.a. Jamunder See, Garder See, Lebasee) vorgelagert. Die flache Küste West-P.s ist durch Inseln (Rügen, Hiddensee, Greifswalder Oie, Usedom, Wollin), Bodden und Haffs reich gegliedert. Im S des Stettiner Haffs liegen waldreiche Heidegebiete (Ueckermünder, Gollnower Heide), im SW um den Madüsee (35,5 km^2) das Madütiefland. Land- und Forstwirtschaft überwiegen; an der Küste Fischerei. Die Industrie West-P.s ist in Stralsund und Greifswald, die Ost-P.s in Stettin, Koszalin, Kołobrzeg, Słupsk, Stargard Szczecinski und Piła konzentriert (v.a. Verarbeitung landwirtsch. Erzeugnisse). An der Küste Bäderverkehr, in Ost-P. Heilbäder.

Geschichte: Nach dem Abzug ostgermanischer Stämme wanderten bis zum 6./7. Jh. slaw. Stämme ein, die das Land Pomorje (»Küstenland«) nannten.

In Kämpfen mit Deutschen, Dänen und Polen entstanden im 12./13. Jh. das slaw. Herzogtum der Samboriden mit Sitz in Danzig (das spätere Pommerellen), westlich davon das Herrschaftsgebiet des slaw. Fürstenhauses der Greifen mit der Stammburg Stettin. Die Christianisierung (Otto von Bamberg, 1124–28) und die Gründung von Klöstern in der 2. Hälfte des 12. Jh. zogen dt. Siedler nach sich. 1181 wurde Herzog Bogislaw I. als Reichsfürst anerkannt und mit P. belehnt. Nach mehreren Teilungen (1295 in P.-Stettin und P.-Wolgast) besaß Bogislaw X. (*1454, †1523) 1478 ganz P. und erhielt 1521 den kaiserl. Lehnsbrief. Brandenburg erwarb im Westfäl. Frieden (1648) den östlich der Oder gelegenen Teil P.s (später **Hinterpommern** gen.); das spätere **Vorpommern** mit Stettin und den Inseln Usedom, Wollin und Rügen sowie ein schmaler Landstreifen östlich der Oder fiel an Schweden. Im 1. Nord. Krieg (1658) gewann Brandenburg-Preußen Lauenburg und Bütow, im 2. Nord. Krieg (1720) Vor-P. bis zur Peene, 1815 den Rest (Neu-Vorpommern) und bildete die preuß. **Provinz P.** (Hptst.: Stettin). 1945 kam Vor-P. zur SBZ (Land Meckl.-Vorp.; 1952–90 aufgeteilt in die DDR-Bez. Rostock und Neubrandenburg, 1990 wiederhergestellt); Hinter-P., Stettin und Swinemünde fielen an Polen (→Oder-Neiße-Linie).

📖 *Histor. Atlas von P., auf zahlr. Bde. ber. Köln u. a. 1959 ff.* – Eggert, O.: *Geschichte P.s. Neuausg. Hamburg 1974.* – Barran, F. R.: *Städte-Atlas P. Leer 1989.*

Pommersches Haff, das →Stettiner Haff.

Jeanne Antoinette Poisson, Marquise de Pompadour: Pastellbildnis von Maurice-Quentin de La Tour (1755; Paris, Louvre)

Arnaldo Pomodoro: Kugel Nr. 1, Bronze, Durchmesser 1,20 m (1963; New York, Museum of Modern Art)

Pommersfelden, Gemeinde im Landkreis Bamberg, Bayern, 2600 Ew. – Das Barockschloss Weißenstein wurde für Fürstbischof Lothar Franz von Schönborn 1711–18 von J. Dientzenhofer und J. L. von Hildebrandt erbaut; Innenausstattung von J. M. Rottmayr u. a. – 1297 erstmals erwähnt.

Pomo, Gruppe der kaliforn. Indianer. Die etwa 3000 P. leben in ihren traditionellen Wohngebieten nördlich von San Francisco, z. T. als Landarbeiter in Reservationen, z. T. in Städten; hoch entwickelte Korbflechtkunst.

Pomodoro, Arnaldo, italien. Bildhauer, *Morciano di Romagna 23. 6. 1926; wurde mit seinem Bruder Giò P. (*1930) bekannt durch Metallplastiken (v. a. Kugel- und Zylinderformen), deren Aushöhlungen komplizierte Innenstrukturen zeigen.

Pomologie [zu lat. pomum »Baumfrucht«] *die,* Obstsorten- und Obstbaukunde.

Pomona [pəˈməʊnə], die Orkneyinsel →Mainland.

Pomoranen [slaw. »Küstenbewohner«], alte ostseeslaw. Stammesgruppen zw. Oder, Weichsel und Netze, zu denen bes. die Kaschuben gehörten.

Pomorze [pɔˈmɔʒɛ], poln. Name für →Pommern.

Pompadour [ˈpɔmpaduːr, frz. pɔ̃paˈduːr] *der,* in der 2. Hälfte des 18. Jh. aufgekommene und erneut im späten 19. Jh. verwendete Beuteltasche.

Pompadour [pɔ̃paˈduːr], Jeanne Antoinette Poisson, Marquise de (seit 1745), Mätresse König Ludwigs XV. von Frankreich, *Paris 29. 12. 1721, †Versailles 15. 4. 1764; bürgerl. Herkunft, förderte Künstler und Literaten; übte auch politischen Einfluss aus (u. a. Mitwirkung am Bündnis mit Österreich 1756), der allerdings lange überschätzt wurde.

Gnaeus Pompeius (Marmorkopf, um 50 v. Chr.; Kopenhagen, Ny Carlsberg Glyptotek)

Georges Pompidou

Jean Victor Poncelet

Pompẹius, Gnaeus (P. Magnus), röm. Feldherr und Staatsmann, *29. 9. 106 v. Chr., †in Ägypten 28. 9. 48 v. Chr., aus altröm. plebejischen Geschlecht; kam als Anhänger Sullas empor (Triumph 79); schlug 71 die Reste des Sklavenheeres des Spartakus, bekämpfte 67 die Seeräuber und 66–63 Mithridates VI. Eupator. 60 schloss er mit Cäsar und Crassus das erste Triumvirat, das 56 erneuert wurde. Im Streit mit Cäsar vertrat er die Sache des Senats. Im Bürgerkrieg unterlag er 48 bei Pharsalos und wurde auf der Flucht in Ägypten ermordet. Seine Söhne, der Feldherr **Gnaeus P. Magnus** (*um 78 v. Chr., ermordet 45 v. Chr.) und der Flottenkommandant **Sextus P. Magnus** (*um 68 v. Chr., hingerichtet Milet 35 v. Chr.), führten den Kampf gegen Cäsar und Oktavian weiter.

📖 MEYER, EDUARD: *Caesars Monarchie u. das Principat des Pompejus. Stuttgart ³1922, Nachdr. Frankfurt am Main 1984.* – GELZER, M.: *P. Neuausg. Stuttgart 1973, Nachdr. ebd. 1984.*

Pompẹji (italien. Pompei, bis 1928 Valle di Pompei), Stadt in der Prov. Neapel, Italien, südöstlich des Vesuvs, 25 200 Ew.; Wallfahrtsort; geophysikal. Observatorium mit Vesuvmuseum. – Die antike Stadt **Pompeii,** nacheinander von Oskern, Etruskern und Samniten bewohnt, wurde unter Sulla röm. Kolonie und von da an beliebter Wohnort der röm. Mittelschicht; außerhalb der Stadt entstanden bed. Landvillen (»Mysterienvilla«). Durch ein Erdbeben am 5. 2. 62 (oder 63) n. Chr. schwer beschädigt und erst z. T. wieder aufgebaut, wurde die Stadt (etwa 12 000–15 000 Ew.) durch den Vesuvausbruch vom 24. 8. 79 n. Chr. völlig verschüttet. 1860 begannen systemat. Ausgrabungen. Die städtebaul. Anlage ist in den versch. Planungsphasen gut erhalten; mehrere Befestigungsanlagen sind nachweisbar, die letzte (mit Mauern und Türmen) aus der Zeit um 100 v. Chr. Im SW lag der Altstadtkern mit dem Forum und seiner zweigeschossigen umlaufenden Säulenhalle (Portikus), umgeben von Tempeln, Amtsgebäuden, Wirtschaftsbetrieben und Basilika (Handelsbörse), im S das große und kleine Theater, im SO das Amphitheater und die große Palästra. Unter den Thermenanlagen sind die Stabianer Thermen im Zentrum am bedeutendsten. Bei den Wohnhäusern dominiert das Atriumhaus, später oft um einen Gartenhof (Peristyl) erweitert. Zu den bekanntesten Häusern gehören v. a. das »Haus des Fauns« mit einem Mosaikbild der →Alexanderschlacht, das »Haus der Vettier« und das »Haus der vergoldeten Amoretten«, beide mit reicher Skulpturenausstattung. Unter den ausgegrabenen antiken Städten gibt P. – neben dem reicheren Herculaneum – die lebendigste Vorstellung vom Aussehen und Leben einer späthellenist. und frühkaiserzeitl. Stadt. Die Ausgrabungsstätte ist UNESCO-Welterbe. Von besonderer Bedeutung sind die zahlr., oft gut erhaltenen Wandmalereien (→römische Kunst). Weitere BILDER Euripides, Laren, Mosaik

📖 *Häuser in P., hg. v.* V. M. STROCKA, *auf mehrere Bde. ber. Tübingen u. a. 1984 ff.* – GRANT, M.: *P., Herculaneum. Untergang u. Auferstehung der Städte am Vesuv. A. d. Engl. Neuausg. Bindlach 1988.* – LA ROCCA, E. *u. a.: P. Archäolog. Führer. A. d. Italien. Bergisch-Gladbach 1990.* – ÉTIENNE, R.: *P. Das Leben in einer antiken Stadt. A. d. Frz. Stuttgart ⁴1991.*

Pompidou [pɔ̃piˈdu], Georges, frz. Politiker, *Montboudif (Dép. Cantal) 5. 7. 1911, †Paris 2. 4. 1974; urspr. Gymnasiallehrer, Gaullist, seit 1944 enger Mitarbeiter General de Gaulles, 1954–62 auch in der Wirtschaft tätig (Generaldirektor im Bankhaus Rothschild), 1959–62 Mitgl. des Verf.rates, 1962–68 MinPräs. Nach de Gaulles Rücktritt wurde er 1969 zum Präs. gewählt. P. trieb die wirtsch. Modernisierung voran; außenpolitisch befürwortete er die Erweiterung der EG (Beitritt u. a. Großbritanniens) und die polit. Einigung Europas.

📖 ROUSSEL, E.: *G. P. Neuausg. Verviers 1985.*

Pompọsa, ehem. Benediktinerabtei im Mündungsgebiet des Po, in der Gemeinde Codigoro, Prov. Ferrara, Italien; gegr. im 7. Jh., bed. geistiges Zentrum im 11./12. Jh.; Abteikirche 8./9. Jh. mit Campanile aus dem 11. Jh. und Fresken des 14. Jh.; 1496 wegen Malaria verlassen.

Ponape, früherer Name von →Pohnpei.

Ponce [ˈpɔnsɛ], Stadt auf Puerto Rico, 189 700 Ew.; Univ.; Zentrum eines Zuckerrohranbaugebietes mit Zuckerfabriken; Hafen, Flughafen.

Ponce de Leọn [ˈpɔnθe-], Juan, span. Konquistador, *Tierra de Campos (Prov. Palencia) um 1460, †auf Kuba Juni 1521; eroberte 1509 Puerto Rico und entdeckte 1513 Florida.

Poncelet [pɔ̃sˈlɛ], Jean Victor, frz. Ingenieur und Physiker, *Metz 1. 7. 1788, †Paris 22. 12. 1867; ein Begründer der techn. Mechanik, Schöpfer der projektiven Geometrie.

Ponchielli [pɔŋˈkjɛlli], Amilcare, italien. Komponist, *Paderno Fasolaro (heute Paderno Ponchielli, bei Cremona) 31. 8. 1834, †Mailand 16. 1.

Pompeji

In zwei Briefen an Tacitus beschreibt der römische Schriftsteller Plinius der Jüngere den Vesuvausbruch vom 24. August des Jahres 79, dem die Städte Pompeji, Herculaneum, Stabiae und Oplontis zum Opfer fielen. Er beobachtete aus 30 km Entfernung eine riesige, schwarze Wolke, die »zuckend aufriss und in ihrem Innern lange Flammen sehen ließ, die gewaltigen Blitzen glichen«. Am nächsten Tag lag die ganze Gegend durch den Ascheregen in tiefster Finsternis wie ein »fensterloses Zimmer ohne Licht«. Bei der Katastrophe kam auch Plinius' Onkel, Gaius Plinius Secundus der Ältere, ebenfalls Schriftsteller, ums Leben.

1886; komponierte, anknüpfend an G. Meyerbeer und G. Verdi, v. a. Opern (»La Gioconda«, 1876).

Poncho ['pɔntʃo, span.] *der,* traditionelle Oberbekleidung der Indianer Mittel- und Südamerikas: eine rechteckige Decke unterschiedl. Länge mit längs gerichtetem Kopfschlitz.

Pọnd [lat.] *das,* Einheitenzeichen **p,** veraltete Einheit der Kraft; 1 p = 9,80665 · 10^{-3} N (Newton) = 0,001 kp (Kilopond), entspricht der Gewichtskraft von 1 g.

Ponderatiọn [lat.] *die, Bildhauerkunst:* Ausgleich der Gewichtsverhältnisse des Körpers; bekannteste Art ist der → Kontrapost.

Pondicherry [pɔndɪ'tʃerɪ, engl.] (frz. Pondichéry), Unionsterritorium an der SO-Küste von → Indien; Hptst. ist P. (203 100 Ew.). – Das Gebiet von P. wurde 1674 von der frz. Ostind. Kompanie erworben; kam als Bestandteil Frz.-Indiens 1954 durch einen Vertrag an Indien; bildet seit 1962 zus. mit Karikal, Mahe und Yanam ein Unionsterritorium.

Pọngau, Talschaft der mittleren Salzach im österr. Bundesland Salzburg, zw. Taxenbacher Enge und Pass Lueg einschl. der Nebentäler; Hauptort ist Bischofshofen; Fremdenverkehr.

Ponge [pɔ̃ʒ], Francis, frz. Schriftsteller, * Montpellier 27. 3. 1899, † Bar-sur-Loup (Dép. Alpes-Maritimes) 6. 8. 1988. Seine Prosaskizzen und -gedichte porträtieren Objekte des Alltags in einer Sprache, die durch Etymologien, Neologismen, Klangassoziationen u. a. zum Medium der Erkenntnis wird (»Einführung in den Kieselstein«, 1942; »Die Seife«, 1967; »Kleine Suite des Vivarais«, 1983); auch Kunstkritiker.

Poniatọwski, 1) Józef Fürst, poln. General und napoleon. Marschall, * Wien 7. 5. 1763, † bei Leipzig 19. 10. 1813; zunächst österr. Offizier, trat 1789 als Generalmajor ins poln. Heer über, nahm 1794 am Aufstand unter T. Kościuszko als Divisionskommandeur teil, wurde 1807 Kriegsmin. im Herzogtum Warschau; führte im Russ. Feldzug von 1812 das poln. Korps der Großen Armee und deckte Napoleons I. Rückzug bei Leipzig. Schwer verwundet, ertrank er in der Elster.

2) Stanisław August, König von Polen, → Stanislaus.

Pönitentiarie [mlat.] *die* (Apostol. P.), päpstl. Gerichtshof, zuständig für die dem Papst vorbehaltenen Fälle von Absolution.

Pọnor [serbokroat. »Abgrund«] *der* (grch. Katavothre), Schluckloch in Karstgebieten, wo Wasser in den Untergrund verschwindet.

Pọnta Delgạda, größte Stadt der Azoren, Hptst. der portugies. Autonomen Region Azoren, auf der Insel São Miguel an einer Bucht der S-Küste, 21 100 Ew.; Univ., Lehrerseminar, Wetterwarte; bed. Hafen, Flughafen. Die Ind. ist nur gering entwickelt (Nahrungs- und Genussmittel, Gummi, Bekleidung u. a.; Zementwerk). – Im Stadtbild zahlr. Kirchen und Klöster des 16. und 17. Jh. sowie Häuser und Paläste des 18. Jahrhunderts.

Pompeji - Lageplan

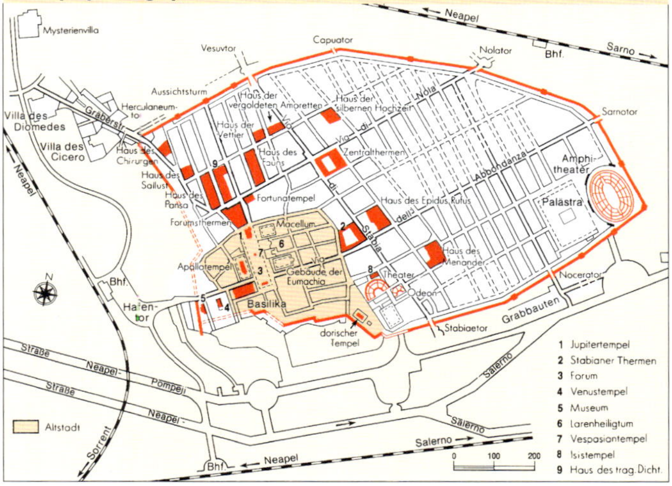

Pompeji: Das Forum mit den Überresten der zweigeschossigen Säulenhalle und der Basilika im Hintergrund (2. Hälfte des 2. Jh. v. Chr.)

Pont-Aven, Schule von [- pɔ̃ta'vɑ̃], Gruppe von Malern, die sich ab 1886 für einige Jahre in dem Hafenort Pont-Aven in der Bretagne (Dép. Finistère) und im benachbarten Le Pouldu um P. Gauguin und É. Bernard sammelten. Sie nahmen Einflüsse der Volkskunst und des japan. Holzschnitts auf; Linie, Form und Farbe wurden als elementare Ausdrucksträger aufgefasst. Die Schule wirkte auf die Nabis, auf Fauvismus und Expressionismus. BILD Künstlerkolonie

Francis Ponge

Pont du Gard [pɔ̃dy'ga:r], röm. Aquädukt bei Nîmes, → Gard.

Ponte, Lorenzo da, italien. Librettist, →Da Ponte.

Pontevedra [-'βeðra], **1)** Provinz in SW-Galicien, Spanien, 4495 km², (1991) 896 800 Einwohner.

2) Hptst. von 1), an der NW-Küste Spaniens, 70 400 Ew.; Museen; Holz-, Papierind., Maschinenbau; Sardinenfischerei; Seebad; Marine- und Handelshafen. – Maler. Altstadt, Häuser mit großen verglasten Hausfronten, zahlr. Barockkirchen.

Gio Ponti und **Pier Luigi Nervi:** Pirelli-Hochhaus in Mailand (1955-59)

Ponthieu [pɔ̃'tjø], histor. Landschaft in der Picardie, N-Frankreich, nördlich der unteren Somme. Die Grafschaft P. gehörte 1279–1345 und 1361–63 zu England, im 15. Jh. zum Herzogtum Burgund, fiel 1477 an die frz. Krone.

Carlo Ponti

Ponti, 1) Carlo, italien. Filmproduzent, *Mailand 11. 12. 1913 (1910?); Rechtsanwalt, gründete mit Dino De Laurentiis (*1919) eine Produktionsfirma, die u. a. »La Strada« (1954) und »Krieg und Frieden« (1956) produzierte; seit 1956 v. a. Filme mit seiner Frau S. →Loren.

2) Gio, eigtl. Giovanni P., italien. Architekt und Industriedesigner, *Mailand 18. 11. 1891, †ebd. 16. 9. 1979; baute das mathemat. Institut der Univ. Rom, ein Werk des →Internationalen Stils, und das Pirelli-Hochhaus in Mailand (1955–58, mit P. L. Nervi).

Pontiac ['pɔntıæk], Stadt in Michigan, USA, 71 000 Ew.; gehört zur Metropolitan Area von Detroit; Standort von Werken der General Motors Corporation.

Erich Ponto

Pontiac ['pɔntıæk], Häuptling der Ottawa-Indianer (seit 1755), *um 1720, †(ermordet) 20. 4. 1769; Führer des Indianerkrieges (1763–66) gegen die Briten (**Pontiac's War**).

Pontianak, Hafenstadt an der W-Küste Borneos, Indonesien, 343 000 Ew.; Erzbischofssitz, Univ.; Papierfabrik, Werft.

Ponticello [pɔnti'tʃɛllo, italien.] *der,* der →Steg bei Streichinstrumenten; **sul ponticello,** Anweisung für Streicher, den Bogen nahe am Steg aufzusetzen (erzeugt einen harten Ton).

Pontifex [lat. »Brückenbauer«] *der,* im alten Rom Mitgl. des höchsten Priesterkollegiums mit dem **P. maximus** an der Spitze.

Pontifex maximus [lat.] *der, kath. Kirche:* →Papst.

Pontifikalamt (Hochamt), *kath. Kirche:* die von einem Diözesanbischof oder einem dazu berechtigten Prälaten zelebrierte feierl. Messe (lat. Missa solemnis).

Pontifikale [lat.] *das, kath. Kirche:* das liturg. Buch für die bischöfl. Amtshandlungen; wird seit 1968 revidiert.

Pontifikalilen [lat.], *kath. Kirche:* die dem Bischof vorbehaltenen Insignien, z. B. Mitra und Stab; auch Handlungen, bei denen der Bischof Mitra und Stab benutzt, z. B. Firmung und Priesterweihe.

Pontifikat [lat.] *das* oder *der,* Amtsdauer eines Papstes oder Bischofs.

Pontinische Inseln, die →Ponzainseln.

Pontinische Sümpfe (Agro Pontino), Landschaft an der tyrrhen. Küste, Italien, rd. 40 km südöstlich von Rom, am Fuß der Monti Lepini, nördlich vom Monte Circeo; rd. 800 km². Die ehem. Lagune, durch die Etrusker trockengelegt, versumpfte im 4. Jh. v. Chr. Seit 1899–1928 wieder trockengelegt, werden die P. S. landwirtsch. genutzt.

pontisch [grch. pontos »Meer«], *Biogeographie:* aus südost- und osteurop. Steppenzonen stammend.

Pontisches Gebirge (Nordanatolisches Randgebirge), alpid. Gebirgssystem, das den N-Rand von Anatolien bildet, über 1000 km lang, bis 3937 m ü. M., verzahnt sich bei Erzincan mit dem Inneren Osttaurus; bildet eine deutl. Klimascheide zw. dem feuchten Schwarzmeerbereich und dem trockenen Inneranatolien.

Pontius Pilatus, →Pilatus.

Ponto, 1) Erich, Schauspieler, *Lübeck 14. 12. 1884, †Stuttgart 4. 2. 1957; Engagements u. a. in Dresden, Stuttgart, Göttingen; auch Filmrollen.

2) Jürgen, Bankier, *Bad Nauheim 17. 12. 1923, †(von RAF-Terroristen ermordet) Oberursel (Taunus) 30. 7. 1977; Jurist, ab 1969 Vorstandssprecher der Dresdner Bank AG.

Pontoise [pɔ̃'twa:z], Teil von →Cergy-Pontoise.

Ponton [pɔ̃'tɔ̃; frz. »Brückenboot«] *der,* kastenförmiger Schwimmkörper, meist aus Stahl. P. dienen als Träger von **P.-Brücken** (Behelfsbrücken für militär. Zwecke, Baustellen) oder P.-Stegen (bes. für veränderl. Wasserstände geeignete Anlegestellen), ferner Schwimmkörper u. a. von Docks und Schwimmkränen.

Pontoppidan, Henrik, dän. Schriftsteller, *Fredericia 24. 7. 1857, †Kopenhagen 21. 8. 1943; bed. Vertreter des dän. Naturalismus, v. a. in Erzählungen und Romanen wie »Das gelobte Land« (3 Tle., 1891–95), »Hans im Glück« (8 Bde., 1898–1904), »Totenreich« (5 Bde., 1912–16). 1917 Nobelpreis für Literatur (zus. mit K. A. Gjellerup).

Henrik Pontoppidan

Pontormo, Iacopo da, eigtl. I. Carrucci, italien. Maler, *Pontormo (heute Pontorme, bei Empoli) 24. 5. 1494, begraben Florenz 2. 1. 1557; wandte sich vom Stil der Hochrenaissance ab und schuf, angeregt von A. Dürer, Lucas van Leyden sowie Michelangelo, einen antiklass. Ausdrucksstil. Seine komplizierten, ornamental verschlungenen Kompositionen gewinnen durch schattenlose, unstofflich transparente Farbigkeit eine ekstat. geistige Intensität und machen P. zu einem der eigenwilligsten Manieristen.

Werke: Fresken in der Certosa del Galluzzo bei Florenz (1523/24); Verkündigungsfresko (1525) und Altarbild mit Kreuzabnahme Christi (1526–28, ebd., Santa Felicità); Bildnis einer Dame im roten Kleid (um 1533, Frankfurt am Main, Städelsches Kunstinstitut).

📖 Beckers, P.: *Die Passionsfresken P.s für die Certosa del Galluzzo, 2 Bde. Salzburg 1985.*

Pontos [grch. »Meer«, »Meeresküste«] *der* (lat. Pontus), **1)** nördl. Küstenlandschaft des antiken Kleinasien. Mithridates I. (König um 281–266 v. Chr.) gründete hier 301 das **Pontische Reich,** das Mithridates VI. Eupator auf die O- und N-Küste des Schwarzen Meeres ausdehnte. Nach dessen Niederlage durch Pompeius (63 v. Chr.) wurde der westl. Teil von P. mit der röm. Provinz Bithynien vereinigt. 40 v. Chr. bis 64 n. Chr. nochmals Königreich, danach endgültig unter röm. Herrschaft.

2) (Pontos Euxinos), der antike Name für das Schwarze Meer.

Pontresina, Sommerfrische und Wintersportort im Kt. Graubünden, Schweiz, im Oberengadin, 1777 m ü. M., 1900 Ew.; oberhalb der Straße und Bahnlinie über den Berninapass gelegen.

Pontuskonferenz, Zusammenkunft Großbritanniens, Frankreichs und des Osman. Reiches in London 1871; die nach dem Krimkrieg verhängte Neutralität des Schwarzen Meeres wurde aufgehoben, die Dardanellendurchfahrt für russ. Kriegsschiffe blieb jedoch von osmanischer Erlaubnis abhängig.

Ponys ['pɔni:s, engl.], kleine Hauspferderassen (in Dtl. bis 1,48 m Stockmaß).

Ponzainseln (Pontinische Inseln, italien. Isole Ponziane), vulkan. Inselgruppe vor der W-Küste Italiens. Die größte der sechs Inseln ist **Ponza** (7,3 km²) mit dem gleichnamigen Hafen; Fischfang; Kaolin- und Bentonitabbau; Fremdenverkehr. – Im Altertum waren die P. Verbannungsorte.

Pool [pu:l, engl.] *der,* Zusammenschluss von Unternehmen, bei dem die Gewinne zentral in einem gemeinsamen Fonds erfasst und nach einem Schlüssel verteilt werden **(Gewinn-P.),** oder von Beteiligungen versch. Aktionäre, um größeren Einfluss auf die Unternehmenspolitik der betreffenden AG nehmen zu können **(Aktienpool).**

Poolbillard ['pu:l'bɪljart] (American Pool), →Billard.

Poole [pu:l], Hafenstadt in der Cty. Dorset, an der S-Küste Englands, auf einer Halbinsel am buchtenreichen Naturhafen **Poole Harbour,** 118 900 Ew., mit dem benachbarten Bournemouth baulich zusammengewachsen; elektrotechnische, chem. Ind.; Maschinen- und Bootsbau, Töpfereien.

Poona ['pu:nə], Stadt in Indien, →Pune.

Poons [pu:nz], Larry, eigtl. Lawrence P., amerikan. Maler, *Tokio 1. 10. 1937. Seine Malerei bewegt sich zw. abstraktem Expressionismus und Farbfeldmalerei. Bild S. 138

Poopó, Lago de (Lago Aullagas), See in Bolivien, 3 690 m ü. M., 2 600 km², fast 100 km lang, bis 50 km breit, 3 m tief, mit stark salzhaltigem Wasser.

Iacopo da Pontormo: Bildnis einer Dame im roten Kleid (um 1533; Frankfurt am Main, Städelsches Kunstinstitut)

Pop-Art ['pɔpa:t; engl., gekürzt aus popular art »volkstüml. Kunst«] *die,* Strömung der zeitgenöss. Kunst, die v. a. in Großbritannien und in den USA seit Mitte der 1950er-Jahre und in den 60er-Jahren die Kunstszene beherrschte. – Die P.-A. entdeckte die Welt der Unterhaltungsindustrie und der Werbung als ästhet. Wirklichkeit. Banale Objekte des Massenkonsums wurden durch Isolierung, Ausschnitt, Vergrößerung, Reihung entweder der Ob-

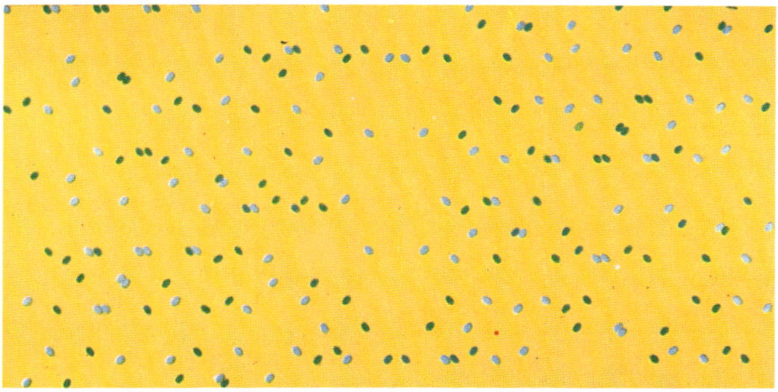

Larry Poons: »Han-San-Kadenz« (1963; Privatbesitz)

jekte selbst oder durch Imitationen verfremdet und parodiert. Die P.-A. wollte die Kunst mit moderner Lebenswirklichkeit verbinden. Grelle Farbzusammenstellungen (»Popfarben«) und große Formate dominieren. Der rasche Erfolg amerikan. Künstler wie R. Rauschenberg, J. Johns, J. Dine, R. Lichtenstein (BILD), C. Oldenburg (BILD), J. Rosenquist, G. Segal, A. Warhol (BILD), T. Wesselmann, R. Indiana (BILD) und E. Kienholz (BILD) hing auch mit der Neubewertung der Volkskunst in den USA zusammen. In Großbritannien (R. Hamilton, P. Blake, D. Hockney, A. Jones, R. B. Kitaj, P. Phillips) erhielt die P.-A. Impulse von E. Paolozzi und F. Bacon.

📖 *Pop art, bearb. v.* L. R. LIPPARD. *A. d. Engl. Neuausg. München 1969.* – PIERRE, J.: *Du Mont's kleines Lexikon der Pop-art. A. d. Frz. Köln 1978.* – OSTERWOLD, T.: *Pop-art. Köln 1989.*

Alexander Pope

Popayán, Hptst. des Dep. Cauca, Kolumbien, 1760 m ü. M., am Fuß des Vulkans Puracé (4756 m ü. M.); 210100 Ew.; Erzbischofssitz; Univ.; Textil-, Nahrungsmittel-, Schuhindustrie. – Die prächtige Kolonialarchitektur wurde durch ein Erdbeben 1983 stark zerstört.

Pope [russ.] *der,* kirchenslaw. Bez. für einen orth. Priester; seit dem 17. Jh. abwertend gebraucht.

Jerzy Popiełuszko

Pope [pəʊp], Alexander, engl. Dichter, *London 21. 5. 1688, †Twickenham (heute zu London) 30. 5. 1744; Hauptvertreter des Klassizismus in England. Auf preziöse Schäferdichtung und sentimentale Naturbeschreibung folgte sein Hauptwerk, das komisch-heroische Epos »Der Lockenraub« (1712). Zum Problem der Dichtung und der Welt nahm P. in zwei Versabhandlungen Stellung (»Versuch über die Kritik«, 1711; »Versuch vom Menschen«, 4 Tle., 1732–34). Auf die Kritik an den Schwächen seiner Shakespeare-Ausgabe, insbesondere durch L. Theobald, antwortete P. mit der brillantesten seiner Satiren, »Die Dummkopfiade« (1728, bis 1748 mehrfach erweitert).

Johannes Popitz

📖 KOWALK, W.: *A. P. An annotated bibliography of twentieth-century criticism 1900–1979. Frankfurt am Main 1981.* – MACK, M.: *A. P. A life. New Haven, Conn., 1985.* – HAMMOND, B. S.: *P. Atlantic Highlands, N. J., 1986.*

Popelin [frz.] *der* (Popeline), fein geripptes Gewebe in Leinwandbindung mit höherer Kett- als Schussfädenzahl aus Kunst- oder Naturfasern für Oberbekleidung.

Popiełuszko [pɔpjɛˈu̯ʃkɔ], Jerzy, poln. Priester, *Okopy (Wwschaft Białystok) 23. 9. 1947, †(ermordet) 19. 10. 1984; wurde 1980 Vikar in Warschau; verurteilte in vielen Predigten die Ausrufung des Ausnahmezustands (Dez. 1981) und das Verbot der Gewerkschaftsorganisation »Solidarność«. Die Entführung und Ermordung P.s durch Mitarbeiter des poln. Sicherheitsdienstes löste Demonstrationen der Opposition gegen den kommunist. Staat aus.

Popitz, Johannes, Politiker, *Leipzig 2. 12. 1884, †(hingerichtet) Berlin-Plötzensee 2. 2. 1945, Jurist; 1933 bis Juli 1944 preuß. Finanzmin.; entwickelte sich zum Gegner des nat.-soz. Regimes; stand der Widerstandsgruppe um L. Beck und C. F. Goerdeler nahe. Nach dem misslungenen Attentat auf Hitler (20. 7. 1944) wurde er verhaftet.

Popmusik [engl.], eine Musikform, die sich aus dem Rock 'n' Roll der Zeit um 1955 (B. Haley, E. Presley) entwickelt hat und später von engl. Musikgruppen (Beatles, Rolling Stones) fortgeführt wurde; i. w. S. zählt dazu jede, bes. durch Massenmedien verbreitete Art von Unterhaltungsmusik (Schlager, Filmlied, kommerzialisierte Folklore, Operette, Musical, Countrymusic, Tanzmusik), als Ggs. zur sog. ernsten Musik. (→Rockmusik)

📖 ZIEGENRÜCKER, W. *u.* WICKE, P.: *Sachlexikon Popularmusik. Pop, Rock, Jazz, Folk. Mainz u. a. 7.–11. Tsd. 1989.* – BRUCKMOSER, B. *u.* WULFF, P.: *Ein umfassendes Lexikon der Pop- & Rock-Musik. Basis-Informationen in über 2000 Schubladen. Landshut 1996.*

Pop-Art: Allan Jones, »Pleated skirt« (1965; Privatbesitz)

Popocatépetl, Vulkan am Rand des Hochlands von Mexiko, südöstlich der Stadt Mexiko, 5452 m ü. M.; 1997 verstärkte Aktivitäten. BILD Mexiko

Popol Vuh [-'vux], Mythen- und Legendensammlung, entstanden etwa 1554–58, in der Sprache der Quiché-Indianer aus dem Hochland von Guatemala; enthält Traditionen der Quiché kurz vor der span. Eroberung, berichtet über die Erschaffung der Welt, enthält Wandersagen, eine Aufzählung histor. Stammesgruppen und Könige.

Ljubow Sergejewna Popowa: »Architektonische Malerei« (1917; New York, Museum of Modern Art)

Popow, 1) Jewgeni, russ. Schriftsteller, *Krasnojarsk 1946; 1979 Mithg. des Almanachs »Metropol« (daraufhin Publikationsverbot und Ausschluss aus dem Schriftstellerverband), schreibt in modernem Erzählstil Prosa mit zeitgeschichtl. Stoffen, u. a. »Das Herz des Patrioten« (1987) und »Die Wunderschönheit des Lebens« (R., 1990) über die Jahre 1961–85.

2) Oleg Konstantinowitsch, russ. Clown, *Wyrubowo (Gebiet Moskau) 31. 7. 1930; ausgebildet als Seiltänzer und Jongleur; seit 1955 internat. bekannter Clown am Moskauer Staatszirkus.

Popowa, Ljubow Sergejewna, russ. Malerin und Grafikerin, *bei Moskau 6. 5. 1889, †Moskau 25. 5. 1924; setzte sich mit Kubismus, Suprematismus und Konstruktivismus auseinander. Ab 1921 widmete sie sich v. a. der Textilkunst, entwarf Bühnendekorationen und Kostüme sowie Plakate und Typographien.

Popp, Lucia, österr. Sängerin (Sopran), *Ungeraiden (heute Záhorská Vers, bei Preßburg) 12. 11. 1939, †München 16. 11. 1993; wurde 1963 Mitgl. der Wiener Staatsoper; trat bes. als Mozart- und Strauss-Interpretin hervor; auch Konzert- und Liedsängerin.

Poppaea Sabina, röm. Kaiserin, *um 31 n. Chr., †65 n. Chr., wurde bereits im Jahr ihrer Heirat mit dem späteren Kaiser →Otho (58) die Geliebte →Neros, der sie nach seiner Scheidung von Octavia heiratete.

Pöppelmann, Matthäus Daniel, Baumeister, *Herford 3.(?) 5. 1662, †Dresden 17. 1. 1736; seit 1686 im Dienst des kursächs. Hofs, 1718 Oberlandbaumeister. P. trug mit seinen Hauptwerken (Dresdner Zwinger, 1711–28; Schloss Pillnitz, 1720–24); Umbau von Schloss Moritzburg, 1723–36) entscheidend zur Ausbildung des sächs. Barocks bei.

Popper *der,* Nebenfluss des Dunajec, →Poprad.

Popper, Sir (seit 1964) Karl Raimund, brit. Philosoph und Wissenschaftstheoretiker österr. Herkunft, *Wien 28. 7. 1902, †London 17. 9. 1994; war 1949–69 Prof. in London. In der Auseinandersetzung mit dem →Wiener Kreis entwickelte P. seine Erkenntnis- und Wissenschaftstheorie des →kritischen Rationalismus: Wiss. Allgemeinaussagen sind nicht aus dem empirisch Gegebenen ableitbar. So ist auch ihre Wahrheit nicht beweisbar, sie können lediglich falsifiziert werden. Theorien sind Entwürfe; lebendige Wissenschaft ist ein permanenter Prozess intellektueller Revolutionen und Krisen (im Ggs. zu T. S. →Kuhn). – Gedanken von Platon (Ideenlehre) und Hegel (objektiver Geist) kritisch aufnehmend, stellte P. in seiner Theorie der »objektiven Erkenntnis« – gegen den Psychologismus gewendet – die These einer gewissen Autonomie und Eigenständigkeit der vom Menschen geschaffenen Welt der geistigen Produkte (Gedanken, Mythen, wiss. Theorien u. a.), der »Welt 3«, auf, die sich mittels »Versuch und Irrtum« weiterentwickle (→evolutionäre Erkenntnistheorie). – In die Debatte um ein Verständnis der Quantenphysik griff P., gegen die positivistisch orientierte →Kopenhagener Deutung gewendet, mit einem realist. Interpretationsansatz ein. – In seiner Totalitarismus- und Holismuskritik argumentierte P. gegen die Möglichkeit, den Geschichtsverlauf vorherzusagen, und trat für punktuelle Reformen in einer »offenen Gesellschaft« ein.

Werke: Logik der Forschung (1935); Die offene Gesellschaft und ihre Feinde, 2 Bde. (1945); Das Elend des Historizismus (1957); Objektive Erkenntnis (1972); Das Ich und sein Gehirn (1977, mit J. C. ECCLES); Quantum theory and the schism in physics (1982).

📖 DÖRING, E.: *K. R. P. Einführung in Leben u. Werk. Hamburg 1987.* – GEIER, M.: *K. P. Reinbek 1994.*

Poppers *das,* der Schnüffelstoff →Amylnitrit.

Poprad, 1) (dt. Deutschendorf) Stadt im Ostslowak. Gebiet, Slowak. Rep., am Fuß der Hohen Tatra am Poprad; 51000 Ew.; Tatramuseum; Maschinen-, Holz- u. a. Ind.; Fremdenverkehr. – Im 12. Jh. von dt. Siedlern (Zipser Sachsen) als freie Stadt gegründet.

Oleg Konstantinowitsch Popow

Lucia Popp

Poppaea Sabina (zeitgenössische Marmorbüste; Rom, Kapitolinisches Museum)

Karl Popper

2) *der* (dt. Popper) rechter Nebenfluss des Dunajec, entspringt im **Poppersee** in der Hohen Tatra (Slowak. Rep.), bildet z.T. die polnisch-slowak. Grenze, fließt nach Polen und mündet oberhalb von Neusandez; 174 km lang.

Poreč: Altarraum der Basilika Euphrasiana mit Goldmosaiken (535–550)

populär [lat.], allgemein bekannt; breite Zustimmung findend; volkstümlich, beliebt.

Popularen [lat. populares »Volksmänner«], Anhänger der sich in der 2. Hälfte des 2. Jh. v. Chr. herausbildenden röm. »Volkspartei«; waren Gegner der Optimaten (Senatspartei) und versuchten, ihre Ziele unter Umgehung des Senats allein mithilfe der zur Gesetzgebung befugten Komitien durchzusetzen. P. waren u. a. die beiden Gracchen, Marius und Cäsar.

Popularklage, Rechtsbehelf, den jeder bei Gericht erheben kann, ohne in seinen eigenen Rechten betroffen zu sein. Nach dt. Recht ist die P. nur ganz ausnahmsweise in Patentverfahren und nach einzelnen Landesverf. zulässig.

Population [lat.] *die,* **1)** *allg. (veraltet):* Bevölkerung.

2) *Astronomie:* (Stern-P.) Einteilung von einander ähnlichen Sternen in Gruppen, die sich in ihren physikal. Eigenschaften, ihrem Alter und ihrer räuml. Verteilung in unserer Galaxis voneinander unterscheiden. Nach der Anordnung der Sterne im →Hertzsprung-Russell-Diagramm unterschied W. Baade 1944 die **P. I** in der galakt. Ebene von der **P. II** des galakt. Halos; heute unterscheidet man zusätzlich noch einige Zwischenstufen.

3) *Biologie:* Gesamtheit der Individuen einer Organismenart in einem umgrenzten Gebiet.

Populationsgenetik, Teilgebiet der Genetik, das die Gesetzmäßigkeiten der Evolution untersucht. Die Häufigkeit jedes einzelnen Gens im Genpool der Population kann durch Mutationen, Auslese, gerichtete Partnerwahl, Zufall, Populationsgröße u. a. Faktoren verändert werden.

Populismus [lat.] *der,* **1)** *allg.:* Schlagwort (mit z.T. negativer Tendenz) für eine um »Volksnähe« bemühte Politik, die Stimmungen der Unzufriedenheit und akute Konfliktlagen aufgreift.

2) *Literatur:* (frz. Populisme) frz. literar. Bewegung, begründet 1929 von L. Lemonnier und A. Thérive, mit dem Ziel, der mondänen Romanliteratur Werke vom Leben des einfachen Volkes in realist. Stil zur Seite zu stellen. Hauptvertreter neben Lemonnier und Thérive waren E. Dabit, J. Prévost und H. Poulaille.

Populorum progressio [lat. »Fortschritt der Völker«], Enzyklika Pauls VI. vom 26. 3. 1967; behandelt umfassend Fragen des Verhältnisses von Industrieländern und Dritter Welt; betont u. a. die Sozialverpflichtung des Privateigentums.

Populus [lat.], Gattung der Weidengewächse, →Pappel.

Populus Romanus [lat.] *der,* Gesamtheit der Bürger im alten Rom. (→SPQR)

Pordenone, 1) Provinz in der Region Friaul-Julisch-Venetien, Italien, 2273 km^2, (1995) 276 000 Einwohner.

2) Hauptstadt von 1), südwestlich von Udine, 49 300 Ew.; Baumwoll- und Rohseideverarbeitung, Maschinenbau, keram., Fahrrad-, Elektroindustrie. – Die Altstadt ist geprägt von Häusern und Palästen aus Gotik (Palazzo Comunale, 1291–1365), Renaissance und Barock mit Laubengängen und Fassadenmalereien.

Pore [grch.] *die,* **1)** *Biologie:* Öffnung eines Kanals, z. B. des Ausführganges einer Schweißdrüse auf der Haut.

2) *Materialkunde:* kleiner Hohlraum.

Poreč ['pɔrɛtʃ] (italien. Parenzo), Stadt in Kroatien, auf einer Halbinsel an der W-Küste Istriens, 4 300 Ew.; kath. Bischofssitz; Fischereihafen; Nahrungsmittelind.; Fremdenverkehrszentrum. – Byzantin. Basilika Euphrasiana (535–550, bed. Goldmosaiken), röm. Ruinen und got. Bauten (Altstadt und Basilika wurden zum UNESCO-Weltkulturerbe erklärt).

Porenvolumen (Porenraum), Gesamtheit der mit Gasen und Flüssigkeiten erfüllten Hohlräume von Gesteinen und Böden.

Porète [pɔ'rɛ:t], Marguerite, frz. Mystikerin und Philosophin, *um 1255, † (verbrannt) Paris 1. 6. 1310; vermutlich der Beginenbewegung zugehörig; behauptete, dass die mit Gott geeinte Seele über den Maßstäben kirchl. Moral stehe und das herkömml. tugendhafte Leben verweigern dürfe; postulierte ein uneingeschränktes Freiheitsideal; beeinflusste Meister Eckhart und Heinrich Seuse; wegen Häresie zum Tode verurteilt.

Pori ['pɔri] (schwed. Björneborg), Stadt in SW-Finnland, am Kokemäenjoki nahe seiner Mündung in den Bottn. Meerbusen, 76400 Ew.; Buntmetallhütte, Zellstoff-, Papier-, Textil- u.a. Ind.; zwei Außenhäfen. – 1558 gegr., 1564 Stadtrecht.

Porifera [lat.], die →Schwämme.

Porkkala, Halbinsel südwestlich von Helsinki, Finnland, 1944–56 an die UdSSR als Marinestützpunkt verpachtet.

Porlinge (Löcherpilze), Sammelbegriff für meist konsolenförmig an Holz wachsende Pilze. Der Name bezieht sich auf die röhren- oder porenförmige, Sporen bildende Schicht.

Pornographie [grch.] *die,* urspr. die Beschreibung von Leben und Sitten der Prostituierten und ihrer Kunden, im Laufe der Jh. zum Begriff für die Darstellung sexueller Akte überhaupt verallgemeinert. Obwohl die Fantasien, die in P. erscheinen, überwiegend zeitloser Natur sind, gewann P. als sexuelles Phänomen und soziales Problem erst im Kontext der modernen westl. Gesellschaft Bedeutung. Im Unterschied zu explizit sexuellen Darstellungen früherer Epochen und anderer Kulturen steht bei P. die gewollte sexuelle Reizwirkung im Vordergrund. Während sexualbezogene Darstellungen früherer Zeiten individuelle Werke einzelner Künstler und i.d.R. nur den jeweiligen Oberschichten zugänglich waren, hat sich P. seit dem 19. Jh. zu einer Massenware und zu einem Bestandteil der allg. Freizeit- und Unterhaltungskultur entwickelt. Die Wirkung von P., die Methoden ihrer Herstellung und Verbreitung sowie die Art ihres Konsums wurden maßgeblich durch die Entwicklung der modernen Informationssysteme und Reproduktionstechniken bestimmt. Durch die zunehmende Verlagerung des Konsums auf visuelle Massenmedien ist medial vermittelte P. im Verlauf der letzten Jahrzehnte zu einem signifikanten Phänomen des gesellschaftl. Austauschs über Sexualität geworden. (→erotische Literatur)

Recht: Das Verbreiten, Abbilden oder Darstellen von P. (in Schriften, auf Bild- und Tonträgern, Abbildungen u.a.) ist in bestimmten Fällen nach § 184 StGB strafbar; Jugendliche unter 18 Jahren sind generell geschützt, Erwachsene sollen nicht gegen ihren Willen von pornograph. Darstellungen Kenntnis nehmen müssen. Die Schriften unterliegen ggf. der →Einziehung und →Unbrauchbarmachung. (→jugendgefährdende Schriften)

📖 *Pornography, hg. v.* D. Zillmann *u.a. Hillsdale, N.J., 1989.* – Dworkin, A.: *P. Männer beherrschen Frauen. A.d. Amerikan. Neuausg. Frankfurt am Main 1990.* – Lautmann, R. *u.* Schetsche, M.: *Das pornograph. Begehren. Frankfurt am Main u.a. 1990.* – Schmidt, Gunter: *Das große Der Die Das. Über das Sexuelle. Neuausg. Reinbek 14.–16. Tsd. 1993.* – Vogel, W.: *... u. wendet eure Augen nicht ab ... Kulturgeschichtl. Betrachtungen zur P., mit einem Beitr. v.* E. Brongersma. *Pfungstadt u.a. 1995.*

Porphin [grch.] *das* (Porphyrin), dunkelrote kristalline Substanz. Vom heterozykl. Ringsystem des P. leiten sich wichtige Naturfarbstoffe ab (z.B. Hämoglobin, Chlorophyll).

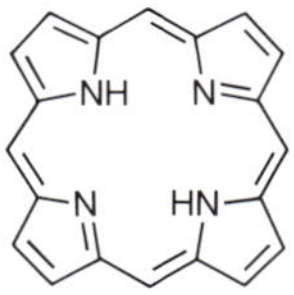

Porphin

Porphyr [von grch. porphýreos »purpurfarbig«] *der,* Sammelbez. für vulkan. Gesteine mit großen Einsprenglingen in dichter oder feinkörniger Grundmasse (porphyr. Gefüge). Der Name wird heute nur noch in Zusammensetzungen gebraucht, z.B. Granit-P., Quarz-P. (Ganggesteine).

Porphyrie [grch.] *die,* angeborene oder erworbene Störung in der Struktur des roten Blutfarbstoffs, die mit Anreicherung (in Knochen, Zähnen) und vermehrter Ausscheidung (Harn, Kot) von Stoffwechselprodukten der Porphyrinsynthese verbunden ist.

Porphyrine [grch.], körpereigene Farbstoffe, die sich vom Porphin durch Substitution der Wasserstoffatome in den CH-Gruppen der Pyrrolkerne durch Methyl-, Vinyl-, Essigsäure- und Propionsäurereste ableiten. P.-Derivate sind Chlorophyll, Hämoglobin und Myoglobin sowie Enzyme. P. werden v.a. in Leber, Knochenmark und Milz zu »Gallenfarbstoffen« abgebaut. Störungen im P.-Stoffwechsel führen zu →Porphyrie.

Porphyrios, grch. Philosoph, *Tyros um 233, †Rom um 304; Neuplatoniker, bes. als Aristoteles-Kommentator bedeutend. P. gab die Werke seines Lehrers Plotin heraus.

Porphyrit [grch.] *der,* dem Andesit entsprechendes altes Ergussgestein.

Porree: Winterporree wird überwiegend als Gemüse genutzt

Porree [frz.] *der* (Breitlauch, Winterlauch, Allium porrum), aus dem Mittelmeergebiet stammende Art des →Lauchs mit stängelförmiger, weißer, sehr milder Zwiebel; als Gemüse (meist Winter-P.) und Gewürz (meist Sommer-P.) genutzt.

Ferdinand Porsche

Porrentruy [pɔrãˈtrɥi, frz.] (Pruntrut), Bezirkshauptort im Kt. Jura, Schweiz, an der Allaine, 7000 Ew.; Strumpffabrik, Uhren-, Schuh- und Metall verarbeitende Industrie. – Schloss P. war von 1527 bis 1792 Sitz der Fürstbischöfe von Basel.

Porridge [ˈpɔrɪdʒ, engl.] *das* oder *der,* dicker Haferbrei, der bes. in den angelsächs. Ländern zum Frühstück gegessen wird.

Porsangerfjord, 10–20 km breiter Fjord östlich des Nordkaps, mit 125 km längster Fjord N-Norwegens; im S zahlreiche Inseln.

Porsche, Ferdinand, Kraftwagenkonstrukteur, *Maffersdorf (heute Vratislavice nad Nisou, bei Liberec, Tschech. Republik) 3. 9. 1875, †Stuttgart 30. 1. 1951; konstruierte Auto- und Flugmotoren sowie Automobile, bes. seit 1934 den Volkswagen. 1931 gründete P. in Stuttgart ein eigenes Konstruktionsbüro, die heutige Dr. Ing. h.c. F. Porsche AG. 1948/49 entwickelte er mit seinem Sohn Ferdinand P. (Ferry; *1909, †1998) den P.-Sportwagen.

Porsche AG, Dr. Ing. h. c. F., Kfz-Unternehmen, Sitz: Stuttgart, gegr. 1931 von F. Porsche, seit 1972 AG; neben dem Bau von Sportwagen v.a. Durchführung von Forschungs- und Entwicklungsaufträgen. Die stimmberechtigten Aktien sind im Besitz der Familien Porsche und Piëch.

Porsenna, etrusk. König von Clusium (heute Chiusi) vom Ende des 6. Jh. v. Chr.; belagerte Rom und eroberte die Stadt nach der Vertreibung der Tarquinier.

Porst:
Sumpfporst
(Höhe bis 1,5 m)

Porst (Ledum), Gattung der Heidekrautgewächse mit unterseits rostrot-filzigen Blättern und stark duftenden, weißen Blüten; steht unter Naturschutz. Einzige Art in Dtl. ist der bis 1,5 m hohe **Sumpfporst** (Ledum palustre).

Port [engl. pɔːt; engl. »Pforte«] *der,* bei einem Mikroprozessor die Schnittstellenschaltung zw. dem internen und einem äußeren Bussystem oder den Schnittstellen zum Anschluss von Peripheriegeräten.

Portable [ˈpɔːtəbl, engl.] *der,* auch *das,* tragbares, netzunabhängiges Gerät, v.a. Fernsehgerät oder Computer.

Portal [lat.] *das,* Außentür eines Gebäudes, architektonisch, oft auch plastisch reich ausgestaltet.

Portamento [italien., zu ergänzen: di voce »das Tragen des Tons, der Stimme«] *das,* beim Gesang und Streich- und Blasinstrumentenspiel das gleitende Übergehen von einem Ton zum anderen.

Port-au-Prince
Stadtwappen

Porta Nigra [lat. »schwarzes Tor«] *die,* röm. Stadttor in →Trier.

Port Arthur [pɔːt ˈɑːθə, engl.], **1)** früherer Name von Lüshun, heute Teil der chines. Stadt →Dalian.

2) ehem. Stadt in der kanad. Prov. Ontario, gehört seit 1970 zu →Thunder Bay.

Portatile [lat.] *das,* der Tragaltar (→Altar).

Portativ [frz.] *das,* kleine, tragbare Orgel mit etwa 6–28 Pfeifen (1–2 Oktaven Umfang), deren Klaviatur mit der rechten Hand gespielt wird, während die linke den Balg bedient. Das P. war besonders im 13.–15. Jh. beliebt.

Portativ:
Engel mit Portativ, Ausschnitt aus einem Orgelflügel von Hans Memling (um 1485; Antwerpen, Koninklijk Museum voor Schone Kunsten)

portato [italien.], musikal. Vortragsbezeichnung für eine leicht artikulierte (nicht völlig gebundene) Ausführung zusammengefasster Noten.

Port-au-Prince [pɔrtoˈprɛ̃s], Hauptstadt der Rep. Haiti, an der W-Küste der Insel Hispaniola, im Innern des Golfes von Gonaïves, 752600 Ew.; Erzbischofssitz, Univ., Museen; wichtigster Hafen und Wirtschaftszentrum des Landes, internat. Flughafen. – 1749 gegründet.

Porta Westfalica [lat.], **1)** *die,* die →Westfälische Pforte.

2) Stadt und Luftkurort im Kr. Minden-Lübbecke, NRW, an der Weser, 35900 Ew.; Besucherbergwerk (ehem. Eisenerzgrube); elektrotechn., Möbel-, Kunststoff-, Metallind., Maschinenbau. – 1973 durch Zusammenschluss von 15 Gemeinden entstanden.

Portbou [pɔrˈbu], Fischerort an der Costa Brava, 1900 Ew.; Grenzbahnhof nach Frankreich; Gedenkstätte für W. Benjamin von D. Karavan.

Portefeuille [pɔrtˈføːj, frz.] *das,* **1)** *allg. (veraltet):* Brieftasche, Mappe.

2) *Bank- und Börsenwesen:* Bestand an Wertpapieren u.a. Vermögenswerten z.B. eines Bankkunden, Unternehmens oder Investmentfonds.

3) *Politik:* Geschäftsbereich eines Ministers. **Minister ohne P.,** ein Minister ohne eigenen Geschäftsbereich.

Port Elizabeth [pɔːt ɪˈlɪzəbəθ], Hafenstadt in der Prov. Ost-Kap, Rep. Südafrika, an der Algoabucht, 303400 Ew. (städt. Agglomeration mit **Uitenhage** und **Kirkwood**: 853200 Ew.); Kulturzentrum, Univ., Technikum, Ozeanarium; Wollbörse; Handels- und Industriezentrum (Gießereien, Kfz-Montage, Motoren- und Maschinenbau, chem., Textil-, Nahrungsmittel- u. a. Ind.); Flugplatz. – P. E. wurde 1820 von brit. Siedlern gegründet.

Portemonnaie [pɔrtmɔ'ne:, frz.] *das* (Portmonee), Geldbörse.

Porten, Henny, Bühnen- und Filmschauspielerin, * Magdeburg 7. 1. 1890, † Berlin 15. 10. 1960; gefeierter Star des dt. Stummfilms; spielte u. a. in den Filmen »Kohlhiesels Töchter« (1920, Remake 1930), »Anna Boleyn« (1920), »24 Stunden aus dem Leben einer Frau« (1931).

Portepee [frz. »Degenträger«] *das,* silberbestickter Lederriemen mit geschlossener, versilberter Quaste, entstand aus dem Faustriemen am Griff von Degen oder Säbel; wurde in Dtl. bis 1945 an der Seitenwaffe der Offiziere und Feldwebel (Wachtmeister) getragen; für die Bundeswehr → Unteroffizier.

Porter [engl.] *der,* auch *das,* engl. dunkles, obergäriges Bier mit 12–16 % Extraktgehalt.

Porter ['pɔ:tə], **1)** Cole, amerikan. Komponist, * Peru (Ind.) 9. 6. 1891, † Santa Monica (Calif.) 15. 10. 1964; bed. amerikan. Musicalkomponist (»Kiss me, Kate«, 1948; »Can-Can«, 1953, u. a.); viele seiner Songs auf eigene Texte wurden zu Evergreens; schrieb auch Filmmusiken (u. a. »High Society«, 1956).

2) Sir (seit 1972) George, brit. Chemiker, * Stainforth (Cty. South Yorkshire) 6. 12. 1920; erhielt für Untersuchungen der Kinetik von äußerst schnellen chem. und biochem. Reaktionen mit R. G. W. Norrish und M. Eigen 1967 den Nobelpreis für Chemie.

3) Katherine Anne, amerikan. Schriftstellerin, * Indian Creek (Tex.) 15. 5. 1890, † Silver Springs (Md.) 18. 9. 1980; schrieb Kurzgeschichten und dramatisch zugespitzte Erzählungen: »Unter heißem Himmel« (1930), »Der schiefe Turm« (1944); außerdem »Das Narrenschiff« (R., 1962).

4) Rodney Robert, brit. Biochemiker, * Newton-le-Willows (Cty. Lancashire) 8. 10. 1917, † (Verkehrsunfall) Winchester 7. 9. 1985; wies unabhängig von G. M. Edelman, mit dem er 1972 den Nobelpreis für Physiologie oder Medizin erhielt, nach, dass das Molekül eines Antikörpers aus zwei Kettenpaaren aufgebaut ist.

5) William Sidney, amerikan. Schriftsteller, → Henry, O.

Port-Étienne [pɔre'tjɛn, frz.], Stadt in Mauretanien, → Nouadhibou.

Portfolioinvestition (indirekte Investition), Erwerb von ausländ. Aktien, festverzinsl. Wertpapieren, Zertifikaten von Investment- oder Immobilienfonds u. a. Forderungen, die keine direkten Eigentumsrechte begründen, durch Inländer. Im Ggs. zur → Direktinvestition besteht das Ziel der P. nicht darin, Einfluss auf die Unternehmenspolitik des Emittenten zu nehmen; vielmehr soll durch diese Kapitalanlage eine maximale Rendite erzielt und das Risiko gestreut werden.

Portfoliomanagement [-mænɪdʒmənt], **1)** *Bankwesen:* → Portfolio-Selection.

2) *Betriebswirtschaftslehre:* Ansatz der strateg. Unternehmensplanung; in einer Grafik werden die einzelnen Geschäftsfelder eines Unternehmens in Bezug auf das Wachstum des entsprechenden Marktes und des Marktanteils des Geschäftsfelds im Vergleich zur Konkurrenz in Nachwuchs-, Verkaufs-, Spitzen- und Problemprodukte eingeordnet (Marktanteils-Marktwachstums-Portfolio). Nach Einschätzung der künftigen Absatzmöglichkeiten hat die Unternehmensleitung zu unterscheiden, welche Geschäftsfelder künftig gefördert oder welche Produkte aus dem Markt zu nehmen sind.

Portfolio-Selection [pɔ:t'fəʊljəʊ sɪ'lekʃn, engl.] (Portefeuilleauswahl), Verteilung eines Vermögensbestandes auf unterschiedl. Vermögensobjekte unter dem Gesichtspunkt der zu erwartenden Rendite (Wertentwicklung, Performance) und des Risikogrades. Es wird i. d. R. nach Finanzanlagen (z. B. festverzinsl. Wertpapiere) und Realanlagen (Aktien, Immobilien u. a.) unterschieden. Die wiss. Grundlage für eine optimale P. S. legte H. M. Markowitz in seiner 1952 entwickelten **Portfoliotheorie.** Dabei wird die optimale Zusammensetzung eines Vermögensbestandes (Portefeuille) in Abhängigkeit von den Ertragsätzen der einzelnen Anlageobjekte, ihrem Risiko, der Höhe des Anlagebetrages und der Risikobereitschaft des Anlegers ermittelt. Da jede Anlageform mit bestimmten Chancen und Risiken behaftet ist, lässt sich durch eine breite Streuung des Vermögens auf versch. Anlageobjekte das Risiko (im Vergleich zur Anlage mit max. Rendite) minimieren. Die Portfoliotheorie unterstützt das Management von Wertpapierdepots, Investmentfonds und größeren Vermögen **(Portfoliomanagement).**

Port-Francqui [pɔrfrã'ki], Stadt in der Demokrat. Rep. Kongo, → Ilebo.

Port-Gentil [pɔrʒã'til], Hafenstadt und Provinz-Hptst. im Delta des Ogowe, Gabun, 78 200 Ew.; Wirtschaftszentrum mit bed. Ind.: Holzverarbeitung, Erdölraffinerie, chem., Textil-, Nahrungsmittelind.; Tiefwasserhafen; internat. Flughafen.

Port Harcourt [pɔ:t 'hɑ:kət], Hptst. des Bundesstaates Rivers, Nigeria, am O-Rand des Nigerdeltas, 371 000 Ew.; zwei Univ., wichtiger Hafen; bed. Ind.standort (Lkw- und Fahrradmontage, Aluminiumwalzwerk, Reifenfabrik, Nahrungsmittel- u. a. Ind.); südöstlich von P. H. Erdölraffinerie; internat. Flughafen.

Henny Porten

Cole Porter

George Porter

Rodney Robert Porter

Portia, ein Mond des Planeten Uranus.

Portici ['pɔrtitʃi], Hafenstadt und Seebad in der Prov. Neapel, Italien, am W-Fuß des Vesuvs, 65300 Ew.; landwirtsch. Fakultät der Univ. Neapel; chem., Textil-, Nahrungsmittelindustrie. – 728 erstmals erwähnt.

Porto: Ponte Dom Luis I., die 1881–85 erbaute doppelstöckige Straßenbrücke führt über den Douro

Portikus [lat.] *der* (grch. Stoa), *Baukunst:* Säulenhalle mit geschlossener Rückwand, im Unterschied zur offenen Kolonnade.

Portinari, Cândido, brasilian. Maler italien. Herkunft, *Brodósqui (São Paulo) 29. 12. 1903, †Rio de Janeiro 7. 2. 1962; wandte sich unter dem Einfluss des Muralismo einer sozialkritisch engagierten, expressiven figurativen Malerei zu.

Portio [lat. »Abteilung«, »Anteil«] *die* (P. vaginalis cervicis), *Medizin:* in die Scheide ragender Gebärmutterteil.

Portiuncula, Marienkapelle bei Assisi; Lieblingskirche des Franz von Assisi, seit dem 16./17. Jh. von der dreischiffigen Basilika Santa Maria degli Angeli umschlossen.

Port Jackson [pɔːt 'dʒæksn], die fjordartige Bucht in Australien, an der Sydney liegt; von der Harbour Bridge überspannt.

Port Kelang [pɔːt-], →Kelang.

Port Kembla [pɔːt 'kemblə], Hafen von →Wollongong.

Portland ['pɔːtlənd], **1)** (Isle of P.) Halbinsel an der engl. Kanalküste (Cty. Dorset), mit der Stadt P. (10900 Ew.) und dem Kriegshafen P. Harbour; Kalksteinbrüche.

2) größte Stadt von Maine, USA, an der Casco-bay, 63000 Ew.; anglikan. und kath. Bischofssitz; Univ., Kunstmuseum; Fischfang, Holzverarbeitung; Seehafen. – Wurde 1631 als Falmouth gegründet.

3) Stadt in Oregon, USA, am Willamette River, 450800 Ew.; Erzbischofssitz; zwei Univ.; Holzverarbeitung, Stahlwerk, Aluminiumhütte, Maschinen- und Schiffbau; Seehafen (180 km von der Pazifikküste entfernt).

Port Louis [pɔːt 'lʊɪs, engl.], Hptst. von Mauritius, an der NW-Küste der Insel, 143500 Ew.; kath. Bischofssitz; Elektronik-, Textil-, Möbel- u. a. Ind., Zuckerfabrik. Fischerei; Freihandelszone, Überseehafen. – 1735 von Franzosen gegründet.

Port Lyautey [pɔrljo'tɛ, frz.], 1932–56 Name der marokkan. Hafenstadt →Kenitra.

Portman ['pɔːtmən], John Calvin jr., amerikan. Architekt, *Walhalla (S. C.) 4. 12. 1924; errichtete zahlreiche Hotel- und Geschäftshäuser, alle um überdachte Wandelhallen gruppiert. Seine luxuriösen Bauten leiten sich aus der europ. Hallen- und Passagenarchitektur des 19. Jh. ab. BILD Detroit

Portmann, Adolf, schweizer. Biologe, *Basel 27. 5. 1897, †Binningen (bei Basel) 28. 6. 1982; Arbeiten u. a. zur vergleichenden Morphologie, zur allg. Biologie und zur Entwicklungsgeschichte. In seinen anthropolog. Studien befasste er sich mit der biolog. Sonderstellung des Menschen.

Port Moresby [pɔːt 'mɔːzbɪ], Hauptstadt von Papua-Neuguinea, an der O-Küste des Papuagolfs, 193200 Ew.; Erzbischofssitz; Univ. (gegr. 1965), medizin. Forschungsinstitut, Ozeanarium; Handelszentrum, Hafen, internat. Flughafen.

Pörtner, Rudolf, Schriftsteller, *Bad Oeynhausen 30. 4. 1912; Sachbuchautor (»Mit dem Fahrstuhl in die Römerzeit«, 1959; »Operation Heiliges Grab«, 1977, u. a.) und Herausgeber.

Porto [portugies. 'portu, »Hafen«] (früher Oporto), Hauptstadt des Distrikts P. in Portugal, am rechten Ufer des Douro, 5 km oberhalb seiner Mündung, 309500 Ew.; wichtigste Hafen- und Handelsstadt im N des Landes; Univ.; Kunstakademie, Museen, Oper, Theater; Erdölraffinerie, Metall-, chem., Textil-, Leder- u. a. Ind.; internat. Flughafen. Am linken Ufer des Douro liegt **Vila Nova de Gaia** mit den Portweinkellereien; nördlich von P. der Hafen **Leixões.** – Kathedrale (12. Jh., mit Silberaltar), barocker Bischofspalast, Kirche São Pedro dos Clérigos (1732–50; frei stehender, 75 m hoher Glockenturm, das Wahrzeichen der Stadt). Doppelstöckige Straßenbrücke (Ponte Dom Luis I.) sowie Eisenbahnbrücke (von A. G. Eiffel) über den Douro. – P. ist das antike **Portus Cale** (röm. seit dem 1. Jh. v. Chr.); die sueb., dann westgotische Siedlung war 716–997 arabisch. Im 11. Jh. war P. Hptst. der Grafschaft Portucalia.

Pôrto Alegre ['portu a'lɛgri], Hptst. des Bundesstaates Rio Grande do Sul, Brasilien, Hafen an der Mündung des Rio Guaíba in die Lagoa dos Patos, 1,26 Mio. Ew.; Erzbischofssitz, Kulturzentrum mit zwei Univ.; Handels- und Ind.zentrum: Brauereien, Spinnereien, Webereien, Schiffswerften, Maschinen-, Möbelind., Erdölraffinerie; Flughafen. – 1742 als **Pôrto dos Casais** gegründet.

Portoferraio, Hauptort der italien. Insel Elba, Prov. Livorno, 10800 Ew.; Hafen; Handelsstadt und Seebad; Erzausfuhrhafen.

Portofino, Seebad an der italien. Riviera, Prov. Genua, am Vorgebirge von P. (610 m ü. M.), 700 Ew.; maler. Stadtbild.

Port of Spain ['pɔ:t əv 'speɪn], Hptst. von Trinidad und Tobago, auf Trinidad, am Golf von Paria, 50900 Ew.; botan. und zoolog. Garten; Erzbischofssitz; wichtigstes Ind.- und Handelszentrum der Insel; Schiffsverkehr, internat. Flughafen. – Festung San Andres (1787).

Portoghesi [porto'ge:si], Paolo, italien. Architekt und Architekturschriftsteller, * Rom 2. 11. 1931; zählt zu den frühesten Vertretern postmoderner Architektur: Casa Baldi bei Rom (1958–61, mit V. Gigliotti), Islam. Zentrum und Moschee in Rom (1976–78, mit Gigliotti und S. Mousawi), italien. Generalkonsulat in Berlin (1987).

Portolane [italien.] (Portulane), bis ins 16. Jh. verwendete mittelalterl. Navigationsanleitungen für Seefahrer mit Küstenbeschreibungen. In den **Portolankarten** sind zahlr. Windrosen eingetragen, deren sich netzartig überschneidende Windstrahlen (Rumben) als Navigationshilfe dienten.

Porto-Novo, Hauptstadt der Rep. Benin, Westafrika, an einer Lagune, 177700 Ew.; Nationalmuseum (traditionelle afrikan. Kunst); Nahrungsmittelind., Seifenfabrik; Lagunenfischerei, Hafen. – 1752 von Portugiesen gegründet.

Porto Santo ['pɔrtu 'santu], portugies. Insel 41 km nordöstlich von → Madeira, 42,5 km², 3000 Ew.; bis 517 m ü. M.; vulkan. Ursprungs (S-Küste mit Sandstrand). Dauernd Wasser führende Flüsse fehlen, Wasser wird eingeführt; Weizen- und Weinbau.

Pôrto Velho ['portu 'vɛʎu], Hptst. des Territoriums Rondônia, Brasilien, im Amazonastiefland, 286500 Ew.; Hafen am Rio Madeira; nahebei Zinnerzbergbau.

Porträt [-'trɛ, auch -'trɛ:t, frz.] *das* (Portrait), **1)** *allg.:* bildl. Darstellung eines menschl. Gesichts (meist als Brustbild) in Malerei, Zeichnung und Grafik oder als fotograf. Aufnahme; Charakterstudie.

2) *bildende Kunst:* (Bildnis) Je nach dem Menschenbild einer Epoche ist das Bildnis zw. überindividueller, sozialer, individuell-physiognom. und physiolog. Wiedergabe angesiedelt. Man unterscheidet das Einzel-P., zu dem auch das Selbst-P. gehört, das Doppel-P. und das Gruppen-P. Nach der Wendung des Kopfes unterscheidet man Vorderansicht (en face) oder Seitenansicht (Viertel-, Halb- oder Dreiviertelprofil).

Das P. gehörte zu den Hauptaufgaben der Kunst, die jedoch bis zum Ausgang des MA. meist nicht von äußerer Ähnlichkeit ausging, sondern, wie im Alten Orient (mit Ausnahme der Amarnazeit), in Griechenland (bis zum 4. Jh. v. Chr.) und im MA. (bis ins 14. Jh.), aus der Vorstellung gestaltete Idealbildnisse schuf und den Dargestellten durch den allg. Typus, auch durch Inschrift, Wappen, Kleidung usw., kennzeichnete. Das individuell ähnl. P. dagegen setzte eine realist. Kunst wie die hellenist., die röm. und die europ. seit Beginn der Neuzeit voraus.

📖 REINLE, A.: *Das stellvertretende Bildnis. Plastiken u. Gemälde von der Antike bis ins 19. Jh. Zürich 1984.* – BOEHM, G.: *Bildnis u. Individuum. Über den Ursprung der Portätsmalerei in der italien. Renaissance. München 1985.* – GIULIANI, L.: *Bildnis u. Botschaft. Hermeneut. Untersuchungen zur Bildniskunst der röm. Republik. Frankfurt am Main 1986.*

Port-Royal des Champs [pɔ:rrwa'jal de 'ʃã], 1204 gegr. Zisterzienserinnenkloster bei Versailles; im 17. Jh. unter der Äbtissin A. → Arnauld ein Zentrum des Jansenismus; 1710 zerstört.

Port Said [-'zaɪt] (arab. Bur Said), Hafenstadt in Ägypten, am N-Ende des Suezkanals, auf einer schmalen Nehrung zw. Mittelmeer und Mansalasee, 461000 Ew.; Sitz der Sueskanalverwaltung; chem. und Nahrungsmittelind., Salzgewinnung, Erdölraffinerie; Hafen (mit Freihafen), internat. Flughafen.

Pörtschach am Wörther See, Fremdenverkehrsort am N-Ufer des Wörther Sees, Kärnten, Österreich, 2500 Einwohner.

Portsmouth ['pɔ:tsməθ], **1)** Stadt in der Cty. Hampshire, S-England, an der Kanalküste, auf der Halbinsel Portsea, an der Einfahrt zum P. Harbour, nördlich der Insel Wight, 179400 Ew.; Polytechnic (FH), Museen (u. a. Charles-Dickens-Museum); Docks, Werften, Flugzeugbau u. a. Ind.; Seebad. – P. erhielt 1194 Marktrecht und wurde seit 1496 zum Hauptkriegshafen Englands ausgebaut.

2) Hafenstadt im Bundesstaat Virginia, USA, 111000 Ew.; Marinewerft und -stützpunkt, Fischerei, chem. und Holzindustrie.

Port Stanley [pɔ:t 'stænlɪ], Hauptort der Falklandinseln, → Stanley.

Port Sudan (Bur Sudan), Hafenstadt in der Rep. Sudan, am Roten Meer, 305400 Ew.; Textil-, Metallind., Erdölraffinerie, Baumwollentkernung, Meersalzgewinnung; bed. Hafen, Flughafen.

Port Swettenham [pɔ:t 'swetnəm], → Kelang.

Port Talbot [pɔ:t 'tælbət], Zentrum der County Borough Neath P. T. (442 km², 139600 Ew.) in S-Wales, Großbritannien, an der Swansea Bay, 47300 Ew.; Stahl-, chem. Ind.; moderner Tiefwasserhafen.

Portugal

Fläche: 92 389 km²
Einwohner: (1995) 9,82 Mio.
Hauptstadt: Lissabon
Verwaltungsgliederung: 18 Distrikte und zwei autonome Regionen (Azoren, Madeira)
Amtssprache: Portugiesisch
Nationalfeiertage: 10. 6. und 5. 10.
Währung: 1 Escudo (Esc) = 100 Centavos (ctvs)
Zeitzone: WEZ

Staatswappen

P

Internationales Kfz-Kennzeichen

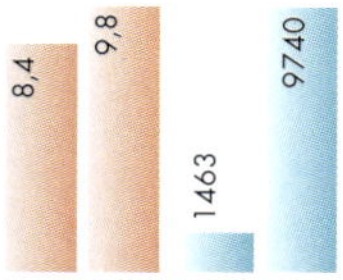

Bevölkerung (in Mio.)
Bruttosozialprodukt je Ew. (in US-$)

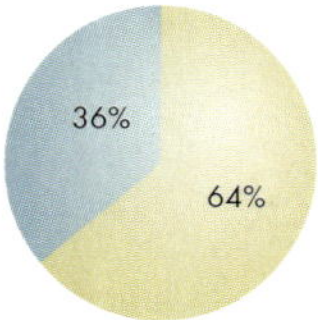

■ Stadt
■ Land

Bevölkerungsverteilung 1995

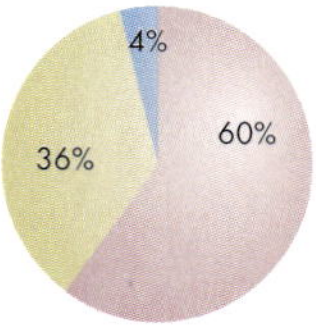

■ Industrie
■ Landwirtschaft
■ Dienstleistung

Bruttoinlandsprodukt 1993

Portugal (amtl. portugies. República Portuguesa), Staat im SW Europas, umfasst den W-Teil der Iber. Halbinsel (grenzt an den Atlant. Ozean und Spanien), die Azoren und Madeira. Zu P. gehört (bis 1999) die überseeische Besitzung →Macau.

Staat und Recht: Nach der Verf. von 1976 (mehrfach geändert) ist P. eine Rep. auf parlamentarisch-demokrat. Grundlage. Staatsoberhaupt und Oberbefehlshaber der Streitkräfte ist der auf fünf Jahre direkt gewählte Präs. Er ernennt den Min.-Präs. und auf dessen Vorschlag die übrigen Mitgl. des Kabinetts, das sowohl dem Präs. als auch dem Parlament verantwortlich ist. Der Staatsrat (17 Mitgl.) fungiert als Beratungsorgan des Präs. Die Legislative liegt bei der Nationalversammlung (230 Abg., auf vier Jahre gewählt). Einflussreichste Parteien: Sozialdemokrat. Partei (PSD), Sozialist. Partei (PS), Linksbündnis (CDU), Demokrat. Soziales Zentrum (CDS).

Landesnatur: Im N und O hat P. Anteil am inneren Hochland der Iber. Halbinsel mit Gebirgen bis fast 2000 m ü. M. (Serra da Estrêla 1991 m ü. M.). An der Küste und im S herrscht Tiefland vor, nur stellenweise von kleineren Gebirgen durchzogen. Die Hauptflüsse Tejo, Douro, Guadiana, Minho kommen in engen Tälern vom span. Hochland und sind nur im Unterlauf schiffbar. Das Klima ist im N mild und feucht; bis über 2500 mm Niederschlag fällt im nordwestl. Bergland, nach O und zum subtrop. sommerheißen S nimmt er bis auf 400 mm ab. Die jahreszeitl. und episod. Schwankungen in der Wasserführung der Flüsse zählen zu den höchsten der Erde. Die nördl. Gebirge sind reich an Wäldern (Eichen, Kastanien), im S herrschen immergrüne Buschheiden, Kork-, Eichen- und Olivenhaine vor.

Bevölkerung: Die Bev. besteht fast ausschl. aus →Portugiesen. Dicht besiedelt ist der rd. 50 km breite Küstenstreifen von der N-Grenze bis Lissabon. Ein Drittel der Bev. lebt in Städten (Großstädte sind Lissabon und Porto). Trotz einer hohen Geburtenrate nimmt die Bev. wegen der starken Auswanderung kaum zu (Hauptaufnahmeland ist Frankreich). – Allg. achtjährige Schulpflicht (7. bis 14. Lebensjahr). Es gibt 18 Univ., eine TU sowie weitere Hochschuleinrichtungen.

Wirtschaft, Verkehr: P. ist ein rohstoffarmes Land. – Die Landwirtschaft nutzt knapp 50% der Staatsfläche. Angebaut werden bes. Weizen (im feuchten NW Mais, im Bergland Gerste und Roggen), Wein, Oliven und Baumwolle. In der Viehwirtschaft überwiegt die Schafhaltung, ferner Haltung von Schweinen, Rindern, Ziegen. Der Wald nimmt 32,4% der Fläche ein; Korkeichen liefern über die Hälfte der Welterzeugung an Kork. Aufforstung und Bewässerung (Alentejo-Bewässerungsprojekt) werden gefördert. An Bodenschätzen werden Wolfram, Eisen, Zinn, Kupfer, Mangan, Gold und etwas Kohle gewonnen; bed. Uranlager sind bekannt. Zur Deckung des Energiebedarfs ist P. weitgehend auf Importe angewiesen. Durch den Beitritt zur EG 1986 verbesserte sich die Wirtschaftslage. Das ausländ. Interesse am Investitionsstandort P. führte zur Verbesserung der Infrastruktur und zum Ausbau v. a. der Schuh-, Leder- und Textilind. (u. a. im neuen Ind.gebiet des Vale do Ave im N des Landes). Bed. sind weiterhin chem. Ind. (Düngemittel, Zement, Phosphate, Erdölverarbeitung), Papiererzeugung, Stahl- und Kfz-Ind. sowie die Fertigung von Textilmaschinen und Haushaltgeräten. Eine große Rolle spielt die Seefischerei (200-Meilen-Zone seit 1977). P.s Außenhandel ist durch Einfuhrüberschüsse gekennzeichnet. Ausfuhrprodukte sind Textilrohstoffe und -erzeugnisse, Maschinen und Apparate, Kork, Wein, Fischkonserven, Holz. Eine wichtige Einnahmequelle ist der Fremdenverkehr (1994: 21,73 Mio. Auslandsgäste). Haupthandelspartner sind Spanien, Dtl., Frankreich, Italien und Großbritannien. – Die Verkehrsinfrastruktur ist weitgehend auf die Küste orientiert und weist deutl. Lücken auf. Das Straßennetz umfasst 70176 km, darunter 86% befestigte Straßen (587 km Autobahnen); das Eisenbahnnetz hat eine Länge von 3072 km, davon 461 km elektrifiziert. Im N sind 765 km Schmalspurstrecken in Betrieb; sonst besitzen alle Strecken die span. Breitspur. Bed. Häfen sind Lissabon, Leixões (Porto), Setúbal, Aveiro und Sines; internat. Flughäfen: Lissabon, Porto, Faro, Funchal (Madeira) und Santa Maria (Azoren). KARTE Spanien (Wirtschaft)

Geschichte: Zur Vorgeschichte →Mittelmeerraum, zur Antike →Spanien, Geschichte.

Das heutige P. gehörte zur Zeit der arab. Herrschaft zum Kalifat Córdoba. 1055–64 eroberte Ferdinand I. von Kastilien-León den Norden. Sein Nachfolger Alfons VI. belehnte 1095 seinen Schwiegersohn, den Grafen Heinrich von Burgund, mit dem Gebiet (Grafschaft P.). Dessen Sohn Alfons-Heinrich setzte die Eroberung nach S fort und

nahm 1139 den Königstitel an (Alfons I., der Eroberer). Damit begann die staatl. Selbstständigkeit P.s. Mithilfe eines Kreuzfahrerheeres konnte 1147 Lissabon eingenommen werden. P. erlebte unter König Dinis (1279–1325) die erste Blütezeit. Die Eroberung Süd-P.s (Algarve) beendete die portugies. Reconquista, der Sieg über Kastilien (Aljubarrota, 1385) sicherte die Unabhängigkeit des Landes und brachte das Haus Avis an die Macht. Durch Johann I. (1385–1433), Alfons V., den Afrikaner (1438–81), Johann II. (1481–95) und Emanuel I., d. Gr. (1495–1521), stieg P. zur führenden See- und Kolonialmacht W-Europas auf. Prinz Heinrich der Seefahrer veranlasste ab 1418 Entdeckungsfahrten längs der W-Küste Afrikas; zugleich wurden Madeira, die Azoren und die Kapverd. Inseln besiedelt. In Marokko eroberten die Portugiesen Ceuta (1415), Tanger (1471) u.a. Küstenplätze. Vasco da Gama gelangte 1498 als Erster auf dem Seeweg um Afrika herum nach Indien, wo durch F. de Almeida und A. de Albuquerque 1505–15 die wichtigsten Handelsplätze (Goa, Hormus, Diu, Malakka) portugiesisch wurden; als P. dann auch Ceylon (1518) und die Molukken (1512/29) gewonnen hatte, beherrschte es den ganzen Handel im Ind. Ozean. Ferner setzte es sich an der west- und ostafrikan. Küste fest; Kolonie in Amerika wurde 1500 Brasilien. In den Verträgen von Tordesillas (1494) und Saragossa (1529) einigten sich P. und Kastilien auf die Aufteilung ihrer Interessensphären. Im Geist des strengen Katholizismus vertrieb Emanuel I. den größten Teil der Juden und Mauren; 1536 wurde die Inquisition eingeführt. Als 1580 das portugies. Königshaus ausstarb, nahm Philipp II. von Spanien das Land in Besitz. Unter der Herrschaft der span. Könige verlor P. seine wertvollsten ostind. Kolonien (Molukken, Ceylon) an die Holländer. Ein Volksaufstand erhob den Herzog Johann von Bragança als Johann IV. zum König von P. (1640–56); er sicherte die Unabhängigkeit, die erst 1668 von Spanien anerkannt wurde. Die Reg. Johanns V. (1706–50) brachte P., v.a. durch das brasilian. Gold, eine kulturelle Blüte. Unter Joseph I. (1750–77) regierte der Marquis von Pombal als leitender Minister im Geist des aufgeklärten Absolutismus. 1807 ließ Napoleon I. P. besetzen (→Napoleonische Kriege); Prinzregent Johann VI. (seit 1792, dann 1816–26 König) floh nach Brasilien. 1808–14 war P. Stützpunkt des brit. Feldherrn Wellington.

Die liberale Revolution von 1820 hatte die Einführung einer Verf. zur Folge, die den Cortes weitgehende Rechte gegenüber dem König einräumte. 1822 erklärte sich Brasilien unter Pedro I. (Peter I.), dem Sohn Johanns VI., für unabhängig. Pedros Tochter Maria da Gloria erhielt 1826 die portugies. Krone; sie wurde 1828 von Johanns jüngerem Sohn Dom Miguel verdrängt, bis Pedro 1832–34 den

Vasco da Gama

Johann IV.,
König von Portugal
(Kupferstich, um 1700)

Portugal

1

2

3

4

| **1** Das an einer Bucht der Algarve-Küste gelegene Fischerdorf Carvoeiro ist heute ein Touristenzentrum | **2** Denkmal des christlichen Eroberers König Sancho I. in Silves; im Hintergrund ist eine Maurenburg aus rotem Sandstein zu sehen | **3** Steinkreuze, wie dieses vor dem Festungsbau bei Sagres, stellten portugiesische Seefahrer an den Küsten Afrikas auf | **4** Korkeichen in der Serra Monchique; Korkeichen werden nur alle 9 Jahre geschält, die aufgemalte Ziffer 7 bezieht sich auf das Schäljahr 1997

António de Oliveira Salazar

Thron für seine Tochter zurückeroberte. Durch ihre Heirat (1836) mit einem Prinzen von Sachsen-Coburg entstand das Königshaus Sachsen-Coburg-Bragança. Die folgenden Jahrzehnte waren von ständigen Parteienkämpfen gekennzeichnet, ein Volksaufstand wurde 1846/47 mit brit. und span. Hilfe niedergeschlagen. Ende des 19. Jh. dehnte P. seinen Kolonialbesitz an der west- und ostafrikan. Küste ins Hinterland aus. Doch blieb es wirtsch. rückständig, die Staatsfinanzen waren zerrüttet. Am 1. 2. 1908 wurden König Karl I. und sein ältester Sohn durch ein Attentat ermordet; sein 2. Sohn, Emanuel II., wurde am 5. 10. 1910 gestürzt. Die Ausrufung der Rep. (1910) brachte dem Land keine Stabilität (1911–26: 44 Regierungen). Die Beteiligung am 1. Weltkrieg (an der Seite der Entente) belastete P. zusätzlich.

Ende Mai 1926 errichtete Gomes da Costa eine Diktatur, trat jedoch im Juni die Macht an General Carmona ab, der 1928–51 Staatspräs. war. Sein leitender Min. Oliveira Salazar wurde 1932 MinPräs. und schuf durch die ständisch-autoritäre Verf. von 1933 den »Neuen Staat« (»Estado Novo«); jede Opposition wurde unterdrückt. Am 2. Weltkrieg nahm P. nicht teil. 1949 trat es der NATO bei. Als letzte europ. Kolonialmacht bemühte sich P. um die Erhaltung seiner Kolonien, auch mit militär. Einsatz. 1968 wurde der schwer kranke Salazar durch M. J. das Neves Alves Caetano abgelöst. Am 25. 4. 1974 stürzte die »Bewegung der Streitkräfte«

(portugies. Abk. MFA) in einer unblutigen Revolution das diktator. Regime. Eine Militärjunta unter General A. S. R. de Spínola übernahm die Reg.; Parteien konstituierten sich neu, die eigentl. Macht konzentrierte sich aber beim Revolutionsrat. Nach Spannungen mit der stark linkssozialistisch ausgerichteten MFA musste Spínola zurücktreten. Unter seinen Nachfolgern Präs. F. da Costa Gomes (1974–76) und MinPräs. V. dos Santos Gonçalves (1974/75) gewann die KP zeitweilig großen Einfluss, die Reg. verstaatlichte Bahnen und Großbetriebe und enteignete Großgrundbesitz. Die Kolonien hatten bereits 1974 die Unabhängigkeit erhalten. Bei den Wahlen zur Nationalversammlung (1976) siegte die Sozialist. Partei (M. Soares Min.-Präs. 1976–78). Mit der Wahl von General A. Eanes zum Staatspräs. (Juni 1976, wieder gewählt im Dez. 1980) setzten sich gemäßigte Kräfte durch. Der Großgrundbesitz wurde zurückgegeben, eine Verf.reform schaffte 1982 den Revolutionsrat ab. Die Staatsbetriebe wurden reprivatisiert. Soares wurde 1986 zum Präs. gewählt (bestätigt 1991). Bei den Parlamentswahlen 1987 erreichten die Sozialdemokraten die absolute Mehrheit (erneut 1991). MinPräs. Cavaco Silva gelang es – nach dem Beitritt zur EG 1986 –, einen deutl. Wirtschaftsaufschwung zu erreichen. Mit Nachdruck verfolgte die Reg. Cavaco Silva eine Politik der Privatisierung staatl. Unternehmen. Infolge zunehmender Kritik im Innern an dem gesellschaftspolit. Kurs der Reg. verlor die Sozialdemokrat. Partei bei den Parlamentswahlen im Okt. 1995 ihre Mehrheit; stärkste Partei wurde die Sozialist. Partei; deren Vors. A.-M. Guterres Ende Okt. 1995 zum Min.-Präs. gewählt wurde. Bei den Präsidentschaftswahlen im Jan. 1996 siegte der Sozialist Jorge F. Branco de Sampaio über Cavaco Silva und löste Soares im Amt ab.

Ende 1992 ratifizierte das Parlament die Verträge von Maastricht. 1994 unterzeichneten sieben portugiesischsprachige Länder (neben P.: Angola, Brasilien, Guinea-Bissau, Kap Verde, Moçambique und Saõ Tomé e Príncipe) eine Absichtserklärung zur Gründung einer »Gemeinschaft lusophoner Staaten« (Ziel: Zusammenarbeit auf wirtsch., sozialem und kulturellem Gebiet). Im Rahmen seiner Europapolitik strebt P. die Teilnahme an der Währungsunion 1999 an.

📖 JACOB, E. G.: *Grundzüge der Geschichte P.s u. seiner Übersee-Provinzen. Darmstadt 1969.* – MARQUES, A. H. DE: *History of P., 2 Bde. A. d. Portugies. New York 1972.* – SALENTINY, F.: *Aufstieg u. Fall des portugies. Imperiums. Wien 1977.* – WEBER, P. : *P. Räuml. Dimension u. Abhängigkeit. Darmstadt 1980.* – FREUND, B.: *P. Stuttgart ²1981.* – KUDER, M.: *P. Reiseführer mit Landeskunde. Buchschlag ²1986.* – SPERLING, U.: *P. – von Salazar zu Soares. Marburg 1987.* – SÄNGER, R.: *P.s langer Weg nach »Europa«. Frankfurt am Main u. a. 1994.*

Portugiesen, Staatsvolk Portugals; roman. Volk, mit den nördlich benachbarten Galiciern nahe verwandt; römisch-kath. Glaubens. Sie sind eine ethn. Mischung aus ligur. Urbev. im S, Iberern in der Mitte und Kelten im N. Der S wurde früh romanisiert und durch die arabisch-berber. Einwanderung stark beeinflusst. P. leben auch in den USA, den ehem. portugies. Kolonien und bilden den Grundstock der brasilian. Bevölkerung.

portugiesische Kunst. Trotz vielfacher Einwirkungen aus Spanien sowie Italien und Frankreich nahm die p. K. seit der Römerzeit eine eigenständige Entwicklung, v. a. in Architektur und Baudekoration. Dies tritt bes. in der Blütezeit in der 1. Hälfte des 16. Jh. (Zeitalter der Entdeckungen) und in der 1. Hälfte des 18. Jh. (Gold- und Diamantenfunde in Brasilien) hervor.

Baukunst: Wichtigste Fundorte der Römerzeit sind Conimbriga (zerstört 468) und der Tempel von Évora (2./3. Jh.; BILD). Aus dem 7. und 10. Jh. sind schlichte frühroman. Kirchenbauten erhalten (São Frutuoso bei Braga; Lourosa). Unter der ersten portugies. Dynastie aus dem Haus Burgund Ausbildung der roman. Baukunst, v. a. kleine, wehrhafte Kirchen mit schmalem, tiefem Sanktuarium (São Martinho de Cedofeita in Porto, 12. Jh.). Den zw. 1140 und 1170 errichteten Kathedralen in Braga, Coimbra, Lissabon und Porto mit Chorumgang und Kapellenkranz dienten die Pilgerkirchen von Santiago de Compostela und Saint-Sernin in Toulouse als Vorbild. Got. Elemente zeigen zuerst die Zisterzienserbauten (Alcobaça, 1148 ff.; Kathedrale von Évora). Beim Bau des Klosters Santa Maria de Vitória (Ende des 14. bis Mitte des 16. Jh.) erfolgte die künstler. Entwicklung von der Hochgotik zum voll ausgebildeten →Emanuelstil (BILD). Weitere Höhepunkte bilden die Christusritterkirche in Tomar, das Hieronymitenkloster von M. Boytac und J. de Castilho sowie der Torre de Belém (BILD Lissabon) von F. de Arruda. Reine Renaissancewerke sind u. a. der Große Kreuzgang des Klosters von Tomar sowie die Kirche Nossa Senhora da Conceição (ebd.). Aus der Barockzeit: Kloster Mafra (1714 ff. von J. F. Ludwig), Schloss Queluz bei Lissabon (1747–55), Univ.bibliothek von Coimbra (1717–28). 1784–1811 entstand die Wallfahrtskirche Bom Jesús do Monte bei Braga. Wichtigste städtebaul. Leistung ist der Wiederaufbau von Lissabon nach dem Erdbeben von 1755 unter Min. Pombal. Im 19. Jh. entstanden historist. Bauten (Palácio da Pena in Sintra, Börse in Porto, Kuppelbau des Rathauses in Lissabon); unter den techn. Bauwerken ist v. a. die doppelstöckige Brücke »Dom Luis I.« (1881–85) in Porto (BILD)bedeutend. Die Architektur des 20. Jh. wird maßgebend

António Ribeiro de Spínola

Mario Soares

Francisco da Costa Gomes

Cavaco Silva

Portugiesische Kunst

1

3

4

2

5

| **1** »Ecce homo«, eines unbekannten Meisters (Ende 15. Jh.; Lissabon, Museu Nacional de Arte Antiga) | **2** Frei Carlos: »Der heilige Antonius von Padua«, Gemäldeausschnitt (um 1530; Lissabon, Museu Nacional de Arte Antiga) | **3** Teilansicht des Zentralbaus und des Innenhofes der im 12. Jh. erbauten Klosterkirche in Toma | **4** Grabmal der Inês de Castro in der Klosterkirche der ehemaligen Zisterzienserabtei in Alcobaça (um 1370) | **5** Maria Elena Vieira da Silva: »Der unsichtbare Spaziergänger« (1951; San Francisco, Fine Arts Museum)

vertreten durch die »Schule von Lissabon« und v.a. durch die »Schule von Porto« unter Führung von A. Siza Vieira (*1933).

Skulptur: In der Gotik gelangte die Grabmalkunst zu hohen Leistungen (Alcobaça: Sarkophage für Pedro I. und Inês de Castro, um 1370; Braga: Sarkophag des Erzbischofs G. Pereira). Der Emanuelstil griff von der Architektur auch auf Mobiliar und Goldschmiedekunst (G. Vicente) über. Höhepunkte der Renaissanceplastik sind das Chorgestühl, die Kirchenväterkanzel (1552) und die Grabmäler in Santa Cruz in Coimbra. Als Zentren der großen Holzaltäre und der figuralen Plastik (J. Machado de Castro) der Barockzeit bildeten sich Coimbra, Lissabon und Évora heraus. Im 19. Jh. traten v. a. António Soares dos Reis (* 1847, † 1889) und Victor Bastos (* 1832, † 1894), im 20. Jh. Francisco Franco (* 1885, † 1955), Leopoldo de Almeida (* 1898, † 1975), Virgilio Domingos (* 1932), José Rodrigues (* 1936), Alberto Carneiro (* 1937) und Zulmiro de Carvalho (* 1932) hervor.

Malerei: Die got. Tafelmalerei des 15. Jh. zeigt eigenwillige Anlehnung an die fläm. Kunst (N. Gonçalves: Vinzenzaltar, 1465–67, Lissabon, Museu Nacional de Arte Antiga; BILD). Unter Emanuel I. bildeten sich Künstlergemeinschaften (»oficinas«) mit Zentren in Viseu (Hauptmeister: Grão Vasco) und Lissabon (J. Afonso). Der bedeutendste portugies. Maler des 16. Jh. war der Mönch Frei Carlos, der bei Évora tätig war. Die Barockmalerei wandte sich neben religiösen Themen v. a. dem Porträt zu (u. a. F. Vieira), das auch im 18. und 19. Jh. gepflegt wurde (D. A. de Sequeira, C. Bordalo de Pinheiro). Zu den Vertretern moderner Malerei gehören António Soares (* 1894, † 1979), Carlos Botelho (* 1899, † 1982), Maria Elena Vieira da Silva (* 1908, † 1992), Nadir Afonso (* 1920), Fernando Lanhas (* 1923), Carlos Calvet (* 1928), João Vieira (* 1934), Ângelo de Sousa (* 1938).

📖 KUBLER, G. *u.* SORIA, M. S.: *Art and architecture in Spain and Portugal and their American dominions, 1500 to 1800. Harmondsworth 1959, Nachdr. ebd. 1969.* – SMITH, ROBERT C.: *The art of Portugal 1500–1800. London 1968.*

portugiesische Literatur. Die älteste p. L. lehnte sich eng an frz.-provenzal. Vorbilder an. Sie brachte keine Epen, sondern ausschließlich Lyrik in galicisch-portugies. Sprache hervor, die in drei Liederbüchern (»Cancioneiros«, etwa 3000 Liebes-, Spott-, Frauenlieder von über 200 Dichtern aus versch. Ständen) überliefert ist. Zu den Dichtern gehören auch die Könige (Sancho I., Dinis); von Alfons X., dem Weisen, von Kastilien sind über 400 Marienlieder (»Cantigas de Santa Maria«) in portugies. Sprache erhalten. Mit dem erwachenden Nationalbewusstsein entstand seit dem 14. Jh. historiograph. Prosa (u. a. Chroniken nach dem Sieg von Aljubarrota über die Kastilier 1385). Der berühmte Ritterroman um →Amadis von Gaula, wahrscheinlich vor 1325 in Portugal entstanden, ist nur in span. Fassung erhalten. Im 15. Jh. orientierte sich die höf. Gelegenheitsdichtung an span. Mustern (»Cancioneiro geral«, zusammengestellt von G. de Resende, 1516).

16. Jh. (Renaissance und Humanismus): Der Begründer des portugies. Dramas, Gil Vicente, füllte die mittelalterlichen Formen (Mysterienspiel und Auto) mit humanist. Geist; weitere Renaissancedramatiker waren J. Ferreira de Vasconcelos, A. Ferreira, der die klass. Tragödie in die p. L. einführte (»Tragédia muy sentida e elegante de D. Inês de Castro«, um 1558, hg. 1587), und F. de Sá de Miranda, der wichtigste Vertreter des portugies. Humanismus, auch bed. Lyriker. Die Mode des Schäferromans griff der spanisch schreibende J. de Montemôr (span. Montemayor) mit großem Erfolg auf (»Diana«, 1559, unvollendet). Die historiograph. Tradition wurde u. a. mit den Schilderungen der Eroberung Indiens fortgeführt (J. de Barros, G. Correia). Bedeutendster Vertreter der p. L. überhaupt war L. Vaz de Camões, dessen histor. Epos »Die Lusiaden« (1572) das portugies. Nationalgefühl vollendet zum Ausdruck bringt.

17. und 18. Jh. (Barock, Aufklärung): Durch die Personalunion zw. Spanien und Portugal (1580–1640) ist die p. L. dieser Zeit stark durch die literar. Strömungen in Spanien beeinflusst (bes. L. de Góngora y Argote). F. Rodrigues Lobo führte die span. Kunstromanze ein, das vielseitige Werk von F. M. de Melo (Dramen, Lyrik, Satiren) zeigt barocken Formenreichtum. Bed. tolerante Schriften verfasste der Jesuit A. Vieira. Im 18. Jh. stand die p. L. im Zeichen der frz., auch der engl. Aufklärung und der Politik des Min. Pombal. Die literar. Gesellschaften »Arcádia Lusitana« (1756–74) und »Nova Arcadia« (1790–94) wurden zum Sammel-

portugiesiche Literatur: Das 17. Sonett aus den 1613/14 entstandenen »Soledades« von Luis de Góngora y Argote in der mit Federzeichnungen versehenen Handschrift von Pablo Picasso

Luis Vaz de Camões (Ausschnitt eines Gemäldes des portugiesischen Malers Fernando Gomes, 1570)

punkt klassizist. Strömungen. Wichtige Vertreter der klassizist. Dichtung waren A. Dinis da Cruz e Silva, F. Manuel do Nascimento, M. M. Barbosa du Bocage.

19. Jh.: Die Romantiker erneuerten alle literar. Gattungen. Beherrschende Persönlichkeit war J. B. da Silva Leitão de Almeida Garrett; sein Drama »Manuel de Sousa« (1844) hatte europ. Bedeutung; der Roman »Der Mönch von Santarem oder Wanderungen in meinem Vaterlande« (1846) markiert den Beginn moderner Prosa in der p. L. Erfolgreiche Gesellschaftsromane und Novellen schrieb C. Castelo Branco; großen Einfluss hatte die Lyrik von A. F. de Castilho. Die Gegenbewegung zur Romantik ging von der »Generation von Coimbra« aus, ihre Wortführer waren die Lyriker A. de Quental und J. M. Eça de Queirós, mit dessen Romanen die p. L. die Hinwendung zum Realismus vollzogen hat.

20. Jh.: Seit etwa 1890 bestimmten die Richtungen der frz. Lit. des Fin de Siècle die p. L. (Lyrik von A. Nobre, E. de Castro, R. G. Brandão u. a.). Mit der Ausrufung der Rep. (1910) gewann der neoromant. Saudosismo Einfluss, der eine geistige Erneuerung durch Rückbesinnung auf nat. Werte erstrebte (Teixeira de Pascoaes). F. Pessoa, der bedeutendste portugies. Lyriker des 20. Jh., wurde vom Saudosismo angeregt, nutzte aber alle Möglichkeiten des Modernismo, ähnlich J. Régio. Vielseitiger Romancier war A. Ribeiro, er gab dem Regionalismus bed. Impulse. Andere Erzähler erweiterten den regionalist. Roman um neorealist. Züge (A. A. Redol, J. M. Ferreira de Castro, F. Namora). Auch die p. L. der 2. Hälfte des 20. Jh., die mit der Rückkehr vieler Autoren aus der Emigration nach 1974 aufblühte, knüpft an Tradition und Gesch. an, sucht aber gleichzeitig durch Weltoffenheit und moderne Gestaltungsweisen ihre krit. Verarbeitung (im Roman u. a. M. Torga, J. Saramago, A. Lobo Antunes, C. de Oliveira, Lídia Jorge, Ilse Losa; in der Dramatik u. a. J. Cardoso Pires, A. M. de Sousa Aragão; in der Lyrik u. a. A. Osório, H. Helder, A. Franco Alexandre).

José Saramago

António Lobo Antunes

📖 ROSSI, G. C.: *Geschichte der p. L. Aus dem Portugies. Tübingen 1964.* – FRANZBACH, M.: *Abriß der span. u. portugies. Literaturgeschichte in Tabellen. Frankfurt am Main u. a. 1968.* – HESS, R.: *Die Anfänge der modernen Lyrik in Portugal: 1865–1890. München 1978.* – KREUTZER, W.: *Stile der portugies. Lyrik im 20. Jh. Münster 1980.* – MENDES, J.: *Literatura portuguesa, 4 Bde. Lissabon ^{2}1981–83.* – SARAIVA, A. J. *u.* LOPES, Ó.: *História da literatura portuguesa. Porto ^{13}1985.* – *Portugies. Romane der Gegenwart. Interpretationen, hg. v.* R. HESS. *Frankfurt am Main 1992.* – HASEBRINK, G.: *Wege der Erneuerung. Portugies. Romane nach der »Nelkenrevolution«. Berlin 1993.* – *Die Schwestern der Mariana Alcoforado. Portugies. Schriftstellerinnen der Gegenwart, hg. v.* E. ENGELMAYER *u. a. Berlin 1993.* – SIEPMANN, H.: *P. L. des 19. u. 20. Jh. in Grundzügen. Darmstadt ^{2}1995.*

portugiesische Musik. Im 12. Jh. traten neben der Musikübung am Hof und beim Volk v. a. die Klöster (u. a. Braga, Coimbra) als musikal. Zentren hervor. Die Vokalpolyphonie des 15./16. Jh. stand unter niederländ. Einfluss. Einen Höhepunkt erreichte sie im 16./17. Jh. mit Komponisten wie D. Lobo, M. Mendes, König Johann IV., J. L. Rebello, M. S. Pereira, F. de Magalhãs u. a. Mit seinen »Flores de música« (1620) veröffentlichte M. R. Coelho die erste gedruckte portugies. Instrumentalmusik. Bed. Musikzentren waren Lissabon, Évora, Vila-Viçosa und Coimbra. Seit Beginn des 18. Jh. wurde bes. die Oper nach italien. Vorbild gepflegt. Wichtigster Repräsentant wurde F. A. de Almeida. Nat. Tendenzen wurden wirksam mit dem Lisztschüler J. Viana da Mota. Im 20. Jh. folgten der allg. europ. Entwicklung u. a. L. de Freitas Branco (* 1890, † 1955), R. Coelho (* 1891, † 1986), F. Lopes Graça (* 1906, † 1994). Neueste Techniken bis zur elektron. Musik vertreten A. L. Cassuto (* 1938), J. Peixinho (* 1940), E. Nunes (* 1941).

📖 BRANCO, J. DE F.: *História da música portuguesa. Mem Martins ^{3}1995.*

portugiesische Sprache, roman. Sprache, die in Portugal (einschl. Madeira und Azoren), in den ehem. portugies. Kolonien und in Brasilien gesprochen wird; Muttersprache von rd. 140 Mio. Menschen. Eng verwandt ist das → Galicische in NW-Spanien; die beiden Sprachen entwickelten sich erst im 12. Jh. getrennt. Vom Altportugiesischen (12. bis Mitte 16. Jh.) wird das Neuportugiesische abgegrenzt. – Das Portugiesische ist v. a. im Wortschatz und in den Flexionsformen altertümlicher als das Spanische; so besitzt es einen persönl. Infinitiv (aus dem lat. Futurum exactum entstanden). Der melod. und weiche Sprachcharakter basiert auf den fünf leicht nasalierten Vokalen, den zwölf Diphtongen, die auch nasaliert auftreten, dem Ausfall von Konsonanten zw. Vokalen in unbetonten Silben, der stimmhaften Aussprache von s bei entsprechender Umgebung und der Palatisierung von Reibelauten. Das brasilian. Portugiesisch weicht erheblich vom europ. Portugiesisch ab.

📖 DIETRICH, W.: *Bibliografia da língua portuguesa do Brasil. Tübingen 1980.* – HUNDERTMARK-SANTOS MARTINS, M.-T.: *Portugies. Grammatik. Tübingen 1982.* – LIND, G. R.: *Weltsprache Portugiesisch, 2 Tle. München ^{7}1982–89.* – FIGUEIREDO BRAUER, F. V. *u.* BRAUER, U.: *Langenscheidts prakt. Lehrbuch Portugiesisch, 2 Bde. Berlin u. a. $^{11-13}$1991.*

Portugiesisch-Guinea [-gi'nea], bis 1974 Name von → Guinea-Bissau.

Portugiesisch-Indien, ehem. portugies. Besitzungen in Indien: →Goa, →Daman und →Diu.

Portugiesisch-Ostafrika, ehem. portugies. Kolonie, →Moçambique.

Portugiesisch-Timor, ehem. portugies. Kolonie, →Timor.

Portugiesisch-Westafrika, ehem. portugies. Kolonie, →Angola.

Portulak [lat.] *der* (Portulaca), Gattung der Portulakgewächse in den wärmeren Gebieten der Erde. Das **Portulakröschen** (Portulaca grandiflora) mit stielrunden, fleischigen Blättern und 2–4 cm großen, häufig roten Blüten ist eine beliebte Sommerblume.

Portulak: Portulakröschen

Portwein [nach der Stadt Porto], roter (seltener weißer) Likörwein aus Trauben, die in N-Portugal im oberen Dourotal angebaut werden. Verarbeitung und Ausbau (5–120 Jahre) erfolgt in Vila Nova de Gaio (gegenüber von Porto).

Portzamparc [pɔrzã'park], Christian de, frz. Architekt, *Casablanca 9. 5. 1944; Vertreter der Postmoderne. Er pflegt eine lebendige Formensprache bei klaren Farbharmonien und einer gelegentlich prätentiösen Gestaltung der Innenräume (Cité de la Musique in La Villette, Paris, 1986–90 und 1990–94).

Porz, rechtsrhein. Stadtteil (seit 1975) von Köln mit dem Flughafen für Köln und Bonn, der Dt. Forschungsanstalt für Luft- und Raumfahrt; Glas- und Elektroind., Fahrzeugbau.

Porzellan [italien.] *das,* aus Gemischen von Kaolin, Feldspat und Quarz durch Brennen hergestelltes feinkeram. Erzeugnis mit weißem, dichtem, in dünnen Schichten transparentem Scherben, das glasiert oder unglasiert verwendet wird. Man unterscheidet das hochschmelzende, gegen Temperaturschwankungen unempfindlichere **Hart-P.** aus 50% Kaolin, 25% Feldspat und 25% Quarz und das leichter schmelzbare, gegen Temperaturschwankungen empfindlichere **Weich-P.** aus 25% Kaolin, 45% Quarz und 30% Feldspat. Zur Herstellung wird das Kaolin geschlämmt und gesiebt, Quarz und Feldspat werden feinkörnig zerkleinert. Die wasserhaltige Mischung wird durch Drehen, Strangpressen, Nasspressen oder Gießen zu Gegenständen geformt. Vor dem Brennen (in Kammer-, Ring- oder Tunnelöfen) werden die Rohlinge getrocknet. Die Brennvorgänge unterscheiden sich nach der Art des P.: Weich-P. wird nur einmal auf 1200–1300°C erhitzt. Hart-P. wird (im sog. Glüh- oder Biskuitbrand) auf 1000°C erhitzt, danach wird die aus Quarz, Marmor, Feldspat und Kaolin zusammengesetzte, fein gemahlene Glasur aufgetragen und im anschließenden Gar- oder Glattbrand bei 1380–1450°C 24 Stunden gebrannt, wobei die Glasur zu einer Glasschicht ausfließt. Unterglasurdekore werden mit dem Garbrand eingebrannt; bei Aufglasurdekoren ist ein zusätzl. Dekorbrand nötig.

P. wird in großem Umfang zur Herstellung von Geschirr verwendet, bes. zusammengesetzte P. mit hoher mechan., therm. und chem. Beständigkeit dienen u.a. der Herstellung von Laborgeräten und Hochspannungsisolatoren.

Geschichte: Das Ursprungsland des P. ist China, wo vermutlich schon im 7. Jh. n. Chr. weiße Ware hergestellt wurde. Seit Ende des 13. Jh. gelangten Einzelstücke chines. P. nach Europa (BILD chinesische Kunst). Versuche, P. nachzuahmen, wurden bereits um 1500 in Venedig und in der 2. Hälfte des 16. Jh. an mehreren italien. Höfen unternommen (→Mediciporzellan); im 17. Jh. gelangten die Delfter Fayencen (→Delft) zur Blüte. In Dtl. vermochte E. W. von Tschirnhaus bereits rotes Steinzeug nach chines. Vorbild zu erzeugen. Ihm und J. F. Böttger (BILD Meißner Porzellan) gelang es 1708, weißes Hart-P. herzustellen. Die erste Manufaktur wurde 1710 gegründet (→Meißner Porzellan). Bald wurde auch in anderen Manufakturen P. hergestellt (→Berliner Porzellan , →Höchst , →Kopenhagener Porzellan, →Ludwigsburger Porzellan, →Nymphenburger Porzellan, →Sèvresporzellan, →Wiener Porzellan, →Worcesterporzellan).

📖 NEWMAN, M.: *Die dt. P.-Manufakturen im 18. Jh., 2 Bde. Braunschweig 1977.* – HOFMANN, F. H.: *Das P. der europ. Manufakturen. Neuausg. Frankfurt am Main 1980.* – MEISTER, P. W. *u.* REBER, H.: *Europ. P. Stuttgart 1980.* – DANCKERT, L.: *Hb. des europ. P. Neuausg. München 1992.* – POCHE, E.: *P.-Marken aus aller Welt. A. d. Tschech. Hanau [9]1992.* – WEISS, G.: *Ullstein-Porzellanbuch. Eine Stilkunde u. Technikgeschichte mit Markenverzeichnis. Frankfurt am Main u. a. 1994.*

Porzellan: Bonbonnière aus Schloss Capodimonte in Neapel (1945; New York, Metropolitan Museum)

Porzellanblümchen, →Steinbrech.

Porzellanblume, →Wachsblume.

Porzellanerde, →Kaolin.

Porzellanschnecken (Cypraeidae), Familie der Schnecken mit zahlr. Arten in allen Meeren; Schale eiförmig, porzellanartig, meist stark gemustert und prächtig gefärbt. Zu den P. gehören u.a. Panther-, Tiger- und Kaurischnecke.

Porzellanschnecken: Pantherschnecke (Länge 5–8 cm)

Porzig, Walter, Sprachwissenschaftler, *Ronneburg (bei Gera) 30. 4. 1895, †Mainz 14. 10. 1961; Prof. in Bern, Jena, Straßburg und Mainz; schrieb »Das Wunder der Sprache« (1950), »Die Gliederung des indogerman. Sprachgebiets« (1954).

Posamenten [frz.], textile Besatzartikel wie Borten, Fransen, Quasten und Schnüre.

Posaune [frz., aus grch.-lat.] *die* (italien. Trombone), Blechblasinstrument mit Kesselmundstück und weichem, füllendem Klang; die zylindr., eng mensurierte Schallröhre verläuft in zwei U-Bogen, wovon einer ausziehbar ist **(Zug-P.).** Der Außen-

Posen 1): Blick auf das inmitten des Marktplatzes gelegene Rathaus aus dem 13./14. Jh. mit seiner 1550–60 umgebauten Renaissancefassade (heute Museum) und die daran anschließenden Bürgerhäuser mit Laubengängen (15.–17. Jh.)

zug ermöglicht eine kontinuierl. Verlängerung bzw. Verkürzung der Rohrlänge (Luftsäule) der P. und damit eine gleitende Veränderung der Tonhöhe (→glissando, →Portamento). – Die P. entstand wahrscheinlich im 15. Jh. aus der Zugtrompete. Im 16. Jh. vereinigte man mehrere P. zu Chören, bes. in der Oper (C. Monteverdi) und in der Kirchenmusik (G. Gabrieli); heute werden v. a. Tenor- und Tenorbass-P. verwendet.

POS-Banking ['pɔs bæŋkɪŋ], →POS-Systeme.

Poschiavo [posˈkia:vo] (dt. Puschlav), Talschaft im Kt. Graubünden, Schweiz, zw. Berninapass und der Grenze zu Italien, von Berninabahn und -straße durchzogen; Hauptort ist P. (3600 Ew.); Fremdenverkehr.

Poseidon, *grch. Mythos:* der Gott des Meeres, Sohn des Kronos und der Rhea; Bruder des Zeus und des Hades, die gemeinsam das Universum unter sich aufteilten; von den Römern dem Neptun gleichgesetzt. Seine Gemahlin ist Amphitrite, Begleiter sind Tritonen und Nereiden; Attribute: Dreizack, Fisch, Delphin.

Posen 1)
Stadtwappen

Posen (polnisch Poznań), **1)** Hauptstadt der Wwschaft Poznań, Polen, an der Warthe, 582 800 Ew.; Erzbischofssitz, Univ., TU, mehrere Hochschulen, Inst. der Poln. Akademie der Wiss., West-Inst. (für dt.-poln. Beziehungen), National-, archäolog. Museum, Theater, botan. und zoolog. Garten; Bau von Schiffs-, Land-, Werkzeugmaschinen, Dieselmotoren, Waggons; Metallverarbeitung, chem., pharmazeut., elektrotechn. und elektron., Textil-, Nahrungsmittelind.; internat. Messen; Verkehrsknotenpunkt, Flughafen. – Dom (urspr. 10. Jh., nach Zerstörung im 11. Jh. wieder errichtet, heute im Zustand des 14./15. Jh.), zahlr. Kirchen aus MA. und Barock; Rathaus (urspr. 13./14. Jh., 1550–60 umgebaut, heute Stadtmuseum), Bürgerhäuser (15.–17. Jh.); Bauten des 20. Jh., u. a. Theater, Univ.bibliothek, neoklassizist. Oper. – Um eine frühslaw. Burg des 8./9. Jh. entstanden, war P. im 10. Jh. Hauptsitz der poln. Herzöge, seit 968 Bischofssitz und seit 1138 Sitz der Herzöge von Großpolen. 1253 legten dt. Kaufleute die Neustadt nach dt. Recht an. 1394 erwarb P. das Stapelrecht, im 16. Jh. erlebte es eine wirtsch. und kulturelle Blüte. 1793 kam P. an Preußen, 1815 wurde es Hptst. des Großherzogtums (Prov.) sowie Sitz des Erzbistums P.-Gnesen. 1848 Zentrum der poln. Nationalbewegung in Preußen. Durch den Aufstand vom 27. 12. 1918 fiel die Stadt an Polen. Im 2. Weltkrieg (1939–45) unter dt. Besetzung (Hauptort des Reichsgaues Wartheland). – Der **Posener Aufstand** (Juni 1956) führte im Okt. 1956 zu einer Umbesetzung der Partei- und Staatsführung in Polen.

2) ehem. preuß. Prov. **Großherzogtum P.,** 1815 gebildet aus bereits zw. 1793 und 1807 an Preußen gefallenen poln. Gebieten, kam 1919 an Polen zurück, Randgebiete zur Prov. **Grenzmark Posen-Westpreußen.**

Posidoni|enschiefer, 1) Schiefer des unteren Karbon im östl. Rhein. Schiefergebirge und Harz; 2) Schiefer des oberen Lias; beide benannt nach ausgestorbenen Muschelgattungen.

Poseidon setzt zum Wurf mit dem Dreizack an, Silbermünze aus Paestum (540 v. Chr.)

Position [lat.] *die,* **1)** *allg.:* Ort, Lage; (berufl.) Stellung; Standpunkt, Einstellung, Standort.

2) *Astronomie:* Ort eines Gestirns an der Himmelskugel (→astronomischer Ort).

3) *Sport:* 1) Rang eines Sportlers oder einer Mannschaft im Gesamtklassement oder im laufenden Wettbewerb. 2) Platz eines Spielers in einer Mannschaftsaufstellung.

4) *Tanz:* die Grundstellung der Füße (als Grundlage der klass. Ballettechnik); man unterscheidet fünf P., die von P. Beauchamps festgelegt wurden.

Positions|astronomie, die →Astrometrie.

Positionslichter (Positionslaternen, Positionslampen), Leuchten zur Kennzeichnung von Wasser- und Luftfahrzeugen (→Lichterführung).

positiv [lat.], **1)** *allg.:* bejahend, zustimmend; günstig, vorteilhaft; sicher, tatsächlich.

2) *Mathematik:* p. heißen Zahlen, die größer als 0 sind. Zeichen: +. Eine Drehung heißt p., wenn sie der Drehung des Uhrzeigers entgegengesetzt ist.

Positiv, 1) *das, Fotografie:* tonwert- (und seiten)richtige, als Farb-P. auch farbenrichtige Kopie von einem fotograf. Negativ.

2) *das, Musik:* kleine, transportable Orgel mit nur einem Manual, wenigen Registern und ohne Pedal. Das P. diente als Solo- wie auch als Begleitinstrument; Blütezeit 15.–18. Jahrhundert.

3) *der, Sprachwiss.:* Grundstufe, die ungesteigerte Form des Adjektivs (→Komparation).

positive Vertragsverletzung (positive Forderungsverletzung), innerhalb eines Schuldverhältnisses jede schuldhafte, nicht unerhebl. Pflichtverletzung im Sinne einer Schlechterfüllung, die nicht in Schuldnerverzug oder Unmöglichkeit der Leistung besteht. Als p. V. kommt jede Handlung oder Unterlassung in Betracht, die zu mangelhafter Erfüllung einer vertragl. Pflicht führt, z. B. Lieferung eines kranken Tieres, das andere Tiere des Gläubigers ansteckt. Rechtsfolgen sind Rücktrittsrecht oder Schadensersatz (analog §§ 280, 286, 325 ff. BGB).

Positivismus [lat.] *der,* i. e. S. eine Richtung der Philosophie und Wiss.theorie im 20. Jh.; i. w. S. ein Methodenideal. – Im Ggs. zum Rationalismus geht der P. davon aus, dass die Quelle der Erkenntnis das erfahrungsmäßig Gegebene (»Positive«), die »Tatsache« sei. Dieser Tatsachenstandpunkt ist z. T. im Sinn des Realismus und Empirismus auf das empirisch Gegebene, z. T. im Sinn eines »Bewusstseinsidealismus« auf die vermittelnde Empfindung (Esse est percipi) gerichtet. Allg. wiss. Aussagen seien durch Induktion aus dem Gegebenen gewonnen. Als Ideal der Erkenntnis gilt die in den exakten Naturwiss. erstrebte, auf dem Experiment beruhende Feststellung von Gesetzmäßigkeiten in mathemat. Form; dieser Typus des Denkens soll nach Möglichkeit auch in den Geisteswiss. verwirklicht werden. – Der P. beeinflusste viele wiss. Disziplinen hinsichtlich ihrer Methodik. – Ansätze zum P. finden sich im Altertum bei einigen Sophisten. In der Neuzeit vertraten D. Hume, J. S. Mill, E. Mach, R. Avenarius, E. Dühring, E. Laas, H. Vaihinger u. a. ein positivist. Weltbild. A. →Comte erhob den P. zu dem Wissenschaftsideal, das seit etwa 1850 mehrere Jahrzehnte herrschend wurde. Radikalisiert wurde der positivist. Ansatz im →Neopositivismus des Wiener Kreises.

📖 KAMITZ, R.: *P. München 1973.* – KOLAKOWSKI, L.: *Die Philosophie des P. Aus dem Poln. München* ²*1977.* – HALFPENNY, P.: *Positivism and sociology. London 1982, Nachdr. Aldershot 1992.* – BRYANT, C. G. A.: *Positivism in social theory and research. New York 1985.* – HABERMAS, J.: *Erkenntnis u. Interesse. Frankfurt am Main* ¹¹*1994.*

Positivismusstreit, gesellschaftstheoret. Auseinandersetzung der 1960er-Jahre über Methoden und Werturteile in den Sozialwiss., in der die Vertreter der →kritischen Theorie (T. W. Adorno, J. Habermas) gegenüber denen des →kritischen Rationalismus (K. R. Popper, H. Albert) den Vorwurf des Positivismus erhoben.

Positivmodulation, *Fernsehtechnik:* Amplitudenmodulationsverfahren, bei dem große Bildhelligkeit großen Bildträgeramplituden entspricht; Ggs.: Negativmodulation.

Positiv-Positiv-Verfahren (Direktduplikatverfahren), fotograf. Verfahren zur Herstellung positiver Duplikate von positiven Vorlagen ohne den Umweg über ein Negativ.

Positron [lat.] *das,* Symbol $\mathbf{e}^+$, Elementarteilchen aus der Gruppe der →Leptonen mit gleicher Masse und dem Betrag nach gleicher Ladung wie das →Elektron, jedoch mit positivem Vorzeichen der Ladung. Das P. ist das →Antiteilchen des Elektrons. Die Existenz des P. wurde 1928 von P. Dirac aufgrund seiner relativist. Theorie des Elektrons postuliert und 1932 von C. D. Anderson in der kosm. Strahlung nachgewiesen. P. entstehen u. a. beim Zerfall bestimmter künstl. Radionuklide (→Betastrahlung) und durch →Paarbildung. Energiearme P. zerstrahlen mit einem Elektron zu zwei oder drei Gammaquanten.

Positronenemissionstomographie [lat.-grch.] (Positronen-CT), Abk. **PET,** bildgebendes Verfahren, bei dem mithilfe der →Computertomographie die Aktivitätsverteilung der in den Körper aufgenommenen, Positronen abstrahlenden Radiopharmaka aufgezeichnet wird; angewendet z. B. zum Nachweis von Stoffwechselstörungen des Herzens und des Gehirns und in der geburtshilfl. Diagnostik.

Positronium [lat.] *das,* Symbol **Ps,** ein →exotisches Atom.

Posse, Bez. für versch. in der Tradition des Mimus, des Fastnachtsspiels und der Commedia dell'Arte stehende Formen des volkstüml. komischen Theaters in der neuzeitl. Literatur; kennzeichnend sind bes. das oft improvisierte einfache Handlungsgefüge, die vordergründige Situations- oder Charakterkomik; im Mittelpunkt steht meist die kom. Person. Im volkstüml. Rahmen entwickelte sich seit der 2. Hälfte des 18. Jh. die **Wiener Lokal-P.** mit »Hans Wurst«, »Kasperl«, »Thaddädl« und »Staberl« als kom. Personen; Höhepunkt waren die P. von J. Nestroy.

Possessivpronomen [lat.], →Pronomen.

possessorisch, *Recht:* den Besitz betreffend.

Pößneck, Stadt im Saale-Orla-Kr., Thür., in der Orlasenke, 15 100 Ew.; Druckerei, Wälzlagerbau, Textil-, Leder- u. a. Ind. – Spätgot. Pfarrkirche (1390 ff.), Rathaus (1478–1531). – 1324 als Stadt gen.; bis 1994 Kreisstadt.

Poßruck (slowen. Kozjak), Teil des Steir. Randgebirges; in Österreich und Slowenien, bis 1049 m ü. M.; über den Kamm (außer im O) verläuft die österr.-slowen. Grenze.

POS-Systeme [POS Abk. von **P**oint **o**f **S**ale, »Ort des Verkaufs«] (POS-Banking), bargeldloses Zahlungsverfahren im Einzelhandel u. a. Dienstleistungsunternehmen mittels Zahlungskarten, wie Kunden-, Kredit- oder Eurochequekarte (ec-Karte), und persönl. Identifikationsnummer (PIN) ohne Scheckformular. Beim POS-S. auf Basis der ec-Karte **(Electronic Cash)** werden die Daten der ec-Karte und die PIN von einem Datenlesegerät an der Ladenkasse (POS-Terminal) erfasst und an einen zentralen Rechner der Banken zur Autorisierung weitergeleitet. Anschließend wird das Kundenkonto belastet und der Kaufpreis dem Konto des Händlers gutgeschrieben. Im Rahmen von POS-S. können auch Chipkarten eingesetzt werden, auf denen ein Guthaben gespeichert ist, das bei einem Kauf am POS-Terminal um den zu zahlenden Betrag reduziert wird.

Post [italien., von mlat. posita »Standort (für Pferdewechsel)«], → Post- und Fernmeldewesen.

Post, Herbert, Schriftkünstler, Buchgestalter, *Mannheim 13. 1. 1903, †Bayersoien (Kr. Garmisch-Partenkirchen) 9. 7. 1978. Seine aus der Schreibschrift entwickelten Druckschriften fanden weite Verbreitung, z. B. P.-Antiqua (1932).

post... [lat.], nach..., hinter...

Postament [lat.] *das,* Sockel, Unterbau (einer Säule oder Statue).

post Christum [lat.], Abk. **p. Chr.,** nach Christus; **post Christum natum,** Abk. **p. Chr. n.,** nach Christi Geburt.

Postdienst, → Deutsche Post AG.

Poster [engl. ˈpəʊstə; engl. »Plakat«] *das,* auch *der,* Variante des → Plakats (BILDER) ohne direkte Information; Druck (mit Motiven aus Kunst oder Fotografie), vorwiegend als Dekorationselement für Innenräume bestimmt, auch als Anschlag, wobei das P. dem Werbeplakat ähnlich sein kann. Das P. kam in den 1960er-Jahren v. a. als Pop-P. aus den USA nach Europa.

Postgeheimnis, → Brief-, Post- und Fernmeldegeheimnis.

Postgesetz, → Postreform.

postglazial [lat.], nacheiszeitlich.

Postglossatoren [lat.] (Kommentatoren), die Mitgl. einer italien. Rechtsschule von 1250 bis 1500 (bes. Bartolus de Sassoferrato und Baldus de Ubaldis), die auf den Leistungen der → Glossatoren fußten; Begründer der europ. Rechtswissenschaft.

Posthornschnecke
(Gehäuse bis 3 cm breit)

Posthornschnecke (Planorbarius corneus), Wasserlungenschnecke mit scheibenförmigem, bis 3 cm breitem Gehäuse; lebt in pflanzenreichen Kleingewässern Europas und Westasiens.

Postille [zu lat. post illa (verba) »nach jenen (Worten)«], Bez. für die Auslegung eines Bibeltextes; Predigtsamml. für den kirchl. und häusl. Gebrauch; z. B. M. Luthers Kirchen-P. (1527) oder die Haus-P. L. Goffinés (1690).

postindustrielle Gesellschaft (nachindustrielle Gesellschaft), gesellschaftstheoret. Bez. für den Übergang der Ind.gesellschaft in andere Gesellschaftsformen, die z. B. gekennzeichnet sind durch die Verschiebung der Produktions- und Erwerbsstruktur hin zu Dienstleistungen (→ Dienstleistungsgesellschaft) oder die zunehmende Bedeutung von Information und Kommunikation (→ Informationsgesellschaft). Die p. G. unterliegt zunehmendem Einfluss von Verwissenschaftlichung, Technisierung und Informationstechnologie, lässt aber neben der fortschreitenden Globalisierung auch das Bedürfnis nach Selbstverwirklichung in den Vordergrund treten.

📖 INGLEHART, R.: *Kultureller Umbruch. A. d. Engl. Frankfurt am Main 1989.* – BELL, D.: *Die nachindustrielle Gesellschaft. A. d. Amerikan. Neuausg. Frankfurt am Main 1996.*

postlagernd, Vermerk für Briefsendungen, die nicht zugestellt, sondern beim Zustellstützpunkt (frühere Bez. Zustellpostamt) 14 (Nachnahmesendungen sieben) Werktage zur Abholung bereitgehalten werden sollen.

Postleitzahl, postal. Leitangabe nach einem numer. Code zur eindeutigen Bez. des Bestimmungsortes sowie zur Vereinfachung und Beschleunigung des Postverkehrs. In Dtl. gilt seit 1. 7. 1993 ein einheitl. P.-System mit fünf Ziffern. Die ersten beiden Ziffern stehen für die Region, die drei letzten Ziffern bilden den Zustellschlüssel für Stadt, Stadtteil, Straße bzw. für Großkunden oder Postfachschränke. P. wurden 1941 in Dtl. eingeführt, 1961 in der Bundesrep. Dtl., 1964 in der Schweiz, 1966 in Österreich. Bei Auslandssendungen wird vielfach das Nationalitätenkennzeichen für Kfz der P. vorangesetzt.

Postmoderne [lat. »Nachmoderne«], zentraler Begriff der Kulturtheorie, der in den 1930er-/1940er-Jahren seinen Ursprung hat und seit Ende der 1960er-Jahre gebräuchlich ist für Wandlungen und Umbrüche v. a. in Architektur, bildender Kunst, Lit., Musik und Tanz. Der Name steht für eine Vielfalt von Konzeptionen, die sämtlich eine Relativierung überkommener Wertmaßstäbe spiegeln. Der entscheidende Unterschied zur klass. Moderne besteht einerseits in der Ablehnung ihrer

Forderung nach ständiger Neuerung, andererseits in einem neuen Interesse für Tradition und Geschichte. Der von der amerikan. Literaturdebatte seit 1959 formulierte Begriff der P. wurde 1975 von dem Architekturtheoretiker C. Jencks auf Erscheinungen der Gegenwartsarchitektur übertragen, die durch Bestrebungen charakterisiert werden, den Funktionalismus und Rationalismus u.a. durch spieler. Umgang mit Bauformen und Stilmixturen, Bekenntnis zu lokalen und regionalen Eigenheiten, bewussten Rückgriff auf Historisches aufzubrechen. Für die anderen Bereiche ist der Begriff weniger fest umrissen; praktiziert wird ein Stilpluralismus, der die P. auch dem Vorwurf der Unverbindlichkeit und Beliebigkeit ausgesetzt hat.

In der bildenden Kunst wurde von dem Kunsthistoriker A. Bonito der Begriff Transavantgarde geprägt für Tendenzen eines radikalen Individualismus, der in seine vielfältigen Ausdrucksmöglichkeiten histor. Stilzitate, überlieferte oder private Mythologien (→individuelle Mythologie) einschließt (→Neue Wilde, →Arte cifra, New-Image-Painting). – In der Literatur wird der Prozess- und Spielcharakter betont, Fiktion und Realität sollen nicht mehr unterscheidbar sein. Häufige Stilmittel sind Groteske, Satire und Parodie; Mythos, Sciencefiction, Kriminalroman und Comic werden postmodernistisch umfunktioniert. – Pluralität ist auch die Grundtendenz jener zeitgenöss. Philosophie, die unter der Zusammenfassung P. allg. übergreifende Ideen und Bekenntnisse ablehnt.

📖 JENCKS, C.: *Die Sprache der postmodernen Architektur. A. d. Engl. Stuttgart* [3]*1988.* – *Postmodern fiction in Europe and the Americas, hg. v.* T. D'HAEN *u. a. Amsterdam 1988.* – FECHNER, F.: *Politik u. P. Postmodernisierung als Demokratisierung? Wien 1990.* – *Technolog. Zeitalter oder P.?, hg. v.* W. C. ZIMMERLI. *München* [2]*1991.* – *P. Zeichen eines kulturellen Wandels, hg. v.* A. HUYSSEN *u.* K. R. SCHERPE. *Neuausg. Reinbek 1993.* – WELLMER, A.: *Zur Dialektik von Moderne u. P. Frankfurt am Main* [5]*1993.* – *Jenseits des Diskurses. Literatur u. Sprache in der P., hg. v.* A. BERGER *u. a. Wien 1994.* – MOCEK, R.: *Die P. – intellektuelle Mode oder Kulturzeichen der Gegenwart? Velten 1995.* – WELSCH, W.: *Unsere postmoderne Moderne. Berlin* [5]*1997.*

Postmonopol, →Postreform, →Postzwang.

post mortem [lat.], Abk. **p. m.,** nach dem Tod.

postnumerando [lat.], nachträglich zahlbar (oder gezahlt); Ggs.: pränumerando.

Postojna [pɔs'to:jna] (dt. Adelsberg), Stadt in Slowenien, auf einer Karsthochfläche, 550 m ü. M., 6300 Ew.; Inst. für Höhlenforschung; bed. Fremdenverkehr dank der nordwestlich gelegenen **Adelsberger Grotten (Postojnska jama),** eines der großartigsten Tropfsteinhöhlensysteme der Erde; bisher 22 km erforscht, davon 4300 m für Touristen erschlossen.

Postpainterly Abstraction [pəʊst'peɪntəlɪ æb'strækʃn] (Neue Abstraktion), Bez. für Richtungen der zeitgenöss. Malerei, die sich (im Ggs. zum Actionpainting) auf die Ausdruckskraft der reinen Farbe konzentrieren (Farbfeldmalerei, Hardedge).

Postmoderne in der Architektur: Der »Palacio d'Abraxas« in Marne-la-Vallée bei Paris wurde 1978–83 von dem katalanischen Architekten Ricardo Bofill erbaut

Postreform, die seit 1989 schrittweise erfolgte Neuordnung des Post- und Fernmeldewesens in Dtl. Die mit dem Poststruktur-Ges. vom 8. 6. 1989 zum 1. 7. 1989 in Kraft getretene **P. I** umfasste im organisator. Bereich die Trennung der politisch-hoheitl. Aufgaben von den betrieblich-unternehmer. Funktionen und im ordnungspolit. Bereich die Öffnung des Telekommunikationssektors für den Wettbewerb unter Aufhebung des Fernmeldemonopols bis auf ein eingeschränktes Netzmonopol und das Sprachtelefonmonopol. Die bislang von der Dt. Bundespost (DBP) wahrgenommenen unternehmer. Aufgaben wurden auf die drei als Gesellschaften neu gegründeten öffentl. Unternehmen DBP Postdienst, DBP Postbank und DBP Telekom übertragen; die Hoheitsaufgaben, wie Regulierung und Wahrnehmung der Eigentümerrechte und -pflichten, verblieben beim Bundesministerium für Post- und Fernmeldewesen, das in Bundesministerium für Post und Telekommunikation (BMPT) umbenannt wurde.

Mit der im Postneuordnungs-Ges. vom 14. 9. 1994 geregelten und zum 1. 1. 1995 in Kraft getretenen **P. II** erhielten die drei Postunternehmen die Rechtsform einer AG. Seit der Änderung des Art. 87 Abs. 1 Satz 1 GG ist das Anbieten postal. und telekommunikativer Dienstleistungen keine öffentl. Aufgabe mehr, sondern eine ausschließlich private Tätigkeit, die von der →Deutschen Post AG, der →Deutschen Postbank AG, der →Deutschen Telekom AG und privaten Anbietern wahrgenommen wird. Wegen des von der EU-Kommission beschlossenen Wegfalls des Netz- und Sprachtelefonmonopols zum 1. 1. 1998 wurde durch ein neues Telekommunikations-Ges. der ordnungspolit. Teil der P. I vollzogen (umgangssprachl. P. III). Sie regelt die Bedingungen für den Markteintritt von privaten Netzbetreiberdiensten und stellt ein flächendeckendes Angebot an Telekommunikationsdienstleistungen, den »Universaldienst«, sicher. Die Aufsicht über den Post- und Telekommunikationsbereich soll eine eigene Regulierungsbehörde übernehmen; das Bundesministerium für Post und Telekommunikation wurde zum 31. 12. 1997 aufgelöst. Mit der P. wurde auch die Aufhebung des Postmonopols beschlossen, das aber bis Ende 2002 eingeschränkt (Briefe bis 200 g, Infopost bis 50 g) bestehen bleibt (geregelt im am 1. 1. 1998 in Kraft getretenen Postgesetz).

Ähnliche grundlegende Reformen des Post- und Fernmeldewesens wurden bzw. werden auch in Österreich und der Schweiz durchgeführt.

Postregal, früher das ausschließlich dem König, Landesherrn oder Staat vorbehaltene Recht, Postanstalten zu errichten und zu betreiben, v. a. das Beförderungsmonopol für bestimmte Gegenstände.

PostScript, imperative Programmiersprache für die geräteunabhängige Beschreibung von Druckseiten, die alle auf einer Druckseite auszugebenden Daten (Text, Bilder, Grafiken) und ihre Positionen auf eine normierte Datenstruktur bringt. P. wurde etwa 1982 von der amerikan. Firma Adobe Systems entwickelt und hat sich mittlerweile zu einem Quasistandard herausgebildet. Eine Weiterentwicklung stellt P. Level 2 dar, u. a. mit einer verbesserten Datenkompression.

Postskript (Postskriptum) [lat.] *das,* Abk. **PS,** Nachschrift (zu einem Brief).

Post- und Fernmeldewesen: Ein Postreiter trägt die Kunde vom Westfälischen Frieden 1648 durch Europa, zeitgenössischer Holzschnitt (Staatsbibliothek zu Berlin – Preußischer Kulturbesitz)

Post & Telekom Austria AG, Abk. **PTA,** das in Österreich für das Post-, Postauto- und Fernmeldewesen zuständige Unternehmen; 1996 hervorgegangen aus der Österr. Post- und Telegraphenverwaltung, die dem Bundesmin. für öffentl. Wirtschaft und Verkehr zugeordnet war.

Postulat [lat. »Forderung«] *das,* **1)** *allg.:* unbedingte (sittl.) Forderung.

2) *Philosophie:* unbeweisbare, aber unentbehrl. Annahme. Nach Kants Vernunftkritik sind die Willensfreiheit, die Unsterblichkeit der Seele und das Dasein Gottes P. der prakt. Vernunft, zwar unbeweisbar, aber notwendige Voraussetzungen moral. Handelns.

postum [lat. postumus »nachgeboren«, eigtl. »Letzter«], nach jemandes Tode erfolgend (eine Ehrung, Rehabilitierung, Veröffentlichung eines nachgelassenen Werkes), nachgeboren.

Postumus, Marcus Cassianius Latinius, Usurpator (Gegenkaiser) in Gallien (seit 260), † (ermordet) bei Mogontiacum (heute Mainz) 269; Heerführer des Kaisers Gallienus; wurde zum Kaiser ausgerufen und begründete ein von Rom unabhängiges gall. Sonderreich (Gallien, Britannien, Teile Spaniens), das bis 273 bestand.

Post- und Fernmeldewesen (Postwesen, Post), Zweig des Sektors Dienstleistungen, der die Bereiche Nachrichten-, Güter-, Zahlungs- und Personenverkehr (Postbus) umfassen kann; Kernbereiche des Postwesens sind der Brief- und der Paketdienst, Kernbereich des Fernmeldewesens (heute meist Telekommunikation gen.) ist der Fernsprechdienst. In den meisten entwickelten Ländern war das P.- u. F. lange Zeit in Form von staatl. Dienstleistungsunternehmen mit Monopolstellung, Annahmezwang, Tarif- und Betriebspflicht organisiert (→Deutsche Bundespost). Durch grundlegende Neuordnung (→Postreform) wird die vormals öffentl. Aufgabe zunehmend privatisiert und dem Wettbewerb mit privaten Anbietern von Postdienstleistungen ausgesetzt. – Institutionen des P.- u. F. in *Österreich* sind die →Post & Telekom Austria AG, in der *Schweiz* die →Schweizerischen Post-, Telefon- und Telegrafenbetriebe.

Geschichte: Ende des 15. Jh. begann der Aufbau des Postwesens im heute übl. Sinne. Die Familie Taxis, später das Haus Thurn und Taxis, übernahm die Trägerschaft des Nachrichtenwesens in weiten Teilen Dtl.s und Mitteleuropas. Franz von Taxis (* 1459, † 1517) richtete die erste durch Dtl. führende Postlinie von Innsbruck nach Mecheln ein. Kaiser Rudolf II. erklärte 1579 die Post zu einem kaiserl. Regal. Nach dem Span. Erbfolgekrieg verlor das Haus Thurn und Taxis seine Posteinrichtungen in den span. Niederlanden und verlegte die Zentralverwaltung von Brüssel nach Frankfurt am Main. 1806 verlor die Thurn und Taxis'sche Post ihren Charakter als kaiserl. Reichspost. 1867 übernahm Preußen die Thurn und Taxis'sche Postverwaltung.

Die Möglichkeit der Nachrichtenübermittlung durch Telegrafie wurde in größerem Maße seit dem 19. Jh. genutzt. In Preußen bestand von 1833 bis 1849 eine opt. Telegrafenlinie von Berlin nach

Post- und Fernmeldewesen: Standbriefkasten der Reichspost (um 1900; Frankfurt am Main, Bundespostmuseum)

Koblenz. Erste größere Zusammenschlüsse im Bereich des Postwesens waren der Dt.-Österr. Postverein (1850–66) und der Dt.-Österr. Telegraphenverein (1850–65). Im Norddt. Bund wirkte als Verkehrsanstalt die Norddt. Bundespost bis zur Reichsgründung 1871. Die dann entstandene Reichspost umfasste auch Elsass-Lothringen und Baden, während Bayern und Württemberg ihre eigenen Postverw. noch bis 1920 behielten. 1924 entstand die Dt. Reichspost mit eigener Haushalts- und Rechnungsführung; sie bestand bis 1945. Nach dem 2. Weltkrieg wurden in den vier Besatzungszonen zunächst eigene Postverw. gebildet; 1950 wurden diese in der Bundesrep. Dtl. dem Bundesministerium für das P.- u. F. unterstellt und die Dt. Bundespost geschaffen. – Die internat. Postsprache ist Französisch (→ Weltpostverein).

📖 BEHRINGER, W.: *Thurn u. Taxis. Die Geschichte ihrer Post u. ihrer Unternehmen. München u. a. 1990.* – IHLEFELD, H. *u.* LOTZ, W.: *Bilder aus der Postgeschichte. Heidelberg 1990. – Die Post in ihrer Zeit. Eine Kulturgeschichte menschl. Kommunikation, bearb. v.* H. GLASER *u.* T. WERNER. *Heidelberg 1990.*

Postwertsendungen, Briefe und Pakete, die gegen besonderes Entgelt unter Wertangabe versandt werden. Die Post haftet innerhalb bestimmter Grenzen.

Postwertzeichen, Wertzeichen zum Freimachen von Postsendungen (→ Briefmarke).

Postwurfsendungen, aufschriftlose Infopost oder Warensendungen mit gleichem Inhalt, die von der Post meist an alle Haushalte in einem Zustellbezirk verteilt werden sollen.

Postzeitungsdienst, die Vermittlung von Zeitungs- und Zeitschriftenbestellungen zw. Bezieher und Verleger sowie die Beförderung von Zeitungen und Zeitschriften als Postsendungen **(Pressepost).**

Postzwang, heute als Beförderungsvorbehalt geregelte ausschl. Befugnis einer bestimmten Postorganisation zur entgeltl. Beförderung von Nachrichtensendungen von Person zu Person. Im Rahmen der Neuordnung des Postwesens war in Dtl. der P. in Bezug auf schriftl. Mitteilungen, ausgenommen gewisse Massendrucksachen, dem Postdienst (Dt. Post AG) vorbehalten worden. Dieser Vorbehalt ist bis zum 31. 12. 2002 auf Briefe bis 200 g Gewicht beschränkt; danach erlischt diese Exklusivlizenz (§ 51 Postgesetz).

Potemkin [-ˈtjɔm-], → Potjomkin.

potent [lat.], **1)** *allg.:* mächtig, einflussreich; finanzstark, zahlungskräftig.

2) *Medizin:* fähig, den Geschlechtsverkehr zu vollziehen (vom Mann); zeugungsfähig.

Potentat [aus lat. potentatus »Macht«] *der,* Machthaber, Herrscher.

Potentilla [lat.], die Pflanzengattung → Fingerkraut.

Potenz [lat.] *die,* **1)** *Biologie:* die Fähigkeit einer Zelle, eines Keimes oder eines Gewebes zu Entwicklungsleistungen.

2) *Mathematik:* das Produkt einer Anzahl n gleicher Faktoren a, geschrieben a^n (gesprochen a hoch n oder a in der n-ten P.); a heißt **Basis** (Grundzahl), n **Exponent** (Hochzahl); z. B. $a \cdot a = a^2$ (zweite P. oder Quadrat von a); $a \cdot a \cdot a = a^3$ (dritte P. oder Kubus von a). Man setzt für $a \neq 0$

$$a^0 = 1 \text{ und } a^{-n} = 1/a^n,$$

Für $a>0$ und ganzzahlige n und m ($n>0$)

$$a^{1/n} = \sqrt[n]{a}, \quad a^{m/n} = \sqrt[n]{a^m} = \left(\sqrt[n]{a}\right)^m.$$

Für das Rechnen mit P. gelten die P.-Gesetze:

$$a^x \cdot a^y = a^{x+y}, \quad a^x \cdot b^x = (a \cdot b)^x$$

$$(a^x)^y = a^{xy}, \quad \frac{a^x}{a^y} = a^{x-y}, \quad \frac{a^x}{b^x} = \left(\frac{a}{b}\right)^x.$$

3) *Pharmazie:* bei homöopath. Mitteln der Verdünnungsgrad; **Dezimal-P.** (D 1 = 1:10; D 2 = 1:100) und **Centesimal-P.** (C 1 = 1:100; C 2 = 1:10000).

4) *Philosophie:* Möglichkeit, Vermögen, innewohnende Kraft. Von Aristoteles und von der Scholastik wird P. (grch. dynamis) vom **Akt** (der Wirklichkeit eines Seienden, grch. energeia) unterschieden; von Aristoteles entwickeltes Begriffspaar, um Bewegung und Veränderung widerspruchsfrei erklären zu können.

5) *Sexualwiss.:* Zeugungsfähigkeit oder das Vermögen des Mannes zum Geschlechtsverkehr.

Potenza, 1) Provinz in der Region Basilicata, Italien, 6545 km², (1995) 405500 Einwohner.

2) Hptst. von 1) und der Region Basilicata, auf schmalem Höhenrücken gelegen, 67200 Ew.; Erzbischofssitz; Handels-, Verw.- und Schulstadt; Verkehrsknotenpunkt. – Dom (18. Jh.) mit Resten des Vorgängerbaus.

Potenzial [lat. »Vermögen«, »Kraft«] *das* (Potential), **1)** *allg.:* die Gesamtstärke der für einen bestimmten Zweck einsetzbaren Mittel (z. B. Industrie-P., Kriegs-P.), Leistungsfähigkeit (z. B. eines Wirtschaftszweiges).

2) *Physik:* i. e. S. eine skalare physikal. Größe $V = V(\boldsymbol{r})$, die nur von den Ortskoordinaten (x, y, z) bzw. dem Ortsvektor $\boldsymbol{r}(x, y, z)$ abhängt, z. B. Gravitations-, Strömungspotenzial. Das P. ist eine für ein wirbelfreies Vektorfeld (→Feld) kennzeichnende Größe, aus der durch Gradientenbildung die auf einen Massenpunkt wirkende Kraft bzw. Feldstärke folgt. Ist das Vektorfeld ein Kraftfeld $\boldsymbol{F}(\boldsymbol{r}) = \mathrm{grad}\, V(\boldsymbol{r})$, so ist das zugehörige P. $V(\boldsymbol{r})$ die potenzielle Energie, die häufig kurz als P. bezeichnet wird. Die **P.-Differenz** $V(\boldsymbol{r}_2) - V(\boldsymbol{r}_1)$ ist ein Maß für die Arbeit, die verrichtet werden muss, um einen Massenpunkt längs eines beliebigen Weges von $\boldsymbol{r}_1$ nach $\boldsymbol{r}_2$ zu bringen. Beim **elektr. P.** ergibt dessen negativer Gradient die elektr. Feldstärke eines elektr. Feldes; die P.-Differenz zw. zwei Raumpunkten ist die elektr. Spannung. – I. w. S. wird als P. eine von bestimmten physikal. Größen (z. B. Ortskoordinaten) abhängende Funktion **(P.-Funktion)** V bezeichnet, die der **P.-Gleichung** (→Laplace-Gleichung) $\Delta V = 0$ genügt. So können aus **thermodynam. P.** wie innere Energie, Enthalpie die wichtigsten Zustandsgrößen des Systems wie Druck, Volumen abgeleitet werden. Bei Stoffgemischen wird außerdem das **chem. P.** oder, wenn geladene Teilchen vorliegen, das **elektrochem. P.** eingeführt.

Potenzialwall (Potenzialbarriere), →Tunneleffekt.

Potenziometer [zu Potenzial] *das,* stetig regelbarer elektr. Widerstand, ausgeführt als Schiebe- oder Drehwiderstand; Anwendung z. B. zur Einstellung von Lautstärke, Helligkeit und Kontrast.

Potenziometrie *die,* elektrochemisches Verfahren der Maßanalyse, bei dem der Endpunkt einer Titration aus der Änderung des elektrischen Potenzials zw. zwei in die Elektrolytlösung eintauchenden Elektroden (z. B. einer Wasserstoff-, Glas- oder Metallelektrode als Indikatorelektrode und einer Kalomelelektrode als Bezugselektrode) bestimmt wird.

Potestas [lat. »Gewalt«, »Macht«] *die,* im antiken Rom Amtsgewalt der Magistrate sowie der Volkstribunen, die polit. und administrative Handlungsfähigkeit verleiht. (→Patria Potestas)

Potiphar, *A. T.:* nach 1. Mose 39,1 Befehlshaber der Leibwache des Pharaos, dessen Frau versuchte, Joseph zu verführen.

Potjomkin (Potemkin), Grigori Alexandrowitsch Fürst, Reichsfürst (seit 1776), Fürst Tawritscheski (seit 1783), russ. Feldherr und Staatsmann, *Tschischowo (Gebiet Smolensk) 24. 9. 1739, †bei Iași 16. 10. 1791; seit 1774 Günstling Katharinas II.; wurde 1776 Generalgouverneur der südl. Provinzen, besetzte 1783 die Krim, leitete den Aufbau der Schwarzmeerflotte und veranlasste zahlr. Stadtgründungen (u. a. Cherson, Sewastopol); im Türkenkrieg (1787–92) Oberkommandierender des Heeres und der Flotte. – P. soll Katharina II. auf ihrer Krimreise 1787 mit Dorfattrappen Wohlstand vorgetäuscht haben; daher die Redewendung **potemkinsche Dörfer** für Vorspiegelungen.

📖 ADAMCZYK, T.: *Fürst G. A. Potemkin. Untersuchungen zu seiner Lebensgeschichte. Emsdetten 1936, Nachdr. Osnabrück 1966.*

Potocki [pɔˈtɔtski], Jan Graf, poln. Historiker und Schriftsteller, *Pików (Podolien) 8. 3. 1761, †Uładówka (Podolien) 2. 12. 1815; untersuchte in histor. und archäolog. Arbeiten die Vorgeschichte der Slawen. Reich an fantast. Abenteuern ist sein Roman »Die Handschrift von Saragossa« (1803–15).

Potomac River [pəˈtəʊmək ˈrɪvə] *der,* Fluss im O der USA, 462 km lang, entspringt im Alleghenygebirge, durchbricht die Blaue Kette und mündet in die Chesapeake Bay.

Fürst Grigori Alexandrowitsch Potjomkin: Ausschnitt aus einem Kupferstich (um 1785)

Potosí, Hptst. des Dep. P., Bolivien, 3976 m ü. M., am Fuß des Cerro P. (4829 m ü. M.), 112300 Ew.; Univ.; Zinnbergbau (früher Silber). P. wurde 1545 nach der Entdeckung der Silbervorkommen gegründet. Fast zwei Drittel des im 17. Jh. weltweit geförderten Silbers stammten aus Potosí. – Die Stadt mit ihren vielen Bauten aus der Kolonialzeit (u. a. die königl. Münze Casa Real de la Moneda) und die Silberminen gehören zum UNESCO-Weltkulturerbe.

Potsdam (von links): Das barocke Rathaus aus dem Jahr 1753 wurde nach 1945 wieder aufgebaut; astrophysikalisches Observatorium, der Anfang der 1920er-Jahre von Erich Mendelsohn erbaute Einsteinturm, ist ein Baudenkmal expressionistischer Architektur

Potpourri ['pɔtpuri, frz.] *das,* seit dem 18. Jh. Bez. für eine Folge von beliebten, urspr. nicht zusammengehörigen Melodien.

Potsdam, Hptst. von Brandenburg und kreisfreie Stadt, grenzt im NO an Berlin, an der Mündung der Nuthe in die Havel, die sich im NO und SW der Stadt zu mehreren Seen erweitert, 134800 Ew.; Univ. (gegr. 1991), Hochschule für Film und Fernsehen, FH, Dt. Inst. für Ernährungsforschung, Geoforschungszentrum, Astrophysikal. Institut, Sternwarte Babelsberg, Wetteramt; Filmstudios in P.-Babelsberg (mit Filmerlebnispark); Museen, Theater. In P. hat ein Teil des Bundesarchivs seinen Sitz: Abt. III (Dt. Reich), Abt. V (DDR), Militärarchiv (ehem. NVA-Archiv), Filmarchiv. Die Industrie (v.a. Maschinenbau, Herstellung von Schallplatten, Schlössern, chemisch-pharmazeut. Produkten, Textilind., Orgelbau) ist bes. im Stadtteil Babelsberg und im SO von P. konzentriert; Eisenbahnknoten; Hafen.

Stadtbild: Dem Wiederaufbau nach dem 2. Weltkrieg fielen zahlr. Gebäude zum Opfer, deren Ruinen abgetragen wurden, u.a. das Schloss (1661 ff.) und die Garnisonkirche (1721 ff.). Erhalten sind u.a. das Holländ. Viertel (1737–42, von J. Boumann), die barocke Frz. Kirche (1751/52, von G. W. v. Knobelsdorff), die frühklassizist. Alte Wache (1796/97), das neugot. Nauener (1755) und das Brandenburger Tor (1770), der Einsteinturm (1920/21, von E. Mendelsohn). Wiederhergestellt wurden u.a. das barocke Rathaus (1753, von Boumann), das barocke Stadtpalais (1744–51, von v. Knobelsdorff), die klassizist. Nikolaikirche (1830–37, von K. F. Schinkel, Kuppel von L. Persius und F. A. Stüler, 1843–50). Am Rand der Stadt Schloss und Park →Sanssouci; nach W schließen sich Park und Schloss Charlottenhof (1826–28) an; im Neuen Garten (1806–24, von P. J. Lenné zum Landschaftspark umgestaltet) Schloss Cecilienhof (1913–16) und Marmorpalais (1787–91, von K. von Gontard und C. G. Langhans; vollendet 1845); bed. auch Schloss Babelsberg (1843 ff.) mit Parkanlage (von Lenné, ab 1833 von H. Fürst v. Pückler-Muskau weiter ausgeführt). Schlösser und Gärten von P. sind UNESCO-Weltkulturerbe.

Potsdam
Stadtwappen

Geschichte: Ursprünglich slaw. Siedlung neben einer slaw. Burg (9./10. Jh.), 993 erstmals erwähnt **(Poztupimi);** nach 1150 dt. Neugründung unter Markgraf Albrecht dem Bären; 1317 erstmals als Stadt genannt; seit 1416 im Besitz der Hohenzollern; seit 1660 (neben Berlin zweite) Residenz der Kurfürsten, seit 1701 der Könige in Preußen, fortan rege Bautätigkeit (u.a. Stadtschloss anstelle der ehem. askan. Burg); unter den Königen Friedrich Wilhelm I. und Friedrich II., d. Gr., ab 1713 Ausbau zur Garnisonstadt (u.a. Erweiterung durch die Neustadt, 1720–42, sowie durch das Holländ. Viertel, 1737–42). Seit 1939 (u.a. Eingemeindung von Babelsberg) Großstadt; 1945/46–52 und seit 1990 Hptst. von Brandenburg; 1952–90 Hptst. des gleichnamigen DDR-Bezirks.

Im **Edikt von P.** (8. 11. 1685) gewährte Friedrich Wilhelm, der Große Kurfürst, den frz. Hugenotten Glaubensfreiheit, Niederlassung und wirtsch.

Privilegien in Brandenburg und Preußen. – Mit dem Festakt vom 21. 3. 1933 **(Tag von Potsdam)** in der Garnisonkirche, mit dem der am 5. 3. 1933 gewählte Dt. Reichstag konstituiert wurde, versuchte A. Hitler, das Anknüpfen an preuß. Traditionen zu dokumentieren. – Am 2. 8. 1945 Abschluss des →Potsdamer Abkommens im Schloss Cecilienhof.

📖 *P. u. seine Umgebung. Ergebnisse der heimatkundl. Bestandsaufnahme, bearb. v.* G. ENGELMANN. *Berlin (Ost) 1969.* – MIELKE, F.: *Potsdamer Baukunst. Das klass. P. Berlin 1981.* – WERNER, F.: *P. Städtebau u. Raumentwicklung seit 1935. Berlin 1988.* – VOLK, W.: *P. Berlin ³1993.*

Potsdamer Abkommen: Churchill, Truman und Stalin (von links) während einer Verhandlungspause

Potsdamer Abkommen, die am 2. 8. 1945 auf der **Potsdamer Konferenz** (17. 7. bis 2. 8. 1945) von den Reg.chefs der USA (Truman), der Sowjetunion (Stalin) und Großbritanniens (Churchill, später Attlee) zur Regelung der Nachkriegsprobleme gefassten Beschlüsse, denen Frankreich am 7. 8. 1945 mit Vorbehalten zustimmte; legte u. a. die polit. und wirtsch. Grundsätze für die Behandlung des besiegten Dt. Reiches fest und regelte die militär. Besetzung Dtl.s, u. a. die Entmilitarisierung, Entnazifizierung, Verfolgung der Kriegsverbrecher, die Erneuerung des Erziehungs- und Gerichtswesens. Die dt. Wirtschaft unterlag alliierter Kontrolle, wobei Dtl. als wirtsch. Einheit behandelt werden sollte; das dt. Auslandsvermögen wurde durch den Alliierten Kontrollrat übernommen, Reparationszahlungen wurden festgelegt. Vorbehaltlich einer endgültigen friedensvertragl. Regelung wurden die Stadt Königsberg (Pr) und das anliegende Gebiet unter die Verw. der Sowjetunion gestellt und die W- und N-Grenze Polens festgelegt (→Oder-Neiße-Linie). Die →Vertreibung der dt. Bev. aus Ostpreußen, Polen, der Tschechoslowakei und Ungarn wurde geregelt; außerdem wurde vereinbart, einen Rat der Außenminister zu bilden. Das P. A. bestimmte die Dtl.politik nach 1945 entscheidend, wurde aber infolge des Ost-West-Konflikts bedeutungslos.

Valdemar Poulsen

📖 *Das P. A. Dokumentensammlung. Berlin (Ost) ⁴1984.* – JAKSCH, W.: *Europas Weg nach Potsdam. München ⁴1990.* – KRAUS, E.: *Ministerien für das ganze Deutschland? Der Alliierte Kontrollrat u. die Frage gesamtdt. Zentralverwaltungen. München 1990.*

Potsdam-Mittelmark, Landkreis in Brandenburg, 2 683 km², (1996) 185 000 Ew.; Krst. ist Belzig.

Pottasche, →Kalium (Verbindungen).

Pottenstein, Stadt im Landkreis Bayreuth, Bayern, Luftkurort im Felsental der Püttlach in der Fränk. Schweiz, 5 500 Ew.; in der Umgebung Tropfsteinhöhlen, u. a. die **Teufelshöhle.**

Potter, Paulus, niederländ. Maler, getauft Enkhuizen 20. 11. 1625, begraben Amsterdam 17. 1. 1654; stellte in meist kleinformatigen Bildern Weiden mit Vieh in sonniger Beleuchtung dar.

Potteries, The [ðə ˈpɔtərɪz; engl. »Töpfereien«] (Pottery District), Industriegebiet im westl. Mittelengland, im Tal des oberen Trent; Hauptstandort der engl. Steingut- und Porzellanind.; Mittelpunkt ist Stoke-on-Trent.

Pottwale [von niederländ. pot »Topf«] (Physeteridae), Familie der Zahnwale mit großem asymmetr. Schädel, der das ölige **Walrat** enthält. Der **Pottwal (Spermwal,** Physeter catodon) frisst Tintenfische; Männchen bis 20 m, Weibchen bis 13 m lang, bis über 40 t schwer; der **Zwergpottwal** (Kogia breviceps) wird bis 4 m lang. Wegen starker Bejagung sind P. in ihren Beständen bedroht.

Poularde [pu-, frz.] *die,* noch nicht geschlechtsreifes männl. oder weibl. Masthuhn.

Poulenc [puˈlɛ̃k], Francis, frz. Komponist, *Paris 7. 1. 1899, †ebd. 30. 1. 1963; Mitgl. der →Groupe des Six; komponierte in neoklassizist. Stil Opern, Ballette, Konzerte, Klaviermusik, Lieder, geistl. Vokalwerke.

Pottwale: Spermwal (Gewicht bis über 40 t)

Poulet [puˈlɛ, frz.] *das,* sehr junges (8–12 Wochen altes) Masthuhn oder -hähnchen im Gewicht bis zu 1 kg.

Poulsen [ˈpɔulsən], Valdemar, dän. Radiotechniker *Kopenhagen 23. 11. 1869, †New York 6. 8. 1942; erfand u. a. 1898 die Fixierung von Tönen auf einem Stahldraht, der an den Polen eines Elektromagneten vorbeigeführt und entsprechend den Tonwerten magnetisiert wird (Telegraphon), und

1903 den P.-Generator (Lichtbogensender zur Erzeugung ungedämpfter elektr. Schwingungen).

Pound [paʊnd; engl. »Pfund«] *das,* Einheitenzeichen **lb** (von lat. libra), in Großbritannien und den USA Masseneinheit des →Avoirdupois-Systems: 1 lb = 0,45359237 kg.

Pound [paʊnd], Ezra, amerikan. Schriftsteller, *Hailey (Id.) 30. 10. 1885, †Venedig 1. 11. 1972; lebte 1922–45 in Rapallo, sympathisierte mit dem italien. Faschismus und wurde wegen antiamerikan. Propagandareden 1945 in einem amerikan. Militärlager interniert, später in eine Nervenheilanstalt in Washington überführt, 1958 entlassen; lebte seitdem wieder in Italien. P. war Begründer der literar. Bewegungen des →Imagismus und →Vortizismus und W. B. Yeats, T. S. Eliot und J. Joyce eng verbunden. 1915 begann er den Zyklus der »Cantos«, daneben schrieb er weitere große Gedichte (»Hugh Selwyn Mauberley«, 1920). P. verband einen ästhet. Avantgardismus mit Zeitkritik; in seinem Werk stellt er der entwerteten kommerziell-kapitalist. Welt eine humanist. Utopie gegenüber, die sich auf Kulturtraditionen, u. a. der Antike, beruft. Er gilt als wichtiger Lyriker und Anreger der literar. Moderne; Essays (»ABC des Lebens«, 1934, u. a.), Übersetzungen.

📖 LINK, F.: *E. P. Eine Einführung. München 1984.* – SCHMIED, W.: *E. P. Innsbruck 1994.*

Pour le Mérite [pur lə me'rit; frz. »für das Verdienst«] *der,* **1)** höchster preuß. Verdienstorden, 1740 von Friedrich II., d. Gr., gestiftet, 1810–1918 nur an Offiziere verliehen.

2) (P. le M. für Wissenschaften und Künste) Friedensklasse des Ordens P. le M., wurde als höchste Auszeichnung für wiss. und künstler. Verdienste 1842 von Friedrich Wilhelm IV. gestiftet; 1952 wieder belebt.

Pourtalès [purta'lɛs], Guy de, schweizer. Schriftsteller frz. Sprache, *Berlin 4. 8. 1881, †Lausanne 12. 6. 1941; schrieb Musikerbiographien (über F. Chopin, 1927, R. Wagner, 1932, H. Berlioz, 1939), kultur- und literaturhistor. Studien und Romane aus dem Genfer Großbürgertum (»Der wunderbare Fischzug«, 1937).

Pousseur [pu'sœ:r], Henri, belg. Komponist, *Malmédy 23. 6. 1929; gründete 1958 in Brüssel ein Studio für elektron. Musik; wurde 1970 Dozent an der Univ. Lüttich, wo er das »Centre de recherches musicales« gründete.

Poussin [pu'sɛ̃], **1)** Gaspard, eigtl. Dughet, frz. Maler, *Rom 7. 6. 1615, †ebd. 25. 5. 1675, Schwager und Schüler von 2). Seine »idealen Landschaften« verweisen bereits auf die →Landschaftsmalerei des 19. Jahrhunderts.

2) Nicolas, frz. Maler, *Villers-en-Vexin (Dép. Eure) Juni (?) 1594, †Rom 19. 11. 1665, Schwager und Lehrer von 1); tätig in Rom. P. malte Themen der antiken Geschichte und Mythologie, religiöse Darstellungen und südl. Landschaften mit mytholog. und bibl. Figuren. Er gilt als Schöpfer der ins Ideale und Erhabene gesteigerten »heroischen Landschaft«. In der Ordnung seiner Bilder fanden Maß und Klarheit der frz. Klassik ihre Vollendung.

📖 MICHALKOW, J.: *N. P. A. d. Poln. Leipzig ²1991.*

Powell ['paʊəl], **1)** Bud, eigtl. Earl P., amerikan. Jazzpianist, *New York 27. 9. 1924, †ebd. 1. 8. 1966; gilt neben T. Monk als bedeutendster Pianist des Bebop.

2) Cecil Frank, brit. Physiker, *Tonbridge (Cty. Kent) 5. 12. 1903, †bei Belluno (Italien) 9. 8. 1969; entdeckte 1947 gemeinsam mit G. P. S. Occhialini die π-Mesonen (Pionen) und klärte 1949 den Zerfall des π-Mesons; 1950 Nobelpreis für Physik.

Powerplay ['paʊəpleɪ; engl. »Kraftspiel«] *das, Eishockey:* der anhaltende Ansturm aller Feldspieler auf das gegner. Tor, wobei die Abseitsregelung zur Einschnürung der verteidigenden Mannschaft genutzt wird.

Powerslide ['paʊəslaɪd; engl. »Kraftrutschen«] *das, Automobilsport:* Kurventechnik, bei der durch scharfes Anfahren das Wagenheck nach außen getragen wird, da die Antriebskraft die Bodenhaftung der Reifen übersteigt.

Pọwest *die,* in der russ. Literatur eine Prosaerzählung, die eposhafte, novellist. oder romanhafte Ausprägung haben kann.

Powys ['pəʊɪs], Cty. in Wales, umfasst den östl. zentralen Teil des Landes, 1590 km², 113500 Ew., Verw.sitz ist Llandrinidod Wells.

Powys ['pəʊɪs], John Cowper, engl. Schriftsteller, *Shirley (Cty. Derbyshire) 8. 10. 1872, †Blaenau Ffestiniog (Gwynedd, Wales) 17. 6. 1963; verbindet kelt. Mystik und tiefe Symbolik (»Wolf Solent«, R., 1929; »A Glastonbury romance«, R., 1932); auch Gedichte sowie literar. und kulturphilosoph. Studien.

Poyang Hu (Pojanghu), natürl. Rückstausee des Jangtsekiang in der chines. Prov. Jiangxi, der durch sein Sommerhochwasser den Gan Jiang und drei weitere Flüsse vor der Einmündung zu einem riesigen See (bis zu 5070 km²) anschwellen lässt. Im Winter fällt der größte Teil der Seefläche trocken; durch Eindeichung wurden Anbaugebiete für Weizen und Raps gewonnen.

Poynting ['pɔɪntɪŋ], John Henry, brit. Physiker, *Monton (bei Manchester) 9. 9. 1852, †Birmingham 30. 3. 1914; arbeitete über Gravitation und Elektrodynamik, führte den Begriff der Energiestromdichte **(P.-Vektor)** als Vektorprodukt der elektr. Feldstärke $\boldsymbol{E}$ und der magnet. Feldstärke $\boldsymbol{B}$ ein.

Požarevac ['pɔʒarɛvats] (früher dt. Passarowitz), Stadt in Serbien, Jugoslawien, 33000 Ew.;

Ezra Pound

Henri Pousseur

Cecil Frank Powell

Prachtfinken:
Zebrafink

Zentrum eines Agrargebiets. – Im **Frieden von Passarowitz** (21. 7. 1718) musste die Türkei das Banat, das nördl. Bosnien, das nördl. Serbien mit Belgrad und die Kleine Walachei an Österreich, Venedig die Peloponnes an die Türkei abtreten.

Poznań ['poznajn], poln. Name für →Posen.

Pozsony ['poʒonj], ungar. Name für →Preßburg.

Pozzo, Andrea, italien. Maler und Baumeister, *Trient 30. 11. 1642, †Wien 31. 8. 1709; Jesuiten-Laienbruder, führte die scheinräuml. Wand- und Deckenmalerei zur Vollendung und verband sie mit Bildnerei und Architektur zu einem dekorativ durchgestalteten Gesamtkunstwerk.

Prachtkäfer:
Buchenprachtkäfer
(Länge 6–9 mm)

Pozzuoli, Hafenstadt in der Prov. Neapel, Italien, Hauptort der Phlegräischen Felder, 79 200 Ew.; Maschinen- und Anlagenbau; Bade- und Kurort. – Dom San Proculo (im 11. Jh. in die Ruinen eines Augustustempels eingebaut, 1634 erneuert, nach Brand, 1964, restauriert). Ruinen zweier röm. Amphitheater, »Serapeion« (eine prachtvolle Marktanlage).

pp, *Musik:* Abk. für pianissimo; **ppp,** Abk. für pianissimo piano. (→piano)

PP, Abk. für →**P**oly**p**ropylen.

pp., Abk. für **p**erge, **p**erge [lat. perge »fahre fort!«], und so weiter.

P. P. (p.p.), Abk. für **p**raemissis **p**raemittendis [lat. »nach Vorausschickung des Vorauszuschickenden«], Ersatz für Anrede und Titel, als Überschrift in Rundschreiben und dergleichen.

ppa. (auch pp.), Abk. für **p**er **p**rocur**a**, →Prokura.

pp-Einheiten, für die Angabe sehr kleiner Konzentrationen, u.a. in der Chemie, übl. Einheiten: **parts per million,** Einheitenzeichen **ppm,** bedeutet 1 Teil auf 1 Mio. Teile, **parts per billion,** Einheitenzeichen **ppb,** 1 Teil auf 1 Mrd. Teile und **parts per trillion,** Einheitenzeichen **ppt,** 1 Teil auf 1 Billion Teile. Die pp-E. entsprechen nicht dem SI-System. Korrekt muss es heißen: 1 g/t anstelle 1 ppm, 1 mg/t anstelle 1 ppb und 1 µg/t anstelle 1 ppt.

Prachtlein
(Höhe bis 40 cm)

Pr, chem. Symbol für →Praseodym.

PR, Abk. für →**P**ublic **R**elations.

prä... [lat. prae...], vor..., vorher...

Präambel [lat.] *die,* Vorspruch, feierl. Erklärung als Einleitung, z.B. bei Staatsverträgen, Verfassungsurkunden.

Präbichl, Pass in der Steiermark, Österreich (Übersicht Alpenstraßen).

Prabuty (dt. Riesenburg), Stadt in der Wwschaft Elbląg (Elbing), Polen, 7300 Ew.; Schiffsgerätebau. – Marienkirche (14. Jh.) und Reste der Stadtmauer.

Prachensky, Markus, österr. Maler, *Innsbruck 21. 3. 1932; Vertreter einer informellen, auf Rottöne konzentrierten, expressiv-kalligraph. Malerei; seit 1975 verwertet er Eindrücke, die er von italien. Landschaften empfing.

Prachtfinken (Astrilden, Estrildidea), Familie bis meisengroßer Singvögel in Afrika, SO-Asien und Australien; meist prächtig bunt gefärbte Vögel mit kegelförmigem Körnerfresserschnabel, u.a. Amadinen, Reisfink, Zebrafink; viele Arten sind beliebte Stubenvögel.

Prachtkäfer (Bupretidae), artenreiche Käferfamilie, bes. in den Tropen; 2–80 mm lang, häufig metallisch glänzend. In Mitteleuropa kommt v.a. der 6–9 mm große, grün, blau oder kupferfarben schillernde **Buchen-P.** vor.

Prachtlein (Linum grandiflorum), aus N-Afrika stammendes Leingewächs mit roten Blüten in Doldenrispen; Gartenformen auch mit rosafarbenen oder violetten Blüten.

Prädestination [lat. »Vorherbestimmung«] *die* (Gnadenwahl), die Vorherbestimmung des Menschen zur ewigen Seligkeit oder Verdammnis durch Gott; als systemat. Lehre von der P. **(P.-Lehre)** in der christl. Theologie, aufbauend auf den paulin. Schriften des N.T. (Röm. 8,28–30, Eph. 1,3–14), durch Augustinus in der Auseinandersetzung mit dem →Pelagianismus begründet. Das theolog. Problem liegt dabei in der Fragestellung, inwieweit die P. als »Ratschluss Gottes« von Ewigkeit her feststeht und ob bzw. inwieweit der Mensch kraft seines (freien) Willens den Glauben wählen und durch sein Handeln an seinem Heil mitwirken kann. Für Augustinus und in seiner Nachfolge die Reformatoren (am stärksten durch Calvin betont) ist die Menschheit in ihrer Gesamtheit durch die Erbsünde unfähig zum Guten. Allein die durch die Gnadenwahl Gottes zum Glauben Berufenen sind zum Heil, die Übrigen zum Unheil prädestiniert **(doppelte P.).** Die Auffassungen der *kath.* und *orth.* Theologie, wurzelnd im P.-Verständnis der frühen Kirche, sehen in dem in Jesus Christus offenbarten ewigen Heil das Angebot, das Gott in seiner Liebe jedem Menschen macht und das dieser in Freiheit annehmen oder ablehnen kann. Eine P. zum Unheil wird verworfen. Die *luth.* Theologie betont seit der Konkordienformel (1577) im Ggs. zur *ref.* Theologie (modifiziert erst bei K. Barth) die grundsätzl. P. des Menschen zum Heil. Unter den nichtchristl. Religionen wird der Gedanke der P. (→Kismet) am konsequentesten vom Islam vertreten.

Prädikantenorden [zu lat. praedicare »predigen«], Predigerorden, →Dominikaner.

Prädikat [lat.] *das,* **1)** *allg.:* auszeichnende Bewertung, z.B. eines Produktes, einer Leistung oder eines Examens.

2) *Adel:* (Adelsprädikat) Titel und Rangstufe (z.T. Anrede) des Adels, z.B. Reichsfürst (Großherzog, Herzog, Fürst), Graf, Freiherr (Baron); Namenszusatz »von«.

3) *Sprachwiss.:* (Satzaussage) Satzteil, der eine Aussage über das Subjekt enthält (ÜBERSICHT Syntax).

Prädikatenlogik, log. Disziplin, →mathematische Logik. (→Logik)

Prädikatsnomen, *Sprachwissenschaft:* Teil des Prädikats, entweder ein (Satz-)Adjektiv oder ein (Gleichsetzungs-)Nominativ (ÜBERSICHT Syntax).

Prädiktion [lat.] *die,* Vorhersage durch wiss. Verallgemeinerung.

Prado [span. »Wiese«] *der,* **1)** Parkanlage in span. Städten, bes. in Madrid.

2) (Museo del P.) Nationalmuseum in Madrid, Spanien, ben. nach dem Park P. de San Jerónimo, in dem der Bau 1785 von J. de Villanueva begonnen wurde; 1819 wurde er als königl. Museum für Malerei und Bildhauerkunst eröffnet, seit 1868 Nationalmuseum. Seine Bestände an alter Malerei gehören zu den bedeutendsten der Erde (G. B. Tiepolo, Tizian, P. P. Rubens, A. van Dyck, El Greco, D. Velázquez, B. E. Murillo, F. de Goya u. a.).

Prado Calvo ['praðo 'kalβo], Pedro, chilen. Schriftsteller, *Santiago de Chile 8. 10. 1886, †Viña del Mar 31. 1. 1952; Architekt; schrieb eigenwillige Gedankenlyrik sowie Romane, u. a. den lyrisch-philosoph. Roman »Alsino« (1920), in dem er den Ikarusmythos auf chilen. Verhältnisse überträgt.

praecox [lat.], *Medizin:* vorzeitig, zu früh auftretend, z. B. →Pubertas praecox; Ejaculatio praecox (→Ejakulation).

Praeferendum [lat.] *das* (Behaglichkeitszone), *Ökologie:* von einem Organismus bevorzugte Zone, deren Reize optimal mit seinen Umweltansprüchen übereinstimmen.

Praeneste, alte Stadt in Latium, heute →Palestrina.

Praeputium [lat.] *das,* die Vorhaut (→Penis).

Praesepe [lat.], der Sternhaufen →Krippe.

Praetorius, Michael, eigtl. M. Schultheiß, Komponist, *Creuzburg (Wartburgkreis) 15. 2. 1571 oder 1572, †Wolfenbüttel 15. 2. 1621; einer der bedeutendsten dt. Musiker des 17. Jh., bes. wichtig für die evang. Kirchenmusik. Sein Werk spiegelt den Übergang vom spätpolyphonen, mehrchörigen Satz zum italien. konzertierend-monod. Stil und umfasst Psalmen, Kirchenlieder, Motetten, Magnifikate, Tanzstücke.

📖 VOGELSÄNGER, S.: *M. P. beim Wort genommen. Zur Entstehungsgeschichte seiner Werke. Aachen 1987.*

Präfation [lat. »Vorrede«] *die, christl. Liturgie:* der Eingangsteil des eucharist. Hochgebets der kath. Messe und des luther. Abendmahlsgottesdienstes.

Präfekt [lat.] *der,* **1)** (Praefectus) im antiken Rom Amtsträger in Verw. oder Heer.

2) (frz. Préfet) in Frankreich bis 1982 oberster Verw.beamter eines Dép. Durch das Dezentralisierungs-Ges. von 1982 wurde der P. durch den »Commissaire de la République« ersetzt; seine Befugnisse wurden zugunsten derer des Präs. des Dép. beschränkt.

Präferenz [lat.] *die,* **1)** *allg.:* Vorzug, Vorrang, Begünstigung, Bevorzugung.

2) *Wirtschaft:* Vorliebe bezüglich des Nutzens wirtsch. Güter. P. können sachlich (Markentreue), räumlich (Einkauf im nahe gelegenen Supermarkt), zeitlich (Mode) oder persönlich (Bindung an ein bestimmtes Fachgeschäft wegen Verkaufsberatung) sein. Das Fehlen von P. ist eine Voraussetzung für einen vollkommenen Markt.

Präferenzsystem, gegenseitige handelspolit. Vorzugsbehandlung zw. zwei oder mehreren Ländern. Die beteiligten Staaten vereinbaren aus wirtsch. oder polit. Gründen im Vergleich zu Drittstaaten z. B. Vorzugszölle **(Präferenzzölle).** Das P. verstößt zwar gegen das Prinzip der Meistbegünstigung, wird jedoch von der Welthandelsorganisation toleriert, sofern es sich um Zollunionen oder Freihandelszonen handelt. Größere Bedeutung erlangte das P. zunächst innerhalb des Commonwealth (Empire-Präferenzen). 1972 wurde zwischen der EG und der EFTA auf der Grundlage eines **Präferenzabkommens** eine Freihandelszone geschaffen, die zum Europ. Wirtschaftsraum weiterentwickelt wurde. Ein Beispiel für die Gewährung von Zollpräferenzen für Entwicklungsländer sind die →Lomé-Abkommen.

Michael Praetorius (zeitgenössische Darstellung)

Präfix [lat.] *das, Sprachwiss.:* Vorsilbe, unselbstständiges Wortbildungsmorphem.

Präformationstheorie, bis zur Mitte des 18. Jh. herrschende Lehre über die Individualentwicklung der Organismen, nach der alle Lebewesen in den Geschlechtszellen bereits fertig vorgebildet sind und sich nach der Befruchtung nur noch entfalten.

Prag (tschech. Praha), Hptst. der Tschech. Rep. und Verw.sitz des Mittelböhm. Bezirks, liegt auf fünf Hügeln beiderseits der Moldau, bildet verwaltungsmäßig eine eigene Region mit 496 km^2, (1994) 1,215 Mio. Ew. P. ist Sitz eines Erzbischofs, Wiss.zentrum des Landes mit der Karls-Univ. (1348 gegr.), TH u. a. Hochschulen; Kunstakademie, Konservatorium, Forschungsinst., zahlr. Bibliotheken, wiss. Gesellschaften, darunter die Akademie der Wiss., mehrere Museen und Gemäldegalerien, 22 ständige Theater, zwei Opernhäuser; Goethe-Inst. (seit 1990); im Stadtteil Barrandov Filmateliers. P. ist wichtigstes Ind.- und Handelszentrum des Landes mit chem., Gummi-, Maschinen-, Fahrzeug-, Bekleidungs-, Papier-, elektro-

Prag: Blick über Moldau und Karlsbrücke (14. Jh.) auf den Hradschin, dessen Grundmauern bis ins 9./10. Jh. zurückgehen, mit dem zum großen Teil aus dem 14. Jh. stammenden Sankt-Veits-Dom

Prag
Stadtwappen

techn./elektron. Ind. sowie Verkehrszentrum mit internat. Flughafen Ruzyně und Flusshafen (Beginn der Moldauschifffahrt); U-Bahn (seit 1974).

Stadtbild: In beherrschender Lage die Prager Burg, der **Hradschin,** dessen älteste Grundmauern ins 9./10. Jh. reichen (heute Sitz des Staatspräs.). Zum alten Palast gehören der spätgot. Wladislawsaal (vollendet 1502), der Ludwigsbau (1503–10) und der Alte Landtagssaal (1560–63, beide Renaissance). Zentrum der Burg ist der got. Sankt-Veits-Dom (begonnen 1344, Chor, Querschiff und S-Turm 1353–85 von P. Parler; Innenausstattung: u. a. Grabmäler der Přemysliden und 21 Bildnisbüsten von P. Parler im Triforium). Zur inneren Anlage des Hradschin gehört auch das Georgskloster mit der roman. Basilika (Mitte 12. Jh.). Außerhalb des Burgkomplexes zahlr. Paläste: u. a. Schwarzenberg-Palais (1545–63); Sternberg-Palais (1698–1730, heute Nationalgalerie), Černín-Palais (1669 ff.), das Lustschloss Belvedere (1536–58), das Loretokloster (1600 ff.) und das Kloster Strahov (12.–17. Jh., heute Museum des Nat. Schrifttums). Unterhalb der Burg erstreckt sich bis zur Moldau die **Kleinseite** mit der Nikolauskirche (1703 ff., von C. und K. I. Dientzenhofer). Die Karlsbrücke (1357 ff., got. Brückentürme, barocke Skulpturen) führt in die histor. **Altstadt** (UNESCO-Weltkulturerbe): im Zentrum (Altstädter Ring) das Altstädter Rathaus (1338 ff.) mit der astronom. Uhr (1410), die got. Teynkirche und die Nikolauskirche (1732–35, von K. I. Dientzenhofer); außerdem das Karolinum (Sitz der Univ., Kernbau 14. Jh.), die gotische Bethlehemskapelle, Predigtkirche des J. Hus (1391 ff., 1786 abgerissen, wieder hergestellt 1948–52), das Klementinum (Jesuitenkolleg, 1556 ff.) und das Clam-Gallas-Palais (1713 ff. von J. B. Fischer von Erlach). Die **Neustadt** wurde ab 1348 zw. Altstadt und Vyšehrad um zwei lang gestreckte Plätze angelegt: Karlsplatz mit dem Neustädter Rathaus (14.–16. Jh.) und Wenzelsplatz (mit Nationalmuseum und Standbild des hl. Wenzel, 1912/13). Weitere bed. Bauten der Neustadt sind u. a. die got. Mariä-Schnee-Kirche und das Nationaltheater (1868–86). Vom ehem. Judenviertel sind u. a. die frühgot. Altneu-Synagoge (1273) und der jüd. Friedhof erhalten. Von den Bauten des 20. Jh. sind v. a. Bauwerke des Jugendstils (u. a. Grandhotel Europa, 1906) und des tschech. Kubismus bemerkenswert. Weitere BILDER Parler

Geschichte: P. entwickelte sich aus mehreren Siedlungen zw. den beiden Burgen Vyšehrad und Hradschin. 973 wurde das Bistum P. (seit 1344 Erzbistum) gegründet. Durch intensive, auch dt. Besiedlung entstand die sog. Kleinseite, die 1257 Stadtrechte erhielt; die Altstadt besaß Stadtrecht seit 1230; Blütezeit unter Kaiser Karl IV. (seit 1346 dessen Residenz): u. a. 1348 Bau der Neustadt und Gründung der Univ. Von P. gingen die Bewegung des J. Hus (**1. Prager Fenstersturz,** 30. 7. 1419; →Hussiten) und der Böhm. Aufstand (**2. Prager Fenstersturz,** 23. 5. 1618; →Dreißigjähriger Krieg) aus. 1784 Vereinigung der vier Prager Städte (Altstadt, Kleinseite, Neustadt, Hradschin); 1848 Zentrum der fehlgeschlagenen nationaltschech. Revolution. 1918–92 Hptst. der Tschechoslowakei. 1939 von dt. Truppen besetzt, danach (bis Mai 1945, Einmarsch sowjet. Truppen) Hptst. des Protektorates Böhmen und Mähren. Im Aug. 1968 gewaltsame Niederschlagung des →Prager Frühlings. Seit 1969 Hptst. der Tschech. Rep. (innerhalb der Föderation); seit 1993 Hptst. der unabhängigen Tschech. Rep. – Der **Friede von Prag** zw. Kursachsen und Kaiser Ferdinand II. (30. 5. 1635), dem sich viele prot. Reichsstände anschlossen, sah eine begrenzte Festschreibung des konfessionellen Status quo vor; Kursachsen erhielt die Ober- und Niederlausitz. – Der **Friede von Prag** am 23. 8. 1866 beendete den Deutschen Krieg 1866.

📖 JANÁČEK, J.: *Das alte P. Aus dem Tschech. Leipzig ²1983.* – WACHMEIER, G.: *P. Stuttgart ⁵1990. – Unvergängl. P. Die Goldene Stadt in Geschichte u. Gegenwart, bearb. v.* H. PLETICHA *u.* WOLFGANG MÜLLER. *Freiburg im Breisgau ³1991.* – GRUŠA, J. *u. a.: P. Einst Stadt der Tschechen, Deutschen u. Juden. A. d. Tschech. München 1993.* – VOREL, L.: *P. Ostfildern ⁷1997.*

Praga, Stadtteil von →Warschau.

Prägedruck, *Drucktechnik:* der von gravierten oder tief geätzten Platten auf Druckmaschinen hergestellte reliefartige Druck mit oder ohne Farbe, z. B. für Buchdecken und Packungen.

Prägen [ahd. prahhen, zu brechen] *das, Fertigungstechnik:* Verfahren der Kaltumformung, bei dem metall. Werkstücke durch Einwirkung von Druck (in mechan. oder hydraul. Pressen) verformt werden. Beim **Voll-P.** durch Stauchen können beide Seiten des Werkstücks unterschiedlich strukturiert werden, z. B. bei der Münzproduktion. Beim **Hohl-P.** werden Bleche ohne wesentl. Veränderung der Materialdicke geringfügig verformt.

Prager, Heinz-Günter, Bildhauer, *Herne 19. 12. 1944; entwickelte Formsysteme aus wenigen Metallelementen, die bildhauer. Probleme wie Körperlichkeit und Körpermaß behandeln.

Prager Frühling, Bez. für den Liberalisierungs- und Demokratisierungsprozess in der ČSSR, Jan.–Aug. 1968 unter A. Dubček (»Sozialismus mit menschl. Antlitz«); im Aug. 1968 von Truppen des Warschauer Pakts gewaltsam niedergeschlagen.

📖 BOLLINGER, S.: *Dritter Weg zw. den Blöcken? P. F. 1968: Hoffnung ohne Chance. Berlin 1995.*

Prager Schule (Prager Strukturalismus), funktionelle Richtung der Linguistik, geht zurück auf den 1926 von V. Mathesius (*1882, †1945) gegr. Kreis von Linguisten (R. →Jakobson, N. S. Trubetzkoi), hatte bes. Bedeutung für den Ausbau der →Phonologie. Ähnlich den phonolog. Systemen wird auch die Sprache selbst als ein System betrachtet, dessen Glieder durch wechselseitige Beziehungen semant. und funktioneller Art miteinander verbunden sind (→Strukturalismus). Durch die Betonung der unlösl. Verbindung von Sprach- und Literaturwiss. beeinflussten die Arbeiten der P. S. zur Stilistik, Ästhetik sowie zur allg. Zeichentheorie die moderne Semiotik.

präglazial [lat.], voreiszeitlich.

Pragmatik [grch. prãgma »Tat«] *die* (linguist. P.), *Sprachwiss.:* die Lehre vom sprachl. Handeln (→Sprechakt); jüngere sprachwiss. Disziplin, deren theoret. Basis in der →Semiotik und in der sprachanalyt. Philosophie liegt. Während die Syntax die formale Relation der sprachl. Zeichen zueinander und die Semantik die Beziehung zw. den Zeichen und den Gegenständen, denen sie zugeordnet sind, untersucht, behandelt die P. die Beziehung zw. sprachl. Zeichen und Zeichenbenutzer und versteht Sprechen generell als Form menschl. Handelns, d. h. im Rahmen komplexer sozialer und kommunikativer Prozesse. (→Soziolinguistik)

📖 MEY, J. L.: *Pragmatics. Oxford u. a. 1993.* – HINDELANG, G.: *Einführung in die Sprechakttheorie. Tübingen ²1994.*

Pragmatische Sanktion, 1) P. S. von Bourges, ein frz. Grundgesetz, das König Karl VII. am 7. 7. 1438 aufgrund der Beschlüsse des Basler Reformkonzils unterzeichnete und das darauf abzielte, den Einfluss des Papstes auf kirchl. Stellenbesetzungen und die kirchl. Gerichtsbarkeit zu beschränken (→Gallikanismus).

2) von Kaiser Karl VI. am 19. 4. 1713 verkündetes Hausgesetz der Habsburger; es sprach die Unteilbarkeit des habsburg. Länderbesitzes und die Regelung der Erbfolge nach dem Erstgeburtsrecht im männl. und weibl. Stamm aus. Dennoch musste Maria Theresia ihr Erbe im Österr. Erbfolgekrieg (1740–48) verteidigen.

Pragmatismus *der, Philosophie:* Ende des 19. Jh. von C. S. Peirce, W. James und J. Dewey ausgebildete philosoph. Lehre, die das Handeln als Voraussetzung oder Ziel des Erkennens betrachtet. Das Erkennen erhält hierdurch den Charakter eines Instrumentes der Lebenspraxis **(Instrumentalismus);** Begriffe und Hypothesen müssen induktiv erweisbar sein (Empirismus); Wert und Wahrheit einer Aussage sind durch ihren Nutzen bzw. prakt. Erfolg bestimmt (W. James). Dies gilt auch für die Ethik, die von Lebenserfahrungen ausgeht und als »Instrument« dem Leben in der menschl. Gemeinschaft dient. Als System war der P. bes. im angloamerikan. Raum wirksam; er beeinflusste den →Behaviorismus (J. Dewey) und die analyt. Philosophie.

📖 PEIRCE, C. S.: *Über die Klarheit unserer Gedanken. Frankfurt am Main ³1985, dt. u. engl.*

Prägung, *Verhaltensforschung:* ein sich sehr schnell und nur während einer sog. sensiblen Phase vollziehender Anpassungsvorgang, der ein angeborenes Instinktverhalten mit einem Auslöser verbindet. Bei Tieren ist diese Fixierung des Jungtiers (z.B. auf das Muttertier, einen Pfleger, eine Attrappe) nicht auslöschbar.

Praha, Hauptstadt der Tschech. Rep., →Prag.

Prähistorie [lat.], →Vorgeschichte.

Praia, Hauptstadt der Rep. Kap Verde, auf der Insel São Tiago, 61700 Ew.; Bischofssitz; Hafen, Flugplatz.

Präjudiz [lat. iudicium »Urteil«] *das, Prozessrecht:* zeitlich frühere Entscheidung einer Rechtsfrage, die sich in einem anderen Rechtsstreit erneut stellt. Anders als im angloamerikan. Rechtskreis, wo eine weitgehende rechtl. Bindung an Präjudizien besteht, sind die dt. Gerichte nur an das Gesetz gebunden, in dessen Auslegung aber grundsätzlich frei. Ausnahmen hiervon bilden die Entscheidungen des Bundesverfassungsgerichts, die z.T. Gesetzeskraft haben. Innerhalb der obersten Gerichtshöfe ist jedoch, wenn ein Senat von einem früheren Urteil eines anderen Senats abweichen will und dieser auf seiner Rechtsauffassung beharrt, die Entscheidung des →Großen Senats herbeizuführen.

Präkambrium, der Zeitraum (Ära) seit Entstehung der Erdkruste vor dem Kambrium, der von größerer Dauer war als die ganze spätere Erdgeschichte zusammen; Beginn vor rd. 4600 Mio. Jahren, das älteste Gestein (Grönland) mit biogenem Kohlenstoff ist rd. 3800 Mio. Jahre alt. Die Frühzeit der Erde wird als **Archaikum** bezeichnet und vielfach in das **Abiotikum** (früher Azoikum), die Zeit ohne überlieferte Lebensspuren, sowie das **Archäozoikum,** die Zeit ersten Lebens, gegliedert. **Proterozoikum** (früher Algonkium) nennt man die Zeit und die Ablagerungen aus der Frühzeit der Entwicklung des Tierlebens.

Präkanzerosen [lat. cancer »Krebs«] (Präneoplasien), Gewebeveränderungen mit den Zeichen eines Krebsvorstadiums.

Präklusion [lat.] *die,* Ausschluss von Rechtshandlungen oder Rechten, wenn sie innerhalb der gesetzl. Frist nicht vor- oder wahrgenommen werden.

Pralltriller
mit Ausführung (rechts)

Präkognition [lat.] *die, Parapsychologie:* Form der außersinnl. Wahrnehmung; sie besteht im Wissen um zukünftige Ereignisse.

präkolumbisch, die Zeit Amerikas vor der Invasion der Europäer (»Entdeckung« durch C. Kolumbus) betreffend.

Prakrit [altind. prākṛta »Volkssprache«] *das,* Sammelbez. (oft im Pl. gebraucht) für die mittelind. Volkssprachen, die spätestens seit dem 5. Jh. v. Chr. (zu Zeiten Buddhas) bis um 1000 n. Chr. neben der Hochsprache des Sanskrit gebraucht wurden (→indische Sprachen).

Praktik [grch.] *die,* Ausübung einer Tätigkeit; Handhabung; Verfahrensweise; Kniff, Kunstgriff.

praktische Philosophie, i.e.S. Bez. für Ethik oder Moralphilosophie, i.w.S. heute auch Begriff für die philosoph. Grundlagen der Gesellschafts- und Staatswissenschaften.

praktischer Arzt, frühere Bez. für Arzt für Allgemeinmedizin.

praktische Theologie, theolog. Teildisziplin (in der kath. Theologie auch **Pastoraltheologie**), deren Gegenstand das kirchl. Handeln in seiner Gesamtheit ist. Ziel der p. T. ist die Umsetzung theolog. Erkenntnisse in die Praxis der christl. Gemeinde im Rahmen der verschiedenen kirchl. Handlungsfelder. Hauptgebiete sind die Liturgik (Gottesdienstlehre), Homiletik (Predigtlehre), Poimenik (Seelsorgelehre), Katechetik (Lehre vom kirchl. Unterricht) und Diakonik (Lehre von der kirchl. Sozialarbeit).

Prälat [mlat., eigtl. »der Vorgezogene«] *der,* **1)** *evang. Kirche:* in den evang. Landeskirchen von Baden und Württemberg ein geistl. Amtsträger mit besonderen Aufgaben; in der evang. Kirche von Kurhessen-Waldeck Titel des ständigen geistl. Stellvertreters des Landesbischofs.

2) *kath. Kirche:* im eigtl. Sinn der Kleriker, der von Amts wegen Träger ordentlicher kirchl. Jurisdiktion für den äußeren Bereich ist; daneben geistl. Ehrentitel (in drei Graden): Apostol. Protonotar, Ehren-P. seiner Heiligkeit und Kaplan seiner Heiligkeit.

Präliminarien [lat.] *Pl.,* Vorverhandlungen; vorläufige Abmachungen. **Präliminarfrieden,** Vorfrieden (→Friedensvertrag).

Prallbrecher (Prallmühle), Zerkleinerungsmaschine. Das eingegebene Gut wird von einem rasch umlaufenden Schlagwerk grob gebrochen und gegen Prallplatten geschleudert, wobei es weiter zerkleinert wird.

Prallhang (Prallufer), der steile, äußere Talhang einer Flusskrümmung, gegen den die Hauptströmung des Wassers gerichtet ist, im Unterschied zum gegenüberliegenden, sanfteren **Gleithang.**

Pralltriller (Schneller), musikal. Verzierung, die in dem einmaligen schnellen Wechsel zw. Hauptnote und oberer großer (oder kleiner) Sekunde besteht; Zeichen: 𝆗.

Präludium [lat.] *das, Musik:* seit dem späten 15. Jh. ein einleitendes instrumentales Vorspiel v.a. für ein Tasteninstrument oder eine Laute, auf das z.B. eine Fuge (z.B. bei J. S. Bach) oder ein Suitensatz folgt. Im 19. und 20. Jh. selbstständige Komposition in freier Fantasieform (F. Chopin, C. Debussy u.a.).

Prambanan, größte shivaitische Tempelanlage (9./10. Jh.) in Zentraljava, Indonesien, 20 km nordöstlich von Yogyakarta. Auf einer Terrasse befindet sich eine Gruppe von acht Tempeln mit dem Haupttempel Lara Jonggrang (9./10.Jh.) sowie zwei dem Gott Vishnu und dem Gott Brahma geweihte Tempel; umgeben von 224 kleinen Tempeln, die in drei konzentr. Reihen auf einer niedrigeren Terrasse stehen. Die Anlage wurde im 16.Jh. durch ein Erdbeben zerstört; seit 1918 Wiederaufbau- und Restaurierungsarbeiten (UNESCO-Weltkulturerbe).

Prämi|e [lat.] *die,* **1)** *Börsenwesen:* Reugeld beim Prämiengeschäft; Optionspreis beim → Optionsgeschäft.

2) *Lotterie:* Zusatzgewinn bei Prämienanleihen (→ Lotterie).

3) *Versicherungswesen:* vertraglich vereinbarter, vom Versicherten regelmäßig zu zahlender Beitrag für die Risikoübernahme durch den Versicherer **(laufende P.);** auch **Einmal-P.** als Abgeltung für die gesamte Laufzeit des Vertrages. Die Rückzahlung von P. in der Privatversicherung **(P.-Rückgewähr, P.-Rückerstattung)** kann an die Entstehung eines Überschusses beim Versicherer gekoppelt sein oder bei Nichteintreten eines Versicherungsfalles in der Vertragsdauer gewährt werden.

Prämi|engeschäft, bedingtes Termingeschäft, bei dem ein Vertragspartner innerhalb einer bestimmten Frist gegen Zahlung einer Prämie (Reugeld) vom Vertrag zurücktreten kann.

Prämi|ensparen, eine von Volks- und Raiffeisenbanken und Sparkassen eingeführte, auch als **Gewinnsparen** bezeichnete Sparform, bei der der Prämiensparer innerhalb einer Sparperiode einen bestimmten Sparbetrag und einen Auslosungsbetrag einzahlt. Die Auslosungsbeträge fließen in einen Prämienfonds, der nach Abzug der Lotteriesteuer durch Los an die Sparer ausgeschüttet wird. P. ist auch die Bez. für eine Sparform, bei der der Sparer einen längerfristigen Sparvertrag abschließt und regelmäßig Sparbeträge einzahlt; am Ende der Laufzeit erhält der Sparer eine Prämie als Zusatzverzinsung. Diese auch als **Bonussparen** bezeichnete Sparform wurde bis 1980 als **prämienbegünstigtes Sparen** staatlich gefördert.

Prämisse [lat.] *die,* die Voraussetzung, aus der in einem log. Schluss auf das Ergebnis (Konklusion) geschlossen wird.

Prämolaren [lat.], die vorderen Backenzähne (→ Zähne).

Prämonstratenser (lat. Ordo Praemonstratensis, Abk. OPraem; auch Norbertiner), kath. Klerikerorden, 1120 von Norbert von Xanten in Prémontré bei Laon gegründet; weibl. Zweig die **Prämonstratenserinnen.** Der Orden entstand aus der Klerikerreform des 11. und 12. Jh.: gemeinsames Leben auf Grundlage der Augustinusregel, Armut, zurückgezogene Beschaulichkeit und Wanderapostolat. Die P. spielten, mit Magdeburg als wichtigstem Zentrum, eine zentrale Rolle bei der dt. Ostsiedlung und -mission.

Enrico Prampolini: »Plastische Erscheinungen« (1953; Privatbesitz)

Prampolini, Enrico, italien. Maler, Architekt, Bühnenbildner und Kunsttheoretiker, *Modena 20. 4. 1894, †Rom 18. 6. 1956; Mitgl. zahlreicher Künstlervereinigungen (Dada, Novembergruppe, Cercle et Carré, Abstraction-Création); gab Zeitschriften und Manifeste heraus, malte futuristisch und abstrakt.

Prambanan: Der Haupttempel Lara Jonggrang der shivaitischen Tempelanlage stammt aus dem 9./10. Jahrhundert

pränatal [lat.], der Geburt vorausgehend.

Pränataldiagnostik, Untersuchung zur Erfassung von vorwiegend genetisch bedingten Missbildungen und Stoffwechselerkrankungen bei dem noch ungeborenen Kind. Die P. beruht in erster Linie auf dem Nachweis von Chromosomenveränderungen und auf biochem. Untersuchungen an den im Fruchtwasser befindlichen kindl. Zellen.

pränatale Psychologie, Zweig der Entwicklungspsychologie, der sich mit der Erforschung seel. Vorgänge, Reaktionen und Inhalte des Menschen vor, während und unmittelbar nach seiner Geburt befasst. Die p. P. hält Erfahrungen und Prägungen im Mutterleib und während der Geburt (»Geburtstrauma«) für gegeben.

Ludwig Prandtl

Prandtauer (Prandauer), Jakob, österr. Baumeister, getauft Stanz bei Landeck (Tirol) 16. 7. 1660, † Sankt Pölten 16. 9. 1726; der bedeutendste Klosterbaumeister des österr. Barock. Sein Hauptwerk ist die mächtige Baugruppe des Benediktinerstiftes → Melk.

Prandtl, Ludwig, Physiker, * Freising 4. 2. 1875, † Göttingen 15. 8. 1953; Direktor des Kaiser-Wilhelm-Inst. für Strömungsforschung in Göttingen, Begründer der modernen Aero- und Hydrodynamik. Seine Untersuchungen zur Theorie der Unterschall- und Überschallströmung (u. a. mithilfe von Windkanälen) führten zu wichtigen Verbesserungen im Schiff- und Flugzeugbau.

Präraffaeliten: John Millais, »Christus im Hause seiner Eltern« (1849–50; London, Tate Gallery)

Prandtl-Rohr [nach L. Prandtl], schlanke, zylindr. Strömungssonde zur Messung des Gesamtdrucks und des stat. Drucks eines strömenden Mediums; aus der Differenz dieser Drücke, dem → Staudruck, kann auf die Strömungsgeschwindigkeit geschlossen werden. Das p. S. besitzt als Kombination von Pitot-Rohr und stat. Drucksonde eine Öffnung, die gegen die Strömung gerichtet ist (Staupunkt), sowie mindestens eine seitl. Öffnung.

Pranger [mhd., zu pfrengen »drücken«] *der* (Schandpfahl), steinerner oder hölzerner Pfahl, an dem bis zur Mitte des 19. Jh., v. a. aber im MA; Verbrecher zur Schau gestellt wurden; bewirkte → Ehrlosigkeit.

Prantl, Karl, österr. Bildhauer, * Pöttsching (Burgenland) 5. 11. 1923; schuf Steine und Bronzen in geschlossener blockhafter Form mit Zeichen setzenden Vertiefungen (»Meditationsplastiken«).

pränumerando [lat.], im Voraus zahlbar oder gezahlt; Ggs.: postnumerando.

Präparat [lat.] *das,* **1)** *Biologie* und *Medizin:* aus Lebewesen hergestelltes Demonstrationsobjekt für Forschung und Lehre. P. werden als **Frisch-P.** in frisch präpariertem, lebendem Zustand zur Untersuchung physiolog. Vorgänge und zur Beobachtung natürl. Strukturen verwendet. Vorbehandelte P. mit fixierten, eingebetteten, geschnittenen und gefärbten Objekten sind **Dauerpräparate.**

2) *Pharmazie:* gebrauchsfertiges Arzneimittel.

Präposition [lat.] *die* (Verhältniswort), *Sprachwiss.:* nicht flektierbare Wortart zum Ausdruck syntakt. (lokaler, temporaler, kausaler, modaler) Beziehungen, erfordert im Deutschen eine bestimmte Rektion (z. B. *mit* immer den Dativ).

Präraffaeliten, eine 1848 von D. G. Rossetti, William Holman Hunt (* 1827, † 1910), J. E. Millais u. a. unter dem Namen **Pre-Raphaelite Brotherhood** (»Präraffaelitische Bruderschaft«) gegründete Vereinigung brit. Maler, die, angeregt von den → Nazarenern, eine Reform der Kunst erstrebten, indem sie, in Opposition zur Londoner Royal Academy, an die italien. Maler vor Raffael anzuknüpfen suchten. Die Vereinigung gab die Zeitschrift »The Germ« (1850) heraus; literar. Wortführer war J. Ruskin. In der Malerei und Dichtung Rossettis mischte sich Madonnen- und weltl. Liebeskult, bei W. Morris, der neben E. Burne-Jones zu den bedeutendsten P. gerechnet wird, Religiosität des MA. und moderner Sozialismus, in der Ästhetik von J. Ruskin Klassizismus und Romantik. Die Kunst der P. war eine der Voraussetzungen des engl. Jugendstils.

📖 Metken, G.: *Die P. Köln 1974.*

Prärie [von frz. prairie »Wiese«] *die,* das natürl. Grasland im Inneren Nordamerikas, in großen Teilen der Great Plains und des Zentralen Tieflands; umgeben im O und SO von der Laubwaldzone des Zentralen Tieflands, im SW von Dornstrauchsavannen, im W von den Rocky Mountains, im N von borealem Nadelwald.

Präriehunde (Cynomys), Gattung der Hörnchen, vorwiegend in Nordamerika (z. B. Schwarzschwanz-P.); bis 35 cm körperlange, kurzschwänzige, hundeartig bellende Tiere; in Kolonien mit unterird. Gangsystemen.

Prärie- und Plains-Indianer [-pleınz-], die auf den riesigen Grasländern zw. Mississippi und Rocky Mountains lebenden Indianerstämme Nordamerikas; in Dtl. als Prärie-Indianer, in Nordamerika als Plains-Indianer bezeichnet. Die Prärie, im O mit fruchtbaren Schwarzerdeböden, wurde v.a. in den Flusstälern von sesshaften, Anbau treibenden Stämmen bewohnt. Die westlich gelegenen, nicht zum Anbau geeigneten Great Plains wurden in größerem Umfang erst mit der Intensivierung der Bisonjagd besiedelt, die nach Einführung des Pferdes durch die Spanier möglich geworden war. Die sesshaften Präriestämme wohnten in festen Häusern aus Balken mit Erd- und Grasabdeckungen. Die nichtsesshaften Jägerstämme der Great Plains lebten in kegelförmigen Stangenzelten (Tipis). Nahrung, Kleidung, Unterkunft und Werkzeuge lieferten Bison u.a. Jagdtiere. Rang und Ansehen eines Kriegers zeigte der Kopfschmuck; höchste Auszeichnung war die Adlerfederhaube mit Rückenschleppe. Waffen waren Keulen, Pfeil und Bogen sowie Lanzen, später auch Gewehre, Tomahawk (Axt mit Stahlklinge) und bemalter Rundschild. In der Religion hatten Visionen und Glaube an Schutzgeister große Bedeutung; zeremonielles Rauchen aus geschnitzten Tabakspfeifen war Kultopfer. Wichtigstes Ritual war der Sonnentanz. Mit der Ausrottung der Bisonherden durch weiße Jäger und Siedler um die Mitte des 19. Jh. brach die Kultur rasch zusammen. Krankheiten und Kämpfe gegen die vordringenden Weißen dezimierten die P.- u. P.-I. Die Überlebenden wurden in Reservationen eingewiesen. Seit den 1960er-Jahren streben die P.- u. P.-I. nach kultureller Erneuerung (u.a. Wiederaufleben des Sonnentanzes) und fordern die Rückerstattung von Land.

📖 HARTMANN, H.: *Die Plains- u. Prärieindianer Nordamerikas. Berlin 1973.* – BOLZ, P.: *Ethn. Identität u. kultureller Widerstand. Die Oglala-Sioux der Pine-Ridge-Reservation in South Dakota. Frankfurt am Main 1986.*

Präriewolf (Heulwolf, Coyote, Kojote, Canis latrans), zu den Hunden gestelltes Raubtier in Prärien und Wäldern Nord- und Mittelamerikas (Körperlänge bis 95 cm) mit buschig behaartem Schwanz; ernährt sich überwiegend von Kleintieren und Aas, ist für den Menschen ungefährlich.

Prärogativ [lat.] *das* (Prärogative), früher im staatsrechtl. Sinn das dem Monarchen zustehende Vorrecht, das er unabhängig von der Mitwirkung einer Volksvertretung ausüben konnte, u.a. Oberbefehl über das Heer, Ministerernennung und Begnadigung; in der konstitutionellen Monarchie durch die verfassungsrechtl. Bindung beschränkt.

Prasad, Rajendra, ind. Politiker, *Zeeradai (Bihar) 3.12.1884, †Saduguat Ashram (bei Patna) 28.2.1963; Jurist, mehrmals Vors. der Kongresspartei, wurde 1946 Vors. der verfassungsgebenden Versammlung. 1950–62 war er Staatspräsident.

Präriehunde: Schwarzschwanzpräriehund (Körperlänge bis 35 cm)

Präsens [lat.] *das, Sprachwiss.:* Gegenwart, Verbform zur Bez. eines gegenwärtigen Zustands oder einer in der Gegenwart ablaufenden Handlung. (ÜBERSICHT Verb)

Präsentation [lat.] *die, Handelsrecht:* das Vorlegen eines Wechsels oder Schecks zur Geltendmachung der Forderung.

Präriewolf (Körperlänge bis 95 cm)

Präsenz [lat.] *die,* **1)** *allg.:* Anwesenheit.

2) *Psychologie:* Zustand des Gegenwärtigseins von Wahrnehmungsinhalten im Bewusstsein. Als unmittelbare Gegenwart wird ein Zeitabschnitt von wenigen Sekunden erlebt.

Präsenzbibliothek, Bibliothek, deren Bestände nur in den bibliothekseigenen Räumlichkeiten genutzt werden dürfen.

Praseodym [zu grch. praseĩos »lauchgrün« und Didym gebildet] *das,* chem. Symbol **Pr,** Element aus der Reihe der →Lanthanoide im →Periodensystem der chemischen Elemente; Ordnungszahl 59, relative Atommasse 140,9077, Dichte 6,475 g/cm³, Schmelzpunkt 935 °C, Siedepunkt 3017 °C. P. ist ein silberweißes, an Schnittflächen gelblich anlaufendes, unedles Metall, das in zwei Modifikationen mit unterschiedl. Dichte auftritt. In seinen gelb- bis blaugrün gefärbten Verbindungen hat es

Rajendra Prasad

Prater: Das 64 Meter hohe Riesenrad im Wurstlprater wurde 1897 errichtet

i. Allg. die Oxidationsstufe +3. P. kommt stets vergesellschaftet mit den übrigen Seltenerdmetallen vor, v. a. in den Mineralen Cerit, →Monazit und →Orthit. – P.-Verbindungen, z. B. das grüne P.-Oxid, Pr_2O_3, werden zum Färben von Glas und Email verwendet.

Präservativ [lat.] *das,* das →Kondom.

Präserve *die,* die Halbkonserve, →Konserve.

Präses [lat., eigtl. »vor etwas sitzend«] *der, evang. Kirchen:* der gewählte Vors. einer Synode; in den Evang. Landeskirchen von Rheinland und Westfalen zugleich der Vors. der Kirchenleitung.

Präsidialrat, Organ der Richtervertretung, das nach §§ 54 ff. des Dt. Richtergesetzes und Vorschriften der Landesrichtergesetze vor der Ernennung oder Wahl eines Richters oder einer Änderung seines Richterstatus zu beteiligen ist. Ein P. ist bei jedem obersten Gerichtshof des Bundes errichtet. In den Bundesländern ist für jeden Gerichtszweig ein P. zu bilden.

Präsidialsystem (präsidentielles System), Erscheinungsform der repräsentativen Demokratie, bei der im Ggs. zum parlamentar. Regierungssystem (→Parlamentarismus) die Spitze der Exekutive (zugleich Staatsoberhaupt) nicht vom Parlament bestimmt wird und von diesem unabhängig ist (ausgeprägt in den USA; daneben gibt es Mischformen). Kennzeichnend für das P. ist der vom Volk gewählte Präs., der die Funktionen des Staatsoberhaupts und des Reg.chefs vereinigt; er kann vom Parlament nicht abgewählt werden; ihm steht demgegenüber nicht das Recht zu, das Parlament aufzulösen. Die Mitgl. des »Kabinetts« sind seinen Anweisungen unterworfen. Der Präs. besitzt kein Recht zur Gesetzesinitiative, sondern nur ein suspensives →Veto gegenüber Gesetzesvorlagen des Parlaments. Kein Mitgl. der Exekutive darf zugleich der Legislative angehören.

📖 STEFFANI, W.: *Parlamentar. u. präsidentielle Demokratie. Strukturelle Aspekte westl. Demokratien.* Opladen 1979. – FRAENKEL, E.: *Das amerikan. Regierungssystem. Neuausg. Wiesbaden 1986.*

Präsidium [lat.] *das, Gerichtsverfassungsrecht:* das bei allen Gerichten aus dem Präs. des Gerichts und gewählten Richtern bestehende weisungsfreie Selbstverwaltungsorgan, das die Richter den Spruchkörpern zuordnet, Vertretungen regelt, Ermittlungsrichter bestellt, die Geschäfte verteilt.

Prasiolith [zu grch. prásios »grün« und líthos »Stein«] *der,* Bez. für den durch Brennen grün gewordenen Amethyst oder Citrin.

prästabilierte Harmonie, These von G. W. von →Leibniz.

Prätendent [lat.] *der,* jemand, der auf etwas Anspruch erhebt; i. e. S. ein Fürst, der Ansprüche auf einen ihm vorenthaltenen Thron geltend macht **(Thronprätendent).**

Prater *der,* Naherholungsgebiet (ehemalige Donauaue) im II. Wiener Bezirk, Österreich, zw. Donaukanal und Donau; mit dem Vergnügungspark **Wurstel-P.** (u. a. das 64 m hohe Riesenrad, seit 1897) und dem weitläufigen **Grünen Prater** (mit Trabrennbahn und anderen Sportstätten).

Präteritum [lat.] *das,* i. w. S. Sammelbez. unterschiedlicher Vergangenheitsformen des Verbs, i. e. S. Imperfekt. (ÜBERSICHT Verb)

Prätigau, Hochtal in der Schweiz, →Prättigau.

Prato, 1) Provinz in der Toskana, Italien, 366 km², (1995) 219 900 Einwohner.

Prato 2): Die Außenkanzel mit Baldachin am Dom Santo Stefano von Michelozzo mit Reliefs von Donatello stammt aus dem 15. Jahrhundert

2) Hauptstadt von 1), am Bisenzio, 166 700 Ew.; Zentrum der Textilind. (bes. Wolle), Lederwarenindustrie. – Dom Santo Stefano (auf das 9. Jh. zurückgehend, mit Außenkanzel von Donatello und Michelozzo), Renaissancekirche Santa Maria delle Carceri (15. Jh., von G. da Sangallo), Kastell Kaiser Friedrichs II. (1237–48), Palazzo Pretorio

(13./14. Jh.), Centro per l'Arte Contemporanea Luigi Pecci (Neubau 1988 eröffnet).

Pratolini, Vasco, italien. Schriftsteller, *Florenz 19. 10. 1913, †Rom 12. 1. 1991; schrieb seit den 1940er-Jahren sozial engagierte Romane, auch mit neorealist. Mitteln (»Chronik armer Liebesleute«, 1947). In der Trilogie »Una storia italiana« gestaltet er am Einzelschicksal die Entwicklung Italiens von 1875 bis 1945 (Bd. 1: »Metello, der Maurer«, 1955; Bd. 2: »Lo scialo«, 1960; Bd. 3: »Allegoria e derisione«, 1966); auch Novellen, Gedichte.

Prätor (lat. Praetor) *der,* im antiken Rom der Oberbefehlshaber des Königs; in der Frühzeit der Rep. die obersten Magistrate, seit 367 v. Chr. der für die Gerichtsbarkeit unter röm. Bürgern zuständige Beamte **(Praetor urbanus),** zu dem später noch ein zweiter P. kam, der für Prozesse zwischen röm. Bürgern und Fremden zuständig war **(Praetor peregrinus).**

Prätorianer [lat.], seit dem 2. Jh. v. Chr. die persönl. Schutzgarde röm. Feldherren, seit Augustus die Leibwache der Kaiser.

Pratteln, Stadt im Kanton Basel-Landschaft, Schweiz, südlich von Basel, 15 400 Ew.; Waggon- und Maschinenbau, Metallverarbeitung, chem. u. a. Industrie.

Prättigau *das,* auch *der* (Prätigau, bündnerroman. Val Partens), Talschaft der bei Landquart in den Rhein mündenden Landquart in Graubünden, Schweiz, 40 km lang, zw. dem Rätikon und den Plessuralpen; Landwirtschaft, Fremdenverkehr (v. a. Klosters); wird von der Straße über den Flüelapass ins Engadin und der Bahnlinie nach Davos durchzogen.

Praunheim, Rosa von, eigtl. Holger Mischwitzky, Filmregisseur, *Riga 25. 11. 1942; aggressiv-parodist., auch gesellschaftskrit. Filme über Minderheiten, u. a. »Nicht der Homosexuelle ist pervers, sondern die Situation, in der er lebt« (1971), »Unsere Leichen leben noch« (1981), Aidstrilogie (»Schweigen = Tod«, 1989; »Positiv«, 1990; »Feuer unterm Arsch«, 1990), »Ich bin meine eigene Frau« (1992).

Prävarikation [lat.] *die,* der →Parteiverrat.

Prävention [lat.] *die,* **1)** *Medizin:* vorbeugende Maßnahmen in der Gesundheitspflege, Maßnahmen der →Präventivmedizin durch Ausschaltung schädlicher Faktoren **(primäre P.)** oder durch möglichst frühzeitige Behandlung einer Erkrankung **(sekundäre Prävention).**

2) *Strafrecht:* Vorbeugung gegen künftige Delikte. Die Strafe sucht künftigen Verbrechen vorzubeugen durch abschreckende Wirkung auf andere **(General-P.)** oder Schutz der Gesellschaft vor einem bestimmten Verbrecher durch erzieher. Einwirkung oder Sicherung **(Spezialprävention).**

präventiv [lat.], einer unerwünschten Entwicklung zuvorkommend, vorbeugend, verhütend.

Präventivkrieg, Angriffskrieg, mit dem man dem vom Gegner geplanten Krieg zuvorkommen will.

Präventivmedizin (Vorsorgemedizin), ärztl. und gesundheitspolit. Maßnahmen zur Früherkennung von chron. Krankheiten oder bösartigen Tumoren, zur Verhütung einer drohenden Erkrankung sowie zur Verhütung der Verschlimmerung einer bestehenden Erkrankung.

Prawda [russ. »Wahrheit«] *die,* russ. Tageszeitung, gegr. 1912, seit 1918 hg. in Moskau; bis 1991 Organ des ZK der KPdSU.

Prawdinsk (dt. Friedland/Ostpreußen), Stadt im Gebiet Kaliningrad (Königsberg), Russland, an der Alle, 3 000 Ew.; Schuhfabrik. – Die Schlacht bei Friedland (14. 6. 1807) führte durch den Sieg Napoleons I. über die Preußen und Russen zum Frieden von Tilsit.

Praxiteles, grch. Bildhauer des 4. Jh. v. Chr., Schüler seines Vaters Kephisodot d. Ä., neben Skopas und Lysipp der bedeutendste Bildhauer der Spätklassik. Durch hohe Meisterschaft in der Oberflächenbehandlung und feinste Ausgewogenheit der Körperrhythmen gab er seinen Skulpturen eine neuartige poet. Anmut. Literarisch sind etwa 60 Werke bezeugt. Durch kaiserzeitl. Kopien bekannt sind der »Einschenkende Satyr« (um 370/360 v. Chr.; u. a. Dresden, Staatl. Kunstsammlung) und die halb bekleidete »Aphrodite von Arles« (um 360/350; Paris, Louvre). Der »Angelehnte Satyr« (um 340; u. a. Rom, Kapitolin. Museum) zeigt die für P. charakterist. S-Linie des Körpers, ebenso der »Apollon Sauroktonos« (»Eidechsentöter«, um 340; u. a. Rom, Vatikan. Sammlung). In seinem Hauptwerk, der »Aphrodite von Knidos« (um 330; Rom, Vatikan. Sammlung; weitere Kopie z. B. München, Glyptothek), wird zum ersten Mal in der grch. Kunst in einer Großplastik die Schönheit des unbekleideten Frauenkörpers dargestellt. Der im Heratempel von Olympia gefundene »Hermes mit dem Dionysosknaben« (BILD griechische Kunst) wird als Originalwerk des P. (um 330) oder als Kopie des 1. Jh. v. Chr. angesehen.

Präzedenzfall, Musterfall, der späteren Sachverhalten als Vorbild dienen kann, z. B. in der polit. Verwaltung; an rechtswidrig entschiedene P. ist die Verwaltung nicht gebunden. Für gerichtl. Entscheidungen →Präjudiz.

Präzeptor [lat.] *der, veraltet:* Lehrer, Schulmeister, Erzieher.

Präzession [lat. »das Vorangehen«] *die,* **1)** *Astronomie:* Verlagerung der Rotationsachse der Erde v. a. aufgrund des von Sonne und Mond auf die abgeplattete Erde ausgeübten Drehmoments **(Lunisolar-P.).** Entsprechend dem Kreiselverhalten bewegt sich dadurch die Erdachse auf einem Kegelmantel um den Pol der Ekliptik in rechtläu-

Vasco Pratolini

Rosa von Praunheim

Praxiteles: Aphrodite von Knidos, römische Marmorkopie (um 330 v. Chr.; Rom, Vatikanische Sammlungen)

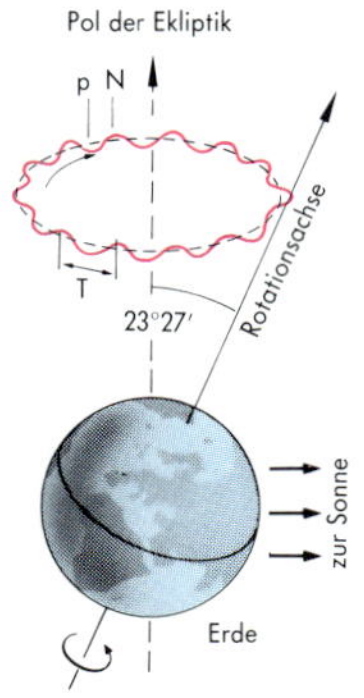

P = Präzession
N = Nutation
T = Nutationsperiode

Präzession 1): schematische Darstellung der Präzession und Nutation der Erdrotationsachse (die Nutationsperiode ist nicht maßstäblich eingezeichnet)

figer Drehung. Der halbe Öffnungswinkel des P.-Kegels ist gleich der Schiefe der Ekliptik (23° 27'). Ein voller Umlauf dauert etwa 25 850 Jahre **(platon. Jahr).** Der P. überlagert ist eine period. Schwankung von etwa 19 Jahren, die **Nutation.** Aufgrund der Nutation beschreibt die Rotationsachse der Erde keinen glatten, sondern einen gewellten P.-Kegel. Die Einwirkung der Planeten auf die Erde bewirkt die **Planeten-P.;** Lunisolar- und Planeten-P. ergeben zus. die **allg. P.,** die bewirkt, dass der Frühlingspunkt auf der Ekliptik jährlich um 50,26'' zurückläuft. – Durch die P. verschiebt sich die Lage der Himmelspole. Dadurch kann jeder Stern Polarstern werden, der um den Betrag der Schiefe der Ekliptik von deren Pol entfernt ist.

2) *Physik:* → Kreisel.

Präzipitation [lat. »das Herabfallen«] *die,* **1)** *Chemie:* → Fällung.

2) *Immunchemie:* die Entstehung unlösl. Immunkomplexe infolge einer → Antigen-Antikörper-Reaktion zw. körperfremden Antigenen (Präzipitinogene) und vom Organismus gebildeten Antikörpern (Präzipitine), die zu einem sichtbaren Niederschlag (Präzipitat) führt. Als Grundlage wichtiger immunolog. Untersuchungsmethoden dient sie z. B. zur Unterscheidung von menschl. und tier. Proteinen, zum Nachweis von Milzbrandantigenen oder in der Lebensmittelkontrolle zur Feststellung von Fleisch- und Milchverfälschungen.

Pré [engl. dʒʊˈpreɪ, frz. dyˈpre], Jacqueline du, brit. Violoncellistin, * Purley (heute zu London) 26. 1. 1945, † London 19. 10. 1987; war ⚭ mit D. Barenboim, bildete mit ihm und P. Zukerman ein Trio.

Prebisch, Raúl, argentin. Volkswirtschaftler und Politiker, * Tucumán 17. 4. 1901, † Santiago de Chile 29. 4. 1986; 1950–63 Generaldirektor der UN-Wirtschaftskommission für Lateinamerika, 1964–69 Gen.-Sekr. der Welthandelskonferenz (UNCTAD). Bekannt wurde P. v. a. durch die Theorie des peripheren Kapitalismus (→ Zentrum-Peripherie-Modell) und durch die gemeinsam mit Hans W. Singer (* 1910) entwickelte **P.-Singer-These,** nach der die Verschlechterung der → Terms of Trade zulasten der Entwicklungsländer eine zentrale Ursache für deren Unterentwicklung ist.

Prechtl, Michael Mathias, Maler, Zeichner und Grafiker, * Amberg 26. 4. 1926; entwickelt in Landschaften, Porträts u. a. einen z. T. ironischen, vieldeutigen realist. Stil. Seine Arbeiten sind oft von polit. und sozialem Engagement getragen (Entwürfe für die Ausmalung des Nürnberger Rathaussaales, 1987/88). BILDER Kafka, Orwell

Précieuses [preˈsjø:z; frz. »die Kostbaren«], gebildete Damen der Pariser Aristokratie, die in der 1. Hälfte des 17. Jh. Salons begründeten; tonangebend war der Salon der Marquise de Rambouillet, in dem sich Staatsmänner, Gelehrte und Schriftsteller trafen. Die P. legten den Grund für die frz. Kultur des geselligen Gesprächs und bereiteten den Stil der frz. Klassik vor. Übertreibungen verspottete Molière in der Komödie »Die lächerl. Preziösen« (1659).

Pred., Abk. für **Pred**iger Salomo (A. T.).

Predeal *der* (Tömöscher Pass), Pass an der Grenze zw. Ost- und Südkarpaten in Rumänien, 1 032 m ü. M.; Straßenverbindung, Bahnlinie Kronstadt–Ploiești in zwei Tunneln (1 015 m ü. M.). Südlich des P. liegt der Kurort Predeal, 7 900 Ew.; Wintersport.

Predella [italien. »Stuhl«, »Sockel«] *die* (Altarstaffel), Unterbau eines Flügelaltars, → Altar.

Prediger [ahd., zu lat. praedicare »öffentlich ausrufen«], in den christl. Kirchen der haupt- oder nebenamtl. Verkündiger des Evangeliums (durch Predigt); als Bez. für die Mitarbeiter im Verkündigungsdienst v. a. in den evang. Freikirchen gebräuchlich.

Predigerorden, der Orden der → Dominikaner.

Prediger Salomo (hebr. Kohelet), Abk. **Pred.,** Buch des A. T.; von der jüd. Tradition König Salomo (dem Vater der Weisheit) zugeschrieben; enthält durch eine skept. Weltsicht geprägte Sprüchegruppen und Einzelsprüche; entstanden im 3. Jh. v. Chr.

Predigerseminar, landeskircheneigene Ausbildungsstätte für evang. Theologen zur Vorbereitung auf den kirchl. Dienst.

Predigt, in den christl. Kirchen die i. d. R. an Bibeltexte gebundene Form der Verkündigung, i. e. S. die Kanzelrede während des Gottesdienstes; theologisch verstanden die »Übersetzung« der bibl. Botschaft (des »Wortes Gottes«) in den Sprach- und Lebenskontext der konkreten Gemeinde mit den Zielen der Stärkung im bzw. der Einladung zum Glauben und der Vermittlung der christl. (kirchl.) Lehre. – In der Kirchengeschichte erhielt die P. starke Impulse durch die Bettelorden (Dominikaner, Franziskaner); zum Mittelpunkt des Gottesdienstes wurde sie in den evang. (bes. den ref.) Kirchen. In der kath. Kirche gewann sie seit dem 2. Vatikan. Konzil wieder an Bedeutung; in den orth. Kirchen trat sie, nach einer anfangs großen P.-Tradition (Johannes Chrysostomos), später in den Hintergrund.

📖 ARENS, H. *u. a.: Kreativität u. Predigtarbeit. München ^{4}1982.* – BOHREN, R.: *Predigtlehre. Gütersloh ^{6}1993.*

Predil *der,* Pass in den Julischen Alpen (1 156 m ü. M.), an der italienisch-slowen. Grenze, verbindet das Gailtal mit dem Isonzotal.

Předmostí [ˈprʃɛdmostji:], Stadtteil von Prerau (Přerov, Tschech. Rep.) mit altsteinzeitl. Freilandstation, in der seit 1880 Skelettreste von über 1000 Mammuten sowie ein Massengrab mit 20 Hockerskeletten, ferner Steinartefakte, Kleinfiguren und Gravierungen gefunden wurden.

Prednison *das,* synthetisch herstellbarer Abkömmling des Nebennierenrindenhormons Cortison (dehydriertes Cortison), als Glucocorticoid vier- bis fünfmal stärker wirksam als Cortison.

Preetorius, Emil, Bühnenbildner und Illustrator, * Mainz 21. 6. 1883, † München 27. 1. 1973; seine Buchillustrationen (u. a. zu »Tartarin« von A. Daudet, 1913), Buchschmuckgrafiken (Exlibris, Signete, Vignetten) und Plakate sind vom japan. Holzschnitt beeinflusst. Als Bühnenbildner knüpfte er an den romant. Klassizismus an; ab 1923 war er für die Münchner Kammerspiele und für die Bayreuther Festspiele tätig.

Emil Preetorius: Titelblatt einer deutschen Ausgabe (1912) von Honoré de Balzacs Erzählungen »Petites misères de la vie conjugale« (1830)

Preetz, Stadt im Kr. Plön, Schlesw.-Holst., an der Schwentine, 15 300 Ew.; Luftkurort; Nahrungsmittel- und Spirituosenfabrik. – Das ehem. Benediktinerinnenkloster (1211 gegr.) ist heute Damenstift; Stiftskirche (1325–40). – Seit 1870 Stadt.

Pregel *der* (russ. Pregolja), Fluss in Russland, im Gebiet Kaliningrad (Königsberg), 128 km lang, entsteht bei Insterburg aus Inster und Angerapp, mündet westlich von Königsberg ins Frische Haff; über die Deime mit dem Kur. Haff verbunden.

Pregl, Fritz, österr. Chemiker, * Ljubljana 3. 9. 1869, † Graz 13. 12. 1930; gilt als der Schöpfer der quantitativen Mikroanalyse organ. Verbindungen. P. erhielt 1923 den Nobelpreis für Chemie.

Fritz Pregl

Pregnan *das,* gesättigter Steroidkohlenwasserstoff, Baustein der Gelbkörper- und Nebennierenrindenhormone.

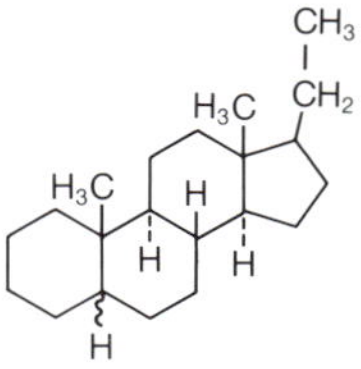

Pregnan

Preis [zu lat. pretium »Wert«, »Lohn«, »Kauf(preis)«], **1)** *allg.:* Siegergewinn bei Wettkämpfen, Wett- und Glücksspielen.

2) *Wirtschaft:* das Austauschverhältnis zw. Wirtschaftsgütern. Seit Einführung des Geldes bedient man sich der Geldeinheit als einheitl. Bezugsgröße, in der der Tauschwert eines Gutes angegeben wird. Die pro Einheit eines bestimmten Wirtschaftsgutes geforderte bzw. gezahlte Geldmenge ist damit der **absolute P.** Die Tauschrelation in Einheiten anderer Güter wird auch als **relativer P.** bezeichnet. (→ Preistheorie)

Preis-Absatz-Funktion, Beziehung zw. der nachgefragten Menge eines Gutes und seinem Preis, beschreibt das Nachfrageverhalten der Konsumenten aus der Sicht des Anbieters.

Preisausschreiben, die öffentl. Aussetzung einer Belohnung für eine Leistung binnen einer bestimmten Frist. Über die Zuerkennung des Preises entscheidet meist ein Preisgericht (§ 661 BGB). Bei P. zu Werbezwecken liegt oft ein verdeckter → Lotterievertrag vor. – *Österreich* hat ähnliche Bestimmungen (§§ 860/860 b ABGB), in der *Schweiz* entspricht dem P. die Auslobung (Art. 8 OR).

Preisbildung, Bestimmung der Preise auf dem Markt im Ergebnis des Zusammentreffens von Angebot und Nachfrage. Eine Vermehrung des Angebots bewirkt bei gleich bleibender Nachfrage ein Sinken, eine Erhöhung der Nachfrage bei gleich bleibendem Angebot ein Ansteigen der Preise. Angebot und Nachfrage bestimmen die Preishöhe und werden selbst rückwirkend durch die Preise beeinflusst. Stehen sich viele Anbieter und Nachfrager auf einem vollkommenen Markt gegenüber, so bildet sich der sog. **Gleichgewichtspreis,** d. h. der Preis, bei dem angebotene und nachgefragte Gütermenge übereinstimmen. Das Ausmaß, in dem der Preis auf Angebot und Nachfrage reagiert, wird als **Preisflexibilität** bezeichnet; dessen Kehrwert ist die Preiselastizität (→ Elastizität). Daneben wirken die Preise der Konkurrenzgüter auf die Preishöhe. – Voraussetzung für die Herausbildung der Marktpreise ist der freie Wettbewerb **(Konkurrenzpreise).** Monopole sind versucht, ihre marktbeherrschende Stellung zu nutzen, um höhere Preise durchzusetzen **(Monopolpreise)** oder unterschiedl. Preise für versch. Käuferschichten festzusetzen **(Preisdifferenzierung).** – In der Planwirtschaft werden die Preise behördlich festgelegt. Da staatl. Festpreise keinen automat. Ausgleich von Angebot und Nachfrage bewirken, sind ergänzende Maßnahmen der Produktions- und Verbrauchssteuerung durch die Preispolitik erforderlich. Unter gesamtwirtsch. Gesichtspunkt ist der Preis das zentrale Koordinierungsinstrument **(Preismechanismus, Marktmechanismus)** zw. Produktion und Nachfrage.

Preisbindung, (vertikale Preisbindung), Vertragssystem, in dem sich der Abnehmer gegenüber dem Hersteller verpflichtet, beim Weiterverkauf einer Ware den vom Hersteller festgesetzten Preis einzuhalten und weitere Abnehmer ebenfalls zur Einhaltung bestimmter Preise zu verpflichten. Außer für Verlagserzeugnisse ist die P. seit 1974 aufgehoben. Unverbindl. **Preisempfehlungen** (bei Markenartikeln) sind weiterhin gestattet, unterliegen jedoch verschärfter Missbrauchsaufsicht.

Preis der Nationen (Nationenpreis), *Pferdesport:* Mannschaftswettbewerb im Springreiten von Equipen von mindestens drei Nationen im Turnier.

Preiselbeere: Zweige mit Blüten und Früchten

Preiselbeere [tschech. bruslina »Streifbeere«] (Kronsbeere, Vaccinium vitis-idaea), bis 15 cm hohes Heidekrautgewächs auf trockensauren Heideböden, im N von Europa, Asien und Nordamerika, zwergstrauchig, mit wintergrünen, oben dunklen Blättern, dichten Träubchen rötlich weißer Blüten und erbsengroßen, scharlachroten, festen, herbsäuerl. Beeren.

Preisempfehlung, → Preisbindung.

Erich Preiser

Preiser, Erich, Volkswirtschaftler, * Gera 29. 8. 1900, † München 16. 8. 1967; beschäftigte sich v. a. mit der Konjunktur- und Verteilungstheorie.

Werke: Grundzüge der Konjunkturtheorie (1933); Wachstum und Einkommensverteilung (1961); Wirtschaftspolitik heute (1967).

Preisgleitklausel, vertragl. Vereinbarung, bei der die Fixierung des endgültig zu zahlenden Preises von der Preisentwicklung bestimmter Kostenelemente (z. B. Lohn) abhängig gemacht wird.

Preis|index, *Statistik:* Messziffer aus Mittelwerten, bei der eine konstante Menge als Gewicht dient (Ggs. → Mengenindex). In der amtl. Statistik ist der P. eine Kurz-Bez. für diejenigen Indexzahlen, die die Preisentwicklung in wichtigen Bereichen erfassen. Wichtige P. sind die der Erzeugerpreise industrieller und landwirtsch. Produkte, der Ein- und Ausfuhrpreise, der Einzel- und Großhandelspreise, der Aktienkurse (Aktienindex) sowie insbesondere der P. der Lebenshaltung (→ Lebenshaltungskosten). Der P. misst den Einfluss der Inflation auf die Kaufkraft und ist daher für Fragen der Einkommensverteilung wichtig.

Preislied, episch-panegyr., an Fürstenhöfen vorgetragenes Lied in der german. Dichtung, das im Unterschied zum Heldenlied nicht vergangene Heldentaten ins Mythische erhebt, sondern eine zeitgenöss. Persönlichkeit oder ein bed. Ereignis unmittelbar verherrlicht.

Preisniveau [-nivo], Durchschnitt aller wichtigen Preise einer Volkswirtschaft; zur Berechnung dient ein repräsentativer Preisindex. Der Kehrwert des P.-Wertes drückt die → Kaufkraft des Geldes aus.

Preisnotierung, *Börsenwesen:* in Dtl. gebräuchlichste Art der Kursfeststellung (→ Kurs).

Preispolitik, 1) *Betriebswirtschaft:* wichtiges Teilgebiet der betriebl. Absatzpolitik, das die autonome Preisfestsetzung sowie Preisveränderungen auf der Grundlage von Kalkulationen, Marktforschung und allg. Geschäftspolitik umfasst.

2) *Volkswirtschaft:* Preisüberwachung, örtl. Preiskontrolle und Preisfestlegung (z. B. Festpreis, Richtpreis) durch den Staat oder einzelne Wirtschaftsverbände; i. e. S. Maßnahmen des Staates zur Beeinflussung des Preisniveaus, bestimmter Preisrelationen oder einzelner Preise.

Preisrecht, die Gesamtheit der Rechtsvorschriften über eine mögliche staatl. Preisregelung; Rechtsgrundlage ist das Preis-Ges. vom 10. 4. 1948. Die staatl. Preisbewirtschaftung ist weitgehend beseitigt worden. Preisregelungen gibt es heute nur noch im Energiebereich, für Mieten im sozialen Wohnungsbau, im Gesundheitsbereich sowie für Bauleistungen bei öffentl. oder mit öffentl. Mitteln finanzierten Aufträgen.

Preis|stopp, Mittel der staatl. Preispolitik in Form von Höchst-, Fest- oder Mindestpreisen. Die inflationsdämmende Wirkung von Höchst- und Festpreisen ist umstritten, da sich Schwarzmärkte mit höheren Preisen bilden können oder die Inflation nur zeitweilig unterbrochen wird, weil der aufgestaute Nachholbedarf bei Aufhebung des P.

für neuerl. Preisauftrieb sorgt (zurückgestaute Inflation).

Preis|theorie, Teilgebiet der Mikroökonomik; sie untersucht, wie sich die Preise für Produktionsfaktoren und für Güter bilden. Neben den →Werttheorien im Rahmen der P. unterscheidet man **objektive** und **subjektive P.** Die objektiven P. basieren auf der →Arbeitswerttheorie, die subjektiven P. stellen die subjektive Wertschätzung (→Nutzen) der Käufer und Verkäufer in den Mittelpunkt (→Grenznutzenschule). Die moderne P. berücksichtigt in ihren Analysen sowohl objektive Elemente wie Marktformen, Produktionsbedingungen als auch subjektive Faktoren wie Bedürfnis- und Präferenzskalen, Ziele (Nutzen- oder Gewinnmaximierung) und Verhaltensweisen der Wirtschaftssubjekte (z. B. private Haushalte und Unternehmen als Anbieter und Nachfrager). Method. Ansätze der modernen P. sind die Analyse des partiellen Gleichgewichts (für nur einen Markt) und die totale Gleichgewichtsanalyse (simultane Preisbestimmung für eine ganze Volkswirtschaft).

Preisüberhöhung (Preistreiberei), das Fordern, Annehmen oder Vereinbaren von unangemessen hohen Entgelten für Gegenstände oder Leistungen des lebenswichtigen Bedarfs; eine mit Geldbuße bedrohte Ordnungswidrigkeit nach dem Wirtschaftsstraf-Ges. Entsprechendes gilt für P. bei Vermietung und bei Wohnungsvermittlung.

prekä̱r [frz.], schwierig, misslich, heikel.

Prellball, Rückschlagspiel zw. zwei Mannschaften (2×10 Minuten), meist zu je vier Spielern auf einem 8×16 m großen Feld. Der Hohlball wird mit der Faust nach unten geprellt und muss spätestens nach dem dritten Schlag über eine (meist) 40 cm hohe Leine (Balken, Prellbock) in die gegner. Spielfeldhälfte treffen.

Prẹller, Friedrich d. Ä., Maler, * Eisenach 25. 4. 1804, † Weimar 23. 4. 1878; lehrte seit 1832 an der Zeichenschule in Weimar. Angeregt von J. A. Koch in Rom (1828–31), malte P. »heroische Landschaften« von klassizistisch-romant. Charakter, später bevorzugte er mytholog. Themen.

Prellung, Körperverletzung durch stumpfe Gewalt (Schlag, Stoß, Fall) ohne Durchtrennung der Haut; oft sehr schmerzhaft, stets mit Bluterguss verbunden.

Prẹlog, Vladimir, schweizer. Chemiker, * Sarajevo 23. 7. 1906, † Zürich 7. 1. 1998; für Untersuchungen über den räuml. Bau organ. Moleküle erhielt er 1975 mit J. W. Cornforth den Nobelpreis für Chemie.

Prélude [pre'lyd, frz.] *das, Musik:* Vorspiel, →Präludium.

Premadạsa, Ranasinghe, Politiker in Sri Lanka, * Colombo 23. 6. 1924, † (ermordet) ebd. 1. 5. 1993; ab 1976 stellv. Vors. der Vereinigten Nationalpartei, 1978–89 Premiermin., war ab 1989 Staatspräs.; fiel einem Bombenattentat zum Opfer.

Premiere [-'mjeːrə, frz.] *die,* Ur- oder Erstaufführung eines Bühnenstücks; erste Aufführung eines neu inszenierten Stücks.

Premierminister [prə'mje-, frz.] *der,* Kurzbez. **Premier,** erster Minister, Regierungschef (z. B. in Frankreich, Großbritannien).

Otto Preminger: Szene aus der Verfilmung (1959) des 1935 uraufgeführten Musicals »Porgy and Bess« von George Gershwin

Prẹminger, Otto Ludwig, amerikan. Regisseur und Filmproduzent österr. Herkunft, * Wien 5. 12. 1906, † New York 23. 4. 1986; emigrierte 1935 in die USA; drehte in Hollywood u. a.: »Carmen Jones« (1954), »Der Mann mit dem goldenen Arm« (1955), »Porgy und Bess« (1959), »Exodus« (1960), »Der Kardinal« (1963), »Der menschliche Faktor« (1979).

Otto Preminger

Prẹmio Miguel de Cervantes [mi'ɣɛl de θɛr'βantes] (Cervantespreis), span. Nationalpreis für Literatur, der seit 1976 jährlich an einen span. oder spanisch schreibenden lateinamerikan. Schriftsteller verliehen und am Todestag von M. de Cervantes Saavedra (23. April) überreicht wird. Preisträger waren u. a.: J. L. Borges, O. Paz, E. Sábato, C. Fuentes, M. Vargas Llosa.

Prẹmio Nadạl, 1944 gestifteter span. Literaturpreis, der jährlich (v. a. an Nachwuchsautoren) für den besten noch unveröffentlichten Roman in spanischer Sprache verliehen wird.

Prẹmio Strẹga, 1947 begründeter, jährlich verliehener italien. Literaturpreis für Werke der erzählenden Literatur.

Prẹmio Viareggio [- via'reddʒo], 1929 gestifteter, jährlich (ausgenommen 1940–45) verliehener italien. Literaturpreis, (bis 1949) für erzählende Werke, heute auch für Lyrik, Dramen und Essays.

Vladimir Prelog

Prẹmnitz, Stadt im Landkr. Havelland, Brandenburg, 10 700 Ew.; an der Havel; Chemiefaserwerk. – 1375 erstmals gen., seit 1962 Stadt.

Přemyslịden [prʃɛmis-] (Przemysliden), böhm. Herrschergeschlecht; nach der Legende von dem Bauer Přemysl (8. Jh.) begründet, der mit →Libussa vermählt war; Ottokar I. erlangte 1198 die erbl.

Prenzlau: Die gotische Marienkirche aus dem 14. Jh. wurde nach Kriegszerstörung (1945) wieder aufgebaut, der erhaltene Torturm davor war Teil der Stadtbefestigung aus dem 15. Jahrhundert

Königswürde; König Ottokar II. Přemysl (1253–78) machte Böhmen zur Großmacht; die P. starben 1306 mit Wenzel III. im Mannesstamm aus.

Prenzlau
Stadtwappen

Prenzlau, Krst. des Landkreises Uckermark, Brandenburg, am Austritt der Uecker aus dem Unterueckersee, 21400 Ew.; Zentrum der Uckermark mit Getreidesilos, Holzind., Maschinen-, Armaturenbau, Möbel-, Nahrungsmittelindustrie. – Die Marienkirche (im Wesentl. 14. Jh.), 1945 stark zerstört, wurde wiederhergestellt. Erhalten sind Reste der Stadtmauern mit Tortürmen, die frühgot. Dominikanerkirche mit Klostergebäuden und die frühgot. Franziskaner- (jetzt Dreifaltigkeits-)Kirche. – Urspr. slaw. Siedlung; dt. Neugründung bei einer 1107/08 errichteten Burg; erhielt 1235 Magdeburger Stadtrecht und kam 1250 an Brandenburg.

Prenzlauer Berg, VerwBez. von Berlin.

Preradović [-vitʃ], Paula von, österr. Schriftstellerin, *Wien 12. 10. 1887, †ebd. 25. 5. 1951; schrieb formstrenge Lyrik und Erzählungen, verfasste den Text der neuen österr. Bundeshymne.

Přerov [ˈprʃɛrɔf] (dt. Prerau), Stadt im Nordmähr. Bez., Tschech. Rep., an der Bečva, 50200 Ew.; Maschinen-, chem., opt. Ind., Flugplatz. – Renaissanceschloss (Comeniusmuseum), roman. Georgskirche. – Seit 1252 königl. Stadt; später Zentrum der Böhm. Brüder.

Prerow (Ostseebad P.), Gemeinde im Landkreis Nordvorpommern, Meckl.-Vorp., im N der Halbinsel Darß, 1800 Ew.; Seebad; Darßmuseum; Seemannskirche (1726–28).

Presbyakusis [grch.] *die,* die →Altersschwerhörigkeit.

Presbyopie [grch.-lat.] *die,* die →Alterssichtigkeit.

Presbyter [kirchenlat., von grch. presbýteros »der Ältere«] *der,* **1)** *Christentum:* a) Urkirche: ein im Glauben bewährtes, zus. mit anderen P. zur Gemeindeleitung berufenes Gemeindeglied; b) in einigen evang. Kirchen Bez. für die Mitgl. des Gemeindekirchenrats (Kirchenälteste).

2) *Judentum:* urspr. das Familien- und Ortsoberhaupt (der Älteste), später das Mitgl. des Gemeindevorstands.

Presbyterianer, v. a. im angelsächs. Raum (bes. Schottland und USA) die Mitgl. der presbyterialsynodal verfassten →reformierten Kirchen. Die ersten presbyterialen Kirchenordnungen entstanden auf der Grundlage der Theologie J. Calvins in Frankreich (1559, Kirchenordnung der Hugenotten) und Schottland (1560); die allen P. gemeinsame Bekenntnisgrundlage ist die »Westminster Confession« (1647). Die presbyterian. Kirchen gehören mehrheitlich zum Reformierten Weltbund.

Presbyterium *das,* **1)** *Baukunst:* der Hochaltarraum in der Apsis.

2) *evang. Kirchen:* in einigen Kirchen der →Gemeindekirchenrat.

William H. Prescott

Prescott [ˈpreskət], William Hickling, amerikan. Historiker, *Salem (Mass.) 4. 5. 1796, †Boston (Mass.) 28. 1. 1859; einer der Begründer der polit. Geschichtsschreibung in den USA; Werke zur Gesch. Spaniens und den span. Eroberungen in Amerika.

France Prešeren
(Tusch- und Federzeichnung)

Prešeren [prɛˈʃerən], France, slowen. Dichter, *Vrba (bei Bled) 3. 12. 1800, †Kranj 8. 2. 1849; romant. Lyriker, gilt als größter Lyriker der Slowenen; führte die slowen. Dichtung aus ihrer Begrenzung auf das Volkslied heraus; Schöpfer der modernen slowen. Literatursprache.

Presley [ˈpreslɪ], Elvis Aron, amerikan. Rocksänger und Gitarrist, *East Tupelo (Miss.) 8. 1. 1935, †Memphis (Tenn.) 16. 8. 1977; stilprägender Interpret des Rock 'n' Roll; seit Mitte der 50er-Jahre einer der kommerziell erfolgreichsten amerikan. Show- und Plattenstars (»Heartbreak hotel«, »Love me tender«, »Don't cry daddy«); wirkte in über 30 Filmen mit, u. a. »Elvis – that's the way it is« (1970, Dokumentarfilm).

📖 SEIBEL, B. *u.* UNUCKA, C.: *E. P. u. seine Filme. Herbertshausen 1988.* – TILGNER, W.: *E. P. Berlin* [3]*1989.*

Prešov [ˈprɛʃɔu] (dt. Preschau, auch Eperies, ungar. Eperjes), Stadt im Ostslowak. Bez., Slowak. Rep., nördlich von Kaschau, 90100 Ew.; Abteilung der Univ. Kaschau; Maschinen-, Zement- und Nahrungsmittelindustrie. – Spätgot. und Renaissancebauten (u. a. Nikolauskirche). – Um 1200 von dt. Siedlern gegr.; seit Anfang des 14. Jh. königlich-ungar. Freistadt; gehörte bis 1919 zu Ungarn.

Prẹspasee (makedon. Prespa, alban. Liqeni i Prespës, grch. Megali Prespa), zweitgrößter der Dessaretischen Seen, auf der Balkanhalbinsel, zu Makedonien, Albanien und Griechenland, 285 km^2, bis 54 m tief; allseitig von Gebirgen umgeben; Fischerdörfer, einige Klöster. Durch eine Sandbarre vom größtenteils in Griechenland liegenden **Kleinen P.** getrennt. Der grch. Teil ist als Nationalpark ausgewiesen (Pelikanbrutkolonien).

Prẹßburg (slowak. Bratislava, ungar. Pozsony), Hauptstadt der Slowak. Rep. und Verw.sitz des Westslowak. Bez., links der Donau, am Fuß der Kleinen Karpaten, als verwaltungsmäßig eigene Region 368 km^2, (1993) 446 700 Ew.; kulturelles und wirtsch. Zentrum der Slowakei: Slowak. Akademie der Wiss., Komenský-Univ., TU, Wirtschafts-, Kunsthochschule, Goethe-Institut (seit 1990), Nationalgalerie, Nationalmuseum, Nationaltheater; petrochem. Ind., Maschinenbau, Papier- und Baustoff- sowie Nahrungsmittelind.; Weinbau an den Hängen der Kleinen Karpaten; Messestadt; wichtiger Donauhafen, Flughafen. – Auf einem Hügel an der Donau erhebt sich die im Kern mittelalterl. Burg (im 17./18. Jh. umgestaltet, 1811 durch Brand zerstört, 1953 ff. rekonstruiert); Dom St. Martin (1302–1452; später erweitert; bis 1580 Krönungskirche der ungar. Könige), Franziskanerkirche (urspr. got. Bau des 13. Jh.; nach Zerstörung im 17./18. Jh. barock wieder aufgebaut), St.-Johannes-Kapelle (1380), zahlr. Paläste, darunter das klassizist. Primatialpalais (1777–81) sowie das Palais der Städt. Galerie, ein Rokokobau von 1768–70; Nationaltheater im Stil der Neurenaissance (1866). – Befestigter Platz der Römer, im 9. Jh. slaw. Burg mit Siedlung (907 erwähnt), in der 2. Hälfte des 13. Jh. zerstört, Neugründung durch den ungar. König Andreas III. (1291). 1541–1784 Haupt- und Krönungsstadt (bis 1848) des habsburg. Ungarn; 1825–48 Tagungsort des ungar. Landtages; kam 1919 an die Tschechoslowakei; 1919–39 Hptst. der Slowakei (im Rahmen der ČSR); 1939–45 Hptst. der selbstständigen Slowakei; 1969–92 Hptst. der Slowak. Rep. der ehemaligen ČSFR. – Der frz.-österr. **Friede von P.** vom 26. 12. 1805 beendete den 3. Koalitionskrieg (→ Napoleonische Kriege).

Preßburg: Die kubische Anlage der über der Altstadt am linken Donauufer liegenden, 1811 durch Brand zerstörten Burg wurde in den 1950er-Jahren in ihrer ursprünglichen mittelalterlichen Gestalt (15. Jh.) wieder aufgebaut, der unterhalb des Burghügels zu erkennende Sankt-Martins-Dom (14./15. Jh.) war bis 1580 Krönungskirche der ungarischen Könige

Preßburg
Stadtwappen

Presse, 1) *Publizistik:* i. w. S. und v. a. bis Mitte des 19. Jh. Bez. für alle durch die Druckerpressen hergestellten Druckschriften, (Buch, Flugblatt, Flugschrift, Plakat, Zeitschrift, Zeitung); heute (i. e. S.) häufig synonym gebrauchte Bez. für alle gedruckten Medien **(Printmedien),** v. a. für die periodisch erscheinenden Medien Zeitung und Zeitschrift. Die P. war das erste Medium, das Informationen, Meinungen, Belehrung und Unterhaltung an eine prinzipiell unbegrenzte Öffentlichkeit vermitteln konnte. Durch die P. erreichte der Einfluss von Medien auf die öffentl. Meinung, die polit. Willensbildung, die Integration und das Selbstverständnis von Gruppen und Gesamtgesellschaft, die Verbreitung innovativer oder gar revolutionärer Ideen eine neue Qualität. Die Entwicklung der P. ist eng mit der Entfaltung der bürgerl. Freiheiten verknüpft, bes. mit der → Pressefreiheit. – Die ersten P.-Erzeugnisse wurden Ende des 15. Jh. verbreitet (Einblattdrucke, Flugschriften). Die ersten Zeitungen entstanden Anfang des 17. Jh. in Europa, die erste Tageszeitung 1650 in Leipzig (»Einkommende Zeitungen«), 1665 in Paris die erste wiss. Zeitschrift (»Journal des Savants«). Zu einer Trennung von → Zeitung und → Zeitschrift kam es im Lauf des 18. Jh. Der Beruf des Journalisten kam im 19. Jh. auf. – Die Akquisition von Anzeigen (Anzeigengeschäft) bildet bereits seit dem 18. Jh. eine wesentl. Einnahmequelle für P.-Verlage. Mit der Weiterentwicklung der Nachrichtenübermittlung durch Nachrichtenagenturen und der Auflagensteigerung durch Rotations- und Setzmaschinen setzte sich gegen Ende des 19. Jh. in Dtl. nach frz. und englisch-amerikan. Vorbildern die **Massen-P.** durch. Die hohe Auflage begüns-

Elvis Presley

Elvis Presley

In dem hübschen oberhessischen Städtchen Friedberg, genauer gesagt im amerikanischen Militärstützpunkt Fort Hood, leistete der Star aller Rockstars bei der 3. Panzerdivision (Kompanie D beim 1. Bataillon) 1958–1960 seinen Wehrdienst ab. Während in dieser Zeit dem amerikanischen Fiskus wegen des Verdienstausfalls des »King of Rock'n Roll« mindestens sechsstellige Dollarbeträge durch die Lappen gingen, bezog Elvis einen Wehrsold von 78 Dollar monatlich. Elvis Presley wurde übrigens während seiner Dienstzeit in seinem alten Beruf eingesetzt: als Lastwagenfahrer.

tigte die Entstehung von publizist. Großunternehmen, die als Mehrzeitungsverlage oder P.-Gruppen P.-Konzerne bildeten (Mosse-Konzern, Scherl-Verlag, Ullstein-Verlag u.a). Daneben behauptete sich jedoch stets die für Dtl. typische Regional- und Lokal-P., und es entwickelten sich zahlr. Fachzeitschriften. Die →Pressekonzentration wurde zum Problem gegen Ende der 1920er-Jahre, dann nach dem 2. Weltkrieg. Neuerungen der letzten Jahrzehnte stellen die ausschließlich durch Anzeigen finanzierten, meist lokalen Anzeigenblätter dar sowie die von den P.-Verlagen im Bereich der neuen Medien und des elektron. Publizierens (z.B. Internetausgaben) entfalteten Aktivitäten. (→Massenkommunikation)

Presse

»Die Presse ist die Artillerie der Freiheit«

Mit diesen Worten umriss 1989 der damalige Außenminister der Bundesrepublik Deutschland Hans Dietrich Genscher die Rolle der Presse in den sozialistischen Staaten Osteuropas und wies auf die Bedeutung hin, die eine Berichterstattung über die hier stattfindenden gesellschaftspolitischen Veränderungen für die weitere Entwicklung in diesen Ländern hätte.
Der Ausspruch variiert ein Zitat, das dem in der 2. Hälfte des 18. Jahrhunderts regierenden österreichischen Kaiser Joseph II. zugeschrieben wird: »Die Kirchenglocken sind die Artillerie der Geistlichkeit.«

📖 *Stamm. Leitfaden durch P. u. Werbung. Essen 1972ff. jährl.; früher u.a. Titeln.* – DOVIFAT, E.: *Zeitungslehre, 2 Bde. Berlin* ^{6}*1976.* – HAGELWEIDE, G.: *Literatur zur dt.-sprachigen P. Eine Bibliographie von den Anfängen bis 1970, auf mehrere Bde. ber. München u.a. 1985ff.* – *Medienökonomie, hg. v.* M. SCHENK *u.a. München 1989.*

2) *Technik:* Maschine, die durch Druckkräfte Anpress-, Umform- oder Trennvorgänge bewirkt. Ein Gestell enthält den festen oder bewegl. Presstisch und den in Führungen bewegl. Pressschlitten (Stößel), die jeweils Ober- und Unterwerkzeug (Gesenk, Matrize) aufnehmen. P. werden als Ständer-P. oder Säulen-P. gebaut. Mechan. P. übertragen die Antriebskraft über Schwungmasse und Getriebe: Bei **Kurbel-P.** ist der Stößel über ein Pleuel mit der Schwungmasse verbunden und muss immer seine Tiefstellung durchlaufen. Bei **Exzenter-P.** wird die Bewegung eines außermittig auf der Antriebswelle angebrachten Exzenterzapfens auf den Stößel übertragen. **Kniehebel-P.** erzeugen die Presskraft durch einen mit dem Kurbeltrieb verbundenen Kniehebel. Bei **Spindel-P.** sitzt der Stößel an einer senkrechten Spindel, die durch Drehen auf und ab bewegt wird; der Stößel dreht sich nicht. Bei **Reibspindel-P.** werden die steilgängige Spindel und der Stößel über ein Schwungrad mit angedrückter Reibscheibe angetrieben. Kolben-P. arbeiten als hydraul., pneumat. oder Dampf-P. Am verbreitetsten sind die **hydraul. P.** mit Öl als Druckmittel. Durch einen Pumpenkolben wird das Öl über ein Ventil angesaugt und durch das Druckventil in den Presszylinder gedrückt.

Presseagentur, andere Bez. für →Nachrichtenagentur.

Presse, Die, österr. Tageszeitung, erscheint seit 1946 in Wien.

Pressefreiheit, durch Art. 5 GG gesichertes Grundrecht, das die freie Meinungsäußerung durch Presse (d.h. jede Art von Druckerzeugnissen), Rundfunk und Film sowie das Pressewesen selbst und bes. die Informationsbeschaffung schützt. Die – im GG selbst nicht definierte – P. umfasst nach Auslegung durch die Rechtsprechung als besondere Ausprägung der Meinungsfreiheit die Freiheit der Berichterstattung, das Recht auf das Äußern und Verbreiten von Nachrichten (aktive P.), das Verbreitungsrecht, durch das der Weg von Presseerzeugnissen vom Verlag bis zum Empfänger geschützt wird (→Presserecht), und das Informationsrecht, nach dem der Presse nicht nur die Nutzung allg. zugängl. Quellen, sondern auch ein Anspruch auf Auskunfterteilung durch die Behörden zusteht. – Ihre Schranken findet die P. gemäß Art. 5 Abs. 2 GG »in den Vorschriften der allg. Gesetze, den gesetzl. Bestimmungen zum Schutze der Jugend und in dem Recht der persönl. Ehre«. Die P. ist die Begründung für den in Presseverlagen geltenden Tendenzschutz (→Tendenzbetriebe). Streitig ist, ob auch die **innere P.** geschützt ist, d.h. das Weisungsrecht von Verlegern gegenüber Redakteuren eingeschränkt ist. – *Österreich* (Art. 13 Staatsgrund-Ges.) und die *Schweiz* (Art. 55 Bundesverf.) erkennen grundsätzlich die P. an.

Pressegeheimnis (Redaktionsgeheimnis), das Zeugnisverweigerungsrecht der Personen, die bei der Vorbereitung, Herstellung oder Verbreitung von period. Druckwerken oder Rundfunksendungen berufsmäßig mitwirken, über die Person des Verfassers, Einsenders oder Gewährsmanns von Beiträgen und Unterlagen sowie über die ihnen im Hinblick auf ihre Tätigkeit gemachten Mitteilungen, soweit es sich um Beiträge, Unterlagen und Mitteilungen für den redaktionellen Teil handelt (§ 53 Abs. 1 Nr. 5 StPO). Die Beschlagnahme- und Durchsuchungsmöglichkeit ist nach §§ 97, 98, 111m, 111n StPO eingeschränkt.

Pressekonzentration, die Zusammenfassung von Zeitungen und Zeitschriften in immer weniger Verlagen. Der Vorteil der P. liegt in der Verbilligung der Herstellung bei Steigerung des auflagenabhängigen Anzeigenerlöses sowie der Vereinfachung des Vertriebes und der Leistungssteigerung der Redaktionen. Die P. birgt die Gefahr, dass sie den Wettbewerb um Preis und Qualität der Presse beschneidet, die Chancen zum Marktzutritt für Neulinge beschränkt und der Vernachlässigung der Interessen von Minderheiten Vorschub leistet, während sie den kommerziellen Interessen der Großverlage dient. Die P. führt zu einem Rückgang der **publizist. Einheiten** (Zeitungsredaktionen, die nicht nur den Lokalteil, sondern auch den Mantel selbst herstellen) und einer Zunahme der **Ein-Zeitungs-Kreise** (Kreise, in denen nur noch eine lokale Zeitung erscheint).

Presserecht, die Gesamtheit der für die Presse geltenden Rechtsnormen. Das P. regelt die Befugnisse und Pflichten der Presse unter besonderer Berücksichtigung der →Pressefreiheit. In Dtl. ist das P. v.a. in den **Landespressegesetzen** enthalten; daneben hat der Bund die Möglichkeit, über die allg. Rechtsverhältnisse der Presse Rahmenvorschriften zu erlassen (Art. 75 Nr. 2 GG). Bestimmte Angelegenheiten sind in allg. Bundesgesetzen (z.B. im Ges. über die Verbreitung jugendgefährdender Schriften, Betriebsverfassungs-Ges., Kartell-Ges., Urheberrechts-Ges.) geregelt.

Die Pressegesetze der Länder gehen von einer öffentl. Aufgabe der Presse aus und verpflichten die Behörden zur Information der Pressevertreter. Alle Nachrichten sind vor der Veröffentlichung mit der nach den Umständen gebotenen Sorgfalt auf Inhalt, Herkunft und Wahrheit zu prüfen. Nach der Rechtsprechung ist eine einseitige oder entstellende Darstellung sowie das Eindringen in die Privatsphäre zur Befriedigung der Sensationsgier durch das Informationsrecht der Presse nicht gedeckt. Auf allen Druckwerken sind Name oder Firma und Anschrift des Druckers und des Verlegers zu nennen (Impressumspflicht). Jeder, der durch eine in einem period. Druckwerk aufgestellte Tatsachenbehauptung betroffen ist, hat einen Anspruch auf →Gegendarstellung. Die Presse-Ges. regeln, unbeschadet der in anderen Bestimmungen (bes. der StPO) vorgesehenen Fälle, die Beschlagnahmung von Druckerzeugnissen wegen ihres Gedankeninhalts. Sie darf nur unter bestimmten Umständen und nach richterl. Anordnung erfolgen, das →Pressegeheimnis bleibt gewahrt. Die Verbreitung beschlagnahmter Druckwerke ist untersagt. Verstöße gegen das P. können strafrechtlich oder als Ordnungswidrigkeiten verfolgt werden.

In *Österreich* ist das P. ähnlich geregelt; am 1. 1. 1982 trat das Bundesgesetz vom 12. 6. 1981 über die Presse und andere publizist. Medien (Mediengesetz) in Kraft.

In der *Schweiz* sind verwaltungsrechtl. Vorschriften zum P. selten. Behörden und Gerichte sind aber zunehmend dazu übergegangen, Reglements oder Verordnungen über die Information der Presse (z.B. Gerichtsberichterstattung) zu erlassen. Nach bundesgerichtl. Rechtsprechung besteht dabei kein allgemeines und umfassendes Recht auf Information über Vorgänge in Verwaltung und Justiz. Soweit eine Behörde aber die Presse orientiert, hat sie das Rechtsgleichheitsgebot und die Pressefreiheit zu beachten.

📖 LÖFFLER, M. *u.* RICKER, R.: *Hb. des P. München* [3]*1994.* – WENZEL, K. E.: *Das Recht der Wort- u. Bildberichterstattung. Hb. des Äußerungsrechts. Köln* [4]*1994.* – BRANAHL, U.: *Das P. Remagen 1995.* – FRICKE, E.: *Recht für Journalisten. Grundbegriffe u. Fallbeispiele. Konstanz 1997.*

Presse- und Informationsamt der Bundesregierung, Abk. **BPA,** eine dem Bundeskanzler unmittelbar unterstellte oberste Bundesbehörde, gegr. 1949; Sitz: Bonn. Aufgaben sind u.a. Unterrichtung des Bundespräs. und der Bundesreg. über die allg. Nachrichtenlage, Erforschung und Darstellung der öffentl. Meinung, Information der Bürger und der Medien über die Politik der Bundesregierung.

Pressluft, veraltet für →Druckluft.

Pressluftatmer, frei tragbare →Atemschutzgeräte, die den Träger aus Druckluftflaschen mit frischer Atemluft versorgen.

Press|span (Glanzpappe), sehr feste, aus hochwertigen Rohstoffen (vorwiegend Hadern) hergestellte Feinpappe mit glänzender, glatter Oberfläche, die in unterschiedl. Dicke (bis 1,5 mm) hergestellt wird; sie wird oft mit Harzlacken getränkt und im →Kalander (häufig anschließend noch mit Steinglättmaschinen) geglättet.

Pressuregroups [ˈpreʃəˈgruːps; engl. »Druckgruppen«], aus dem Amerikanischen übernommene Bez. für Interessenverbände oder andere organisierte Interessengruppen, deren Ziel die Beeinflussung der öffentl. Meinung und die Einflussnahme auf polit. Entscheidungsträger ist, um die Ziele der Gruppe oder des Verbandes durchzusetzen. Mittel: u.a. Mobilisierung zu gezielten Protesten, Sponsoring, Lobbyismus.

Presswehen, Austreibungswehen (→Geburt).

presto [italien. »schnell«], musikal. Tempobez. für ein sehr schnelles Zeitmaß; **prestissimo,** so schnell wie möglich. **Presto** bezeichnet einen in diesem Zeitmaß zu spielenden musikal. Satz.

Preston [ˈprestən], Stadt in NW-England, Verw.sitz der Cty. Lancashire, 87 000 Ew.; Teil der New Town Central Lancashire; Lancashire Polytechnic (FH), College für Acker- und Gartenbau; Textilfabriken, Textilmaschinen-, Kessel-, Schiff-, Fahrzeugbau u.a. Industrie; Seehafen.

Prestwick, Stadt in South Ayrshire, SW-Schottland, am Firth of Clyde, 13 600 Ew.; Seebad, Segel- und Golfsportzentrum, Flugzeugind.; internat. Flughafen.

Pretoria: Die Union Buildings (1910–13) sind Sitz der Regierung von Südafrika

Prêt-à-porter [prɛtapɔrˈteː; frz., eigtl. »fertig zum Tragen«] *das,* Konfektionskleid nach dem Entwurf eines Modeschöpfers.

Pretoria Stadtwappen

Pretoria, Hauptstadt (Reg.sitz) der Rep. Südafrika, am Fuß der Magalisberg-Kette, 525 600 Ew. (städt. Agglomeration: 1,08 Mio. Ew.); Sitz eines kath. Erzbischofs und eines anglikan. Bischofs; Bildungs- und Kulturzentrum, Südafrikan. Akademie für Wiss. und Kunst, zwei Univ., bed. Forschungsinstitute, Staatsbibliothek, -theater; bed. Ind.standort: Stahl- und Walzwerk, Auto-, elektrotechn., Nahrungsmittel- u. a. Ind., Eisenbahnwerkstätten; Bahn- und Straßenknotenpunkt, internat. Flughafen. – Die 1855 gegr. Stadt, nach dem Burenführer Andries Pretorius (*1798, †1853) ben., wurde mit schachbrettartigem Grundriss als Gartenstadt angelegt; wurde 1860 Hptst. von Transvaal, seit 1910 Regierungssitz (Union Buildings, 1910–13).

Hugo Preuß

Preuß, Hugo, Staatsrechtslehrer, *Berlin 28. 10. 1860, †ebd. 9. 10. 1925; verfasste den ersten Entwurf zur Weimarer →Reichsverfassung und war Febr. bis Juni 1919 Reichsinnenminister.

Preussag AG, Hannover, Holding eines Konzerns; tätig in den Bereichen Stahl (Preussag Stahl AG), Energie, Handel, Logistik (VTG Vereinigte Tanklager und Transportmittel GmbH, Lehnkering Montan Transport AG, Hapag-Lloyd AG), Anlagen- und Schiffbau (Howaldtswerke-Dt. Werft AG), Gebäudetechnik; gegr. 1923 vom preuß. Staat zur Übernahme der staatl. Ind.beteiligungen, seit 1959 privatisiert. Großaktionär: Westdt. Landesbank Girozentrale (über 25 %).

Preußen, Volksstamm, →Prußen.

Preußen 2) Historisches Wappen

Preußen, 1) ehem. Herzogtum, entstanden durch die im Krakauer Vertrag (8. 4. 1525) zw. König Sigismund I. von Polen und dem Hochmeister des Dt. Ordens, Albrecht d. Ä., Markgraf von Brandenburg-Ansbach, vereinbarte Umwandlung des Ordensstaates in ein weltl. Herzogtum unter poln. Lehnshoheit. 1618 fiel es an die brandenburg. Linie der Hohenzollern, die bis 1660 (Frieden von Oliva) die Souveränität in P. erlangen konnten. 1701 ging die Geschichte des Herzogtums in der des fortan P. (→Preußen 2) genannten brandenburg. Gesamtstaats auf.

2) ehem. Königreich und 1871–1945 das größte Land des Dt. Reiches. – Zur Gesch. vor 1701 →Brandenburg, →Ostpreußen, →Preußen 1).

Aufstieg zur Großmacht (1701–88): Am 18. 1. 1701 krönte sich Kurfürst Friedrich III. von Brandenburg in Königsberg mit Zustimmung Kaiser Leopolds I. als Friedrich I. (BILD) zum »König in P.«. Der Titel galt jedoch zunächst nur für das Land P. (die spätere Provinz Ost-P.), das nicht zum Hl. Röm. Reich gehörte, während der König in seinen übrigen Staaten Kurfürst, Markgraf (von Brandenburg) bzw. Herzog (u. a. von Magdeburg, Kleve, Jülich, Pommern und Schlesien) blieb; seit Friedrich II., d. Gr., nannten sich die preuß. Herrscher »König von P.«. – Friedrichs I. äußerlich glänzende Reg., v. a. die Pflege von Kunst und Wiss. (Gründung der Univ. Halle und der Kurfürstl.-Brandenburg. Societät der Wiss. [1700], der späteren Preuß. Akademie der Wiss., Prunkentfaltung im »preuß. Barock« [A. Schlüter]), brachte P. an den Rand des finanziellen Ruins. Sein Sohn und Nachfolger Friedrich Wilhelm I. (1713–40), der »Soldatenkönig«, schuf in Heerwesen und Verw. die Grundlagen des preuß. Militär- und Verwaltungsstaats: Der Offiziersstand

Preußen 2): Friedrich II., der Große (rechts) und Voltaire (dritter von links) bei einer Tafelrunde in Sanssouci, Ausschnitt eines Gemäldes von Adolf von Menzel (1850; 1945 vernichtet)

wurde zum 1. Stand im Staat. Das Bürgertum sollte durch wachsende Wirtschaftserträge den Unterhalt der Armee decken und war dafür von der Rekrutengestellung nach dem Kantonsystem befreit; es stellte das neue Beamtentum in Zentral-, Provinzial- und Lokalbehörden; die Vorherrschaft des Militärischen über das Zivile sowie uneigennütziges Pflichtbewusstsein und Treue des Beamten wurden zum Kennzeichen des preuß. Staates. – Friedrich Wilhelm I. erwarb 1720 von Schweden Vorpommern bis zur Peene mit Stettin, Usedom, Wollin. – Mit der relativ größten und absolut besten Armee Europas fiel Friedrich II., d. Gr., (weitere BILDER Friedrich II., der Große; deutsche Geschichte) fünf Monate nach seinem Reg.antritt (31. 5. 1740) in Schlesien ein. Die Eroberung und Behauptung dieser reichen österr. Provinz in den drei →Schles. Kriegen (1740–42; 1744/45; 1756–63, →Siebenjähriger Krieg) machte P. zu einer der europ. Großmächte und begründete den österr.-preuß. Dualismus. Durch den Erbanfall Ostfrieslands (1744) und den Erwerb West-P., des Ermlands und des Netzedistrikts in der 1. Poln. Teilung (1772, →Polen, Geschichte) vergrößerte Friedrich II., d. Gr., das preuß. Staatsgebiet um fast zwei Drittel. Das Heer wurde auf eine Friedensstärke von zuletzt 188 000 Mann gebracht, der Wiederaufbau und Ausbau des in den Kriegen verwüsteten Landes sowie die Kolonisation (v. a. Oderbruch) verstärkt. In der Wirtschaftspolitik wurde der Merkantilismus streng durchgehalten, Macht- mit Wohlfahrtspolitik verbunden. Die Justizreform seit 1746 und die Kodifikation des Preuß. Allg. Landrechts (vollendet 1794) waren ein wichtiger Schritt auf dem Weg vom fürstl. Patrimonialstaat zum überpersönl. Rechts- und Verfassungsstaat. Glaubens- und Gewissensfreiheit wurden verankert und Justiz und Verw. strikt getrennt. Es erwachte eine eigene Staatsgesinnung. G. W. von Knobelsdorff prägte das friderizian. Rokoko (v. a. Potsdam); die Tafelrunde von Sanssouci und Friedrichs Freundschaft mit Voltaire machten P. zu einem Zentrum der dt. Aufklärung.

Zusammenbruch, Reform und Wiederaufstieg (1789–1815): Friedrich Wilhelm II. (1786–97; BILD) leitete durch die Verständigung mit Österreich (Konvention von Reichenbach 1790) eine außenpolit. Umorientierung ein. P. und Österreich führten den 1. Koalitionskrieg (1792) gegen das revolutionäre Frankreich, P. zog sich im Basler Frieden (1795) aber zurück. Durch die 2. und 3. Poln. Teilung (1793, 1795) erhielt P. Danzig und Thorn sowie weitere polnisch und litauisch besiedelte Gebiete (Süd-P., Neu-Ost-P.). Friedrich Wilhelm III. (1797–1815; BILD) setzte die Neutralitätspolitik zunächst fort. Nach dem Untergang des Hl. Röm. Reiches musste P. den Konflikt mit Frankreich im 4. Koalitionskrieg allein führen und unterlag (Doppelschlacht von Jena und Auerstedt, 1806). Im Frieden von Tilsit (1807) verlor P. etwa die Hälfte seines Territoriums (alle westelb. und poln. Gebiete). P. wurde von frz. Truppen besetzt und mit hohen Kontributionen belastet.

Preußen: Größe und Bevölkerung der Provinzen

Provinzen	Fläche[1] in km^2	Ew. 1910 in 1 000	Fläche[2] in km^2	Ew. 1933 in 1 000
Ostpreußen	37 047	2 064,2	36 992	2 333,3
Westpreußen	25 550	1 703,5		
Grenzmark Posen-Westpreußen			7 715	337,6
Posen	28 987	2 099,8		
Pommern	30 130	1 716,9	30 208	1 920
Brandenburg	39 844	4 092,6	39 095	2 726,3
Berlin[3]	63	2 071,3	884	4 242,5
Schlesien	40 330	5 226		
Niederschlesien			26 592	3 204
Oberschlesien			9 715	1 482,8
Sachsen	25 265	3 089,3	25 528	3 400,6
Schleswig-Holstein	19 018	1 621	15 684	1 420,3
Hannover	38 510	2 942,4	38 704	3 236,9
Westfalen	20 215	4 125,1	20 215	5 040
Hessen-Nassau	15 702	2 221	16 845	2 584,8
Rheinprovinz	26 998	7 121,1	24 477	7 690,3
Hohenzollern[3]	1 142	71	1 142	73
insgesamt (abgerundet)	348 800	40 165	293 796	39 692

[1] Stand bis 1918. – [2] Stand 26. 1. 1937. – [3] Regierungsbezirk

Es begann die innere Erneuerung P.s: Verw.beamte, Staatsmänner, Offiziere und Gelehrte, Nichtpreußen wie Freiherr vom und zum Stein, K. A. von Hardenberg, J. G. Fichte, G. J. D. von Scharnhorst, Graf Neidhardt von Gneisenau und B. G. Niebuhr sowie Preußen wie W. von Humboldt, H. von Boyen und F. D. E. Schleiermacher, entwickelten aus Ideen der Frz. Revolution, des brit. Wirtschaftsliberalismus und I. Kants die →preußischen Reformen. Doch erst nach dem Sieg der Verbündeten über Napoleon I. (Leipzig 1813; Waterloo 1815) konnte P. auf dem Wiener Kongress (1815) seine Großmachtstellung zurückgewinnen und sein Staatsgebiet wieder vergrößern (u. a. Neuerwerb der Provinz Sachsen). Mit allen Provinzen (außer Posen, West- und Ostpreußen) trat P. dem Dt. Bund bei. – In den Befreiungskriegen hatten sich stärker als je zuvor preuß. Staat und dt. Nationalgefühl verbunden, die für die Entwicklung zum Industriestaat wichtigsten dt. Gebiete waren jetzt preußisch.

Restauration, Revolution und Reichsgründung (1815–71): Als Mitgl. des Dt. Bundes beteiligte sich P. an den →Karlsbader Beschlüssen gegen die liberale und nat. Bewegung. Die Reformideen verfielen; am folgenschwersten wurde der Rückschlag in der Agrargesetzgebung für die östl. Provinzen. Die 1850 abgeschlossene →Bauernbefreiung begünstigte auf lange Sicht neben den Bauern v. a. den Adel, der sich in eine gutsherrl. Unternehmerklasse verwandelte und bürgerl. Kräfte in sich aufnahm. Die Errichtung von Provinzialständen und Provinziallandtagen (1823) sowie eines ersten Vereinigten Landtages (1847) konnte die vom König versprochene Verf. nicht ersetzen. Unter Friedrich Wilhelm IV. (1840–61; BILD) verschärfte sich der Ggs. zum bürgerl. Liberalismus. Nach der →Märzrevo-

Preußen 1806–1866

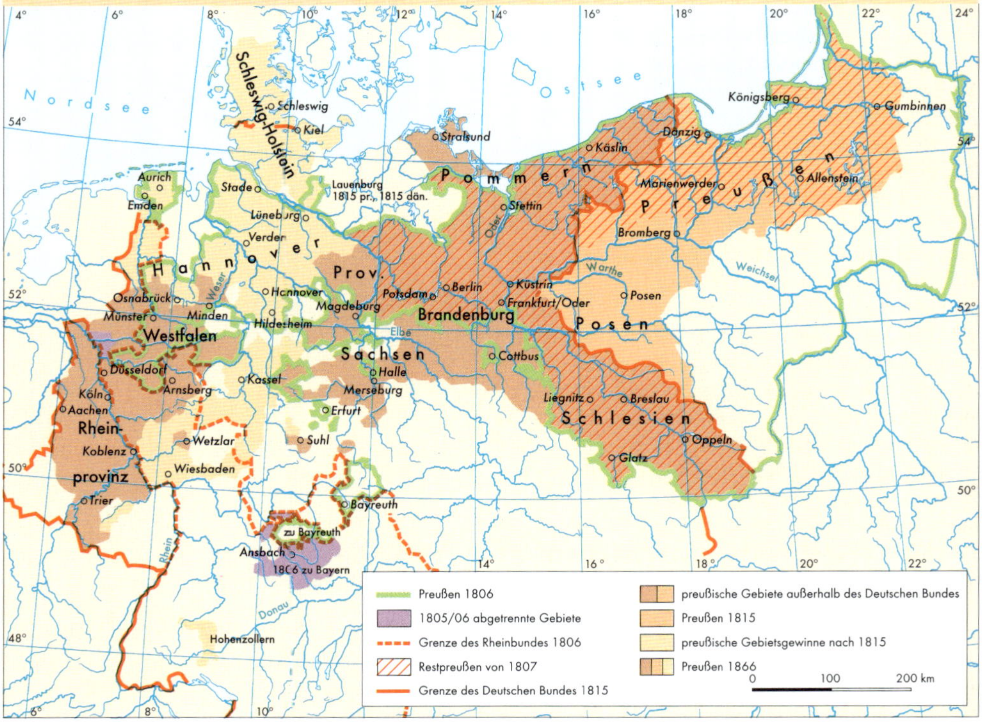

lution berief Friedrich Wilhelm IV. ein liberales Ministerium unter L. Camphausen (29. 3. 1848) und ließ eine preuß. Nationalversammlung wählen, in der die demokrat. Linke dominierte. Im Konflikt zw. der Reg. und der am 22. 5. eröffneten Nationalversammlung berief der König am 2. 11. 1848 ein konservatives Ministerium unter F. W. Graf von Brandenburg, löste die Nationalversammlung auf und oktroyierte eine Verf., die 1850 revidiert wurde und bis 1918 gültig blieb (konstitutionelle Monarchie, verantwortl. Min., Legislative bei König und Landtag, →Dreiklassenwahlrecht). – Durch die Bildung des →Deutschen Zollvereins (1. 1. 1834) wurde auf wirtsch. Gebiet die dt. Einigung unter preuß. Führung vorbereitet. 1853 erwarb P. von Oldenburg ein kleines Gebiet am Jadebusen zur Anlage eines Kriegshafens an der Nordsee und schuf damit die Voraussetzungen für eine Kriegsflotte; Wilhelmshaven und Kiel wurden preuß. Kriegshäfen. – Vor dem Hintergrund von Industrialisierung und der dadurch bedingten Proletarisierung beschränkte sich die staatl. Sozialpolitik, weil die Wehrtauglichkeit der Rekruten abnahm, zunächst auf den Schutz gegen Auswüchse der →Kinderarbeit (1839). In den 1860er-Jahren bildete sich die Arbeiterbewegung heraus; der Aufhebung des Koalitionsverbotes in P. 1867 folgte ein Aufschwung der Gewerkschaftsbewegung. – 1849 hatte Friedrich Wilhelm IV. die ihm von der Frankfurter Nationalversammlung angetragene Kaiserkrone abgelehnt. Sein Versuch, eine kleindt. Union unter preuß. Führung zu schaffen, scheiterte am russ. Widerstand. In der Olmützer Punktation musste P. 1850 auf die Unionspolitik verzichten. Danach herrschte unter E. von Manteuffel eine hochkonservative »Kamarilla«. Die »Neue Ära« unter Wilhelm I. (1861–88, ab 1858 zunächst Prinzregent; BILD) führte im »preußischen Verf.konflikt« um die Heeresverstärkung (1860–66) zum Machtkampf zw. Krone/Reg. und Parlament, den O. von Bismarck (seit 1862 MinPräs. und Außenmin.; BILD) mit aller Entschiedenheit führte. Ihm gelang es nach dem Dt.-Dän. Krieg 1864, durch den Ausschluss Österreichs aus der dt. Politik nach dem Dt. Krieg 1866 sowie nach der Bildung des Norddt. Bundes 1867 im Dt.-Frz. Krieg 1870/71, die dt. Frage im kleindt. Sinne unter preuß. Führung zu lösen.

Preußen im Dt. Reich (1871–1945/47): Mit der Reichsgründung und der Proklamation des preuß. Königs zum Dt. Kaiser 1871 ging die preuß. Gesch. in die deutsche über. In der Reichsverf. von 1871 war die preuß. Hegemonie abgesichert, zusätzlich gestützt durch die fast durchgehend bestehende Personalunion zw. preuß. MinPräs., preuß. Außenmin. und Reichskanzler sowie durch die enge personelle Verzahnung der preuß. Ministerien mit den entsprechenden Reichsämtern. Gleichzeitig betrafen Auseinandersetzungen in P. (→Kulturkampf, Ostmarkenpolitik) das gesamte Reich. Unter Kaiser Friedrich (1888), bes. aber unter Wilhelm II. (1888–1918; BILD), trat das preuß. Königtum allmählich hinter dem Kaisertum zurück. Die größte und eigenständigste Leistung im Kaiserreich vollbrachte der preuß. Staat in der Kultur-, Wiss.- und Unterrichtspolitik, die Ländersache blieb. Im preuß. Abgeordnetenhaus hatten seit 1879 die Konservativen die Vorherrschaft. Dass die Arbeiterschaft hier fast völlig ausgeschlossen blieb, während im Reichstag die Sozialdemokratie bis 1912 zur stärksten Partei wurde, führte zu immer schärferen Auseinandersetzungen. Erst im Okt. 1918 wurde das Dreiklassenwahlrecht durch das allg. gleiche Wahlrecht ersetzt. Nach der Novemberrevolution 1918 übernahmen in P. (wie im Dt. Reich) SPD und USPD die Macht. Der durch die Bestimmungen des Versailler Vertrages (1919) geschwächte Staat blieb als weitaus größtes Land des Dt. Reiches erhalten und wurde durch die Verf. vom 30. 11. 1920 wie die anderen dt. Länder ein demokratisch-parlamentar. Freistaat. Im Unterschied zum Reich blieben in P. die Reg. relativ stabil; ab 1919 wurde P. von der Weimarer Koalition (SPD, Zentrum, DDP; zeitweise auch DVP) regiert, bis der Staatsstreich F. von Papens die nur noch geschäftsführende Reg. am 20. 7. 1932 beseitigte und P. unter Reichsverw. stellte (»Preußenputsch«). Unter dem nat.-soz. MinPräs. H. Göring (1933–45) wurde in P. die Gleichschaltung vollzogen. Das Gesetz Nr. 46 des Alliierten Kontrollrats vom 25. 2. 1947 besiegelte die Auflösung P.s als Staat.

📖 BORNHAK, C.: *Preuss. Staats- u. Rechtsgeschichte. Berlin 1903, Nachdr. ebd. 1979.* – *Grundriß zur dt. Verwaltungsgeschichte 1815–1945, hg. v.* W. HUBATSCH, *Reihe A, 12 Bde. u. Reg.-Bd. Marburg 1975–81.* – *Moderne preuß. Geschichte 1648–1947, hg. v.* O. BÜSCH *u. a., 3 Bde. Berlin u. a. 1981.* – HEINRICH, G.: *Geschichte P.s. Neuausg. Frankfurt am Main 1984.* – VOGLER, G. *u.* VETTER, K.: *P. Von den Anfängen bis zur Reichsgründung. Berlin [7]1984.* – *P. Seine Wirkung auf die dt. Geschichte, Vorlesungen v.* K. D. ERDMANN *u. a. Stuttgart 1985.* – HAFFNER, S. *u.* VENOHR, W.: *Preuß. Profile. Frankfurt am Main u. a. 1986, Nachdr. ebd. [3]1992.* – HUBATSCH, W.: *Grundlinien preuß. Geschichte. Königtum u. Staatsgestaltung 1701–1871. Darmstadt [3]1988.* – KOSELLECK, R.: *P. zw. Reform u. Revolution. Neuausg. München 1989.*

PreussenElektra AG, Wasser-, Kohle-, Gas- und Kernkraftwerke betreibende Tochterges. der VEBA AG; Sitz: Hannover; gegr. 1927 als Preuß. Elektrizitäts-AG.

Preußischblau, das →Berliner Blau.

preußische Reformen, politisch-gesellschaftlich-militär. Reformen, die unter der Leitung der Min. K. Reichsfreiherr vom und zum Stein (Nassauer Denkschrift vom Juni 1807) und K. A. Freiherr von Hardenberg nach dem Zusammenbruch von 1806/07 in Preußen Voraussetzungen für den Übergang vom absolutistisch regierten Stände- und Agrarstaat zum bürgerl. Verfassungs-, National- und Industriestaat des 19. Jh. schufen. Die **Bauernbefreiung** (1807, 1811, abgeschlossen 1850) beseitigte die bäuerl. Erbuntertänigkeit. Die steinsche **Städteordnung** (19. 11. 1808) führte das Prinzip der Selbstverwaltung auf kommunaler Ebene (Stadtverordnetenversammlung, Magistrat) ein. Mit der Einführung der **Gewerbefreiheit** (1811) wurden die Zunftordnungen aufgehoben. Die **Judenemanzipation** (1812) führte zur bürgerl. Gleichstellung der Juden. Mit der Schaffung der fünf klass. **Ministerien** (1808/10) – für Inneres, Auswärtiges, Finanzen, Krieg und Justiz mit dem Staatskanzler als Vors. des Min.rates – wurden die obersten Staatsbehörden neu organisiert. Die **Heeresreform** (ab 1807; Scharnhorst, Gneisenau und Boyen) – Erneuerung des Offizierskorps, Wegfall des Adelsprivilegs, Bildung der Landwehr und des Landsturms, Einführung des →Krümpersystems bzw. der allg. Wehrpflicht (1814) – diente der Befreiung Preußens von der frz. Vorherrschaft. Die Erziehungs- und **Bildungsreform** (ab 1809; W. von Humboldt) umfasste Reformen auf allen Stufen des Unterrichts, u. a. Gründung der Berliner Friedrich-Wilhelm-Univ., für eine Erziehung zu Selbstständigkeit und Nationalbewusstsein im humanist. Sinne.

Preußischer Kulturbesitz, →Stiftung Preußischer Kulturbesitz.

Preußischer Landrücken, Teil des →Baltischen Landrückens zw. Memel und Weichsel, in Polen (→Masuren), z. T. auch in Litauen und Russland; seenreich; Kernsdorfer Höhe 312 m ü. M.

Preußisches Allgemeines Landrecht

In der Vorbereitung des Allgemeinen Landrechts für die preußischen Staaten zeigte sich der Versuch, herrscherlicher Willkür durch die Bindung an das Rechtssystem und seine gesetzmäßigen Organe, insbesondere an eine weisungsunabhängige Judikative, einen Riegel vorzuschieben: Der Schutz der Untertanen sollte damit nicht durch ständische oder demokratische Mitbestimmungsrechte, sondern durch eine Institutionalisierung der Herrschaft gewährleistet werden, die an die Stelle ihrer Personalisierung im absoluten Monarchen trat.

Preußisches Allgemeines Landrecht (Allgemeines Landrecht für die preußischen Staaten, Abk. ALR), unter dem Einfluss des Naturrechts und der Aufklärung erfolgte Kodifikation des preuß. Staats-, Stände-, Lehn-, Kirchen-, Straf- und Privatrechts; bearbeitet von J. H. von Carmer und C. G. →Svarez, gültig seit 1. 6. 1794; umfasst mehr als 19 000 Paragraphen, in denen der Versuch unternommen wurde, die Gesamtheit der Rechtsordnung auch in Einzelheiten zu kodifizieren. Nicht aufgenommen wurden das Verwaltungs-, Prozess- und Militärrecht. Einzelne Bestimmungen, z.B. über die Aufgaben der Polizei, haben über die Geltungsdauer des ALR, das im 19. Jh. sukzessiv außer Kraft gesetzt wurde, hinaus fortgewirkt.

📖 *Allg. Landrecht für die Preuß. Staaten von 1794, mit einer Einf. v.* H. HATTENAUER. *Neuwied u. a.* ^{3}*1996.*

Preußische Staatsbank (Seehandlung), rechtsfähige Anstalt des öffentl. Rechts, Sitz: Berlin; 1772 von Friedrich d. Gr. als **See-Handlungs-Ges.** gegr. →Handelskompanie unter preuß. Flagge; seit 1820 selbstständiges Geld- und Handelsinst. des Staates. Die P. S. nahm die Interessen des preuß. Staates auf dem Kapital- und Geldmarkt wahr und betrieb reguläre Bankgeschäfte. 1945 geschlossen, wurde sie 1950 zur Abwicklung der Verpflichtungen im Bundesgebiet anerkannt (Sitz bis 1960: Hamburg); jetzt ruhende Altbank.

Preußische Staatsbibliothek, →Staatsbibliothek zu Berlin – Preußischer Kulturbesitz.

Preußisch Eylau, Stadt in Russland, →Bagrationowsk.

Preußisch Oldendorf, Stadt im Kr. Minden-Lübbecke, NRW, 12 800 Ew.; Luftkurort; Holz verarbeitende, Textil-, Lack-, Nahrungsmittelindustrie. – Pfarrkirche (1492–1510), Wasserburg Haus Groß-Engershausen (um 1770). – Im 10. Jh. erstmals erwähnt, seit 1719 Stadt.

Preußisch Stargard, Stadt in Polen, →Starogard Gdański.

Otfried Preußler

Preußler, Otfried, Schriftsteller, *Reichenberg (heute Liberec) 20. 10. 1923; namhafter dt. Kinder- und Jugendbuchautor; u. a. »Der kleine Wassermann« (1956), »Die kleine Hexe« (1957), »Der Räuber Hotzenplotz« (1962), »Krabat« (1971, wurde 1972 mit dem Dt. Jugendliteraturpreis ausgezeichnet), »Zwölfe hat's geschlagen« (1988).

Jacques Prévert

Prévert [pre'vɛːr], Jacques, frz. Schriftsteller, *Neuilly-sur-Seine 4. 2. 1900, †Omonville-la-Petite (Dép. Manche) 11. 4. 1977; wurde mit einfachen, originellen, auch spött. und satir. Gedichten und Chansons einer der populärsten zeitgenöss. Lyriker (u. a. »Wenn es Frühling wird in Paris«, 1951) und Chansondichter, schrieb auch poet. Alltagsgeschichten und Kurzprosa. Als Drehbuchautor maßgeblich an der Entwicklung des frz. Films beteiligt (u. a. »Kinder des Olymp«, 1943).

Hermann Prey

Prevesa, Hptst. des VerwBez. (Nomos) P., in Epirus, Griechenland, am Eingang zum Ambrak. Golf, 13 600 Ew.; orth. Bischofssitz; Nahrungsmittelind.; Hafen; Fährverkehr nach Aktium.

Previn ['prevɪn], André, eigtl. Andreas Ludwig Prewin, amerikan. Dirigent und Pianist dt. Herkunft, *Berlin 6. 4. 1929; war 1968–79 Chefdirigent des London Symphony Orchestra und 1976–84 zusätzlich Leiter des Pittsburgh Symphony Orchestra; 1985/86 Musikdirektor, 1987–91 Chefdirigent des Royal Philharmonic Orchestra in London, 1986–90 Musikdirektor des Los Angeles Philharmonic Orchestra.

Antoine François Prévost d'Exiles: Kupferstich des niederländischen Zeichners Jakob van der Schley (1746)

Prévost [pre'vo], Marcel, eigtl. Eugène Marcel, frz. Schriftsteller, *Paris 1. 5. 1862, †Vianne (Dép. Lot-et-Garonne) 8. 4. 1941; schrieb psycholog. Sitten- und Gesellschaftsromane (»Halbe Unschuld«, 1894; »Starke Frauen«, 1900).

Prévost d'Exiles [pre'vo dɛg'zil], Antoine François, gen. Abbé Prévost, frz. Schriftsteller, *Hesdin (Dép. Pas-de-Calais) 1. 4. 1697, †Courteuil (bei Chantilly) 23. 11. 1763; war Jesuitenschüler, Soldat, Benediktiner, entfloh dem Orden nach Erscheinen der ersten vier Bände seiner »Mémoires et aventures d'un homme de qualité« (1728–31); nach Aussöhnung mit der Kirche ab 1735 Weltgeistlicher. Der letzte (7.) Band der »Mémoires« enthält die »Gesch. der Manon Lescaut und des Ritters Des Grieux« und ist ein Meisterwerk des psycholog. Romans (Vorlage für Opern von J. Massenet, 1884 und G. Puccini, 1893); übersetzte die Romane S. Richardsons ins Französische.

📖 JOSEPHSON, M.: *Die Romane des Abbé Prévost als Spiegel des 18. Jh. Winterthur 1966.* – SGARD, J.: *Prévost romancier. Paris* ^{2}*1989.*

Prey, Hermann, Opern-, Lied- und Oratoriensänger (Bariton), *Berlin 11. 7. 1929; wurde 1960 Mitgl. der Bayer. Staatsoper in München. Seit 1982 Prof. an der Hamburger Musikhochschule; debütierte 1988 in Salzburg als Opernregisseur.

Preysing, Konrad Graf von P.-Lichtenegg-Moos, kath. Theologe, *Kronwinkl (heute zu Eching, Kr. Landshut) 30. 8. 1880, †Berlin 21. 12. 1950; seit 1935 Bischof von Berlin; seit 1946 Kardinal; im →Kirchenkampf maßgebl. Persönlichkeit des kath.-kirchl. Widerstandes gegen die nat.-soz. Kirchenpolitik.

preziös [frz., eigtl. »kostbar«] (pretiös), geziert, geschraubt, gekünstelt.

Preziosen [lat.] (Pretiosen), Kostbarkeiten, Geschmeide, Edelsteine.

Preziosität *die,* in Pariser Salons entstandene, auf Verfeinerung und kunstvolle Formen ausgerichtete literar. Bewegung, →Précieuses.

Priamel [aus lat. praeambulum »umständliche Vorrede«] *die,* auch *das,* oft scherz- und lehrhafter Spruch, bei dem mehrere Vordersätze in einem Nachsatz auslaufen und ihn mit einer pointierten Schlusswendung abschließen.

Priamos (lat. Priamus), *grch. Mythos:* König von Troja, Gemahl der Hekabe; von seinen zahlr. Kindern sind bei Homer u.a. Hektor, Paris und Kassandra gen.; bei der Eroberung Trojas erschlagen.

Priapismus [zu Priapus] *der,* abnorm lange anhaltende, oft schmerzhafte Erektion des Penis ohne geschlechtl. Erregung; bes. bei organ. Rückenmarkerkrankungen, lymphat. Leukämie.

Priapswürmer [zu Priapus] (Priapulida), artenarmer Tierstamm mit einstülpbarem, hakenbesetztem Vorderkörper, lebt im Schlick oder Weichgrund der nördl. Meere.

Priene: Überreste des aus dem 4.–2. Jh. v. Chr. stammenden Athenatempels, die rekonstruierten Säulen wurden 1964 wieder aufgestellt

Priapus (grch. Priapos), Fruchtbarkeitsgott vorgrch. Herkunft, dessen Kult sich seit dem 3. Jh. v. Chr. über die grch. und bald auch über die röm. Welt verbreitete. Er wurde mit übergroßem Zeugungsglied dargestellt und gehörte zum Gefolge des Dionysos. Seine bes. in Gärten aufgestellten hölzernen Abbilder wurden häufig mit witzig-obszönen Aufschriften **(Priapea)** versehen.

Příbram ['prʃi:bram], Stadt im Mittelböhm. Gebiet, Tschech. Rep., 39 000 Ew.; Erzabbau (Uran, Blei, Zink); Maschinenbau, elektrotechn., Spielwarenind.; bed. Wallfahrtsort (Kirche 14. Jh.). – Im 13. Jh. gegr.; seit dem 16. Jh. königl. Bergstadt.

Price [praɪs], **1)** Leontyne, amerikan. Opern- und Konzertsängerin (Sopran), *Laurel (Miss.) 10. 2. 1927; wurde bes. bekannt als Mozart-Sängerin und in Partien des italien. Repertoires sowie als Bess (in »Porgy and Bess« von G. Gershwin).

2) Dame (seit 1993) Margaret, brit. Opern-, Konzert- und Liedsängerin (Sopran), *Tredegar (Wales) 13. 4. 1941; trat bes. als Mozart-Interpretin hervor.

Leontyne Price

Margaret Price

Pricke, 1) *Biologie:* (Bricke) →Neunaugen.

2) *Schifffahrt:* dünner Baum oder Ast als Schifffahrtszeichen zur Fahrwassermarkierung in flachen Gewässern.

Priel [niederdt.] (Ley), Wasserrinne im Watt; die P. bilden die Hauptwege für das bei Flut und Ebbe ein- und ausströmende Meerwasser. Schiffbare Rinnen in Richtung See heißen **Balje.**

Priel, Gipfel in Oberösterreich; der **Große P.** ist mit 2 514 m ü. M. die höchste Erhebung im →Toten Gebirge; der **Kleine P.** ist 2 134 m hoch.

Prien a. Chiemsee [- - 'ki:m-], Markt, Luft- und Kneippkurort im Landkreis Rosenheim, Bayern, am W-Ufer des Chiemsees, 532 m ü. M., 9 600 Ew.; Heimatmuseum; Ausgangspunkt der Chiemsee-Schifffahrt. – Kirche Mariä Himmelfahrt (1472; 1735–38 umgebaut; Stuck und Fresken von J. B. Zimmermann). – Entstand um 1200.

Priene, antike ion. Stadt an der W-Küste Kleinasiens, urspr. gegenüber Milet am Latmischen Meerbusen, später durch das Schwemmland des Mäander vom Meer getrennt. Mitte des 4. Jh. v. Chr. neu gegr. (im 13. Jh. verödet), steigt P. mit rechtwinkligem Straßennetz in Terrassen am Bergabhang auf (Theater; Athenatempel, in der 2. Hälfte des 4. Jh. v. Chr. begonnen und im 2. Jh. v. Chr. vollendet). Die Ruinenstadt wurde 1895–99 durch dt. Ausgrabungen freigelegt.

Prießnitz, Vinzenz, Naturheilkundiger, *Gräfenberg (heute zu Jeseník, Tschech. Rep.) 4. 10. 1799, †ebd. 28. 11. 1851; urspr. Landwirt; entwickelte aufgrund prakt. Erfahrungen für die verschiedensten Krankheitszustände eine Kaltwasserbehandlung; nach ihm wird eine feuchte, kalte Kompresse **P.-Umschlag** gen. Er war einer der Wegbereiter der physikalisch-diätet. Therapie.

Priester [grch. presbýteros »der (verehrte) Ältere«], in der Religionsgeschichte der →Mittler zw. Gott, den Göttern oder dem Göttlichen (→Numen) und den Menschen. Die vermittelnde Funktion wird v.a. im Kult (→Kultus) ausgeübt und ist oft mit bestimmten Heiligtümern verbunden. Innerhalb des priesterl. Handelns kommt dem Vollzug von →Opfern eine zentrale Bedeutung zu. In-

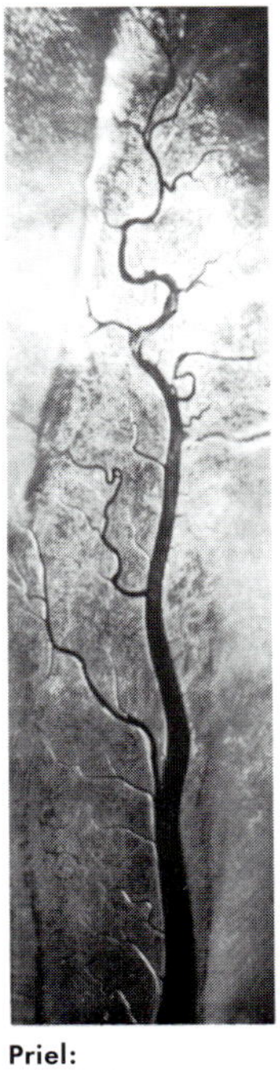

Priel: Luftaufnahme eines Priels bei Ebbe in der Nähe von Wangerooge

Joseph Priestley
(Punktierstich des französischen Kupferstechers Ambroise Tardieu, um 1805)

Ilya Prigogine

Váša Příhoda

nerhalb der sozialen Gemeinschaft nehmen P. eine soziale Sonderstellung ein, charakterisiert durch eine besondere Lebensweise (z. B. Einhaltung kult. Reinheitsvorschriften, Tragen besonderer Kleidung, Ehelosigkeit) und zahlr. Vorrechte (exklusive Ausbildung, Befreiung von Erwerbsarbeit, Unterhaltung durch die Gemeinschaft). Der Zugang zum **Priestertum** kann erblich sein (z. B. im Hinduismus die →Brahmanen; im Judentum die Nachkommen Aarons) oder durch Weihe erfolgen. In fast allen Religionen kam es zur Herausbildung des **P.-Amtes.** Die Fülle der von P. wahrgenommenen Aufgaben (neben der Kultausübung Krankenheilung, Rechtsprechung, wirtsch. und polit. Aufgaben) bewirkte eine Differenzierung der Funktionen und die Herausbildung eines hierarchisch gegliederten Priestertums. Die altoriental. Hochkulturen vereinten die religiöse und die polit. Funktion des P. in der Person des **P.-Königs.** Das Christentum sieht in Jesus Christus den einen und ewigen **Hohen P.** (Hebr. 4–9). Die kath. und orth. Theologie verstehen ihr P.-Amt als Stellvertretung dieser Priesterschaft Jesu Christi durch einen eigenen hierarchisch gegliederten **P.-Stand;** die evang. Theologie sieht alle Getauften zum priesterl. Dienst berufen.

📖 JAMES, E. O.: *Das Priestertum. Wesen u. Funktion. A. d. Engl. Neuausg. Wiesbaden 1968.* – GRESHAKE, G.: *Priestersein. Zur Theologie u. Spiritualität des priesterl. Amtes. Freiburg im Breisgau u. a.* [5]*1991.*

Priesterschrift (Priesterkodex), die jüngste Quellenschrift des →Pentateuch; entstand im 6. oder 5. Jh. v. Chr. und liegt v. a. den ersten drei Büchern Mose zugrunde. Sie enthält Gesetzestexte und eine Darstellung der israelit. Heilsgeschichte (von der Schöpfung bis zum Tod des Moses).

Priestertum aller Gläubigen (allgemeines Priestertum), von M. Luther formulierter, auf das N. T. zurückgeführter Grundsatz evang. Theologie, der die grundsätzl. Berufung aller Getauften zum priesterl. Dienst lehrt. Verstand Luther das geistl. Amt (Wortverkündigung und Sakramentsverw.) als eine von der Gemeinde delegierte Funktion, so entwickelte es sich in der Praxis des konfessionellen Luthertums zum der Gemeinde gegenüberstehenden, i. d. R. Theologen vorbehaltenen »Amt« des Pfarrers, das der kirchl. Beauftragung (→Ordination) bedarf.

Priestley ['pri:stlɪ], **1)** John Boynton, engl. Schriftsteller, *Bradford 13. 9. 1894, †Stratford-upon-Avon 14. 8. 1984; schrieb erfolgreiche, aktuelle soziale Probleme aufgreifende, realistisch-unterhaltsame Romane (»Die guten Gefährten«, 1929; »Engelgasse«, 1930); bekannt wurde P. auch mit Theaterstücken (»Die Zeit und die Conways«, 1937; »Ein Inspektor kommt«, 1945).

2) Joseph, engl. Philosoph, Theologe und Naturforscher, *Birstall Fieldhead (bei Leeds) 13. 3. 1733, †Northumberland (Pa.) 6. 2. 1804; Prediger in einer Dissentergemeinde, emigrierte 1794 nach Amerika. P. suchte die Bewusstseinsprozesse physiologisch zu begründen (Assoziationslehre). Bei seinen chem. Arbeiten entdeckte er u. a. Sauerstoff (1774), Ammoniak, Chlorwasserstoff, Kohlenmonoxid.

Prignitz, 1) *die,* Landschaft in NW-Brandenburg und (NW-Teil) in Meckl.-Vorp., zw. Elde (im W), Elbe (im S), Dosse (im O) und Mecklenburg. Seenplatte, etwa 1600 km², von zahlr. vermoorten Rinnen durchzogene, flachwellige waldarme Grundmoränenplatte; Anbau von Kartoffeln, Roggen, gebietsweise auch Spargel. Hauptorte sind Perleberg, Kyritz, Wittenberge, Pritzwalk.

2) Landkreis in Brandenburg, 2123 km², (1996) 100400 Ew.; Krst. ist Perleberg.

Prigogine [prigɔ'ʒi:n], Ilya, belg. Physikochemiker, *Moskau 25. 1. 1917; Prof. in Brüssel und Austin (Tex.), bed. Untersuchungen zur irreversiblen Thermodynamik und ihrer Anwendungen in Chemie, Physik, Biologie und Soziologie sowie zur Theorie dissipativer Strukturen; 1977 Nobelpreis für Chemie.

Příhoda ['prʃihɔda], Váša, tschech. Violinist, *Vodňany (bei Pisek) 22. 8. 1900, †Wien 26. 7. 1960; unterrichtete 1939–45 am Salzburger Mozarteum, ab 1951 an der Akademie für Musik in Wien; gefeierter, vielseitiger Virtuose.

Prilep, Stadt in Makedonien, am Rand der Pelagonija, 67400 Ew.; keram. Ind., Mittelpunkt der Tabakverarbeitung; nahebei Marmorbrüche. – Orientalisch geprägte Altstadt.

Prim [vgl. Prima] *die,* **1)** *Fechten:* bestimmte Klingenhaltung.

2) *kath. Liturgie:* früher im Stundengebet die Gebetszeit zur ersten Tagesstunde (6 Uhr).

Prima [lat. »die Erste«] *die,* früher Bez. für die oberste Klasse des Gymnasiums, die später in die **Unter-** und **Oberprima** (entspricht 12. und 13. Schuljahr) aufgeteilt wurde.

Primaballerina [italien.], erste Solotänzerin eines (klass.) Ballettensembles. **P. assoluta,** Titel der außer Konkurrenz stehenden Primaballerina.

Primadonna [italien.], im italien. Operntheater seit dem 17. Jh. Bez. für die Sängerin von weibl. Hauptpartien (meist der Sopranistin); i. w. S. berühmte Sängerin, Diva.

Primakow, Jewgeni Maximowitsch, russ. Politiker, *Kiew 29. 10. 1929; Journalist, 1977–85 Leiter des Orientinstituts der Akademie der Wiss.(en), 1989–90 Vors. des Obersten Sowjet, 1989–91 Mitgl. des ZK der KPdSU, war als Mitgl. des Präsidialrates 1990–91 einer der Architekten der Außenpolitik in der Endphase der UdSSR. 1992–96 leitete P.

den neu gegründeten Nationalen Sicherheitsrat Russlands. 1996–98 Außenminister, seit Sept. 1998 Ministerpräsident.

Primamalerei (alla prima), Maltechnik, bei der das Bild in einem Farbauftrag »nass in nass« ohne Untermalung oder Lasuren fertig gestellt wird.

primär [lat.], **1)** *allg.:* ursprünglich, anfänglich; an erster Stelle stehend, grundlegend.

2) *Chemie:* Abk. **prim.**, in mehrfacher Bedeutung zur Kennzeichnung von Verbindungen verwendet: In **prim. Salzen** ist nur ein Proton einer mehrbasigen Säure durch ein Kation ersetzt. Als **prim. Kohlenstoff-** und **prim. Stickstoffatome** werden C- und N-Atome bezeichnet, die mit nur einem einzigen anderen Kohlenstoffatom verbunden sind.

Primär|affekt, erstes wahrnehmbares Stadium einer Infektionskrankheit, z.B. bei Syphilis oder Tuberkulose.

Primär|elemente, die →galvanischen Elemente.

primärer Sektor, →Wirtschaftssektoren.

Primärgruppe, von dem amerikan. Soziologen C. H. Cooley geprägte Bez. für eine Kleingruppe (z.B. Familie, Nachbarschaft, Freundeskreis, Bürgerinitiativen), die durch intime gegenseitige Kenntnis und starke soziale Kontrolle gekennzeichnet ist, im Unterschied zu allen größeren Gruppen (Sekundärgruppen).

Primärliteratur, der dichterische Text, die Dichtung selbst im Ggs. zur →Sekundärliteratur.

Primarschule, in vielen Staaten Bez. der Eingangsstufe des Pflichtschulbereichs von unterschiedl. Dauer (4–6, auch 8 Jahre), an die sich die →Sekundarschule anschließt. Mitunter ist der P. eine Vorschule angegliedert. Im dt. Schulwesen wird der Begriff Primarstufe oder Primarbereich verwendet, die Schulart heißt Grundschule.

Primärstruktur, *Chemie:* die den Makromolekülen zugrunde liegende Sequenz der Monomeren, bes. die Sequenz der Aminosäuren.

Primärwicklung, *Elektrotechnik:* in Transformatoren und Elektromotoren die Wicklung, die die elektr. Leistung aufnimmt (Eingangswicklung).

Primary ['praɪmərɪ] *die,* in den Bundesstaaten der USA die Abstimmung innerhalb einer Partei zur Aufstellung der Kandidaten für öffentl. Ämter und Parlamentssitze. In vielen Bundesstaaten werden auch die Delegierten zu den nat. Parteikonventen, denen die Nominierung des Präsidentschaftskandidaten obliegt, durch P. bestimmt. Im Ggs. zur »open« (offenen) P. (es kann jeder Wahlberechtigte mit abstimmen) dürfen bei der »closed« (geschlossenen) P. nur Anhänger und Mitgl. der entsprechenden Partei abstimmen.

Primärzellen, die Primärelemente (→galvanische Elemente).

Primas [von lat. primus »der Erste«] *der, kath. Kirchenrecht:* Ehrentitel des ersten Bischofs eines Landes, i.d.R. ohne rechtl. Bedeutung. P. von Dtl. ist der Erzbischof von Salzburg.

Primat [lat. »erste Stelle«] *der* oder *das, allg.:* Vorrang, bevorzugte Stellung.

Primat des Papstes, 1) in der *kath. Kirche* Bez. für die Funktion des obersten kirchl. Leitungsamtes, auf dem 1. Vatikan. Konzil 1870 definiert im Sinne eines obersten Bischofsamtes (Summepiskopat) und einer lehrmäßigen Unfehlbarkeit.

2) innerhalb aller *christl. Kirchen* die vom Papst als Nachfolger des Apostels Petrus beanspruchte, von ihnen jedoch nicht anerkannte höchste apostol. Amtsgewalt eines »Oberhauptes der universalen Kirche« (Petrusamt, Universalepiskopat).

Primaten [lat.] (Primates, Herrentiere), Ordnung bezüglich der Gehirnentwicklung hoch stehender Säugetiere mit den Unterordnungen Halbaffen und Affen, schließen im zoolog. System neben den tier. P. die Menschen ein.

Primaticcio [-'tittʃo], Francesco, italien. Maler und Baumeister, *Bologna 30. 4. 1505, †Paris 1570; neben Rosso Fiorentino (*1494, †1540) Meister der ersten Schule von Fontainebleau, die den Manierismus in Frankreich zu einem höf. Stil von dekorativer Eleganz entwickelte.

Francesco Primaticcio: »Odysseus und Penelope« (um 1545; Toledo, Oh., Museum of Art)

prima vista [italien. »auf den ersten Blick«], *Musik:* vom Blatt zu spielen.

Prime [lat.] *die,* **1)** *Drucktechnik:* Bogensignatur, wird auf der ersten Seite eines Druckbogens im Fußsteg angebracht.

2) *Musik:* (Prim) die erste Stufe, der Ausgangs- und Grundton einer Tonleiter oder eines Akkords. Bei der P. als Intervall unterscheidet man **reine P.**

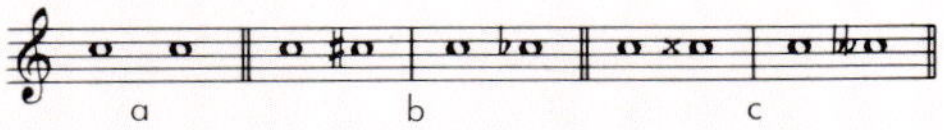

Prime 2): a reine, b übermäßige, c doppelt übermäßige Prime

(Einklang, c-c), **übermäßige P.** (c-cis, c-ces) und **doppelt übermäßige P.** (c-cisis, c-ceses).

Primel [von prima »die Erste«, wegen der frühen Blüte] (Primula), die →Schlüsselblume.

Primerate ['praɪmreɪt, engl.] *die,* in den USA von der zuständigen Federal Reserve Bank festgelegter Diskontsatz für erstklassige Geldmarktpapiere mit einer Laufzeit von 90 Tagen; auch Bez. für den Zinssatz, zu dem amerikan. Großbanken kurzfristige Kredite an Unternehmen erster Bonität vergeben.

Primfaktor, →Primzahlen.

Primgeiger (Primarius), der erste Geiger im Streichquartett oder in einer Kammermusikgruppe.

primitiv [lat.], ursprünglich; sehr einfach, dürftig; geistig-kulturell anspruchslos, niveaulos.

primitive Kunst (Ursprungskunst), Bez. für außerhalb von Hochkulturen angesiedelte Kunstwerke, z.B. der afrikan. oder ozean. Kunst sowie der naiven Kunst.

Primzahlen

Mersenne-Zahlen

*Ähnlich wie René Descartes, mit dem er befreundet war, trachtete der französische Mathematiker Marin Mersenne (*1588, †1648) danach, die Welt als einen Mechanismus zu erklären. Vor 360 Jahren erschien sein Hauptwerk »Harmonie universelle«, in dem er nicht nur diese Vorstellungen, sondern auch eine musikalische Affektenlehre und Instrumentenkunde entwickelte. Begriffe wie Harmonie und Mechanismus wurden also durchaus nicht als wesensfremd angesehen. Überdies verbindet die Mathematik beide miteinander, und auch hier hat Mersenne seine Spuren hinterlassen, woran uns sein Name noch heute erinnert. Denn diesen trägt eine bestimmte Klasse von Primzahlen, die im Computerzeitalter neue Aktualität gewann. Allgemeine Eigenschaft der Primzahlen ist es, dass sie nur durch sich selbst und die 1 teilbar sind. Mersenne-Zahlen aber haben zusätzlich noch die spezielle Darstellungsform* 2^p-1*, wobei p auch eine Mersenne-Zahl ist. Solche Zahlen berechnet man heute auf Computern und gewinnt dabei zugleich Einsicht in deren Zuverlässigkeit. Beispielsweise wurde 1994 auf diese Weise die Mersenne-Zahl* $2^{859433}-1$ *errechnet. Ausgeschrieben hat sie 258 716 Stellen und nimmt dann ungefähr acht Zeitungsseiten ein.*

Primiz [von lat. primitiae »Erstlinge«] *die, kath. Kirche:* die erste Gemeindemesse eines Priesters nach seiner Weihe.

Primo de Rivera y Orbaneja [- ðe rri'βera i ɔrβa'nɛxa], Miguel Marqués de Estella, span. General und Politiker, *Jerez de la Frontera 8. 1. 1870, †Paris 16. 3. 1930; errichtete im Einverständnis mit König Alfons XIII. am 13. 9. 1923 eine Militärdiktatur. Nach wachsender Unzufriedenheit der Bev. mit seinem System entließ ihn der König am 28. 1. 1930. Sein Sohn J. A. Primo de Rivera y Saenz de Heredia (*1903, †1936) gründete 1933 die →Falange. Er wurde nach Ausbruch des Span. Bürgerkriegs von den Organen der Republik zum Tode verurteilt und hingerichtet.

Primogenitur [lat.] *die,* Nachfolgeordnung nach dem Erstgeburtsrecht. Nach der in den dt. Fürstenhäusern zur Vermeidung der Zersplitterung des Hausguts herausgebildeten P.-Ordnung (zuerst für die Kurfürsten durch die →Goldene Bulle 1356 festgelegt) war zur Thronfolge und zur Erbfolge in das Hausgut der Erstgeborene des regierenden Herrn und dessen Linie mit Ausschluss aller jüngeren Linien berufen.

Primorje, Küstenregion im Fernen Osten Russlands, am Japan. Meer, 165 900 km^2, 2,3 Mio. Ew.; Hauptort Wladiwostok. Wichtigste Wirtschaftszweige sind der Holzeinschlag, die Hochseefischerei, der Steinkohlenbergbau und der Abbau und die Verhüttung von Blei- und Zinkerzen.

Primrose ['prɪmrəʊz], Sir (seit 1953) William, brit. Bratschist, *Glasgow 23. 8. 1903, †Provo (Utah) 1. 5. 1982; gründete 1939 das W. P. Quartet; verfasste Lehrbücher für Viola (u.a. »Technique is memory«, 1960; »Violine und Viola«, 1976, mit Y. Menuhin).

Primus [lat.] *der,* der Erste, Klassenbester. **P. inter Pares,** Erster unter Ranggleichen.

Primzahlen, alle von 1 versch. und nur durch 1 und sich selbst teilbaren natürl. Zahlen, z.B. 7, 11, 13. Eine von 1 versch. natürl. Zahl, die nicht P. ist, bezeichnet man als zusammengesetzte Zahl, da sich jede derartige Zahl eindeutig als Produkt von P. **(Primfaktoren)** darstellen lässt **(P.-Zerlegung, Primfaktorzerlegung),** z.B. $12 = 2^2 \cdot 3$. Es gibt unendlich viele P. (Euklid); die größte bekannte Primzahl ist $2^{2976221}-1$ (Stand 1997).

Prince ['prɪns], eigtl. P. Roger Nelson, amerikan. Rocksänger und Schauspieler, *Minneapolis (Minn.) 7. 6. 1959; wurde mit dem Album »Purple Rain« (1984) und durch die Hauptrolle des gleichnamigen Films internat. bekannt. Er tritt heute nicht mehr unter dem Namen P. auf, sondern nennt sich nach einem nicht auszusprechenden Zeichen »Symbol«.

Prince Edward Island ['prɪns 'edwəd 'aɪlənd], kanad. Insel im S des Sankt-Lorenz-Golfs, durch die Northumberland-Straße vom Festland getrennt, kleinste Prov. Kanadas, 5660 km^2, (1993) 131 600 Ew.; Hptst. ist Charlottetown. P. E. I. ist vorwiegend eben; Haupterwerbszweige sind Ackerbau und Viehzucht, Verarbeitung landwirtsch. Erzeugnisse und Fischfang (Austern, Hummern). – 1534 von J. Cartier entdeckt, 1603 von S. de Champlain für Frankreich in Besitz genommen, 1758 von den Engländern erobert, 1763 an sie abgetreten; wurde 1873 kanad. Provinz.

Prince Edward Islands ['prɪns 'edwəd 'aɪləndz], die unbesiedelten jungvulkan. Inseln **Prince Edward Island** (55 km²) und **Marion Island** (255 km²) im südl. Ind. Ozean, seit 1947 zur Rep. Südafrika gehörend.

Prince of Wales ['prɪns ɔv 'weɪlz], seit 1301 Titel der meisten engl./brit. Thronfolger.

Princeps [lat. »die erste Stelle einnehmend«] *der* (Prinzeps), im *antiken Rom* allg. Bez. für eine hervorragende, einflussreiche Persönlichkeit; Augustus wählte die Bez., um seine Stellung von Diktatur und Königtum abzuheben.

Princeton ['prɪnstən], Stadt im Bundesstaat New Jersey, USA, 14200 Ew.; Wissenschaftszentrum mit P. University (gegr. 1746), Institute for Advanced Study u.a. Forschungseinrichtungen.

Príncipe ['prĩsipə] (portugies. Ilha do P.), vulkan. Insel im Golf von Guinea, 128 km², Hauptort: Santo António; Teil von → São Tomé und Príncipe.

Prinz [frz. »Fürst«, aus lat. princeps] *der,* weibl. Form **Prinzessin** *die,* Titel der nicht regierenden Mitgl. eines souveränen Fürstenhauses. Der Thronfolger wird **Erb-P.** bzw. **Kron-P.** genannt. **P.-Gemahl** bezeichnet den Ehemann einer regierenden Fürstin, **P.-Regent** ist der bei Regierungsunfähigkeit eines Monarchen zur Regentschaft berufene Verwandte des Monarchen.

Prinz Eisenherz, dt. Titel der Ritter-Comicserie (erstmals 1937 erschienen) »Prince Valiant« des kanad. Comickünstlers Hal (Harold Rudolph) Foster (*1892, †1982); sie ist im 5. Jh. angesiedelt und montiert Elemente der Welt des Königs Artus und histor. Ereignisse zu einer abenteuerl. Handlung.

Prinz Eisenherz: Illustration aus der Comicserie von Hal Foster

Prinzhorn, Hans, Nervenarzt und Psychologe, *Hemer 8. 6. 1886, †München 16. 6. 1933; sammelte und erforschte künstler. Arbeiten von psych. Kranken.

Prinzip [lat. »Anfang«] *das,* Grundsatz, Grundgesetz; in der Philosophie als Seins-P. (Urstoff, Quelle des Seins), Erkenntnis-P. (allg. Sätze, method. Regeln) oder Handlungs-P. (allgemein verbindl. Handlungsanweisungen in der Ethik); Regel der Logik (→ Widerspruch).

Prinzipal [lat.], **1)** *der, allg. (veraltet):* Geschäftsinhaber, Lehrherr.

2) *das, Musik:* die Hauptstimme der Orgel, eine offene Lippenpfeife von mittelweiter Mensur.

Primzahlen

Es gibt unendlich viele Primzahlen. Der Beweis hierfür ist seit der Antike bekannt: Man nehme an, es gebe nur n *Primzahlen, durchnummeriert als* p_1 *bis* p_n, *dann hat die Zahl* $p_1 \cdot p_2 \cdot ... \cdot p_n + 1$ *keine Primzahlzerlegung, denn sie ist durch keine der Primzahlen* $p_1 ... p_n$ *teilbar. Damit ist sie aber eine Primzahl – die Annahme war also falsch.*

Prinzipat [lat.] *das,* auch *der,* im antiken Rom seit 27 v. Chr. inoffizielle Bez. für die Herrschaft des ersten Bürgers (»Princeps«), wie Augustus und seine Nachfolger ihre Stellung verstanden. Für die Chronologie der röm. Kaiserzeit unterschied T. Mommsen das P. von **Dominat** als die Bez. für das absolute Kaisertum seit Diokletian.

Prionen [von engl. proteinaceous infectious particle], infektiöse Partikel (Proteine) mit einem Durchmesser von 4–6 nm, die erstmals aus mit Traberkrankheit infiziertem Gewebe isoliert wurden. P. sind die Ursache für eine Gruppe von Erkrankungen des Gehirns (z. B. BSE-Seuche, Creutzfeldt-Jakob-Krankheit).

Prior [lat. »der Vordere (von zweien)«] *der,* Stellvertreter eines Abts; der Obere in einem selbstständigen Kloster, das nicht Abtei ist **(Priorat);** in entsprechenden Frauenklöstern die **Priorin.**

Priorität [lat.] *die,* **1)** *allg.:* zeitl. Vorhergehen, Vorrang.

2) *Recht:* der Vorrang des älteren Rechts vor dem jüngeren (z. B. bei mehreren Pfandrechten an einer Sache) oder die aus anderen Gründen gewährte Vorrangstellung (z. B. Art. 31 GG: Bundesrecht bricht Landesrecht).

Pripjet *der* (russ. und ukrain. Pripjat, weißruss. Prypjaz), rechter Nebenfluss des Dnjepr, 775 km lang, durchfließt Polesien, mündet in den Kiewer Stausee; Kanalverbindung zum Westl. Bug.

Prischwin, Michail Michailowitsch, russ. Schriftsteller, *Gut Chruschtschowo (Gebiet Lipezk) 4. 2. 1873, †Moskau 16. 1. 1954; Erzählungen v. a. über Landschaft und Tierleben N-Russlands, die stilistisch an die Naturschilderungen Sergei T. Aksakows (*1791, †1859) anknüpfen (»Ginseng«, 1934; »Der Sonnenspeicher«, 1945), ferner Romane (»Die Kette des Kastschej«, 1923, hg. 1960).

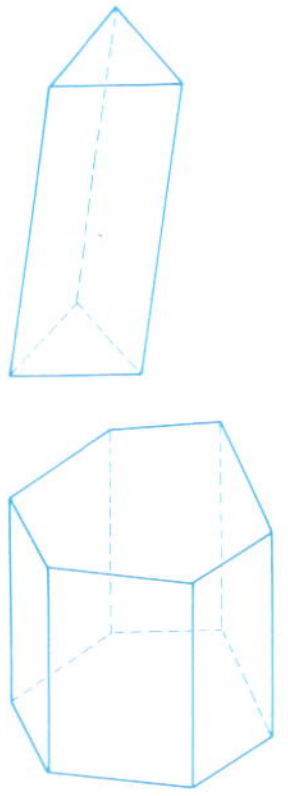

Prisma 1): schiefes dreiseitiges Prisma (oben) und gerades sechsseitiges Prisma

Prịse [frz. »das Genommene«] *die, Völkerrecht:* das von einem Krieg führenden Staat nach Seekriegsrecht weggenommene feindl. oder neutrale Schiff oder Ladungsgut. Oberster Grundsatz des **P.-Rechts** ist, dass ein aufgebrachtes Schiff oder Ladungsgut nur aufgrund eines ordnungsgemäßen Verfahrens vor einem staatl. **P.-Gericht** des nehmenden Staates eingezogen werden darf (Kondemnation), das nach der staatl. P.-Gesetzgebung und nach den Regeln des Völkerrechts entscheidet.

Prịsma [grch. »Zersägtes«] *das,* **1)** *Geometrie:* Körper, dessen Grund- und Deckfläche parallele, kongruente Vielecke sind und dessen Seitenflächen von Parallelogrammen begrenzt werden (Volumen: Grundfläche mal Höhe).

2) *Optik:* prismat. Körper aus lichtdurchlässigem und lichtbrechendem Stoff zur spektralen Zerlegung des Lichts, z. B. in Prismenspektralapparaten **(Dispersions-** oder **Refraktions-P.),** oder zur Richtungsänderung abbildender Strahlen und zur Bilddrehung **(Reflexions-P.).** Ein Lichtbündel wird durch ein P. infolge Brechung und Dispersion spektral zerlegt, wenn Ein- und Austrittsfläche einen Brechungswinkel miteinander bilden; minimale Ablenkung erhält man bei symmetr. Strahlengang durch das P. Durch Kombination von P. versch. Glasarten erhält man **achromat. P.** (Ablenkung ohne spektrale Zerlegung) und **geradsichtige P.** (spektrale Zerlegung ohne Ablenkung des Schwerpunktstrahls). **Polarisations-P.** aus doppelbrechenden Materialien (z. B. Kalkspat, kristalliner Quarz) dienen zur Zerlegung unpolarisierten Lichts in 2 senkrecht zueinander linear polarisierte Teilstrahlen. Sie bestehen meist aus 2 oder mehr Teil-P.: Glan-Thompson-P., nicolsches P., Wollaston-Prisma.

Prịsmen|astrolabium, Instrument zur Bestimmung der Zeit, der geograph. Breite und der Länge durch Beobachtung von Sterndurchgängen durch eine Höhe von 60°. Es besteht aus einem waagerecht liegenden Fernrohr, vor dessen Objektiv sich ein gleichseitiges Prisma befindet, und einem davor aufgestellten Quecksilberhorizont. Die Koinzidenz der beiden ins Fernrohr fallenden Bilder bestimmt den Zeitpunkt, in dem die Höhe des Gestirns genau 60° ist.

Prịsmenglas, Art des →Fernrohrs.

Prịsmen|instrumente, *Vermessungskunde:* einfache opt. Geräte zum Abstecken von Winkeln im Gelände; beruhen auf der mehrfachen Ablenkung des in ein Glasprisma einfallenden Lichtstrahls durch Brechung und Reflexion. Zum Absetzen rechter Winkel und Einrichten einer Gerade dient das Winkelprisma.

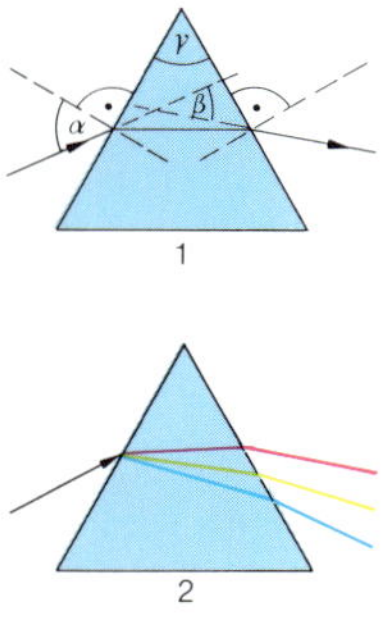

Prisma 2): 1 Strahlengang von einfarbigem Licht in einem achromatischen Prisma (γ brechender Winkel, α Einfallswinkel, β Austrittswinkel), 2 Zerlegung von weißem Licht in einem Dispersionsprisma

Pristạwkin, Anatoli Ignatjewitsch, russ. Schriftsteller, *Ljuberzy (Gebiet Moskau) 17. 10. 1931; Leiter der Kommission für Begnadigung beim Präs. Russlands; in seinen Werken fragt P. immer wieder nach den Quellen der Menschlichkeit, v. a. unter den Bedingungen erlittener existenzieller Not und Demütigung (»Schwere Kindheit« Erz.n, 1959; Trilogie »Der Soldat und der Junge« 1978; »Schlief ein goldenes Wölkchen«, R., 1988; »Wir Kuckuckskinder«, R., 1989).

Priština ['priʃtina] (alban. Prishtinë), Hptst. der Prov. Kosovo, Serbien, Jugoslawien, am O-Rand des Amselfeldes, 108 100 Ew.; Univ. (gegr. 1970), Kulturzentrum für die Albaner im Kosovo mit Institut für alban. Studien (1994 geschlossen, 1998 wieder eröffnet); Textil-, keram. Ind., Herstellung von Elektrogeräten und Kunstdünger; nördlich von P. Nickelhütte; Flughafen. – Altstadt mit zahlr. Moscheen; in der Nähe Kloster Gračanica (1315 gegr.). – Nahebei 1389 Schlacht auf dem →Amselfeld (Denkmal, 1953; Mausoleum für Murad I.).

Pritchard ['prɪtʃəd], Sir (seit 1983) John Michael, brit. Dirigent, *London 5. 2. 1921, †Daly City (Calif.) 5. 12. 1989; war 1962–66 Chefdirigent des London Philharmonic Orchestra, 1951–77 Dirigent, 1969–77 Musikdirektor der Glyndebourne Opera; 1978–88 Chefdirigent der Kölner Oper sowie 1982 des BBC Symphony Orchestra in London, daneben seit 1986 Musikdirektor der San Francisco Opera.

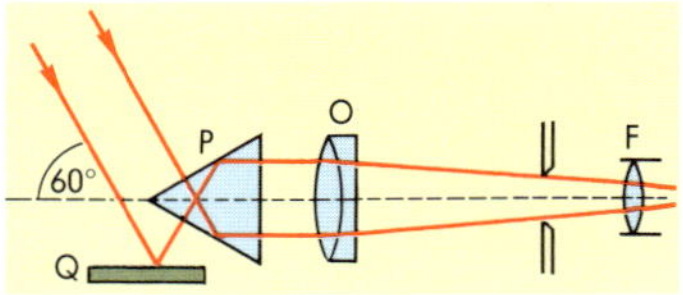

Prismenastrolabium mit Strahlengang bei Koinzidenz (F Fernrohr, O Objektiv, P Prisma, Q Quecksilberhorizont)e

Pritchett ['prɪtʃɪt], Sir (seit 1975) Victor Sawdon, engl. Schriftsteller und Kritiker, *Ipswich 16. 12. 1900, †London 21. 3. 1997; schrieb Romane, Kurzgeschichten und Essays; 1974–76 Präs. des internat. P. E. N.

Prịtzwalk, Stadt im Landkreis Prignitz, Brandenburg, im O der Prignitz, 11 200 Ew.; Zahnradwerk; Nahrungsmittelindustrie. – Stadtpfarrkirche St. Marien und Nikolai (Hallenkirche, 14./15. Jh.). – Um 1200 entstanden; seit 1256 Stadt; bis 1993 Kreisstadt.

Privas [pri'va], Hptst. des Dép. Ardèche in SO-Frankreich, 10 500 Ew.; Metall verarbeitende, Nahrungsmittel-, Textil- u. a. Industrie.

Privạt|autonomie, als wesentl. Merkmal des Privatrechts die dem Einzelnen von der Rechtsordnung eingeräumte Möglichkeit, seine Rechtsverhältnisse durch Rechtsgeschäfte nach eigenem Willen zu gestalten. Wichtigster Ausdruck der P. ist die →Vertragsfreiheit. Die P. ist gesetzlich vielfach eingeschränkt durch Vorschriften, die den Schutz des sozial Schwächeren bezwecken (z.B. im Mietrecht) oder öffentl. Interessen dienen.

Privatbanken, i.w.S. alle privatrechtl. Banken, im Unterschied zu den öffentlich-rechtl. Banken; i.e.S. die in privatrechtl. Rechtsform betriebenen Banken, bei denen mindestens einer der Inhaber unbeschränkt haftet. Die Dt. Bundesbank bezeichnet die P. i.e.S. als **Privatbankiers** und fasst nur die als OHG oder KG betriebenen Kreditinstitute darunter (der Bankenverband auch die als KGaA geführten).

Privatdiskonten, die von zum Privatdiskontmarkt zugelassenen Banken akzeptierten Wechsel. Die P. werden von Unternehmen zweifelsfreier Bonität ausgestellt und dienen der Finanzierung internat. Warengeschäfte. Sie dürfen höchstens 90 Tage laufen und müssen auf 100000 DM bis 5 Mio. DM lauten (Wechselsumme soll durch 5000 teilbar sein). P. werden börsentäglich an der Frankfurter Effektenbörse notiert und gelten als erstklassige Geldmarktpapiere. Der Privatdiskontsatz liegt i.d.R. unter dem Diskontsatz der Dt. Bundesbank. Alleinige Maklerin: **Privatdiskont AG,** Frankfurt am Main (gegr. 1959).

Privatdruck, für einen kleineren Kreis bestimmter Druck, der außerhalb des Buchhandels in beschränkter Auflage erscheint.

Privateigentum, das in die persönl. Verfügungs-, Bestimmungs- und Nutzungsmacht des Einzelnen gestellte →Eigentum, im Unterschied zum Eigentum der öffentl. Hand und zum →Gemeineigentum. Freiheitl. Staats- und Rechtsordnungen gewährleisten das P. als Mittel der Existenzsicherung und Voraussetzung der Freiheit und Unabhängigkeit des Individuums. Es gilt nicht nur als grundlegende Einrichtung des Rechts- und Wirtschaftslebens, sondern auch des gesellschaftl., staatl. und kulturellen Lebens. Das unbeschränkte P. stellt die Verfügungsmacht in das freie Belieben des Eigentümers, während das gebundene P. das Eigentum sozialer Verantwortung unterwirft. Die im 19. Jh. entwickelte freie Marktwirtschaft gründet sich auf die Freiheit des P.; sie führte nicht nur zur Konzentration ausgedehnter Eigentumsmassen in privater Hand, sondern auch zur Bildung von Kapitalgesellschaften, bei denen oft unerkennbar wird, wer Träger der wirtsch. Verfügungsmacht ist (anonymes P.). Der moderne Sozialstaat ist bemüht, durch wirtsch., sozialrechtl. und steuerl. Maßnahmen eine breit gestreute Eigentumsbildung herbeizuführen. Dagegen hält er an der verfassungsmäßigen Garantie des P. auch für Großvermögen fest, in Dtl. neuerdings zusätzlich begünstigt u.a. durch den Wegfall der Vermögensteuer und die Absicht, die Spitzensteuersätze zu mindern. – In Dtl. ist gegenüber →Enteignung und →Sozialisierung der Substanzwert des P. durch die unabdingbare Entschädigungspflicht zugunsten des Eigentümers gesichert. Andererseits ist die Verfügungs- und Nutzungsmacht durch soziale Bindungen und durch die allg. Sozialstaatsklausel beschränkt (Art. 14, 15 GG). – Ähnliches gilt in *Österreich* (Art. 5 Staatsgrund-Ges.) und der *Schweiz* (Art. 22 der Bundesverfassung).

Priština: Bibliothek der 1970 gegründeten Universität

privater Verbrauch, *volkswirtschaftl. Gesamtrechnung:* die Ausgaben der privaten Haushalte für Waren und Dienstleistungen; Teil der Verwendung des Sozialprodukts.

Privatfernsehen, das privatwirtschaftlich organisierte Fernsehen, neben dem privaten Hörfunk Teil des Privatfunks. Im Ggs. zum öffentlich-rechtl. Fernsehen ist das P. nur durch Werbeeinnahmen finanziert. Da die Kulturhoheit Ländersache ist, ist die Struktur des P. länderunterschiedlich geregelt; zuständige Organisationen sind die Landesrundfunkanstalten. Gesellschafter der P.-Anstalten sind v.a. Medienkonzerne. Eine zu starke Konzentration im P. soll das seit 1997 angewendete sog. Marktanteilsmodell verhindern, wonach ein Unternehmen Beteiligungen an mehreren Sendern erwerben darf, sofern sein Marktanteil, gemessen an der (jahresdurchschnittl.) Zuschauerquote, 30% nicht überschreitet. ÜBERSICHT S. 194

Privation [lat.] *die,* Ermangelung, Entzug, neben Form und Materie das dritte Prinzip in der aristotel. Philosophie und der Scholastik; gemeinsam sollen sie das Werden (Bewegung und Veränderung) ermöglichen: das *Verlieren* einer Eigenschaft, die einem Gegenstand bislang zukam, bedingt Veränderung.

Privatisierung, i.e.S. die Überführung von Staatseigentum (v.a. Eigentum an öffentl. Unternehmen) in Privateigentum. Diese P. erfolgt durch

Verkauf von Beteiligungen über die Börse, durch Nichtbeteiligung des Staates an Kapitalerhöhungen oder durch direkte Eigentumsübertragung an einen privaten Käufer. Im Falle der P. von einst durch Verstaatlichung entstandenem öffentl. Eigentum spricht man von **Reprivatisierung.** I. w. S. wird unter P. auch die Übertragung von bisher durch den öffentl. Sektor erstellten Leistungen (z. B. Abfallbeseitigung, Krankenhäuser, Schulen) oder von für den Eigenbedarf der öffentl. Verw. benötigten Hilfsdiensten (z. B. Gebäudereinigung) auf private Anbieter verstanden (Leistungs-P.). Die Überführung öffentl. Unternehmen in eine private Rechtsform, ohne dass sich die Eigentumsverhältnisse ändern (z. B. die erste Postreform), ist keine P., kann eine solche aber vorbereiten.

Während nach 1945 in Europa eher Verstaatlichungen vorherrschten, sind die P. öffentl. Unternehmen und die Deregulierung seit Mitte der 70er-Jahre in den Mittelpunkt der wirtschaftspolit. Diskussion gerückt. Anstöße gaben die Deregulierung in den USA sowie die Krisen versch. öffentl. Unternehmen (z. B. in der Stahl- oder Werftind.). Da in West-Dtl. anders als in Frankreich und Großbritannien keine umfassenden Verstaatlichungen stattgefunden haben, hatte die P. hier einen geringeren Umfang. Sie erfolgte in drei Phasen: 1959–65 v. a. durch den Verkauf von Aktien an Bezieher niedriger Einkommen (»Volksaktien«) mit vermögenspolit. Zielsetzung, 1984–89 primär aus ordnungspolit. Aspekt (Rückzug des Staates, Wettbewerbsförderung) und seit 1991 mit der Absicht, Geldmittel zur Sanierung der Staatsfinanzen sowie für Investitionen in Ost-Dtl. zu erlösen.

Mit dem Zusammenbruch der ehem. Planwirtschaften erhielt die P. seit Ende der 1980er-Jahre eine neue Dimension. Die P. und Verwertung (durch Verkauf) der ehem. volkseigenen Betriebe in den neuen Bundesländern durch die Treuhandanstalt begann 1990 und war Ende 1994 im Wesentlichen abgeschlossen. Die →Rückübertragung von Vermögenswerten an die Berechtigten wurde im Ges. zur Regelung offener Vermögensfragen von 1990 (neu gefasst 1992 als Vermögens-Ges.) geregelt, insbesondere wenn die Vermögenswerte entschädigungslos oder mit zu geringer Entschädigung enteignet wurden und soweit nicht Gründe für den Ausschluss der Rückübertragung vorlagen.

📖 LOESCH, A. VON: *P. öffentl. Unternehmen. Baden-Baden* [2]*1987. – P. u. Deregulierung öffentl. Unternehmen in westeurop. Ländern. Erste Erfahrungen u. Analysen, hg. v.* F. SCHNEIDER *u. a. Wien 1990. – Privatisierungs- u. Beteiligungspolitik in der Bundesrep. Dtl., hg. v.* F. KNAUSS. *Baden-Baden 1993.*

Privatfernsehen: Ausgewählte private deutsche Fernsehsender (Stand: August 1997)

Sender, Sitz	*Gesellschafter (Auswahl)*	*Sendestart*	*Marktanteil*
DSF, Unterföhring	Fininvest-Gruppe (S. Berlusconi) 33,5 %; Kirch-Gruppe 66,5 %*)	1. 1. 1993	1,4 %
Eurosport, Unterföhring	TF1 34 %; Canal plus 33 %; ESPN (Walt Disney Co.) 33 %	5. 2. 1989	0,9 %
Kabel 1, Unterföhring	Pro 7 Media AG 100 %	29. 2. 1992	4,0 %
MTV Europe, München	Viacom International 100 %	1. 8. 1987	–
Nickelodeon, Düsseldorf	Viacom International Inc. 90 %; Ravensburger Film + TV GmbH 10 %	13. 7. 1995	–
n-tv, Berlin	Time Warner Entertainment Germany GmbH/CNN 49,79 %; Verlagsgruppe Handelsblatt (Holzbrinck-Gruppe) 25 %; Familie Nixdorf 16,98 %	30. 11. 1992	0,4 %
Premiere, Hamburg	CLT-Ufa 50 %; Kirch-Gruppe 50 %*)	28. 2. 1991	–
Pro 7, Unterföhring	Pro 7 Media AG (Vorzugsaktien im Streubesitz 100 %; Stammaktien: Thomas Kirch 60 %; Rewe Zentral AG 40 %)	1. 1. 1989	9,2 %
RTL, Köln	CLT-Ufa 89 %; Zeitungsgruppe WAZ 11 %	2. 1. 1984	16,9 %
RTL 2, München	Heinrich Bauer Verlag KG 32,2 %; Tele München 32,2 %; CLT-Ufa 33,4 %; FAZ 1,1 %; Burda 1,1 %	6. 3. 1993	4,1 %
SAT.1, Berlin/Mainz	Kirch-Gruppe 58 %*); Axel Springer Verlag 20 %; Aktuell Presse Fernsehen (Springer Verlag) 20 %; Neue Medien Ulm TV 1 %; Ravensburger Film & TV GmbH 1 %	1. 1. 1984	13,9 %
Super RTL, Köln	CLT-Ufa 50 %; Walt Disney Co. 50 %	28. 4. 1995	2,2 %
TM 3, München	Tele München Fernseh GmbH & Co. Medienbeteiligungs-KG München 100 %	25. 8. 1995	–
Viva, Köln	Warner Music Germany Entertainment GmbH 24,69 %; Sony Medienbeteiligungsgesellschaft mbH 24,69 %; Poly Gram Holding GmbH 24,69 %; EMI Group Germany 24,69 %	24. 12. 1993	–
VOX, Köln	News International Corporation (R. Murdoch) 49,9 %; CLT-Ufa 24,9 %; Canal plus 24,9 %; DCTP 0,3 %	25. 1. 1993	3,0 %

*) vorbehaltlich landesmedienanstaltlicher und kartellrechtlicher Zustimmung

Privatisierung: Erlöse ausgewählter Staaten (in Mrd. US-$)				
Land	1993	1994	1995	1996*)
Australien	2,0	2,0	7,9	9,5
Deutschland	0,4	0,2	-	13,3
Frankreich	12,2	5,5	4,1	5,1
Großbritannien	8,5	1,3	6,7	6,7
Italien	1,9	6,5	7,4	6,3
Japan	10,0	5,7	-	6,4
Spanien	2,5	1,4	2,2	1,9
OECD-Länder	49,0	42,2	52,2	68,4
Übrige Länder	23,9	18,1	25,1	19,5
weltweit	72,9	60,3	77,3	87,9

*) Schätzungen

Privatklage, die Verfolgung strafbarer Handlungen durch den Verletzten selbst statt durch die Staatsanwaltschaft. Die dt. StPO (§§374–394) kennt die P. nur als Ausnahme, z.B. bei Hausfriedensbruch, Beleidigung, Körperverletzung. Die P. kann vom Verletzten oder seinem gesetzl. Vertreter ohne vorherige Anrufung des Staatsanwalts erhoben werden. Dieser erhebt bei Zulässigkeit der P. die öffentl. Klage nur dann, wenn es im öffentl. Interesse liegt; auch nach erhobener P. kann er jederzeit bis zur Rechtskraft des Urteils die P. übernehmen; dann wird die P. zur →Nebenklage. Die Erhebung der P. erfolgt zu Protokoll der Geschäftsstelle oder durch Einreichung der Anklageschrift beim Gericht. Der P. muss regelmäßig ein Sühneversuch vorausgehen (i.d.R. mittels eines Schiedsmanns). – Die *österr.* StPO regelt die Privatanklage in den §§46–50. Die *Schweiz* kennt die P. nur in einzelnen kantonalen Prozessordnungen.

Privatkonto, ein Zwischenkonto bei Einzelfirmen und Personengesellschaften, auf dem Entnahmen und Einlagen der Inhaber verbucht werden.

Privatnotenbanken, im Dt. Reich bis Ende 1935 die neben der Reichsbank zur Ausgabe von Noten berechtigten Banken. Sie bestanden seit Mitte des 19. Jh., als die Banknote sich als Zahlungsmittel neben dem Münzgeld durchsetzte.

Privatrecht, Teil der Rechtsordnung, der die auf dem Boden der Gleichordnung erwachsenen Rechtsbeziehungen der Bürger untereinander und der privatrechtl. Verbände und Gesellschaften regelt, im Unterschied zum →öffentlichen Recht. Die Unterscheidung zw. P. und öffentl. Recht ist bedeutsam für die Feststellung des zulässigen Rechtswegs, z.B. ordentl. oder Verw.gerichtsbarkeit. Hauptgebiete des P. sind bürgerl. Recht, Handelsrecht, Teile des Arbeitsrechts; Nebengebiete z.B. Aktienrecht, GmbH-Recht, Genossenschaftsrecht, Wertpapier-, Wechsel- und Scheckrecht. Rechtsverhältnisse des P., beruhend auf der →Privatautonomie, werden durch private Willenserklärungen (→Rechtsgeschäft) begründet, bes. durch Vertrag. (→internationales Privatrecht)

📖 BERNZEN, C. *u.* DIEDRICH, F.: *Grundlagen des P. Fallorientierte Einf. München u. a. 1996.*

Privatschulen, alle nichtöffentl. Schulen, d.h. Schulen, die nicht vom Staat oder von Gebietskörperschaften, sondern von Kirchen, Stiftungen bzw. Vereinigungen oder Privatpersonen in freier Trägerschaft betrieben werden (gewöhnlich mit öffentl. Zuschüssen). Die P. arbeiten vielfach auf gemeinnütziger Grundlage. Das Schulrecht unterscheidet P., die anstelle der öffentl. Schulen (**Ersatzschulen,** genehmigungspflichtig), und solche, die neben diesen oder zusätzlich (**Ergänzungsschulen,** anzeigepflichtig) besucht werden können (häufig berufl. Schulen). Staatlich anerkannte P. müssen den öffentl. Schulen gleichwertig sein und dürfen eine Sonderung der Schüler nach den Besitzverhältnissen der Eltern nicht fördern.

📖 BEHR, M. *u.* JESKE, W.: *Schul-Alternativen. Düsseldorf 1982.* – BEHR, M.: *Freie Schulen u. Internate. Pädagog. Programme u. rechtl. Stellung. Düsseldorf 1988.*

Privatstraßen (Privatwege), alle nicht dem öffentl. Verkehr gewidmeten Straßen, Wege und Plätze, auch wenn sie Eigentum der öffentl. Hand sind. (→Straßen- und Wegerecht)

Privileg [lat.] *das,* jurist. Bez. für die einem Einzelnen (Individual-P.), einer Personenmehrheit (General-P.) oder Sachen und damit deren Besitzer gewährte rechtl. Sonderstellung sowie für die darüber ausgestellte Urkunde (Freibrief). Darüber hinaus steht P. für das nur bestimmten Personen einer Gesellschaft vorbehaltene Sonder- oder Ausnahmerecht. – Im MA. und in der frühen Neuzeit war das Erteilen von P. (z.B. Gerichtsbarkeiten, Erhebung von Zöllen, Zehnten) das bedeutendste auf der Banngewalt beruhende Herrschaftsmittel und -recht. Im absolutist. Staat wurden Konzessionen für das Betreiben eines Gewerbes als P. erteilt. Dem Gedanken der Gleichheit verpflichtete Verfassungen kennen keine P. (z.B. Art. 3 Abs. 3 GG).

privilegiertes Delikt, wegen besonderer Verhältnisse milder bestrafte Tat, z.B. Tötung auf Verlangen gegenüber Mord.

Privilegium de non evocando [lat.], den Fürsten und Reichsstädten gewährtes Privileg, bei Rechtsstreitigkeiten keine Eingriffe der königl. Gerichtsgewalt erdulden zu müssen; meist verbunden mit dem Verbot der Anrufung der Reichsgerichte nach Abschluss des Verfahrens (**P. d. n. e. et de non appellando**).

Prix [pri, frz.] *der,* Preis.

Prix Goncourt [prigɔ̃'ku:r] →Goncourt.

Prizren ['prizrɛn, alban. 'prizren], Stadt im Gebiet Kosovo, Jugoslawien, in der Metohija, 41700 Ew.; Kunsthandwerk (Gold- und Silberschmiedearbeiten), Arzneimittelwerk, Textil-, Nahrungsmittel- u.a. Industrie. – Oriental. Stadtbild mit

Muttergotteskirche (13. Jh., 1306/07 erneuert), Erlöserkirche (14. Jh.), Sinan-Pascha-Moschee (1615 vollendet).

Prizren: Das Stadtbild ist durch die Herrschaft des früheren Osmanischen Reichs geprägt; hinter der türkischen Brücke (spätes 15. Jh. oder frühes 16. Jh.) legt die 1615 vollendete Sinan-Pascha-Moschee

pro [lat.], jeweils, je, für, als Vorsilbe in den Bedeutungen 1. (räumlich) vor, hervor: Protuberanzen; 2. (zeitlich) vor, vorausgehend: Proenzym; 3. nach vorn gerichtet, vorwärts: progressiv; 4. für jemanden oder etwas: proeuropäisch; 5. stellvertretend: Prorektor; 6. im Verhältnis zu: Proportion.

Pro7, Privatfernsehsender, gegr. 1988, seit 1997 AG; Hauptaktionär (Stammaktien) und Gründer ist L. Kirchs Sohn Thomas Kirch (*1957); Sitz: Unterföhring. Weiterer Hauptaktionär ist auch nach dem Börsengang (1997) die REWE-Gruppe. Zur ProSieben Media AG gehört auch der Sender Kabel 1.

pro anno, Abk. **p. a.,** jährlich.

Probabilismus [zu lat. probabilis »wahrscheinlich«, »annehmbar«] *der,* **1)** *Erkenntnis-* und *Wissenschaftstheorie:* die Auffassung, dass es keine absolut wahren, sondern nur wahrscheinliche Sätze gibt. – In quantenphysikal. Theorien drückt der P. aus, dass gewisse Ereignisse nur mit einer bestimmten Wahrscheinlichkeit vorhersagbar sind.

2) *kath. Moraltheologie:* ein v. a. im 17./18. Jh. entwickeltes Moralsystem, nach dem sich der Mensch gegen die Befolgung moral. Normen entscheiden kann, sofern seiner Entscheidung »annehmbare« Gewissensgründe zugrunde liegen.

Proband [lat.] *der,* **1)** *allg.:* Versuchsperson, Testperson (bei psycholog. Untersuchungen und Test von Arzneimitteln).

2) *Recht:* zur Bewährung entlassener Strafgefangner.

probat [lat.], erprobt, bewährt; geeignet.

Probe [zu lat. probare »prüfen«, »billigen«] *die,* **1)** *allg.:* Prüfung eines Materials, einer Ware oder einer Person auf Eignung oder Qualität.

2) *Naturwiss.* und *Technik:* eine i. Allg. kleine Teilmenge eines Materials, das auf bestimmte Eigenschaften untersucht werden soll.

3) *Theater, Film, Fernsehen:* Vorbereitungsarbeit für eine Aufführung bzw. Aufzeichnung. Es werden am Theater z. B. Lese-P., techn. P. und Haupt-P. unterschieden. Die **General-P.,** meist vor Publikum, soll wie eine Vorstellung ablaufen.

Probearbeitsverhältnis, das durch die Vereinbarung einer anfängl. **Probezeit** gekennzeichnete voll wirksame Arbeitsverhältnis, das der gegenseitigen Erprobung der Vertragsparteien mit der Möglichkeit der raschen Beendigung des Arbeitsverhältnisses dient. Das P. ist grundsätzlich frei vereinbar; zwingend vorgeschrieben ist es nur im Berufsbildungs-Gesetz. Formen des P.: 1) befristetes P., das nach Ablauf der vereinbarten Zeit ohne Kündigung endet, wenn es nicht verlängert wird; 2) Arbeitsverhältnis von unbestimmter Dauer, bei dem die Probezeit die Mindestarbeitszeit darstellt, innerhalb derer die ordentl. Kündigung ausgeschlossen ist; 3) Dauerarbeitsverhältnis mit vorgeschalteter Probezeit; innerhalb der Probezeit gilt die tariflich oder gesetzlich kürzest zulässige Kündigungsfrist als vereinbart. Die Probezeit beträgt bei einfachen Tätigkeiten i. d. R. ein bis drei, ansonsten bis zu sechs Monaten; sie kann in Betriebsvereinbarungen oder Tarifverträgen bestimmt sein. – Nach *österr.* Recht kann das Arbeitsverhältnis während der Probezeit von einem Monat von beiden Teilen jederzeit gelöst werden (§ 1158 ABGB). In der *Schweiz* beträgt die Kündigungsfrist für ein P. (das höchstens drei Monate währt) sieben Tage (Art. 335 b OR).

Probedruck, **1)** *Drucktechnik:* Abdruck unter standardisierten Bedingungen zur Prüfung von Druckfarben.

2) *Grafik:* Zustandsdruck zur Kontrolle von Bildgestaltung und Farbgebung vor dem Auflagendruck; begehrtes Sammelobjekt.

Probezeit, → Probearbeitsverhältnis.

Probierglas, das → Reagenzglas.

Probierkunst (Dokimasie), Oberbegriff für alle einfachen Verfahren zur Bestimmung des Edelmetallanteils in Erzen und Edelmetallabfällen. Die P. umfasst trockene (Probeschmelzen), nasschem. (→ Maßanalyse, → Kolorimetrie) und elektrolyt. Verfahren.

Problem [grch.] *das,* schwierige Aufgabe, komplizierte Fragestellung; eine mit dem vorhandenen Wissen nicht lösbare Frage. Das **Problemlösen,** das Auffinden eines vorher nicht bekannten Weges zur Behebung eines Problems, ist ein kreativer Vorgang.

Probstei *die,* Landschaft im Kr. Plön, Schlesw.-Holst., zw. Kieler Förde, Ostsee und Selenter See; früher durch den Propst des Klosters Preetz verwaltet (daher der Name).

Probus, Marcus Aurelius, römischer Kaiser (276–282), *Sirmium (heute Sremska Mitrovica) 19. 8. 232, †(ermordet) ebd. 282; sicherte Gallien und die Rheingrenze gegen german. Stämme; ließ die Aurelian. Mauer vollenden.

Procain *das,* Mittel zur Lokalanästhesie.

Processart ['prəʊsesɑ:t, engl.] *die,* die →Prozesskunst.

Procházka ['prɔxa:ska], Jan, tschech. Schriftsteller, *Ivančice (bei Brünn) 4. 2. 1929, †Prag 20. 2. 1971; beschrieb in Romanen und Erzählungen kritisch den tschechoslowak. Alltag (»Eine Kutsche nach Wien«, 1967); polit. Essays; 1969 aus der KP ausgeschlossen.

Prochnow [-no], Jürgen, Schauspieler, *Berlin 10. 6. 1941; Charakterdarsteller; spielte u.a. in den Filmen »Die Verrohung des Franz Blum« (1974), »Die Konsequenz« (1977), »Das Boot« (1981), »Robin Hood« (1991), »Die Wildnis« (1993).

Prochorow, Alexandr Michailowitsch, russ. Physiker, *Atherton (Australien) 11. 7. 1916; Prof. in Moskau, bed. Arbeiten zur Quantenelektrodynamik; erhielt 1964 zus. mit N. G. Bassow und C. H. Townes für die Entwicklung von Masern und Lasern den Nobelpreis für Physik.

Procida ['pro:tʃida], vulkan. Insel im NW des Golfs von Neapel, Italien, 3,9 km²; der Hauptort P. hat 10 400 Einwohner.

Procter & Gamble Co. ['prɔktə ænd 'gæmbl-], einer der weltgrößten Seifen- und Waschmittelhersteller, der auch Nahrungsmittel erzeugt; gegr. 1837; Sitz: Cincinnati (Ohio).

Proculigner, angeblich von dem röm. Juristen Marcus Antistius Labeo (*vor 42 v.Chr., †nach 22 n.Chr.) begründete röm. Rechtsschule, der vom Beginn der Kaiserzeit bis zur Zeit des Gaius die Schule der **Sabinianer** gegenüberstand.

Prodi, Romano, italien. Politiker, *Scandiano (Prov. Reggio nell'Emilia) 9. 8. 1939; Prof. für Wirtschaftswiss. in Bologna, urspr. dem linken Flügel der DC nahe stehend, 1978–79 Industriemin., leitete 1982–89 und 1993–94 den Staatskonzern IRI. Als Führer des linken Wahlbündnisses »Ulivo« war P. 1996–98 Ministerpräsident.

Prodikos von Keos, grch. Sophist und Rhetor, *um 470/460 v. Chr., †nach 399 v.Chr.; lebte in Julis auf der Insel Keos; Zeitgenosse des Sokrates (um 450 v.Chr.), Verfasser der durch Xenophon überlieferten Erzählung »Herakles am Scheidewege« (Herakles wählt statt eines leichten Genusslebens den schweren Weg der Tugend).

pro domo [lat. »fürs Haus«], in eigener Sache, zum eigenen Nutzen.

Prodromalstadium, Vorläuferstadium; den Krankheitsausbruch einleitendes Stadium mit mäßigen, uncharakterist. Krankheitserscheinungen.

Producer [prə'dju:sə; engl. »Hersteller«] *der,* im engl. Theater der Regisseur; nach amerikan. Muster werden neuerdings P. (Produzent, Unternehmer) und »Director« (Regisseur) unterschieden.

Productplacement ['prɔdʌkt'pleɪsmənt, engl.] *das,* eine Form der →Schleichwerbung.

Produkt [lat.] *das,* **1)** *allg.:* Erzeugnis.

2) *Mathematik:* Ergebnis der Multiplikation; besondere Formen sind Skalar- und Vektorprodukt.

Produktenhandel, Handel mit landwirtsch. Erzeugnissen.

Produkthaftung (Produzentenhaftung), Haftung des Herstellers einer Ware für Folgeschäden, die dem Verbraucher aufgrund einer fehlerhaften Ware entstehen (Personen- und Sachschäden; nicht Schäden an der Ware selbst). Rechtsgrundlage ist in Dtl. das P.-Ges. vom 15. 12. 1989. Die P. ist eine Gefährdungshaftung, bei der es auf Verschulden nicht ankommt. Die Haftung aus anderen Rechtsvorschriften bleibt unberührt. Einschränkungen ergeben sich allerdings durch die Festsetzung einer Haftungshöchstgrenze bei Tod oder Körperverletzung und einer Selbstbeteiligung des Geschädigten bei Sachschäden (1125 DM). Ersatz für reine Vermögens- und immaterielle Schäden gewährt das Ges. nicht. Ausgenommen sind auch landwirtschaftl. Naturprodukte, die nicht einer ersten Verarbeitung unterzogen worden sind, und Jagderzeugnisse, ferner Arzneimittel, für die das Arzneimittelgesetz eine besondere Haftung vorschreibt. Durch das am 1. 8. 1997 in Kraft getretene **Produktsicherheits-Ges.** sollen die Verbraucher vor gefährl. Produkten zusätzlich geschützt werden, u.a. durch die Herstellerpflicht zu Rückrufen. – In *Österreich* gilt das P.-Ges. vom 21. 1. 1988, in der *Schweiz* befindet sich ein entspr. Ges. in der Vorbereitung.

Produktion [lat. »das Hervorführen«] *die,* **1)** *allg.:* Herstellung, Erzeugung, Fertigung von Waren und Gütern, auch die Erzeugnisse selbst.

2) *Biologie:* der Aufbau von körpereigener Substanz durch Pflanzen, Tiere und Bakterien aus dem anorgan. und organ. Material ihrer Umwelt. Bei der **Primär-P.** entsteht diese organ. Substanz überwiegend aus anorgan. Stoffen mithilfe besonderer Energiequellen (z.B. Sonnenlicht). Die Lebewesen mit Primär-P. (z.B. Algen, Moose, Farne, Blütenpflanzen) bilden meist die Nahrung (Energie) für Organismen mit **Sekundär-P.** (bes. Tiere, auch Bakterien und Pilze).

3) *Wirtschaft:* Herstellung von Gütern i.w.S. durch die Kombination von Produktionsfaktoren. Zur P. zählt nicht nur die Leistungserstellung im fertigungstechn. Sinn (Rohstoffgewinnung, Be-

Marcus Aurelius Probus
(Ausschnitt einer Bronzemünze, um 280 n. Chr.; Paris, Bibliothèque Nationale

Jürgen Prochnow

Alexandr Prochorow

Romano Prodi

und Verarbeitung), sondern auch die Bereitstellung von Dienstleistungen und immateriellen Gütern. **Ur-P.** (Land-, Forstwirtschaft, Bergbau), **Weiterverarbeitung** sowie das Erbringen von **Dienstleistungen** (Handel, Banken, Versicherungen, öffentl. Verw.) werden auch als **primäre, sekundäre** und **tertiäre P.** bezeichnet. Die betriebl. P. kann auf die Herstellung eines einzelnen Produktes **(Einfach-P.)** oder auf die mehrerer Produkte **(Mehrfach-P.)** gerichtet sein. Letztere kommt vor als **Simultan-P.** (Herstellung von technisch völlig voneinander unabhängigen Erzeugnissen), als **alternative P.** (die Herstellung des einen Erzeugnisses beeinflusst die des anderen) und **verbundene** oder **Kuppel-P.** (Herstellung von mehreren Produkten in einem techn. Zusammenhang, wobei ein **Hauptprodukt** und ein oder mehrere **Nebenprodukte** entstehen).

Die P. setzt eine gedankl. Vorbereitung des P.-Prozesses in Form eines **P.-Plans** voraus. Bei einer kurzfristigen Planung steht der **P.-Kapazität** (die bei den gegebenen techn. und personellen Daten mögl. maximale Erzeugungsmenge je Zeitabschnitt) die tatsächlich hergestellte Menge je Zeiteinheit gegenüber **(P.-Volumen,** auch **P.-Geschwindigkeit).** Langfristig wird die P.-Kapazität vom Investitionsplan bestimmt, der ein Teil des Gesamtplans des Unternehmens ist. Das **P.-Programm** stellt die Erzeugnisse zusammen, mit denen ein Betrieb auf dem Markt als Anbieter auftritt oder aufzutreten beabsichtigt.

📖 ADAM, D.: *Produktionspolitik. Wiesbaden* [6]*1990.* – BUSSE VON COLBE, W. *u.* LASSMANN, G.: *Betriebswirtschaftstheorie, Bd. 1: Grundlagen, Produktions- u. Kostentheorie. Berlin u. a.* [5]*1991.* – POHMER, D. *u.* BEA, F. X.: *P. u. Absatz. Göttingen* [3]*1994.* – SCHNEEWEISS, C.: *Einführung in die Produktionswirtschaft. Berlin u. a.* [6]*1997.*

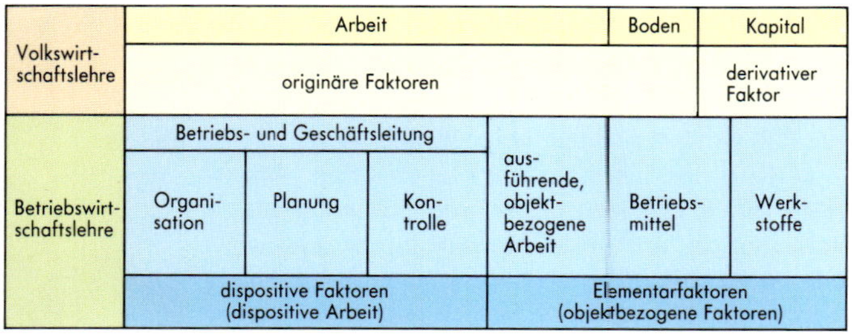

Produktionsfaktoren in der Betriebs- und Volkswirtschaftslehre

Produktionsfaktoren, Güter und Leistungen, die zur Erstellung anderer Güter und Leistungen eingesetzt werden. Die einzelnen Faktormengen (Inputs) werden in einem Produktionsprozess miteinander kombiniert, um zum gewünschten Produktionsergebnis (Output) zu gelangen. Die *Volkswirtschaftslehre* unterscheidet die P. Boden, Arbeit und Kapital. Ursprüngl. (originäre) P. sind Boden und Arbeit, das Kapital als produziertes Produktionsmittel wird als abgeleiteter (derivativer) P. bezeichnet. In der *Betriebswirtschaftslehre* werden die P. nach E. Gutenberg unterteilt in **Elementarfaktoren (objektbezogene P.:** Arbeitskräfte, Werkstoffe, Betriebsmittel wie Maschinen und Werkzeuge) und **dispositive Faktoren (dispositive Arbeit:** Geschäftsleitung, Planung, Organisation, Kontrolle)

Produktionsfunktion, *Wirtschaftstheorie:* ein Ausdruck (i. d. R. eine mathemat. Funktionsbeziehung), der angibt, welche Produktionsmengen (Outputs), d. h. Güter oder Dienstleistungen, in einem bestimmten Zeitraum mit alternativen Faktoreinsatzmengen (Inputs) jeweils erzeugt werden können und welche Beziehungen dabei Produktionsmengen und Faktormengen untereinander aufweisen.

Produktionsgenossenschaften, gewerbliche oder landwirtsch. Genossenschaften mit Hilfs- oder Ergänzungscharakter, die der Steigerung der Produktion ihrer Mitgl. dienen; die P. veredeln, verarbeiten, verkaufen Erzeugnisse (Verwertungsgenossenschaften), z. B. Molkerei, Winzergenossenschaften, oder stellen Erzeugnisse zur Förderung der Erwerbs- und Unterhaltswirtschaft her, z. B. Saatgut-, Viehzuchtgenossenschaften. (→ landwirtschaftliche Produktionsgenossenschaft)

Produktionstheorie, Zweig der Wirtschaftswiss., der sich mit der Analyse des Produktionsprozesses, v. a. mit den Beziehungen zw. Faktoreinsatz (Input) und Produktionsergebnis (Output) beschäftigt. Dazu werden Produktionsfunktionen formuliert, die angeben, welche Produktionsmengen in einem bestimmten Zeitraum mit alternativer Faktoreinsatzmenge und -kombination erzeugt werden können. (→ Ertragsgesetz)

Produktionsverhältnisse, Grundbegriff des → Marxismus: die Gesamtheit der in einer Gesellschaft bestehenden Verhältnisse (z. B. Rechts- und Eigentumsverhältnisse) im Prozess der Herstellung (Produktion) des Austauschs und der Verteilung materieller Güter.

Produktionswert, in der Ind.statistik der gesamte zu Verkaufspreisen bewertete Ausstoß der Ind.unternehmen in einem Geschäftsjahr; Maßstab für die Leistung wirtsch. Unternehmen.

Produktivgenossenschaften, Genossenschaften, bei denen die Mitgl. zugleich Kapitaleigentümer (Träger) und Beschäftigte des Genossenschaftsbetriebs sind, im Ggs. zu den Produktionsgenossenschaften.

Produktivität [lat.] *die,* Messzahl für die wirtsch. Effizienz, Leistungs- und Wettbewerbsfähigkeit eines Unternehmens, eines Wirtschaftszweiges oder einer Volkswirtschaft. Die P. ist das

Verhältnis zw. den Einsatzmengen aller Produktionsfaktoren bzw. Herstellungskosten und dem (mengen- bzw. wertmäßigen) Produktionsergebnis. – Die **techn. P.** lässt sich mithilfe techn. Kennzahlen (z.B. Energiebedarf je Produkteinheit) direkt für einzelne Arbeitsgänge ermitteln; werden Faktoreinsatzmengen mit konstanten Preisen (Eliminierung von Geldwertänderungen) berechnet, erhält man die **ökonom. P.;** bei der **partiellen P.** werden nur einzelne Produktionsfaktoren in die P.-Analyse einbezogen, während der **globalen P.** die bewerteten Einsatzmengen aller Faktoren zugrunde liegen. Die P. kann sowohl auf die Gesamtmengen (Durchschnitts-P.) als auch auf Zuwächse (Grenz-P.) bezogen werden. Die gesamtwirtsch. P. wird v.a. durch techn. Fortschritt, Strukturänderungen, Arbeitsteilung und den Grad der Kapazitätsausnutzung beeinflusst. Bei der Ermittlung der **Arbeits-P.** dient als Größe für den Arbeitseinsatz die Anzahl der Beschäftigten bzw. der geleisteten Arbeitsstunden. Die Messung des Kapitaleinsatzes zur Bestimmung der **Kapital-P.** ist theoretisch und statistisch sehr schwierig. Da Mengen für die Berechnung ausscheiden, müssen techn. Größen (z.B. der Energieverbrauch) oder Preise herangezogen werden.

📖 WEBER, H. K.: *Rentabilität, P., Liquidität der Unternehmung. Stuttgart 1983.* – PIETSCH, P.: *Statist. Probleme der Ermittlung von industriellen Arbeitsproduktivitäten. Frankfurt am Main 1984.* – PUSSE, L.: *Arbeitsproduktivität u. Beschäftigung. Freiburg im Breisgau 1984.* – SCHMITT, KLAUS-D. u. GUNDLACH, E.: *Investitionen, P. u. Beschäftigung. Tübingen 1988.*

Produktivkräfte, Grundbegriff des →Marxismus: die Gesamtheit der menschl. und gegenständl. Faktoren, die im gesellschaftl. Produktionsprozess (je einzeln und zusammenwirkend) Ablauf, Rahmen und Intensität der Güterproduktion bestimmen.

Produktlebenszyklus, die Entwicklung von (Grenz-)Umsatz und Deckungsbeitrag eines Produkts im Zeitablauf. Verschiedene Modelle (z.B. des Betriebswirtschaftlers Heribert Meffert) unterteilen den P. in bis zu sechs Phasen: Einführung, Wachstum, Reife, Sättigung, Abschwung und Absterben/Versteinerung (Degeneration). Die graf. Darstellung des P. verläuft glockenförmig und lässt sich in versch. Phasen unterteilen. Daraus ist leicht zu erkennen, mit welchen phasenbezogenen Marketingmaßnahmen versucht werden sollte, den Absatz zu beeinflussen (z.B. Produktdifferenzierung in der Einführungsphase zur Akzeptanzverbesserung, Facelifting in der Sättigungsphase). Der P. liefert auch Hinweise für notwendige Produktneuentwicklungen bzw. Umlenkungen von Investitionen in wachsende strateg. Geschäftseinheiten.

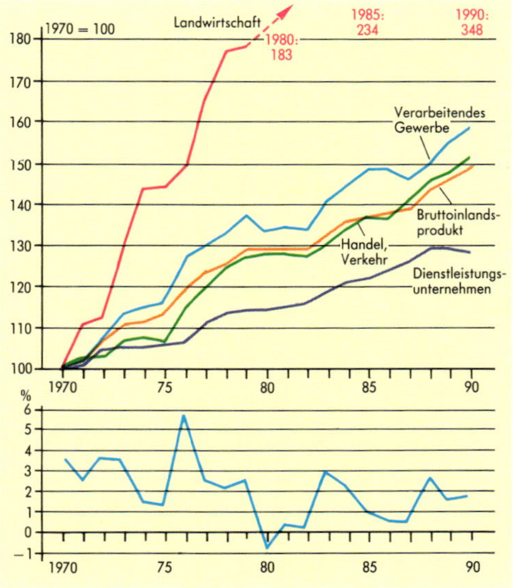

Produktivität: Arbeitsproduktivität, gemessen als Bruttoinlandsprodukt je Beschäftigten in Preisen von 1985, in der Bundesrepublik Deutschland 1970–90 (1970 = 100), darunter die jährliche Veränderung in Prozent

Produktmanagement [-mænɪdʒmənt], Organisationsform in Unternehmen, bei dem eine Person **(Produktmanager)** oder eine Gruppe **(Produktteam)** ein Produkt oder eine Produktgruppe von der Planung bis zum Absatz betreut und dabei v.a. Planungs-, Koordinierungs- und Kontrollaufgaben erfüllt.

Produktmenge, das →kartesische Produkt.

Produktpiraterie (urspr. Markenpiraterie), das unrechtmäßige Nachahmen und vertreiben fremder Wirtschaftsgüter unter Verletzung von Urheberrechten und gewerbl. Schutzrechten. Internat. wird P. bes. durch verstärkte Ausnutzung des gewerbl. Rechtsschutzes und des Urheberrechts bekämpft. In Dtl. sieht das am 1. 7. 1990 in Kraft getretene Ges. zur Bekämpfung der P. u.a. die Vernichtung nachgeahmter Erzeugnisse und verschärfte strafrechtl. Sanktionen vor.

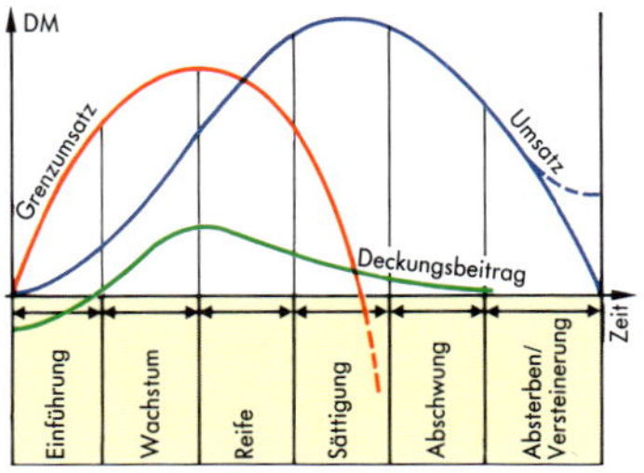

Produktlebenszyklus in grafischer Darstellung

Produktpolitik Kernbereich des Marketing-Mix, bei dem es unter Abwägung markt- und innerbetriebl. Aspekte zum einen um die langfristig optimale Ausgestaltung bzw. Kombination (»Produkt-Mix«) von Produkteigenschaften und produktbegleitenden Serviceeigenschaften und zum anderen um die Marktpräsenz von Produkten geht; Ggs.: Programmpolitik. Zur **Produktgestaltung** zählen einerseits die Festlegung der Funktions- und Gebrauchseigenschaften (Grundnutzen), andererseits Maßnahmen wie Kundendienst, Gestaltung von Verpackung, Produktdesign, Profilierung des Markenimages (Zusatznutzen).

Produzentenhaftung, → Produkthaftung.

produzierendes Gewerbe, → Industrie.

Pro|enzym, inaktive Vorstufe Eiweiß abbauender Enzyme; z.B. ist Trypsinogen das P. des Trypsins.

Pro Familia Deutsche Gesellschaft für Sexualberatung und Familienplanung e.V., konfessionell und politisch neutrale Organisation zur Sexual-, Partnerschafts- und Familienberatung sowie zur psycholog. und sozialen Beratung bei Schwangerschaft; gegr. 1952; Sitz: Frankfurt am Main.

profan [lat. »nicht geheiligt«], weltlich (Ggs. sakral); alltäglich.

Profess [lat.] *die, kath. Kirchenrecht:* das Ablegen der Ordensgelübde, verbunden mit der Eingliederung in den Ordensverband.

Professional [prəˈfeʃənl, engl.], der → Berufssportler.

Professor [von lat. profiteri »sich bekennen«] *der,* Abk. **Prof.,** Titel und Amtsbez. von Hochschullehrern. Die Hochschul-P. haben Beamtenstatus, sie können nicht versetzt werden, sondern nehmen einen Ruf aufgrund ihrer Bewerbung auf eine öffentl. Ausschreibung hin an. Die Hochschule erstellt eine Vorschlagsliste für die zuständige Landesbehörde. Diese Regelungen ersetzen die mit dem Hochschulrahmen-Ges. von 1976 abgeschafften traditionellen Amtsbez.: Inhaber eines planmäßigen Lehrstuhls (1. ordentl. P., Ordinarius; 2. außerordentl. P., Extraordinarius) sowie außerplanmäßiger P. (Abk. apl. Prof.) ohne Lehrstuhl; dieser Titel wurde an langjährig lehrtätige habilitierte Dozenten verliehen. Der **Honorar-P.** ist nebenamtlich für ein begrenztes Lehrgebiet zuständig und wie der außerplanmäßige P. kein Vollmitgl. der Fakultät oder des Fachbereichs. – Der P.-Titel wird in einigen Bundesländern außerdem für besondere (v.a. künstler.) Verdienste verliehen; in einigen Ländern (z.B. Österreich, Schweiz) Titel für Lehrer an höheren Schulen.

Profi, Kw. für Professional, → Berufssportler.

Profil [italien.] *das,* **1)** *allg.:* Seitenansicht, bes. des menschl. Gesichts; ausgeprägte Eigenart, Erscheinungs- oder Persönlichkeitsbild.

2) *Baukunst:* vorspringendes Bauglied, z.B. Rundstab, Hohlkehle; auch bei Möbeln.

3) *Fertigungstechnik:* → Profilmaterial.

4) *Geographie:* Aufrisszeichnung eines Teils der Erdoberfläche zum Veranschaulichen der Höhenverhältnisse **(Relief-P.)** und/oder seiner Natur- und Kulturausstattung.

5) *Geologie:* graf. Darstellung der Schichtenfolge in einem geolog. Aufschluss zur Verdeutlichung der Lagerungsverhältnisse der Gesteinsschichten.

6) *Kfz-Technik:* die aus P.-Rillen und -Stegen aufgebaute Struktur der Laufflächen von → Reifen.

7) *Strömungslehre:* Querschnitt einer Tragfläche oder einer Turbinenschaufel.

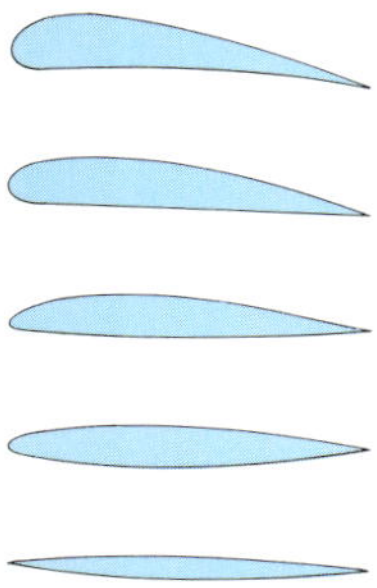

Profil 7): unterschiedliche Tragflächenprofile

Profilmaterial (Profil), Halbzeug oder Fertigerzeugnis mit verschieden gestaltetem, über die ganze Länge unverändert bleibendem Querschnitt aus Metall, Kunststoff, Holz oder Gummi.

Profit [frz. »Gewinn«, »Vorteil«] *der,* in den Wirtschaftswiss. gleichbed. mit → Gewinn, bei K. Marx mit Mehrwert.

Profitcenter [ˈprɔfɪtˈsentə, engl.] *das,* selbstständiger, eigenverantwortl. Teilbereich mit gesondertem Erfolgsausweis (Spartenorganisation) in Unternehmen mit versch. Produkten bzw. Produktgruppen. Die organisator. Umgestaltung mittels P. gilt als motivations- und rentabilitätssteigernd.

Proform [lat.], *Sprachwiss.:* sprachl. Ausdruck, der für einen im Kontext vorausgegangenen oder auch folgenden steht (z.B. »Hans schlief, der Junge war sehr müde ...«, »die, die er gesehen hatte ...«).

pro forma [lat.], um der Form zu genügen; zum Schein.

Profos (Profoss) [niederländ., zu lat. praepositus »Vorsteher«] *der,* im 16./17. Jh. Inhaber der Polizeigewalt in einem (Söldner)regiment, meist im Rang eines Hauptmanns, unterstand dem General-P. des Heeres; später Bez. für Unteroffiziere im Strafvollzug.

profund [lat.], tief, tiefgründig, gründlich.

Profundal [grch.] *das,* die tiefe Bodenzone der Seen.

Progenie [grch.-lat.] *die,* → Kieferanomalien.

Progesteron [grch.-lat.] *das,* → Geschlechtshormone.

Proglottiden [grch.-lat.], die Glieder der → Bandwürmer.

Prognathie [grch.-lat.] *die,* **1)** *Anthropologie:* Form des Gesichtsprofils bei Affen und beim Menschen: schnauzenartiges Vorspringen von Kiefer und vorderen Zähnen; häufig bei älteren prähistor. Menschenformen.

2) *Zahnheilkunde:* → Kieferanomalien.

Prognos AG (Europäisches Zentrum für angewandte Wirtschaftsforschung), Forschungs- und Beratungsunternehmen u.a. für die Bereiche Wirtschaftsanalyse und -politik, Verkehrs-, Regional- und Umweltplanung, Marktforschung; gegr. 1959; gehört zur Holtzbrinck-Gruppe; Sitz: Basel.

Prognose [grch.] *die,* wiss. begründete Voraussage zukünftiger Entwicklungen, Zustände oder Ereignisse als Grundlage der wiss. fundierten Planung. – In der Statistik und Ökonometrie die Vorhersage des zukünftigen Werts einer statist. Zufallsvariablen. Man unterscheidet kurzfristige (einige Monate), mittelfristige (1–3 Jahre) und langfristige (4–6 Jahre) P. Außerdem werden P. nach dem Geltungsbereich (für einzelne Branchen oder die gesamte Volkswirtschaft), dem Anwendungsbereich (z. B. Wahl-P., P. der Bev.entwicklung, P. der Arbeitsmarktentwicklung) sowie dem angewendeten Verfahren (Trend- und Zeitreihenanalysen, Systemsimulationen u. a.) unterschieden.

Programm [grch. »schriftl. Bekanntmachung«, »Tagesordnung«] *das,* **1)** *allg.:* Vorhaben, Arbeitsplan eines Vorhabens; vorgesehener Ablauf einer Reihe von Darbietungen, gesamte Spielfolge (Theater, Fernsehen).

2) *Datenverarbeitung:* ein in einer →Programmiersprache als Befehlsfolge formulierter Algorithmus sowie die zugehörigen Datenbereiche zur Ausführung auf einer Datenverarbeitungsanlage. P. regeln die Datenein- und -ausgabe sowie die Ausführung der erforderl. Arbeitsanweisungen. Zur Lösung komplexer Aufgaben werden P. meist in mehrere Teil-P. (Unter-P., Blöcke, Prozeduren) gegliedert. Die auf einem Rechner benutzten P. (Software) werden in **System-P.** (→Betriebssystem) und **Anwendungs-P.** eingeteilt. Je nach Art der für die Programmierung verwendeten Programmiersprachen werden die in einer maschinenfernen, meist höheren Sprache verfassten **Quell-P.** durch ein **Übersetzungs-P.** (Assembler, →Compiler oder →Interpreter) in ein **Maschinen-P.** (→Maschinensprache) übersetzt. Häufig verwendete P. bzw. P.-Teile werden als Dateien abgelegt und in sog. **P.-Bibliotheken** verwaltet.

Programmierer, Datenverarbeitungsberuf, der mit Programmformulierung, Betriebssystemen, Problemanalyse und Entwicklung des Datenverarbeitungssystems befasst ist (→Programmierung).

Programmiersprache, *Datenverarbeitung:* eine künstl., formale Sprache zum Abfassen von →Programmen, die von einer Datenverarbeitungsanlage ausgeführt werden können. Zur Vermeidung von Mehrdeutigkeiten müssen bei P. Syntax (Festlegung der Zeichen und Zeichenfolgen, die in einem Programm zugelassen sind) und Semantik (Bedeutung der verwendeten Zeichen und Zeichenfolgen auf dem Rechner, auf dem das Programm ausgeführt werden soll) eindeutig definiert sein. Je nach dem Grad der Maschinennähe, d. h. dem Grad, in dem die Hardware einer Datenverarbeitungsanlage beachtet werden muss, werden P. in →Maschinensprachen, niedere oder maschinenorientierte P. (Assembler-Sprachen) und (von Hardware unabhängige) höhere oder problemorientierte P. eingeteilt. Höhere P. werden mit Übersetzern (→Compiler oder →Interpreter) in niedere übertragen, niedere in höhere mit Aufwärtsübersetzern. Auf der Basis des einer P. zugrunde liegenden Konzepts oder Denkschemas werden die höheren P. im Wesentlichen in vier Kategorien eingeteilt: Bei **imperativen P. (prozeduralen P.)** besteht ein Programm (Programmrumpf) aus einer Folge von Anweisungen oder Befehlen. Wesentlich ist bei ihnen das Variablenkonzept, nach dem Eingabewerte in Variablen (Speicherzellen) abgelegt und dann weiterverarbeitet werden (z. B. ALGOL, BASIC, C, COBOL, FORTRAN, MODULA-2, PASCAL). Bei **funktionalen** und **applikativen P.** wird ein Programm als Funktion einer Menge von Eingabewerten (Parameter) in einer Menge von Ausgabewerten betrachtet (z. B. LISP, LOGO). Bei **prädikativen P. (logischen P.)** dient ein Programm zur Beweisführung in einem Sys-

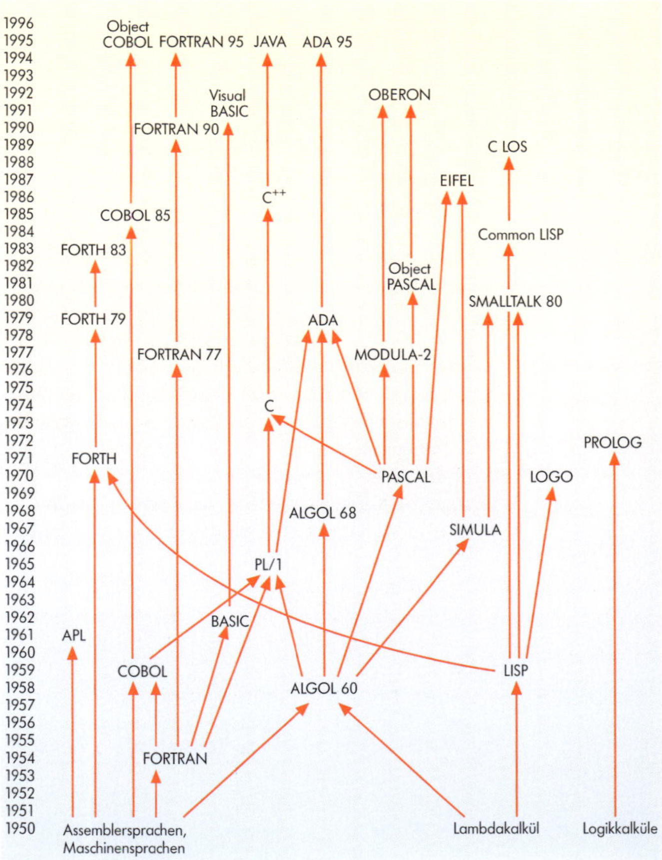

Programmiersprache: schematische Darstellung der Entstehungszeit und Entwicklungslinien weit verbreiteter Programmiersprachen tem von Tatsachen und Schlussfolgerungen (z.B. PROLOG). In **objektorientierten P.** werden alle zur Problemlösung erforderl. Informationen (Daten und Regeln) als »Objekte« aufgefasst, die durch Senden von »Nachrichten« Informationen miteinander austauschen können (z.B. SMALLTALK).

📖 LOUDEN, K. C.: *P. Grundlagen, Konzepte, Entwurf. A. d. Engl. Bonn u. a. 1994.* – STANSIFER, R.: *Theorie u. Entwicklung von P. Eine Einführung. München u. a. 1995.* – WATT, D. A.: *P. Konzepte u. Paradigmen. A. d. Engl. München u. a. 1996.*

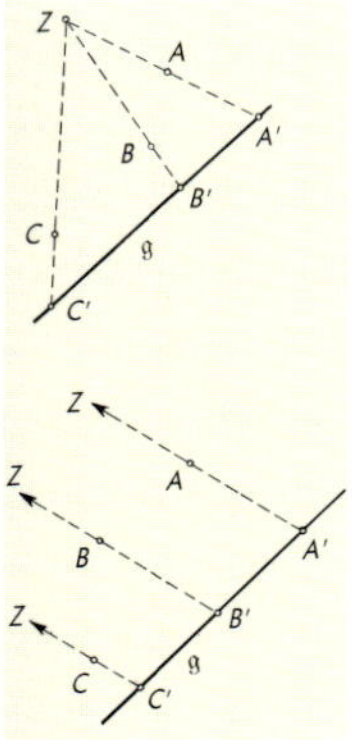

Projektion 1): Zentralprojektion (oben) und Parallelprojektion

programmierter Unterricht, computergestützter Unterricht, ein Lehr- und Lernverfahren ohne direkte Beteiligung eines Lehrers, bei dem interaktive Lernprogramme eingesetzt werden, die eine umgehende Erfolgskontrolle einschließen. Der Schüler kann die einzelnen Schritte sowie bei negativem Feed-back Hilfs- und Zusatzschritte nach individuellem Lerntempo aufrufen. – Als p. U. gelten auch von anderen Medien (Lehr- und Arbeitsbücher, Karteisysteme, Kassetten) angebotene, in kleinen Einheiten aufbereitete Lehrprogramme (mit Kontrollmöglichkeiten).

Programmierung, *Datenverarbeitung:* Tätigkeit des **Programmierens,** d.h. das Erstellen von →Programmen für eine Datenverarbeitungsanlage. Als P. i.e.S. bezeichnet man folgende Aktivitäten: Erstellung von detaillierten Programmablaufplänen, →Codierung, Programmtest und Programmdokumentation. P. i.w.S. umfasst auch die vorgelagerten Aktivitäten der System- bzw. Problemanalyse und des Grobentwurfs von Systemen.

Programmmusik, Instrumentalmusik mit einem begrifflich fassbaren Inhalt, die durch Tonmalerei, bildhafte rhythm. und melod. Motive sowie durch Klangfarbenwahl bestimmte Gedankenverbindungen auszulösen sucht; Ggs.: →absolute Musik. – Schon im 17. und 18. Jh. finden sich tonmaler. P., die Naturvorgänge, Schlachten oder Jagdszenen schildern oder Gemütszustände ausdrücken. Berühmt sind die »Vier Jahreszeiten« von A. Vivaldi und die Programmsinfonien J. Haydns. Die Gattung der P. im eigentl. Sinn schuf H. Berlioz mit sinfon. Dichtungen; Hauptvertreter waren u.a. F. Liszt, B. Smetana, R. Strauss.

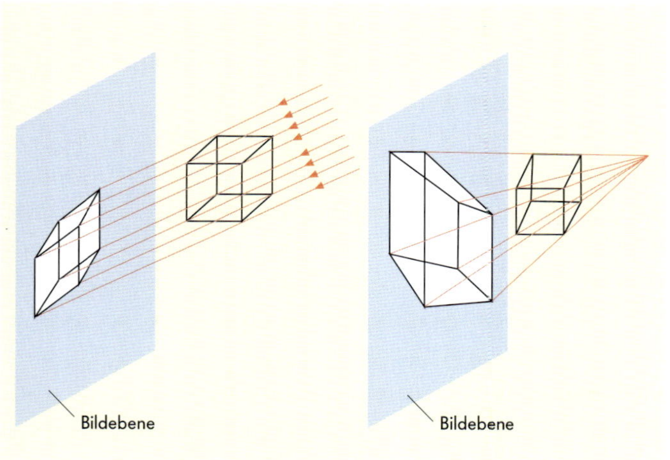

Projektion 1) eines Würfels auf eine Bildebene: Parallelprojektion (links) und Zentralprojektion

Programmspeicher, *Datenverarbeitung:* →Speicher.

Programmsteuerung, Funktionseinheit (auch Bez. für deren Funktion) zum Steuern eines Geräts oder einer Anlage nach einem Programm, das entweder mechanisch oder elektrisch fest installiert oder (variabel) in einem Programmspeicher abgelegt sein kann. Bei Computern ist die P. in das →Steuerwerk integriert. In der Fertigungstechnik können P. entweder nach einem **Zeitplan** (die Folge der Steuerungsschritte wird nach einem zeitl. festgelegten Programm abgearbeitet), einem **Wegplan** (die Führungsgröße ändert sich nach dem Weg, den z.B. ein zu bearbeitendes Werkstück innerhalb einer Anlage zurücklegt) oder als **Ablaufsteuerung** (die vom gesteuerten Objekt entnommenen Istzustände werden als Eingangsgrößen verwendet; das Programm wird dem erreichten Prozess- oder Bearbeitungsfortschritt entsprechend weitergeschaltet) arbeiten.

Progress, erstmals 1978 von der UdSSR eingesetztes unbemanntes Weltraum-Transportfahrzeug zur Versorgung der Raumstationen vom Typ Saljut.

Progression [lat.] *die,* **1)** *allg.:* Fortschreiten, stufenweise Steigerung.

2) *Steuerrecht:* Ansteigen des Steuersatzes bei zunehmender Steuerbemessungsgrundlage **(Steuer-P.),** wobei die Steuer im Verhältnis zur Bemessungsgrundlage überproportional ansteigt (Anwendung v.a. bei der Einkommen- und Erbschaftsteuer). Die P. ist ein Instrument der Anpassung der Besteuerung an die Leistungsfähigkeit der Steuerpflichtigen. – Ggs.: Regression.

Progressionsvorbehalt, Berücksichtigung (d.h. Hinzurechnung) der von der Besteuerung freigestellten Einkommensteile bei der Ermittlung des Steuersatzes für das verbleibende zu versteuernde Einkommen. Bei der Einkommensteuer kommt ein P. in Betracht bei Lohnersatzleistungen (z.B. Arbeitslosengeld, Mutterschaftsgeld) sowie für ausländ. Einkünfte, die aufgrund von Doppelbesteuerungsabkommen im Inland steuerfrei sind.

Progressive Jazz [prəʊˈgresɪv ˈdʒæz, engl.], Mitte der 1940er-Jahre entwickelter Stilbereich des Jazz, der eine Synthese von Elementen des Bebop und afrokuban. Rhythmik mit Kompositions-

und Instrumentationstechniken der europ. Kunstmusik nach 1900 versuchte.

Progressive Movement [prəʊˈgresɪv ˈmuːvmənt, engl.], in den USA eine etwa 1900–17 beide große Parteien erfassende politisch-soziale Reformbewegung. Sie erstrebte u. a. die Beseitigung sozialer Missstände, polit. Reformen, Umweltschutz und die öffentl. Kontrolle wichtiger Wirtschaftszweige. Im Rahmen dieser Bewegung spaltete sich 1912 die **Progressive Party** unter T. Roosevelt von der Republikan. Partei ab. Als Führer einer Partei gleichen Namens errang R. M. La Follette 1924 rd. 5 Mio. Wählerstimmen.

Prohibitine [zu lat. prohibere »verhindern«], in Pflanzen gebildete Stoffe, die als chem. Barrieren deren Resistenz gegenüber Krankheitserregern und Pflanzen fressenden Tieren bewirken.

Prohibition [engl. prəʊɪˈbɪʃn] *die,* staatl. Verbot von Herstellung, Transport und Verkauf alkohol. Getränke (Alkoholverbot); in den USA durch Bundesgesetz 1919/20–33 in Kraft.

Prohibitivzoll, hoher Zoll, der die Einfuhr bestimmter Waren erschweren oder verhindern soll.

Projekt [lat.] *das,* Plan, Entwurf, Vorhaben, Unternehmen.

Projektil [frz.] *das,* → Geschoss.

Projektion [lat.] *die,* **1)** *Geometrie:* die Abbildung von räuml. Gebilden mittels Strahlen auf einer Ebene (Zeichenebene). Die **Zentral-P.** des Punktes *A* vom Augenpunkt oder P.-Zentrum *Z* aus auf eine mit *Z* und *A* in der gleichen Ebene liegende Gerade *g* ist der Schnittpunkt *A'* des Sehstrahls von *Z* durch *A* mit *g.* Wenn der Augenpunkt *Z* »unendlich weit entfernt« ist, wird die P. zur **Parallel-P.** Entsprechend ist im Raum die P. von Punkten auf eine Ebene erklärt. Die Darstellung räuml. Gebilde auf einer ebenen Zeichenfläche durch Zentral-P. nennt man **Zentralperspektive,** durch Parallel-P. **Parallelperspektive** (→ Perspektive). In der darstellenden Geometrie gewinnt man durch Parallel-P. auf drei zueinander senkrechte Ebenen den Grund-, Auf- und Seitenriss räuml. Gebilde.

2) *Optik:* die Abbildung von Bildern u. Ä. auf einer P.-Wand mithilfe eines → Projektors.

3) *Psychologie:* psych. Vorgang, bei dem subjektive Qualitäten als Eigenschaften äußerer Gegenstände oder anderer Personen erlebt werden. Nach S. Freud stellt die P. einen Abwehrmechanismus dar, bei dem eigene verdrängte Bedürfnisse, minderwertig scheinende Eigenschaften oder Wünsche zur Entlastung unbewusst anderen Personen oder Dingen zugeschrieben werden.

4) *Statistik, Ökonometrie:* meist eine langfristige Prognose, bei der die Bedingungen (bes. die polit. und sozialen Begleitumstände) nicht mitprognostiziert werden. P. in diesem Sinn haben oft einen stärker hypothet. Charakter als Prognosen.

Prohibition: Schnapsbrenner müssen unter Aufsicht der Polizei ihre Alkoholvorräte vernichten, Foto aus Chicago, Ill. (1928)

Projektionsapparat, der → Projektor.

Projektionslampen, Sonderlampen für Projektionszwecke; ihr Leuchtsystem erzeugt auf möglichst kleiner Brennfläche eine hohe Leuchtdichte. Allg. werden → Halogenglühlampen, für Kinomaschinen auch Hoch- und Höchstdrucklampen (Edelgaslampen, z. B. → Quecksilberdampflampen) eingesetzt.

Prohibition

Die Prohibition setzte sich seit etwa 1900 in mehreren amerikanischen Einzelstaaten durch und galt aufgrund des 18. Verfassungszusatzes, der auch den Alkoholgenuss selbst verbot, zwischen 1919/20 bis 1933 für die gesamte USA.
Wesentliche Impulse erhielt die Prohibition aus dem Gegensatz zwischen Land und (Groß-)Stadt sowie aus den Ressentiments der (protestantischen) Mittelklasse gegenüber den (vor allem katholischen) Einwanderern. Die Prohibition ließ sich auf Bundesebene nur begrenzt durchsetzen; sie führte in großem Umfang zu Schmuggel, Schwarzbrennerei und illegalem Ausschank in getarnten Kneipen. Sie förderte nicht nur die organisierte Kriminalität, sondern auch die Korruption in Politik, Verwaltung und Polizei. Vor dem Hintergrund der Weltwirtschaftskrise wurde die Prohibition schließlich aus steuerlichen Gründen aufgehoben und die Kontrolle des Alkoholkonsums wieder den Einzelstaaten übertragen. Bis 1966 wurden auch alle einzelstaatlichen Prohibitionsgesetze außer Kraft gesetzt.

Projektionsröhre, Bildröhre (Elektronenstrahlröhre) für Fernsehgroßprojektoren, bei der das Bild nicht direkt betrachtet, sondern über ein Linsensystem (Objektiv) auf eine Leinwand projiziert wird.

Projektionswand (Bildwand), Auffangfläche für das von einem →Projektor abgestrahlte Bild. Bei P. für die Aufprojektion werden Weißpigmente mit hoher Reflexionswirkung auf feste Wände, Textil- oder Kunststoffbahnen gebracht **(Leinwand).** Zur Erhöhung der Rückstrahlung können P. mit kleinsten Glasperlen beschichtet sein **(Perlwand).** Für die Durchprojektion (→Rückprojektionsverfahren) werden durchscheinende P. verwendet.

projektive Tests (projektive Verfahren), psychodiagnost. Untersuchungsverfahren (→Test), die darauf abzielen, die inneren Strebungen eines Menschen, wie sie sich in seinen Wahrnehmungen, Schilderungen oder Gestaltungen als Projektionen ausdrücken, sichtbar zu machen. Dem zu Testenden werden Kleckse zum Deuten (→Rorschach-Test), vage Bilder zum Erzählen von Geschichten (themat. Apperzeptionstest), angefangene Zeichnungen zum Ergänzen (Wartegg-Test), Gestaltungs-, Zeichen- oder Malaufgaben, Spielmaterial u. Ä. vorgelegt. P. T. werden zur Begründung einer psycholog. Diagnose nur als beschränkt zuverlässig und gültig beurteilt.

Projektmanagement [-mænɪdʒmənt], Gesamtheit der Planungs-, Leitungs- und Kontrollaktivitäten bei zeitlich befristeten Vorhaben (z. B. Anlagenbau, Reorganisationsmaßnahmen, Forschungsprojekte). Arten des P. sind die Stab-Projektorganisation, die Matrix-Projektorganisation und die reine Projektorganisation, bei der die mit Projektaufgaben betrauten Personen einer selbstständigen organisator. Einheit unter der Leitung eines **Projektmanagers** zugeordnet werden.

Projektor [lat.] *der* (Bildwerfer, Projektionsapparat), Gerät zur optisch vergrößerten Wiedergabe von Bildvorlagen auf einer →Projektionswand. Wesentl. Bestandteile eines P. sind Beleuchtungseinrichtung, Bildbühne und Projektionsobjektiv. – Zur Wiedergabe von durchsichtigen Stehbildern (→Diapositiv) wird ein **Dia-P.** (Diaskop, Diabildwerfer) verwendet. Undurchsichtige Stehbilder werden mit dem **Episkop** (Epi-P., Epibildwerfer) projiziert. P. für beide Bilderarten heißen **Epidiaskop** (Epidia-P., Epidiabildwerfer). Sonderformen sind u. a.: **Tageslicht-P.** (Overhead-P.), der die Projektion von bewegl. Arbeitsvorlagen sowie ein Schreiben und Zeichnen während der Projektion gestattet; **Mikrofilmlesegerät** (→Mikrodokumentation); **Stereo-P.** (→Raumbildverfahren). Große P. für Kinofilme **(Kino-, Film-P.)** enthalten zusätzlich Vorrichtungen zum Filmtransport und eine Tonabtasteinrichtung.

Pro Juventute [lat. »für die Jugend«], private schweizer. Stiftung, die sich in allen Belangen für das Wohl der Jugendlichen einsetzt; gegr. 1912, Sitz: Zürich.

Prokaryonten [grch.] (Prokaryoten, Akaryobionten), Organismen ohne echten Zellkern: Archaebakterien, Bakterien, Cyanobakterien; im Unterschied zu den Eukaryonten.

Proklamation [lat.] *die,* förmliche Bekanntmachung, Aufruf, bes. eine öffentl. amtl. Verkündigung der Reg. in feierl. Form über wichtige Staatsangelegenheiten; im Völkerrecht: die Verlautbarung mehrerer Staaten über gemeinsame Grundsätze ihrer Politik; auch rechtsverbindl. Anordnung einer Besatzungsmacht.

Proklise [grch.] *die, Sprachwiss.:* Anlehnung eines schwach oder nicht betonten Wortes an das folgende, mit dem es sich zu einer Akzenteinheit verbindet (z. B. »s' Wasser«); Ggs.: →Enklise.

Proklos (lat. Proclus), grch. Philosoph, *Konstantinopel 8. 4. 412, †Athen 17. 4. 485; leitete die athen. Akademie; bed. Neuplatoniker. Wichtig sind seine Kommentare zu Platon und Euklid. Hauptanliegen von P. war die weiterführende Systematisierung der Lehre Plotins. Hegel schätzte ihn hoch wegen seiner im Dreischritt gehenden Dialektik in der Emanationslehre.

Prokofjew, Sergei Sergejewitsch, russ. Komponist, *Gut Sonzowka (Gebiet Donezk, Ukraine) 23. 4. 1891, †Moskau 5. 3. 1953; lebte seit 1918 in Westeuropa und den USA. 1936 kehrte er endgültig in die UdSSR zurück, wo er mehrfach in ideolog. Auseinandersetzung mit der sowjet. Kulturpolitik geriet. In seinen Kompositionen verband P. gesangl. Melodik, Virtuosität und klassizist. Haltung zu einem Stil von gemäßigter Modernität;

Sergei Prokofjew (um 1920)

schrieb Opern (»Die Liebe zu den drei Orangen«, 1921), Ballette (»Romeo und Julia«, 1936; »Aschenbrödel«, 1945), Orchesterwerke (»Skythische Suite«, 7 Sinfonien), das musikal. Märchen »Peter und der Wolf« (1945), 5 Klavier- und 2 Violinkonzerte, Klavierwerke (9 Sonaten), Lieder, Filmmusik.

📖 KRÖPLIN, E.: *Frühe sowjet. Oper. Schostakowitsch, P. Berlin 1985.* – ROBINSON, H. L.: *Sergei Prokofiev. A biography. New York 1987.*

Prokonsul *der,* im Röm. Reich seit 81/80 v. Chr. Titel für ehem. Konsuln, die nach Ablauf ihres Amtsjahres in Rom als Statthalter in die Prov. gingen. Analog dazu regierten auch ehem. Prätoren in den Prov. als **Proprätoren.**

Prokop (Prokopios), byzantin. Geschichtsschreiber, * Caesarea Palaestina um 500, † nach 562; schrieb eine Geschichte der Kriege des Kaisers Justinian I. gegen die Perser, Wandalen und Goten, einen Bericht über die Bauten Justinians sowie (anonym) ein Pamphlet gegen Justinian und Theodora.

Prokope [grch.] *die, Sprachwiss.:* Wegfall eines oder mehrerer Laute am Wortanfang, z. B. »Bischof« aus dem grch. Ursprungswort »episkopos«.

Prokopjewsk, Stadt im S des Kusnezker Kohlenbeckens, Russland, 274 000 Ew.; Forschungsinstitute; Steinkohlenbergbau, Maschinenbau, Kugellagerherstellung, chem. u. a. Industrie.

Prokrustes, *grch. Mythos:* ein Riese, der alle, die in seine Hände fielen, auf ein Bett legte. Wenn sie zu kurz waren, streckte er sie; waren sie zu lang, hackte er ein Stück ab. Theseus tötete ihn. **P.-Bett,** im übertragenen Sinn ein Schema, in das alles gewaltsam hineingezwängt werden soll.

Prokura [lat.] *die,* umfassende Vollmacht, die nur ein Vollkaufmann oder sein gesetzl. Vertreter bzw. Handelsgesellschaften erteilen können. Die P. ermächtigt den Empfänger **(Prokurist)** zu allen Arten von Rechtsgeschäften und gerichtl. Handlungen, die zum Gegenstand eines Handelsgewerbes gehören. Ausgeschlossen sind nur Veräußerung und Belastung von Grundstücken und Handlungen, die der Geschäftsinhaber persönlich vornehmen muss, z. B. Anmeldungen zum Handelsregister. Dritten gegenüber ist der Umfang der P. unbeschränkbar (Ausnahme bei Gesamt- und Filial-P.), im Innenverhältnis muss der Prokurist etwaige Beschränkungen zur Vermeidung einer Schadensersatzpflicht beachten. Der Prokurist zeichnet mit der Firma, der er seinen Namen mit einem die P. andeutenden Zusatz beifügt, i. Allg. ppa. Die P. ist jederzeit widerruflich (§§ 48 ff. HGB).

Prokurator [lat.] *der,* **1)** *allg.:* Sachwalter, Bevollmächtigter.

2) im *Röm. Reich:* Amtsbez. für kaiserl. Beamte aus dem Ritterstand, die der Zentral-, Finanz- und Domänenverwaltung vorstanden; auch Statthalter in kleineren Provinzen.

Prokurist *der,* Inhaber der → Prokura.

Prokyon [grch.] *der,* Hauptstern im Sternbild des Kleinen Hundes.

Prolactin [lat.] *das* (Prolaktin), das → luteotrope Hormon.

Prolamine [lat.], in den Samen der Getreidearten vorkommende Pflanzenproteine.

Prolaps [lat.] *der* (Vorfall), Heraustreten innerer Organe aus natürlich. Körperöffnungen, z. B. von Gebärmutter, Mastdarm; auch Bandscheibenvorfall (→ Bandscheibe).

Prolepsis [grch. »Vorwegnahme«] *die,* vorzeitiges Erscheinen eines Pflanzenorgans (herbstl. Obstblüten).

Proletariat [frz., aus lat. proletarius »Bürger der untersten Klasse«] *das,* **1)** im *alten Rom* die Bevölkerungsschicht, die außerhalb der fünf Klassen der Zenturienordnung (Steuerordnung) stand, weil ihr Vermögen den Mindestsatz nicht erreichte. Der einzige »Besitz« der **Proletarier** (lat. proletarii) war ihre Nachkommenschaft (proles).

2) in den *Sozialwiss.* Bez. für die Lohnarbeiter in vielgestaltigen Arbeitsverhältnissen, zunächst der frühneuzeitlich-agrar. Gesellschaft, die weitgehend rechtlich frei und ohne eigene Produktionsmittel waren. – Die Klasse der Lohnarbeiter (Arbeiterklasse, Arbeiterschaft) entstand zuerst in England (seit etwa 1770), danach in Dtl. und Frankreich (seit etwa 1800) im Verlauf der industriellen Revolution. – Im Formationsverständnis von K. Marx sind Bourgeoisie und P. die Antipoden des Kapitalverhältnisses und als solche soziale Klassen. Marx legte 1848 im »Kommunist. Manifest« dar, dass die Klasse der Lohnarbeiter, die aus Ermangelung sonstigen Besitzes ihre Existenz aus dem Verkauf ihrer Arbeitskraft sichern müsse, im Zuge der Bewusstwerdung ihrer Stellung im Klassenkampf die Beseitigung der privatkapitalist. Eigentums-, Wirtschafts- und Gesellschaftsordnung anzustreben und durchzuführen hätte. Damit war P. zu einem zentralen Begriff des → Marxismus geworden.

📖 Vester, M.: *Die Entstehung des P. als Lernprozeß. Die Entstehung antikapitalist. Theorie u. Praxis in England 1792–1848. Frankfurt am Main* [3]*1975.* – Thompson, E. P.: *Die Entstehung der engl. Arbeiterklasse, 2 Bde. A. d. Engl. Frankfurt am Main 1987.* – Gorz, A.: *Abschied vom P. Jenseits des Sozialismus. A. d. Frz. Neuausg. Frankfurt am Main 1988.*

Proletarier aller Länder, vereinigt euch!, der Schlusssatz des → Kommunistischen Manifests; später Wahlspruch der sich zur 2. Internationale bekennenden Sozialisten, der Komintern und der kommunist. Parteien.

Proletkult *der,* Kw. von **Prolet**arskaja **kult**ura, sowjetruss. Kulturbewegung ab Febr. 1917, die unter Negierung der bürgerl. Traditionen eine spezifisch proletar. Massenkultur entwickeln wollte. Für die Theoretiker des P., v. a. A. A. Bogdanow, war die geistig-kulturelle Erziehung des Proletariats die Voraussetzung zur Aufhebung der Klassen. Man experimentierte bes. mit Massenschauspielen, Maschinenkonzerten und Formen des Straßentheaters als Mittel zur Kreativitätsförderung und Bewusstseinsorganisation des Proletariats. In der bildenden Kunst zeichnete sich zunächst der Konstruktivismus ab, in der Lit. und Musik der Futurismus, der sich später auch in der bildenden Kunst ausprägte. Nach der Verurteilung der »Autonomie« der Bewegung durch Lenin (1921) sank die Bedeutung des P., 1923 wurde er zur »gefährl. Abweichung« erklärt. Nach Modifizierung der ursprüngl. Intentionen wurde die Arbeit zur Entwicklung einer proletar. Kultur nach 1923 von der Russ. Assoziation Proletar. Schriftsteller (RAPP) weitergeführt.

P., hg. v. P. GORSEN *u.* E. KNÖDLER-BUNTE, *2 Bde. Stuttgart 1974–75. – Von der Revolution zum Schriftstellerkongreß, hg. v.* G. ERLER *u. a. Wiesbaden 1979.* – SIEGEL, H.: *Sowjet. Literaturtheorie 1917–1940. Neuausg. Stuttgart 1991.*

Prometheus 2): »Prometheus«, Gemälde des tschechischen Malers Antonín Procházka (1910–11; Brünn, Mährisches Museum)

Proliferation [lat.] *die,* **1)** *Biologie:* Blütenmissbildung (→Durchwachsung).

2) *Medizin:* Wucherung des Gewebes infolge Zellvermehrung bei regenerativen oder entzündl. Vorgängen.

3) [engl. prəʊlɪfəˈreɪʃn], *Politik:* Weitergabe oder missbräuchl. Verwendung, bes. von spaltbarem Material (z. B. für den Bau von Kernwaffen).

Prolin *das,* Abk. **Pro,** nichtessenzielle Aminosäure, die v. a. in Gelatine, Casein und Prolaminen vorkommt.

Prolog [grch.] *der,* Vorrede. Im antiken Drama sowie im Drama des MA. und der Renaissance diente der P. der Einführung in die Handlung. Auch Vorspiele, die ein abgeschlossenes Ganzes bilden, heißen bisweilen P. Fest-P. werden bei besonderen Anlässen einer Aufführung vorangeschickt. Gegenstück ist der →Epilog.

PROLOG [Akronym aus engl. **pro**gramming in **log**ic »log. Programmierung«], eine prädikative oder log. →Programmiersprache. Grundelemente sind Fakten, die das Grundwissen bilden, und Regeln. Zweck eines PROLOG-Programms ist es, auf der Grundlage des vorhandenen Grundwissens und der Regeln eine vom Benutzer aufgestellte Behauptung zu überprüfen. PROLOG wird bes. in Bereichen der künstl. Intelligenz und der Expertensysteme (wissensbasierte Systeme) eingesetzt, ist jedoch nicht auf diese beschränkt.

Prolongation [lat.] *die,* **1)** *allg.:* Stundung, Verlängerung, insbesondere einer Zahlungsfrist bei Bankkrediten.

2) *Börse:* (P.-Geschäft) →Report.

3) *Wechselrecht:* Stundung der Wechselverpflichtung gegen Ausstellung eines neuen Wechsels **(P.-Wechsel)** mit hinausgeschobener Verfallzeit.

PROM [Abk. für engl. **p**rogrammable **r**ead-**o**nly **m**emory], programmierbarer Halbleiterfestwertspeicher (→Speicher).

Prome [prəʊm, engl.] (birman. Pyè), Stadt in Birma, Flusshafen am Irawadi, 148 000 Ew.; nahebei die Ruinen der ältesten birman. Stupas und Tempel (10. Jahrhundert).

Prometheus, 1) *Astronomie:* Mond des Planeten Saturn.

2) *grch. Mythos:* Abkömmling der →Titanen, Bruder des Atlas und Epimetheus; brachte den Menschen das Feuer und die Kultur. Wegen seines Versuches, Zeus zu überlisten (Raub des Feuers), wurde er an einen Felsen im Kaukasus geschmiedet, wo ihm ein Adler die immer wieder nachwachsende Leber aushackte, bis ihn Herakles befreite. – Nach späteren Überlieferungen (u. a. Ovid) hat P. selbst die Menschen aus Ton geformt. Dramen von Aischylos »Der gefesselte P.«, »Der befreite P.«. Dichtungen von Goethe, P. B. Shelley, A. Gide.

Promethium [nach Prometheus] *das,* chem. Symbol **Pm,** Element aus der Reihe der →Lanthanoide im Periodensystem der chemischen Elemente; Ordnungszahl 61, relative Atommasse 145, Dichte 7,22 g/cm^3, Schmelzpunkt 1168 °C, Siedepunkt 2730 °C. P. ist ein radioaktives, silberweißes, glänzendes Metall. Das am besten untersuchte P.-Isotop, ^{147}Pm, findet sich in der Natur in Spuren in Uranerzen (Produkt des natürl. Uranzerfalls); ^{147}Pm und die weiteren P.-Isotope werden künstlich in Kernreaktoren hergestellt. In seinen meist rosa gefärbten Verbindungen tritt P. stets dreiwertig auf. ^{147}Pm dient wegen seiner weichen β-Strahlung zur Herstellung von Leuchtstoffen sowie als Energiequelle in Isotopenbatterien.

pro mille [lat.], Abk. **p. m.,** Zeichen ‰, für, auf oder vom Tausend; *das* **Promille,** das Tausendstel.

prominent [lat.], beruflich oder gesellschaftlich einen hervorragenden Platz einnehmend.

Promiskuität [von lat. promiscuus »gemischt«] *die,* **1)** *allg.:* Geschlechtsverkehr mit häufig wechselnden Partnern.

2) *Völkerkunde:* Bez. für einen Gesellschaftszustand, in dem der Zugang zu Sexualpartnern keinen verbindl. Normen unterliegt.

Promoter [engl. prəˈməʊtə, zu to promote »fördern«] *der,* Veranstalter, Organisator, bes. von Berufssportwettkämpfen oder im Showgeschäft.

Promotion [lat.] *die,* **1)** *allg.:* Verleihung der akadem. Würde eines →Doktors.

2) [prəˈməʊʃn, engl.] (Salespromotion), *Marketing:* (Salespromotion) →Verkaufsförderung.

Promotor [lat.] *der,* **1)** *allg.:* Manager, Förderer.

2) *Chemie:* →Aktivator.

Promptgeschäft, das →Kassageschäft.

Promulgation [lat.] *die,* öffentl. Bekanntmachung, bes. Verkündung eines Gesetzes.

Pronomen [lat.] *das* (Fürwort), Wortart, die als grammat. Stellvertreter oder Begleiter eines Nomens (Substantivs) im Satz wie dieses behandelt wird. – Arten der P.: **Personal-P.** (persönl. Fürwort), es bezeichnet eine Person oder eine Personengruppe *(ich, du, wir);* **Reflexiv-P.** (rückbezügl. Fürwort), es stellt den Rückbezug zum Subjekt her (ich erinnere *mich*), bei echten reflexiven Verben als inhaltlich leerer, aber unverzichtbarer Teil (*sich* wundern); **Possessiv-P.** (besitzanzeigendes Fürwort), es bezeichnet die Zugehörigkeit und ist die adjektiv. Entsprechung des Personal-P., es hängt vom Substantiv ab, das es attributiv begleitet (*mein* Buch, *euer* Vater); **Demonstrativ-P.** (hinweisendes Fürwort), es begleitet ebenfalls ein Substantiv attributiv und bezeichnet eine Person oder Sache näher, um sie von anderen zu unterscheiden (*diese* Straße, *jener* Gipfel); **Indefinit-P.** (unbestimmtes Fürwort), es dient der allg. Bezeichnung einer Person oder Sache und wird als Stellvertreter (*niemand* hat *etwas* gesehen) oder Begleiter des Substantivs (*viele* Kinder) verwendet; **Relativ-P.** (bezügl. Fürwort), es stellt eine Beziehung zw. Haupt- und Nebensatz (Relativsatz) her (die Vögel, *die* den Winter hier verbringen ...); **Interrogativ-P.** (Fragefürwort), es leitet einen Fragesatz ein (*wen* hast du gesehen?) und ist vom unveränderl. Interrogativadverb zu unterscheiden. Einige Relativ-P. können als Interrogativ-P. verwendet werden (*welchen* Artikel meint sie?). – Die Abgrenzung des P. zu anderen Wortarten (Adjektiv, Adverb) ist nicht immer eindeutig und wird in den unterschiedl. grammat. Systemen z.T. verschieden gehandhabt.

prononciert [prɔnɔ̃ˈsiːrt, frz.], deutlich ausgesprochen, scharf betont; ausgeprägt; entschieden.

pronyscher Zaum [prɔˈni-; nach dem frz. Ingenieur G.-F.-C.-M. Riche de Prony, *1755, †1839], ein Bremsdynamometer (→Dynamometer) zur Messung des Drehmoments von Maschinen.

Propädeutik [grch.] *die,* Einführung in ein Studienfach.

Propaganda [lat.] *die,* urspr. Bez. für die Verbreitung der christl. Glaubensüberzeugung (nach der 1622 gegr. Congregatio de propaganda fide [»(Päpstl.) Ges. zur Verbreitung des Glaubens«]); heute die gezielte Verbreitung bestimmter polit., religiöser, wirtsch., aber auch künstler. oder humanitärer Ideen; allg. die publizist. Beeinflussung, ihre Inhalte und Methoden, auch die Beeinflussung durch Werbe- und Wahlkampagnen.

📖 SCHENK, M.: *Medienwirkungsforschung. Tübingen 1987. – P. in Dtl. Zur Geschichte der polit. Massenbeeinflussung im 20. Jh., hg. v.* G. DIESENER *u.* R. GRIES. *Darmstadt 1996.*

Propan *das,* zu den →Alkanen gehörender, gasförmiger Kohlenwasserstoff, der aus Erdgas oder beim Cracken von Erdöl gewonnen wird. P. dient verflüssigt als Brenn- und Heizgas sowie zur Herstellung von Äthylen und Propen.

$CH_3{-}CH_2{-}CH_3$

Propan

Propandisäure, die →Malonsäure.

Propanole (Propylalkohole), zwei strukturisomere, vom Propan abgeleitete Alkohole. **1-Propanol (n-Propanol)** und **2-Propanol (Isopropanol)** sind farblose, brennbare, mit Wasser gut mischbare Flüssigkeiten, die als Lösungsmittel verwendet werden.

$CH_3{-}CH_2{-}CH_2OH$

1-Propanol

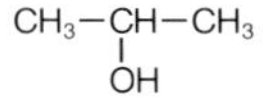

2-Propanol

Propanole

Propanon *das,* →Aceton.

Propansäure, die →Propionsäure.

Propeller [engl.] *der,* →Luftschraube, →Schiffsschraube.

Propeller-Turbinen-Luftstrahltriebwerk, ein →Strahltriebwerk.

Propen *das* (Propylen), gasförmiger Kohlenwasserstoff aus der Gruppe der →Alkene. P. wird beim Steamcracken von Benzin gewonnen und ist eines der wichtigsten Primärprodukte der Petrochemie. Es dient zur Herstellung von Polypropylen, Acrylnitril, Alkoholen, Propylenoxid, Cumol und Isopropylalkohol.

$CH_3{-}CH{=}CH_2$

Propen

Propenal *das,* das →Acrolein.

Properz, eigtl. Sextus Propertius, röm. Elegiendichter, *Asisium (heute Assisi) um 50 v. Chr., †nach 16 v. Chr.; gehörte zum Dichterkreis um Maecenas. Von P. sind 4 Bücher eleg. Gedichte erhalten (bes. im 1. Buch: Liebesgedichte auf »Cynthia«). Die Nachwirkung des P. war zunächst sehr groß (Ovid), hörte aber im MA. fast ganz auf. Erst im 14. Jh. wurde er wieder entdeckt; in Dtl. wirkte er bes. auf Goethe (»Römische Elegien«).

📖 TRÄNKLE, H.: *Die Sprachkunst des P. u. die Tradition der lat. Dichtersprache. Wiesbaden 1960.*

Prophase, *Biologie:* die erste Phase der Zellteilung (→Mitose).

Prophet [grch.] *der, Religionsgeschichte:* eine religiöse Autorität, die den Menschen als Künder göttl. Offenbarung und Botschaft gegenübertritt. Die Gottesoffenbarung wird durch Visionen (Schauen göttl. Gesichte) und Auditionen (Hören göttl. Stimmen), beides oft im Zustand ekstat. Erregung, oder durch den Rückschluss auf den göttl. Willen durch die Deutung von Naturerscheinungen (z.B. Sterne, Vogelflug), Objekten (z.B. Eingeweide von Opfertieren) und →Orakeln empfangen. – Das **Prophetentum** findet sich in mannigfaltigen Formen in vielen Religionen. In der grch. Antike gab es einen institutionalisierten Orakelprophetismus. Zu seiner bedeutendsten Ausprägung gelangte das Prophetentum im Parsismus (Zarathustra), Judentum, Christentum und Islam. In Israel entwickelte sich, seit der 1. Hälfte des 1. Jt. v. Chr. nachweisbar, eine prophet. Tradition. Das A.T. kennt neben den vier großen (Jesaja, Jeremia, Hesekiel, Daniel) und 12 →Kleinen Propheten, den klass. Schrift-P., eine Reihe vorklass. P. (z.B. Elia, Elisa). Sie treten im Auftrag Jahwes als Ankläger, Mahner und Tröster des Volkes Israel und seiner Herrscher auf. Das N.T. sieht in der **Prophetie** eine Gabe des Hl. Geistes. Die einzige prophet. Schrift des N.T. ist die Offenbarung des Johannes. Der Islam sieht in Mohammed den zu den Arabern gesandten letzten P. (»das Siegel der P.«), mit dem die Offenbarung des wahren Glaubens (der Religion Abrahams) abgeschlossen ist.

📖 BUBER, M.: *Der Glaube der P. Neuausg. Darmstadt [2]1984.* – KRAUS, H.-J.: *Prophetie heute! Die Aktualität bibl. P. in der Verkündigung der Kirche. Neukirchen-Vluyn 1986.* – WOLFF, H. W.: *Studien zur Prophetie. München 1987.* – KOCH, K.: *Die Profeten, 2 Bde. Stuttgart [2–3]1988–95.* – ROSENBERG, A.: *Die Frau als Seherin u. Prophetin. München [2]1988.* – *P. u. Prophetenbuch, hg. v.* V. FRITZ *u.* K.-F. POHLMANN. *Berlin u. a. 1989.*

Prophezeiung [grch.] *die,* **1)** *allg.:* Voraussagung künftiger Ereignisse; Weissagung.

2) *Parapsychologie:* Form der außersinnl. Wahrnehmung, die sich in Ahnungen, Wahrträumen, Visionen u.a. äußert.

Prophylaxe [grch.] *die,* Vorbeugung; alle medizin. und sozialhygien. Maßnahmen, die der Verhütung von Krankheiten dienen.

$HC{\equiv}C{-}CH_3$
Propin

Propin *das,* unangenehm riechendes, sehr reaktionsfähiges Gas aus der Reihe der →Alkine. Verwendung als Schweiß- und Schneidgas und für organ. Synthesen.

$CH_3{-}CH_2{-}COOH$
Propionsäure

Propionsäure [zu grch. píon »Fett«] (Propansäure), stechend riechende Carbonsäure, die in der Natur in einigen äther. Ölen vorkommt und technisch aus Äthylen, Kohlenmonoxid und Wasser gewonnen wird. P. dient zur Herstellung von Kunststoffen, Herbiziden, Arzneimitteln u.a. Ihre Salze und Ester heißen **Propionate.** Die Ester werden als Riech- und Aromastoffe, z.T. auch als Lösungsmittel verwendet.

Propolis [grch.] *die,* Substanz, die Bienen von den Knospen der Laubbäume sammeln, um damit ihre Waben zu verfestigen.

Proportion [lat.] *die,* **1)** *allg.:* Größenverhältnis verschiedener Teile eines Ganzen zueinander.

2) *Architektur* und *bildende Kunst:* Maßverhältnis; schon Baumeister des alten Orient und der Antike beschäftigten die Maßverhältnisse von Gesamtbau und seinen Bauteilen in ihrer Höhe, Breite und Tiefe. So wurde von den Griechen der halbe untere Säulendurchmesser zum Ausgangspunkt der P. genommen, alle übrigen Bauteile bildeten ein Vielfaches oder Bruchteile hiervon (dazu wurde das →Modul in 30 Partes unterteilt). Für die menschl. Figur entwickelte Polyklet eine P.-Lehre, wobei er offenbar nicht von einem festen Modul ausging (→Kanon). Für die röm. Baukunst wurde der von Vitruv anhand der grch. Tempelarchitektur festgelegte Kanon (→Säulenordnung) zur Vorgabe. Antike und erneut Renaissance befassten sich auch mit der Anwendung des →goldenen Schnitts. In der Kunst des MA. stellten Quadrat, Dreieck und Kreis grundlegende Verhältnismaßstäbe dar.

3) *Mathematik:* **Verhältnisgleichung,** eine Gleichung der Form $a:b = c:d$, die die Gleichheit zweier (oder mehrerer) Verhältnisse ausdrückt; es gilt $a \cdot d = c \cdot b$.

proportional, verhältnisgleich; angemessen, entsprechend.

Proportionalität *die, Mathematik:* einfachste Form des funktionalen Zusammenhangs zw. zwei variablen Größen. x und y sind **(direkt) proportional** (zueinander), wenn der Quotient $y/x = c$ **(P.-Faktor)** einen konstanten Wert hat; Schreibweise $y \sim x$; ihre graf. Darstellung von $y = cx$ ergibt eine Gerade durch den Nullpunkt des von x und y aufgespannten Koordinatensystems. **Indirekte (umgekehrte) P.** zw. zwei Variablen liegt vor, wenn ihr Produkt konstant ist; ihre graf. Darstellung ergibt Hyperbeln.

Proportionalsatz, zusammengesetzter Satz, in dem sich der Grad oder die Intensität des Verhaltens im Hauptsatz mit der im Nebensatz gleichmäßig ändert (z.B. »je eher, desto besser«).

Proportionalzähler, *Physik:* ein →Zählrohr, dessen Stromimpulse proportional der von den Teilchen erzeugten Ionisation sind und das sich dadurch zur Unterscheidung versch. Teilchensorten und zur Bestimmung der Teilchenenergie eignet.

Proporz [Kw. aus Proportionalwahl] *der,* ein System, in dem Ämter in der Weise an Mitgl. der polit. Parteien, Konfessionen, Volksgruppen u.Ä. vergeben werden, dass diese entsprechend ihrer zahlenmäßigen Stärke vertreten sind; bed. v.a. bei der Vergabe von Ministerämtern in Koalitionsregierungen. – Unter **P.-Wahl** versteht man die Verhältniswahl (→Wahlrecht).

Proprätor [lat.] *der,* →Prokonsul.

Propst [lat. propositus »Vorgesetzter«] *der,* **1)** *evang. Kirchen:* in einigen Landeskirchen der Leiter eines mittleren oder unteren Aufsichtsbezirks **(Propstei** oder **Sprengel);** 2) *kath. Kirche:* Titel für den ersten Würdenträger eines Domkapitels **(Dom-P.)** oder Kollegiatkapitels **(Stiftspropst).**

Propyl [grch.] *das,* Bez. der chem. Nomenklatur für die einwertige, vom Propan abgeleitete Kohlenwasserstoffgruppe CH_3–CH_2–CH_2– (oder –C_3H_7).

Propyläen [grch.], Torbau zu Heiligtümern, Palästen, öffentl. Gebäuden, bes. die P. der Akropolis in Athen (438–432 v. Chr.), ein Vorbild für viele spätere Bauten, z. B. die P. in München von L. von Klenze.

Propyläen, Titel einer von Goethe 1798–1800 herausgegebenen Kunstzeitschrift, in der er einige seiner wichtigsten kunsttheoret. Aufsätze veröffentlichte.

Propylalkohole, die →Propanole.

Propylen *das,* →Propen.

Prorektor [lat.], an Hochschulen der Stellvertreter des →Rektors.

Prorogation [lat.] *die, Prozessrecht:* Gerichtsstandsvereinbarung (§§ 38 bis 40 ZPO), in bestimmten Fällen mögl. Begründung der Zuständigkeit eines an sich unzuständigen Gerichts (nur für die erste Instanz im Zivil- oder Arbeitsgerichtsprozess) durch Vertrag zw. den Prozessparteien oder durch rügelose Verhandlung des Beklagten zur Hauptsache (§§ 39, 504 ZPO).

Prosa [lat. prosa oratio »geradeaus gehende (= schlichte) Redeweise«] *die,* freie, nicht durch die Gesetze des Verses gebundene Sprachform. Mittel künstler. P. sind Wortwahl, Satzbau, Vergleich, Bild und sonstige Stilfiguren. Die klangl. Form wird bestimmt durch den P.-Rhythmus (Lage und Zahl der Betonungen, Pausen; Länge der Wörter u. a.) und die Sprechmelodie. In der Kunstdichtung erscheint die P. als literar. Darstellungsform erst nach der versgebundenen Aussageweise. In der Neuzeit tritt die erzählende und die essayist. P. in den Vordergrund (Roman, Novelle, Erzählung, Essay); auch das Drama geht, nach Ansätzen im 18. Jh., im 19. mehr und mehr zur P.-Form über. Gleichzeitig tritt die seit Renaissance und Humanismus gepflegte rhetor. P. immer mehr zurück.

Prosektur [lat.] *die,* pathologisch-anatom. Abteilung eines Krankenhauses, in der Sektionen (Leichenöffnungen), histolog. und zytolog. Untersuchungen durchgeführt werden.

Proselyt [grch. »Hinzugekommener«] *der,* der von einer Religion oder Konfession zu einer anderen Übergetretene; urspr. der zum Judentum übergetretene Nichtjude (»Heide«).

Proserpina, lat. Name der Göttin →Persephone.

Proskription [lat.] *die,* im alten Rom die Bekanntgabe von Ächtungen polit. Gegner durch ausgehängte Tafeln, unter Sulla (82/81 v. Chr.) und während des 2. Triumvirats (43 v. Chr.).

Proskurow, bis 1954 Name der ukrain. Stadt →Chmelnizki.

Propyläen der Akropolis in Athen (438–432 v. Chr.)

Proskynese [grch. »Verehrung«] *die* (Adoration), anbetende, um Beistand und Gnade flehende Körperhaltung (Niederwerfen, Berühren des Bodens mit der Stirn); aus dem pers. Hofzeremoniell in den röm. Kaiserkult übernommen. In der Ostkirche als große Verbeugung und Berührung des Bodens mit der rechten Hand Ausdruck der Bußgesinnung v. a. in der 40-tägigen Fastenzeit. (→Prostration)

Prosobranchia [grch.], die Vorderkiemer, Ordnung der →Schnecken.

Prosodem [grch.] *das* (prosodisches Merkmal), *Linguistik:* lautlich-phonolog. Merkmal (Akzent, Intonation, Sprechtempo u. Ä.); relevant für die Bildung sprachl. Einheiten, die größer als ein Laut bzw. Phonem sind.

Prosodie [grch. »Zugesang«, »Nebengesang«] *die,* in der Antike die Lehre vom Akzent und den Silbenquantitäten; heute Teil der Verslehre und Teilgebiet der Phonetik bzw. Phonologie.

Prospekt [lat.] *der,* **1)** *Bank- und Börsenwesen:* Offenlegung der Vermögensverhältnisse, Ertragsgrundlagen und -aussichten bei Einführung neuer Wertpapiere an der Börse. Der P. muss gemäß § 38 Börsen-Ges. in einer Zeitung veröffentlicht werden **(Prospektzwang).**

2) *Malerei* und *Grafik:* die wirklichkeitsgetreue Darstellung einer Landschaft oder einer Stadtansicht (→Vedute) von einem Standpunkt aus.

3) *Musik:* sichtbarer Teil des Orgelgehäuses.

4) *Theater:* der – meist auf Leinwand gemalte – Hintergrund der Guckkastenkulissenbühne; seit Erfindung der Drehbühne meist durch Rundhorizont oder laufende Projektion ersetzt.

Prospektion *die,* das Untersuchen von Lagerstätten nach geolog., geophysikal., geochem. und bergmänn. Methoden.

Prosperität [lat.] *die,* Wohlstand, Erfolg, Phase allgemeinen wirtsch. Aufschwungs.

Helge Pross

Pross, Helge, Soziologin, *Düsseldorf 14. 7. 1927, †Gießen 2. 10. 1984; seit 1965 Prof. in Gießen, seit 1976 in Siegen; krit. Arbeiten zur bürgerl. Gesellschaft und Diskriminierung der Frau; schrieb u. a. »Die Wirklichkeit der Hausfrau« (1975); »Die Männer ...« (1978); »Was ist heute deutsch? ...« (1982).

Proßnitz, Stadt in Tschechien, → Prostějov.

Prostaglandine, Gruppe von Gewebshormonen, chemisch Abkömmlinge ungesättigter Fettsäuren. Sie wurden zuerst in menschl. Samenflüssigkeit nachgewiesen und sind Bestandteile vieler tier. und menschl. Gewebe; auch in Pflanzen nachgewiesen. P. zeigen vielfältige Wirkungen: Stimulation der glatten Muskulatur, Beeinflussung von Herzfrequenz und Blutdruck, Auslösung von Geburtswehen; sie greifen an versch. Stellen in den Stoffwechsel ein, werden bei Entzündungsreaktionen freigesetzt und lösen Schmerz aus.

Prostata [grch.] *die* (Vorsteherdrüse), häufig in paarige Drüsenkomplexe mit getrennten Ausführgängen gegliederte Geschlechtsdrüse der männl. Säugetiere. Die P. des Mannes umfasst die Harnröhre unmittelbar unter der Harnblase ringförmig. Sie ist kastaniengroß, etwa 20 g schwer und enthält 30–50 Einzeldrüsen, die in einen Muskelkörper eingebettet sind und mit 15–20 Ausführgängen in die Harnröhre einmünden. Die Muskulatur presst das enzymhaltige alkal. Sekret beim Samenerguss in die Harnröhre. Dort verdünnt es die Masse der Samenzellen und fördert deren Beweglichkeit.

🕮 REUTER, H. J. *u. a.: Die P. u. ihre Krankheiten. Stuttgart* [6]*1989.*

Prostataadenom (Prostatahypertrophie, Blasenhalsadenom), tastbare, gutartige Vergrößerung der Prostata mit nachfolgender Harnentleerungsstörung. Die Ursache ist nicht geklärt, möglicherweise wird das P. durch den Rückgang der Androgenproduktion (bei relativem Überwiegen der Östrogene) hervorgerufen. Es entwickelt sich bei 50–60 % aller Männer über 50 Jahre. Die Behandlung erfolgt operativ.

Prostatakarzinom (Prostatakrebs, Vorsteherdrüsenkrebs), die im Unterschied zum gutartigen → Prostataadenom aus dem spezif. Drüsengewebe des Organs hervorgehende bösartige Geschwulst der Vorsteherdrüse. Die Erkrankung tritt bei Männern v. a. zw. dem 50. und 70. Lebensjahr auf und führt u. a. zu ischiasähnl. Schmerzen, Blutharnen und Harnverhaltung. Das P. neigt zu Absiedlungen bes. im Bereich der unteren Wirbelsäule und des Beckens (Früherkennung durch Vorsorgeuntersuchung). Die Behandlung umfasst die radikale Entfernung der Prostata oder Strahlentherapie und die Gabe gegengeschlechtl. Hormone.

🕮 *Das P., hg. v.* G. STAEHLER *u.* P. G. FABRICIUS. *Berlin u. a. 1990.*

Prostějov ['prɔstjɛjɔf] (dt. Proßnitz), Stadt im Südmähr. Gebiet, Tschech. Rep., 51 900 Ew.; Bekleidungs-, Maschinen-, Lebensmittelindustrie. – Im 12. Jh. gegr.; 1406 Stadtrecht.

prosthetische Gruppe, 1) der nichteiweißartige Bestandteil im Molekül bei Proteiden; 2) Wirkungsgruppe (Coenzym) bei → Enzymen, soweit diese chemisch Proteide sind.

Prostitution [lat. prostituere »vorn hinstellen«, »sich öffentlich preisgeben«] *die,* die gewerbsmäßige Hingabe des eigenen Körpers für sexuelle Zwecke. Neben der am weitesten verbreiteten weiblich-heterosexuellen gibt es die männlich-heterosexuelle, die homosexuelle, lesb. und transvestit. P. Die Bereitschaft zur P. wird heute aus einem Zusammenwirken versch. Faktoren erklärt, wie materielle Not, problemat. Familienverhältnisse, sexueller Missbrauch in der Kindheit, beschädigte Selbstbilder, ein gestörtes Verhältnis zur eigenen Sexualität, Finanzierung von Suchtmitteln sowie eine Neigung zu schnell verdientem Geld.

Geschichte: Bei den monogamen Kulturvölkern des Altertums gab es eine ausgedehnte P. als anerkanntes Gewerbe. Daneben bestand im Orient (z. B. bei Babyloniern, Juden, Indern) die religiöse P. (Tempel-P.). In Griechenland und Rom war die profane P. weit verbreitet (→ Hetäre; BILD). Der relativen Toleranz des MA. gegenüber der P. folgte beim Übergang zur Neuzeit eine von der kath. Kirche angeführte Verschärfung der Sexualethik, die sich im Gefolge der Aufklärung wieder lockerte. Mit der Industrialisierung im 19. Jh. breitete sich die P. bes. in den Großstädten aus.

In den letzten Jahrzehnten etablierte sich die P. in Gestalt von Großbordellen (Eros-Center), der Luxus- bzw. Exklusiv-P. (Callgirls, Hostessen und Masseusen, die in Saunen und Privatklubs arbeiten), Peepshows, Telefonsex. Besondere Probleme stellen die mittels → Frauenhandel von internat. operierenden Zuhälterringen organisierte P. dar sowie die Kinder-P. und der → Sextourismus.

Recht: Die Ausübung der P. als solche ist in Dtl. nicht strafbar, unterliegt aber in einzelnen Erscheinungsformen bestimmten (teilweise auch strafbewehrten) Verboten. In Gemeinden unter 50 000 Ew. kann durch Rechts-VO der Landesreg. die P. ganz, in Gemeinden über 50 000 Ew. für einzelne Bezirke verboten werden. P. ist außerdem verboten, wenn das öffentl. Sichanbieten geeignet ist, einzelne Personen oder die Allgemeinheit zu belästigen (§ 119 OwiG); strafbar ist die die Jugend gefährdende P., z. B. in der Nähe von Schulen (§ 184 b StGB). Nach § 180 a StGB wird wegen Förderung der P. mit Freiheitsstrafe bis zu drei Jahren oder mit Geldstrafe belegt, wer z. B. gewerbsmäßig einen Betrieb unterhält oder leitet, in dem Personen der P. nachgehen und in dem diese in persönl. oder wirtsch. Abhängigkeit gehalten werden. (→ Kuppelei, → Zuhälterei) – Auch in *Österreich* ist die P. im Grundsatz straffrei; jedoch stehen die entgeltl. Förderung fremder Unzucht, die Förderung gewerbsmäßiger Unzucht, die Kuppelei und die Zuhälterei unter Strafe (§§ 214, 215, 213, 216 StGB). In der *Schweiz* stehen die Förderung der P. als Begünstigung und Förderung der Unzucht sowie die Kuppelei unter Strafe (Art. 198, 199 StGB).

📖 Barry, K.: *Sexuelle Versklavung von Frauen. A. d. Amerikan. Berlin 1983.* – Schelsky, H.: *Soziologie der Sexualität. Reinbek 1983.* – Kreuzer, M. D.: *P. Eine sozialgeschichtl. Untersuchung. Stuttgart 1989.* – Rossiaud, J.: *Dame Venus. P. im Mittelalter. A. d. Italien. München 1989.* – Dürr, H. P.: *Der Mythos vom Zivilisationsprozeß, Bd. 2: Intimität. Frankfurt am Main 1990. – Frauenhandel u. Prostitutionstourismus, hg. v. der Aktionsgemeinschaft gegen Internat. u. Rassist. Ausbeutung. München 1990.* – Pheterson, G.: *Huren-Stigma. Wie man aus Frauen Huren macht. Hamburg 1990.* – Renschler, R. *u. a.: Ware Liebe. Sextourismus, P., Frauenhandel. Wuppertal* ^{3}*1991.*

Prostration [lat.] *die, kath. Kirche:* Gebetsgestus, vollzogen durch Beugen beider Knie und tiefe Verneigung oder lang gestrecktes Auf-dem-Boden-Liegen (Priesterweihe). (→ Proskynese)

Proszenium [grch.-lat.] *das,* vorderster Teil der Bühne, Übergang vom Zuschauerraum zum Bühnenraum, auf beiden Seiten meist begrenzt durch die P.-Logen (Bühnenlauben).

prot ..., Wortbildungselement, → proto...

Prot|actinium *das,* chem. Symbol **Pa,** sehr seltenes radioaktives Element aus der Reihe der → Actinoide im Periodensystem der chem. Elemente; Ordnungszahl 91, relative Atommasse 231,0359, Dichte 15,37 g/cm^3, Schmelzpunkt 1568 °C, Siedepunkt rd. 4200 °C. P. entsteht beim natürl. radioaktiven Zerfall des Uranisotops ^{235}U und kommt in Uranerzen in Mengen von 300 mg pro t Uran vor. Reines P. ist ein silberweißes Metall, das im chem. Verhalten dem Tantal ähnelt. Das langlebige P.-Isotop ^{231}Pa wurde 1918 von O. Hahn und Lise Meitner in Dtl. und F. Soddy in Großbritannien als Zerfallsprodukt des Thoriumisotops ^{231}Th in der Uran-Actinium-Zerfallsreihe nachgewiesen.

Protagonist [grch.] *der,* **1)** *allg.:* jemand, der maßgeblich für eine Sache eintritt, Vorkämpfer.

2) im *altgrch. Drama* der erste Schauspieler; Hauptheld, zentrale Figur im Drama.

Protagoras, grch. Philosoph, *Abdera um 485 v. Chr., † um 415 v. Chr.; Wanderlehrer, der bedeutendste der Sophisten; wurde in Athen wegen Gottlosigkeit verurteilt, ertrank vermutlich auf der Flucht. Sein Satz: »Der Mensch ist das Maß aller Dinge« (Homo-mensura-Satz) ist die Grundlage seines Relativismus (alles ist, wie es dem Einzelnen erscheint), mit dem sich Platon auseinander setzte.

Prot|andrie [grch.] *die* (Proterandrie), *Biologie:* bei zwittrigen Lebewesen das frühere Reifen der männl. Geschlechtsprodukte (z. B. beim Weidenröschen; bei parasit. Würmern), im Ggs. zur **Protogynie (Proterogynie),** bei der die Reifung der weibl. Geschlechtsprodukte vorangeht (z. B. beim Wegerich; bei Salpen). P. und Protogynie verhindern eine Selbstbefruchtung.

Proteasen (Proteinasen), zu den Hydrolasen zählende Enzyme, die die hydrolyt. Spaltung der Peptidbindungen in Proteinen und Peptiden katalysieren; u. a. Pepsin, Trypsin, Renin.

Protégé [prɔte'ʒe, frz.] *der,* Schützling, Günstling.

Proteide [grch.], → Proteine.

Proteinbiosynthese (Proteinsynthese, Eiweißsynthese), der Vorgang, bei dem die Reihenfolge der Basen (Basensequenz) der DNS in eine bestimmte Aminosäuresequenz (Reihenfolge der Aminosäuren im Proteinmolekül) übersetzt wird

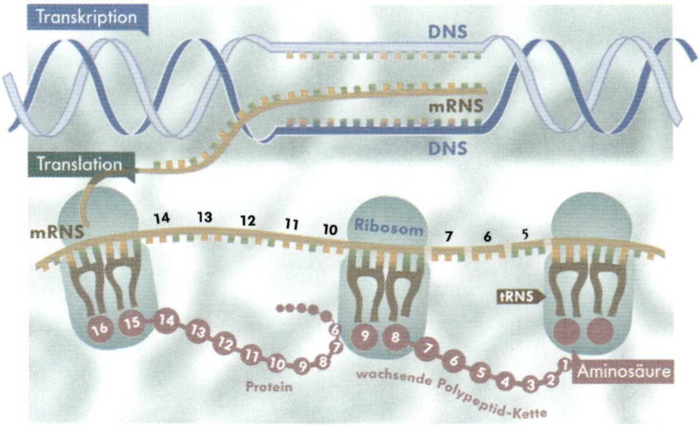

Proteinbiosynthese: schematische Darstellung des Ablaufs; von einem Stück DNS wird die benötigte Information auf eine m-RNS kopiert (Transkription), und anschließend wird an den Ribosomen die in den Codonen der m-RNS codierte Information in eine Folge von Aminosäuren, d. h. in ein Protein übersetzt (Translation)

(Translation). Bildungsort der Proteine sind die → Ribosomen. Die genet. Information für den Proteinaufbau befindet sich in der DNS des Zellkerns. Folglich muss ein »Vermittler« die genet. Information aufnehmen und sie zu den Ribosomen im

Zellplasma bringen. Diese Aufgabe hat die m-RNS (Boten-RNS), die eine Art Arbeitskopie der DNS ist, an der sie durch **Transkription** gebildet wird. Jeweils drei aufeinander folgende Basen der einen RNS, die ein Codon bilden, kodieren für eine Aminosäure. Die im Plasma gebildeten Aminosäuren müssen mit einer weiteren RNS, der t-RNS (Transport-RNS), zu den Ribosomen gebracht werden. – Im Einzelnen werden zunächst die 20 versch. Aminosäuren, die die Bausteine der Proteine darstellen, mithilfe von ATP aktiviert und an das eine Ende einer t-RNS geknüpft. Für jede Aminosäure gibt es eine bis mehrere spezif. t-RNS. Die beladenen t-RNS (Aminoacyl-t-RNS) lagern sich nacheinander an den Ribosomen mit ihrem an einer bestimmten Stelle des Moleküls gelegenen Anticodon (das ebenfalls aus drei Basen besteht und zu dem entsprechenden Codon der m-RNS komplementär ist) an das jeweilige Codon der m-RNS an. Hierbei wird eine Peptidbindung zw. der neu hinzukommenden Aminosäure und der vorangegangenen geknüpft und gleichzeitig die t-RNS der vorangegangenen Aminosäure freigesetzt. Die Synthese beginnt an einem Startcodon der m-RNS **(Initiator)** und läuft weiter **(Elongation),** bis auf der m-RNS ein Stoppcodon erscheint **(Termination).** Nach Beendigung der Aminosäurenkette, d.h. nach Fertigstellung des Proteins, zerfällt das Ribosom in seine beiden Untereinheiten; es kann anschließend mit einer anderen m-RNS zu einer neuen Synthese zusammentreten.

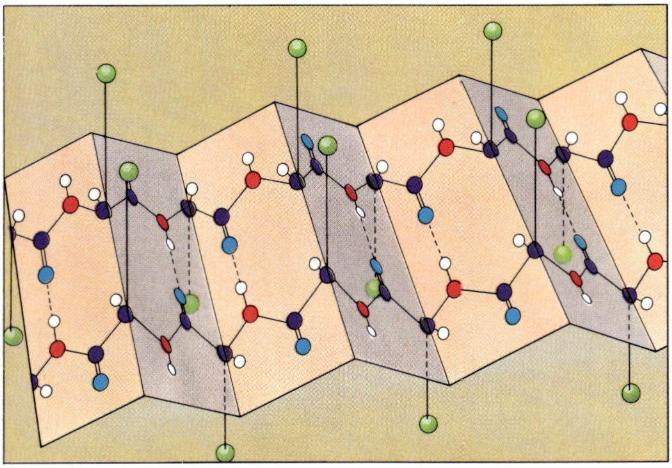

Proteine: schematische Darstellung der faltblattartigen Sekundärstruktur eines Proteinmoleküls; violett Kohlenstoffatome, rot Stickstoffatome, blau Sauerstoffatome, weiß Wasserstoffatome, grün Aminosäurerest, gepunktete Linie Wasserstoffbrücke

Proteine [grch.] (Eiweiße), aus Aminosäuren zusammengesetzte Makromoleküle mit vielfältigen Funktionen in allen Organismen. P. bestehen aus linearen Ketten, wobei versch. Aminosäurebausteine durch Peptidbindungen verknüpft sind. Diese Polypeptidketten falten sich zu räuml. Strukturen **(Tertiärstrukturen),** die für die Funktionstüchtigkeit der P. von entscheidender Bedeutung sind; ihre Zerstörung (Denaturierung) geht meist mit dem Verlust der Funktion der P. einher. Ein Proteinmolekül kann aus einer einzelnen Polypeptidkette (monomere P.) oder mehreren, meist geradzahligen Ketten (oligomere P.) bestehen. Neben einfachen P. unterscheidet man zusammengesetzte P. **(Proteide),** die z.B. Metalle, Phosphorsäure und Kohlenhydrate gebunden enthalten. – Da P. zu einem beträchtl. Teil aus essenziellen Aminosäuren bestehen, die nur von grünen Pflanzen aufgebaut werden können, müssen Mensch und Tier P. über die Nahrung aufnehmen, um körpereigene P. aufbauen zu können.

Proteinurie [grch.] *die* (Eiweißharnen), krankhaft vermehrte Ausscheidung von Eiweiß (z.B. Albumin, **Albuminurie**) im Harn; kann auftreten infolge größerer Durchlässigkeit der Niere für Eiweiß bei akuten und chron. Nierenerkrankungen.

Protektion [lat.-frz.] *die,* Förderung, Gönnerschaft, Schutz.

Protektionismus [lat.-frz.] *der,* Wirtschaftspolitik, die den Binnenmarkt bzw. einzelne Wirtschaftsbereiche durch Schutzzölle, Einfuhrkontingente oder -verbote und andere →Handelshemmnisse vor der ausländ. Konkurrenz zu schützen sucht. Der P. steht im Ggs. zu Liberalisierung und Globalisierung und wird von der Welthandelsorganisation (WTO und vorher GATT) bekämpft.

Protektorat [lat.] *das, Völkerrecht:* Schutzherrschaft eines Staates oder einer Staatenmehrheit über einen anderen Staat, der zwar Völkerrechtssubjekt bleibt, der Schutzmacht (Protektor, suzeräner Staat) i.d.R. aber die Führung seiner Außenvertretung und den militär. Schutz anvertraut und ihr oft auch Einfluss auf seine inneren Angelegenheiten gibt; i. Allg. durch Vertrag begründet. Das P. war v.a. ein Mittel europ. Kolonialpolitik (z.B. das P. Großbritanniens über Ägypten 1914–22). Das klass. Völkerrecht kennt auch das personelle P., z.B. das P. Frankreichs über die Christen im Osman. Reich.

Protektorat Böhmen und Mähren, nat.-soz. Bez. für die unter Bruch des Münchener Abkommens von A. Hitler am 15. 3. 1939 (Protektoratsvertrag) ihrer Souveränität beraubten und dem Dt. Reich bis zum 8. 5. 1945 angegliederten (böhm. und mähr.) Gebiete der Rest-ČSR (→Tschechoslowakei, Geschichte).

Proteolyse *die,* hydrolyt. Aufspaltung von Proteinen durch **proteolyt. Enzyme** (Proteasen, Peptidasen) oder Säuren.

Proterandrie [grch.] *die, Biologie:* →Protandrie.

Proterogynie [grch.] *die, Biologie:* →Protandrie.

Proterozoikum [aus grch. próteros »erste« und zōon »Lebewesen«] *das* (früher Algonkium), Erdzeitalter, das auf das Archaikum folgt, beide bilden das → Präkambrium.

Protest [lat. protestari »öffentlich bezeugen«] *der,* **1)** *allg.:* Widerspruch, Einspruch.

2) *Völkerrecht:* der formlose einseitige Rechtsakt, durch den ein Völkerrechtssubjekt (v.a. ein Staat) ausdrücklich Widerspruch gegen Handlungen eines anderen Völkerrechtssubjekts erhebt.

3) *Wertpapierrecht:* Feststellung der Verweigerung der Annahme oder der Zahlung eines Wechsels oder Schecks in einer öffentl. Urkunde; der P. ist beim Wechsel Voraussetzung für den Rückgriff des Wechselinhabers gegen die Indossanten (Wechselüberschreiber), den Aussteller und andere Wechselverpflichtete (**Protestaten,** Art. 43 ff. Wechsel-Ges.). Der Wechsel-P. ist von einem Notar oder Gerichtsbeamten auf die Rückseite des Wechsels oder auf ein mit dem Wechsel zu verbindendes Blatt zu setzen (Art. 79 ff. Wechselgesetz).

Protestanten [lat.], die Mitgl. der Kirchen, die aus der Reformation hervorgegangen sind.

Protestantismus [lat.] *der,* Bez. für die Gesamtheit der aus der → Reformation hervorgegangenen christl. Kirchen und Gemeinschaften sowie für das ihnen zugrunde liegende theolog. Selbstverständnis. Der urspr. polit. Begriff des P. leitet sich ab von der feierl. **Protestation** (Einspruch) der 19 evang. Reichsstände auf dem 2. Reichstag von Speyer (19. 4. 1529) gegen den Beschluss der »altgläubigen« Mehrheit, die weitere Ausbreitung der Reformation zu verhindern. Im konfessionellen Sinn hat sich der Begriff P. erst im 17. Jh. durchgesetzt, während im 16. Jh. die Reformatoren und ihre Anhänger die Selbstbez. »evangelisch« wählten. Seine reichsrechtl. Anerkennung fand der P. (alle sich zur → Augsburgischen Konfession Bekennenden) mit dem → Augsburger Religionsfrieden (1555). Der → Westfälische Friede (1648) stellte das ref. dem luth. Bekenntnis rechtlich gleich. Geschichtlich haben sich auf dem Boden des P. mit den luth. und ref. Kirchen und der eine gewisse Sonderstellung einnehmenden anglikan. Kirche (→ Kirche von England) drei Hauptzweige herausgebildet, neben die eine Reihe von evang. Freikirchen und freien Gemeinschaften und Gemeinden traten (z. B. Baptisten, Brüdergemeine, Mennoniten, Methodisten, Quäker). Die luth. Kirchen haben sich im **Luth. Weltbund** (gegr. 1947), die ref. Kirchen im **Ref. Weltbund** (gegr. 1875) zusammengeschlossen; die Gemeinschaft der anglikan. Kirchen wird durch die **Lambeth-Konferenzen** (seit 1867) repräsentiert. Weltweit haben die prot. Kirchen rd. 442 Mio. Mitgl., darunter rd. 74 Mio. Anglikaner. – Kennzeichnend für die prot. Theologie in ihrer Gesamtheit ist das Verständnis von der Bibel als der einzigen Offenbarungsquelle (sola scriptura), von Jesus Christus als dem alleinigen Heilsgrund (solus Christus), von der → Rechtfertigung des Menschen allein aus Gnade (sola gratia) und seiner »Gerechtigkeit« allein im Glauben (sola fide). Christl. Existenz wird als Nachfolge des Gekreuzigten angesehen. Die Einheit der Kirche sieht der P. v. a. in ihrer geistl., nicht vorrangig in ihrer institutionellen Einheit, unterstützt jedoch im Rahmen der → ökumenischen Bewegung die Bemühungen, die eine Überwindung der konfessionellen Trennung der Christenheit zum (End-)Ziel haben. In der Frage des geistl. Amtes vertreten die prot. Kirchen im Grundsatz das → Priestertum aller Gläubigen. – Grundlage der prot. Ethik ist das im Glauben gebundene Gewissen, das ein vor Gott verantwortetes Handeln in christl. Freiheit ermöglicht, wobei der Ort und die soziale Gemeinschaft, in der der Glaubende lebt, als die Plätze angesehen werden, auf die er von Gott gestellt ist, um im Sinne des Evangeliums zu wirken.

Protestantismus

Aus der »Protestation« der evangelischen Reichsstände vom 19. April 1529 gegen den Speyerer Reichsabschied:

»(Es muss) in den sachen gottes ere und unser selen haile und seligkeit belangend ain jeglicher fur sich selbs vor gott steen und rechenschaft geben …, also das sich des orts keiner auf ander minders oder merers machen oder beschließen entschuldigen kan (das heißt, sich nicht auf Mehrheitsbeschlüsse berufen kann) … Und wo aber je dises dritt anzaigen unser merklichen beschwerden … kein stat finden noch haben wolt, so protestirn und bezeugen wir hiemit offenlich vor gott, unserm ainigen erschaffer, enthaltern, erlosern und seligmachern (der wie vorgemelt allein unser aller herzen erforscht und erkennt, auch demnach recht richten wurde), auch fur alle menschen und creaturen, das wir … in alle handlung und vermeint abschied, so wie vorberurt in gemelten oder andern sachen wider gott, sein h(eilig) wort, unser aller selen hail und gut gewissen … gemacht werden, nit … willigen, sonder(n) … fur nichtig und unpundig (nicht verbindlich) halten.«

📖 Weber, M.: *Gesammelte Aufsätze zur Religionssoziologie, 3 Bde. Tübingen 1920–21, Nachdr. ebd. 1988. – Theologie im 20. Jh., hg. v.* G. Strecker. *Tübingen 1983.* – Barth, K.: *Die prot. Theologie im 19. Jh. Zürich ^{5}1985. – Bekenntnisschriften u. Kirchenordnungen der nach Gottes Wort reformierten Kirche, hg. v.* W. Niesel. *Neuausg. Zürich 1985.* – Wallmann, J.: *Kirchengeschichte Dtl.s seit der Reformation. Tübingen ^{2}1985. – Die Bekenntnisschriften der evangelisch-luther. Kirche. Göttingen ^{10}1986.* – Zahrnt, H.: *Die Sache mit Gott. Die prot. Theologie im 20. Jh. Neuausg. München u. a. 1990. – Profile des neuzeitl. P., hg. v.* F. W. Graf, *3 Tle. Gütersloh 1990–93.*

Protestbewegungen, unterschiedlich motivierte Bewegungen, die sich in der Ablehnung allg. gesellschaftlich-polit. Verhältnisse oder konkreter – als Missstand empfundener – Zustände in Einzelbereichen artikulieren und auf Veränderung drängen.

Protestsong, Mitte der 1960er-Jahre in den USA innerhalb der Folkmusic entstandenes polit. Liedgenre, das an die Liedtraditionen der Schwarzen (wie Blues, Gospel) sowie an das amerikan. Arbeiterlied anknüpft. In ihm artikulierte sich der Protest gegen die herrschenden gesellschaftl. Verhältnisse, gegen Rassendiskriminierung und den Krieg in Vietnam. Hauptvertreter waren u.a. B. Dylan und J. Baez. Der P. beeinflusste auch dt. Liedermacher.

Proteus, *grch. Mythos:* ein weissagender, allwissender Meergreis. Um sich der Beantwortung von Fragen zu entziehen, verwandelte er sich in vielerlei Gestalten.

Prothallium [grch.-lat.] *das, Botanik:* fädiger, flächiger oder knollenförmiger Vorkeim (Gametophyt) der Farnpflanzen, der die Fortpflanzungsorgane trägt.

Prothese [grch.] *die,* **1)** *Medizin:* aus körperfremdem Material hergestellter künstl. Ersatz für durch Unfall verloren gegangene, durch Krankheitsprozesse zerstörte, aus medizin. Gründen entfernte oder von Geburt an fehlende oder mangelhaft ausgebildete Körper- oder Organteile. I.w.S. gehören zu den P. auch die als **Endo-P.** bezeichneten Ersatzstücke, die z.B. in Form von künstl. Herzklappen, Arterien oder Gelenken (z.B. Hüft-, Knie-, Ellenbogengelenk) in den Körper eingesetzt werden. I.e.S. wird unter P. v.a. der künstl. Gliedmaßenersatz verstanden. P. der unteren Gliedmaßen dienen als Teil-P. der Versorgung eines Unter- oder Oberschenkelstumpfes oder können als Bein-P. eine ganze Gliedmaße einschl. einer Beckenschaufel ersetzen. Als Material werden meist Leichtmetalle und (teils glasfaserverstärkte) Kunststoffe mit funktionsangepasster Elastizität verwendet. Durch Feststellung des künstl. Kniegelenks mit Federmechanismen oder einer automat. Bremse bei plötzl. Beugung ist auch mit der Bein-P. ein annähernd natürl. Bewegungsablauf beim Gehen erzielbar. Bei den P. der oberen Gliedmaßen (Hand-, Armteil- und Arm-P.) bestehen aufgrund der vielfältigen Funktionen von Hand und Fingern größere Schwierigkeiten, einen adäquaten Ersatz herzustellen. Zu den einfachen Arm-P. gehört die Arbeits-P.; Fremdkraft-P. werden von Elektromotoren elektromechanisch oder -hydraulisch oder durch einen druckluftbetriebenen Mechanismus bewegt und über am Stumpf befestigte Elektroden durch Muskelaktionsströme (myoelektrisch) gesteuert. Hierdurch sind differenzierte Bewegungsabläufe (bes. der künstl. Hand) möglich. Form und Farbe der Oberfläche werden in Weichplastik nachgebildet. Modular-P. werden aus elektronisch gesteuerten Fertigteilen (Modulen) zusammengesetzt. – Von diesen **Funktions-P.** sind die **kosmet. P.,** die wie die Brust-P. (→Mammaplastik) oder das künstl. Auge in erster Linie ästhet. Zwecken dienen, zu unterscheiden; einen eigenen Bereich bilden die Zahn-P. (→Zahnersatz).

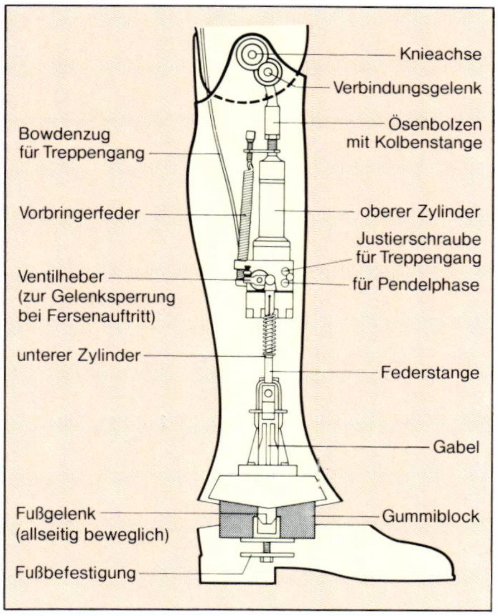

Prothese 1): schematische Darstellung einer Beinprothese mit hydraulischer Belastungsbremse

2) *Sprachwiss.:* Bildung eines neuen Lautes oder einer neuen Silbe am Wortanfang (z.B. frz. »esprit« aus lat. »spiritus«).

Prothetik *die,* Wiss. und Lehre von Bau und Herstellung orthopäd., zahnärztl. u.a. Prothesen als Teilgebiet der jeweiligen medizin. Disziplin.

Prothrombin [grch.], im Blut vorkommendes Glykoprotein, Vorstufe des für die Blutgerinnung wichtigen Thrombins.

Protium [zu grch. prõtos »erster«] *das,* das Wasserstoffisotop $^{1}_{1}H$ (→Wasserstoff).

proto... [grch. prõtos »erster«] (prot...), erst..., vor..., ur...

Protobulgaren (Urbulgaren), Turkstämme, die urspr. im Gebiet des Kaukasus, des Kasp. und des Schwarzen Meeres siedelten. Unter Asparuch gründeten die ins Donaugebiet eingedrungenen P. um 680 gemeinsam mit slaw. Stämmen das 1. Bulgar. Reich.

Protogynie *die* (Proterogynie), *Biologie:* →Protandrie.

Protokoll *das,* **1)** *allg.:* Niederschrift von öffentl. oder privaten Verhandlungen, die Verlauf und Inhalt beurkundet und in beweiskräftiger Form festlegt, oft mit Unterzeichnung durch die Beteiligten (bes. im Zivil- und Strafprozess, in der freiwilligen Gerichtsbarkeit, im Völkerrecht). **P.-Notiz** nennt man einen Vertragszusatz, der das gemeinsame Verständnis einzelner Vertragsinhalte festhält. **Zusatz-P.** sind selbstständige Kodifikationen, die ein Hauptvertragswerk ergänzen, z.B. die Zusatz-P. zu den Genfer Konventionen.

2) die im *diplomat. Verkehr* festgelegten Regeln der Höflichkeit und Form; verantwortlich ist der **Chef des Protokolls.**

Protokollsatz, *Wissenschaftstheorie:* Aussagesatz über Beobachtungen, vom log. Empirismus (O. Neurath) als theoriefreie und zuverlässige Basis jeder Erfahrungswiss. behauptet; vom →kritischen Rationalismus kritisiert: Sätze über Beobachtungen seien immer schon theoriegeladen; es gebe keine reine Beobachtung als Basis der Wissenschaft.

Proton [grch.] *das,* Symbol **p,** zu den →Baryonen gehörendes positiv geladenes →Elementarteilchen, zus. mit dem Neutron Baustein der Atomkerne. P. und Neutron lassen sich als zwei unterschiedliche Zustände des Nukleons auffassen. Das P. ist Träger einer positiven Elementarladung ($e \approx 1{,}602 \cdot 10^{-19}$ C), mit seiner Ruhemasse von $m_p \approx 1{,}673 \cdot 10^{-27}$ kg ist es etwa 2000-mal so schwer wie das Elektron, sein Spin ist $^1/_2$. Das P. bildet den Kern des leichtesten Wasserstoffisotops mit der Massenzahl 1 und kann daraus gewonnen werden, indem man den Wasserstoff ionisiert (Ionisierungsenergie 13,53 eV). Bei zahlr. Kernprozessen und beim Betazerfall entstehen freie P. Außerdem bilden die P. den wesentl. Teil der →kosmischen Strahlung. In der Hochenergiephysik verwendet man in Beschleunigern erzeugte, energiereiche (nahezu auf Lichtgeschwindigkeit beschleunigte) **P.-Strahlen,** um Kernreaktionen zur Herstellung künstl. Isotope durchzuführen, zur Gewinnung anderer Elementarteilchen oder um die Natur der Kernkräfte zu untersuchen. – Das Antiteilchen des P., das **Anti-P.** ($\bar{p}$), wurde 1955 beim Beschuss von Kupfer mit hochenerget. P. entdeckt. Aus Streuexperimenten weiß man, dass das P. eine innere Struktur besitzt. Nach den heute gültigen Modellen setzt es sich aus drei →Quarks zusammen, zwei Upquarks und einem Downquark. Noch unklar ist, ob das P. stabil ist. Nach der Großen Vereinheitlichten Theorie soll es nach ca. 10^{30} Jahren zerfallen **(Protonzerfall).**

Protonenabstrahlung (Protonenemission), Art des radioaktiven Zerfalls (→Radioaktivität).

Protonenzahl, →Kernladungszahl.

Protonium *das,* ein →exotisches Atom.

Proton-Proton-Reaktion (p-p-Reaktion), eine Folge von Kernreaktionen, die Wasserstoff in Helium umwandelt und die als Energiequelle im Innern der Sterne angesehen wird. Aus zwei zusammenstoßenden Protonen (^{1}H) entstehen ein Deuteron (^{2}H), ein Positron (e^+) und ein Neutrino (ν). Dabei wird eine Energie von 1,44 MeV frei. Eine Weiterführung des Prozesses führt zur Bildung von Heliumkernen (γ Gammaquant):

$$4\,{}^1\mathrm{H} \rightarrow {}^4\mathrm{He} + 2e^+ + 2\nu + 2\gamma + 26{,}21\ \mathrm{MeV}.$$

Es wird vermutet, dass bei Temperaturen unter 15 Mio. K bes. P.-P.-R. auftreten, bei höheren Temperaturen der →Bethe-Weizsäcker-Zyklus vorherrscht.

Proton: Nebelkammeraufnahme von Alphastrahlen; im Kreis eine Kernreaktion, bei der ein Proton nach rechts unten emittiert wird

Protophyten [grch.], Bez. für eine Organisationsstufe der Pflanzen, die alle einzelligen oder lockere Zellverbände darstellenden Pflanzen umfasst. Zu den P. zählen Flagellaten, Bakterien und Schleimpilze.

Protoplasma, veraltet für →Zytoplasma.

Protostern, Vorstufe bei der →Sternentwicklung.

Protostomier [grch.] (Protostomia), Gruppe von Tierstämmen (z.B. Schlauchwürmer, Weichtiere, Gliedertiere), bei denen der Urmund der Gastrula (→Entwicklung) zum endgültigen Mund wird und der After sich neu bildet. Das Nervensystem liegt auf der Bauchseite. Bei den **Deuterostomiern** wird im Ggs. zu den P. der Urmund zum After; der Mund entsteht neu, das Nervensystem ist auf die Rückenseite konzentriert. Hierzu gehören Stachelhäuter, Pfeilwürmer, Kragentiere und Chordaten (Wirbeltiere und Manteltiere).

Prototyp, 1) *allg.:* Urbild, Muster, Inbegriff.

2) *Technik:* erste betriebsfähige Ausfertigung, der die Nullserie folgt.

Protozoen [grch.] (Urtierchen, Protozoa), Unterreich der Tiere (tier. Einzeller) mit rd. 27000 bekannten, etwa 1 µm bis 2 mm großen rezenten Arten; fossile Formen (z.B. Nummuliten) bis 10 cm groß; ein- oder mehrkernig, Zelloberfläche

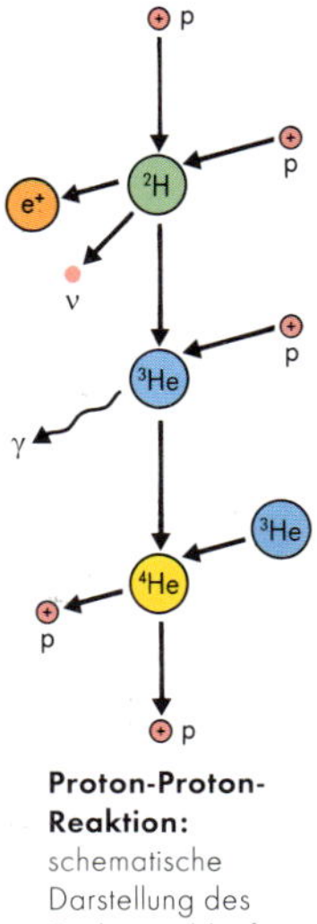

Proton-Proton-Reaktion: schematische Darstellung des Reaktionsablaufs; p Proton (^{1}H), ν Neutrino, e^+ Positron, γ Gammaquant

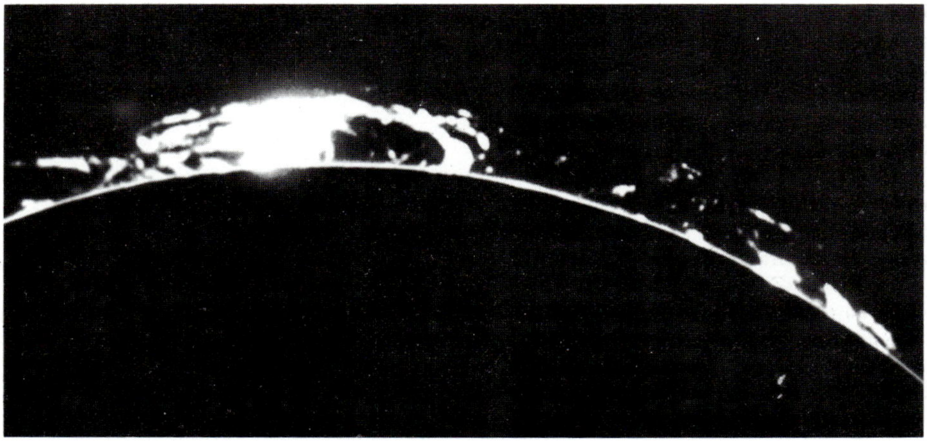

Protuberanzen am Sonnenrand, Aufnahme des Sacromento Peak Observatory in New Mexico

meist nackt und weitgehend formveränderlich (z. B. bei Amöben). Die Fortpflanzung erfolgt ungeschlechtlich durch Zweiteilung, Vielfachteilung oder Knospung, bei vielen P. auch geschlechtlich. Zahlr. P. können ungünstige Lebensbedingungen als Dauerstadien (Zysten) überstehen. P. bewegen sich mithilfe von Scheinfüßchen, Geißeln oder Wimpern fort; sie leben einzeln oder bilden Kolonien (im Meer und Süßwasser); einige sind gefährl. Krankheitserreger.

Pierre-Joseph Proudhon: Ausschnitt aus dem Gemälde »Proudhon und seine Kinder« von Gustave Courbet (1853–65; Paris, Musée du Petit Palais)

Protuberanzen [lat. protuberare »anschwellen«], große Gaswolken in Chromosphäre und Korona der Sonne, die am Sonnenrand bei Sonnenfinsternissen als helle Erscheinung oder im Koronographen u. a. Spezialinstrumenten auf der Sonnenscheibe als dunkle Fäden **(Filamente)** sichtbar sind. Sie bestehen v. a. aus ionisiertem Wasserstoff, Helium und Calcium. **Stationäre (ruhige) P.** haben Lebensdauern von mehreren Sonnenrotationen. **Aktive P.** sind meist mit →Flares verknüpft und zeigen zahlr. Formen und Entwicklungen. Als **eruptive P.** werden sie explosionsartig mit Aufstiegsgeschwindigkeiten bis 1000 km/s in Höhen bis zu 2 Mio. km über die Sonnenoberfläche geschleudert. Bei einzelnen, bes. großen P. kann man auch die Loslösung einer Wolke beobachten, die sich von der Sonne fortbewegt. Solche Gasmassen können die Erde treffen und verursachen Polarlichter und magnet. Störungen.

Proudhon [pru'dɔ̃], Pierre-Joseph, frz. Sozialist, * Besançon 15. 1. 1809, † Paris 19. 1. 1865; griff in seiner Schrift »Was ist Eigentum?« (1840) die herrschende Eigentumsordnung scharf an (»Eigentum ist Diebstahl«) und forderte die gleichmäßige Verteilung des Produktionseigentums. Als Staatstheoretiker gehört P. zu den Begründern des →Anarchismus. Den zentralist. Staat kritisierte er als Ursprung der Unterdrückung; auch zum Kommunismus geriet er in schroffen Gegensatz. P. beeinflusste v. a. M. A. Bakunin, P. A. Kropotkin und den frz. Syndikalismus.

📖 HILMER, J. u. ROEMHELD, L.: *Proudhon-Bibliographie, auf mehrere Bde. ber. Frankfurt am Main u. a. 1989 ff.*

Proust [pru:st], Marcel, frz. Schriftsteller, * Paris 10. 7. 1871, † ebd. 18. 11. 1922; zog sich 1905 wegen seines Asthmaleidens vom gesellschaftl. Leben zurück. Sein Lebensinhalt wurde die Arbeit an seinem Hauptwerk, dem siebenteiligen Roman »Auf der Suche nach der verlorenen Zeit«, 1913–27; Teile: »In Swanns Welt«, 1913, »Im Schatten junger Mädchenblüte«, 1918, »Die Welt der Guermantes«, 1920/21, »Sodom und Gomorra«, 1920/21, »Die Gefangene«, hg. 1923, »Die Entflohene«, hg. 1925, »Die wiedergefundene Zeit«, hg. 1927). Das monumentale Werk, der äußeren Form nach ein autobiograph. Bericht, spiegelt das komplexe Bild einer Epoche durch eine Fülle von Details, Zufällen und Assoziationen, die zu Schlüsselerlebnissen werden. Eigentl. Thema ist das Sicherinnern und die künstler. Verarbeitung dieser Erinnerung, der Weg von der individuellen Erfahrung zum überpersönl. Kunstwerk. Mit der Abkehr von der linearen Struktur zugunsten einer assoziativen Erzählperspektive (bes. →innerer Monolog) markiert das Werk – zus. mit J. Joyces »Ulysses« (1922) und R. Musils »Mann ohne Eigenschaften« (1930–43) – den Beginn des modernen Romans in Europa. Erst spät wurde P.s Jugendroman »Jean Santeuil« entdeckt (hg. 1952); veröffentlicht sind auch Briefe u. a. Weiteres BILD französische Literatur

📖 JAUSS, H. R.: *Zeit u. Erinnerung in M. P.s »À la recherche du temps perdu«. Neuausg. Frankfurt am Main 1986.* – PAINTER, G. P.: *M. P., 2 Bde. A. d. Engl. Frankfurt am Main ^{2}1986.* – KREMP, K.: *Der Roman von P. Basel u. a. 1988.* – KELLER, L.: *P. lesen. Frankfurt am Main 1991.* – KÖHLER, E. *u.* CORBINEAU-HOFFMANN, A.: *M. P. Berlin ^{3}1994.*

Proustit [prusˈtit] *der,* Mineral, das lichte →Rotgültigerz.

Prouvé [pruˈve], Jean, frz. Architekt, *Nancy 8. 4. 1901, †ebd. 23. 3. 1984; wandte bereits 1934 das System der Curtainwall-Konstruktion an, wobei er sich auf Leichtkonstruktionen aus Stahlrohren spezialisierte. Mit P. L. Nervi errichtete er 1957–58 die CNIT-Ausstellungshalle in Paris.

Provence [prɔˈvãs] *die,* histor. Landschaft in Südfrankreich, zw. Rhonetal und Italien, umfasst die Dép. Bouches-du-Rhône, Alpes-de-Haute-P., Var, Vaucluse; bildet einen Teil der Region →Provence-Alpes-Côte d'Azur.

Geschichte. Die P., Teil der röm. »Provincia Gallia Narbonensis«, kam 470–477 an die Westgoten, 509 an die Ostgoten, 536 an die Franken. Karl Martell vertrieb 737–739 die eingefallenen Araber, die sich aber in den Küstengebirgen bis 983 hielten. Durch die Reichsteilung 843 fiel die P. an Lothar I.; 879 gründete Bodo von Vienne das Königreich P. (auch Königreich Niederburgund, Hptst. Arles); es kam 934 an Hochburgund, 1033 mit diesem an den dt. König als Lehnsherrn. 1246 erhielt Karl von Anjou die P. durch Heirat; durch Erbschaft fiel sie 1481 an die frz. Krone.

Marcel Proust: Ausschnitt aus einem Gemälde des französischen Malers Jacques Émile Blanche (1895; Privatbesitz)

📖 *La P. de 1900 à nos jours, hg. v.* P. GUIRAL. *Toulouse 1978.* – EMMANUELLI, F.-X.: *Histoire de la P. Paris 1980.*

Provence-Alpes-Côte d'Azur [prɔvãsalpkoːt-daˈzyːr], Region in SO-Frankreich, zwischen unterer Rhone und Grenze zu Italien, umfasst die Dép. Alpes-de-Haute-Provence, Bouches-du-Rhône, Var, Vaucluse sowie Alpes-Maritimes und Hautes-Alpes, 31 400 km^2, (1995) 4,48 Mio. Ew.; Hptst. ist Marseille. Vorwiegend Gebirgsland, in den tieferen, küstennahen Lagen mit mildem subtrop. Klima. Ackerbau, Schaf- und Ziegenzucht, an der Küste Anbau von Gemüse, Obst, Wein und Südfrüchten sowie Blumenzucht; lebhafter Fremdenverkehr an der Riviera. Die Bev. konzentriert sich an der Côte d'Azur sowie im stark industrialisierten Raum Marseille–Fos-sur-Mer. BILD S. 218

📖 WOLKOWITSCH, M.: *Provence, Alpes, Côte d'Azur. Paris 1984.*

Provenienz [lat.] *die,* Herkunft, Ursprung.

Provenzalen, i. e. S. die Bewohner der Provence, i. w. S. die Südfranzosen im Bereich der Langue d'oc (→französische Sprache; →provenzalische Sprache). Sie sind urspr. Ligurer mit starker grch. und phönik., später röm. Überlagerung.

Provence Historisches Wappen

provenzalische Literatur (okzitanische Literatur), die früheste voll ausgebildete roman. Lit., blühte in S-Frankreich vom Ende des 11. bis ins 13. Jh. mit der auf ganz Europa ausstrahlenden Lyrik der →Troubadours; daneben gab es eine Lehrdichtung in Vers und Prosa und eine ep. Dichtung. In den Albigenserkriegen wurde diese höf. Kultur vernichtet, die Dichter an die Höfe N-Frankreichs, Spaniens und Siziliens vertrieben. Erst in der Romantik lebte die p. L. im Kreis der →Félibres wieder auf. In neuester Zeit wird die p. L. im Rahmen regionalist. Bestrebungen gepflegt, bes. populär wurde das literar. Chanson in provenzal. Sprache.

📖 MÖLK, U.: *Trobadorlyrik. Eine Einführung. München 1982.* – MIREMONT, P. *u.* MONESTIER, J.: *La littérature d'oc des troubadours aux félibres. Périgueux 1983.* – POE, E. W.: *From poetry to prose in old Provençal. Birmingham, Ala., 1984.*

provenzalische Sprache (okzitanische Sprache), eine roman. Sprache, die im südl. Drittel Frankreichs und in einigen Sprachinseln in mehreren Mundarten gesprochen wird und sich aus dem südlich der Loire gesprochenen Vulgärlatein (ohne german. Superstrat) entwickelt hat. Man unterscheidet drei Dialektgruppen: Nordokzitanisch (v. a. westlich der Rhone), Südokzitanisch (Languedoc, Provence) und Gascognisch. Im MA. entstand auf der Grundlage der zw. Rhone und Garonne gesprochenen nordokzitan. Mundarten die altprovenzal. Literatursprache als Kunstsprache der Troubadours. Nach der südfrz. Bejahungsformel oc (aus lat. hoc) heißt das Südfranzösische auch »Langue d'oc«.

📖 Schultz-Gora, O.: *Altprovenzal. Elementarbuch. Heidelberg ⁶1973.* – Boisgontier, J.: *Atlas linguistique et ethnographique du Languedoc oriental, 3 Bde. Paris 1981–86.* – Kremnitz, G.: *Das Okzitanische. Tübingen 1981.*

Providence ['prɔvɪdəns], Hptst. des Bundesstaates Rhode Island, USA, 160 700 Ew., Hafen an der Narragansett Bay, einer Bucht des Atlantiks; Univ.; Herstellung von Silber- und Juwelierwaren, Textil- u. a. Ind., Werkzeugmaschinenbau. – 1636 von dem Puritaner R. Williams (* um 1604, † 1683) gegründet.

Provinz [lat.] *die,* **1)** *antikes Rom:* (lat. Provincia) Verwaltungsbezirk in außeritalien. Gebiet, der von röm. Statthaltern verwaltet wurde.

2) *Staatsrecht:* nach röm. Vorbild in zahlr. Staaten Bez. für eine staatl. Verwaltungseinheit mit gewisser (oft auf ethn. Gesichtspunkten basierender) Eigenständigkeit, aber ohne polit. Autonomie. – In Preußen waren die schon vorher bestehenden P. seit Erlass der **Provinzialordnungen** (1875–88) sowohl staatl. Verwaltungseinheiten als auch Gebietskörperschaften **(Provinzialverbände).** An der Spitze der staatl. Verw. stand der Oberpräs.; Beschlussbehörde für bestimmte staatl. Aufgaben war der **Provinzialrat.** Die Organe der Provinzialverbände waren: der die → Provinzialstände ablösende **Provinziallandtag,** der aus seiner Mitte gewählte **Provinzialausschuss,** der vom Provinziallandtag auf sechs bis zwölf Jahre gewählte Landesdirektor oder -hauptmann. Unter dem Nationalsozialismus wurden 1933 die Provinzialorgane aufgelöst, der Oberpräs. wurde zugleich Leiter der Selbstverw. der P., der Landeshauptmann sein ständiger Vertreter, der Provinzialrat beratendes Organ. Den preuß. P. entsprechende Gebietskörperschaften gab es nur noch in Hessen.

Provinzialismus *der,* **1)** *allg.:* kleinbürgerl., engstirnige Denkungsart.

2) *Sprachwiss.:* mundartl. Ausdruck in der Hochsprache.

Provinzialstände, in Preußen 1823/24 geschaffene, aus gewählten Abg. der Stände (Ritterschaft, Städte, Landgemeinden) bestehende Vertretung einer Provinz, nach 1875 durch die Provinziallandtage ersetzt.

Provision [lat.] *die,* in Prozenten einer Wertgröße, bes. des Umsatzes, berechnete Leistungsvergütung, auch als Arbeitsentgelt für Arbeitnehmer, z. B. im Außendienst. P.-Ansprüche von Kaufleuten sind im HGB geregelt. – P. sind auch im Bankwesen als spezif. Entgelte für Dienstleistungen versch. Art üblich. Ähnliches gilt für die Vermittlerdienste von Maklern.

provisorisch [lat.], vorläufig, einstweilig; behelfsmäßig.

provisorische Regierung, häufige Bez. für Regierungen in Krisen- und Übergangszeiten, z. B. für die russ. Reg. von der Februarrevolution (1917) bis zur → Oktoberrevolution.

Provitamine, Vorstufen der → Vitamine.

Provokation [lat.-frz.] *die,* bewusste Herausforderung, um eine Person, eine polit. Bewegung oder Gruppe zu (unbedachten) Aussagen oder Handlungen zu bewegen. – In den Beziehungen zw. Staaten können P. (z. B. Grenzverletzungen, Verletzungen des Luftraums, Embargos u. a.) zu Spannungen und Kriegen führen.

Provence-Alpes-Côte d'Azur: Lavendel- und Getreidefelder bei Puimoisson in der Nähe von Digne

Proxima Centauri, sonnennächster Fixstern (→Alpha Centauri).

proximal [lat. proximus »der Nächste«], *Anatomie:* der Körpermitte zu gelegen; Ggs.: distal.

Prozedur [zu lat. procedere »forschreiten«] *die,* **1)** *allg.:* Verfahren, Vorgang, (unangenehme, schwierige, langwierige) Behandlungsweise.

2) *Datenverarbeitung:* (Subroutine, Unterprogramm) in sich geschlossenes Programmstück, dessen Abarbeitung z.B. durch Aufruf seines Namens im Hauptprogramm initiiert werden kann. Nach Ausführung der P. kehrt der Programmablauf zu derjenigen Stelle zurück, von der aus der Aufruf erfolgte.

Prozent [italien. per cento »für hundert«] *das,* Abk. **p.c.,** in Österreich auch Perzent, eingedeutscht vom Hundert, Abk. v. H., Zeichen %, Zusatz zu Zahlenangaben, die auf die Vergleichszahl 100 bezogen sind, z.B. 4% von 20 kg = $^{4}/_{100}$ · 20 kg = 0,8 kg. Die auf 100% bezogene Gesamtmenge heißt **Grundwert** *G,* die zu vergleichende Zahl **P.-Wert** *W;* die Zahl, die angibt, wie viel P. des Grundwertes zu berechnen sind, ist der **P.-Satz** *p,* $p = (100/G) \cdot W$.

prozentual, im Verhältnis zum Hundert, in Prozenten ausgedrückt.

Prozess [lat.] *der,* **1)** *allg.:* Vorgang, Verlauf, Entwicklung; in den mathemat. und techn. Wiss. eine Folge von Systemzuständen, deren zeitl. Verlauf durch charakterist. Größen (Zustandsvariablen) beschrieben wird (z.B. Kreis-P.). Man unterscheidet z.B. zw. determinist. und stochast. P., zw. stationärem und nichtstationärem Prozess.

2) *Datenverarbeitung:* Gesamtheit der Vorgänge, die an der jeweiligen Ausführung eines →Programms oder eines Programmteils durch einen →Prozessor beteiligt sind.

3) *Recht:* gerichtl. Verfahren zur Entscheidung von Rechtsstreitigkeiten. Man unterscheidet →Zivilprozess, →Strafprozess, Arbeitsgerichtsprozess (→Arbeitsgerichtsbarkeit), Finanzgerichtsprozess (→Finanzgerichtsbarkeit), Sozialgerichtsprozess (→Sozialgerichtsbarkeit), Verfassungsgerichtsprozess (→Verfassungsgerichtsbarkeit) und Verwaltungsgerichtsprozess (→Verwaltungsgerichtsbarkeit). Das **P.-Recht** (Verfahrensrecht), das den Verlauf des P., zumeist zwingend, regelt, ist Teil des öffentl. Rechts und meist in **P.-Ordnungen** enthalten.

Prozess|agent, →Rechtsbeistand.

Prozessbeschleunigung, gesetzl. Regelungen (»Vereinfachungsnovellen«), die angesichts der Fülle gerichtl. Verfahren und der nur begrenzten Ausbaumöglichkeiten der Justiz u.a. den Verfahrensablauf zügiger gestalten, ohne Rechtsstaatlichkeit und Rechtssicherheit zu verletzen und ohne die Wahrscheinlichkeit zutreffender Ergebnisse zu verringern.

Prozessbetrug, ein Betrug, der dadurch begangen wird, dass durch bewusst falsche Angaben eines Prozessbeteiligten das Gericht zu einer Entscheidung veranlasst wird, die das Vermögen des Prozessgegners schädigt.

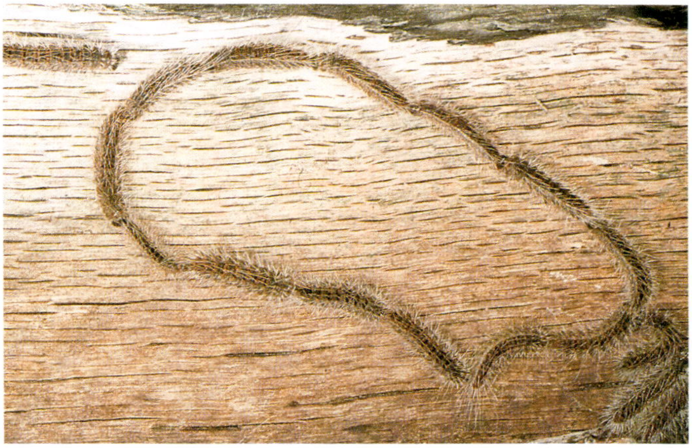

Prozessionsspinner: wandernde Raupen des Eichenprozessionsspinners

Prozessfähigkeit, die Fähigkeit, einen Prozess selbst oder durch selbst bestellte Vertreter zu führen. Eine Person ist insoweit prozessfähig, als sie sich durch Verträge verpflichten kann, d.h. geschäftsfähig ist (§ 52 ZPO). Eine Partei kann auch nur für gewisse Arten von Prozessen prozessfähig sein (z.B. § 113 BGB bei in Arbeitsverhältnissen stehenden Jugendlichen). Jurist. Personen sind nicht prozessfähig; sie werden durch ihren gesetzl. Vertreter vertreten. (→Parteifähigkeit)

Prozessformel, *röm. Recht:* Charakteristikum des Formularprozesses; enthält u.a. die Einsetzung des Urteilsgerichts sowie die Klageformel (»Actio«).

Prozessgericht, Begriff der ZPO, um das im Urteilsverfahren entscheidende Gericht zu bezeichnen, im Ggs. zum →Vollstreckungsgericht.

Prozession [lat. processio »das Vorrücken«] *die, Religionsgeschichte:* tänzerisch (→Echternach) oder in betont feierl. Schreiten vollzogene Begehung, um heilige Macht in einem Umkreis zu bannen, über diesen zu verbreiten oder um vor dämon. Einflüssen zu schützen; so z.B. beim →Flurumgang, →Bittgang. – In der christl. Kirche kamen P. im 4. Jh. bei der Überführung von Reliquien auf.

Prozessionsspinner (Thaumetopoeidae), Familie der Nachtschmetterlinge, den Zahnspinnern verwandt; in Deutschland ist u.a. der **Eichen-P.** als Frostschädling gefürchtet. Die Raupen wandern in prozessionsartig geordneten Zügen vom Ruheplatz zum Futterplatz in die Baumkronen; ihre leicht ausfallenden Gifthaare erzeugen schmerzhafte Bläschen.

Nikolai Michailowitsch Prschewalski

Prozesskosten, *Recht:* die → Gerichtskosten und die außergerichtl. Kosten.

Prozesskostenhilfe, das Recht auf einstweilige oder dauerhafte Befreiung einer minderbemittelten Partei von den Prozesskosten. Das Ges. über die P. v. 13. 6. 1980 hat die Vorschriften der ZPO über das Armenrecht ersetzt. Nach §§ 114–127a ZPO, auf die sich die anderen Verfahrensordnungen vielfach berufen, erhält eine Prozesspartei, die nach ihren persönl. und wirtschaftl. Verhältnissen die Kosten der Prozessführung nicht, nur zum Teil oder nur in Raten (höchstens 48 Monatsraten) aufbringen kann, auf Antrag P., wenn die beabsichtigte Rechtsverfolgung oder Rechtsverteidigung hinreichende Aussicht auf Erfolg bietet und nicht mutwillig erscheint. Über die Bewilligung von P. entscheidet das Gericht, bei dem das Verfahren anhängig ist oder anhängig gemacht werden soll, d. h. für jeden Instanzenzug gesondert.

In *Österreich* ist die P. **(Verfahrenshilfe)** in den §§ 63 ff. ZPO geregelt. Durch P. werden einer Partei, der durch die Prozesskosten eine Beeinträchtigung des notwendigen Unterhalts droht, die Prozesskosten vorläufig erlassen.

In der *Schweiz* ist die P. **(unentgeltliche Prozessführung,** Abk. **uP)** meist in den entsprechenden Verfahrensgesetzen von Bund und Kantonen geregelt.

Prozesskunst (engl. Processart), Kunstrichtung seit den 1960er-Jahren, die nicht auf das endgültige Ergebnis künstler. Schaffens zielt, sondern die Handlung selbst als Kunst auffasst, in Dtl. z. B. J. Gerz und F. E. Walther. Urspr. wurden dazu ebenso körperl. Aktionen wie Environments oder Objekte gerechnet, die noch Veränderungen durchlaufen. Zur P. gehören auch Objekte, bei denen der Herstellungsprozess als wesentl. ästhet. Information im Ergebnis ablesbar bleibt (R. Morris, B. Nauman, R. Serra, U. Rückriem). Die P. wird v. a. über Film und Videoband dokumentiert. (→ Aktionskunst, → Happening, → Performance)

Prozessor *der,* die mindestens aus Steuer- und Rechenwerk (→ Zentraleinheit) sowie den zugehörigen Registern bestehende Funktionseinheit in elektron. Datenverarbeitungsanlagen, die der Abarbeitung eines → Prozesses dient (→ Mikroprozessor, → Multiprozessorsystem, → RISC).

Prozessrechner, frei- oder austauschprogrammierbare Datenverarbeitungsanlage, die durch Echtzeitfähigkeit und Einzelbitverarbeitung sowie Einrichtungen zur Ein- und Ausgabe von Prozesssignalen gekennzeichnet ist. Überwiegend zum Steuern eingesetzte P., die mit einer anwendungsbezogenen Programmiersprache programmiert werden und bei denen i. d. R. eine zyklische Bearbeitung der Programme erfolgt, werden als **speicherprogrammierbare Steuerungen (SPS)** bezeichnet.

Prozessregler, Regler, die in verfahrenstechn. Anlagen (Raffinerien, Chemieanlagen, Eisenhüttenbetrieben, Kraftwerken u. a.) eingesetzt sind, um einen automat. Ablauf der vorliegenden Prozesse zu gewährleisten.

Prozessvollmacht, die zur Vertretung bei allen den Rechtsstreit betreffenden Prozesshandlungen ermächtigende Vollmacht. Sie ist durch eine zu den Akten zu gebende Urkunde nachzuweisen; ist der Bevollmächtigte ein Rechtsanwalt, erfolgt die Prüfung der P. nur auf Rüge des Gegners. Ein Widerruf der P. ist jederzeit möglich; er ist Gericht und Gegner mitzuteilen. Die Handlungen des Bevollmächtigten wirken für und gegen die Partei, die jedoch Geständnisse u. a. im Gerichtstermin sofort widerrufen kann.

Prozessvoraussetzungen (Sachurteilsvoraussetzungen), von Amts wegen zu prüfende Voraussetzungen dafür, dass eine Entscheidung des Gerichts in der Sache selbst ergehen darf. Fehlt eine P. (Verfahrenshindernis), so ist im Zivilprozess die Klage durch Prozessurteil (→ Urteil) als unzulässig abzuweisen, im Strafprozess das Verfahren einzustellen. P. sind u. a. das Gegebensein der dt. Gerichtsbarkeit, Zulässigkeit des Rechtsweges, sachl. und örtl. Zuständigkeit, Parteifähigkeit, Prozessfähigkeit und ordnungsgemäße Klageerhebung, Fehlen anderweitiger Rechtshängigkeit und entgegenstehender Rechtskraft, Rechtsschutzbedürfnis.

Prschewalskipferd: Östliches Steppenwildpferd (Schulterhöhe 1,2 – 1,45 m)

Prschewalski [prʒə-], Nikolai Michailowitsch, russ. General und Asienforscher, * Kimborowo (bei Smolensk) 12. 4. 1839, † Karakol (heute Prschewalsk, Kirgistan) 1. 11. 1888; erforschte 1868/69 das Ussurigebiet und unternahm zw. 1870 und 1885 vier Reisen nach Zentralasien; entdeckte im Tarimbecken den Lop Nur und den Altun Shan; gelangte über das Marco-Polo-Gebirge bis vor Lhasa, zum Quellgebiet des Hwangho und zum oberen Jangtsekiang. P. berichtete erstmals über das Wildpferd (Prschewalskipferd).

Prschewalskipferd [prʒə-; nach N. M. Prschewalski] (Przewalskipferd, Wildpferd, Urwildpferd, Equus przewalskii), urspr. mit mehreren Unterarten in weiten Teilen Europas und Asiens verbreitete Pferdeart, Stammform der Hauspferde. Das P. ist heute bis auf wenige Tiere der Unterart Östl. Steppenwildpferd (Mongol. Wildpferd), Schulterhöhe 1,2–1,45 m, ausgerottet. – Das Überleben des P. ist durch Zoozucht gesichert.

Prudentius, Aurelius P. Clemens, der bedeutendste christlich-lat. Dichter des Altertums, *in Spanien 348, †nach 405; nach rhetor. und jurist. Ausbildung hoher Staatsbeamter, trat dann zum Christentum über und hinterließ eine Reihe christl. Dichtungen, die stark nachwirkten (u. a. die allegor. Dichtung »Psychomachia«).

Prud'hon [pryd'ɔ̃] (Prudhon), Pierre-Paul, frz. Maler und Zeichner, *Cluny 4. 4. 1758, †Paris 16. 2. 1823; lebte seit 1784 in Rom, seit 1789 in Paris; überwand die Strenge der klassizist. Form durch ein weiches, an Correggio erinnerndes Helldunkel. Meisterhaft sind seine meist in Kreide ausgeführten Zeichnungen. Mit kunsthandwerkl. Entwürfen hat er das Empire nachhaltig beeinflusst.

Werke: Bildnis der Kaiserin Joséphine (1805; Paris, Louvre); Gerechtigkeit und göttl. Rache verfolgen das Verbrechen (1804–08; ebd.); Psyche wird von den Winden entführt (1808; ebd.).

Prudnik (dt. Neustadt in Oberschlesien), Stadt in der Wwschaft Opole (Oppeln), Polen, 24600 Ew.; Baumwoll-, Schuh-, Lebensmittel-, Möbelindustrie.

Prüfungsverbände (früher Revisionsverbände), Verbände, die mit der Durchführung der für die Genossenschaften gesetzlich vorgeschriebenen Pflichtprüfungen betraut sind. Die P. sind auch für die wirtsch., rechtl. und steuerl. Beratung der Mitgl. zuständig.

Prüfzeichen, amtlich vorgeschriebene Kennzeichen für Fahrzeugteile, elektr. Bauteile u. a., deren Bauart gesetzl. Vorschriften entsprechen muss (Fahrzeugteile-VO i. d. F. v. 30. 9. 1960).

Prügelstrafe, Bestrafung mit Peitschen-, Stock- oder Rutenhieben; als Kriminalstrafe eine der ältesten Leibesstrafen (in Altertum und MA typ. Knechtstrafe), häufig willkürlich angewandt. Im westl. Europa im 19. Jh. abgeschafft, ist sie noch heute Bestandteil des islam. Strafenkatalogs. Die P. an Schulen (→Züchtigungsrecht) wurde in Großbritannien erst 1998 verboten.

Prüm, Stadt im Landkreis Bitburg-P., Rheinl.-Pf., am Fuß der Schnee-Eifel, 5600 Ew.; Herstellung von Motorsägen, Bauelementen, Türen und Maschinen. – In der Abteikirche (18. Jh.) des 721 gegr. Benediktinerklosters ist Kaiser Lothar I. (†855) beigesetzt. – 1856 Stadtrecht.

Pruntrut, Stadt in der Schweiz, →Porrentruy.

Pierre-Paul Prud'hon: Bildnis der Kaiserin Joséphine (1805; Paris, Louvre)

Prunus [lat. »Pflaume«], Gattung der Rosengewächse, Sträucher und Bäume mit weißen bis rosafarbenen Blüten und meist einsamigen Steinfrüchten, u. a. Pflaumen- und Mandelbaum.

Pruritus [lat.] *der, Medizin:* das →Jucken.

Prus, Bolesław, eigtl. Aleksander Głowacki, poln. Schriftsteller, *Hrubieszów (Wwschaft Zamość) 20. 8. 1847, †Warschau 19. 5. 1912; strebte als Hauptvertreter (neben H. Sienkiewicz) des literar. Positivismus in Polen eine realist. Behandlung der Zeitfragen an, so in den Romanen »Palais und Hütte« (1875), »Die Puppe« (1890), »Pharao« (3 Bde., 1897).

Bolesław Prus

Prusiner ['pru:zɪnə], Stanley Ben, amerikan. Neurologe und Biochemiker, *Des Moines (Ia.) 28. 5. 1942; erhielt 1997 für seine Entdeckung der →Prionen den Nobelpreis für Physiologie oder Medizin.

Stanley Ben Prusiner

Prußen (Pruzzen, Altpreußen), balt. Volksstämme zw. unterer Weichsel und Memel. Den ersten christl. Missionsversuchen (ab Ende 10. Jh.) setzten sie als freie Bauern großen Widerstand entgegen, bis sie 1231–83 durch den Dt. Orden unterworfen wurden. Trotz der dt. Besiedlung ihrer Gebiete (u. a. Pomesanien, Ermland, Samland) ab dem 13. Jh. verschmolzen die P. erst ab dem 15. Jh. mit den dt. Neusiedlern. Ihr Name ging als **Preußen** auf alle Landesbewohner, 1701 auf den Staat Preußen über.

Pruth *der* (rumän. Prut), linker Nebenfluss der Donau, 967 km lang, entspringt in den Waldkarpaten, mündet unterhalb von Galați; Grenzfluss zw. Rumänien und Moldawien.

Pruzzen, die →Prußen.

Prytaneum [lat.] *das* (grch. Prytaneion), in altgrch. Staaten das Rathaus; Sitz der regierenden Behörde, der obersten Beamten **(Prytanen).**

Przemyśl [ˈpʃɛmiɕl], Hptst. der Wwschaft P., Polen, 200 m ü.M. im Karpatenvorland, am San, 68600 Ew.; Diözesanmuseum; Präzisionsgerätebau, elektrotechn., chem., Leichtindustrie. – Schloss (14./17.Jh.), barocker Dom (urspr. gotisch), Uhrenturm (18.Jh.), zahlreiche Klöster. – Ab 10.Jh. eine Grenzburg des Kiewer Reichs, 1340 von Kasimir III. für Polen erobert; fiel 1772 an Österreich, seit 1876 zur Festung ausgebaut; im 1. Weltkrieg hart umkämpft; kam 1918/19 an Polen.

Stanisław Przybyszewski: Kohlezeichnung von Edvard Munch (um 1902)

Przemysliden [pʃɛ-], →Přemysliden.

Przybyszewski [pʃibiˈʃɛfski], Stanisław, poln. Schriftsteller, *Łojewo (Kujawien) 7. 5. 1868, †Jaronty (Kujawien) 23. 11. 1927; von F. Nietzsche und A. Strindberg beeinflusst; schrieb anfangs in dt. Sprache Essays, lyr. Prosa und Romane (»Homo sapiens«, 3 Bde., 1895–96; »Satans Kinder«, 1897). Seine Schrift »Confiteor« (1899) gilt als Manifest der modernist. Bewegung »Junges Polen«. In poln. Sprache schrieb P. Schauspiele und Romane.

PS, 1) Einheitenzeichen für →**P**ferde**s**tärke.

2) Abk. für **P**ost**s**kriptum.

3) Abk. für →**P**oly**s**tyrol.

Psalmen [grch. psalmós, »Saitenspiel«, »Gesang«, »Loblied«], Abk. **Ps.,** im A. T. die im **Psalter** vereinigten 150 religiösen Lieder Israels und der jüd. Gemeinde. Die Sammlung ist spätestens im 2. Jh. v. Chr. aus älteren Teilsammlungen entstanden, die nach versch. Gesichtspunkten angelegt waren und Lieder aus der Zeit von etwa 1000 bis 165 v. Chr. enthielten. – Es lassen sich folgende Gattungen unterscheiden: 1. hymn. Gesänge zum Lobpreis Jahwes mit Nähe zum Kultus, 2. Klagelieder, 3. Danklieder, 4. Königspsalmen.

📖 WESTERMANN, C.: *Lob u. Klage in den P.* Göttingen [6]1983. – GUNKEL, H.: *Einleitung in die P.* Göttingen [4]1985. – SEYBOLD, K.: *Die P. Eine Einf.* Stuttgart [2]1991.

Psalmodie [grch.] *die,* Psalmengesang, Vortrag von Psalmen u.a. bibl. Texten im christl. Gottesdienst in einem auf eine bestimmte Tonhöhe beschränkten Gesang, der nur bei Satzeinschnitten durch bestimmte melod. Wendungen belebt wird; Haupttypen: Responsorialgesang (Wechselgesang zw. Priester und Gemeinde) und Antiphonalgesang (Wechselgesang zw. zwei Chören).

Psalter [grch.] *der,* **1)** *Bibel:* das Buch der →Psalmen.

2) *christl. Liturgie:* →Psalterium.

2) *Zoologie:* der Blättermagen der →Wiederkäuer.

Psalterium *das,* **1)** *christl. Liturgie:* (Psalter) mittelalterl. liturg. Textbuch der →Psalmen.

2) *Musik:* eine meist trapezförmige Kastenzither, deren Saiten mit den Fingern oder einem Plektron gezupft werden.

Psammetich (Psamtek), ägypt. Könige der 26. Dynastie: **1) P. I.,** König (664–610 v. Chr.) warf die assyr. Oberhoheit ab und einte das ägypt. Reich.

2) P. III., König (526–525), verlor 525 v. Chr. Ägypten an die Perser.

Psammite [grch.], klastische Gesteine mit Korngrößen zw. 0,02 und 2 mm, z. B. Sand.

Psammophyten [grch.], die →Sandpflanzen.

P-Schale, die zur Hauptquantenzahl $n = 6$ gehörige Hauptschale der →Atome, die maximal 72 Elektronen aufnehmen kann.

PSE-Fleisch, die →Weißfleischigkeit.

Psephite [grch.], klastische Gesteine mit Korngrößen über 2 mm, z. B. Kies, Konglomerat.

pseud..., pseudo... [grch.], falsch..., schein...

Pseud|arthrose (Falschgelenk), Sammelbegriff für das Ausbleiben der knöchernen Heilung von Knochenbrüchen; es bildet sich dabei eine gelenkartige, mehr oder weniger bewegl. Verbindung zwischen den Bruchenden der Knochen, z. B. infolge mangelnder Ruhigstellung. Die Behandlung erfolgt durch →Osteosynthese.

Pseud|epigraphen, Schriften, die fälschlich einem bed. Autor der jeweiligen Literaturgattung zugeschrieben wurden, z. B. dem Homer die →Batrachomyomachie und die →homerischen Hymnen. P. des A. T. sind z. B. das Buch →Baruch, die →Henochbücher und das Buch der →Jubiläen. Diese werden von der kath. Kirche als Apokryphen bezeichnet.

Pseudodemetrius, →Dmitri.

Pseudohermaphroditismus (Scheinzwittertum), Form der →Intersexualität, bei der im Ggs. zum echten Zwittertum chromosomales Geschlecht und Keimdrüsen übereinstimmen, es jedoch zur Ausbildung gegengeschlechtlicher Geschlechtsorgane und sekundärer Geschlechtsmerkmale kommt; z.B. können die äußeren Geschlechtsorgane eines männl. Tieres unvollkommen ausgebildet sein und denen eines Weibchens ähneln (Androgynie) oder umgekehrt bei weibl. Tieren (Gynandrie).

Pseudo|isidorische Dekretalen, Sammelname für eine um 850 entstandene Sammlung kirchl. Rechtsquellen, deren wichtigster Teil, die Dekretalen, von einem Isidorus Mercator (Pseudonym u.a. aus Isidor von Sevilla) zusammengestellt worden ist. Ihr kirchenpolit. Ziel war die Stärkung der Stellung der Bischöfe gegenüber den Erzbischöfen und Provinzialsynoden und der Macht des Papstes als des Garanten der bischöfl. Freiheit; 1628 als Fälschung nachgewiesen.

Pseudokrupp, → Krupp.

Pseudomorphose, stoffl. Umwandlung eines Minerals unter Beibehaltung seiner äußeren Form. Je nach Mechanismus unterscheidet man Verdrängungs-P., Umwandlungs-P., Umhüllungs-P. und Umlagerungspseudomorphose.

Pseudonym [grch.] *das,* Deckname, Künstlername, bes. von Schriftstellern und Künstlern gebraucht. Das P. genießt den Namensschutz des § 12 BGB (→ Name). Bei Werken, die unter einem unbekannten P. erschienen sind, ist der Hg. oder der Verleger befugt, die Rechte des Urhebers wahrzunehmen (§ 10 Urheberrechtsgesetz).

📖 WEIGAND, J.: *P.e. Ein Lexikon. Decknamen der Autoren deutschsprachiger erzählender Literatur. Baden-Baden [2]1994.*

Pseudopodium [grch.] *das* (Scheinfüßchen), ein der Fortbewegung und dem Beutefang dienender Protoplasmafortsatz, bes. der → Wurzelfüßer.

Pseudoquadrophonie, → Quadrophonie.

Pseudostereophonie, → Stereophonie.

Psi *das,* **1)** Zeichen Ψ, ψ, vorletzter Buchstabe des grch. Alphabets.

2) *Parapsychologie:* → Psiphänomene.

Psichari [psikaˈri, frz.], Jean, → Psycharis, Jannis.

Psilocybin *das,* Alkaloid des mexikan. Pilzes Psilocybe mexicana, eines der bekanntesten Halluzinogene.

Psilomelan [grch. »Kahlschwarz«] *der* (Schwarzer Glaskopf, Hartmanganerz), schwarzes rhomb. (oder monoklines) Mineral in traubigen Formen, im Wesentlichen barium- und wasserhaltiges Manganoxid; wichtiges Manganerz.

Psiloritis, Gebirgsstock auf Kreta, → Ida.

Psiphänomene [grch.], *Parapsychologie:* die Erscheinungen der außersinnl. Wahrnehmung und der Psychokinese.

Psiteilchen (Ψ-Teilchen), 1974 von B. Richter und S. C. C. Ting (der es **J-Teilchen** nannte) entdecktes schweres Meson mit einer Ruhemasse von 3096 MeV. Durch den Nachweis des P. bestätigte sich die Postulierung der Quantenzahl Charm und die Existenz eines 4. → Quarks c (Charmquark). Das P. ist aus einem Charmquark und dessen Antiteilchen ($c\bar{c}$) aufgebaut und stellt den Grundzustand des Charmoniums dar.

Psittakose [grch.] *die,* → Ornithose.

Pskow (dt. Pleskau), Gebietshptst. in Russland, an der Welikaja, oberhalb ihrer Mündung in den Peipussee, 204000 Ew.; Textil-, Maschinenbau-, elektrotechn. Industrie; Theater, Museen. – Kreml (12.–16. Jahrhundert).

Psoriasis vulgaris [grch.-lat.] *die,* die → Schuppenflechte.

psych..., psycho... [grch. psychḗ »Seele«, »Hauch«, »Leben«], seelisch, seelen...

Psychagogik [grch.] *die,* seel. Führung, d.h. beratende und unterstützende Behandlungsform, auch tiefenpsychologisch orientierte Maßnahmen zur Vorbeugung und Linderung von seel. Konflikten und Verhaltensstörungen.

Psycharis, Jannis (frz. Jean Psichari), ngrch. Erzähler und Essayist, * Odessa 15. 5. 1854, † Paris 30. 9. 1929; seit 1868 in Frankreich, ab 1900 Prof. für ngrch. Philologie in Paris; hatte maßgebl. Anteil an der Anerkennung der grch. Volkssprache (Demotike) als Literatursprache; schrieb v.a. Erzählungen (»Meine Reise«, 1888) und Romane.

Psyche [grch.] *die,* allg. gleichbed. mit Seele; in der Psychologie das seelisch-geistige Leben des Menschen im Ggs. zum körperl. Sein. – In der Antike als jugendl. weibl. Gestalt, in röm. Zeit oft zus. mit Eros (nach dem Märchen von Apuleius »Amor und P.«) dargestellt.

Psychedelic Rock [saɪkɪˈdelɪk rɔk, engl.] (Acidrock), um 1966 entstandene Spielart der Rockmusik, die, zumeist übermäßig laut und häufig unter Drogeneinfluss gespielt, Halluzinationen (wie unter LSD) vermitteln sollte.

psychedelisch [zu grch. dēloũn »offenbaren«], Bez. für einen durch Drogen (z.B. LSD) oder psych. Vorgänge (z.B. Meditation) erreichten Zustand gesteigerter Wahrnehmungsfähigkeit und Erlebnisbereitschaft, der noch durch opt. und akust. Mittel unterstützt werden kann; auch die diese bewusstseinsverändernden Wirkungen hervorrufenden Substanzen, Objekte oder Vorgänge.

psychedelische Kunst (engl. Psychedelic Art), Bez. für Tendenzen in der Kunst seit etwa 1964, die auf bewusstseinsverändernde Wirkungen gerichtet sind.

Psychiater *der,* Arzt für Psychiatrie.

Psychiatrie [grch.] *die,* Teilgebiet der Medizin, das sich mit der Diagnose, Erforschung und Behandlung psych. Störungen (Neurosen, Psychopathien, Psychosen u.a. seel. Krankheiten) befasst. Die Behandlung umfasst Medikamente, versch. psychotherapeut. Verfahren (→ Psychotherapie) und Übungsbehandlungen (Krankengymnastik,

Psilomelan

Sigmund Freud

C. G. Jung

Alfred Adler

Anna Freud

Beschäftigungstherapie). Zu den Aufgaben der P. gehört auch die soziale Wiedereingliederung psychisch Kranker. (→Kinder- und Jugendpsychiatrie)

📖 FRIEDMANN, A.: *Leitfaden der P. Wien* ²*1987*. – PETERS, U. H.: *Wb der P. u. medizin. Psychologie. München u. a.* ⁴*1990*. – TÖLLE, R.: *P. Berlin u. a.* ⁹*1991*.

psychisch [grch.], die Psyche betreffend, seelisch.

psychische Krankheiten, →seelische Krankheiten.

psychisches Trauma, eine psych. oder nervöse Schädigung aufgrund seelischer Belastungen.

Psycho|analyse, um 1900 von S. →Freud entwickelte Methode zur Behandlung neurot. Störungen (→Neurosen) im Rahmen einer Theorie zur Erklärung allgemeinpsycholog., psychopatholog. und soziokultureller Phänomene und die auf diesem Wege gewonnenen psycholog. Erkenntnisse. Als Untersuchungs- und Behandlungsmethode zielt die P. auf die Aufdeckung unbewusster psych. Prozesse und verdrängter Inhalte mithilfe freier Assoziation und psychoanalyt. Deutung von Wünschen, Träumen usw. (»Tiefenpsychologie«). In den entsprechenden Gesprächen kommt es dabei zu einer emotional-affektiven Aufarbeitung von Konflikten durch →Übertragung (Wiederholung kindl. Gefühle und Einstellungen) auf den Therapeuten und Gegenübertragung (Einfluss des Klienten auf die unbewussten Gefühle und Reaktionen des Analytikers) und zu einem Widerstand, der sich gegen die aufdeckende Arbeit richtet. – Psych. Vorgängen liegt der in die drei funktional zusammenhängenden Strukturen des →Es, →Ich und →Über-Ich gegliederte psych. Apparat zugrunde. Nach Freud bewegen das Individuum zwei Hauptantriebe: der Sexualtrieb, dessen psych. Energie (→Libido) versch. Stadien in der frühkindl. Phase durchläuft, und der von Freud später postulierte Todes- oder Destruktionstrieb. Dem auf die Lustbefriedigung gerichteten Lustprinzip (→Lust) steht das der Realität Rechnung tragende, den Lustgewinn regulierende Realitätsprinzip entgegen. Neben der Verdrängung triebhafter Regungen beschreibt Freud die Sublimation (geistige Verarbeitung in Kunst, Wiss. und Religion).

Geschichte: Nach Arbeiten mit J. Breuer entwickelte Freud Ende der 1890er-Jahre die Grundzüge der P. Es folgten Kontakte zu E. Bleuler (1904), später zu C. G. Jung (1906). Pionierarbeit auf dem Gebiet der weibl. Sexualität leistete Helene Deutsch, die vor ihrer Emigration in die USA (1934) Mitarbeiterin Freuds war; zu den bekanntesten Schülern, die an den Hauptthesen der freudschen P. festhielten, gehören u. a. K. Abraham, S. Ferenczi, Freuds Tochter Anna Freud und M. Klein (Arbeiten zur Psychologie des Kindes), H. Hartmann, E. Kris und R. Löwenstein (Arbeiten zur Psychologie des Ich), W. Reich (Arbeiten zur Sexologie und über sexuelle Unterdrückung). Die Brücke zur →Psychosomatik schlugen in Dtl. v. a. A. und Margarete Mitscherlich. Von der »orthodoxen« P. z. T. erheblich abweichend, entwickelte sich die Neo-P. bzw. **Neoanalyse** (wichtigster Vertreter: E. Fromm), für die eine Betonung der sozioökonom. Einflüsse und eine weitgehende Ablehnung der stark vom Materialismus des 19. Jh. geprägten Libidotheorie charakteristisch sind, ferner die Individualpsychologie A. Adlers und die analyt. Psychologie C. G. Jungs. Im Wechselspiel mit dem frz. Strukturalismus entwickelte sich die P. von J. Lacan. Grundannahmen wie Methoden der P. erfuhren seit ihrem Entstehen Angriffe, aber auch Weiterentwicklungen und Ergänzungen; die Konfliktmodelle sind z. T. umstritten. Die P. entfaltete breite Wirkung v. a. in den Geistes- und Sozialwiss. und den Künsten.

📖 ARLOW, J. A. *u.* BRENNER, C.: *Die Grundbegriffe der P. Aus dem Amerikan. Reinbek 1976*. – THOMÄ, H. *u.* KÄCHELE, H.: *Lb. der psychoanalyt. Therapie, 2 Bde. Berlin u. a. 1985–89*. – WALLERSTEIN, R. S.: *42 lives in treatment. A study of psychoanalysis and psychotherapy. New York 1986*. – GRÜNBAUM, A.: *Die Grundlagen der P. Aus dem Engl. Stuttgart 1988*. – LUBORSKY, L. *u.* CRITS-CHRISTOPH, P.: *Understanding transference. The core conflictual relationship theme method. New York 1990*. – LAPLANCHE, J. *u.* PONTALIS, J.-B.: *Das Vokabular der P. Aus dem Frz. Frankfurt am Main* ¹⁰*1991*. – RUDOLF, G. *u. a.: Die therapeut. Arbeitsbeziehung. Berlin u. a. 1991*. – SCHÖNAU, W.: *Einf. in die psychoanalyt. Literaturwissenschaft. Stuttgart 1991*. – MERTENS, W.: *P. München 1997*.

Psychochirurgie, Behandlung psych. Krankheiten durch chirurg. Eingriffe am Gehirn. Seit der Einführung hochwirksamer Psychopharmaka werden psychochirurg. Maßnahmen nur noch selten durchgeführt, da eine gesicherte Heilanzeige für derartige Eingriffe nicht besteht.

Psychodiagnostik (diagnostische Psychologie, psychologische Diagnostik), Gesamtheit der Methoden zur Erfassung psych. Besonderheiten von Personen oder Personengruppen (v. a. Interview, Verhaltensbeobachtung, Test, Fragebogen).

Psychodrama, von J. L. Moreno begründete psychotherapeut. Methode, bei der die Patienten ihre Konfliktsituationen schauspielerisch darstellen. Damit soll zum einen die Dynamik sozialer Beziehungen aus der Sicht des Patienten erkannt werden, zum anderen soll die Darstellung der Konflikte eine Abreaktion und ein Bewusstwerden bewirken.

Psychodysleptika [grch.], die →Halluzinogene.

Psychogenie [grch.], psychoreaktive (erlebnisbedingte) Entstehung psych. Störungen oder Erkrankungen.

Psychographie *die,* **1)** *Parapsychologie:* das automat. Schreiben oder Buchstabieren unbewusster Inhalte.

2) *Psychologie:* die psycholog. Beschreibung einer Person mit dem Ziel, ein Persönlichkeitsbild mit anschaul. Einzelheiten zu erhalten, die in einem **Psychogramm** schematisch dargestellt werden.

Psychohygiene, Disziplin der angewandten Psychologie mit den Aufgaben der Vorsorge für seel. und geistige Gesundheit, ggf. Behandlung, Betreuung, Rehabilitation sowie Aufklärungsarbeit über seel. und geistige Besonderheiten.

Psychokinese [grch.] *die,* Abk. **PK,** *Parapsychologie:* physikalisch vorläufig unerklärbarer direkter Einfluss eines Menschen auf materielle Dinge.

Psycholinguistik *die,* sprachwiss. Disziplin, in der die Vorgänge beim Umgang mit Sprache untersucht werden. Hauptgebiete sind Sprachverstehen (Dekodierung), Sprachproduktion (Enkodierung), Spracherwerb und Sprachstörungen (Patholinguistik).

Psychologie [grch.] *die,* Wiss., die sich mit den Formen und Gesetzmäßigkeiten des menschl. Verhaltens und Erlebens befasst und deren Bedingungen untersucht (Human-P.). Das Verhalten von Tieren ist Gegenstand der Tier-P. (Verhaltensforschung).

Zur **empir. P.** zählen neben der allg. P. (Untersuchung des psych. Grundgeschehens in Wahrnehmen, Denken, Sicherinnern, Fühlen, Wollen) v.a. die Teilgebiete Entwicklungs-P. (Beschreibung und Erforschung der ontogenet. Entwicklung des Verhaltens von Individuen und Gruppen), Ausdrucks-P. (Analyse menschl. Ausdrucksverhaltens), experimentelle P. (Experiment als Erkenntnismethode), Persönlichkeits-P. (Analyse persönlichkeitsbildender Faktoren durch Fragebogen, Test, Experiment), differenzielle P. (Untersuchung von Erleben und Verhalten des Individuums v.a. unter dem Aspekt der individuellen Unterschiede), Sozial-P. (befasst sich mit den sozialen Einflüssen auf Entwicklung und Verhalten eines Individuums). – Enge Beziehungen bestehen zur Medizin. Sie sind v.a. darauf zurückzuführen, dass die Bindungen zwischen psych. Gegebenheiten und somat. Erkrankungen untrennbar sind. Im Vordergrund der **medizin. P. (klin. P.)** steht damit die Betrachtung eines kranken Organismus in seiner Gesamtheit und infolgedessen die Behandlung jeweils nicht einer bestimmten organ. Krankheit, sondern eines Individuums insgesamt. – Die **theoret. P.** stellt aufgrund empir. Befunde allgemein Gesetzmäßigkeiten des Psychischen auf. Als **angewandte P. (prakt. P.)** werden diejenigen Teilgebiete der P. bezeichnet, die psycholog. Erkenntnisse für die versch. Bereiche des wirtsch., sozialen und kulturellen Lebens nutzbar machen (z.B. Berufs-P., Arbeits-P., Werbe-P., klin. P.).

Methoden: In der wiss. P. dominiert heute das empirisch-quantitative Grundverständnis. Die Methoden der experimentellen oder empir. Beobachtungen reichen von hirnelektr. Messungen über Reaktionszeit- und Leistungsmessungen o.Ä. bis zu Verhaltenstests, Urteilsskalen zur Selbstbeurteilung (Fragebogen) oder Beurteilung durch geschulte Beobachter. In großem Umfang werden Testverfahren (v.a. in den Anwendungsfächern) und statist. Methoden (zur Überprüfung theoret. Erwartungen) verwendet.

Geschichte: Die P. erreichte bei Aristoteles wiss. Rang, wurde aber als Teil der Philosophie betrachtet, eine Vorstellung, die bes. in Dtl. bis ins 20. Jh. nachgewirkt hat. Im 19. Jh. suchte man mathematisch-experimentelle, naturwiss. Verfahren in die P. einzuführen. Die so entstandene Psychophysik und die physiolog. P. wurden auf wahrnehmungspsycholog. Gebiet weiterentwickelt. Unter ihren Vertretern gilt W. Wundt, der 1879 in Leipzig ein psycholog. Laboratorium gründete, als der eigentl. Begründer der wiss. P. 1870 leitete C. von Ehrenfels die Gestalt- oder Ganzheits-P. ein. W. Dilthey setzte der naturwiss.-kausal erklärenden die geisteswiss. orientierte, phänomenolog. oder »verstehende P.« entgegen. Um 1890 begannen die bahnbrechenden Untersuchungen über das Unbewusste, vorbereitet von J. F. Herbart, F. Nietzsche u.a., auf denen S. Freud, zunächst abseits der Schul-P., die →Psychoanalyse aufbaute. Aus der grundsätzl. Ablehnung der Methode der Selbstbeobachtung als rein subjektiver Methode haben die Vertreter des russ. (I. P. Pawlow, W. M. Bechterew) und des amerikan. →Behaviorismus (J. B. Watson) die Konsequenz gezogen, dass die P. als Wiss. sich nur mit dem experimentell untersuchten Verhalten zu beschäftigen habe; das führte zunächst zu einer Bevorzugung des Tierexperiments. K. Lewin baute Mitte der 1930er-Jahre versch. Ansätze zu einer Gruppendynamik aus, die heute unter die Sozial-P. gefasst wird. H. Münsterberg begründete als »Psychotechnik« (1914) die angewandte P. und L. Witmer 1907 die klin. P. Seit der Einführung der Faktorenanalyse durch C. Spearman spielen mathemat. Modelle und die statist. Auswertung von Beobachtungen eine große Rolle.

📖 BONIN, W. F.: *Die großen Psychologen. Düsseldorf 1983.* – DORSCH, F.: *Psycholog. Wb. Bern* [11]*1987.* – BERRYMAN, J. C.: *P. Eine Einführung. A.d. Engl. Bern u.a. 1991, Nachdr. ebd. 1993.* – LÜCK, H. E.: *Geschichte der P. Stuttgart u.a. 1991.* – *Grundlagen der P., bearb. v.* D. KRECH *u.a., hg. v.* H. BENESCH. *A.d. Amerikan. Studienausg. Wein-*

heim 1992. – Lexikon der P., hg. v. W. ARNOLD *u. a., 3 Bde. Freiburg im Breisgau u. a.* [13]*1995.*

psychologische Kriegführung, planvoller Einsatz (bes. im Kriegsfall) von Methoden und Techniken der Publizistik, um Meinungen, Einstellungen und Verhaltensweisen gegner., neutraler oder befreundeter Gruppen zu beeinflussen und bestimmte polit., wirtsch. Ziele zu erreichen.

Psychologismus *der,* die Überbewertung der Psychologie als Grundwiss. aller Geisteswiss., für Theologie, Philosophie, Ethik. Vertreter waren u. a. T. Lipps und W. Wundt.

Psychometrie *die,* **1)** *Parapsychologie:* das Hervorbringen außersinnl. Wahrnehmungen eines Mediums durch Verwendung »psychometrischer« Gegenstände, die mit der geforderten hellseher. Aufgabe zusammenhängen (z. B. Briefe, Fotografien).

2) *Psychologie:* die quantitative Messung psych. Funktionen in der experimentellen Psychologie; i. Ggs. zur **Psycholexie,** der qualitativen Betrachtungsweise.

Psychomotorik, Bez. für Bewegungsabläufe (z. B. Mimik, Pantomime), die der Bewusstseinsgesetzlichkeit unterworfen sind und somit einen psych. Anteil aufweisen.

Psychopathie [grch.] *die,* meist anlagebedingte Persönlichkeitsanomalie im Fühlen, Wollen und/oder im Triebleben; im Vordergrund stehen Anpassungsschwierigkeiten an die Umwelt; als Ursachen sind möglicherweise konstitutionelle und soziale Faktoren von Bedeutung. Der Begriff **Psychopath** wird inzwischen meist durch **abnorme Persönlichkeit** ersetzt.

Psychopathologie, Lehre von den krankhaften psych. Erscheinungen.

Psychopharmaka (psychotrope Pharmaka), Arzneimittel, die v. a. die Aktivität des Zentralnervensystems beeinflussen (z. B. Informationsaufnahme und -verarbeitung, Stimmungslage) und eine Wirkung auf psych. Funktionen besitzen. Nach ihren Hauptwirkungen lassen sich folgende Gruppen unterscheiden: 1) **Neuroleptika (Neuroplegika)** werden bei akuten und chron. Psychosen, bei Erregungszuständen sowie zur vorbeugenden Behandlung von Rückfällen bei schizophrenen Psychosen eingesetzt. Ihre Hauptwirkung besteht in der Unterdrückung produktiv-psychot. Symptome wie Halluzinationen, Wahnvorstellungen, formalen Denkstörungen und Ichstörungen. 2) **Antidepressiva** werden bei depressiven Syndromen versch. Ursache verwendet; sie hellen die Stimmung auf, vermindern Ängste und depressive Hemmung und steigern den Antrieb. 3) **Tranquilizer, Anxiolytika** oder **Ataraktika** wirken bei Angst, Unruhe, Spannungszuständen, Gereiztheit und Schlafstörungen. Im Unterschied zu den Neuroleptika und Antidepressiva können sie bei längerer Anwendung zur Abhängigkeit führen. Sie werden auch bei Epilepsie, Muskelspastik sowie zur Einleitung einer Narkose eingesetzt. 4) **Antikonvulsiva** und **Lithiumsalze** dienen zur Behandlung wiederkehrender manischer und depressiver Phasen. 5) **Schlafmittel (Hypnotika)** und **Beruhigungsmittel (Sedativa)** werden bei Einschlaf- und Durchschlafstörungen sowie zur Dämpfung von Angst und emotionalen Spannungen verwendet. I. w. S. gehören zu den P. auch **Psychostimulantia** wie Amphetamin oder dessen Derivate, die Antrieb und Wachheit steigern und v. a. missbräuchlich Anwendung finden.

📖 *P. Grundlagen u. Therapie, hg. v.* G. LANGER *u.* H. HEIMANN. *Wien u. a. 1983.* – LAUX, G. *u. a.: P. Ein Leitfaden. Stuttgart u. a.* [3]*1990.* – POELDINGER, W. *u.* WIDER, F.: *Index psychopharmacorum. Bern u. a. 1990, dt., frz., engl., span., italienisch.*

Psychophysik, 1860 von G. T. Fechner begründetes Teilgebiet der Sinnespsychologie und -physiologie, das die Gesetzmäßigkeit der Beziehungen zw. physikal. Reizen und Sinnesempfindungen untersucht. Aufbauend auf den Arbeiten von H. Weber entwickelte Fechner ein psychophys. Grundgesetz (→weber-fechnersches Gesetz).

psychophysischer Parallelismus, philosoph. Theorie der Leib-Seele-Beziehung (→psychophysisches Problem).

psychophysisches Problem, das Leib-Seele-Problem; die Frage nach der Struktur der Beziehung zwischen leibl. und seel. Vorgängen. – Während der **radikale Materialismus** (Behaviorismus) die Existenz seel. Prozesse leugnet, geben alle folgenden Theorien ihre Realität zu. Eine Wechselwirkungstheorie **(Interaktionismus)** vertritt R. Descartes: Mittels mechan. Stoßes wirke die nicht ausgedehnte Seelensubstanz auf den ausgedehnten Körper; die (offensichtl.) Wechselwirkung konnte Descartes jedoch nicht zureichend erklären. Einen Interaktionismus nehmen auch K. Popper und J. C. Eccles an: Über nichtmechan., noch unbekannte Kräfte wirke das »Ich« auf die neuronale Struktur des Gehirns. Der **psychophys. Parallelismus** geht – wie Descartes – von der Wesensverschiedenheit von Körper und Seele aus, postuliert aber einen Parallelismus ihrer Prozesse ohne gegenseitiges Aufeinanderwirken. Gemäß dem →Okkasionalismus ermöglicht Gottes permanentes Eingreifen, nach G. W. Leibniz dagegen Gottes einmaliger Schöpfungsakt, diesen Gleichklang von körperl. und seel. Abläufen. Der **Epiphänomenalismus** gesteht eine einseitige Kausalwirkung des Körpers auf das Bewusstsein zu. Die **Identitätstheorien** beruhen auf den Thesen, dass entweder Psyche und Physis ein und dasselbe sind

(H. Feigl, C. F. von Weizsäcker), ihre Verschiedenheit nur unterschiedl. Erkenntnisgesichtspunkten entspringe, oder verschiedene Seiten eines und desselben Dinges darstellen (→Spinoza).

Psychose [grch.] *die* (psychotische Störung, veraltet Geisteskrankheit), Sammelbegriff für Erkrankungen, bei denen wichtige psych. Funktionen erheblich gestört sind. Dabei treten meist offenkundige Fehleinschätzungen der Realität (z. B. durch Wahn, Halluzinationen, schwere Gedächtnis- oder Affektstörungen bedingt) sowie unmotiviert erscheinende Verhaltensänderungen auf. Häufig erleben die Betroffenen nicht sich selbst, sondern ihre Umgebung als verändert und haben im akuten Stadium meist keine Einsicht in die Krankhaftigkeit ihres Zustands. – **Exogene P.** (körperlich begründbare, symptomat. oder organ. P.) heißen solche mit bekannter organ. Ursache (z. B. Infektionskrankheiten, Kopfverletzungen, Tumoren, Stoffwechselstörungen, Vergiftungen, Drogen- und Alkoholmissbrauch). – Als **endogene P.** (funktionelle und körperlich nicht begründbare P.) werden einige häufig vorkommende Krankheiten bezeichnet, denen weder organ. noch psychogene Ursachen eindeutig zugeordnet werden können. Es handelt sich v. a. um die affektiven P. (manisch-depressive Krankheitsbilder) und die Gruppe der Schizophrenien. Ursachen der endogenen P. sind möglicherweise Störungen des Stoffwechsels und der Neurotransmitter. – Die *Behandlung* der P. ist seit Einführung der syndromspezifisch wirksamen Psychopharmaka (1952) wesentlich erfolgreicher geworden. Vielfach sind rein ambulante Behandlungen möglich; die Dauer stationärer Aufenthalte hat sich erheblich verkürzt. Bei exogenen P. wird die Grunderkrankung behandelt. Bei endogenen P. lassen sich Rückfälle durch kontinuierl. Nachbehandlung mit niedrig dosierten Präparaten zu einem großen Teil verhüten. Psychotherapie und Maßnahmen zur sozialen und berufl. Rehabilitation ergänzen die Behandlung.

📖 MÜLLER-SUUR, H.: *Das Sinn-Problem in der P. Göttingen u. a. 1980. – Psychosentherapie, Beiträge v.* G. BENEDETTI *u. a. A. d. Italien. Stuttgart 1983.* – ZERBIN-RÜDIN, E.: *Vererbung u. Umwelt bei der Entstehung psych. Störungen. Darmstadt* [2]*1985.* – Weitere Lit. →Psychiatrie.

Psychosedativa [grch.-lat.], →Psychopharmaka.

Psychosomatik [grch.] *die* (psychosomatische Medizin), Richtung der Medizin, die bei ganzheitl. Betrachtungsweise davon ausgeht, dass zw. psych. Vorgängen und körperl. (somat.) Erscheinungen ein enger Zusammenhang (»Komplementarität«) besteht. Nicht bewältigte psych. Konflikte können zu zahlr. Krankheiten führen, z. B. Magen- und Darmgeschwüren, Durchfall, Verstopfung, Kreislauf- und Menstruationsstörungen, Asthma, Migräne.

📖 *Psychosomat. Medizin, hg. v.* R. ADLER, *Beiträge v.* T. VON UEXKÜLL *u. a. München u. a.* [4]*1990. – Neues Denken in der P., hg. v.* H.-E. RICHTER *u.* M. WIRSCHING. *Frankfurt am Main 1991.* – BRÄUTIGAM, W. *u. a.: Psychosomat. Medizin. Stuttgart u. a.* [5]*1992.* – HOFFMANN, S. O. *u.* HOCHAPFEL, G.: *Einführung in die Neurosenlehre u. psychosomat. Medizin. Stuttgart u. a.* [4]*1992.*

Psychotherapie, Behandlungsverfahren zur Heilung oder Linderung von Störungen im seel. Bereich, in den sozialen Beziehungen, im Verhalten oder auch in bestimmten Körperfunktionen. Als Therapieerfolg kann neben einem Verschwinden der (körperl. oder psych.) Symptomatik eine Veränderung des Erlebens, Denkens und Fühlens eintreten, wie sie in größerer Selbstannahme, Lebensfreude und sozialer Kompetenz zum Ausdruck kommt. Zu den heute bekannten Verfahren zählen: die →Psychoanalyse sowie abgeleitete oder verwandte Verfahren nebst der →Tiefenpsychologie; die lerntheoret. Richtungen (→Verhaltenstherapie); (auto)suggestive Verfahren wie Hypnose und autogenes Training; die →Existenzanalyse u. a. daseinsanalyt. Richtungen; die auf Persönlichkeitsentwicklung und Selbstentfaltung gerichteten Therapien wie die Gesprächstherapie, ferner die →Gestaltpsychologie sowie u. a. künstlerische (→Psychodrama) Verfahren. Neben der Einzeltherapie wird oft in Gruppen gearbeitet (→Gruppentherapie) oder die Familie des Patienten einbezogen.

📖 *Grundbegriffe der P., hg. v.* R. BASTINE *u. a. Weinheim u. a. 1982.* – MERTENS, W.: *Einf. in die psychoanalyt. Therapie, 3 Bde. Stuttgart u. a. 1990–91. – Psychotherapy research, hg. v.* L. E. BEUTLER *u. a. Washington, D. C., 1991.* – RUDOLF, G.: *Die therapeut. Arbeitsbeziehung. Berlin u. a. 1991.* – WYSS, D.: *Die tiefenpsycholog. Schulen von den Anfängen bis zur Gegenwart. Göttingen* [6]*1991. – Hb. der P., hg. v.* R. J. CORSINI *u. a., 2 Bde. A. d. Engl. Weinheim u. a.* [4]*1994.*

psychovegetatives Syndrom, die →vegetative Dystonie.

Pszczyna [ˈpʃtʃina] (dt. Pleß), Stadt in der Wwschaft Katowice (Kattowitz), Polen, südlich des Oberschles. Industriegebietes, 39 400 Ew.; Elektrofilterbau, Holz-, Lebensmittelindustrie. – Schloss (16. Jh., 1743–67 und 1870–74 umgebaut, heute Museum), engl. Landschaftspark.

pt, Einheitenzeichen für →Pint.

Pt, chem. Symbol für →Platin.

Ptah *der,* ägypt. menschengestaltig dargestellte Ortsgottheit von Memphis. Eine alte memphit. Götterlehre preist P. als Schöpfergott, der die Welt auf rein geistige Weise geschaffen habe. Die Göttin Sachmet wurde als Gattin des P., →Imhotep in hellenist. Zeit als Sohn des P. verehrt.

Pteridophyta [grch.], die →Farnpflanzen.

Ptah: Bildnis des Schöpfergottes Ptah aus vergoldetem Holz, das im Grabschatz des Tutenchamun gefunden wurde (um 1330 v. Chr.; Kairo, Ägyptisches Museum)

Pterine [grch.], Stoffklasse, die sich vom bizykl. Ringsystem des **Pteridins** ableitet. P. sind u. a. das gelbe Xanthopterin und das farblose Leucopterin in Schmetterlingsflügeln sowie die Folsäure.

Pterodactylus [grch.], eine Gattung der →Flugsaurier.

Pteropodenschlamm, eine kalkreiche Tiefseeablagerung v. a. der Tropen und Subtropen, besteht überwiegend aus Gehäusen von Ruderschnecken.

Pterosauria [grch.], die →Flugsaurier.

Pterygium [grch.] *das,* das →Flügelfell.

PTFE, Abk. für **P**oly**t**etra**f**luor**e**thylen, →Polytetrafluoräthylen.

Ptolemaios I. Soter (Münzporträt auf einem griechischen Tetradrachmon, Durchmesser 26 cm)

Ptolemäer (Ptolemaier, Lagiden) [nach dem Herrschernamen Ptolemaios bzw. nach Lagos, dem Vater Ptolemaios' I.], makedon. Dynastie, die nach Alexander d. Gr. das hellenist. Ägypten beherrschte (323–30 v. Chr.); die letzte Ptolemäerin war →Kleopatra VII.

Ptolemaios [grch.] (lat. Ptolemaeus), Herrscher aus der Dynastie der Ptolemäer, u. a.:

1) **Ptolemaios I. Soter** (»Retter«), König (seit 305), *367/366, †283 v. Chr.; Freund und Feldherr Alexanders d. Gr.; erhielt 323 die Satrapie Ägypten und behauptete sein Reich während der Diadochenkriege.

2) **Ptolemaios II. Philadelphos** (»Schwesterliebender«), Mitregent (seit 285), König (seit 283), *auf Kos um 308, †246 v. Chr.; ⚭ mit Arsinoe I. und Arsinoe II. (erste hellenist. Geschwisterehe). Er begründete den ptolemäischen Herrscherkult.

3) **Ptolemaios VIII. Euergetes** (»Wohltäter«), König (Alleinherrschaft 164/163 und seit 145 v. Chr.), König von Kyrene (163–145), *um 180, †116 v. Chr.; setzte als erster hellenist. König Rom testamentarisch als Erben ein; verursachte durch seine Doppelehe mit seiner Schwester Kleopatra II. und seiner Stieftochter Kleopatra III. einen Dynastie- und Bürgerkrieg.

4) **Ptolemaios XIII. Philopator Philadelphos,** *61 v. Chr., †47 v. Chr.; seit 51 v. Chr. Mitregent seiner Schwester und Gattin →Kleopatra VII. Er fiel im Krieg gegen Cäsar.

Ptolemäus, Claudius (grch. Ptolemaios, Klaudios), grch. Astronom, Mathematiker und Naturforscher, *Ptolemais (Oberägypten) um 100, †vermutlich Canopus (bei Alexandria) um 160. P. wirkte im zweiten Drittel des 2. Jh. n. Chr. in Alexandria. Er fasste die astronom. Beobachtungen und Entdeckungen seiner Vorgänger, namentlich des Hipparch, in einem geozentr. System zusammen **(ptolemäisches Weltsystem);** es nahm die Erde als Mittelpunkt der Welt an und blieb durch das ganze MA. bis Kopernikus maßgebend. Sein Werk, das urspr. den Titel »Großes astronom. System« führte, wurde um 800 ins Arabische übersetzt (»Almagest«), seit dem 12. Jh. mehrfach ins Lateinische. Ein weiteres Werk von großer Wirkung war seine »Tetrabiblos« (Vierbücherwerk), eine wiss. Begründung der Astrologie als Physik des Weltalls. Seine »Anleitung zur Erdbeschreibung« enthält in der Hauptsache Tabellen, die die Lage der Orte nach den Längen- und Breitengraden angeben. Die Geographie des P. wurde im 15. Jh. Grundlage der wiss. Erdkunde. Neben philosoph. Schriften zur Erkenntnistheorie verfasste P. u. a. eine »Optik« und eine »Harmonik«.

Ptomaine [grch.], die →Leichengifte.

Ptose [grch.] *die* (Ptosis), Herabhängen des Oberlids des Auges infolge Lähmung des Lidhebermuskels; früher auch für Herabhängen innerer Organe, z. B. der Nieren (Nephroptose).

PTT, Abk. für die ehem. Schweizerische **P**ost-, **T**elephon- und **T**elegraphenbetriebe, die 1997 in die Institutionen →Schweizerische Post und →Swisscom AG aufgeteilt wurden.

Ptuj (dt. Pettau), Stadt in Slowenien, an der Drau, 14 000 Ew.; Weinbau und -handel; in der Nähe Aluminiumhütte. – Röm. Legionslager und Handelsstadt **(Poetovia);** seit 874 Grenzfestung gegen die Osmanen; im Spät-MA. salzburgisch (1376 Stadtrecht); kam 1555 zur Steiermark.

Pu, chem. Symbol für → Plutonium.

Pub [pʌb; engl. Kurzwort für **pub**lic house] *das,* auch *der,* engl. Kneipe, Gaststätte im engl. Stil.

Pubertas praecox [lat.] *die,* verfrüht eintretende Geschlechtsreife, bei Mädchen (Brustentwicklung, Schambehaarung) vor dem 8., bei Jungen (Hodenvergrößerung) vor dem 9. Lebensjahr; beruht auf einer vorzeitig erhöhten Produktion von Geschlechtshormonen. Wenn organische Ursachen zugrunde liegen, spricht man von **Pseudopubertas praecox.**

Pubertät [lat.] *die,* Entwicklungsphase des Menschen zw. Kindheit und Erwachsensein. Beginn und Ende der P. liegen in Mitteleuropa bei Mädchen etwa zw. dem 11. (erste Menstruation) und 15./16. und bei Knaben etwa zw. dem 12. (erste Ejakulation bzw. Pollution) und 16./17. Lebensjahr. Außer durch die Ausbildung der sekundären Geschlechtsmerkmale ist die P. bes. durch Veränderungen hinsichtlich des Körperwachstums gekennzeichnet **(puberaler Wachstumsschub).** Die körperl. Entwicklung in der P. ist mit der geistigen Entwicklung zur sozial selbstständigen Individualität verbunden. Aufgrund des Spannungsverhältnisses zw. physiologisch (v. a. hormonal) bedingten Körperveränderungen und der erst später erlangten sozialen Reife ist die P. auch eine Phase sozialer und psych. Unausgeglichenheit. Im Verhalten zeigen sich leicht hervorrufbare, starke Erregtheit, Gefühlsambivalenz und -übersteigerung, Protesthaltung (v. a. gegen Erwachsene) und soziale Orientierungsschwierigkeiten.

📖 *Geschlechtsreife u. Legitimation zur Zeugung, hg. v.* ERNST W. MÜLLER. *Freiburg im Breisgau u. a. 1985.* – OERTER, R.: *Moderne Entwicklungspsychologie. Donauwörth* [21]*1987.* – NITSCH, C. *u. a: P.? Kein Grund zur Panik! Ein Buch für Töchter, Söhne, Mütter u. Väter. München 1995.*

Pubertätsmagersucht (Anorexia mentalis, Anorexia nervosa), v. a. bei jungen Mädchen als psych. Reifungskrise (u. a. Abwehrreaktion gegen das Erwachsenwerden und die körperl. Entwicklung zur Frau, andauernde Trotzhaltung, gestörte Mutterbeziehung) vorkommende extreme Abmagerung durch Nahrungsverweigerung, auch durch (künstlich herbeigeführtes) Erbrechen.

Pubes [lat.] *die, Anatomie:* 1) Scham, Schamgegend; Bereich der äußeren Geschlechtsorgane; 2) Schambehaarung.

Publicity [pʌˈblɪsɪtɪ engl.] *die,* öffentl. Bekanntsein oder -werden, öffentl. Verbreitung; mit publizist. Mitteln erzeugte öffentl. Aufmerksamkeit.

Public Relations [ˈpʌblɪk rɪˈleɪʃnz; engl. »öffentl. Beziehungen«], Abk. **PR** (Öffentlichkeitsarbeit), die Kommunikationsbeziehungen zw. öffentl. oder privaten Institutionen und der Öffentlichkeit bzw. alle Maßnahmen, die im Zuge dieser Aktivitäten zur kontinuierl. Information über Einstellungen, Meinungen und Verhalten eingesetzt werden. Häufig steht die Rechtfertigung spezif. Interessen gegenüber den Erfordernissen des Gemeinwohls im Vordergrund. Hauptaufgabe der P. R. ist Imagepflege und Vertrauensbildung. Begriff und Methoden sind nicht fest umrissen; im Ggs. zur Werbung zielt P. R. nicht unmittelbar auf Absatz von Gütern oder Dienstleistungen und setzt vielfach auch außerhalb des ökonom. Bereichs an. Die P.-R.-Agenturen bzw. P.-R.-Berater bedienen sich v. a. der Massenmedien und versch. Werbemittel. Der Begriff P. R. stammt aus den USA, wo Unternehmen seit Beginn des 20. Jh. versuchten, öffentl. Kritik mit neuen, gezielten Aufklärungsmaßnahmen entgegenzuwirken.

Public School [ˈpʌblɪk skuːl; engl. »öffentl. Schule«] *die,* in England Privatschule der Sekundarstufe mit angeschlossenem Internat, z. B. Eton und Harrow. Hauptziel dieser Eliteschulen ist neben einer hervorragenden Schulbildung (alte Sprachen, Mathematik, Englisch) die Ausbildung von Gemeinsinn und Teamgeist, bes. durch Mannschaftssport und Teilnahme an der schul. Selbstverwaltung. – In den USA und Schottland Bez. für die öffentl. Schulen.

Publikation *die,* Veröffentlichung (eines wiss. oder literar. Werkes); gedrucktes Werk.

Publikum *das,* Öffentlichkeit, Allgemeinheit; Gesamtheit aller Adressaten, auf die sich eine Darbietung bezieht, bzw. der Gesamtheit der Rezipienten, die diese Information empfängt (Zuhörer-, Leser-, Besucherschaft); alle (auch zufällig) bei einem Geschehen Anwesenden.

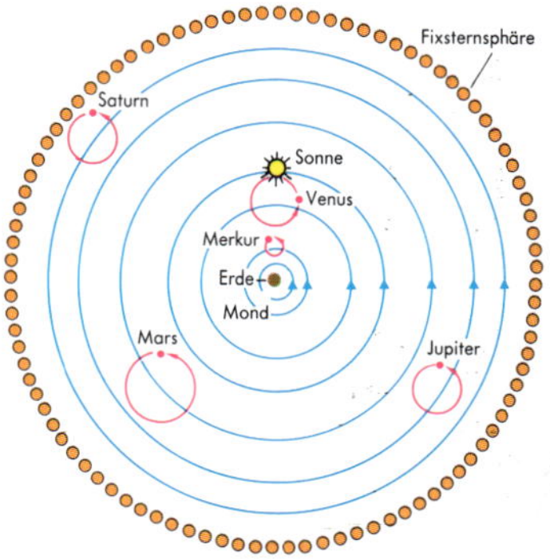

Claudius Ptolemäus: Schema des ptolemäischen Weltsystems mit der ruhenden Erde im Mittelpunkt, der wie die Planeten die Erde umkreisenden Sonne und einer Fixsternsphäre; daneben Holzbüste (1469–74) von Jörg Syrlin d. Ä. am Chorgestühl des Ulmer Münsters

Publizistik [nlat.] *die,* im deutschsprachigen Raum i. e. S. Bez. für den Bereich, der sich mit allen die Öffentlichkeit interessierenden Angelegenheiten in Buch, Presse, Rundfunk, Film, Fernsehen

Giacomo Puccini

beschäftigt, und für die entsprechenden Inhalte; i. w. S. ist P. Synonym für **P.-Wissenschaft.** Dieser Begriff wurde als spezifisch dt. Zugang zur Kommunikationswiss. anstelle des engeren Begriffs der Zeitungswiss. 1934 von E. Dovifat eingeführt. W. Hagemann erweiterte die P.-Wiss. als »Lehre von der öffentl. Aussage aktueller Bewusstseinsinhalte« auf nichtmediale, unvermittelte Inhalte (verbale und nonverbale Kommunikation).

Publizität *die, Recht:* Offenlegung bestimmter Rechtsverhältnisse und Tatsachen durch Eintragung in öffentl. Bücher, z. B. Grundbuch.

Giacomo Puccini

Wie sich die Bilder gleichen

Mit diesen Worten beginnt im 1. Akt von Giacomo Puccinis Oper »Tosca« (deutsche Uraufführung 1902 in Dresden) die Arie des Mario Cavaradossi. Dieser arbeitet als Maler in einer Kirche an einem Bild der büßenden Magdalena. Erstaunt weist ihn der Kirchendiener darauf hin, dass diese Magdalena die Züge einer Schönen trage, die regelmäßig in der Seitenkapelle bete. Cavaradossi versucht nun, dem Bild auch Ähnlichkeit mit seiner Geliebten Floria Tosca zu verleihen. Der Arienanfang wird als Zitat verwendet, wenn man zum Ausdruck bringen will, dass sich bestimmte Vorgänge oder Situationen ähnlich sind, dass Parallelen unverkennbar sind.

Publizitätspflicht, Pflicht von Unternehmen, über ihre wirtsch. Lage und Entwicklung öffentlich Rechenschaft zu geben, v. a. durch Veröffentlichung von Jahresabschluss und Lagebericht. Ziel der P. ist der Schutz und die Information von Anlegern und Gläubigern; Rechtsgrundlagen: §§ 325 ff. HGB i. d. F. des Bilanzrichtlinien-Ges. von 1985 (für AG und KGaA), Ges. über die Rechnungslegung von bestimmten Unternehmen und Konzernen vom 15. 8. 1969 (Publizitäts-Ges., für Großunternehmen mit 125 Mio. DM Bilanzsumme, 250 Mio. DM Umsatz, über 5000 Mitarbeitern).

Pucallpa, Stadt im östl. Tiefland von Peru, 171 000 Ew.; Endpunkt der Straße von Lima über die Anden (846 km), Zentrum des größten peruan. Kolonisationsgebiets im Regenwald, Hafen am Ucayali, Flughafen; Sägewerke, Erdölraffinerie.

Puccini [put'tʃi:ni], Giacomo, italien. Komponist, *Lucca 22. 12. 1858, †Brüssel 29. 11. 1924; Hauptvertreter der italien. Oper nach Verdi, wurzelt im Stil der lyr. Oper J. Massenets, wurde aber auch stark berührt von der naturalist. Opernkunst (Verismo); er verarbeitete die harmon. und klangl. Neuerungen des frz. Impressionismus.

Werke: Opern: Manon Lescaut (1893); La Bohème (1896); Tosca (1900); Madame Butterfly (1904); Das Mädchen aus dem goldenen Westen (1910); Der Mantel, Schwester Angelica, Gianni Schicchi (Trilogie, 1918); Turandot (ergänzt von F. Alfano, 1926).

📖 Höslinger, C.: *G. P. mit Selbstzeugnissen u. Bilddokumenten. Reinbek 12.–14. Tsd. 1988.*

Pucelle [py'sɛl], Jean, frz. Buchmaler, †1334; überwand die strenge Flächengebundenheit, indem er, wohl unter italien. Einfluss, sich um körperhafte Gestaltung bemühte. Die Ränder der Buchseite schmückte er mit realist. Drolerien.

Puchta, Georg Friedrich, Jurist, *Cadolzburg (bei Fürth) 31. 8. 1798, †Berlin 8. 1. 1846; Prof. für röm. Recht, bed. Vertreter der jüngeren histor. Rechtsschule; schrieb »Lb. der Pandekten« (1838), »Cursus der Institutionen«, 3 Bde. (1841–47).

Puck [engl.] *der,* **1)** *Astronomie:* ein Mond des Uranus.

2) *Sport:* Hartgummischeibe, Spielgerät beim →Eishockey.

3) *Volkskunde:* Kobold, kleiner Dämon.

Pückler, Hermann Fürst (seit 1822) von P.-Muskau, Schriftsteller (Pseudonym Semilasso), *Muskau (heute Bad Muskau) 30. 10. 1785, †Schloss Branitz (bei Cottbus) 4. 2. 1871. Seine Parkanlagen im engl. Stil (Muskau, Schloss Branitz) erlangten Weltruf (»Andeutungen über Landschaftsgärtnerei«, 1834); beliebter Reiseschriftsteller (u. a. »Briefe eines Verstorbenen«, 4 Bde., 1830–32).

Pudel [zu mundartl. puddeln »im Wasser planschen«], Rasse lebhafter Luxushunde mit wolliger und gekräuselter Behaarung. Man unterscheidet Groß-P. (bis 55 cm), Klein-P. (bis 45 cm) und Zwerg-P. (unter 35 cm Schulterhöhe).

Giacomo Puccini: Beginn des 1. Aktes der Oper »Turandot« mit a-Moll/Cis-Dur im 5. Takt

Puder [frz.], feines Pulver; meist pulvrige Mischung zur äußerl. Anwendung aus Stärke, Talkum, Zinkoxid u.a. mit Zusatz von Farb- und Geruchsstoffen oder Arzneimitteln. P. dienen zur Aufnahme von Sekreten der Haut (Fett, Schweiß), glätten die Haut und kühlen bei Reizungen.

Pudowkin, Wsewolod Illarionowitsch, russ. Filmregisseur, *Pensa 28. 2. 1893, †Moskau 30. 6. 1953. Seine Filme zählen zu den Klassikern des russ. Stummfilms, u.a. »Die Mutter« (1926), »Sturm über Asien« (1928).

Pudus [araukan.], kleinste Gattung der Trughirsche aus dem westl. Südamerika (Schulterhöhe nur 32–38 cm); das kurze Spießgeweih ist im Stirnschopf fast verborgen. P. leben im Busch.

Puebla [pʊ'eβla], **1)** Staat in →Mexiko; Kerngebiet ist das in die Cordillera Neovolcánica eingelagerte, intensiv landwirtschaftlich genutzte Becken von P.-Tlaxcala.

2) (amtl. Heróica P. de Zaragoza) Hptst. von 1), am Río Atoyac, 2160 m ü.M., 1,01 Mio. Ew.; Erzbischofssitz, zwei Univ., Museen; Auto- (VW), Textil-, Glas-, Keramik- u.a. Industrie. – Bauten aus der spanischen Kolonialzeit, u.a. Kathedrale (1575–1649). Das histor. Zentrum mit Fassaden aus roten Ziegeln und Azulejos ist UNESCO-Weltkulturerbe. – 1531 von den Spaniern gegr., 1862/63 Mittelpunkt des mexikan. Widerstands gegen das Expeditionsheer Napoleons III.

Pueblo [span. »Dorf«] *der,* **1)** in Lateinamerika kleiner zentraler Ort.

2) Wohnanlage der →Puebloindianer.

Pueblo [pʊ'ebləʊ], Stadt im Bundesstaat Colorado, USA, 1430 m ü.M., am Arkansas River, am Fuß der Rocky Mountains, 105000 Ew.; Univ.; Hüttenindustrie, Maschinenbau.

Pueblo|indianer, Gruppe kulturverwandter Indianerstämme (Hopi, Zuni u.a.) im SW Nordamerikas, Nachkommen der Träger der prähistor. →Anasazikultur. Die etwa 50000 P. leben in Reservationen in Arizona und New Mexico. Sie erhielten ihren Namen nach ihren großen Wohnanlagen (Pueblo), zusammenhängende, terrassenartig gestaffelte Häuser, die aus Sicherheitsgründen früher nur über Leitern durch Luken im Dach betreten werden konnten. Die P. haben zahlreiche Bräuche bis heute bewahrt.

pueril [zu lat. puer »Kind«], *Medizin:* kindlich, im Kindesalter vorkommend.

Puerilismus *der, Medizin:* kindl. Verhalten im Erwachsenenalter, z.B. bei Demenz.

Puerperalfieber [zu lat. puerpera »Wöchnerin«], das →Wochenbettfieber.

Puerto Cabello [-kaβ'ejo], Hafenstadt in Venezuela, am Karib. Meer, 128800 Ew.; Auto-, Lebensmittel- u.a. Ind.; nahebei Erdölraffinerie, Tiefwasserhafen.

Puebloindianer: Wohnanlage mit Backöfen in der Nähe von Taos Pueblo in New Mexico

Puerto de la Cruz [-kruθ], Stadt an der N-Küste der Kanar. Insel Teneriffa, 39300 Ew.; Museum, botan. und zoolog. Garten (Papageienpark); größtes Touristikzentrum im N der Insel.

Puerto del Rosario, Hauptort der Kanar. Insel Fuerteventura, an der O-Küste, 14000 Ew.; Seebad; internat. Flughafen.

Puerto La Cruz [-'krus], Hafenstadt in Venezuela, am Karib. Meer, 155700 Ew., nördl. Nachbarstadt von Barcelona; Zweig der Univ. von Cumaná; Erdölraffinerien.

Puertollano [puɛrto'ʎano], Stadt in Kastilien-La Mancha, Prov. Ciudad Real, Spanien, 48800 Ew.; Bergbau (Steinkohle, Blei u.a.), Buntmetallverhüttung, chem. Ind., Erdölraffinerie (Pipeline von Málaga); Heilbad (Mineralquellen).

Pudel

Das also war des Pudels Kern

Der Ausspruch stammt aus Goethes »Faust I« (Studierzimmerszene). Während des »Osterspaziergangs« gesellt sich zu Faust und Wagner ein schwarzer Pudel, dessen seltsames Gebaren Faust auffällt:
»Bemerkst du, wie in weitem Schneckenkreise
Er um uns her und immer näher jagt?
Und irr' ich nicht, so zieht ein Feuerstrudel
Auf seinen Pfaden hinterdrein.«
Der Pudel begleitet Faust in sein Studierzimmer und verwandelt sich vor seinen Augen:
»Das ist nicht eines Hundes Gestalt!
Welch ein Gespenst bracht' ich ins Haus!
Schon sieht er wie ein Nilpferd aus ...«
Schließlich nimmt das Tier menschliche Gestalt an, Mephisto tritt im Kostüm eines fahrenden Scholaren hervor. Darauf folgt Fausts überraschter Ausruf. – Man verwendet das Zitat auch heute, um seiner Überraschung über etwas, das sich lange nicht recht erkennen oder durchschauen ließ, Ausdruck zu geben.

Puerto Rico: Landschaft im relativ regenreichen nördlichen Teil der Cordillera Central

Puẹrto Mọntt, Stadt im Kleinen Süden Chiles, am Golf von Ancud, 130 700 Ew., Erzbischofssitz; Handels- und Fischereihafen; Verkehrsknotenpunkt, Flughafen. – 1853 von dt. Einwanderern gegründet.

Puerto Rico
Wappen

Puerto Rico
Flagge

Puẹrto Rịco [span. ˈpuɛrtɔ ˈrriko] (amtlich engl. Commonwealth of P. R., span. Estado Libre Asociado de P. R., bis 1932 Porto Rico), mit den USA assoziierter Staat im Bereich der Westind. Inseln, umfasst die Hauptinsel P. R., die unbewohnte Isla Mona im W und die Isla Vieques und Culebra im O; 8 897 km², (1995) 3,72 Mio. Ew.; Hptst.: San Juan, Amtssprachen: Spanisch und Englisch. Währung: US-Dollar (US-$). Zeitzone: MEZ – 5 Std.

Landesnatur: Die Insel wird in ihrer Längsrichtung von einer Gebirgskette, der Cordillera Central (im Cerro de Punta 1 338 m ü. M.), durchzogen. Ihr schließen sich im N und S Bergländer an, die sich zu den schmalen Küstenebenen senken. Das trop. Klima ist im N und O sehr feucht und regenreich, im S trockener.

Bevölkerung: Die Puertoricaner sind eine relativ einheitl. Mischlingsbev., Nachkommen v. a. von Spaniern und ehem. Sklaven aus Schwarzafrika. Das nach 1945 relativ geringe Bev.wachstum ist durch die starke, fast ausschließlich nach New York gerichtete Auswanderung verursacht. – Allg. Schulpflicht besteht vom 7. bis 16. Lebensjahr; es gibt fünf Hochschulen, darunter die Univ. in San Juan. – Die Bev. ist zu über 75 % katholisch, rd. 5 % sind Protestanten; wachsende Bedeutung kommt den neuen Religionen zu.

Wirtschaft: In der Landwirtschaft überwiegt Großgrundbesitz. In den Plantagen werden v. a. für den Export Zuckerrohr, Kaffee, Tabak und Ananas angebaut. Der Eigenbedarf an Nahrungsmitteln kann im Land nicht gedeckt werden. Voraussetzung für die seit 1940 durchgeführte Industrialisierung war der besondere polit. Status als autonomer Bestandteil der USA. Bundessteuern werden hier nicht erhoben, der Handel mit den USA ist zollfrei. Neben der traditionellen Nahrungsmittelind. entwickelten sich, auch begünstigt durch bis 1977 gezahlte Niedriglöhne, bes. die elektron. Ind., die Petrochemie, pharmazeut. Ind. sowie der Maschinen- und Apparatebau. Die Ind. bildet die Grundlage der Wirtschaft. Von wachsender Bedeutung ist der Fremdenverkehr. – P. R. verfügt über 15 100 km befestigte Straßen. Wichtigste Häfen sind San Juan und Mayagüez mit Freihandelszonen; internat. Flughafen bei San Juan.

Geschichte: P. R. wurde 1493 von Kolumbus entdeckt (San Juan Bautista) und seit 1508 von Spaniern kolonisiert; die indian. Bev. starb durch eingeschleppte Krankheiten und Zwangsarbeit rasch aus, dafür wurden afrikan. Sklaven als Landarbeiter nach P. R. gebracht. 1873 wurde die Sklaverei abgeschafft. 1897 erhielt P. R. von Spanien Autonomie. Nach dem Span.-Amerikan. Krieg (1898) fiel die Insel an die USA.

1917 erhielt die Bev. die eingeschränkte US-Staatsbürgerschaft, die Insel den Status eines von den USA verwalteten Territoriums, 1952 volle innere Autonomie. 1967 sprach sich die Bev. in einem Referendum mit 60,5 % für die Beibehaltung dieses Status aus. Danach werden nur Außen- und Sicherheitspolitik von den USA bestimmt. Die Diskussionen über die Alternativen – volle Unabhängigkeit oder Umwandlung in einen US-Staat – sind noch nicht abgeschlossen.

📖 Morales Carrión, A.: *P. R., a political and cultural history. New York 1983.* – Fernandez, R.: *The disembedded island: P. R. and the United States. New York 1992.*

Samuel Freiherr von Pufendorf:
Kupferstich (um 1685)

Pu̱fendorf, Samuel Freiherr von (seit 1694), Jurist und Historiker, * bei Chemnitz 8. 1. 1632, † Berlin 26. 10. 1694; 1677 schwed. Historiograph und Staatssekretär in Stockholm, 1688 brandenburg. Historiograph in Berlin. P. wird die Systematisierung des → Naturrechts und des Völkerrechts zugeschrieben. Er übte Kritik an den dt. Verfassungszuständen. – *Hauptwerk:* De jure naturae et gentium (1672).

📖 RANDELZHOFER, A.: *Die Pflichtenlehre bei S. von P. Berlin u. a. 1983.*

Puffotter
(Länge bis 1,5 m)

Puffbohne, *Botanik:* → Bohne.

Puffer, 1) *Chemie:* Stoffgemisch, dessen Wasserstoffionenkonzentration (pH-Wert) verhältnismäßig unempfindlich gegen einen Zusatz von Säure oder Base ist. P.-Lösungen bestehen meist aus einer schwachen Säure (z. B. Essigsäure) und einem ihrer Salze (z. B. Natriumacetat). Die Wirkungsweise eines P. beruht auf der Abfangreaktion von Wasserstoff- bzw. Hydroxidionen unter Bildung schwacher Säuren bzw. Basen aufgrund ihres Dissoziationsgleichgewichts (→ Dissoziation, → Massenwirkungsgesetz). – Physiologisch wichtig ist die Konstanthaltung des pH-Werts der Körperflüssigkeiten (Blut, Lymphe) und der Gewebe. Schon geringfügige Änderungen des pH-Werts können lebensbedrohlich sein. Das wichtigste P.-System des Blutes ist das System Kohlensäure/Natrium- und Kaliumhydrogencarbonat.

2) *Datenverarbeitung:* (P.-Speicher) Speichereinheit als Zwischenträger von Daten zweier kommunizierender Funktionseinheiten unterschiedl. Datenflussgeschwindigkeiten; Teil der Speicherhierarchie eines Datenverarbeitungssystems. Ist der P.-Speicher in den Prozessor integriert, bezeichnet man ihn auch als **Cachespeicher.**

3) *Eisenbahn:* Stoßvorrichtungen an Eisenbahnfahrzeugen, die paarweise an den Stirnseiten des Untergestells angeordnet sind. Innerhalb einer Hülse **(Hülsen-P.)** befindet sich der P.-Stößel, der wiederum die P.-Feder aufnimmt. Die P.-Feder ist als Kegel-, Ring-, Flüssigkeits- oder Gummifeder ausgebildet, wobei die maximale Dämpfung (Arbeitsverzehr) mit Ringfedern erreicht wird. Beim Auflaufen von zwei Waggons wird die Feder durch P.-Teller und -Hülse zusammengedrückt.

Pufferbatterie, ortsfeste Akkumulatorenbatterie im Parallelbetrieb mit Gleichrichtern, die immer aufgeladen ist, um bei Belastungsspitzen oder bei Netzausfall Leistung abzugeben.

Pufferstaat, kleinerer, i. d. R. neutraler Staat, der rivalisierende größere Mächte trennt und so internat. Konfliktmöglichkeiten mindern kann. (→ Kleinstaat)

Puff|otter (Bitis arietans), giftige, bis 1,5 m lange Viper in Afrika; ihr Biss ist für Menschen tödlich.

Puget [py'ʒɛ], Pierre, frz. Bildhauer, Maler und Baumeister, * Marseille 16. 10. 1622, † ebd. 2. 12. 1694; schuf, an italien. Barockplastik geschult, spannungsgeladene, lebendige Skulpturen, die im Ggs. zur klass. Richtung der frz. Kunst seiner Zeit standen. – *Werke:* Milon von Kroton (1682); Perseus befreit Andromeda (1684), beide im Louvre.

Puget Sound ['pju:dʒɪt saʊnd], stark verzweigte, inselreiche Bucht im NW des Bundesstaates Washington, USA, etwa 150 km lang, durch die Juan-de-Fuca-Straße zum Pazif. Ozean geöffnet; Haupthäfen sind Seattle und Tacoma.

Pugwash-Bewegung ['pʌgwɔʃ-], gemeinnützige Vereinigung zur Förderung der Verantwortung in der Wiss. und der interdisziplinären Forschung, gegr. 1957 in Pugwash (Prov. Nova Scotia, Kanada) aufgrund von Aufrufen A. Einsteins und B. Russells. Die **Pugwash-Konferenzen** befassen sich mit globalen Problemen wie (nuklearer) Abrüstung und dem Nord-Süd-Konflikt.

P'u-i, Kaiser von China, → Pu Yi.

Puig [pu'iɣ], Manuel, argentin. Schriftsteller, * General Villegas (Prov. Buenos Aires) 28. 12. 1932, † Cuernavaca (Mexiko) 22. 7. 1990. Einsamkeit, Machismo und psycholog. Konflikte sind Themen seiner experimentellen Romane; debütierte mit

Manuel Puig

Pierre Puget: Milon von Kroton, Marmor, Höhe 2,70 m (1682; Paris, Louvre)

»Verraten von Rita Hayworth« (1968); ferner: »Der schönste Tango der Welt« (1969), »Der Kuss der Spinnenfrau« (1976; verfilmt), »Herzblut erwiderter Liebe« (1982) und »Bei Einbruch der tropischen Nacht« (1988).

Pula (italien. Pola), Hafenstadt an der Adriaküste, Kroatien, an der südl. W-Küste Istriens, 62 400 Ew.; Maschinenbau, Konsumgüter-, Zement- u. a. Ind., Schiffswerften; Handels- und Marinehafen; Fremdenverkehr. – Bed. röm. Amphitheater (etwa 23 000 Plätze) u. a. Zeugnisse aus der Römerzeit; Dom (15. Jh.) mit Resten einer frühchristl. Basilika. – Im 4. Jh. v. Chr. von Illyrern gegr., wurde P. 42 v. Chr. röm. Militärkolonie **(Pietas Iulia);** die Stadt kam 1148 an Venedig, 1797 an Österreich (nach 1848 wichtiger Kriegshafen), 1920 an Italien, 1947 an Jugoslawien.

Pulcinella

Puławy [puˈu̯avi], Stadt in der Wwschaft Lublin, Polen, an der Weichsel, 52 200 Ew.; landwirtsch. Forschungsinstitute, Museum; Chemiewerk (bes. Stickstoffdünger) auf Erdgasbasis, Gelatinefabrik und Nahrungsmittelindustrie.

Pulcinella [pultʃinˈɛlla; italien. »kleines Hähnchen«] *der,* Charaktermaske, die aus süditalien. Volkspossen Ende des 16. Jh. in die Commedia dell'Arte aufgenommen wurde. P. ist der gefräßige, listige, in neapolitan. Mundart sprechende Diener, im 18. und 19. Jh. die Lieblingsgestalt des neapolitan. Volks- und Marionettentheaters. Er trägt einen hohen spitzen Hut und eine schwarze Halbmaske mit Vogelnase.

Pulex [lat.], Gattung der → Flöhe.

Pulheim, Stadt im Erftkreis, NRW, nordwestlich an Köln anschließend, 51 500 Ew.; Museum für Holographie, Rohr- und Walzwerk, Baustoffindustrie. – Im Ortsteil Brauweiler Großumspannwerk und ehem. Benediktinerabtei (1024–1802); die Basilika (1048–61; im 12. Jh. umgebaut) ist jetzt Pfarrkirche.

Puli *der,* ungar. Haushunderasse mit langem, gewelltem, dichtem, leicht verfilzbarem Fell; schwarz, rotschwarz, grau oder weiß; ausgezeichneter Hirtenhund. Schulterhöhe 37–44 cm.

Puls

Nur 5- bis 7-mal in der Minute schlägt das Herz der Käferschnecken, die es in allen Brandungszonen der Meere gibt. Wenn Sie schon einmal an der Nordsee waren, haben Sie beim Strandspaziergang vielleicht das dachziegelartig geschichtete Gehäuse der Gattung Chinon gefunden. Einen heftigeren Puls als diese Schnecken haben z. B. Kanarienvögel mit einer Frequenz von 1 000 Schlägen pro Minute. Das langsamste Herz bei den Säugern hat der Elefant mit einer Pulsfrequenz von 25 Schlägen pro Minute. Sie ist nur etwas geringer als die des Radchampions Miguel Indurain (1964), dessen trainiertes Herz im Ruhezustand gerade mal 32 Schläge in der Minute vollführt.*

Pulitzer [ˈpʊlɪtsə], Joseph, amerikan. Verleger, * Makó (Ungarn) 10. 4. 1847, † Charleston (S. C.) 29. 10. 1911; gilt als Schöpfer der modernen amerikan. Tagespresse, Besitzer mehrerer Zeitungen; stiftete die **P.-Preise,** 1917 erstmals, seither jährlich verliehen auf dem Gebiet des Journalismus (8 Preise), der Literatur (5) und Musik (1).

Pulk [slaw.] *der,* **1)** *allg.:* Anhäufung (von Menschen, Fahrzeugen).

2) *Militärwesen:* loser Verband von Kampfflugzeugen oder militär. Fahrzeugen.

Pulkowo, südl. Stadtteil von Sankt Petersburg, mit dem astronom. Hauptobservatorium der Akademie der Wiss. Russlands **(P.-Observatorium).** Die 1835–39 erbaute Nikolaisternwarte kennzeichnete bis 1917 den Nullmeridian für russ. Karten.

Pullach i. Isartal, Gemeinde im Landkreis München, Oberbayern, 8 500 Ew.; evang. Predigerseminar; Sitz des Bundesnachrichtendienstes; Werke für Kältetechnik und Elektrochemie.

Pullman [ˈpʊlmən], George Mortimer, amerikan. Industrieller, * Brocton (N. Y.) 3. 3. 1831, † Chicago (Ill.) 19. 10. 1897; begann ab 1858 mit dem Bau der ersten luxuriösen Reisezugwagen **(P.-Wagen);** gründete 1867 das Waggonbauunternehmen P.-Palace Car Co. und 1880 als Arbeitersiedlung die Chicagoer Vorstadt Pullman.

Pullover [engl. »Überzieher«] (Pulli) *der,* über den Kopf zu ziehendes gestricktes oder gehäkeltes Oberbekleidungsstück, auch Wirkware.

Pullunder [engl. »Unterzieher« (unter das Jackett)] *der,* ärmel- und kragenloser Pullover.

Pulmonata [lat.], → Lungenschnecken.

Pulpa [lat.] *die,* weiches, blutgefäßreiches Gewebe, z. B. im Inneren der Milz oder des Zahnes.

Pulpitis *die,* schmerzhafte Entzündung des Zahnmarks; entsteht vorwiegend durch vordringende Zahnkaries.

Pulque [ˈpulkə; span., wohl aus dem Aztekischen] *der,* vergorener Agavensaft.

Puls [lat. pulsus »Schlag«] *der,* **1)** *Elektronik:* period. Folge von → Impulsen (→ Impulstechnik).

2) *Medizin:* durch die Herztätigkeit hervorgerufene period. Druckschwankungen im Blutgefäßsystem; i. e. S. der **arterielle P. (P.-Schlag),** der als Anstoß der vom Herzschlag durch das Arteriensystem getriebenen Blutwelle an den Gefäßwänden (bes. gut über der Speichenarterie am Handgelenk) zu fühlen ist. Er beruht auf der diskontinuierl. Beschleunigung des Blutes durch das Herz. Die **P.-Frequenz** ist die normalerweise mit der Herzfrequenz übereinstimmende Zahl der P.-Schläge je Minute (beim Erwachsenen 60–80). Unter **P.-Qualität** versteht man die z. T. schon durch P.-Fühlen feststellbare Beschaffenheit (z. B. rascher, langsamer, harter, weicher P.) des arteriellen P., aus der Rückschlüsse auf den Zustand des Herz-

Kreislauf-Systems gezogen werden können. Die Geschwindigkeit der P.-Welle (**P.-Wellengeschwindigkeit,** Abk. PWG), die als Laufzeit entlang einer Arterienstrecke gemessen wird, ist vom Blutdruck und von der Beschaffenheit der Gefäßwand abhängig. Sie beträgt im Bereich der Aorta 5–6 m/s, in den Unterschenkelarterien etwa 10 m/s. Als **Pulsation** bezeichnet man die rhythm. Zu- und Abnahme des (arteriellen) Gefäßvolumens mit den einzelnen Pulsschlägen.

Puls|adern, die →Arterien.

Pulsare [lat.], Quellen kosm. Radiofrequenzstrahlung, die regelmäßig Strahlungspulse von sehr kurzer Dauer abstrahlen. Die Pulsperioden der über 500 bislang lokalisierten P. schwanken zw. 1,5 ms und 4,3 s. Der erste P. wurde 1967 von A. Hewish und seiner Studentin J. Bell entdeckt; die Gesamtzahl der bis in Entfernungen von 150 000 Lichtjahren nachgewiesenen P. im Milchstraßensystem wird auf etwa 50 000 geschätzt. 1969 gelang es, einen P. mit einem opt. Objekt zu identifizieren, dem Zentralstern des einem Supernova-Ausbruch zugeschriebenen →Crabnebels. Die Stärke der sichtbaren und der Röntgenstrahlung dieses Sterns ändert sich im gleichen Rhythmus wie die der Radiostrahlung. Auch andere P. scheinen Überreste von Supernovae zu sein. P. werden als schnell rotierende →Neutronensterne angesehen; ihre starken Magnetfelder beschleunigen die vom Stern als Plasmawolke abströmenden Protonen und Elektronen nahezu auf Lichtgeschwindigkeit. Die hierbei gebildete gerichtete Radiofrequenzstrahlung scheint aufgrund der Rotation des Neutronensterns zu pulsieren.

📖 LYNE, A. G. *u.* GRAHAM-SMITH, F.: *P. Leipzig u. a. 1993.*

Pulsatilla [lat.], die Gattung →Kuhschelle.

Pulsationstheorie, von den russ. Geologen M. A. Ussow und W. A. Obrutschew entwickelte geotekton. Hypothese, nach der die Entwicklung der Erde durch einen Wechsel von Einengungs- und Ausweitungsbewegungen erfolgte.

Pulscodemodulation [-ko:t-], Abk. **PCM,** Verfahren für die Signalübertragung mittels kodiert modulierter Impulsfolgen als Codeworte. Die Codeworte bestehen aus den impulsförmigen Elementarsignalen, die in einem einheitl. Zeitraster zusammengesetzt sind. Bei der PCM wird das urspr. analoge Signal nach Bandbegrenzung durch Kanalfilter zunächst periodisch abgetastet. Nach Quantisierung und Codierung werden die Abtastwerte anschließend meist als binäre Codeworte dargestellt. Es handelt sich daher um eine Analog-digital-Umsetzung, bei der den kontinuierlichen Abtastwerten nach einem vorgegebenen Amplitudenraster benachbarte diskrete Amplitudenwerte zugeordnet werden. Die PCM wird zur Daten-fern- und Telegrafieübertragung sowie in der Fernsprechtechnik angewendet.

Pulsnitz (sorb. Połčnica), Stadt im Landkreis Kamenz, Sachsen, im Lausitzer Bergland, 6 600 Ew.; Textil- und Papierind., Pfefferkuchenherstellung (seit Mitte des 16. Jh.). – Spätgot. Nikolaikirche (16. Jh., 1742–45 nach Brand wieder aufgebaut); Renaissancerathaus (1555); Altes (um 1600) und Neues Schloss (1718). – Seit 1375 Stadtrecht.

Pult *das,* Tisch oder Tischaufsatz mit schräger Schreib- oder Lesefläche; Auflage u. a. für Bücher und Noten.

Pultscholle, *Geologie:* schräg gestellter, von Verwerfungen umgrenzter Erdkrustenkomplex, z. B. der Harz.

Pulver [von lat. pulvis »Staub«], sehr fein zerkleinerter trockener fester Stoff. Das Pulverisieren geschieht durch Zerreiben (mit Pistillen in Mörsern) oder durch Mahlen.

Pulver, Liselotte, schweizer. Schauspielerin, *Bern 11. 10. 1929; spielte in Filmen v. a. komödiant., burschikose Rollen (»Ich denke oft an Piroschka«, 1955; »Das Wirtshaus im Spessart«, 1958; »Eins, zwei, drei«, 1961); schrieb »... wenn man trotzdem lacht. Tagebuch meines Lebens« (1990).

Pulvermaar, von einem bis 74 m tiefen, fast kreisrunden See eingenommenes Maar in der Vulkaneifel, südöstlich von Daun, Rheinl.-Pf.; um 8 100 v. Chr. entstanden.

Pulververschwörung (engl. Gunpowder Plot), die Verschwörung engl. Katholiken (u. a. Guy →Fawkes), um König Jakob I. und das Parlament in die Luft zu sprengen; der Plan wurde am Tag vor der beabsichtigten Ausführung (5. 11. 1605) verraten. Das Parlament erklärte den 5. Nov. zum Tag des Dankes (»Guy-Fawkes-Day«); er wird seitdem in England mit Feuerwerk und Verbrennen von Strohpuppen (»guys«) begangen.

Puma [Ketschua] *der* (Kuguar, Berglöwe, Silberlöwe, Puma concolor), über Nord- und Südamerika verbreitete Art der Katzen. Erwachsene Tiere (bis 1,8 m körperlang) haben ein graues, graubraunes oder gelbrotes Fell. Auffallend sind der kleine Kopf und der lange Schwanz. P. sind gebietsweise bereits ausgerottet. BILD S. 236

Pumpe, Arbeitsmaschine zur Förderung von Flüssigkeiten und Gasen durch Umwandlung von mechan. in hydraul. Energie. Das Fördergut wird in einem bestimmten Volumenabschnitt verdrängt. Bauart und Wirkungsweise des Förderelements dienen als Einteilungskriterien für P. Die **Kreisel-P.** ist eine Strömungsmaschine mit rotierendem Laufrad. Die Förderflüssigkeit strömt durch eine Saugleitung dem angetriebenen und stetig rotierenden Laufrad zu, in dem ihre Strömungsenergie erhöht wird. Im nachgeschalteten →Diffusor oder einem Leitrad mit fest stehenden

Joseph Pulitzer
(Ausschnitt aus einem Gemälde des amerikanischen Malers John Singer Sargent)

Mortimer Pullman

Liselotte Pulver

Puma (Körperlänge bis 1,8 m, Schwanzlänge 60–90 cm)

Schaufeln wird die Strömungsenergie der Flüssigkeit verringert und damit die Geschwindigkeitsenergie in Druckenergie umgewandelt.

Bei **Verdränger-P.** findet die Energieübertragung in einem sich periodisch vergrößernden und verkleinernden Arbeitsraum statt. **Kolben-P.** erzielen diese Wirkung durch oszillierende Bewegung des Kolbens in einem fest stehenden Arbeitsraum. Je nach Ausbildung des Kolbens unterscheidet man: Scheibenkolben-, Tauchkolben-, Differenzialkolben-, Membran- und Dampfdruck-P. (Pulsometer). **Rotations-P. (Umlauf-P., Drehkolben-P.)** erzielen die Verdrängungswirkung durch Ineinandergreifen von Zahnrädern (Zahnrad-P.), ferner durch Abwälzen von zwei Abwälzkolben (Wälzkolben-P.), durch einen in einem zylindr. Gehäuse exzentrisch angeordneten Walzenkolben mit radial verschiebbaren Schiebern (Zellen-P.) oder durch einen Scheibenkolben mit radialen, in einem mitrotierenden Wasserring eintauchenden Schaufeln (Wasserring-P.). Bei der Flügel-P. schwingt ein Plattenkolben im zylindr., durch eine radiale Rippe in zwei Arbeitsräume unterteilten Gehäuse.

Punchingball

Bei **Strahl-P.** saugt der aus einer Düse mit hoher Geschwindigkeit austretende Strahl eines Treibmittels, z.B. Wasser (Wasserstrahl-P.) oder Dampf (Dampfstrahl-P.), die Förderflüssigkeit an und mischt sich mit ihr. Das Gemisch strömt durch einen Diffusor in die Druckleitung. Zur Evakuierung luftdichter Gefäße verwendete P. werden als →Vakuumpumpen bezeichnet.

🕮 *Leckfreie P.n u. Verdichter, hg. v.* G. VETTER. *Essen ²1992.* – GROTH, K.: *Grundzüge des Kolbenmaschinenbaus, 3 Bde. Braunschweig u. a. 1994 ff.*

Pumpernickel [nach dem Nickel (Kobold), der das »Pumpern« (Furzen) nach dem Genuss des Brotes verursacht] *der,* ein urspr. aus Westfalen stammendes, sehr dunkles Roggenschrotbrot.

Pumpspeicherwerk, ein →Wasserkraftwerk.

Puna *die,* das Hochland oberhalb 3500 m ü.M. im Bereich der mittleren Kordilleren, Südamerika; im chilenisch-argentin. Grenzbereich die wüstenhafte **Puna de Atacama.**

Punch [pʌntʃ; engl., nach italien. Pulcinella] *der,* **1)** seit etwa 1670 Gestalt der engl. Komödie und Hauptfigur des engl. →Figurentheaters; entspricht dem dt. Kasperl.

2) nach 1) benanntes ältestes ununterbrochen erscheinendes satir. Wochenblatt der Welt, gegr. 1841 in London.

3) *Sport:* Boxschlag, Schlagkraft eines Boxers.

Punchingball [ˈpʌntʃɪŋ bɔːl, engl.], frei hängender, birnenförmiger Ledervollball, Übungsgerät für Boxer.

Pune (früher Poona), Stadt in Maharashtra, Indien, in den Westghats, 1,56 Mio. Ew.; Univ., Militärakademie, Forschungsinstitute; Textil- und pharmazeut. Industrie, Maschinenbau. – P. war 1974–81 Sitz der Bhagvan-Bewegung.

Puni|er (lat. Poeni), die Phöniker N-Afrikas, bes. die Karthager.

Punische Kriege, die drei Kriege der Römer gegen die Karthager (Punier) um die Vormacht im westl. Mittelmeer. Der **1. Pun. Krieg** (264–241 v.Chr.) war ein Ringen um Sizilien, das 241 (außer Syrakus) an Rom fiel und 227 als Prov. eingerichtet wurde; 237 erzwang Rom noch die Abtretung Sardiniens und Korsikas. Der **2. Pun. Krieg** (218–201 v.Chr.) begann in Spanien. Hannibal überschritt den Ebro, dann die Alpen und vernichtete in den Schlachten am Trasimen. See (217) und bei Cannae (216) die röm. Heere. Die Römer behaupteten sich jedoch mit äußerster Kraft, und Hannibal musste Italien verlassen (203). Bei Zama fiel 202 mit dem Sieg Scipios d.Ä. über Hannibal die Entscheidung; Karthago wurde auf sein afrikan. Gebiet beschränkt. Im **3. Pun. Krieg** (149–146 v.Chr.) konnte Scipio Aemilianus 146 nach erbittertem Kampf die Stadt Karthago erobern und zerstören.

Punische Kriege

Eine Heldengeschichte aus dem 1. Punischen Krieg, die charakteristisch für den römischen Adel ist.

Der Konsul Marcus Atilius Regulus war in karthagische Gefangenschaft geraten. Er sollte den Karthagern dadurch nützlich sein, dass sie ihn nach Rom schickten mit dem Auftrag, ihre Positionen vor dem Senat zu vertreten. Er hatte einen Eid geschworen, dass er zurückkehren werde, und er hielt sich daran: In Rom sprach er gegen Karthago, kam zurück und wurde zu Tode gefoltert

📖 LAZENBY, J. F.: *Hannibal's war. Warminster 1978.* – SCHWARTE, K.-H.: *Der Ausbruch des Zweiten Pun. Krieges, Rechtsfrage u. Überlieferung. Wiesbaden 1983.*

Punjab [pʌnˈdʒɑ:b], engl. Schreibung für →Pandschab.

Punk [pʌŋk; engl., eigtl. »Abfall«, »Mist«] *der,* Begriff der subkulturellen Protestbewegung von Jugendlichen, der die allg. Ablehnung der herrschenden Gesellschaft und ihrer Vertreter zum Ausdruck bringt. Die Anhänger des P., die **Punks** oder **Punker,** verstehen sich als Aussteiger und zeichnen sich durch grelle, häufig provozierende, abstoßende und schockierende Erscheinung, Kleidung, Aufmachung und Musik (Punkrock) aus.

Punkrock [ˈpʌŋk-, engl.], urspr. abwertende Bez. für grob aggressive und dilettantisch wirkende Rockmusik. Seit dem Auftreten der engl. Gruppe Sex Pistols (Album »Never mind the bollocks, here's the Sex Pistols«, 1977) steht der P. für den Beginn einer mittlerweile weit über die Musik hinausgehenden Punkwelle. Charakteristisch für den P. sind durch verzerrende Rückkopplungs- und Übersteuerungseffekte der Elektrogitarre hervorgerufene übermäßige Lautstärkepegel, rasende Tempi und abstoßende, zynisch-resignative Texte.

Punkt [von lat. punctum, eigtl. »das Gestochene«], **1)** *Geometrie:* Grundbegriff der Geometrie, ausdehnungsloses Gebilde; im Sinne der analyt. Geometrie als Zahlenpaar (P. der Ebene), Zahlentripel (P. des Raumes) oder Zahlen-*n*-tupel (P. des *n*-dimensionalen Raums) definiert; auch Bez. für die Elemente abstrakter Räume.

2) *graf. Techniken:* Abk. **p,** →typographischer Punkt.

3) *Musik:* Zeichen der Notenschrift; ein P. über oder unter einer Note: Zeichen für den gestoßenen Vortrag (staccato); rechts neben einer Note: Zeichen für die Verlängerung des Zeitwerts der Note um die Hälfte.

Punkt

Der »springende Punkt«

Diese Fügung geht auf eine Naturbeobachtung des griechischen Philosophen Aristoteles zurück. Er war der Meinung, dass im Eiweiß des bebrüteten Eies das Herz des werdenden Vogels als kleiner hüpfender Blutfleck zu erkennen sei. In lateinischer Übersetzung wurde aus dem Fleck ein »punctum saliens«, und der wiederum wurde in wörtlicher deutscher Übersetzung als »springender Punkt« in unserem Sprachgebrauch üblich. Wir verwenden die Fügung heute in der Bedeutung »dasjenige, worauf es in einem bestimmten Zusammenhang ankommt, wovon alles andere abhängt; der wesentliche, entscheidende Punkt von etwas«.

4) *Sport:* Wertungseinheit bei Wettkämpfen. P.-Wertung erfolgt insbesondere 1) in sportl. Wettbewerben, in denen die Ergebnisse nicht in Zeit-, Längen- oder Masseeinheiten (Gewicht) gemessen werden können, sondern von Punktrichtern nach reglementierten Verhältnisskalen eingeschätzt werden; 2) in Mannschaftssportspielen bei Anwendung des P.-Systems (Meisterschaftsrunden) für gewonnene, unentschiedene oder verlorene Spiele in festgelegter Höhe; 3) in Mehrkämpfen mit messbaren Ergebnissen durch Umrechnung dieser Resultate in P. nach vorgegebenen Tabellenwerten, um vergleichbare Größen zu erhalten.

Punische Kriege

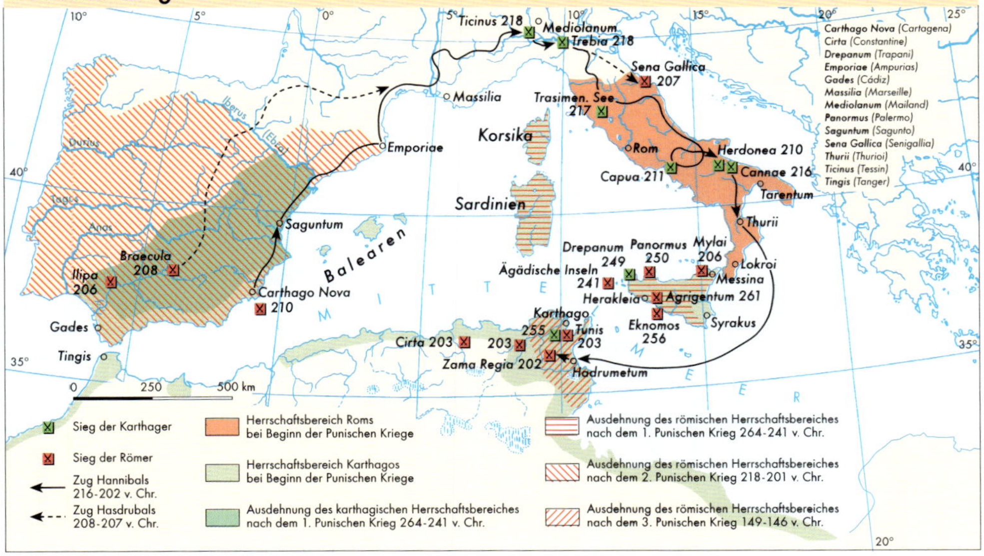

5) *Rechtschreibung:* Satzzeichen am Satzende (ÜBERSICHT Satzzeichen).

6) *Schulwesen:* Wertungseinheit für Leistungen des Schülers in einem Schulfach oder Kurs (insbesondere in der gymnasialen Oberstufe).

Puppe 1): Holzgliederpuppe aus dem 18. Jh. (links), daneben Puppe mit Wachskopf, eingesetzten Haaren und Schlafaugen (um 1893) und Puppe mit weißlichem Biskuitporzellankopf (um 1885; alle Nürnberg, Spielzeugmuseum)

Punktation [lat.] *die, Sprachwissenschaft:* Kennzeichnung der Vokale im Hebräischen durch Punkte oder Striche über oder unter den Konsonanten.

Punktierkunst, die Deutung der Zukunft aus wahllos in Erde oder Sand markierten oder auf Papier verteilten Punkten und Strichen, die als Figuren gedeutet werden. Die P. stammt aus dem Orient, im MA. mit der **Geomantik,** dem Wahrsagen aus Erdbeben und Erdgeräuschen, in Verbindung gebracht.

Punktion [lat.] *die,* Einstechen einer Hohlnadel in ein Blutgefäß, Gewebe oder in einen Hohlraum zum Einbringen von Arzneimitteln oder zur Entnahme von Untersuchungsmaterial.

Punktmasse, der →Massenpunkt.

Punktschrift, die →Blindenschrift.

Puppe 2): Bei der Puppe des Maikäfers liegen die Körperanhänge unbeweglich auf der Körperoberfläche (links); die Puppe des Schwalbenschwanzes ist mit einigen Gespinstfäden um die Körpermitte mit dem Kopf nach oben befestigt

Puno (San Carlos de P.), Hptst. des Dep. P. in Peru, am Titicacasee, 3 850 m ü. M., 89 700 Ew.; TU; Handel mit Alpaka- und Lamawolle sowie Lamafellen; Fremdenverkehr.

Punsch [engl., aus Hindi pāñč »fünf«] *der,* meist heißes Mischgetränk aus urspr. fünf Bestandteilen: Rum, Tee, Wasser, Zitrone, Zucker.

Punt, in den ägypt. Inschriften häufig genanntes Land, wahrscheinlich an der Küste von O-Sudan gelegen, nach dem die Ägypter schon im 3. Jt. v. Chr. Handelsfahrten unternahmen.

Punta [span., italien. »Spitze«], in Spanien und Lateinamerika Bez. für Landzunge, Kap, in Italien für Berggipfel.

Punta Arenas, Hptst. der Region Magallanes, Chile, im Großen Süden, 119 700 Ew.; Museen; Hafen an der Magellanstraße; Mittelpunkt eines Schafzucht- und Erdölgebietes; Ausfuhr von Fleisch, Häuten und Fellen; internat. Flughafen.

Punta del Este, Seebad in Uruguay, 160 km östlich von Montevideo; 7 000 Ew.; internat. Tagungsort.

Puntarenas, Hptst. der Prov. P. und wichtigster Hafen an der pazif. Küste von Costa Rica, 29 200 Ew.; Bananen-, Kaffee-Export; Fischerei.

Punze [von italien. punzone »(Loch)stempel«], Stahlstab von etwa 10 cm Länge zum Einschlagen von Mustern **(Punzieren)** v. a. in Metall, aber auch in Leder und Holz. Auch das →Beschauzeichen in Edelmetallen wird mit einer P. geschlagen **(Punzierstempel).**

Pupille [lat.] *die,* das Sehloch im →Auge.

Pupinspule [nach dem amerikan. Elektroingenieur Michael Pupin, *1858, †1935], Induktionsspule, die in regelmäßigen Abständen in die Stromkreise eines Fernmeldekabels eingeschaltet wird **(Bespulung),** um dessen Dämpfungskonstante im Bereich der Sprachfrequenzen zu verringern.

Pupipara [lat.], die →Lausfliegen.

Puppe [lat.], **1)** *Kulturgeschichte:* Nachbildung der menschl. Gestalt für kult. oder mag. Zwecke, für das Puppenspiel (→Figurentheater) oder als Spielzeug. – Aus dem Altertum sind P. v. a. als Grabbeigaben überliefert (Ägypten, Griechenland, Rom). In Europa werden P. z. T. bis heute als Votivgaben, Prozessionsfiguren und für Fruchtbarkeits-, Abwehr- oder Schadenzauber (Rache-P.) verwendet. Die Spielzeug-P. kennen fast alle Völker (alte dt. Bez. **Docke** oder **Tocke**); Ton-P. sind aus dem MA. überliefert; spätere P. sind aus Holz und steif wie etwa die Fatschendocke oder beweglich (Glieder-P.) wie z. B. die P. der Barockzeit, die Sonneberger Holzgelenkdocken oder die Grödnertaler P. Daneben gibt es hausgefertigte P. u. a. aus Stoff, Holz, Binsen. Im 19. und 20. Jh. kamen als Material v. a. für Köpfe und Hände Papier-maché, Porzellan, Biskuitporzellan, Zelluloid, Gummi, später Kunststoff hinzu. – P. stellten urspr. Erwachsene dar, erst Mitte des 19. Jh. kam die Baby-P. auf. Anfang des 20. Jh. begann die Serie der Charakter- und Künstler-P. u. a. von K. →Kruse, E. Konig di Scavini und S. Morgenthaler.

📖 Bach, J.: *Internat. Hb. der Puppenmarken. A. d. Engl. München* ^{2}*1991.* – *Das große Puppenbuch, Beiträge v.* M. Bachmann *u. a. Leipzig* ^{6}*1991.* – Tilmann, I.: *Künstlerpuppen. Die zeitgenössische Puppenkunst. Augsburg 1995.*

2) *Zoologie:* Entwicklungsstufe der →Insekten, ein scheinbarer Ruhezustand, in dem das Tier, in einer festen Haut liegend, die vollkommene Verwandlung von einem Zustand der Larve zum ausgebildeten Vollkerf (Imago) vollzieht.

Puppenräuber, →Laufkäfer.

Puppentheater (Puppenspiel), →Figurentheater.

Puppis [lat.] (Hinterdeck, Achterschiff, Heck des Schiffes), Sternbild des Südhimmels.

PUR, Abk. für →**P**oly**ur**ethane.

Puranas [Sanskrit »alte Erzählungen«], Gruppe von anonymen Sanskrittexten der religiösen hinduist. Literatur; sie enthalten Mythen, Legenden, Sagen, Vorschriften des Vishnu- und Shivakults.

Purcell [pɔːsl], **1)** Edward Mills, amerikan. Physiker, *Taylorville (Ill.) 30. 8. 1912, †Cambridge (Mass.) 7. 3. 1997; Prof. an der Harvard-University; arbeitete zur Astrospektroskopie und entwickelte die Methode der magnet. Kernresonanzabsorption **(P.-Methode);** erhielt 1952 mit F. Bloch den Nobelpreis für Physik.

2) Henry, engl. Komponist, *1659, †Westminster (heute zu London) 21. 11. 1695; bedeutendster engl. Musiker der Barockzeit. Seine Bühnenwerke sind mit Ausnahme von »Dido und Äneas« (1689) keine eigentl. Opern, sondern Dramen mit Musikeinlagen (Semioperas), u. a. »The Fairy Queen« (1692; nach E. Spenser), »The tempest« (1695; nach Shakespeare). Auf dem Gebiet der Kirchenmusik (Anthems mit Orchester, auch mit Orgel) wirkte er nachhaltig auf G. F. Händel; bed. sind auch seine Instrumentalwerke, ferner Oden, Festkantaten.

📖 Westrup, J. A.: *P. Neuausg. London 1980.* – Zimmerman, F. B.: *H. P. A guide to research. New York 1989.*

Purex-Verfahren [Purex Kw. aus engl. **Plu**tonium-**U**ranium **R**efining by **Ex**traction »Plutonium-Uran-Aufarbeitung durch Extraktion«], chem. Verfahren zur →Wiederaufarbeitung von Kernbrennstoffen, wobei Uran und Plutonium durch Extraktion von den Spaltprodukten abgetrennt werden.

Purgatorium [lat.] *das,* das →Fegefeuer.

Puri, Stadt in Orissa, Indien, am Mahanadidelta, 101 000 Ew.; Wallfahrtsort der Hindus, bes. der

Henry Purcell Autograph, Ausschnitt aus der Semiopera »The Fairy Queen« (1692)

Vishnuverehrer. Der Haupttempel (um 1100 entstanden) ist dem Gott Krishna geweiht.

Purimfest (Losfest), jüd. Fest am 14. Adar (Febr./März) zur Erinnerung an die Errettung der pers. Juden durch →Esther und Mardochai (Esther 9, 17 ff.); heute v. a. ein Volksfest.

Purinbasen, zusammenfassende Bez. für eine Gruppe von in der Natur weit verbreiteten Substanzen, denen das aus einem Pyrimidin- und einem Imidazolring aufgebaute **Purin** zugrunde liegt. Wichtige Vertreter sind die Nucleinsäurebasen (→Nucleinsäuren) Adenin und Guanin, die Harnsäure sowie die →Alkaloide Koffein, Theobromin und Theophyllin.

Edward M. Purcell

Purismus [zu lat. purus »rein«] *der,* Streben nach Reinheit, Echtheit, Authentizität. In der *Ethik* Bez. für die strikte Reinheit der Motive als Kriterium sittl. Handelns; in der *Malerei* eine (1918 begründete) Stilrichtung mit dem Ziel einer Rückführung des Kubismus zu seinen Ursprüngen; in der *Sprachwissenschaft* Bestrebungen, die Muttersprache von Fremdwörtern, Neologismen o. Ä. freizuhalten (z. B. in Frankreich im Rahmen der Académie française, →Sprachgesellschaften).

Henry Purcell (Ausschnitt eines Gemäldes, um 1685)

Puritaner [engl., zu lat. puritas »Reinheit«], die Anhänger der kirchl. Reformbewegung innerhalb der →Kirche von England, die seit den 60er-Jahren des 16. Jh. mit dem Ziel auftrat, diese von kath. (»papistischen«) Einflüssen zu »reinigen«. Theologisch vom Kalvinismus geprägt, versuchten die P. dessen Grundsätze (v. a. die presbyterial-synodale Kirchenverf. ohne Bischöfe) durchzusetzen, was ihnen seit 1583 schwere Verfolgungen eintrug. Seit 1620 setzten Auswanderungswellen in die Niederlande und nach Nordamerika ein. Mit dem Sieg O. Cromwells errangen die P. großen polit. Einfluss. Nach der Restauration der kath. Stuarts wurden die P. aus dem öffentl. Leben zurückgedrängt, erlangten jedoch durch die Toleranzakte von 1689 ihre rechtl. Anerkennung. Auf dem Boden des **Puritanismus** entstanden die Baptisten, Independen-

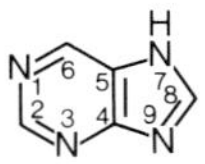

Purinbasen: Purin

ten und Quäker. Die puritan. Ethik ist geprägt durch die Heiligung des Alltags, eine strenge Selbstzucht und die Ablehnung von Unterhaltung, Vergnügungen und Zerstreuung.

📖 SCHÜCKING, L. L.: *Die puritan. Familie in literar-soziolog. Sicht. Bern ²1964.* – SEAVER, P. S.: *The Puritan lectureships. The politics of religious dissent 1560–1662. Stanford, Calif., 1970.* – *Puritans and revolutionaries, hg. v.* D. PENNINGTON *u. a. Oxford 1978, Nachdr. ebd. 1982.*

Hans Purrmann: »Garten mit rotem Haus« (1957; Privatbesitz)

Purpur *der,* aus dem (farblosen) Drüsensekret von Purpurschnecken gewonnener Farbstoff; das Sekret nimmt unter Einwirkung von Luft und Licht eine blaurote bis rotblaue Färbung an. Hauptbestandteil ist ein Derivat des Indigos (das Dibromindigo). Heute wird er durch Küpenfarbstoffe (Leukofarbstoffe) ersetzt. – Im Altertum lange exklusiv von den Phönikern hergestellt und gehandelt; wurde zum Färben kostbarer Gewänder verwendet, die als Würdezeichen getragen wurden, so in Persien, in Griechenland, in der Römerzeit und im MA. Bes. in Byzanz erreichte der P.-Luxus einen Höhepunkt. Der P.-Mantel war das Abzeichen des Kaisers, der Prinzen und der höchsten Beamten, aber auch von Priestern und kirchl. Würdenträgern. In der kath. Kirche ist der P. die Farbe des Kardinalsmantels.

Purpurschnecke (Höhe bis 8 cm)

Purpura [lat.] *die,* die →Blutfleckenkrankheit.

Purpurin *das,* ein das →Alizarin begleitender Farbstoff der Krappwurzel. P. wird aus Alizarin durch Oxidation hergestellt.

Purpurschnecken (Stachelschnecken, Muricidae), Vorderkiemer mit dickwandigem Gehäuse, bes. in warmen Meeren. Aus dem Sekret einer Drüse wurde →Purpur gewonnen.

Purrmann, Hans, Maler und Grafiker, *Speyer 10. 4. 1880, †Basel 17. 4. 1966; ging 1906 nach Paris, wo er als Schüler und Freund von H. Matisse seine eigene, vom Expressionismus unberührte maler. Form fand. P. schuf Stillleben, Akte, Bildnisse und meist südliche, lichterfüllte Landschaften.

Purus [nach einem Indianerstamm] *der* (span. Purús), rechter Nebenfluss des Amazonas in Südamerika, 3 148 km lang, entspringt in der Montaña O-Perus, mündet oberhalb von Manaus.

Pusan (japan. Fusan), Stadt im Rang einer Provinz in Süd-Korea, an der Mündung des Naktonggang in die Koreastraße des Gelben Meeres, 435 km², mit 3,8 Mio. Ew.; zwei Univ., Hochschulen; Textil-, Maschinen-, Fahrzeug-, chem. Ind., Werften; führender Hafen des Landes, Fährverkehr mit Japan (Shimonoseki), internat. Flughafen. – Im Koreakrieg 1950–53 Reg.sitz der Rep. Korea und wichtigster Nachschubhafen der UN-Truppen.

Puschkin (bis 1918 Zarskoje Selo, 1918–37 Detskoje Selo), Stadt im Gebiet Leningrad, Russland, 97 000 Ew.; landwirtsch. Hochschule; Maschinen-, Elektrogerätebau, Spielwarenindustrie. – Ehem. Sommerresidenz der Zaren; das Katharinenpalais (1717–23) wurde 1743–48, 1752–57 (von B. F. Rastrelli) und 1783–86 (von C. Cameron) erweitert und umgebaut. Das 1755 eingebaute Bernsteinzimmer, ein Geschenk Friedrich Wilhelms I. von Preußen an Peter I., ist seit Ende des 2. Weltkriegs unauffindbar. Um das Katharinenpalais erstreckt sich der Alte Garten mit bed. Bauten, u. a. das klassizistische Alexanderpalais, 1792–96 (von G. Quarenghi); Palastkirche und Orangerie.

Puschkin, Alexandr Sergejewitsch, russ. Dichter, *Moskau 6. 6. 1799, †Sankt Petersburg 10. 2. 1837; aus alter Adelsfamilie, mütterlicherseits Urenkel Hannibals, des Mohren Peters d. Gr., trat 1817 in den Dienst des Außenministeriums, wurde wegen polit. und satir. Gedichte 1820 nach S-Russland versetzt, 1824–26 auf das Gut Michailowskoje (Gouv. Pskow) verbannt. 1826 hob Nikolaus I. die Verbannung auf, unterstellte ihn aber seiner persönl. Zensur. P. starb an den Folgen eines Duells.

P. gilt als der Schöpfer der russ. Literatursprache (Verbindung kirchenslaw. Wortguts mit volkstüml. Elementen), zugleich als bedeutendster russ. Dichter, dessen gattungsbestimmende Lyrik, Dramatik und Prosa für die russ. Literatur wegweisend wurden. Schwerpunkt des Gesamtwerks ist die Versdichtung, beginnend mit dem frühen heroisch-kom. Märchenepos »Ruslan und Ludmilla« (1820). Seine Lyrik umfasst die »leichte« Poesie ebenso wie reife Liebeslyrik oder engagierte polit. Stellungnahme. Von Byron beeinflusst sind die »Südl. Poeme«: »Der Gefangene im Kaukasus«

(1822), »Der Springbrunnen von Bachtschisaraj« (1824), »Die Zigeuner« (1824) u.a. Sein Hauptwerk, der Versroman »Eugen Onegin« (1825, erste Gesamtausgabe 1833; danach Oper von P. Tschaikowsky), ist der erste bed. psychologisch-gesellschaftskrit. Roman der russ. Literatur. Neben historisch-heroischen Verserzählungen (»Poltawa«, 1829; »Der eherne Reiter«, entstanden 1833, hg. 1837) stehen komische Epen (»Das Häuschen in Kolomna«, 1833). Später wandte sich P. stärker der Prosa zu (»Der Mohr Peters d. Gr.«, entstanden 1827, hg. 1837; »Erzählungen Belkins«, 1831; »Dubrowski«, entstanden 1832/33, hg. 1841; »Pique Dame«, 1834, danach Oper von Tschaikowsky; »Die Hauptmannstochter«, 1836). 1836 gründete er die Zeitschrift »Sowremennik« (»Der Zeitgenosse«).

📖 BUSCH, U.: *P. Leben u. Werk. München 1989.* – ZIEGLER, G.: *A. S. P. mit Selbstzeugnissen u. Bilddokumenten. Reinbek 17.–19. Tsd. ³1992.* – LOTMAN, J. M.: *A. P. Leben als Kunstwerk. A. d. Russ. Leipzig ²1993.*

Puschlav, schweizer. Landschaft, → Poschiavo.

Pushball ['pʊʃbɔ:l, engl.], Tor- bzw. Malspiel zweier heute meist berittener Mannschaften von je sechs oder mehr Spielern auf einem Fußballfeld. Der Ball von 1,80 m Durchmesser ist in das gegner. Tor oder Mal zu treiben; Spielzeit 4 × 8 oder 4 × 10 Minuten.

Pustertal (italien. Val Pusteria), etwa 100 km langes Alpental, zw. Zillertaler Alpen und Defereggengebirge im N sowie Dolomiten und Karn. Alpen im S, in Osttirol (Österreich) und Südtirol (Italien), reicht von der Mühlbacher Klause (Rienz) über die Talwasserscheide zw. Rienz und Drau (Toblacher Feld, 1204 m ü. M.) zur Lienzer Klause (Drau); Hauptorte: Bruneck, Toblach. Das P. bildet mit den Seitentälern (im N Tauferer Tal, Antholzer Tal, Gsieser Tal, Villgratental; im S Gadertal, Höhlensteintal, Sextental, Tilliacher Tal) ein bed. Fremdenverkehrsgebiet.

Putbus: Die im Schlosspark gelegene klassizistische Orangerie (1824) wurde nach Plänen von Karl Friedrich Schinkel erbaut

Alexander Puschkin: Ölgemälde des zeitgenössischen russischen Malers Orest Kiprenski (1827; Moskau, Tretjakow-Galerie) darunter Autogramm

Puszta ('pusta, ungar. pustɔ:; eigtl. »kahl«, »verlassen«] *die,* Bez. für die ehem. weiten, baumlosen, durch Weidewirtschaft genutzten steppenartigen Gebiete im Ungar. Tiefland; heute größtenteils agrarisch genutzt, lediglich die Hortobágy (rd. 30 000 ha) blieb als Naturschutzgebiet erhalten.

putativ [zu lat. pūtare »glauben«], *Recht:* vermeintlich, aufgrund irriger Einschätzung eines Sachverhalts eine nicht zutreffende Rechtslage annehmend. **P.-Delikt,** → Wahnverbrechen; **P.-Notstand,** → Notstand; **P.-Notwehr,** → Notwehr.

Putbus, Stadt im SO der Insel Rügen, Landkreis Rügen, Meckl.-Vorp., 5100 Ew.; Kur- und Erholungsort; Theater. Im Ortsteil Lauterbach (2 km südlich von P. am Rügenschen Bodden) Fischverarbeitung, Bootswerft, Fischerei- und Seglerhafen. – Im ursprüngl. Zustand erhaltene planmäßige Stadtanlage (1808–45) mit stilistisch einheitl. Bebauung; Schlosspark (1810–25) mit klassizist. Bauten; das Schloss (16. Jh., 1830 umgebaut) wurde 1960 abgetragen. – 1808 gegr., seit 1960 Stadt.

Pute, weibl. Tier des Truthuhns.

Putrament, Jerzy, poln. Schriftsteller, * Minsk 14. 11. 1910, † Warschau 23. 6. 1986; 1950–56 Gen.-Sekr., 1959–81 Vizepräs. des poln. Schriftstellerverbandes; zeitkrit. Romane (»Wirklichkeit«, 1947; »September«, 1952; »Der Keiler«, 1964; »Akropolis«, 1975).

Pụtsch [schweizer. »Stoß«], ein von meist kleineren Gruppen durchgeführter Umsturz oder Umsturzversuch, um auf nichtverfassungsgemäßem, meist gewaltsamem Weg die Macht im Staat zu erringen; vom P. zu unterscheiden ist der →Staatsstreich.

Putto: Putten des Stuckators Johann Joseph Christian am Rokokoaltar Johannes des Täufers (1765) in der Abteikirche von Ottobeuren

Pụtte [italien.] *die, Kunst:* →Putto.

putten [engl.], *Golf:* einlochen.

Pụttgarden, Ortsteil der Gemeinde Bannesdorf auf Fehmarn, an der N-Küste der Insel, Schlesw.-Holst., Fährhafen (Eisenbahn und Kfz) nach Rødbyhavn auf Lolland, Dänemark; Teil der →Vogelfluglinie.

Robert von Puttkamer

Pụttkamer, pommerell. Adelsgeschlecht slaw. Ursprungs, dessen Stammreihe 1240 beginnt. Bed. Vertreter: Robert **von P.,** *Frankfurt (Oder) 5. 5. 1828, †Karzin (heute Karzcino, Wwschaft Słupsk) 15. 3. 1900; als preuß. Kultusmin. (1879–81) führte er eine Rechtschreibreform durch. 1881–88 war er ein streng konservativer Min. des Innern.

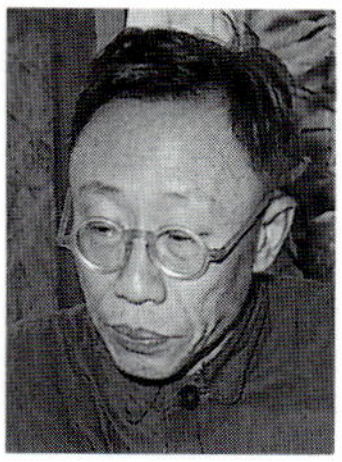

Pu Yi

Pụ̈ttlingen, Stadt im Stadtverband Saarbrücken, Saarland, 21 100 Ew.; Uhrenmuseum; Produktion von Gelenk- und Gleitlagern, Maschinenbau, Holzverarbeitung.

Pụtto [italien.] *der* (Putte), *Kunst:* kleiner Knabe mit oder ohne Flügel, nackt oder leicht bekleidet. Wohl angeregt durch Bilder von antiken Eroten, erscheint er zum ersten Mal in der Frührenaissance neben den in der Gotik oft dargestellten Kinderengeln. In entsprechendem Zusammenhang wird er als **Amorette** bezeichnet.

Putumạyo, Rịo, linker Nebenfluss des oberen Amazonas, 1852 km lang, bildet die Grenze zw. Kolumbien, Ecuador und Peru; im brasilian. Unterlauf **Rio Içá;** wichtige Wasserstraße.

Putz, bei Bauwerken an Wand- oder Deckenflächen einlagig oder mehrlagig aufgetragene Deckschicht. P. an Innenflächen wird **Innen-P.,** P. an Außenflächen **Außen-P.** genannt. Eine obere P.-Lage wird als **Ober-P.,** darunter liegende P.-Lagen als **Unter-P.** bezeichnet. Durch grobkörnige Zuschlagstoffe und die P.-Weise kann die Oberfläche gestaltet werden, z. B. bei **Kratz-P., Rau-P.** oder **Spritzputz.**

Pụtziger Nẹhrung (Halbinsel Hela, poln. Mierzeja Helska, Hel, Mierzeja Pucka), Dünenhalbinsel an der poln. Ostseeküste, 34 km lang, trennt den W-Teil der Danziger Bucht **(Putziger Wiek)** von der Ostsee ab; an der Spitze der Halbinsel die Gemeinde →Hel.

Puvis de Chavannes [py'vis də ʃa'van], Pierre, frz. Maler, *Lyon 14. 12. 1824, †Paris 24. 10. 1898. Seine symbolist. Malerei, v. a. Wandbilder (auf Leinwand), behandelt mytholog., allegor. und religiöse Themen. Er malte Szenen, die in gedämpften Farben von klass. Vorbildern inspirierte Figuren in »idealen Landschaften« darstellen; bed. v. a. zwei Genoveva-Zyklen im Panthéon in Paris.

Puy [pɥi, frz.], **1)** *der,* in der Auvergne Bez. für Berg, z. B. der Puy de Sancy (→Mont-Dore) und der →Puy de Dôme.

2) Stadt in Frankreich, →Le Puy-en-Velay.

Puy de Dôme [pɥidə'do:m] *der,* der höchste Berg der vulkan. Gebirgskette **Chaîne des Puys** in der Auvergne, Frankreich, westlich von Clermont-Ferrand, eine Quellkuppe aus Trachyt, 1465 m ü. M.; Observatorium seit 1876.

Puy-de-Dôme [pɥidə'do:m], Dép. in der Auvergne, Frankreich, 7970 km², (1995) 605 000 Ew.; Verw.sitz ist Clermont-Ferrand.

Pu Yi (P'u I), letzter Kaiser von China (1908–12), *1906, †Peking 17. 10. 1967; aus der Qing-Dynastie; musste nach der Revolution (1911) im Febr. 1912 abdanken. Von Japan wurde er 1932 als Regent, 1934 als Kaiser des von ihm abhängigen Mandschukuo eingesetzt. Aus sowjet. Gefangenschaft (1945–50) wurde P. an China ausgeliefert; 1959 freigelassen. – Memoiren »Ich war Kaiser von China« (1973).

Puzo ['pu:zəʊ], Mario, amerikan. Schriftsteller und Journalist italien. Abstammung, *New York 15. 10. 1920; schreibt spannende Unterhaltungsromane über den Kampf sizilian. Mafiafamilien in New York, u. a. »Der Pate« (1969; verfilmt), »Mamma Lucia« (1964), »Der Sizilianer« (1984), »Der vierte K.« (1990), »Der letzte Pate« (1996).

Puzzle [pʌzl, engl. pʌzl; engl. »Problem«] *das,* Geduldspiel, z. B. Zusammenleg-, Verschieb-,

Kombinationsspiel, v.a. das Zusammensetzen eines Bildes aus vielen kleinen Einzelteilen.

Puzzolane [nach dem Fundort Pozzuoli], *Bautechnik:* Stoffe mit reaktionsfähigen Hydraulikfaktoren (Kieselsäure), die zus. mit Kalkhydrat zur Härtung des Bindemittels führen. Natürl. P. bestehen aus Vulkanasche oder zermahlenem vulkan. Tuff.

PVC, Abk. für →**P**oly**v**inyl**c**hlorid.

PVD-Verfahren [PVD Abk. für engl. **p**hysical **v**apour **d**eposition], die Beschichtung vorzugsweise metall. Werkstoffe durch physikal. Dampfabscheideprozesse mithilfe plasmaaktivierter Verfahren. Abgeschieden werden Hartstoffverbindungen (→Hartstoffe) mit hoher Verschleißbeständigkeit, wobei im Gegensatz zum →CVD-Verfahren die Hartstoffverbindung im Fein- und Hochvakuumbereich aus den Ausgangselementen synthetisiert wird.

PWA Papierwerke Waldhof-Aschaffenburg AG, bed. Unternehmen der Zellstoff- und Papierind., Sitz: Raubling; entstanden 1970 durch Fusion der Zellstoff Fabrik Waldhof (gegr. 1884) und der Aschaffenburger Zellstoffwerke AG (gegr. 1872).

PWR [Abk. für engl. **p**ressurized **w**ater **r**eactor], der Druckwasserreaktor (→Kernreaktor).

Pyè, Stadt in Birma, →Prome.

Pyelitis [grch.] *die,* die →Nierenbeckenentzündung.

Pyelonephritis, →Nierenentzündung.

Pygmäen [grch. pygmaĩos »faustgroß«], Gruppen kleinwüchsiger Menschen, die als Jäger und Sammler in trop. Regenwaldgebieten Zentralafrikas leben. Unter den etwa 150000 P. gelten die 3000 Mbuti (Bambuti) im Iturigebiet (Demokrat. Rep. Kongo) als die ursprünglichsten; sie umfassen die Stämme Aka, Efe und Sua. In Gabun und S-Kamerun leben die Baka, in der Rep. Kongo und der südl. Zentralafrikan. Rep. die Bayaka, in Angola, Ruanda, Burundi und Uganda die Twa, z.T. stärker mit Großwüchsigen vermischt. Die P. bilden eine egalitäre Gesellschaft. Ihre Existenz ist v.a. durch die fortschreitende Einengung ihres Lebensraums (Reduzierung des trop. Regenwaldes) sowie durch Infektionskrankheiten und Unterdrückung bedroht.

📖 SEITZ, S.: *Die zentralafrikan. Wildbeuterkulturen. Wiesbaden 1977.* – HEYMER, A.: *Die P. Menschenforschung im afrikan. Regenwald. München 1995.*

Pygmalion, sagenhafter König von Kypros (Zypern), der sich (nach Ovid) in das nach seinem Frauenideal geschaffene Standbild einer Jungfrau verliebte. Die Göttin Aphrodite erweckte die Gestalt zum Leben, und P. nahm sie zur Gemahlin. Beliebter literar. Stoff (Dramen u.a. von J.-J. Rousseau, G.B. Shaw; letzteres Textvorlage für das Musical »My fair lady« von A.I. Lerner und F. Loewe).

Pygmide, kleinwüchsige Menschengruppen (Durchschnittsgröße des Mannes 150 cm, der Frau 140 cm), zu denen neben den Pygmäen auch die →Negritos (Negritide) in SO-Asien und auf Neuguinea gerechnet werden.

Pyhrn [pɪrn, pyrn] *der,* Pass in den Alpen (ÜBERSICHT Alpenstraßen).

Pyjama [py'dʒa:ma, engl. pɪ'dʒɑ:ma; aus Urdu] *der,* Schlafanzug, kam um 1910 in Europa auf.

pyknischer Typ [grch.], →Konstitutionstypen.

Pyknometer [grch.] *das,* geeichtes Glasgefäß (z.B. 50 ml bei 20°C) zur Dichtebestimmung von Flüssigkeiten. Masse der Flüssigkeit dividiert durch das Volumen des P. ergibt die Dichte.

Pylon [grch. »Tor«] *der,* **1)** *Architektur:* gewaltige Toranlage vor ägypt. Tempeln mit zwei turmartigen Seitenbauten. BILD Idfu

2) *Brückenbau:* Stahl- oder Betonstütze, die über die Fahrbahn von Hänge- oder Schrägseilbrücken hinausragt und auf dem die Gurte gelagert sind.

3) *Flugzeugbau:* meist stielförmiger Träger unter Tragflügeln oder am Rumpf zur Befestigung von Triebwerken, militär. Außenlasten oder Kraftstoffzusatztanks.

Pylorospasmus, der →Magenpförtnerkrampf.

Pyonephrose, Nierenvereiterung als Endstadium einer chron., degenerativen Erkrankung der Nieren.

P'yŏngyang, Hauptstadt von Nord-Korea, →Pjöngjang.

Mario Puzo

Pierre Puvis de Chavannes: »Der Sommer« (1873; Paris, Musée d'Orsay)

pyr... [grch.], Wortbildungselement, →pyro...

Pyra, Immanuel Jakob, Schriftsteller, *Cottbus 25.7.1715, †Berlin 14.7.1744; vertrat seine ästhet. Ansichten in dem Lehrgedicht »Der Tempel der wahren Dichtkunst« (1737); lehnte als Gegner einer einseitig rationalistischen Dichtung die Poetik

Pyramide 1): Die Chephrenpyramide bei Giseh ist mit über 136 m Höhe die zweitgrößte Pyramide Ägyptens (um 2500 v. Chr.); die 65 m hohe Sonnenpyramide von Teotihuacán nordöstlich der Stadt Mexiko stammt aus vorkolumbianischer Zeit (rechts)

J. C. Gottscheds ab; hatte großen Einfluss auf F. G. Klopstock.

Pyramide [grch. aus ägypt.] *die,* **1)** *Architektur:* monumentales Grabmal der altägypt. Könige (→ägyptische Kunst) mit quadrat. Grundfläche und dreieckigen, spitz zulaufenden Seiten. Sein Vorläufer war die Stufen-P. des Königs Djoser bei Sakkara mit rechteckigem Grundriss. Die erste eigentl. P., die »Rote P.« von Dahschur, ließ König Snofru erbauen. Die meisten P. liegen auf dem westl. Nilufer bei Kairo, die größten sind die P. des Cheops, des Chephren und des Mykerinos bei Giseh. – Pyramidenartige Bauten, meist von einem Tempel gekrönt, wurden auch von den Völkern der altamerikan. Kulturen errichtet. Hinterind. P. sind oft als Stufen-P. über natürl. Hügeln aufgeführt. Kleinere Stufen-P. gibt es in Ozeanien (z. B. auf Tahiti und Tonga). Nach ägypt. Vorbild erbaut wurde die →Cestiuspyramide in Rom. Die P. Mesoamerikas (Chichén Itzá, El Tajín u. a.) sind (meist) in stufenförmigen Absätzen aufgeführt und mit einer Plattform für das Heiligtum auf der abgestumpften Spitze versehen. Weiteres BILD Chichén Itzá

📖 KUBLER, G.: *The art and architecture of ancient America. Harmondsworth* ²*1975.* – STADELMANN, R.: *Die großen P. von Giza. Graz 1990.* – STADELMANN, R.: *Die ägypt. P. Mainz* ³*1997.*

2) *Mathematik:* geometr. Körper, bei dem die Ecken eines ebenen Vielecks mit einem Punkt S, der P.-Spitze, außerhalb der Ebene des Vielecks verbunden sind. Das Volumen einer P. beträgt $\frac{1}{3}\, G \cdot h$, wobei G der Flächeninhalt des Vielecks und h die P.-Höhe ist. Ist die Grundfläche ein regelmäßiges Vieleck und liegt S senkrecht über dessen Mittelpunkt, so wird die P. als gerade (regelmäßig), sonst als schief bezeichnet. Schneidet man eine P. mit einer zu ihrer Grundfläche parallelen Ebene, so bezeichnet man den zw. der Schnitt- und Grundfläche liegenden Teil als **P.-Stumpf,** den restl. Teil als **Ergänzungspyramide.**

Pyramide

Wer fand heraus, dass Pyramiden Rasierklingen scharf halten?

Ein tschechischer Ingenieur namens Karel Drbal. Er hatte von den Forschungen eines Franzosen gelesen, der in den Fünfzigerjahren des 19. Jahrhunderts mit maßstabsgerechten Pyramidenmodellen experimentierte und herausgefunden hatte, dass in ihnen Nahrungsmittel über lange Zeit frisch zu halten waren.
Hundert Jahre später baute Drbal ebenfalls ein maßstabsgetreues Modell der Cheops-Pyramide und legte stets nach der täglichen Rasur seine Rasierklingen hinein (in Prag waren gerade die Rasierklingen knapp). Sie wurden nicht stumpf, und 1959 ging Karel Drbal zum Prager Patentamt. Nach Tests des ungläubigen Chefingenieurs des Instituts erhielt er das Patent Nr. 91304 auf seine Idee, die letztlich wohl doch nicht die seine ist.

Damit eine Pyramide ihren Frischhalte- und Erneuerungseffekt entfalten kann, müssen, bei natürlich quadratischer Grundfläche, die Grund- und Seitenkanten ein Verhältnis von 15,7 zu 14,94 aufweisen, wobei die Seiten nach den Himmelsrichtungen auszurichten sind. Die gewünschte Energie stellt sich auf der unteren Drittelebene der Pyramidenhöhe her.

Pyramidenbahn, wichtigste der motor. Nervenbahnen, die von der Großhirnrinde jeder Hemisphäre bis zum verlängerten Mark verläuft. Dort (an der Grenze zum Rückenmark) kreuzt der größte Teil der Neuriten zur Gegenseite **(Pyramiden[bahn]kreuzung)** und läuft weiter im seitl. Rückenmark abwärts (als paarige **Pyramidenseitenstrangbahn**). Ein kleiner Teil bleibt im Vorderstrang des Rückenmarks und kreuzt erst kurz vor der Synapse zur motor. Vorderhornzelle, der Umschaltstelle für beide Teile der P.; sie ist verantwortlich für willkürl. Muskelbewegungen.

Pyramus und Thisbe, nach der Sage ein babylon. Liebespaar, dessen Geschichte in Ovids »Metamorphosen« erzählt wird. Beide werden bei einer nächtl. Zusammenkunft durch das Erscheinen einer Löwin getrennt; in dem Glauben, die Löwin habe Thisbe zerrissen, nimmt sich Pyramus das Leben; als Thisbe ihn findet, folgt sie ihm in den Tod.

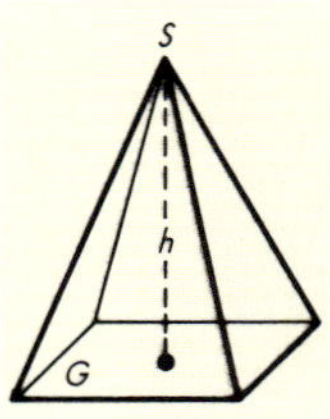

Pyramide 2): regelmäßige Pyramide; G Grundfläche, *h* Höhe, S Pyramidenspitze

Pyrane (Pyrone), sechsgliedrige heterozykl. Verbindungen mit einem Sauerstoffatom im Ring. Nach der Lage der Doppelbindungen unterscheidet man das 2H- und das 4H-Pyran (**α-** bzw. **γ-Pyran**), von denen jedoch nur das 4H-Pyran in freiem Zustand bekannt ist (farbloses Öl). Die P. und ihre Oxoderivate (**α-** und **γ-Pyron**) bilden die Grundkörper einer großen Zahl von Naturstoffen (z.B. Cumarin, Flavone) u.a. Verbindungen.

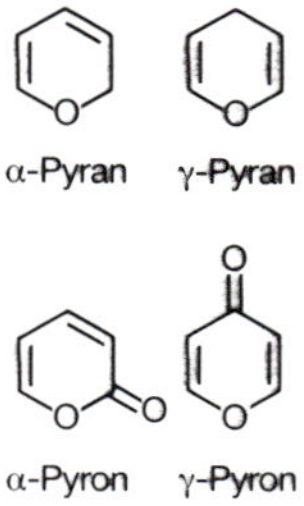

Pyrane

Pyranometer [grch.] *das,* Gerät zur Messung der Intensität der direkten Sonnen- und der diffusen Himmelsstrahlung über ihre Wärmewirkung.

Pyranosen, → Monosaccharide.

Pyrargyrit [grch.] *der,* Mineral, → Rotgültigerz.

Pyren *das,* polyzykl. aromat. Kohlenwasserstoff, der im Steinkohlenteer enthalten ist und zur Synthese von Farbstoffen verwendet wird. P. ist im Gegensatz zu → Benzpyren nicht Krebs erregend.

Pyrenäen (frz. Pyrénées, span. Pirineos), junges Faltengebirge im SW Europas, erstreckt sich von der Biscaya (Atlant. Ozean) bis zum Golfe du Lion (Mittelmeer), 435 km lang. Längs der P. verläuft die Grenze zw. Spanien und Frankreich. Im O liegt Andorra. – Die P. bilden eine geschlossene Erhebung mit einheitl. Kamm und hohen Pässen. Von den hohen Zentral-P. (Maladeta im Pico de Aneto 3404 m ü.M.) setzen sich die niedrigeren und besser passierbaren West- und Ost-P. durch zwei Passfurchen ab: im W Somport (1632 m ü.M.), im O Col de Puymorens (1915 m ü.M.). Die Hauptdurchgangspforten liegen an den niedrigen Enden des Gebirgszuges, im W bei Hendaye/Irún, im O bei Cerbère/Portbou sowie im Col du Perthus (271 m ü.M.). In den West-P. leben auf beiden Seiten Basken, in den Ost-P. Katalanen. Die P. liegen im Bereich des immer feuchten Klimas W-Europas; es geht am S-Fuß des Gebirges in das sommertrockene Mittelmeerklima über. Oberhalb der Waldgrenze (2400–2500 m ü.M.) Zwergsträucher und alpine Matten. Die Schneegrenze steigt vom W (2700 m) zum Zentralkamm (3100 m) an und sinkt im O nur gering ab. In der Landwirtschaft steht die Viehzucht (Schafe, Rinder) im Vordergrund. In den Tälern werden auf der span. Seite mit Bewässerung Mais, Weizen, Roggen, bis 800 m Höhe Oliven, bis 1000 m Wein angebaut. Im W der frz. P. werden bes. Mais, im O Wein, Obst, Gemüse angebaut. Die Ind. hat auf span. Gebiet geringe Bedeutung; genutzt wird die Wasserkraft zur Energiegewinnung. In den frz. P. Bauxitabbau und Aluminiumherstellung, zahlr. Wasserkraftwerke. – Zunehmende Bedeutung hat der Fremdenverkehr in Kurorten (Thermalquellen; u.a. Bagnères-de-Bigorre, Bagnères-de-Luchon), Wintersportorten und Wallfahrtsorten (Lourdes). Weiteres BILD Lourdes

📖 VIERS, G.: *Les Pyrénées. Paris* ^{3}*1973.* – *Les Pyrénées, hg. v.* F. TAILLEFER. *Toulouse* ^{2}*1984.*

Pyrenäenfrieden, zw. Frankreich und Spanien auf der neutralen Fasaneninsel im Fluss Bidassoa (bei Hendaye) am 7.11.1659 geschlossener Frieden, der den 1635 begonnenen Krieg mit dem Sieg Frankreichs beendete. Die Vormachtstellung in Europa ging von Spanien auf Frankreich über. Spanien trat das Roussillon sowie Gebiete im Artois, Hennegau und in Luxemburg ab. Mit dem P. war ein Heiratsvertrag zw. Ludwig XIV. und der span. Königstochter Maria Theresia gekoppelt, der dem Haus Bourbon Erbansprüche auf den span. Thron eröffnete (→ Spanischer Erbfolgekrieg).

Pyrenäenhalbinsel (Iberische Halbinsel), → Iberien.

Pyrénées-Atlantiques [pireˈne atlãˈtik] (bis 1969 Basses-Pyrénées), Dép. in SW-Frankreich in der Region Aquitanien, 7645 km², (1995) 591000 Ew.; Verw.sitz ist Pau.

Pyrénées-Orientales [pireˈne ɔrjãˈtal], Dép. in S-Frankreich, in der Region Languedoc-Roussillon, 4116 km², (1995) 376000 Ew.; Verw.sitz ist Perpignan.

Pyrenäen: Bergbauerndorf im gering besiedelten östlichen Teil der Pyrenäen

Pyrethrum [grch.] *das,* durch Extraktion aus getrockneten Blüten versch. Wucherblumenarten (früher Gattung Pyrethrum, heute Chrysanthemum) gewonnenes Insektizid; wirkt als Fraß- und Berührungsgift; für Menschen u.a. Warmblüter kaum schädlich.

Pyrgeometer [grch.] *das,* Instrument zur Messung der vom Erdboden emittierten langwelligen elektromagnet. Strahlung.

Pyrit: verwachsene Kristalle

Pyrolusit: Kristallaggregate auf weißem Schwerspat

Pyromorphit: grüner kristalliner Überzug

Pyrgos (neugrch. Pirgos), Hptst. des grch. Nomos Elis, im W der Peloponnes, in einer fruchtbaren Küstenebene, 22 000 Ew.; orth. Bischofssitz; Weinbau (Korinthen).

Pyrheliometer [grch.], Gerät zum Messen der absoluten Strahlungsintensität der direkten Sonnenstrahlung.

Pyridin [grch.] *das,* heterozykl. Verbindung mit aromat. Eigenschaften (→Aromaten). P. ist eine unangenehm riechende, giftige, mit Wasser mischbare, schwach bas. Flüssigkeit. P. und die P.-Basen (Alkylpyridine wie z. B. Picoline) werden durch Destillation aus Steinkohlenteer gewonnen oder synthetisch aus Acetaldehyd und Ammoniak hergestellt. Sie werden als Lösungsmittel sowie zur Herstellung u. a. von Arzneimitteln und Herbiziden gebraucht. Im Gemisch mit Picolinen wird P. zum Denaturieren von Alkohol verwendet.

Pyridoxine [grch.], die Pyridinderivate, die Vitamin-B_6-Aktivität aufweisen, z. B. **Pyridoxol.**

Pyrimidin *das* (1,3-Diazin), sechsgliedrige heterozykl. Verbindung mit zwei Stickstoffatomen in 1,3-Stellung; farblose, charakteristisch riechende, kristalline, basisch reagierende Substanz. Das Ringsystem des P. findet sich in zahlreichen Naturstoffen, z. B. im Vitamin B_1 (Thiamin), in den Nucleinsäurebasen Cytosin, Uracil sowie Thymin **(P.-Basen)** und in den →Purinbasen.

Pyrit [grch.] *der* (Eisenkies, Schwefelkies), häufiges, messinggelbes kub. Mineral (FeS_2), das bes. im Würfel oder Pentagondodekaeder kristallisiert, aber auch in kugeligen und derben Massen vorkommt. Rohstoff zur Schwefelsäureherstellung; die Abröstrückstände werden als Eisenerz, Farbe und Polierpulver verwendet. Der Gehalt an Kupfer, Silber, Gold u. a. ist oft bedeutend.

Pyritz, Stadt in Polen, →Pyrzyce.

Pyrmont, Bad, →Bad Pyrmont.

pyro..., pyr... [grch. pỹr »Feuer«], feuer..., durch Hitze bewirkt.

Pyro|elektrizität, die Fähigkeit mancher Kristalle, sich bei plötzl. Erwärmung oder Abkühlung auf gegenüberliegenden Flächen entgegengesetzt elektrisch aufzuladen. Die Umkehrung des **pyroelektr. Effekts,** d. h. die Entwicklung von Wärme an einem pyroelektr. Kristall im elektr. Feld, heißt **elektrokalor. Effekt.**

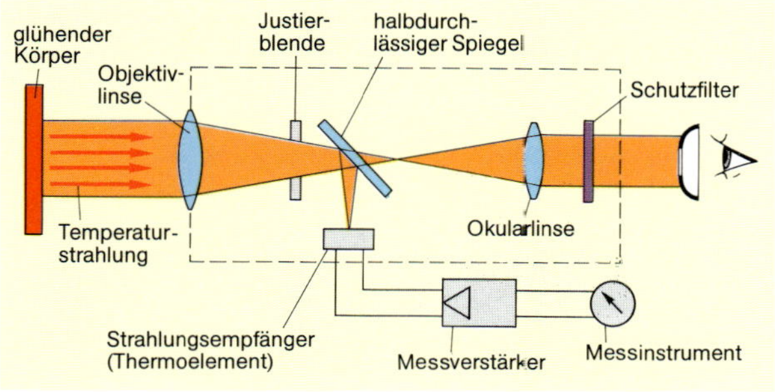

Pyrometer: Funktionsschema eines thermoelektrischen Pyrometers

Pyrogallol *das* (1,2,3-Trihydroxybenzol), dreiwertiges Phenol; farblose, kristalline, in Wasser und Alkohol lösl. Substanz. P. erhält man aus Gallussäure durch Decarboxylieren; sie wird v. a. in der Gasanalyse zur Absorption von Sauerstoff sowie als fotograf. Entwickler verwendet.

pyrogen [grch. »im Feuer entstanden«], aus magmat. Schmelzen auskristallisiert (Gesteine, Minerale).

Pyrogene, Fieber erzeugende Stoffe; die Körpertemperatur erhöhende Stoffwechselprodukte von Mikroorganismen, die durch die übl. Sterilisationsverfahren nicht zerstört werden.

pyroklastische Gesteine, aus vulkan., durch explosive Ausbrüche geförderten Lockermassen entstandene Gesteine.

Pyrolusit [grch.] *der,* tetragonales Mineral, β-MnO_2, bildet meist erdige Massen; wichtiges marin oder terrestrisch entstandenes Manganerz.

Pyrolyse [grch. lýsis »(Auf)lösung«] *die,* therm. Spaltung chem. Verbindungen. Techn. wichtige P.-Verfahren sind das →Cracken u. a. Verfahren der Petrochemie zur Herstellung z. B. von aromatenreichem Benzin, das sich durch gute Klopffestigkeit auszeichnet **(Pyrolysebenzin).**

Pyrometer [grch.] *das,* Gerät zur berührungslosen Messung der Temperatur eines Messgegenstandes aus der von ihm ausgehenden Temperaturstrahlung. P. werden v. a. für Messungen sehr hoher Temperaturen (über 1400 °C) sowie bewegter oder unzugängl. Objekte und zeitlich rasch veränderl. Temperaturen verwendet. Nach der Art des Strahlungsempfängers unterscheidet man **thermoelektr. P.** (Thermoelement, Widerstandsthermometer) und **Strahlungs-P.** (Photozelle, Bolometer, Halbleiterzellen; P. i. e. S.). Eine oft verwendete Bauform ist das **Leuchtdichte-P. (Glühfaden-P.):** die einfallende Strahlung wird mit der Strahlung einer geeichten Glühlampe verglichen, deren Spannung so verändert wird, dass der gleiche Helligkeitseindruck (Leuchtdichte) für Messfläche und Glühfaden entsteht. Der Heizstrom der Glühlampe dient als Temperaturmaß.

Pyromorphit [grch.] *der,* hexagonales Mineral der chem. Zusammensetzung $Pb_5[Cl||(PO_4)_3]$, weiß oder farblos, gelb, orangerot, am häufigsten grün **(Grünbleierz)** oder braun **(Braunbleierz).**

Pyrone, →Pyrane.

Pyrop [grch.] *der,* Mineral, ein dunkelroter →Granat.

Pyrophore [zu grch. phoreĩn »tragen«], allg. Stoffe, die sich an der Luft bei gewöhnl. Temperatur selbst entzünden (z. B. weißer Phosphor).

Pyrrhos: römische Kopie aus Marmor nach einem Original des frühen 3. Jh. v. Chr. (Neapel, Museo Archeologico Nazionale)

Pyrophyllit [grch.] *der,* monoklines, perlmuttglänzendes Mineral der chem. Zusammensetzung $Al_2[(OH)_2||Si_4O_{10}]$, weiß, gelblich bis braun; u. a. als derbe, dichte Massen in metamorphen Schiefern **(Bildstein, Agalmatolith),** auch in hydrothermalen Gängen.

Pyrotechnik, Technik der Herstellung von Feuerwerkskörpern für Vergnügungszwecke und von pyrotechn. Munition für techn. Zwecke (z. B. Signalpatronen). In Dtl. regelt das Sprengstoff-Ges. den Umgang mit pyrotechn. Mitteln. – **Feuerwerkskörper** werden nach dem Grad ihrer Gefährlichkeit in Feuerwerksspielwaren (z. B. Knallerbsen), Kleinfeuerwerk, Mittelfeuerwerk (Gartenfeuerwerk) und Großfeuerwerk unterteilt. Sie enthalten einen Feuerwerkssatz aus Oxidationsmitteln, Brennstoffen und anderen Bestandteilen (z. B. flammenfärbende Stoffe) in einer Umhüllung aus Pappe, Kunststoff u. a. **Leuchtsätze** müssen hohe Verbrennungstemperaturen erreichen. Sie enthalten Nitrate als Oxidationsmittel und Brennstoffe, die feste Verbrennungsprodukte mit hohem Schmelzpunkt bilden (z. B. Magnesium, Aluminium). Farbiges Licht wird durch Alkali-, Erdalkali- und Kupfersalze erzeugt (z. B. Grün mit Bariumnitrat). Metallfreie Leuchtsätze mit Chloraten als Oxidationsmittel und Harzen als Brennstoff werden z. B. als **bengal. Feuer** verwendet. Brisante **Knallsätze,** die bereits ohne Verdämmung einen lauten Knall erzeugen, bestehen z. B. aus Aluminiumpulver und Kaliumperchlorat. **Pfeifsätze** erzeugen in einer einseitig geöffneten Hülse einen Pfeifton. Sie bestehen aus aromat. Carbonsäuren, Phenolen oder deren Salzen (z. B. Natriumbenzoat) und Chloraten oder Perchloraten als Oxidationsmittel.

Pyroxene [grch.], wichtige Gruppe gesteinsbildender Minerale (z. T. auch als Augite bezeichnet), meist grün, braun bis schwarz; Härte nach Mohs um 6, Dichte 3–3,5 g/cm³; Kristalle säulig bis stängelig, stets auch derb, eingewachsen und in Aggregaten. P. gehören zu den Kettensilikaten. Strukturell unterscheidet man die **monoklinen P.** und die **rhomb. P. (Ortho-P.).** Hauptvertreter der monoklinen P. sind Diopsid, $CaMg[Si_2O_6]$, Augit, $(Ca, Mg, Fe^{2+}, Fe^{3+}, Ti, Al)_2[(Si, Al)_2O_6]$, und Hedenbergit, $CaFe^{2+}[Si_2O_6]$ sowie →Jadeit. Hierzu zählt auch Ägirin, $(Na, Ca)(Fe^{3+}, Fe^{2+})[Si_2O_6]$. Hauptvertreter der rhomb. P. sind Enstatit, $Mg_4[Si_2O_6]_2$, und Hypersthen $(Mg, Fe)_4[Si_2O_6]_2$, der mit 5–14 % Eisenoxidgehalt als Bronzit bezeichnet wird.

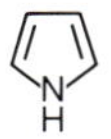

Pyrrol

Pyroxenit [grch.] *das,* Gruppe dunkler, feldspatfreier Tiefengesteine, meist nach der vorherrschenden Pyroxenvarietät benannt (z. B. Bronzitit).

Pyrrha, *grch. Mythos:* Tochter des Epimetheus, als Gemahlin des →Deukalion nach der Sintflut Mutter des neuen Menschengeschlechts.

Pyrrhon von Elis, grch. Philosoph, *Elis um 360 v. Chr., †um 270 v. Chr.; begründete in Athen die erste skept. Schule **(pyrrhon. Skepsis).** Er stellte alle Erkenntnis in Abrede, da jeder Behauptung nur eine subjektive Kenntnis von Erscheinungen zugrunde liege und Wertungen auf Konvention beruhten.

Pyrrhos (lat. Pyrrhus), König der Molosser und Herrscher in Epirus, *319 v. Chr., †Argos 272 v. Chr.; siegte 280 bei Herakleia und 279 bei Asculum unter großen Verlusten über die Römer (daher **Pyrrhussieg**), denen er bei Benevent 275 unterlag, 274 eroberte er Makedonien und fiel 272.

Pyrrhotin [grch.] *der,* Mineral, →Magnetkies.

Pyrrol [grch.] *das,* fünfgliedrige heterozykl. Verbindung mit einem Stickstoffatom im Ring; chloroformähnlich riechende, stark lichtbrechende Flüssigkeit, die bei längerem Stehen polymerisiert. Das Ringsystem des P. ist Bestandteil vieler biochemisch wichtiger Verbindungen (u. a. der Porphyrine).

Pyrophyllit

Pyruvate [zu grch. pỹr »Feuer« und lat. uva »Weintraube«] *das,* Salze und Ester der →Brenztraubensäure; sie treten v. a. bei Stoffwechselvorgängen als Zwischenprodukte physiolog. Ab- und Aufbauprozesse auf (z. B. bei der →Glykolyse).

Pyrzyce [piˈʒitsɛ] (dt. Pyritz), Stadt in der Wwschaft Szczecin (Stettin), Polen, in Pommern, 12 900 Ew.; Textil-, Nahrungsmittelind.; Eisenbahnknoten. – Im 2. Weltkrieg wurde P. schwer beschädigt; die Stadtmauer mit einigen Türmen und Toren und die Mauritiuskirche (13.–15. Jh.) blieben erhalten. – Die nahe einer slaw. Burgsiedlung im 13. Jh. entstandene dt. Siedlung erhielt 1263 Stadtrecht.

Pyroxene: Kristalle

Pythagoras, grch. Philosoph, *Samos um 570 v. Chr., †Metapont (?) um 500 v. Chr. P. soll Anaximander gehört haben und durch Ägypten und

Babylonien gereist sein; er begab sich 532/31 v. Chr. angeblich wegen seiner Ablehnung des Tyrannen Polykrates nach Unteritalien und gründete dort in Kroton einen nach ihm benannten Bund mit religiösen, wiss., polit. und eth. Zielen **(Pythagoreer).** Polit. Gegner sollen ihn aus Kroton vertrieben haben. Von P. stammt die Lehre, dass das Wesen der Wirklichkeit die Zahl sei, sowie die Lehre von der Seelenwanderung. Mathematik, Astronomie und Akustik verdanken den Pythagoreern wichtige Erkenntnisse. – P., um dessen Leben sich zahlreiche Legenden ranken, galt seinen Schülern als der vollkommene Weise und soll schon zu Lebzeiten göttl. Verehrung (als Inkarnation Apolls) genossen haben.

📖 Bindel, E.: *P. Leben u. Lehre in Wirklichkeit u. Legende. Stuttgart 1962.*

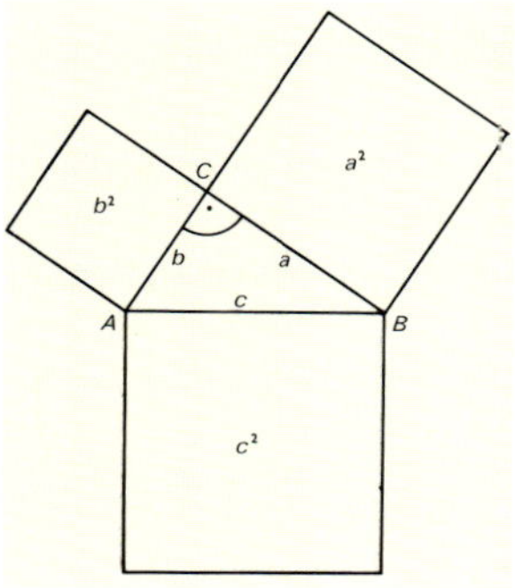

pythagoreischer Lehrsatz

pythagoreischer Lehrsatz (Satz des Pythagoras), dem Pythagoras zugeschriebener (in Babylonien wohl schon um 1700 v. Chr. bekannter) Lehrsatz der Geometrie: Im rechtwinkligen Dreieck ist die Summe der Flächeninhalte der Quadrate über den Katheten a und b gleich dem Flächeninhalt des Quadrats über der Hypotenuse c; es gilt: $a^2 + b^2 = c^2$. Eine Verallgemeinerung des p. L. ist der →Kosinussatz. Zeichnet man über den Seiten eines rechtwinkl. Dreiecks ähnliche Figuren, so ist nach dem **erweiterten Satz des Pythagoras** die Summe der Flächeninhalte der Figuren über den Katheten gleich dem Inhalt der Figur über der Hypotenuse; sind die Figuren Kreise, gilt die Annahme über die hippokratischen Möndchen (→Hippokrates).

pythagoreischer Lehrsatz

Der Satz des Pythagoras hat eine ganze Anzahl von Beweisen. Ein sehr einfacher geht so: Das äußere Quadrat mit der Seitenlänge (a + b) *hat die Fläche* $(a + b)^2 = a^2 + b^2 + 2ab$. *Die vier rechtwinkligen Randdreiecke bilden zusammen zwei Rechtecke mit der Fläche* 2ab. *Das innere Quadrat hat somit die Fläche* $a^2 + b^2$ $(= c^2)$.

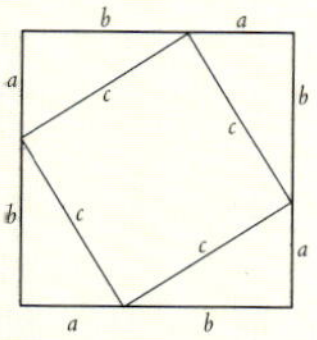

Pythagorion, Hafenort an der SO-Küste von Samos, Griechenland, 1400 Ew.; archäolog. Museum, Fremdenverkehr, Flughafen. – P. liegt an der Stelle der antiken Stadt Samos; zahlreiche Ausgrabungen, v. a. das Heraion, zu dem ein gepflasterter Prozessionsweg führte, sowie ein im Auftrag des Polykrates durch den Berg getriebener Tunnel zur Wasserversorgung.

Pytheas aus Massalia, grch. Geograph, Astronom und Mathematiker, unternahm um 330 v. Chr. von Massalia (Marseille) eine Reise nach Spanien, nach Thule, in die Ostsee und zur Dt. Bucht und lieferte die ersten Informationen über die nordwestl. Gebiete Europas. Er führte Messungen der Sonnenhöhe mit dem Gnomon zur Bestimmung der Dauer der längsten Tage (und damit der geograph. Breite) an verschiedenen Orten aus und stellte die Lage des Himmelspols genauer fest. Von ihm stammen die ersten genauen Angaben über die Gezeitenbewegungen, als deren Ursache er bereits den Mond ansah.

Pythia, die nach der →Python benannte, weissagende Priesterin des Orakels zu →Delphi.

Pythische Spiele, musische, athlet. und reiterl. Wettkämpfe, urspr. alle acht, seit 582 v. Chr. alle vier Jahre in Delphi durchgeführt; angeblich von Apoll als Sühne für die Tötung der Pythonschlange begründet. – Die P. S. gehörten zu den großen panhellen. Festspielen.

Python *die, grch. Mythos:* eine riesige weibl. Schlange mit prophet. Kräften, die in Delphi das Orakel ihrer Herrin Gaia bewachte. Apoll tötete sie und bemächtigte sich so des Orakels.

Pythonschlangen: Netzpython (Länge bis 9 m)

Pythonschlangen (Pythoninae), Unterfamilie der Riesenschlangenmit etwa 21 Arten, darunter der bis 4 m lange **Tigerpython** (Python morulus) in S-Asien, der bis 9 m lange **Netzpython (Gitterschlange,** Python reticulatus) in SO-Asien und der 7 m lange **Felsenpython (Assala,** Python sebae) in Afrika.

Pyxis [grch. »Büchse«] *die,* **1)** *allg.:* kleine runde Dose mit Deckel zur Aufbewahrung von Kosmetika und Schmuck in der Antike, im MA. von Reliquien, später auch von Hostien.

2) *Astronomie:* (Kompass, Schiffskompass) Sternbild des Südhimmels.

Q

q, Q [ku:] *das,* **1)** Konsonant, der 17. Buchstabe des dt. Alphabets, im Deutschen immer zus. mit u: qu; wie in zahlreichen europ. Sprachen mit dem Lautwert [kv]; entstand aus dem semit. Koph über altgrch. Koppa und lat. q, das auf die Stellung vor konsonantischem u beschränkt war.

2) *Formelzeichen:* *Q* oder *q* für die elektr. Ladung, *Q* für die →Lichtmenge und die →Wärmemenge.

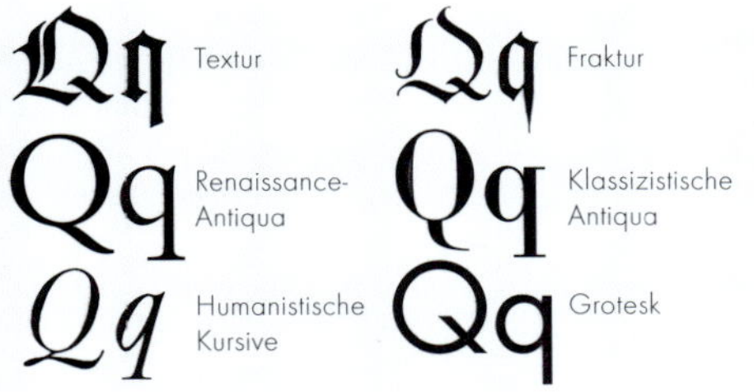

Druckschriftvarianten des Buchstabens **Q**

3) *Mathematik:* Q, ℚ, Zeichen für die Menge der rationalen Zahlen.

4) *Physik:* **q,** Symbol für ein Quark (→Quarks).

Qaanaaq [k-] (dän. Thule), Siedlung an der NW-Küste Grönlands, bei 77°30' n. Br., 530 Ew.; gegr. 1953 durch Umsiedlung der Eskimo von Dundas (Dundas geht auf die 1910 von K. Rasmussen angelegte Station Thule zurück, Ausgangspunkt der sieben Thule-Expeditionen).

Qaidambecken ['tʃai-] (früher Tsaidambecken), abflusslose Beckenlandschaft im NO Tibets, China, Prov. Qinghai, durchschnittlich 2500 m ü.M., im Zentrum Wüste und Wüstensteppe; Erdöl-, Eisenerzvorkommen.

Qanat [ka'nat, arab.], Bewässerungssystem, →Kanat.

Qantas Airways Ltd. ['kwɔntæs 'eəweız 'lımıtıd], austral. Luftverkehrsgesellschaft; gegr. 1920, seit 1967 jetziger Name (ÜBERSICHT Luftverkehrsgesellschaften).

Qaraghandy [kar-], Stadt in Kasachstan, →Karaganda.

Qattara [kat-], →Kattarasenke.

q. e. d., Abk. für →quod erat demonstrandum.

Q-Fieber (Queenslandfieber, Balkangrippe, Pneumorickettsiose), weltweit verbreitete, durch Rickettsien (Coxiella burnetii) verursachte, meldepflichtige Infektionskrankheit; tritt v.a. bei Rindern, Schafen, Ziegen und vielen Wildtieren auf und wird von diesen durch kontaminierte Staubpartikel, Tröpfcheninfektion, infizierte Zecken, aber auch durch Genuss infizierter Milch auf den Menschen übertragen. Symptome: hohes Fieber, Kopf- und Muskelschmerzen sowie Lungenentzündung. Die Behandlung erfolgt mit Antibiotika.

Qilian Shan [tʃiljan ʃan] *der,* Gebirge in China, →Richthofengebirge.

Qin [tʃin] (Ch'in), chines. Dynastie 221–206 v.Chr. (→China, Geschichte), nach der China seinen Namen erhielt.

Qing [tʃiŋ] (Ch'ing), Mandschu-Dynastie (1644–1911/12) in China (→China, Geschichte); ihr letzter Herrscher war →Pu Yi.

Qingdao [tʃiŋ-], chines. Stadt, →Tsingtau.

Qinghai [tʃiŋ-] (Chinghai), chines. Provinz im NO des Hochlandes von Tibet, 721 000 km², (1994) 4,7 Mio. Ew.; Hptst. ist Xining; ein dünn besiedeltes, wirtsch. wenig entwickeltes Hochgebirgsland; Weidewirtschaft (Yak-, Schaf-, Kamel-, Pferdehaltung; im Qaidambecken Erdöl- und Erdgasförderung, Vorkommen von Kohle, Eisen-, Buntmetallerzen sowie Salz. Von Xining führt eine Eisenbahnstrecke bis Golmud (bis Lhasa geplant).

Qinghai Hu [tʃiŋ-, »blauer See«] (mongol. Kuku Nur, auch Koko Nor), abflussloser Salzsee im NO der Prov. Qinghai, China, 3196 m ü.M., mit einer Fläche von 4200 bis 5000 km² größter Endsee des Hochlandes von Tibet, bis 38 m tief. BILD S. 250

Qinhuangdao [tʃinxwaŋdau̯] (Chinghuangtao), chines. Stadt, an der Bucht von Bo Hai; 342 000 Ew.; Zentrum der chines. Glasproduktion, Schiffbau; Pipeline vom Erdölfeld Daqing; eisfreier und einer der größten Häfen des Landes; für Auslandsinvestitionen »offene« Küstenstadt.

Qantas Airways Ltd.

Qinghai Hu: Ansicht des im Siedlungsgebiet der Tibeter liegenden Sees mit einem typischen tibetischen Kultbau, einem Tschorten, in der Bildmitte

Qinling Shan [tʃinliŋ ʃan] (Tsinlingshan), 1550 km langer Gebirgszug in den chines. Provinzen Shaanxi und Henan, östl. Fortsetzung des Kunlun Shan, bis 3767 m ü. M. (Taibai Shan); bildet die Wasserscheide zw. Hwangho und Jangtsekiang.

Qiqihar [tʃi:tʃi:xa:r] (Tsitsikar), chines. Stadt am Nen Jiang, Prov. Heilongjiang, 1,07 Mio. Ew.; traditionelle Papier- und Nahrungsmittelind., Lokomotiven-, Waggon-, Motoren-, Kranbau und Petrochemie; Flusshafen.

Qostanay [kos-], Stadt in Kasachstan, →Kustanai.

Q-Schale, die zur Hauptquantenzahl $n = 7$ gehörige Hauptschale der →Atome, die maximal 98 Elektronen aufnehmen kann.

Quaddel [niederdt.] *die,* →Nesselsucht.

Quaden, elbgerman. Stamm, zuerst 21 n. Chr. an der March bezeugt. Noch im 1. Jh. dehnte sich das quad. Siedlungsgebiet über Waag und Gran aus. Die Q. nördlich des Donaulimes brachten mit den Markomannen den Römern vernichtende Niederlagen bei (»Markomannenkriege« 166–180). Im 4. Jh. wurden Q. und Sarmaten mehrfach von den Römern besiegt. Seit Anfang des 5. Jh. schlossen sich Teile der Q. den Wanderungen anderer Germanenstämme an. Die letzten Q. zogen wohl mit den Langobarden im 6. Jh. nach Italien.

Will Quadflieg

Quader [lat.] *der,* **1)** *Bautechnik:* allseitig ebenflächig behauener Naturstein.

2) *Mathematik:* Prisma, das von sechs paarweise kongruenten Rechtecken begrenzt wird, ein spez. Parallelepiped.

Quadflieg, Will, Schauspieler, *Oberhausen 15. 9. 1914; Charakterdarsteller; spielte u. a. in Berlin, Hamburg, bei den Salzburger Festspielen (Titelrolle in »Jedermann«, 1952–59) und den Ruhrfestspielen; Glanzrollen: u. a. Hamlet, Tasso, Faust; daneben Film- und Fernsehrollen. – »Wir spielen immer« (Erinnerungen, 1976).

Quadragesima [lat.] *die, lat. Liturgie:* die 40-tägige Fastenzeit vor Ostern.

Quadragesimo anno [lat. »im vierzigsten Jahr«, d. h. nach der Enzyklika »Rerum novarum«], Sozialenzyklika Papst Pius' XI. vom 15. 5. 1931, in deren Mittelpunkt die berufsständ. Ordnung und das Subsidiaritätsprinzip stehen.

Quadrant [lat.] *der,* **1)** *Astronomie, Nautik:* histor. astronomisches Instrument zur Messung von Höhen, z. B. von Gestirnen, im Meridian.

2) *Mathematik:* Fläche oder auch Umfang eines Viertelkreises, auch jede der vier Teilebenen der durch ein rechtwinkliges Koordinatensystem zerlegten euklid. Ebene.

Quadrat [lat.] *das,* **1)** *Mathematik:* 1) ebenes Viereck mit vier gleichen Seiten der Länge a und vier rechten Winkeln; Flächeninhalt: $a \cdot a = a^2$. 2) **Q.-Zahl,** die zweite →Potenz.

2) *Metrologie:* als Vorsatz vor Längenmaßeinheiten: eine Flächenmaßeinheit; Schreibweise: m^2.

Quadratur [lat.] *die,* **1)** *Astronomie:* →Aspekt.

2) *Mathematik:* a) arithmet. Q., die Berechnung des Inhalts einer von Kurven begrenzten Fläche (→Integralrechnung); b) geometr. Q., die zeichner. Umwandlung einer von krummen Linien be-

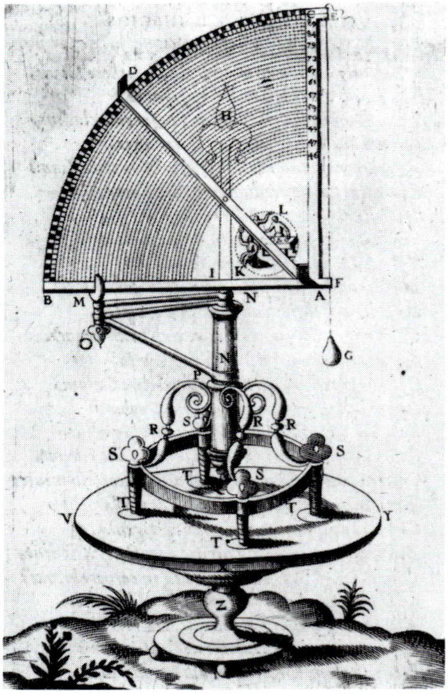

Quadrant 1) von Tycho Brahe aus dem Jahr 1573, Kupferstich aus dessen 1602 erschienenen Werk »Astronomiae instauratae mechanica«

grenzten ebenen Fläche in ein flächengleiches Quadrat. Die **Q. des Kreises,** die Verwandlung des Kreises in ein flächengleiches Quadrat mit Verwendung allein von Zirkel und Lineal, ist wegen der Transzendenz der Zahl π unmöglich.

Quadratwurzel, *Mathematik:* → Wurzel.

Quadriga [lat.] *die,* Viergespann, Kampf- und Jagdwagen im alten Orient, Rennwagen der Griechen und Römer, bei den Römern auch Wagen des Triumphators; in freiplast. Nachbildung oft Weihgabe für Siege im Krieg und bei Rennen sowie Bekrönung von Tempeln, Grabmälern, Triumphbögen, auch in neuerer Zeit (→ Brandenburger Tor).

Quadrille [ka'driljə, frz. ka'dri:j] *die,* gegen Ende des 18. Jh. in Frankreich entstandener Gesellschaftstanz aus mehreren Teilen (Touren), der von mindestens vier Paaren im Karree getanzt wird.

Quadrillion [lat.] *die,* die 4. Potenz einer Million, die Zahl 10^{24}.

Quadrivium [lat.] *das,* → freie Künste.

Quadrophonie [lat.-grch.] *die* (Vierkanal-Stereophonie), Übertragungsverfahren von Schallereignissen mit vier Mikrofonen und vier Lautsprechern (Lautsprechergruppen) sowie je nach Verfahren vier oder zwei Übertragungskanälen (diskrete Übertragung, System 4-4-4, bzw. Matrixverfahren, System 4-2-4). Dem Zuhörer können so über die akust. Raumwirkungen der Stereophonie hinaus zusätzl. Schalleindrücke vermittelt werden. **Pseudo-Q.** ist die Wiedergabe von Darbietungen, die in Zweikanal-Stereophonie aufgenommen wurden, über vier Lautsprecher(gruppen). Die Kanäle sind bei der Aufnahme und Wiedergabe den Richtungen rechts, links, vorn und hinten zugeordnet.

Quadrumvirn [lat. »vier Männer«], Bez. für die Faschisten I. Balbo, E. De Bono, C. M. De Vecchi und M. Bianchi, die 1922 den »Marsch auf Rom« leiteten (→ Faschismus).

Quadrupel [lat.] *das, Mathematik:* ein geordnetes Viertupel (x_1, x_2, x_3, x_4); lässt sich als Punkt eines vierdimensionalen Raumes auffassen.

Quadrupol, → Multipol.

Quadrupollinse, elektronen- und ionenopt. Instrument zur Führung und Fokussierung von geladenen Teilchen, das aus vier parallel zur opt. Achse angeordneten Elektroden **(elektr. Q.)** oder Polschuhen **(magnet. Q.)** besteht.

Quagga [Bantusprache] *das,* → Zebras.

Quai d'Orsay [kedɔr'sɛ], Straße entlang des linken (südl.) Seine-Ufers in Paris zw. Pont de l'Alma und Pont de la Concorde; auch Bez. für das hier gelegene frz. Außenministerium.

Quakenbrück, Stadt im Landkreis Osnabrück, Ndsachs., an der Hase, 12 300 Ew.; Dt. Institut für Lebensmitteltechnik; Fahrradfabrik u. a. Industrie. – Ehem. Stiftskirche (um 1300, Turm und Chor 1470), Fachwerkhäuser. – Im 14. Jh. Stadtrecht.

Quadriga: Detail vom Triumphbogen des Titus in Rom (nach 81 n. Chr.)

Quäker [»Zitterer«, wegen des enthusiastisch-ekstat. Charakters ihrer Versammlungen] (engl. Quakers), urspr. Spottname, später Selbstbez., eigtl. (nach 1652) **Religiöse Gesellschaft der Freunde** (engl. **Society of friends**), im 17. Jh. von G. Fox begründete christl. Religionsgemeinschaft. Wegen ihrer Ablehnung der engl. Staatskirche, des Eides und des Kriegsdienstes verfolgt, wanderten viele Q. nach Nordamerika aus, wo W. Penn 1681 den Q.-Staat Pennsylvania gründete, dessen Verfassung auf den Grundsätzen des Quäkertums beruhte (Gleichheit, Gewaltfreiheit, Toleranz). Die Q. lehnen kirchl. Hierarchie und Ordnungen, Sakramente sowie theolog. Lehrgebäude ab. Ihre Ethik ist geprägt durch eine mannigfaltige Sozialarbeit und einen umfassenden Friedensdienst (Ablehnung von Gewalt; 1947 Friedensnobelpreis). Ihr Menschenbild geht von der Gleichheit aller Menschen aus, woraus die Ablehnung jeglicher Diskriminierung

Quäker: William Penn erwirbt von den Delaware-Indianern das Land, auf dem er den Staat Pennsylvania errichtet, Kreidelithographie aus dem 19. Jh. nach einem Gemälde von Benjamin West (1772; Philadelphia, Pennsylvanian Museum)

folgt; weltweit rd. 200000 Q., davon 120000 in den USA.

📖 Otto, H.: *Werden u. Wesen des Quäkertums u. seine Entwicklung in Dtl. Wien 1972. – Die Q., hg. v.* R. C. Scott. *A. d. Engl. Stuttgart 1974.*

Quäkerhut, großer Filzhut mit flachem Kopf, wie er von den um 1660 nach Amerika ausgewanderten Quäkern getragen und um 1780 in Europa wieder Mode wurde.

Qualifikation [lat.] *die,* **1)** *allg.:* Befähigung, Eignung; Befähigungsnachweis, Berechtigung.

2) *Arbeitsleben:* die Merkmale einer Person hinsichtlich Arbeitsfähigkeit (Wissen), Arbeitsdisposition (Können) und Arbeitsbereitschaft (Wollen). Die Fragen des Erwerbs und des Ausbaus der berufl. Q. sind Aufgaben der Berufsausbildung, der Erwachsenenbildung und der (betriebl.) Fort- und Weiterbildung.

qualifizierte Mehrheit, mehr als 50% der abgegebenen Stimmen, z.B. 2/3- oder 3/4-Mehrheit (→Mehrheitsgrundsatz).

qualifizierte Straftat, Straftat, die gegenüber dem Grunddelikt wegen Vorliegens eines zusätzl. Tatbestandsmerkmals strenger bestraft wird, z.B. Diebstahl mit Waffen gegenüber dem einfachen Diebstahl (§§ 242, 244 StGB).

Helmut Qualtinger in der Rolle des »Herrn Karl«

Qualität [lat. »Beschaffenheit«, »Eigenschaft«] *die,* **1)** *allg.:* Gesamtheit von charakterist. Eigenschaften, Beschaffenheit; Güte; von Personen, meist im Pl.: gute (moral.) Eigenschaften.

2) *Philosophie:* in Aristoteles' Ontologie die wesentl. Eigenschaft eines Dings, die es zu dem macht, was es ist; in I. Kants Erkenntnistheorie eine Urteilsart und einer der die Erfahrung aufbauenden Verstandesbegriffe.

3) *Phonetik:* Klangfarbe eines Vokals.

Qualitätskontrolle, laufende Überprüfung des Produktions- und Fertigungsprozesses von Gütern im Hinblick auf die vom Hersteller zugesicherten Qualitätsmerkmale und Normen.

Qualitätsmanagement [-mænɪdʒmənt], Gesamtheit der Maßnahmen zur Sicherung und Verbesserung der Qualität von Produkten und Herstellungsprozessen. Q. umfasst sowohl die Vermeidung von Fehlern in allen Phasen der Leistungserstellung (auch in der Planung und Entwicklung), als auch eine Kundenorientierung, wenn neue Produkte oder Dienstleistungen strikt nach Kundenanforderungen entwickelt werden sollen. Diesem integrierten Q. liegt ein mehrdimensionaler Qualitätsbegriff zugrunde, der die Entwurfsqualität ebenso umfasst wie die Qualität der Geschäftsprozesse, des Produkts oder der Dienstleistung.

Mit der Verabschiedung der Normenreihen **ISO 9000–9004** hat die International Organization for Standardization (ISO) 1987 angesichts eines sich ständig ausdehnenden Welthandels die Basis für die Harmonisierung der zahlreichen nat. Normungen von Qualitätssicherungssystemen geschaffen und zugleich einen Maßstab für ein systemat. Q. zur Verfügung gestellt. In Dtl. hat das Selbstverwaltungsorgan der dt. Wirtschaft, die Dt. Gesellschaft zur Zertifizierung von Qualitätssicherungssystemen mbH, Berlin, die ISO-Normen mitentwickelt und ist in der Zertifizierung tätig.

Qualle (Meduse), die frei schwimmende Form der →Hydrozoen und der →Scheibenquallen.

Qualtinger, Helmut, österr. Schauspieler und Kabarettist, *Wien 8. 10. 1928, †ebd. 29. 9. 1986; Autor und Darsteller des Monodramas »Der Herr Karl« (1961; mit C. Merz), einer Satire über den Typus des opportunist. Mitläufers; spielte v.a. in Stücken von Ö. von Horváth und J. Nestroy sowie in seinem eigenen Stück »Die Hinrichtung« (1965); auch Filmrollen, u.a. »Geschichten aus dem Wienerwald« (1978) und »Der Name der Rose« (1986).

Quandt-Gruppe, Familiengemeinschaft zur Verwaltung von Immobilien und Ind.beteiligungen, teilweise organisiert über Beteiligungsgesellschaften; gegr. von Günther Quandt (*1881, †1954); Sitz: Bad Homburg v.d. Höhe. Die Erben seiner Söhne Herbert Quandt (*1910, †1981) und Harald Quandt (*1921, †1967) sind maßgeblich beteiligt u.a. an der Bayer. Motorenwerke AG, der Altana AG, der Varta AG, der Augsburger Aktienbank und der Infratest Burke AG.

Quant [zu lat. quantum »wie groß«, »wie viel«] *das,* a) kleinste, unteilbare Einheit einer physikal. Größe, z.B. der elektr. Ladung (→Elementarladung), der Wirkung (→plancksches Wirkungsquantum) oder des magnet. Flusses **(Fluss-Q.),** die nach der Quantentheorie nur als ganz- oder halbzahlige Vielfache dieser Einheit auftritt; die Aufnahme und Abgabe von Energie erfolgt in Form von **Energie-Q.** b) Elementarteilchen oder Elementaranregung, das als einem Feld zugeordnetes Teilchen (→Feldquanten) betrachtet wird, z. B. Photon, Phonon.

Quạntelung, *Physik:* →Quantisierung.

Quạnten|ausbeute, Quotient aus der Zahl der erzeugten zur Zahl der erzeugenden Quanten, insbesondere das Verhältnis der beim Photoeffekt erzeugten Photoelektronen bzw. der bei einem photochem. Prozess umgesetzten Moleküle zur Zahl der absorbierten Photonen **(photoelektr.** oder **photochemische Quantenausbeute).**

Quạntenbiologie, Teilgebiet der Biophysik, das die Wirkung von Quanten auf lebende Zellen eines Organismus untersucht, z. B. in der Strahlenbiologie.

Quạntenchemie, Teilgebiet der modernen theoret. Chemie, in dem die Methoden der →Quantenmechanik auf chem. Problemstellungen angewendet werden. Ziel der Q. ist es, die Elektronenstruktur und das Verhalten von Atomen und Molekülen, ihre physikal. und chem. Eigenschaften sowie bes. die Bildung von Molekülen aus Atomen oder Atomgruppen zu bestimmen.

📖 SCHMIDTKE, H.-H.: *Q. Weinheim u. a.* ^{2}*1994.*

Quạntenchromodynamik, Abk. **QCD,** in Anlehnung an die Quantenelektrodynamik entwickelte Theorie zur Beschreibung der starken →Wechselwirkung zw. den →Quarks. Das dem Photon entsprechende →Feldquant der Q. ist das →Gluon; der Ladung entspricht die **Farbladung** (Farbe) der Quarks, wobei mit dem Begriff »Farbe« ein neuer Freiheitsgrad der Quarks bezeichnet wird, der drei als »rot«, »blau« und »grün« bezeichnete Zustände (r, b, g; Antifarbladungen $\bar{r}$, $\bar{b}$, $\bar{g}$) annehmen kann. Daher kann jede Quarkart in drei versch. Farbzuständen auftreten. Bei Absorption oder Emission eines Gluons wird eine »Farbeinheit« zw. dem Quark und dem Gluon ausgetauscht. Die Quarks müssen beim Aufbau eines Hadrons so kombiniert sein, dass Hadronen »farblos« sind, was entweder durch Kombination von drei Quarks mit den drei Quarkfarben (Baryonen) oder durch Bildung eines Quark-Antiquark-Paares (Mesonen) erreichbar ist. – Durch Einbeziehung der elektroschwachen Wechselwirkung erweitert man die Q. zur →Großen Vereinheitlichten Theorie. Die **Quantengeometrodynamik** versucht auch die Gravitation einzubeziehen.

Quạntencomputer [-kɔm'pju:tər], in der Entwicklung befindl. Computer, die mithilfe quantenmechan. Prinzipien und Methoden Informationen verarbeiten und übertragen sollen. Die Träger einer Informationseinheit sind die Quantenbits (Q-Bits), z. B. ein Ion, ein Elektron oder ein Photon. Bestimmten Eigenschaften dieser Q-Bits, z. B. zwei Schwingungszuständen, werden die Werte »0« und »1« zugeordnet. Da es sich um quantenmechan. Systeme mit Wellenfunktionscharakter handelt, ist eine Überlagerung der Zustände »0« und »1« möglich. Im Ggs. zu klassischen Bits können somit Rechneroperationen auch zu Mischzuständen füheren. Q. sind damit Parallelrechner mit extrem hoher Kapazität und Schnelligkeit. Der Bau eines Q. erfordert jedoch Tausende Q-Bits, die so gekoppelt werden müssen, dass ihre quantenmechan. Eigenschaften erhalten bleiben. Auch sind Q. sehr empfindlich gegenüber kleinsten Störungen. Die prakt. Umsetzung der großen theoret. Möglichkeiten der Q. ist eine der Aufgaben zukünftiger Forschung.

Quạnten|elektrodynamik, Abk. **QED,** relativist. Quantenfeldtheorie zur vollständigen Beschreibung der elektromagnet. →Wechselwirkung. Die Q. ist die Anwendung der relativist. Quantenmechanik auf die Elektrodynamik und behandelt die Wechselwirkung elektrisch geladener Materiefelder (Elementarteilchen) mit elektromagnet. Feldern (z. B. Licht).

Quạnten|elektronik, Grenzgebiet zw. angewandter Physik und Elektronik, das sich mit den quantentheoret. Grundlagen und techn. Anwendungen bei der Wechselwirkung elektromagnet. Strahlung mit atomaren Systemen und Festkörpern befasst; Anwendungsbeispiele: →Laser, →Maser, elektron. Bauelemente und Effekte der →nichtlinearen Optik.

Quạntenfeldtheorie (Quantentheorie der Wellenfelder), die Verallgemeinerung von klass. Feldtheorie und Quantenmechanik auf eine einheitliche Beschreibung von (i. Allg. gekoppelten) Wellenfeldern. Durch die hierzu vorgenommene Quantisierung der Felder und die damit verbundene Einführung von →Feldquanten wird der korpuskulare Aspekt der Materie wie die Erzeugung und Vernichtung von Teilchen berücksichtigt (→Dualismus). Mit der Q. lassen sich das Verhalten von Elementarteilchen und deren Wechselwirkungen beschreiben. Beispiele für **relativist. Q.** sind die **Quantenelektrodynamik** der elektromagnet. Wechselwirkung, die **Quantenflavourdynamik** der elektroschwachen Wechselwirkung (→Weinberg-Salam-Theorie) sowie die **Quantenchromodynamik** der starken Wechselwirkung. **Nichtrelativist. Q.** spielen in der Festkörperphysik bei der Behandlung von Elementaranregungen eine wichtige Rolle.

📖 TELLER, P.: *An interpretive introduction to quantum field theory. Princeton, N. J.,* ^{3}*1997.*

Quạntenflavourdynamik [-fleɪvə-], Abk. **QFD,** allg. die mit den Flavourquantenzahlen (→Flavour) der Quarks als Quellen einer Flavourwechselwirkung verknüpfte Eichfeldtheorie; meist Bez. für die →Weinberg-Salam-Theorie.

Quantenflüssigkeit, quantenmechan. System wechselwirkender Teilchen bei großen Dichten und i. d. R. niedrigen Temperaturen, das sich in der Nähe des absoluten Nullpunktes im flüssigen Zustand befindet. Nach der zugrunde liegenden Statistik unterscheidet man **Fermi-Flüssigkeiten** (z. B. ^{3}He) und **Bose-Flüssigkeiten** (z. B. ^{4}He), die → Suprafluidität aufweisen können.

Quanten-Hall-Effekt [-ˈhɔːl], 1980 von K. von Klitzing entdeckter Effekt, der bei tiefen Temperaturen und hohen äußeren Magnetfeldern in quasi-zweidimensionalen Elektronensystemen (z. B. an der Übergangsschicht in einem → MOSFET) auftritt. Dabei zeigt der Hall-Widerstand (→ Hall-Effekt) in Abhängigkeit vom Magnetfeld charakterist. Stufen (Plateaus).

Quantenmechanik, nichtrelativist. Theorie der Bewegung und Wechselwirkung mikrophysikal. Systeme, wie Elementarteilchen, Atome, Moleküle. Ausgehend von der klass. Mechanik werden in der Q. den klass. (beobachtbaren) physikal. Größen, wie Ort, Impuls und Energie (Observable), Operatoren zugeordnet und die mögl. Zustände des Systems als normierte Vektoren eines abstrakten Zustandsraumes, des Hilbert-Raumes, aufgefasst. Die Wirkung zweier Operatoren auf die Zustandsvektoren ist i. Allg. nicht vertauschbar (es gelten sog. Vertauschungsrelationen), was sich in der heisenbergschen → Unschärferelation widerspiegelt. Im Ggs. zur klassischen Mechanik sind die Messwerte einer physikal. Größe nicht zu jedem Zeitpunkt exakt definiert, sondern werden als Wahrscheinlichkeitsaussagen (quantenmechan. Erwartungswerte) interpretiert. – Die entsprechenden, mathematisch äquivalenten Realisierungen der Q. sind die durch Quantisierung der klass. Mechanik entstandene **Matrizenmechanik** (W. Heisenberg, P. Jordan, M. Born, P. A. M. Dirac, um 1925) und die durch Quantisierung der klass. Wellentheorie der Materie hervorgegangene **Wellenmechanik** (E. Schrödinger, 1926), in denen die physikal. Größen als zeitabhängige (verallgemeinerte) Matrizen bzw. Differenzialoperatoren und die Zustände des Systems als zeitunabhängige Vektoren bzw. als zeitabhängige Wellenfunktionen dargestellt werden. Eine Ausdehnung der Q. auf relativist. Vorgänge ist nur für einzelne Teilchen möglich; für Elektronen gilt die → diracsche Wellengleichung. Für die Beschreibung mehrerer relativistischer Teilchen mit Wechselwirkung gilt die → Quantenfeldtheorie.

Deutungen der Q.: Das Problem, wie die Wahrscheinlichkeitsaussagen der Wellenfunktionen zu interpretieren sind, ob als Aussagen über die objektive Realität oder als Aussagen über die Qualität unseres Wissens, führt zu einander widerstreitenden Deutungen. Die → Kopenhagener Deutung N. Bohrs sucht einerseits, positivistisch orientiert, die Physik allein auf Beobachtungen und Messergebnisse zu beschränken: Physikal. Theorien seien lediglich Zusammenfassungen von Beobachtungsdaten (z. B.: lässt sich eine Elektronenbahn im Atom nicht beobachten, so hat es keinen Sinn, den Bahnbegriff zu verwenden); andererseits tendiert sie dahin (Heisenberg), »Wahrscheinlichkeit«, »Unschärfe« (→ Unschärferelation) und »Unbestimmtheit« als Eigenschaften der mikrophysikal. Wirklichkeit selbst zu verstehen. Einstein vertrat eine **statist. Interpretation:** Die Wahrscheinlichkeitsaussagen charakterisieren unseren Wissensstand und sind (wie in der statist. Thermodynamik) Aussagen über ein Kollektiv von Teilchen; es gebe eine vom Subjekt unabhängige objektive Realität, die exakt bestimmbar und streng determiniert sei. Die **bewusstseinstheoret. Deutung** von E. Wigner interpretiert Wahrscheinlichkeit als Eigenschaft der Wirklichkeit: Das exakte Messergebnis sei Resultat einer Wechselwirkung zwischen dem registrierenden Bewusstseinsakt und der durch die Wellenfunktion beschriebenen Wirklichkeit; das Ich werde Teil der Physik. Auch die **Mehrfachwelteninterpretation** (Hugh Everett) erblickt in der Wahrscheinlichkeitsaussage eine Beschreibung der Wirklichkeit: Im quantenmechan. Messprozess werde aus der Summe der die Wirklichkeit beschreibenden Wellenfunktionen eine realisiert, die anderen stellen parallel zur beobachteten Realität existierende, nicht realisierte »Welten« dar. Die **Theorie der verborgenen Variablen** (D. → Bohm) knüpft an Einsteins Theorie an: Sie geht von der Existenz einer objektiven Realität aus; die zurzeit herrschende Theorie der Q. sei noch unvollständig, wichtige physikal. Größen seien noch zu entdecken.

📖 BRANDT, S. *u.* DAHMEN, H. D.: *The picture book of quantum mechanics. New York u. a.* ^{2}*1995.*

Quantenmechanik

Schrödingers Katze, ein Gedankenexperiment des Physikers Erwin Schrödinger, illustriert die Deutungsprobleme der Quantenmechanik: Eine Katze wird in eine Stahlkammer gesperrt, in der eine Höllenmaschine durch den radioaktiven Zerfall eines Atoms ausgelöst wird. Ist sie nach einer längeren Zeit tot oder lebendig? Nach der Kopenhagener Deutung der Quantenmechanik macht erst die Beobachtung die zuvor zwischen Tod und Leben »verschmierte« Katze endgültig tot oder lebendig.

Quanten|optik, Gebiet der Optik, das sich v. a. mit opt. Erscheinungen beschäftigt, die nicht mit der Wellennatur der elektromagnet. Strahlung (des Lichts), sondern nur aus deren Teilcheneigenschaften im Rahmen der Quantentheorie erklärt werden können, z. B. Photoeffekt, Compton-

Effekt, Absorption und Emission von Strahlung, Funktionsweise von Masern und Lasern.

Quantenphysik, zusammenfassende Bez. für die besonderen, klassisch-physikalisch nicht beschreibbaren Phänomene, die bei mikrophysikal. Systemen auftreten; auch svw. Quantentheorie.

Quantensprung (Quantenübergang), Übergang eines mikrophysikal. Systems von einem stationären Zustand in einen anderen, wobei sich der Energieinhalt nicht stetig, sondern sprunghaft (diskret) ändert.

Quantenstatistik, die Verallgemeinerung der klass. →statistischen Mechanik durch die →Quantentheorie zur Beschreibung thermodynam. Vielteilchensysteme. Wesentl. Abweichungen zw. Q. und klass. Statistik treten v.a. bei tiefen Temperaturen und hohen Teilchendichten auf (z.B. bei der Gasentartung). Wegen der Nichtunterscheidbarkeit der Teilchen gilt anstelle der klass. (Boltzmann-)Statistik die →Bose-Einstein-Statistik und die →Fermi-Dirac-Statistik. Die Q. beschreibt u.a. die Temperaturabhängigkeit der spezif. Wärmekapazität und liefert eine Begründung des 3. Hauptsatzes der Thermodynamik.

Quantentheorie, Oberbegriff für jede physikal. Theorie, die im Unterschied zur klass. Theorie, insbesondere zur klass. Physik, die diskrete, quantenhafte Natur mikrophysikal. Systeme und der auf ihnen beruhenden Phänomene berücksichtigt. Sie beruht auf dem experimentell gesicherten →Dualismus von Welle und Teilchen und enthält das →plancksche Wirkungsquantum h als grundlegende Naturkonstante; im Grenzfall $h \to 0$ folgen daher aus der Q. die Gesetzmäßigkeiten der zugehörigen klass. Theorien (z.B. aus der →Quantenmechanik die klass. newtonsche Mechanik). Umgekehrt geht eine klass. Theorie mithilfe von Quantisierungsvorschriften in eine Q. über; so entstehen durch Quantisierung klass. Feldtheorien die versch. →Quantenfeldtheorien. Ein grundlegender Unterschied zwischen klass. Theorien und Q. besteht darin, dass in der Q. bestimmte physikal. Größen, wie Ort und Impuls, nicht gleichzeitig beliebig genau gemessen werden können (heisenbergsche →Unschärferelation), sodass die Q. über das Eintreten bestimmter Messergebnisse i. Allg. nur Wahrscheinlichkeitsaussagen trifft. – Den Zugang zur Q. lieferte die 1900 von M. Planck formulierte Quantenhypothese, nach der Materie elektromagnet. Strahlungsenergie nur in endl. Beträgen, den Quanten, emittieren und absorbieren kann. Die Q. wurde von A. Einstein (Lichtquantenhypothese, 1905), N. Bohr (1913) und A. Sommerfeld (Atommodell) sowie L. de Broglie (Materiewellen, 1923/24), W. Pauli (Pauli-Prinzip, 1924) weiterentwickelt und von W. Heisenberg, M. Born, P. Jordan, E. Schrödinger, P. A. M. Dirac u.a. (1925/26) zur →Quantenmechanik ausgebaut.

📖 HEISENBERG, W.: *Q. u. Philosophie. Vorlesungen u. Aufsätze, hg. v.* J. BUSCHE. *Stuttgart 1990, Nachdr. ebd. 1994.* – SCHUBERT, M. *u.* WEBER, G.: *Q. Grundlagen u. Anwendungen. Heidelberg 1993.*

Quantenzahlen, ganze oder halbe Zahlen, die verschiedene, nach der Quantentheorie mögl. diskrete Zustände eines mikrophysikal. Systems (Atom, Elementarteilchen, Molekül usw.) charakterisieren. Der Zustand eines derartigen Systems wird durch Angabe eines vollständigen Satzes von Q. eindeutig bestimmt. Nach dem Bohr-Sommerfeld-Atommodell wird der Aufenthalt eines Elektrons (z.B. beim Wasserstoffatom) in versch. Schalen der Elektronenhülle eines Atoms durch die **Haupt-Q.** $n = 1, 2, 3, \ldots$ unterschieden, versch. Bahndrehimpulse in den Schalen durch die **Neben-Q. (Bahndrehimpuls-Q.)** $l = 0, 1, 2, \ldots, (n-1)$. Die Orientierung der Bahnebene bezüglich einer Vorzugsrichtung, z.B. der Richtung eines äußeren Magnetfeldes, wird durch die **magnet. Q.** $m = -l, -(l-1), \ldots, l$ festgelegt. Unterschiedl. Eigendrehimpulse (Spins) eines Teilchens werden durch die **Spin-Q.** $s = \pm {}^1/_2$ gekennzeichnet. Weitere innere Q. der Elementarteilchen haben keine unmittelbar anschaul. Bedeutung (Isospin, Strangeness u.a.). – Für die Beschreibung der gesamten Atomhülle mit mehreren Elektronen treten entsprechende Q. für den Gesamtdrehimpuls auf. In Molekülen sind die **Rotations-** und **Schwingungs-Q.** wichtig.

Quantifizierung [lat.] *die* (Quantifikation), die Einführung messender Methoden in ein Forschungsgebiet; durch die Zahlen wird die Rückführung von Qualitäten auf Quantitäten möglich.

Quantisierung [lat.], **1)** *Elektronik, Nachrichtentechnik:* (Diskretisierung) Zerlegung eines stetigen Signals oder Wertebereichs in endlich viele (meist gleichgroße) Stufen (Q.-Einheit) zur Informationsübertragung und -verarbeitung.

2) *Physik:* (Quantelung) der Übergang von klass. physikalischen Theorien zu den entsprechenden Quantentheorien unter Ersetzung der mit kontinuierl. Werten auftretenden klass. Größen durch Größen, die nur als diskrete Werte (z.B. als Vielfache einer elementaren Einheit, wie Drehimpuls, elektr. Ladung) auftreten können. Bei allen Q.-Verfahren werden bestimmte Vertauschungsrelationen für die durch Operatoren beschriebenen physikal. Größen aufgestellt. – Die Q. der Feldgrößen eines Wellenfeldes in der Quantenfeldtheorie wird als **Feld-Q.** (»zweite Q.«) bezeichnet.

Quantität [lat.] *die,* **1)** *allg.:* Menge, Anzahl; Ausmaß, Umfang. Bereits in der Antike (Aristoteles) wurde Q. als philosoph. Kategorie begriffen, die Aussagen über das Zählbare, Messbare (Größe) und in seine Bestandteile Zerlegbare umfasst.

2) *antike Metrik:* Silbendauer, bestimmt durch die Länge oder Kürze des Vokals (→Metrik).

Johann Joachim Quantz: Porträt eines italienischen Malers aus den 1720er-Jahren (Museum Schloss Fasanerie bei Fulda)

3) *Phonetik:* die instrumentell messbare Zeitdauer, mit der Vokale, Lautgruppen und Silben einer Sprache (lang oder kurz) gesprochen werden.

Quantitätstheorie, *Volkswirtschaftslehre:* eine Geldtheorie, die einen kausalen Zusammenhang zw. Veränderungen der Geldmenge und der Güterpreise annimmt. Die naive Q. (J. Bodin) postuliert eine direkte Proportionalität zw. Geldmenge und Preisniveau. Nach der modifizierten Q. (D. Hume, J. Locke) beeinflusst nur das umlaufende Geld das Preisniveau, sodass neben der Menge des Geldes auch seine Umlaufgeschwindigkeit Einfluss auf die Höhe des Preisniveaus hat. Die von I. Fisher dargestellte mathemat. Formulierung der Q. besagt, dass das Produkt aus Geldmenge und Umlaufgeschwindigkeit gleich dem Produkt aus Handelsvolumen (Gütermenge) und Preisniveau ist. Diese **Quantitätsgleichung (Verkehrsgleichung)** sagt nichts über den kausalen Zusammenhang dieser Größen.

Quarantäne

Warum dauert eine Quarantäne 40 Tage?

Das französische Wort »quarantaine« entstammt dem italienischen »quarantino« = etwa vierzig. Die Frist einer vierzigtägigen Isolierung zum Schutze vor Ansteckung entstand in den italienischen Häfen im 14. Jahrhundert, als man ein Wiederausbrechen der Pest durch anlaufende Schiffe verhindern wollte. Die 40-Tage-Frist leitete man von der Dauer der biblischen Sintflut ab. Es gibt auch kaum Krankheiten, die eine längere Inkubationszeit haben.

Die weitere Entwicklung der Q. setzt an der Neuinterpretation der Umlaufgeschwindigkeit an (K. Wicksell, A. Marshall, A. C. Pigou), wobei diese als die gesamtwirtsch. Resultante der individuellen Kassenhaltung definiert und das Handelsvolumen durch das reale Volkseinkommen ersetzt wird. In der **Cambridge-Gleichung** wird die These entwickelt, dass Änderungen von Geldmenge und Kassenhaltungskoeffizient das Preisniveau und/oder das reale Volkseinkommen beeinflussen. Als **Neo-Q.** bildete dieser Zusammenhang eine Grundlage für den →Monetarismus.

Quantoren, *Logik:* Ausdrucksmittel (log. Partikel) wie »für alle«, »es gibt ein« zur Verknüpfung von unbegrenzt vielen Variablen mit dem Ziel der Erzeugung einer neuen Aussage.

Quantum [lat.] *das, allg.:* (angemessene) Menge.

Quantz, Johann Joachim, Komponist, *Oberscheden (heute zu Scheden, Kr. Göttingen) 30. 1. 1697, †Potsdam 12. 7. 1773; Flötenlehrer und Hofkomponist Friedrichs II., d. Gr.; komponierte für ihn rd. 300 Flötenkonzerte und 200 Kammermusikwerke mit Flöte. Er schrieb »Versuch einer Anweisung die Flöte traversiere zu spielen« (1752).

Quappe, 1) *Entwicklungsbiologie:* (Kaulquappe) die Larve der →Froschlurche.

2) *Zoologie:* die →Aalrutte.

Quarantäne [ka-; frz. quarantaine »Anzahl von vierzig (Tagen)«] *die,* befristete Isolierung von Personen (auch von Haustieren), die verdächtig sind, an bestimmten Infektionskrankheiten erkrankt oder Überträger dieser Krankheiten zu sein.

Quark [slaw.], aus Milch durch Säuerung **(Sauermilch-Q.)** oder Labfällung **(Lab-Q.)** und Abtrennen der Molke gewonnenes Frischkäseprodukt, das v.a. aus geronnenem, weiß ausgeflocktem (noch stark wasserhaltigem) Paracasein (→Casein) besteht.

Quarkonium *das,* in Analogie zum Positronium (→exotische Atome) gebildete Bez. für einen i. Allg. kurzlebigen, gebundenen Zustand eines Quarks und Antiquarks.

Quarks [kwɔːks; engl., von M. Gell-Mann eingeführt nach dem Namen schemenhafter Wesen in dem Roman »Finnegans Wake« von J. Joyce], nach dem Standardmodell der Elementarteilchen neben den →Leptonen die fundamentalen Bausteine der Materie. Danach sind alle Hadronen aus Q. aufgebaut, und zwar Baryonen aus je drei Q. (qqq), Antibaryonen aus je drei **Anti-Q.** ($\bar{q}\bar{q}\bar{q}$), Mesonen dagegen aus je einem Q. und einem Anti-Q. (q$\bar{q}$). Das ursprüngliche Q.-Modell von M. Gell-Mann (1974) ging von drei Q.-Arten (Up, Down, Strange) und den drei zugehörigen Anti-Q. aus; mittlerweile wurde nachgewiesen, dass man sechs Q. und die entsprechenden Antiquarks benötigt: **Up** (u), **Down** (d), **Strange** (s), **Charm** (c), **Bottom** oder

Beauty (b), **Top** oder **Truth** (t). Q. haben den Spin $^1/_2$ und die Baryonenzahl $^1/_3$. Sie weisen drittelzahlige Elementarladungen *e* auf (Up, Charm und Top $+^2/_3e$, Down, Strange und Bottom $-^1/_3e$), bei den entsprechenden Anti-Q. ändert sich das Vorzeichen. Die versch. Q.-Arten unterscheiden sich durch ihre **Flavourquantenzahlen** (→Flavour), die für die schwache Wechselwirkung verantwortlich sind. – »Gewöhnl.« Materie ist nach dem Q.-Modell lediglich aus Up-Q. (u) und Down-Q. (d) aufgebaut, da nur diese in den Protonen und Neutronen der Atomkerne vorkommen. Das Proton wird von zwei Up-Q. und einem Down-Q. gebildet (Formel: uud); für das Neutron gilt die Formel udd. Die Bindung der Nukleonen im Kern kommt durch den Austausch von Q. zustande. Nach den heutigen Vorstellungen wird die starke Wechselwirkung zw. den Q. über eine Farbladung durch den Austausch von →Gluonen hervorgerufen (→Quantenchromodynamik).

Quart [zu lat. quartus »der vierte«], **1)** *die, Fechten:* eine Endstellung von Arm und Waffe.

2) *das, Messwesen:* altes dt. sowie angloamerikan. Hohlmaß für Flüssigkeiten und trockene Güter, bezeichnete in Preußen, Bremen oder Bayern jeweils sehr unterschiedl. Mengen, ebenso in Großbritannien und in den USA, wo das Q. als Messeinheit weiter gebräuchlich ist.

3) *die, Musik:* die →Quarte.

Quarta *die,* früher die 3. Klasse eines Gymnasiums (Zählung: viertletzte des seinerzeit 7-jährigen Gymnasiums), heute das 7. Schuljahr.

Quartal *das,* ein Vierteljahr.

Quartär *das,* das jüngste, bis in die Gegenwart reichende geolog. System der Erdneuzeit, untergliedert in das ältere Pleistozän (zeitlich identisch mit dem →Eiszeitalter) und das jüngere →Holozän (Postglazial, Nacheiszeit). Die mehrfachen Vereisungszeiten (Glaziale, Kaltzeiten) des Pleistozäns waren durch Warmzeiten (Interglaziale) voneinander getrennt, die klimatisch der Gegenwart ähnelten, z.T. sogar höhere Temperaturen aufwiesen. Die Wiedererwärmung im Holozän erfolgte nicht kontinuierlich, sondern phasenhaft, mit Rückschlägen, verbunden mit einem allg. Anstieg des Meeresspiegels.

quartäre Verbindungen, chem. Verbindungen, bei denen vier an ein Zentralatom (u.a. Kohlenstoff, Stickstoff) gebundene Wasserstoffatome durch organ. Reste ersetzt sind.

Quartärstruktur, *Biochemie:* durch Zusammenlagerung mehrerer ident. oder nichtident. tertiärstrukturierter Peptidketten entstehendes biologisch aktives Proteinmolekül.

Quartation *die,* →Gold-Silber-Scheidung.

Quarte [lat.] *die* (Quart), der vierte Ton der diaton. Tonleiter und das Intervall, das drei diaton. Tonschritte enthält; sie kann rein (zwei Ganztöne und ein Halbton, z.B. d–g), übermäßig (drei Ganztöne, Tritonus; d–gis) oder vermindert (ein Ganzton, zwei Halbtöne; d–ges) sein.

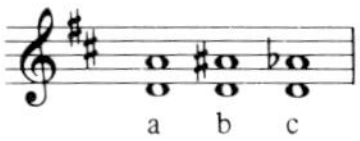

Quarte: a reine, b übermäßige, c verminderte Quarte

Quarterdeck, der hintere, etwas erhöhte Teil des Schiffsdecks, auf Großseglern Platz der Schiffsführung.

Quartett [italien.] *das,* **1)** *Musik:* Komposition für vier Instrumente oder Singstimmen; auch die Gruppe der Ausführenden. Zur bedeutendsten Q.-Form entwickelte sich das **Streich-Q.** (zwei Geigen, Bratsche, Violoncello), das in der 1. Hälfte des 18. Jh. entstand. Der eigentl. Schöpfer des Streich-Q. ist J. Haydn. Die Streich-Q. Haydns, W. A. Mozarts und L. van Beethovens sind Höhepunkte der europ. Musik. Andere Formen: **Klavier-Q.** (Klavier, Geige, Bratsche, Violoncello), **Bläser-Q.** (meist Flöte, Oboe, Klarinette, Fagott).

2) *Spiele:* ein Kartenspiel: je vier thematisch zusammengehörende Karten bilden ein Q. Jeder Spieler versucht, durch Anfordern ihm fehlender Karten möglichst viele Q. zu erhalten.

Quartier [frz., zu lat. quartarius »Viertel«] *das,* **1)** *allg.:* Unterkunft, zeitweise benutzte Wohnung, Nachtunterkunft; Truppenunterkunft.

2) *österr.* und *schweizer.* Bez. für Stadtviertel.

Quartier Latin [kar'tje la'tɛ̃; frz. »lateinisches (d.h. gelehrtes) Viertel«] *das,* eines der ältesten Stadtviertel in Paris, links der Seine; mit den Gebäuden der alten Sorbonne, Univ., Hochschulen; Bibliotheken, Verlage.

Quartole [zu lat. quartus »der Vierte«] *die,* eine Folge von vier Noten, die für drei Noten gleicher Gestalt bei gleicher Zeitdauer eintreten, angezeigt durch die Zahl 4 (oft auch mit Klammer).

Quarton [kar'tɔ̃] (Carton, Charonton), Enguerrand, frz. Maler, *Diözese Laon vor 1419, †Avignon(?) 1466 oder später. Seine Marienkrönung über einer Landschaft mit Szenen aus dem Jüngsten Gericht ist ein Hauptwerk der frz. Malerei der Spätgotik (1453/54; Villeneuve-lès-Avignon, Musée Pierre-de-Luxembourg).

Quartsext|akkord, *Musik:* Akkord aus Grundton, Quarte und Sexte, 2. Umkehrung des →Dreiklangs mit der Quinte als Basston.

Quarz *der* (engl. und frz. Schreibung Quartz), die bei Temperaturen unterhalb 870 °C stabile Form des kristallisierten Siliciumdioxids, SiO_2 (wasserfreie Kieselsäure); Dichte 2,65 g/cm^3, Mohshärte 7. Man unterscheidet zwei Modifikationen: **α-Q.** (**Tief-Q.;** trigonal), der bei Temperaturen bis 573 °C beständig ist (häufig einfach als Q. bezeichnet), und den bei Temperaturen oberhalb 573 °C stabilen **β-Q.** (**Hoch-Q.;** hexagonal-trapezoedrisch). Q.-Kristalle sind oft verzwillingt (→Zwillinge). Das Kristallgitter wird von Tetraedern gebildet, bei denen ein Si^{4+}-Ion immer von

Enguerrand Quarton: Marienkrönung (1453/54; Villeneuve-lès-Avignon, Musée Pierre-de-Luxembourg)

vier O^{2-}-Ionen umgeben ist. Q. ist nach den Feldspäten das am weitesten verbreitete gesteinsbildende Mineral, das in magmat. Gesteinen (z.B. Granit, Porphyr), metamorphen Gesteinen (Gneis, Glimmerschiefer) und Sedimentgesteinen (Sandstein) vorkommt. Man unterscheidet: **Bergkristall,** die reinste Art des Q., aus Klüften und Gesteinshohlräumen; **Rauch-Q.,** hell- bis dunkelbraun gefärbt. Weitere Farbvarietäten sind der violette **Amethyst,** der gelbe **Citrin,** der milchweiße **Milch-Q.,** der rosafarbene **Rosen-Q.** u.a. Feinkristallin ist der →Chalcedon. Hochdruckmodifikationen sind →Coesit, →Cristobalit und →Tridymit. – Q. wird in der Technik sehr vielseitig verwendet; insbesondere bildet Q.-Sand einen wichtigen Rohstoff für die Glas- und Keramikindustrie. Q.-Kristalle dienen wegen ihrer opt. und elektr. Eigenschaften als Bauelemente in der Optik, Elektronik und Nachrichtentechnik.

Salvatore Quasimodo

📖 RYKART, R.: *Q.-Monographie. Die Eigenheiten von Bergkristall, Rauchquarz, Amethyst, Chalcedon, Achat, Opal u.a. Varietäten.* Thun ²1995.

Quarzglas (Kieselglas), amorphe Modifikation des Siliciumdioxids (SiO_2), die aus reinem Quarz erschmolzen wird; zeichnet sich durch niedrige Wärmeausdehnung, hohe Temperaturwechselbeständigkeit, hohe Lichtdurchlässigkeit, sehr gute chem. Widerstandsfähigkeit, gute Wärmeleitfähigkeit und sehr gute elektr. Isolation aus; Verwendung v.a. für hitzebeständige, korrosionsfeste Geräte, opt. Gläser und Glasfasern.

Quarzit *der,* metamorphes Gestein mit 60–80% Quarzgehalt; häufige Nebengemengeteile sind Feldspäte, Glimmer, Aluminiumsilikate und Erzminerale; sehr hart und feinkörnig.

Quarzlampe, ein Strahler mit hoher Strahlungsleistung im Ultraviolettbereich; für Heilbehandlung, Entkeimung u.a. (→Quecksilberdampflampe)

Quarzporphyr, meist rötlich graues, paläozoisches Ergussgestein mit feinkristalliner Grundmasse von großen Quarz-, Feldspat- und Glimmer-Einsprenglingen **(porphyr. Gefüge).** Gleicher Zusammensetzung ist der tertiäre **Rhyolith.**

Quarz|uhr, elektron. Einzeluhr, deren hohe Genauigkeit von einem →Schwingquarz gewährleistet wird. Dieser Schwingquarz wird piezoelektrisch zur Abgabe von hochfrequenten Schwingungen angeregt, die nach einer Impulsformung über Teilerschaltungen auf niederfrequente Schwingungen untersetzt werden. Diese Schwingungen dienen zum Antrieb eines Uhrwerks, der über ein Schrittschaltwerk (Sekundenspringer, 1 Hz), über einen Synchronmotor oder durch Synchronisieren eines elektr. Unruhschwingers erfolgt. Bei einer elektron. Schaltung wird die Zeit ohne mechan. Zwischenglieder digital durch Flüssigkristallzellen oder Leuchtdioden angezeigt. Die Gangabweichung einer Q. beträgt je nach Größe und Güte ± 5 bis 0,000 01 Sekunden pro Tag.

Quasar [Kw. für **quasi**stell**ar**e Radioquelle] *der,* astronom. Objekt von sternähnl. Aussehen im opt. Spektralbereich, jedoch mit extrem starker Radiofrequenzstrahlung. Das Spektrum ist neben einer starken Abstrahlung im UV- und Infrarotbereich durch eine starke →Rotverschiebung der Spektrallinien gekennzeichnet. Zu den Q. werden auch die **quasistellaren Objekte** gezählt, die sich von den Q. nur dadurch unterscheiden, dass sie keine intensive Radiostrahlung aussenden. Der erste Q. 3C48 wurde 1960 von A. R. Sandage entdeckt. Deutet man die Rotverschiebung mit dem Doppler-Effekt als Folge einer Fluchtbewegung (→Hubble-Effekt), lässt sich die Entfernung bestimmen. Die Entfernung einzelner Q. hat man mit mehr als 12 Mrd. Lichtjahren berechnet (bei einer Hubble-Konstanten von 75 km/s · Mpc); damit wären Q. die fernsten noch erfassbaren astronom. Objekte mit einer Leuchtkraft von weit mehr als dem 100fachen einer großen Galaxis. Man vermutet, dass die Q. in den Zentren von Galaxien liegen; für den Q. 3C48 ist dies bestätigt. Die derzeit gängigen Erklärungsversuche für den gigant. Energieausstoß der Q. gehen davon aus, dass dieser durch das Hineinstürzen von Gasmassen in einen kompakten massereichen Kern zustande kommt. Dabei könnte es sich um ein übermassereiches →Schwarzes Loch von etwa 100 Mio. Sonnenmassen oder um eine Vorstufe davon handeln. – Das 1979 entdeckte **Q.-Zwillingspaar** 0957+561 A, B zeigte erstmals die Existenz einer →Gravitationslinse an.

quasi [lat.], gewissermaßen, gleichsam, als ob.

Quasiatome, → Quasimoleküle.

Quasikristall, geordneter Festkörper mit einem »fast periodischen« Gitter, im Ggs. zu Kristallen mit einem echt period. Gitter. Q. wurden analog zu quasiperiod. → Parkettierungen theoretisch

Quasikristall: zweidimensionales »Penrose-Gitter« als Strukturmodell

konstruiert und an speziellen Legierungen nachgewiesen. Sie weisen die in der Kristallographie »verbotene« fünfzählige Symmetrie auf. Ein Modell für die Struktur von Q. sind »Penrose-Gitter«, in denen mindestens zwei verschiedene Bauelemente (Rhomboeder) zu quasiperiod. Anordnungen mit entsprechenden Symmetrieeigenschaften kombiniert werden.

Quasimodo, Salvatore, italien. Schriftsteller, * Modica (Prov. Ragusa) 20. 8. 1901, † Neapel 14. 6. 1968; neben G. Ungaretti und E. Montale einer der bedeutendsten modernen Lyriker Italiens; beschwört in seinen frühen »hermetischen« Gedichten die Landschaft Siziliens und die Antike, strebte später nach sozialem Engagement und einfacher Sprache (»Tag um Tag«, 1947; »La terra impareggiabile«, 1958; »Ein offener Bogen«, italien. und dt. Ausw. 1963); übersetzte u. a. grch. und lat. Autoren. 1959 erhielt er den Nobelpreis für Literatur.

Quastenflosser: Die einzige nicht ausgestorbene Art Latimeria chalumnae ist bis 1,8 m lang

Quasimodogeniti [lat.], der → Weiße Sonntag.

Quasimoleküle, molekulare Zustände, die kurzzeitig unter Ausbildung von Molekülorbitalen entstehen, wenn zwei schwere Atome (oder Ionen) kollidieren. Im Grenzfall kommt es zur Bildung von **Quasiatomen,** d. h., die Atomorbitale der beiden Stoßpartner bilden kurzzeitig ein Atom (oder Ion), dessen Kernladungszahl gleich der Summe der Kernladungszahlen der beiden Stoßpartner ist.

quasistationär, *Physik:* v. a. in der Strömungslehre und in der Elektrodynamik svw. zeitlich langsam veränderlich.

quasistatisch, *Thermodynamik:* bezeichnet Prozesse (Zustandsänderungen), die so langsam verlaufen, dass das System zu jedem Zeitpunkt als im thermodynam. Gleichgewicht befindlich betrachtet werden kann.

quasistellare Radioquelle, der → Quasar.

Quasisteuern (parafiskalische Sonderabgaben), zur Erfüllung spezieller Aufgaben von bestimmten Gruppen erhobene zweckgebundene Abgaben, für deren Einziehung und Verwendung meist besondere selbstständige Institutionen (Parafiski) zuständig sind und die nach abgabenrechtl. Kriterien weder Steuern noch Gebühren oder Beiträge sind; z. T. als Ausgleichsabgaben bezeichnet. Beispiele: Kohlepfennig, Erdölbevorratungs-, Altöl-, Abwasserabgabe.

Quasiteilchen, Bez. für die sich wie Teilchen verhaltenden Elementaranregungen in Vielteilchensystemen, die im Ggs. zu Elementarteilchen aber nie als freie Teilchen auftreten, sondern nach der begrenzten Lebensdauer des angeregten Zustands wieder zerfallen. Q. sind z. B. Defektelektronen, Phononen, Exzitonen und Cooper-Paare.

Quastenflosser (Crossopterygier, Crossopterygii), aus dem Devon bekannte, mit Ausnahme der Art Latimeria chalumnae ausgestorbene Ordnung bis 1,8 m langer Knochenfische mit quastenartigen Flossen; ähneln in Zahnbau und Anordnung der Schädelknochen den ersten Amphibien. Aus den Vorfahren der Q. haben sich möglicherweise die Vierfüßer entwickelt.

Quästor [lat., zu quaerere »untersuchen«] *der,* in der röm. Republik oberster Finanzbeamter, zunächst von den Konsuln ernannt, seit 447 v. Chr. vom Volk gewählt; anfangs gab es zwei, ab 421 mit dem Zutritt der Plebejer zum Amt vier, seit Sulla 20 Quästoren.

Quatember [zu lat. quattuor tempora »vier Zeiten«] *der, kath. Kirche:* Bitt- und Bußtage (jeweils der Mittwoch, Freitag und Samstag) am Beginn der vier Jahreszeiten; in Dtl. die Woche vor dem 1. Fastensonntag, vor Pfingsten, die 1. Oktober- und die 1. Adventswoche.

Quaternionen [lat.], eine vierdimensionale Algebra über dem Körper der reellen Zahlen, deren Multiplikation nicht kommutativ ist. Die Q. sind Linearkombinationen reeller Koeffizienten mit den Basiselementen $[1, i, j, k]$, für die gilt: $i^2 = j^2 = k^2 = -1$ und $ij = k$, $jk = i$, $ki = j$. Da die Menge der Q. eine Erweiterung der komplexen

1

2

3

4

Quarz:
1 Rauchquarz,
2 Bergkristall,
3 Rosenquarz,
4 Amethyst

Quebec 2): Herausragendstes Gebäude der Oberstadt, die auf einer bis zu 110 m über dem Sankt-Lorenz-Strom aufragenden Felshochfläche erbaut wurde, ist das Backsteinhochhaus »Hotel Château Frontenac« (1892)

Zahlen darstellt, werden ihre Elemente auch als **hyperkomplexe Zahlen** bezeichnet.

Quattrocento [kwatro'tʃɛnto; italien. »vierhundert«, kurz für 1400] *das,* italien. Bez. für das 15. Jh.; als Stilbegriff der Kunstgeschichte Bez. für die Epoche der italien. Frührenaissance.

Quebec [kve'bɛk, engl. kwɪ'bek] (frz. Québec), **1)** die größte Provinz Kanadas, 1540680 km², davon 183890 km² Binnengewässer, (1997) 7,45 Mio. Ew. (davon etwa 80% Frankokanadier); Hauptstadt ist Quebec, größte Stadt Montreal, Amtssprache Französisch. Q. umfasst den größten Teil der Halbinsel Labrador und das südlich anschließende Gebiet am Sankt-Lorenz-Strom. Q. ist seenreich, von vielen Flüssen durchzogen; diese sind bed. für den Holztransport und die Wasserkraft (z.B. Stauseekette am Fort George River, frz. La Grande Rivière). Fast die Hälfte der Fläche ist waldbedeckt; Holzverarbeitung u.a. zu Papier und Zellstoff, weiterhin Aluminium-, chem., Textil-, Maschinen-, Fahrzeug-, Nahrungsmittel-, Lederwaren-, Tabakind., Schiff- und Flugzeugbau. An der Grenze zu Labrador wurden große Eisenerzlager (Schefferville und Wabush) erschlossen, ferner wird Bergbau auf Kupfer, Asbest, Gold-, Zink- und Titanerz betrieben. – Q. kam 1763 mit Neufrankreich an Großbritannien, das mit der Q.-Akte (1774) den Frankokanadiern Mitspracherechte bei der Reg. und die offizielle Anerkennung des römisch-kath. Bekenntnisses gewährte. 1791 in die Prov. Ober- und Unterkanada aufgeteilt, die 1840 zur Prov. Kanada zusammengefasst wurden. 1867 als Prov. des Dominions Kanada neu geschaffen. In Q. entwickelte sich v.a. in der zweiten Hälfte des 20. Jh.s eine starke Autonomiebewegung. Versuche, die Provinz politisch aus dem Staatsverband Kanadas zu lösen, lehnte die Bev. jedoch 1980 und 1995 ab. 1996 erhielt die Prov. einen Sonderstatus als »eigenständige Gesellschaft« innerhalb Kanadas.

Quebec 2)
Stadtwappen

📖 MEYER, PHILIPPE: *Q. Paris 1980.* – COLEMAN, W. D.: *The independence movement in Q. 1945–1980. Toronto 1984.* – BERNARD, A.: *La politique au Canada et au Q. Sillery ²1985.*

2) Hauptstadt von 1), am linken Ufer des hier 1200 m breiten Sankt-Lorenz-Stroms, 167500 Ew., Metrop. Area 645600 Ew.; Mittelpunkt des frankokanad. kulturellen Lebens mit der 1852 gegründeten kath. Laval-Univ., Sitz eines kath. und anglikan. Erzbischofs; bed. Flusshafen und Ind.zentrum (Leder, Pelz, Bekleidung, Nahrungsmittel u.a.). Q. besteht aus der Oberstadt auf einer 60–110 m über dem Fluss aufragenden Felshochfläche und der Unterstadt an deren Nordfuß. – Q. wurde im Stil der frz. Städte des 18. Jh. erbaut, mit Stadtmauer (heute Nationaldenkmal) und Zitadelle (1820–50, heute Kaserne), Backsteinhochhaus Hotel Château Frontenac (1892), Kirche Notre-Dame des Victoires (1688), Hôtel-Dieu du Précieux-Sang (1654 ff., ältester Krankenhausbau Nordamerikas), Ursulinenkloster (1639), anglikan. Dreifaltigkeitskathedrale (1804), Musée de la Civilisation (M. Safdie; 1987 eröffnet). Das histor. Stadtzentrum wurde von der UNESCO zum Weltkulturerbe erklärt. – 1608 von S. de Champlain gegr., bis zur Eroberung durch brit. Truppen (1759) Zentrum der frz. Kolonie Neufrankreich; seit 1867 Hptst. der Prov. Quebec.

Quebrachin [kebra'tʃi:n, span.] *das,* das →Yohimbin.

Quebracho [ke'bratʃo; span. »Axtzerbrecher«] *das,* das Holz des in Amerika beheimateten **Q.-Baums** (Schinopsis quebracho-colorado); dauerhaft, sehr hart, schwer bearbeitbar; das dunkelrote Kernholz liefert Tannin, die Rinde Gerbstoffe.

Quechua ['ketʃu̯a], indian. Sprache, →Ketschua.

Quecke (Quicke, Agropyron), Gattung ausdauernder Gräser; die 20–150 cm hohe **Gemeine Q.** (Agropyron repens) mit raschwüchsigen horizontalen Erdsprossen ist ein schwer ausrottbares Garten- und Ackerunkraut.

Quecksilber (grch.-lat. Hydrargyrum), chem. Symbol **Hg,** Element aus der zweiten Nebengruppe des →Periodensystems der chemischen Elemente; Ordnungszahl 80, relative Atommasse 200,59, Dichte (bei 25 °C) 13,534 g/cm³, Schmelzpunkt −38,8 °C, Siedepunkt 356,9 °C. Q. ist das einzige bei gewöhnl. Temperatur flüssige Metall. Q. reagiert nicht mit verdünnten Säuren (mit Ausnahme von Salpetersäure). Es wird aber von konzentrierten oxidierenden Säuren gelöst. Mit zahlreichen Metallen bildet Q. sehr leicht Legierungen, die →Amalgame. Das flüssige Metall hat schon bei Zimmertemperatur einen merklichen Dampfdruck. Q.-Dampf sowie die anorgan. und organ. Verbindungen des Q. sind sehr giftig.

Q. kommt selten gediegen in Form fein verteilter Tröpfchen vor; in abbauwürdiger Form findet es sich v. a. in Form des Minerals →Zinnober. Zur Gewinnung des Q. werden zinnoberhaltige Erze bei 400–700 °C abgeröstet und die entweichenden Q.-Dämpfe in Vorlagen kondensiert. Elementares Q. wird zur Herstellung von Thermometern, Barometern, Blutdruckmessern u. a. Instrumenten benutzt, ferner für Q.-Dampflampen und Batterien, als Kathodenmaterial bei der techn. Elektrolyse, zur Amalgamation, zur Trennung von Metallgemischen u. a. Der größte Teil des Q. dient zur Herstellung von Q.-Verbindungen.

Verbindungen: Q. tritt in seinen Verbindungen in den Oxidationsstufen +1 und +2 auf. Die Quecksilber(I)-Verbindungen enthalten zweiatomige Hg_2^{2+}-Ionen; sie sind nicht sehr stabil und disproportionieren leicht zu Q. und Quecksilber(II)-Verbindungen. Q. oxidiert erst bei längerem Erhitzen auf 300 °C zu rotem **Q.(II)-oxid (Rotes Präzipitat),** HgO, das beim Glühen auf über 400 °C wieder zerfällt. Mit den Halogenen verbindet sich Q. schon bei gewöhnl. Temperatur. **Q.(I)-chlorid (Kalomel),** Hg_2Cl_2, wird u. a. für Porzellanmalerei, Galvanoplastik und Kalomelelektroden verwendet. **Q.(II)-chlorid (Sublimat),** $HgCl_2$, ist ein starkes Gift und ein sehr wirksames Desinfektionsmittel. Eine alkalische Lösung des farblosen Komplexsalzes **Kaliumtetrajodomercurat(II),** $K_2[HgI_4]$, ist ein wichtiges Reagenz für den Nachweis von Ammoniak (Neßlers Reagens). **Q.-rhodanid (Q.-thiocyanat),** $Hg(SCN)_2$, ein weißes Salz, lässt sich anzünden, glimmt langsam und bläht sich dabei zu schwarzen, schaumig festen, oft seltsam geformten Massen auf (Pharaoschlangen). **Q.-fulminat (Knall-Q.),** $Hg(CNO)_2$, ist eine kristalline, farblose, hochexplosive Substanz, die früher als Initialsprengstoff verwendet wurde (heute weitgehend durch Bleiazid u. a. verdrängt). Unter den organ. Q.-Verbindungen sind v. a. Verbindungen mit der allgemeinen Zusammensetzung RHgX (R = aliphat. oder aromat. Rest, X = Halogenatom, Hydroxylgruppe oder Säurerest) wichtig. Beispiele sind das **Äthylquecksilberchlorid,** C_2H_5HgCl, das als Saatbeizmittel dient, und das **Phenylquecksilberacetat,** $C_6H_5HgOOCCH_3$, das als Fungizid verwendet wird.

Quecksilberdampflampe, eine →Gasentladungslampe mit Quecksilberdampffüllung. **Niederdrucklampen** (bis etwa 1 kPa) haben geringe Lichtausbeute, aber relativ großen Anteil an Ultraviolettstrahlung; sie eignen sich als →Quarzlampen, ferner als Lichtquellen, am besten in der Form der Leuchtstofflampen, und in der Leuchtwerbung. **Hochdrucklampen** (bis etwa 1 MPa) zeigen gute Lichtausbeute bei grünlich weißer Lichtfarbe; sie haben ein ausgeprägtes Linienspektrum mit empfindl. Mangel an roten Linien, daher schlechte Farbwiedergabeeigenschaften. Durch Zusätze anderer Elemente (insbesondere Halogene) erhält man Q. mit wesentlich besseren Farbwiedergabeeigenschaften. **Höchstdrucklampen** (bis 10 MPa) zeigen neben dem Linienspektrum ein kräftiges Kontinuum, wodurch die Farbwiedergabe erheblich verbessert wird; sie haben eine sehr hohe Leuchtdichte.

Quecksilbervergiftung (Mercurialismus, Hydrargyrosis), durch die Aufnahme von metall. Quecksilber oder von Quecksilberverbindungen in den Körper hervorgerufene Krankheitserscheinungen. Eine **akute Q.** kann unmittelbar nach der Exposition auftreten; ihre Symptome sind Verätzungen, Übelkeit, Erbrechen, Leibschmerzen, Durchfall und akutes Nierenversagen. Bei der **subakuten Q.** sind die Erscheinungen weniger heftig; zusätzl. Symptome sind Mundschleimhautentzündung, Speichelfluss und dunkler Quecksilbersaum am Zahnfleisch. Bei der **chron. Q.** stehen die Vergiftungserscheinungen des Nervensystems im Vordergrund: Unruhe, nervöse Reizbarkeit, Gedächtnis- und Konzentrationsstörungen, Schlaflosigkeit u. a. Die chron. Q. ist als melde- und entschädigungspflichtige Berufskrankheit anerkannt.

Quedlinburg, 1) Landkreis im RegBez. Magdeburg, Sa.-Anh., 540 km², (1996) 82 300 Einwohner.

Quecke: Gemeine Quecke (Höhe 20–150 cm)

Quedlinburg 2)
Stadtwappen

2) Kreisstadt von 1) in Sa.-Anh., an der Bode, im nördl. Harzvorland, 25 500 Ew.; Museen, Nordharzer Städtebundtheater; Walzengießerei, Betriebe der Mess- und Regelungstechnik, Farben-, pharmazeut., Kartonagen-, Schmuckind., Saatzuchtbetriebe; Fremdenverkehr. – Schlossberg mit Renaissanceschloss (16./17. Jh.) und Stiftskirche St. Servatius, einer roman. Basilika (1129 geweiht, bed. Kunstschätze), in deren Krypta (10. Jh.) Heinrich I. und seine Frau Mathilde (* 890, † 968) beigesetzt wurden. In der Altstadt got. Ägidius-, Benediktus-, Nikolauskirche, Renaissancerathaus (1613–15) mit Roland (1427), Fachwerkhäuser (16.–17. Jh.); Klopstockhaus; außerhalb der Altstadt die Wipertikirche (12. Jh.) mit im Kern karoling. Umgangskrypta (9. Jh., nach 961 umgebaut); Stiftskirche. Schloss und Altstadt sind UNESCO-Weltkulturerbe. – 922 erstmals erwähnt; entstand in Anlehnung an eine bis ins 13. Jh. bed. Pfalz. Mathilde, die Mutter Ottos I., d. Gr., gründete 936/937 hier ein Kanonissenstift, das mit bed. Privilegien ausgestattet wurde und dessen Äbtissinnen lange in enger Verbindung zum Königtum standen; 994 Verleihung des Markt-, Münz- und Zollrechts; 1509–1803 evang. »freies weltl. Stift«; 1803 fiel Q. an Preußen.

📖 SCHAUER, H.-H.: *Q. Das städtebaul. Denkmal u. seine Fachwerkbauten. Berlin 1990.*

Queen [kwiːn], brit. Rockmusikgruppe, gegr. 1970 u. a. von dem Sänger, Pianisten und Bandleader F. →Mercury; war in den 70er- und 80er-Jahren mit stilistisch vielfältiger Rockmusik und aufwendigen Lightshows erfolgreich.

Quedlinburg

Seit September 1993 ist der einzige vollständig erhaltene deutsche Kirchenschatz wieder in der Schatzkammer der Stiftskirche St. Servatius in Quedlinburg (Sachsen-Anhalt) zu besichtigen. Die bedeutenden mittelalterlichen Kunstschätze waren 1945 von einem amerikanischen Offizier nach Texas entführt und 1990 aufgespürt worden, als die Erben das wertvolle Quedlinburger Evangeliar, eine karolingische Prachthandschrift, die nach ihrem Schreiber auch Samuhel-Evangeliar genannt wird, an die Kulturstiftung der Länder veräußerten. Im folgenden Jahr konnte die Kulturstiftung die übrige Sammlung bis auf zwei kleine Reliquienbehälter für etwa 6 Millionen DM zurückkaufen. Ab 1992 war sie dann bis zum Umbau der Quedlinburger Schatzkammer im Berliner Kunstgewerbemuseum ausgestellt.
Angesichts des großen historischen Werts des Domschatzes und der komplizierten juristischen Ausgangssituation wurde der ausgehandelte Kaufpreis, der alle »Nebenkosten« für Anwälte, Reisen und Restaurierung enthielt, als äußerst günstig beurteilt.

Queen Charlotte Islands [kwiːn ˈʃɑːlət ˈaɪləndz], Gruppe von rd. 150 gebirgigen, waldreichen Inseln vor der Küste von British Columbia, Kanada, 9 596 km², 3 400 Ew. (v. a. Indianer).

Quedlinburg 2): Schlossberg mit dem im 16. und 17. Jh. errichteten Renaissanceschloss und der Kirche des ehemaligen Frauenstifts Sankt Servatius (1129 geweiht)

Queen Elizabeth Islands [kwiːn ɪˈlɪzəbəθ ˈaɪləndz], elf Inseln des Kanadisch-Arkt. Archipels, etwa 425 000 km²; meist vergletschert; abgesehen von Wetter- und Forschungsstationen unbewohnt.

Queensland [ˈkwiːnzlənd], Staat des Austral. Bundes, im NO des Kontinents (einschl. der vorgelagerten Inseln), 1 727 200 km², (1991) 3,234 Mio. Ew.; Hauptstadt ist Brisbane. Die Mehrheit der Bev. lebt in den Küstenstädten. – Dem parallel zur Küste laufenden Gebirge (Great Dividing Range) mit zahlr. Hochebenen ist nach O eine schmale, stark gegliederte und fruchtbare Küstenebene vorgelagert. Das Innere von Q. umfasst die Ebenen des Großen Artes. Beckens im S und des Carpentariabeckens im N. Das Klima ist im N und NO tropisch mit reichen Niederschlägen und trop. Regenwald, der im SO in Eukalyptuswälder übergeht. Das Innere gehört zu den Trockengebieten mit Baum-, Busch- und Grassteppen. Nationalpark Wet Tropics (UNESCO-Welterbe). – Über die Hälfte der Gesamtfläche wird weidewirtschaftlich genutzt, v. a. Rinderhaltung (Milchwirtschaft), ferner Schaf- und Pferdezucht. Im östl. Küstengebiet werden Zuckerrohr und trop. Früchte angebaut, in den Hochebenen bes. Weizen, Hirse, Mais, Feldfutter, Gemüse, Baumwolle. Q. ist reich an Bodenschätzen (Kupfer, Kohle, Blei, Zink, Silber, Bauxit, Erdöl, Gold). Die Ind. hat ihre Standorte in den Küstenstädten (Brisbane, Gladstone, Townsville), die auch als Häfen Bedeutung haben. Die wichtigsten Ind.zweige sind die Verarbeitung von Bergbauprodukten und landwirtsch. Erzeugnissen, ferner Maschinen- und Fahrzeugbau, chem., Textil- und Holzindustrie. – 1606 Entdeckung der NW-Küste durch den Holländer W. Jansz(oon), 1770 der O-Küste durch J. Cook. 1824–39 bestand eine brit. Strafkolonie (Brisbane), erst danach setzte die eigentl. Besiedlung ein. Q. erhielt nach Abtrennung von New South Wales 1859 Selbstverwaltung; ab 1901 Teil des Austral. Bundes.

📖 FAUTZ, B.: *Agrarlandschaften in Q. Wiesbaden 1984.*

Queirós [kai'rɔʃ], José Maria Eça de, portugies. Schriftsteller, →Eça de Queirós.

Quelimane [kəli'manə], Stadt in Moçambique, →Kilimane.

Quelle, 1) *Geowissenschaften:* i. w. S. Stelle, an der Flüssigkeit, Gas oder Öl aus der Erde austritt; i. e. S. örtlich begrenzter, natürl., ständiger oder zeitweiliger Grundwasseraustritt an der Erdoberfläche; dem Wasserausfluss (Quellschüttung) entsprechend als perennierend (dauernd), episodisch (unregelmäßig) oder periodisch (in Abständen regelmäßig) bezeichnet. Stark schüttende Q. **(Riesen-Q.)** treten in trichter- oder schalenförmigen Quelltöpfen aus; mehrere Q., die längs einer ausstreichenden, Wasser führenden Schichtfläche austreten, bilden **Quellbänder** oder **-linien.** Unter Wasser austretende Q. nennt man **Grund-Q.** Nach den tekton. Verhältnissen und der Art der Wasserbewegung gibt es folgende Quelltypen: **absteigende** oder

Quelle 1): Die Fontaine-de-Vaucluse, die Quelle der Sorgue, 30 km östlich von Avignon

Auslauf-Q. (Tal-, Schicht-, Stau-, Überlauf-Q.) und **aufsteigende Q.,** in denen unter hydrostat. Druck stehendes Wasser ständig oder zeitweilig an der Erdoberfläche austritt; bei **artesischen Q.** erfolgt Wasseraustritt durch hydrostatisch gespanntes Grundwasser, oft durch Anbohren (→Brunnen). Entsprechend der Temperatur und den chem. Eigenschaften des Quellwassers sind noch heiße Q. **(Thermen),** kalte Q. **(Akratopegen)** bzw. **Mineral-Q.** zu unterscheiden. Ein **Geysir** (BILD) ist eine intermittierende Spring-Q., die ihr Wasser in meist regelmäßigen Abständen springbrunnenartig ausstößt. **Karst-Q.** bilden die ergiebigsten Q., v. a. wo ganze Höhlenflüsse zutage treten (Aach-Q. nördlich des Bodensees, mit einem Mittelwert von 8530 l/s die stärkste Q. Deutschlands).

SCHNEIDER, H.: *Die Wassererschließung. Essen* ^{3}*1988.*

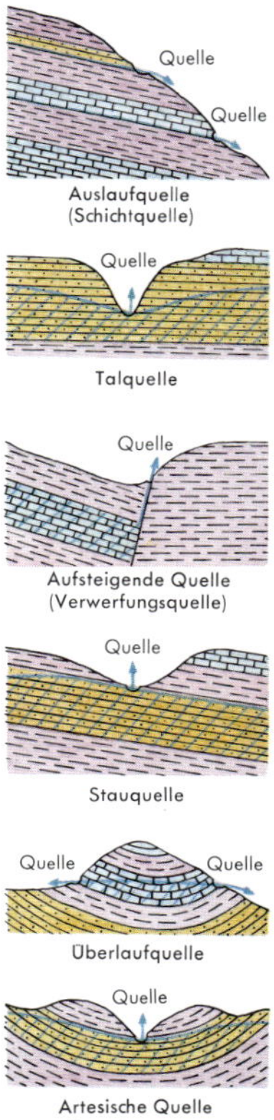

Quelle 1): schematische Darstellung verschiedener Quelltypen

2) *Geschichtswissenschaft:* »histor. Material«, das Aufschluss über die Vergangenheit ermöglicht. Die **Q.-Kunde** unterscheidet Gegenstände (z. B. Bauwerke, Gräber, Münzen), Tatsachen (z. B. Recht, Sprache, Zeitrechnung) und Texte (schriftl. Q.). Für die neueste Geschichte haben außerdem nichtschriftl. Überreste wie Ton- und Bilddokumente erhebl. Q.-Wert. J. G. Droysen (»Historik«, 1868) unterschied »Überreste« (Gerätschaften, Münzen, Geschäftsschriftgut), die nicht eigens zum Zweck der Unterrichtung der Mit- und Nachwelt hinterlassen wurden, von der »Tradition« (Chroniken, Annalen, Biographien, Memoiren), die sich bewusst an die Nachwelt wendet. Andere Einteilungskriterien sind die Nähe zum berichteten Ereignis (Primär-Q., Sekundär-Q.) oder aber die Zugehörigkeit zu Sachgebieten (Rechts-Q., Wirtschafts-Q.). Mithilfe der histor. Hilfswissenschaften werden die Q. durch die **Q.-Kritik** (Prüfung der Nähe zum Ereignis, Objektivität und Echtheit) gesichtet und ausgewertet; in der **Q.-Edition** wird die Q. dann herausgegeben.

📖 KIRN, P. *u.* LEUSCHNER, J.: *Einführung in die Geschichtswissenschaft. Berlin u. a.* ^{6}*1972.* – QUIRIN, H.: *Einführung in das Studium der mittelalterl. Geschichte. Stuttgart* ^{5}*1991.* – BRANDT, A. VON: *Werkzeug des Historikers. Stuttgart* ^{13}*1992.*

3) *Physik:* Singularität in einem →Feld, Ausgangsort von Feldlinien.

Quellensteuer, spezielle Erhebungsform der Einkommensteuer für bestimmte Einkünfte. Die Q. wird am Ort und zum Zeitpunkt des Entstehens steuerpflichtiger Vergütungen von der auszahlenden Stelle einbehalten und an das Finanzamt abgeführt **(Q.-Abzugsverfahren).** In Dtl. übliche Q. sind u. a. Lohn-, Kirchen-, Kapitalertragsowie Zinsabschlagsteuer. Vorteile für das Finanzamt: pünktl. Zahlungseingang, geringere Erhebungskosten, erschwerte Steuerhinterziehung. Nachteilig ist, dass die persönl. Verhältnisse des Steuerpflichtigen erst bei Veranlagung zur Einkommensteuer Berücksichtigung finden.

Queller: Gemeiner Queller (Höhe 10–40 cm)

Queller (Salicornia), an Meeresküsten und Salzstellen des Binnenlandes weltweit verbreitete Gattung der Gänsefußgewächse. Die Blätter des dickfleischigen, bis 40 cm hohen **Gemeinen Q.** (Salicornia europaea) sind zu Schüppchen reduziert.

Quelle Schickedanz AG & Co., bed. europ. Einzel- und Versandhandelsunternehmen, Sitz:

Fürth; gegr. 1927 von Gustav Schickedanz (*1895, †1977) als »Versandhaus Quelle«; 1977 übernahm seine Frau Grete Schickedanz (*1911, †1994) die Geschäftsleitung. Das Unternehmen firmiert seit 1992 unter dem jetzigen Namen und verfügt über zahlr. Beteiligungen im In- und Ausland, u.a. Großversandhaus Schöpflin GmbH (99%), Karstadt AG (20,3%).

Raymond Queneau

Quellinus [kwɛˈliːnys] (Quellien), fläm. Künstlerfamilie. Bed. Vertreter: **1)** Artus, d.Ä., Bildhauer, getauft Antwerpen 30. 8. 1609, †ebd. 23. 8. 1668, Onkel von 2), Bruder von 3); arbeitete als Hauptmeister der fläm. Barockskulptur für Kirchen und schuf die bildhauer. Ausstattung für das Amsterdamer Rathaus (1650–64; heute königl. Schloss); Skulpturen und Porträtbüsten.

2) Artus, d. J., Bildhauer, getauft Sint-Truiden 20. 11. 1625, †Antwerpen 22. 11. 1700, Sohn von 3), Neffe von 1); Mitarbeiter seines Onkels, schuf später v.a. Kanzeln und Grabmäler.

3) Erasmus, d.J., Maler, *Antwerpen 19. 11. 1607, †ebd. 7. 11. 1678, Vater von 2), Bruder von 1); Schüler und Mitarbeiter von P. P. Rubens, u.a. 1636–38 bei der Dekoration des Jagdschlosses Torre de la Parada bei Madrid (vier mytholog. Bilder; heute Madrid, Prado). Nach Rubens' Tod wurde er Stadtmaler von Antwerpen.

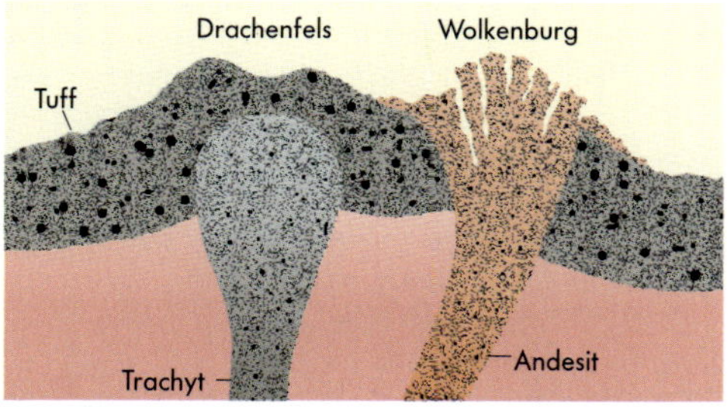

Quellkuppe des Drachenfelses und Stoßkuppe der Wolkenburg im Siebengebirge

Quellkuppe, Vulkanschlot, mit ehem. zähflüssiger Lava erfüllt, die im Unterschied zur **Staukuppe** nicht bis an die Erdoberfläche gelangte. Bei der **Stoßkuppe** wird die fast starre Lavafüllung im Schlot hochgepresst (z.B. Montagne Pelée auf Martinique).

Quellprogramm (Quellcode), ein Programm, das von einem anderen Programm verarbeitet werden soll; i.e.S. ein Programm, das von einem →Compiler in ein Zielprogramm übersetzt oder das von einem →Interpreter ausgeführt werden soll.

Quellung, reversible Volumenzunahme eines Festkörpers bei Einwirkung von Flüssigkeiten, Dämpfen und Gasen. **Unbegrenzte Q.** führt die quellende Substanz über in eine Lösung oder in eine Suspension.

Quelpart, südkorean. Insel, →Cheju.

Quemoy [kɪˈmɔɪ, engl.] (chines. Jinmen Dao), zu Taiwan gehörende Insel in der Formosastraße, liegt 2300 m vor dem Festland bei Amoy; 132 km². – Seit 1949 von nationalchines. Truppen besetzt, Festung für die Verteidigung Taiwans.

Quenching [ˈkwentʃɪŋ; engl. to quench »löschen«] *das* (Quenchen), **1)** *chem. Technik:* (vorzeitige) Beendigung eines Prozesses durch Abschrecken (z.B. mit Wasser, Öl) oder durch Desaktivieren eines Katalysators bzw. Initiators.

2) *Photochemie:* die Lumineszenzlöschung durch eine chem. Verbindung oder Verunreinigung.

Quendel, der Feldthymian (→Thymian).

Queneau [kəˈno], Raymond, frz. Schriftsteller, *Le Havre 21. 2. 1903, †Paris 25. 10. 1976; 1924–29 schloss sich der Gruppe der Surrealisten an (bis 1929); stellte mit Ironie eine absurde Welt dar, spielte dabei mit allen Möglichkeiten der Sprache, z.B. in »Stilübungen« (1947), 99 Versionen einer alltägl. Begebenheit. Berühmt wurde sein Roman »Zazie in der Metro« (1959, verfilmt von L. Malle); er schrieb neben weiteren Romanen (u.a. »Der Hundszahn«, 1933; »Mein Freund Pierrot«, 1959) Lyrik und Essays.

Quental [kenˈtal], Antero Tarquínio de, portugies. Schriftsteller, *Ponta Delgada (Azoren) 18. 4. 1842, †(Selbstmord) ebd. 11. 9. 1891; schrieb antiromantische philosoph., polit. und sozialkrit. Lyrik; beeinflusste als ein Hauptvertreter der »Generation von Coimbra« das portugies. Geistesleben.

Quercia [ˈkwɛrtʃa], Iacopo della, italien. Bildhauer, *Quercia Grossa (bei Siena) vermutlich 1374, †Siena 20. 10. 1438; gehört mit seiner an der Antike geschulten Durchbildung des menschl. Körpers zu den Bahnbrechern der Renaissance.

Werke: in Siena: Fonte Gaia (1409–19), Taufbrunnen von San Giovanni (1419 ff., zus. mit Donatello, L. Ghiberti u.a.); in Bologna: Reliefs am Hauptportal von San Petronio (seit 1425).

Quẹrcus [lat.], die Pflanzengattung →Eiche.

Querder, die Larve der →Neunaugen.

Querẹtaro [ke-], **1)** Bundesstaat von Mexiko, im S des Mexikan. Hochlandes; die fruchtbaren Hochebenen werden landwirtschaftlich genutzt; Bergbau auf Quecksilber und Opale.

2) Hauptstadt von 1), im zentralen Hochland, 1850 m ü.M., 456500 Ew.; Univ., Hochschulen; Textilind., Fremdenverkehr. – Kolonialzeitl. Stadtbild mit heute noch genutztem, fast 9 km langem Aquädukt (1726–37). – Die ursprüngl. Indianersiedlung wurde 1531 von den Spaniern unterworfen.

Querfeld|einlauf, der →Geländelauf.

Querflöte (Traversflöte, italien. Flauto traverso, frz. Flûte traversière), i.w.S. jede quer zur Körperachse gehaltene →Flöte, im Unterschied zur Lang- oder Längsflöte. – I.e.S. ist die Q. die im 17. Jh. aus der →Querpfeife entwickelte Flöte des

Querrolle: Auf der japanischen Querrolle »Shorei-zukushi« werden die verschiedenen gesellschaftlichen Riten, die die Wege zur Selbstbildung beinhalten, in 24 Szenen ausführlich geschildert; der vorliegende Ausschnitt zeigt unter anderem die Kunst des Blumensteckens (von rechts) und die Teezeremonie (Mitte des 17. Jh.; Köln, Museum für Ostasiatische Kunst)

Orchesters mit dreiteiliger zylindr. Röhre und Klappen. Am gebräuchlichsten ist die Q. in C (Tonumfang c^1 bis d^4; als **Große Flöte** bezeichnet). Die kleinste Q. ist die **Pikkoloflöte** in C, seltener Des (Umfang in C: d^2–b^4). Ferner gibt es die **Altflöte** in G und die **Bassflöte** in C.

📖 SCHECK, G.: *Die Flöte u. ihre Musik. Mainz 1975.* – SCHMITZ, H.-P.: *Fürstenau heute. Flötenspiel in Klassik u. Romantik, 2 Tle. Kassel 1988.*

Querfurt, Stadt im Landkreis Merseburg-Querfurt, in Sa.-Anh., im Tal des Quernebachs, 10300 Ew.; Burgmuseum; Landwirtschaftsbetriebe, Kraftfuttermischwerk, elektron. Industrie. – Weiträumige Burganlage (10.–15. Jh.), Spätrenaissancerathaus (17. Jh.), spätgot. Lambertikirche (1475–1523). – Entstand nahe einer Burg (Sitz der Edlen Herren von Q.; 1496 ausgestorben); zw. 860 und 890 erstmals erwähnt, Stadtrecht vor 1198; kam 1635 an Kursachsen (1663–1744 Residenz des kursächs. Sekundogeniturfürstentums Sachsen-[Weißenfels]-Q.), 1815 an Preußen; war 1816–1995 Kreisstadt.

Querner, Curt, Maler, *Börnchen (heute zu Possendorf, Weißeritzkreis) 7. 4. 1904, †ebd. 10. 3. 1976; malte verist. Bilder, die zunehmend expressive Züge annahmen. Nach 1945 widmete er sich bes. der Aquarellmalerei (Porträts, Landschaften).

Querpass, *Ballsport:* Zuspiel quer zur Torlinie.

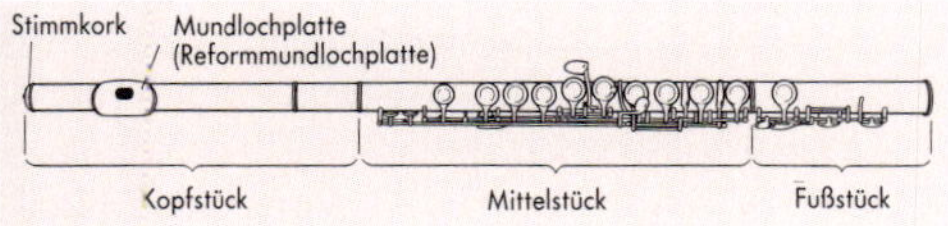

Querflöte: Schema der heutigen Querflöte

Querpfeife, kleine →Querflöte mit seitl. Blasloch und zuerst sechs, später sieben Grifflöchern ohne Klappen; Tonumfang meist von c^2–c^4. Sie wird zus. mit der Trommel seit dem späten MA. in der Marschmusik verwendet.

Quer|rolle, Bildrolle im Querformat, älteste chines. Bildform, entwickelte sich etwa seit der 2. Hälfte der Zeit der Sechs Dynastien (221–589) aus der alten chines. Buchform, der Papier- oder Seidenrolle. In Japan sind die frühesten Beispiele Sutrenrollen, die seit dem 8. Jh. illustriert wurden. Mit der Entstehung des höf. Romans im 10./11. Jh. wurde die Q. (japan. **Makimono** oder **Emaki**) als Bildform in die profane Malerei (→Yamato-e) übernommen. Die Q. wird von rechts nach links entrollt und gelesen; Ggs. →Hängerolle.

Quer|ruder, *Flugzeugtechnik:* bewegl. Klappen an den Hinterkanten der Tragflügel eines Flugzeugs, die durch gegensinnigen Ausschlag zur Steuerung von Bewegungen um die Längsachse sowie durch gleichsinnigen Ausschlag zum Steigen und Sinken dienen.

Querschiff (Querhaus, Transept), in der Basilika ein dem Langhaus im O oder W quer vorgelagerter oder dieses (in der →Vierung) durchkreuzender Raum.

Querschläger, *Militärwesen:* Geschosse, die durch Ablenkung eine unregelmäßige Flugbahn erhalten und schräg oder quer einschlagen.

Querschnitt, *Geometrie:* ebener Schnitt durch einen Körper senkrecht zur Längs- oder Drehachse; auch die zeichner. Darstellung der Schnittfläche.

Querschnittslähmung, durch teilweise oder völlige Schädigung eines oder mehrerer Rückenmarkabschnitte **(Querschnittsläsion)** verursachte Krankheitserscheinungen in Form sensibler, motor. und vegetativer Lähmungen. Ursachen sind z. B. Verletzungen der Wirbelsäule, Tumoren, Entzündungen oder Systemerkrankungen des Rückenmarks. Je nach dem Ausmaß der Schädigung unterscheidet man: 1) die **totale Q.** mit vollständiger Leitungsunterbrechung und vollständiger motor. und sensibler Lähmung in den unterhalb der Schädigungsstelle gelegenen Körperpartien sowie mit vegetativen Störungen im Bereich von Blase, Enddarm und Geschlechtsorganen; 2) die **subtotale** oder **partielle Q.** mit nur teilweiser Leitungsunterbrechung und unvollständigen Ausfallerschei-

Querfurt
Stadtwappen

Querflöte
aus dem 18. Jh.
(Barock-Traversflöte)

nungen; 3) die halbseitige Querschnittsunterbrechungen des Rückenmarks **(Halbseitenläsion).**

📖 *Physiotherapie in der Rehabilitation Querschnittgelähmter, hg. v.* V. PAESLACK *u. a. Berlin u. a. 1980. – Die Rehabilitation traumat. Querschnittgelähmter, hg. v.* D. STOCK. *Melsungen ²1983.*

Quersumme, die Summe der Ziffern einer natürl. Zahl; z.B. ist 18 die Q. von 1863, da 1+8+6+3=18. Ist die Q. einer Zahl durch 3 oder 9 teilbar, dann ist es auch die Zahl selbst.

Quesada [ke'saða], Gonzalo Jiménez de, span. Konquistador, *Córdoba (?) vor 1500, †Mariquita (Kolumbien) 16. 2. 1579; unternahm seit 1536 Entdeckungsvorstöße vom Río Magdalena auf das Hochland von Kolumbien, unterwarf dort die Indianerstämme (Muisca) und gründete 1538 das spätere Bogotá. 1561 erkundete er das Orinoco-Gebiet.

Quesnay [kɛ'nɛ], François, frz. Volkswirtschaftler und Arzt, *Méré (bei Versailles) 4. 6. 1694, †Versailles 16. 12. 1774; Leibarzt Ludwigs XV. und der Marquise de Pompadour; gehörte zu den Enzyklopädisten; Begründer des →Physiokratismus. Ausgehend vom Naturrecht, trat er für die Verwirklichung einer harmon. und natürl. Selbstregulierung der Wirtschaft ein. Sein Hauptwerk »Tableau économique« (1758, dt.) enthält die erste Gesamtdarstellung eines volkswirtsch. Kreislaufs.

Quételet [ke'tlɛ], Lambert Adolphe Jacques, belg. Astronom und Statistiker, *Gent 22. 2. 1796, †Brüssel 17. 2. 1874; ebd. Leiter der Sternwarte, Begründer der modernen Sozialstatistik.

Quetschung (Kontusion), Verletzung des Körpergewebes durch stumpfe Gewalt, wobei Haut und darunter liegende Weichteile oder Organe geschädigt werden mit der Folge von Blutergüssen, Quetschwunden oder Verletzungen innerer Organe.

Quetta ['kwetə], Hauptstadt der Prov. Belutschistan, Pakistan, 1800 m ü.M., 286 000 Ew.; Univ., Akademie für Belutschi (die Sprache der Belutschen); Nahrungsmittel-, chem., Textil- u.a. Industrie. – Q. wurde 1935 durch Erdbeben fast völlig zerstört, danach wieder aufgebaut.

François Quesnay (zeitgenössische Darstellung)

Quetzal [kɛ'tsal, indian.] *der,* →Trogons.

Quetzalcóatl [kɛtsalkoatl, Nahuatl »Federschlange«] (Quetzalcoatl), eine der wichtigsten Gottheiten im vorkolumb. Mesoamerika, auch myth. Herrscher der Tolteken, dargestellt als Schlange, die mit den kostbaren Schwanzfedern des Quetzals geschmückt ist.

Queue [kø; frz. »Schwanz«] *das,* auch *der,* der Billardstock (→Billard).

Quevedo [ke'βeðo], Nuria, span. Malerin und Grafikerin, *Barcelona 18. 3. 1938; lebt in Berlin; schuf Menschen- und Landschaftsdarstellungen von lapidarer Formensprache und herber Ausdruckstiefe; auch polit. Grafik und Grafik zur Literatur.

Quevedo y Villegas [ke'βeðo i βi'ʎeɣas], Francisco Gómez de, span. Schriftsteller, *Madrid 17. 9. 1580, †Villanueva de los Infantes (Prov. Ciudad Real) 8. 9. 1645; schuf, z.T. unter Druck der Inquisition, ein vielseitiges Werk, so Prosa im Stil des →Konzeptismus, Lyrik (Sonette der Einsamkeit oder Vergänglichkeit), Theaterstücke, den Schelmenroman »Der abenteuerl. Buscon« (1626) und die »Sueños« (1627, dt. u.a. als »Die Träume«), fünf Satiren, deren burleske Fantastik der lasterhaften, zeitgenöss. Welt den Spiegel vorhält. Sie wurden u.a. von J. M. Moscherosch nachgeahmt.

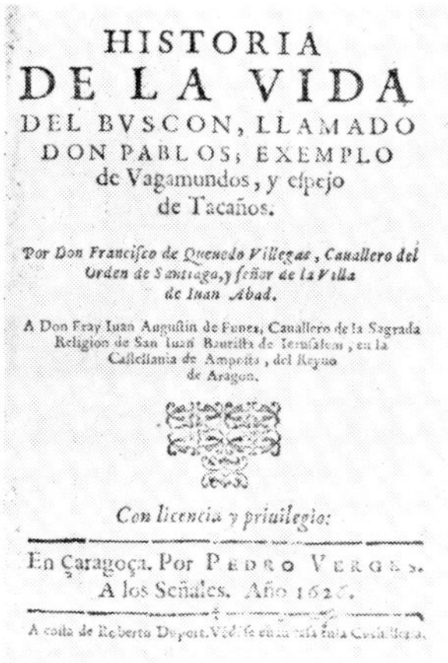

HISTORIA
DE LA VIDA
DEL BVSCON, LLAMADO
DON PABLOS; EXEMPLO
de Vagamundos, y espejo
de Tacaños.

Por Don Francisco de Quevedo Villegas, Cauallero del Orden de Santiago, y señor de la Villa de Iuan Abad.

A Don Fray Iuan Agustin de Funes, Cauallero de la Sagrada Religion de San Iuan Bautista de Ierusalem, en la Castellania de Amposta, del Reyno de Aragon.

Con licencia y priuilegio:

En Çaragoça. Por PEDRO VERGES.
A los Señales. Año 1626.

A costa de Roberto Duport. [illegible]

Francisco Goméz de Quevedo y Villegas: Titelblatt der Originalausgabe seines Schelmenromans »Der abenteuerliche Buscon« (1626)

📖 NOLTING-HAUFF, I.: *Vision, Satire u. Pointe in Q.s Sueños. München 1968.* – WALTERS, D. G.: *F. de Q., love poet. Washington, D. C., 1985.*

Quezaltenango [kesal-], Hauptstadt des Dep. Q. in Guatemala, mit 101 000 Ew. die zweitgrößte Stadt des Landes, 2330 bis 2380 m ü.M. am Fuß des Vulkans Santa María (3768 m ü.M.); Kultur- und Handelszentrum, Univ.; Textil-, Leder-, Nahrungsmittelindustrie.

Quezon City [ke'θɔn 'sɪtɪ], 1948–75 Hauptstadt der Philippinen, nordöstlich an Manila anschließend, 1,67 Mio. Ew.; Univ., Kernforschungsinstitut.

Qufu [tʃyfu] (Küfow, Küfou), Stadt in der Prov. Shandong, China; Geburts- und Begräbnisort des Konfuzius mit Gedächtnistempel (gegr. 195 v. Chr.) und Grabhain (auch seiner Nachkommen).

Quibdó [kiβ'ðo], Hauptstadt des Dep. Chocó in Kolumbien, 122 900 Ew.; in der Umgebung Gold- und Platingewinnung.

Quiche [ki:ʃ, frz.] *die,* warm zu essendes tortenähnl. Gebäck aus ungezuckertem Mürbe-, seltener Blätterteig; als **Q. Lorraine** mit Speckscheiben belegt, mit gewürzter Eiermilch übergossen.

Quiché [ki'tʃe], indian. Volk im Hochland von Guatemala, das sprachlich und kulturell zu den Hochland-Maya zählt; bekannt durch ihr hl. Buch »Popol Vuh«.

Quickborn, kath. Jugendbund; 1909 in Schlesien gegr. (Name seit 1913); wurde von der →Jugendbewegung stark beeinflusst; 1939 aufgelöst, 1946 wieder gegr.; 1966 Aufspaltung in den Bund christl. Jugendgruppen und den Q.-Arbeitskreis.

Quickborn, Stadt im Kr. Pinneberg, Schlesw.-Holst., 19400 Ew.; Wetternachrichtenzentrale, Agrarmeteorolog. Beratungs- und Forschungsstelle.

Quickstepp ['kwɪkstep, engl.] *der,* Gesellschaftstanz im $^4/_4$-Takt; schneller →Foxtrott; gehört zu den Standardtänzen.

Quicktest [nach dem amerikan. Arzt Armand James Quick, *1894, †1978], Laborverfahren zur Diagnose von Störungen der ersten Phase der Blutgerinnung durch Messung der Umwandlungsgeschwindigkeit von Prothrombin zu Thrombin. Der **Quickwert** einer Probe (in %) wird auf die Normalreaktion bezogen.

Quickton, schluffiger bis feinsandiger, sehr wasserhaltiger und wenig stabiler Ton; bei Erschütterung oder Überbelastung kurzzeitig flüssig.

Quidde, Ludwig, Historiker und Politiker, *Bremen 23. 3. 1858, †Genf 5. 3. 1941; 1907–18 MdL in Bayern (Dt. Volkspartei), 1919–20 Mitgl. der Nationalversammlung; trat bereits vor 1900 für Abrüstung ein. 1914–29 war er Vors. der Dt. Friedensgesellschaft, seit 1920 auch des Dt. Friedenskartells; erhielt 1927 mit F. É. Buisson den Friedensnobelpreis; emigrierte 1933 nach Genf.

Qufu: Im »Wald von Konfuzius«, nicht weit vom Konfuzius-Tempel entfernt, liegt das Grab des Konfuzius

Quietismus [zu lat. quietus »ruhig«] *der,* i. w. S. eine der Mystik verwandte religiöse Haltung, die in vollkommener Passivität die innere Ruhe (»Seelenruhe«) anstrebt; im Katholizismus des 17. Jh. ein stark individuell-verinnerlichend geprägter Typ von Frömmigkeit, der völlige Passivität in Handeln und Wollen fordert, um so Gott für sein Handeln und Wollen Platz zu schaffen; 1687 durch Papst Innozenz XI. verurteilt.

📖 HEPPE, H.: *Geschichte der quietist. Mystik in der kath. Kirche. Leiden 1879, Nachdr. Kampen 1979.*

quieto [italien.], musikal. Vortragsbezeichnung: ruhig.

Quillajarinde [ki-, indian.] (Panamarinde), →Seifenbaum.

Quilt [engl.] *der,* gesteppte, mit Applikationen geschmückte Bettüberdecke oder Wandbehang.

Anthony Quinn als Zampano in dem Fellini-Film »La Strada« (1954)

Quimper [kɛ̃'pɛ:r], Hptst. des Dép. Finistère, Bretagne, Frankreich, am schiffbaren Odet, 62500 Ew.; Fahrradfabrik, Steingut-, Nahrungsmittel-, Textil- u. a. Industrie. – Kathedrale (13.–16. Jh.).

Quincey ['kwɪnsɪ], Thomas De, engl. Schriftsteller, →De Quincey.

Quincke, Georg Hermann, Physiker, *Frankfurt (Oder) 19. 11. 1834, †Heidelberg 13. 1. 1924; untersuchte die Molekularkräfte in Flüssigkeiten, erfand das **Interferenzrohr (Q.-Rohr)** zur interferometr. Bestimmung von Schallwellenlängen.

Quine [kwaɪn], Willard Van Orman, amerikan. Logiker und Philosoph, *Akron (Oh.) 25. 6. 1908; 1948–78 Prof. an der Havard University; wegweisend durch die Verschmelzung von Pragmatismus und analyt. Philosophie sowie moderner Linguistik und Logik.

Quinn, Anthony, amerikan. Filmschauspieler, *Chihuahua (Mexiko) 21. 4. 1915; Charakterdarsteller im amerikan. und europ. Film, u. a. »La Strada« (1954); »Vincent van Gogh« (1956); »Der Glöckner von Notre-Dame« (1956); »Alexis Sorbas« (1964), »Der alte Mann und das Meer« (1989); auch Bildhauer und Maler. Weiteres BILD Film

Quinquagesima [lat. »der fünfzigste (Tag)«] *die, kath. Kirche:* der Sonntag vor Aschermittwoch (früher Sonntag Q.); *evang. Kirchen:* der Sonntag Estomihi.

Quint [lat.] *die,* **1)** *Fechten:* eine bestimmte Endstellung von Arm und Waffe.

2) *Musik:* →Quinte.

Quinta [lat. »die Fünfte«] *die,* früher die 2. Klasse des Gymnasiums (Zählung: die fünftletzte des bei Einführung 7-jährigen Gymnasiums); entspricht dem 6. Schuljahr.

Ludwig Quidde

Quintana [kin-], José Manuel, span. Dichter, *Madrid 11. 4. 1772, †ebd. 11. 3. 1857; organisierte den geistigen Widerstand gegen Napoleon I., 1814–33 Gefängnis und Verbannung; bed. Kritiker und Historiker, schrieb Oden, auch klassizist. Tragödien.

Lothar Quinte: Pulsarblau (1972; Karlsruhe, Technische Universität)

Quintana Roo [kin-], Staat von Mexiko, im O der Halbinsel Yucatán; Hptst. ist Chetumal; das feuchtheiße Land ist überwiegend von trop. Regenwald, daneben auch von Savanne bedeckt.

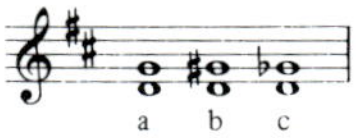

Quinte: a reine, b übermäßige, c verminderte Quinte

Quinte [lat. »die fünfte«] *die* (Quint), die fünfte Stufe der diaton. Tonleiter und das Intervall, das vier diaton. Tonschritte enthält. Neben der **reinen Q.** (drei Ganztöne und ein Halbton), z. B. c–g, können **übermäßige Q.** aus vier Ganztönen, z. B. c–gis, oder **verminderte Q.** aus drei Ganztönen, z. B. c–ges (Tritonus), auftreten.

Quinte, Lothar, Maler und Grafiker, *Neisse (heute Nysa) 13. 4. 1923; Vertreter der Op-Art; meist dunkle, monochrome Farbflächen werden durchbrochen von leuchtenden, schmalen Farbbändern.

Quintole

Quintenzirkel, die in einem Kreis darstellbare Anordnung sämtlicher Dur- und Molltonarten des temperierten Tonsystems, deren Grundtöne jeweils eine Quinte voneinander entfernt liegen, wenn man sie fortschreitend nach zunehmenden Vorzeichen ordnet. Der Q. schließt sich dort, wo zwei Tonarten durch enharmon. Verwechslung (→Enharmonik) als klanglich gleich erscheinen (z. B. Ges-Dur und Fis-Dur).

Quintessenz [lat. »das fünfte Wesen«], allg. das Wesen einer Sache, Hauptinhalt; urspr. der von Aristoteles den vier Elementen hinzugefügte →Äther, bei den Alchimisten die Vereinigung der Gegensätze als Ziel des alchimist. Prozesses.

Quintett [italien.] *das, Musik:* Komposition für fünf Vokalstimmen oder fünf Instrumente (z. B. Streich-Q., Bläser-Q., Klavier-Q.); auch Bez. für die Gruppe der Ausführenden.

Quintieren [lat.], *Musik:* Eigenart einzelner Blasinstrumente (z. B. Klarinette), beim Überblasen statt wie gewöhnlich in die Oktave (zweiter Naturton) in den dritten Naturton, also die Quinte über der Oktave (Duodezime), umzuschlagen.

Quintilian, eigtl. Marcus Fabius Quintilianus, *Calagurris (heute Calahorra, La Rioja) etwa 30 n. Chr., †Rom um 96; wirkte seit 68 als Redner in Rom und schrieb im Alter die zwölf Bücher seiner »Institutio oratoria«. Die formal-rhetor. Ausbildung ist für ihn die Grundlage der Erziehung. Sein Werk wirkte stark auf die Humanisten.

Quintillion [lat.] *die,* die fünfte Potenz einer Million, geschrieben: 1 mit 30 Nullen (= 10^{30}).

Quintole [lat.] *die,* Folge von fünf Noten, die für drei, vier oder sechs Noten gleicher Gestalt bei gleicher Zeitdauer eintreten, angezeigt durch die Zahl 5 (oft auch mit Klammer).

Quintsext|akkord [lat.], die erste Umkehrung des Septimenakkords mit der Terz als Basston.

Quipu ['kipu, Ketschua] *der* (Kipu), altperuan. (baum)wollene Knotenschnur, die zum Festhalten von messbaren Daten diente, wobei ein Dezimalsystem zugrunde lag. Die Kopfschnur konnte bis zu 100 Nebenschnüre haben. Je nach Farbe der Schnüre und Zahl der Knoten vermittelte der Q. verschiedene Bedeutungen (ideograph. Gedächtnisschrift); er war aus sich selbst heraus nicht verständlich, sondern bedurfte einer mündl. Erläuterung. Bei den Inka gab es dafür ein eigenes Amt.

Quiriguá [kiri'ɣu̯a], Ruinenstätte (UNESCO-Weltkulturerbe) der Mayakultur am Río Motagua in SO-Guatemala; bed. Fundort von Maya-Stelen; Blütezeit zw. 500 und 800. In ihrer architekton. Anlage und Ausführung zeigt sie viel Ähnlichkeit

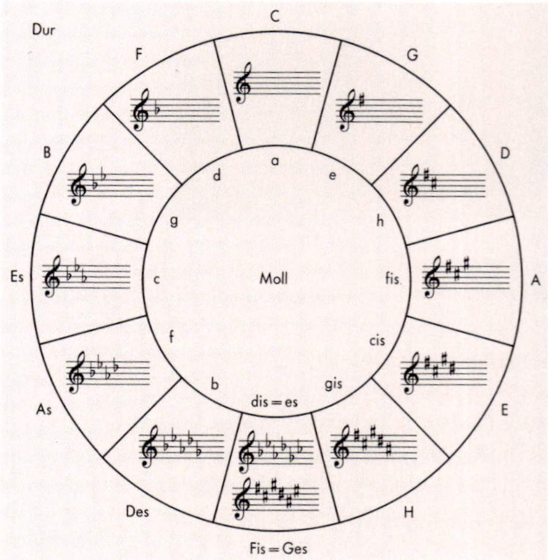

Quintenzirkel

mit dem 50 km entfernten Copán. Es gibt versenkte Plätze, große Treppen und skulptierte riesige Stufen. Aus Sandsteinblöcken gehauene Skulpturen zeigen tierische Fabelwesen und Hieroglypheninschriften. BILD S. 270

Quipu: Eine Illustration aus der Chronik des Felipe Guamán Poma de Ayala zeigt Topa Inka Yupanqui, einen der bedeutendsten Herrscher des Inkareiches, der von einem »Buchhalter« mit Quipuschnüren Bericht über den Bestand seiner Speicher erhält

Quirinal *der* (lat. Collis Quirinalis), einer der sieben Hügel Roms. Auf dem Q. wurde der Palazzo del Quirinale (16.–18. Jh.) als Sommerresidenz der Päpste errichtet, 1870–1946 königl. Palast, heute Sitz des italien. Staatspräs. (daher auch übertragen für die italien. Regierung gebraucht).

Quirinus, urspr. vielleicht der sabin. Haupt- und Kriegsgott der Hügelgemeinde auf dem nach ihm benannten Quirinal; später mit dem vergöttlichten Stadtgründer Romulus gleichgesetzt.

Quirl (Wirtel), in einem Knoten büschelartig stehende Pflanzenteile (Blatt-, Zweigquirl).

Quiroga [ki-], Horacio, uruguay. Schriftsteller, *Salto 31. 12. 1878, †(Selbstmord) Buenos Aires 19. 2. 1937; Meister der Kurzgeschichte. Schauplatz seiner Erzählungen sind oft die Urwälder Argentiniens, wo Mensch und Tier den Naturgewalten ausgesetzt sind (u. a. »Der Aufruhr der Schlangen«, 1921; »Auswanderer«, 1926; »Weißer Herzstillstand«, dt. Auswahl 1995).

Quisling, Vidkun, norweg. Offizier und Politiker, *Fyresdal (Telemark) 18. 7. 1887, †(hingerichtet) Oslo 24. 10. 1945; 1922–26 Mitarbeiter F. Nansens in Russland, 1931–33 Kriegsmin., gründete 1933 die faschist. Partei »Nasjonal Samling«; schlug A. Hitler 1939 eine Besetzung Norwegens durch dt. Truppen vor; 1942–45 Chef einer »nat. Regierung« in Abhängigkeit vom dt. Reichskommissar J. Terboven; 1945 wegen Hochverrats zum Tode verurteilt. Sein Name wurde zum Synonym für einen Landesverräter und Kollaborateur.

Quito ['kito], Hauptstadt von Ecuador und der Prov. Pichincha, 2850 m ü. M. in einem von Vulkanen umrahmten Hochbecken nahe dem Äquator, 1,10 Mio. Ew. (überwiegend Indianer und Mestizen); Erzbischofssitz; zwei Univ., Hochschulen, Forschungsinstitute, astronom. Observatorium, Nationalbibliothek, Museen, Akademie der Wiss.; Textil-, Schuh-, Metallfabriken; Kunstgewerbe (Goldschmiedearbeiten, Panamahüte u. a.); internationaler Flughafen. – Die Altstadt (UNESCO-Weltkulturerbe) mit vielen Kirchen, Klöstern und Palästen stammt aus der Kolonialzeit, u. a. Kathedrale (16. Jh., nach Zerstörung in alter Form wieder aufgebaut). Das Kloster San Francisco (gegr. 1535), einst bed. Maler- und Bildhauerschule, ist heute Museum (BILD lateinamerikanische Kunst). – Q. gehörte zum Inkareich; 1533 von den Spaniern erobert, 1534 neu gegründet, seit Erlangung der Unabhängigkeit (1830) Hptst. von Ecuador.

Quitte: blühender Zweig und Frucht der Birnenquitte

Quitte (Echte Q., Cydonia oblonga), bis 8 m hoher Baum aus Vorderasien mit eiförmigen, ganzrandigen Blättern und einzelnen, rötlich weißen Blüten. In S- und Mitteleuropa werden die Varietäten **Birnen-Q.** und **Apfel-Q.** mit birnen- bzw. apfelförmigen Früchten kultiviert. Das Fleisch der Q.-Frucht ist hart, sehr aromatisch, roh aber nicht genießbar. Die Früchte werden zu Marmelade oder Saft verarbeitet, die Samen enthalten über 20 % Schleimstoffe.

Quittung, *Recht:* schriftl. Empfangsbekenntnis des Gläubigers, die geschuldete Leistung erhalten zu haben. Der Schuldner hat einen Rechtsanspruch auf Erteilung einer Q.; die Kosten hat i. d. R. der Schuldner zu tragen. Der Überbringer einer Q. gilt als ermächtigt, die Leistung zu empfangen (§§ 368 ff. BGB).

Quix-Basic [kwɪks 'beɪsɪk, engl.], *Telekommunikation:* 1995 gestarteter Funkrufdienst, bei dem die Übertragung von maximal 15 Zahlen auf das Display eines →Pagers möglich ist. Über **Quix-News** werden mehrmals täglich von dpa zur Verfügung gestellte Schlagzeilen von maximal 80 Buchstaben Länge an die angeschlossenen Pager gesendet.

Vidkun Quisling

Quiz [kvɪz; engl., eigtl. »Jux«] *das,* Frage-und-Antwort-Spiel, das nach bestimmten Regeln abläuft (v. a. bei Hörfunk und Fernsehen) und von einem **Q.-Master** geleitet wird.

Quito

Am heutigen Tag beträgt die Temperatur in Quito 20–21 °C. Woher wissen wir das?

Nun, die Temperatur liegt in Quito immer in diesem Bereich. Hoch gelegene Orte nahe dem Äquator haben das ganze Jahr hindurch annähernd das gleiche Wetter. Und die 2 850 m über dem Meeresspiegel liegende Hauptstadt Ecuadors ist genau so ein Ort.

Quiriguá: Sandsteinskulptur

Qumran [k-] (Kumran, Khirbet Q.), Ruinenstätte einer klosterähnl. Anlage am NW-Ufer des Toten Meeres (Westjordanland); seit Mitte des 19. Jh. bekannt, jedoch erst zw. 1951 und 1956 systematisch ausgegraben. Q. war seit 130 v. Chr. bis zu seiner Zerstörung 68 n. Chr. von verschiedenen jüd. Gruppen bewohnt. Zwischen 1947 und Mitte der 1960er-Jahre wurde in elf Höhlen in Q. und Umgebung eine große Anzahl Schriftrollen entdeckt: wesentlich ältere als bis dahin bekannte Handschriften zu Büchern der hebr. Bibel (u. a. eine vollständige Jesajarolle) und Fragmente davon, Kommentare zu bibl. Texten und gemeindeinternes Schrifttum (Regelbuch, rituelle und zivilrechtl. Bestimmungen). Die Textfunde sind von großer Bedeutung für die Forschungen zur vorkanon. Textgestalt der hebr. Bibel und das philolog. Studium der hebr. Sprache und Literatur. Sie geben Einblick in Leben und Lehre der **Q.-Leute,** jüd. Reformgruppen, die außerhalb der hellenistisch-röm. Stadtkultur lebten, um zu den Quellen jüd. Lebens zurückzukehren. (→ Essener)

📖 *Die Q.-Essener. Texte der Schriftrollen u. Lebensbilder der Gemeinde, hg. v.* Johann Maier *u.* K. Schubert. *München u. a. 1973. – Q., hg. v.* K. E. Grözinger. *Darmstadt 1981. – Die Schriftrollen von Q. Übersetzung u. Kommentar, mit den bisher unveröffentlichten Texten, hg. v.* A. Läpple *u. a. A. d. Amerikan. Augsburg 1997.*

quod erat demonstrandum [lat. »was zu beweisen war«], Abk. **q. e. d.,** was hiermit klar bewiesen ist (Schlusssatz von Beweisen).

Quodlibet [lat. »was gefällt«] *das,* **1)** *allg.* (veraltet): buntes Durcheinander.

2) *Musik:* Verknüpfung von vorgegebenen Liedzitaten und den dazugehörigen Texten in einer meist scherzhaft gemeinten Komposition oder improvisierten Darstellung.

Quorum [lat. »von denen«] *das,* die Anzahl von Mitgl. eines Gremiums, die für die Beschlussfähigkeit erforderlich ist; bei Wahlen und Abstimmungen die Mindestzahl der Votierenden.

Quotation [engl. kwəʊ'teɪʃn, lat.] *die,* Börsenausdruck für Kursnotierung.

Quote [lat.] *die,* Anteil, der bei Aufteilung eines Ganzen auf den Einzelnen oder eine Einheit entfällt; in der Statistik eine Beziehungsgröße (z. B. Erwerbs-Q.); bei Kartellen **(Q.-Kartell)** die Produktmenge, die in einem bestimmten Zeitraum produziert oder abgesetzt werden darf; bei Wettveranstaltungen die errechnete Gewinnsumme **(Gewinnquote).**

Quotenlaktile (Anteilsaktie, nennwertlose Aktie), eine in den USA gebräuchl. Aktie, die im Ggs. zur in Dtl. bisher allein zulässigen Summenaktie auf keinen bestimmten Nennwert lautet, sondern einen Anteil am Gesellschaftsvermögen verkörpert, der der Zahl der ausgegebenen Q. entspricht.

Quotenregelung, Verfahren, mit dessen Hilfe eine bestimmte Zusammensetzung von Gremien eines Vereins, einer Partei o. Ä. erreicht werden soll. Die SPD führte 1988 zugunsten der Frauen die Q. für Parteigremien und Mandatsträger der Partei in den Parlamenten ein. Befürworter einer Q. für Frauen sehen darin einen Ausgleich für historisch und strukturell bedingte Nachteile; Kritiker bemängeln, dass bei einer Q. Leistung und Qualifikation nur ungenügend berücksichtigt würden.

Quotient [lat.] *der, Mathematik:* das Ergebnis der → Division.

Qyzylorda [k-], Stadt in Kasachstan, → Ksyl-Orda.

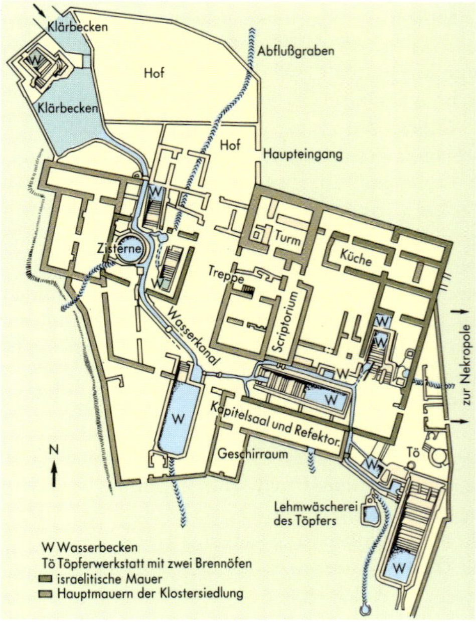

Qumran: Lageplan der klosterähnlichen Anlage, die in der Mitte des 2. Jh. v. Chr. am NW-Ufer des Toten Meeres auf älteren Fundamenten errichtet wurde

R

r, R [ɛr] *das,* **1)** *Alphabet:* Konsonant (→Laut), der 18. Buchstabe des dt. Alphabets, entstanden aus dem grch. Rho. R bezeichnet den Laut [r] mit unterschiedl. Artikulation: Zungenspitzen-R (dental), Zäpfchen-R (uvular). Die Aussprache als Zäpfchen-R kam im 17. Jh. in Paris auf und verbreitete sich im 18. Jh. auch nach Deutschland.

Druckschriftenvarianten des Buchstabens **R**

2) R, Abk. auf röm. Inschriften für Roma, Romanus, Rex u. a.

3) *Börsenwesen:* **r,** auf dem Kurszettel Abk. für repartiert (→Repartierung).

4) *Chemie:* R, in chem. Formeln verwendetes Symbol für einen (meist organ.) Rest.

5) *Einheitenzeichen:* **R** für →Röntgen, °R für →Grad Rankine und →Grad Reaumur.

6) *Formelzeichen:* *R* für die universelle molare →Gaskonstante, die →Rydberg-Konstante, den elektr. Widerstand (→ohmsches Gesetz); *r* für Radius, ***r*** für Ortsvektor.

7) *Mathematik:* R, ℝ für die Menge der reellen Zahlen.

8) *Wirtschaft:* R, Abk. für registered trademark, gekennzeichnet durch ® als internat. gebräuchl. Hinweis auf eine Handelsmarke.

Ra, chem. Symbol für →Radium.

Ra, ägypt. Sonnengott, →Re.

Raab, 1) *die* (ungar. Rába), rechter Nebenfluss der Donau, 283 km lang, entspringt im Grazer Bergland, Österreich, mündet unterhalb der Stadt Győr (dt. Raab).

2) Stadt in Ungarn, →Győr.

Raab, Julius, österr. Politiker, *Sankt Pölten 29. 11. 1891, †Wien 8. 1. 1964; war 1945 Mitbegründer der ÖVP (1952–60 deren Obmann); 1945–61 Mitgl. des Nationalrats; 1953–61 Bundeskanzler; förderte den wirtsch. und sozialen Wiederaufbau Österreichs, erreichte 1955 den Abschluss des Österr. Staatsvertrages.

Julius Raab

Raabe, Wilhelm, Schriftsteller, *Eschershausen (heute zu Uslar) 8. 9. 1831, †Braunschweig 15. 11. 1910; neben T. Fontane bedeutendster dt. Erzähler der 2. Hälfte des 19. Jh. Berühmt wurde R. durch sein Erstlingswerk, den Roman »Die Chronik der Sperlingsgasse« (1857), den er unter dem Pseudonym Jacob Corvinus veröffentlichte. Die assoziative, von Reflexionen unterbrochene Erzählweise blieb charakteristisch für R.s weiteres Schaffen. In seinen durch einen »poet. Realismus« bestimmten Werken galt seine Vorliebe den sensiblen, durch die gesellschaftl. Zustände gefährdeten und unterdrückten Charakteren, seine Kritik traf Spießertum, Bildungsphilister und Kleinstaaterei (»Die Leute aus dem Walde«, 3 Bde., R., 1863; »Der Hungerpastor«, R., 1864; »Abu Telfan«, R., 1867). R. schrieb

Wilhelm Raabe: Foto (um 1900), darunter Autogramm

Wilhelm Raabe: Titelblatt seines 1857 unter dem Pseudonym Jacob Corvinus veröffentlichten Romans »Die Chronik der Sperlingsgasse«

auch historische Erzählungen und Romane (»Die schwarze Galeere«, 1861; »Unseres Herrgotts Canzlei«, 2 Bde., 1862). Das Spätwerk bietet eine von Humor getragene Sicht auf die Enttäuschungen seiner Figuren, u. a. in den Romanen »Stopfkuchen« (1891) und »Die Akten des Vogelsangs« (1896).

📖 Denkler, H.: *W. R. Legende – Leben – Literatur. Tübingen 1989.* – Oppermann, H.: *W. R. Reinbek 28.–29. Tsd. 1995.*

Rabat

Bereits die Phöniker gründeten den Handelsstützpunkt Sala, der Hauptstadt eines Berberkönigreiches wurde. Im 10. Jahrhundert gründeten die Araber an der Südseite der Flussmündung das Militärkloster Ribat el-Fath, das im 12. Jahrhundert von der Herrscherdynastie der Almohaden zu einer gewaltigen Burg (Kasba) mit Palast ausgebaut wurde. Rabat und Salé erlebten vom 13. bis 17. Jahrhundert eine städtebauliche Blüte. Das monumentale Schmucktor der Oudaia-Kasba (um 1191 als Empfangs- und Gerichtshalle erbaut) gilt als prächtigstes Beispiel almohadischer Festungsbaukunst. Die um 1191 begonnenen Bauarbeiten an der Hasan-Moschee (Bild) wurden 1199 eingestellt; 1755 wurde die unvollendete Moschee durch Erdbeben zerstört. Ihr quadratisches Minarett, der »Hasan-Turm«, ein 44 m hoher Stumpf mit 16,2 m Seitenlänge, einer Innentreppe, die beritten werden kann, und allseitig unterschiedlichen vielbogigen Blendarkaden, steht noch als imposante Ruine.

Rab (italien. Arbe), dalmatin. Insel im Kvarner, Kroatien, 94 km², etwa 9 000 Ew.; Hauptort ist R. (1 800 Ew.); Hafen; mittelalterl. Stadtbild, Fremdenverkehr.

Rabanus Maurus, karoling. Gelehrter, → Hrabanus Maurus.

Rabat, Hauptstadt von Marokko, an der Mündung des Bou Regreg in den Atlant. Ozean, 1,22 Mio. Ew. (als Doppelstadt mit Salé 1,74 Mio. Ew.); Residenz des Königs und Sitz der Reg., Erzbischofssitz; Univ., Hochschulen, Museen; Kunsthandwerk, Textil-, Leder-, Nahrungsmittelind.; internat. Flughafen. – Bed. Altstadt, u. a. Schmucktor der Oudaia-Kasba (um 1191), Minarett (12. Jh.) der unvollendeten Hasan-Moschee (um 1191 begonnen, 1199 Einstellung der Bauarbeiten, 1755 durch Erdbeben zerstört), ehem. Sultanspalast (17. Jh.). – R., eine der vier Königsstädte, wurde im 12. Jh. als **Ribat el-Fath** gegründet und war im 17. Jh. Hptst. eines selbstständigen Korsarenstaats; seit 1912 Verw.sitz unter frz. Herrschaft.

Rabatt [italien. »Abschlag«] *der,* **1)** *Marketing:* Preisnachlass, meist in Prozent ausgedrückt. Das R.-Gesetz vom 25. 11. 1933 lässt folgende R.-Arten für den Endverbraucher zu: 1) Barzahlungs-R. (Skonto) bis zu 3 % des Rechnungsbetrages bei unverzügl. Zahlung; 2) Mengen-R., sofern dieser handelsüblich ist; 3) Sonder-R. für Gewerbetreibende, Großabnehmer und Werksangehörige; 4) Treue-R. bei Markenwaren.

2) *Versicherung:* Nachlass auf den Beitrag (z. B. Schadenfreiheits-R. in der Kfz-Haftpflichtversicherung).

Rabatte [niederländ.] *die,* meist langes und schmales Zierpflanzenbeet für Gehölze, Stauden und Sommerblumen längs von Wegen und Rasenflächen.

Rabaul, Stadt im NO der Insel Neubritannien, Papua-Neuguinea, 17 000 Ew.; Erzbischofssitz; botan. Garten; Holzverarbeitung; Ausfuhrhafen; internat. Flughafen.

Rabbi [hebr. »mein Lehrer«, »mein Meister«] *der,* im Judentum urspr. Anrede von Respektspersonen; auch Jesus wird mit R. oder aramäisch **Rabbuni** (Mk. 10,51) angeredet; seit Ende des 1. Jh. Ehrentitel jüd. Schriftgelehrter.

Rabbiner [zu Rabbi] *der,* urspr. der unentgeltlich arbeitende Lehrer der Thora; seit dem 14. Jh. der besoldete Gelehrte im Dienst einer jüd. Gemeinde; heute der von einer jüd. Gemeinde angestellte Geistliche mit den Aufgaben eines Religionslehrers, Predigers, Seelsorgers und Gutachters in religionsgesetzl. Fragen.

Rabe (lat. Corvus), **1)** *Astronomie:* Sternbild des Südhimmels.

2) *Zoologie:* Vogel, → Raben, → Rabenvögel.

Rabel, Ernst, Jurist, * Wien 28. 1. 1874, † Zürich 7. 9. 1955, Prof. u. a. in Basel (1906) und Berlin

(1926), wo er das Kaiser-Wilhelm-Inst. für ausländ. und internat. Privatrecht leitete (1926–35). Durch das nat.-soz. Regime vertrieben, lehrte er in den USA. R. begründete die moderne Rechtsvergleichung in Deutschland.

Rabelais [ra'blɛ], François, frz. Schriftsteller und Humanist, *La Devinière (bei Chinon) um 1494, †Paris 9. 4. 1553; trat früh in den Franziskanerorden ein; betrieb humanist. Studien, wurde 1524 mit päpstl. Erlaubnis Benediktiner, 1527 Weltgeistlicher; Studium der Medizin, 1532 Arzt in Lyon; veröffentlichte antike medizin. Schriften und hatte zahlr. Kontakte zu europ. Humanisten; Reisen u.a. nach Rom und Turin; 1547 Stadtarzt von Metz; 1551 Kanonikus von Meudon. Seit 1532 veröffentlichte R. unter Pseudonym seinen Romanzyklus über die Abenteuer des Riesen Gargantua und seines Sohnes Pantagruel (5 Bücher, 1532–64, die Autorschaft des 5. Buches ist umstritten; dt. Bearbeitung u.a. von J. Fischart, 1575, 1582 u.d.T. »Affentheurlich Naupengeheurliche Geschichtklitterung ...«; später bekannt u.d.T. »Gargantua und Pantagruel«). Das derb-fantast., märchenhafte Werk ist eine Zeitsatire, in die das gesamte Gedankengut der Frührenaissance eingeflossen ist; die Ablehnung jegl. Dogmatismus, die

François Rabelais: Der Riese Gargantua verschluckt die in seinem Salat versteckten Pilger«, Holzschnitt von Gustave Doré (1854) zu F. Rabelais' Roman »Gargantua und Pantagruel«

Verteidigung der geistigen Freiheit und die Freude am Diesseits finden ihren Ausdruck auch in der Sprache, die völlig neue Ausdrucksmöglichkeiten erprobt (zahlr. neu geschaffene Wörter, Übernahme von Dialektausdrücken, Argot).

Rabat: Minarett und die nach einem Erdbeben 1755 verbliebenen Ruinen der unvollendeten Hasan-Moschee (um 1191 Baubeginn, Einstellung des Baus 1199)

📖 HAUSMANN, F.-R.: *F. R. Stuttgart 1979.* – SAULNIER, V. L.: *R., 2 Bde. Paris 1982–83.* – DEMERSON, G.: *R. Paris 1986.* – BACHTIN, M.: *R. u. seine Welt. A.d. Russ. Neuausg. Frankfurt am Main 1995.*

Raben, große, kräftige, meist schwarze, klotzschnäbelige →Rabenvögel mit wenigen Arten; in Europa nur der →Kolkrabe.

Rabener, Gottlieb Wilhelm, Schriftsteller, *Wachau (bei Leipzig) 17. 9. 1714, †Dresden 22. 3. 1771; Mitarbeit an den »Bremer Beiträgen«; als »dt. Swift« pflegte er die maßvolle Satire gegen individuelle Schwächen und Modetorheiten.

Rabenschlacht, mhd. Epos in sechszeiligen Strophen aus dem Sagenkreis um →Dietrich von Bern (entstanden wohl um 1270 in Österreich); erzählt von der Schlacht um Ravenna (dt. Raben), in der Dietrich mithilfe der Hunnen sein Reich von →Ermanarich zurückgewinnt.

Rabenvögel (Corvidae), Familie der Singvögel, nahezu weltweit verbreitet. R. gelten als bes. anpassungsfähige und intelligente Vögel; zu ihnen gehören u.a. →Kolkrabe, →Krähen, →Dohle, →Elster, →Eichelhäher, →Tannenhäher. Die **Alpendohle** (Pyrrhocorax graculus), mit schwarzem Gefieder und gelbem Schnabel, bewohnt höhere Gebirge des südl. Europa; ähnlich verbreitet ist die **Alpenkrähe** (Pyrrhocorax pyrrhocorax), schwarz, mit gebogenem rotem Schnabel.

Rabi ['reɪbɪ], Isaac Isidor, amerikan. Physiker poln. Herkunft, *Rymanów (bei Sanok, Wwschaft Krosno) 29. 7. 1898, †New York 11. 1. 1988; Prof. in New York, wies den Kernspin des Natriums nach, bestimmte magnet. Kernmomente und die Hyperfeinstruktur von Spektrallinien und entwickelte die nach ihm ben. →Atomstrahlresonanzmethode. Dafür erhielt er 1944 den Nobelpreis für Physik.

Rabies [lat. »Wut«] *die,* die →Tollwut.

François Rabelais (Ausschnitt eines zeitgenössischen Gemäldes)

Ernst Rabel

Isaac I. Rabi

Itzhak Rabin

Rabin, Itzhak, israel. Politiker, *Jerusalem 1. 3. 1922, †(ermordet) Tel Aviv 4. 11. 1995; trat 1940 der jüd. Selbstschutzorganisation »Palmach« bei; 1964–68 Generalstabschef der israel. Armee, erfolgreich im Sechstagekrieg (Juni 1967; →Nahostkonflikt). 1968–73 war er Botschafter in den USA, 1974–77 MinPräs. und Vors. der Mapai, 1984–90 Verteidigungsmin., ab Febr. 1992 Vors. der Israel. Arbeitspartei (»Awoda«), ab Juli 1992 erneut Min.Präs. R. schuf die Voraussetzungen für die gegenseitige Anerkennung zw. Israel und der PLO (»Gaza-Jericho«-Grundlagenabkommen vom 13. 9. 1993). Zus. mit S. Peres und J. M. Arafat erhielt er den Friedensnobelpreis 1994. Im Anschluss an eine Großveranstaltung in Tel Aviv zugunsten des Friedensprozesses im Nahostkonflikt fiel R. dem Attentat eines extremist. israelischen Gegners seiner Verständigungspolitik zum Opfer. Weiteres BILD Israel

Racemat [lat.] *das,* Gemisch aus gleichen Anteilen der beiden Antipoden (→Asymmetrie) einer optisch aktiven Verbindung. Das Vorliegen eines R. macht man durch Voransetzen von »rac-«, »(±)-«, »DL-« oder »(RS)-« (bei Kenntnis der absoluten Konfiguration) vor den Namen der Verbindung kenntlich.

Rache, archaische, dem modernen Rechtsempfinden zuwiderlaufende Extremform der Vergeltung (→Blutrache); die R. lehnt die Inanspruchnahme gesetzlich geregelter Mittel zur Wiedergutmachung i. d. R. ab.

Rachel *der,* zweithöchste Berggruppe des Böhmerwaldes, Bayern, am N-Rand des Nationalparks Bayer. Wald, im **Großen R.** 1453 m ü. M., in einem Kar an der Ostseite der **R.-See** (1071 m ü. M.); **Kleiner R.** 1399 m ü. M.

Racheln, viel verzweigte Regenfurchen, die die Bildung einer zusammenhängenden Vegetationsdecke verhindern.

Rachen, 1) *Anatomie:* der →Schlund.

2) *Zoologie:* v. a. bei größeren Raubtieren Bez. für die gesamte bezahnte Mundhöhle.

Sergei Rachmaninow

Rachenblütler (Braunwurzgewächse, Scrophulariaceae), Familie zweikeimblättriger Pflanzen; Kräuter oder Sträucher mit gegen- oder quirlständigen Blättern, fünfgliedrigen, zuweilen einen Sporn tragenden Blüten, Blumenkrone meist zweilippig, und Kapselfrüchten; u. a. Fingerhut, Löwenmaul.

Rachenkatarrh (Rachenentzündung, Pharyngitis), Entzündung der Rachenschleimhaut; beim **akuten R.** ist die Rachenschleimhaut stark gerötet, oft verbunden mit akutem Schnupfen (Nasen-Rachen-Katarrh). Der **chron. R.** wird durch Entzündung der Nase oder der Nasennebenhöhlen, Staub, trockene oder heiße Luft, Abgase, Rauchen, Alkohol u. a. hervorgerufen.

Rachenmandel, *Anatomie:* →Mandeln.

Rachitis [grch.] *die* (englische Krankheit), Störung des Calcium- und Phosphatstoffwechsels infolge Vitamin-D-Mangels im Kindesalter. Folgen der R. sind Erweichung der Schädelknochen am Hinterhaupt, Auftreibungen an den Rippen und Handgelenken, Neigung zu Infekten der oberen Luftwege. Später kann es zur Verbiegung der Beine und der Wirbelsäule, zu engem Becken und Störungen im Zahnaufbau kommen. R.-Prophylaxe besteht in regelmäßigen Vitamin-D-Gaben bereits im frühen Säuglingsalter und Sonnenbestrahlung. In seltenen Fällen verhindert Vitamin D die R. nicht (Vitamin-D-resistente Formen).

Jean Racine: Ausschnitt eines Kupferstichs des englischen Künstlers George Vertue nach einer zeitgenössischen Vorlage, darunter Autogramm

Rachmaninow, Sergei Wassiljewitsch, russ. Komponist, Pianist und Dirigent, *Gut Oneg (bei Nowgorod) 1. 4. 1873, †Beverly Hills (Calif.) 28. 3. 1943; lebte ab 1917 in Paris, ab 1935 in den USA; gefeierter Pianist, v. a. als Interpret der Werke von F. Chopin, F. Liszt und A. Skrjabin. R. schrieb Opern, Orchesterwerke, Chorwerke und Lieder in wirkungsvollem, an F. Chopin, F. Liszt und P. Tschaikowsky anknüpfendem Stil. Bes. populär wurden sein 2. Klavierkonzert c-Moll op. 18 (1901) und das Klavier-Prélude cis-Moll op. 3, Nr. 2 (1892).

📖 BAZHANOV, N.: *Rachmaninov. A. d. Russ. Moskau 1983.*

Rachmanowa, Alja, eigtl. Galina von Hoyer, russ. Schriftstellerin, *Perm (?) 27. 6. 1898, †Ettenhausen (Kt. Thurgau) 11. 2. 1991; lebte seit 1945 in der Schweiz; schrieb Erlebnisberichte; biograph. Romane u. a. über L. N. Tolstoi, F. M. Dostojewski.

Racibórz [ra'tɕibuʃ] (dt. Ratibor), Stadt in der Wwschaft Katowice (Kattowitz), Polen, in Oberschlesien, an der Oder, 62 800 Ew.; Elektrodenherstellung, Kessel-, Maschinenbau, chem. Industrie. – Bei einer 1108 erwähnten Burg an der Oderfurt bestand 1217 eine dt. Marktsiedlung (vor 1235 planmäßig zur Stadt ausgebaut). 1281–1532 war R. Hptst. des gleichnamigen Fürstentums.

Racine [ra'sin], Jean, frz. Dramatiker, (getauft) La Ferté-Milon (bei Soissons) 22. 12. 1639, † Paris 21. 4. 1699; erzogen im Umfeld von Port-Royal, dem Zentrum des →Jansenismus. Seit 1660 mit Gelegenheitsdichtungen erfolgreich, lebte er seit 1663 endgültig in Paris. Seine erste Tragödie, »Die feindl. Brüder«, wurde 1664 von Molières Truppe aufgeführt. Mit den reifen Dramen der Jahre 1667–77 erreichte die frz. klassische Tragödie ihren Höhepunkt. Die Hauptfiguren sind meist Frauen, die in eine tragische Liebe verstrickt sind; die Stoffe lehnen sich oft an Euripides an: »Andromache« (1668), »Iphigenie« (1675), »Phädra« (1677, dt. von F. Schiller, 1805); röm. Quellen verwendete R. in »Britannicus« (1670) und »Berenike« (1671). Nach Hofintrigen zog sich R. 1677 als Dramatiker zurück und arbeitete als Hofhistoriograph. Für die Schülerinnen der unter dem Schutz der Mme. de Maintenon stehenden Erziehungsanstalt Saint-Cyr schrieb er später die bibl. Dramen »Esther« (1685) und »Athalie« (1691). Mit seinen fünfaktigen Verstragödien erfüllte R. den theoret. Anspruch der klass. Dichtungslehre, trag. Geschehen mittels Vergeistigung und Überlistung an die stilist. und gesellschaftl. Normen seiner Zeit anzupassen.

📖 *R., hg. v.* W. Theile. *Neuausg. Darmstadt 1976.* – Maulnier, T.: *R. Neuausg. Paris 1988.*

Rack [ræk, engl.] *das, Lagertechnik:* stapelbares Gestell.

Racken (Raken, Coraciidae), Familie altweltl., bunter Baum- und Bodenvögel. In Europa heimisch ist nur die →Blauracke (in Dtl. nur noch östlich der Elbe).

Racket ['rɛkət; engl., aus frz.-arab. »Handfläche«] *das,* der Tennisschläger.

Racket ['rækɪt, engl. »Schwindel«] *der,* Erpresserbande, v.a. zur Schutzgelderpressung; seit jeher Element der organisierten Kriminalität.

Raclette [-'klɛt; frz. »Schabeisen«] *die,* auch *das,* schweizer. Käsegericht (vom Laib geschmolzener Hartkäse mit Pellkartoffeln).

rad, Einheitenzeichen für →Radiant.

Rad [Abk. für engl. **r**adiation **a**bsorbed **d**ose »absorbierte Strahlendosis«], Einheitenzeichen **rd,** veraltete Einheit der Energiedosis (→Dosis): 1 rd = 0,01 J/kg = 0,01 Gy (Gray).

Rad, Maschinenelement zur Kraft- bzw. Drehmomentenübertragung, bes. zur rollenden Fortbewegung, ferner zur Richtungsänderung von Seilen, Ketten u.a.; besteht aus der Nabe, die die Verbindung zur Achse, Welle oder einem Zapfen herstellt, dem kreisförmigen **R.-Kranz** (Felge) und der beide Teile verbindenden **R.-Scheibe** (Scheiben-R.), deren Funktion auch durch Speichen (Speichen-R.) übernommen werden kann. – R. für Kraftfahrzeuge sind meist als Scheiben.-R. ausgebildet. Die schüsselförmige R.-Scheide aus Stahlblech ist mit Löchern oder Schlitzen versehen; für

Rad

Im 4. Jahrtausend v. Chr. wurde im südlichen Mesopotamien oder im Schwarzmeergebiet das Scheibenrad erfunden. Dabei handelte es sich meist um eine aus drei Brettern zusammengesetzte Holzscheibe, die mit Holzleisten, Weidenruten oder Tiersehnen zusammengehalten wurde und (wahrscheinlich) mit einem Lederriemen bereift war; auch Scheibenräder aus einem Stück sind bekannt. Die ersten Räder hatten einen Durchmesser von 50–100 cm, waren etwa 2–3 cm stark und starr mit der Achse verbunden.
Speichenräder kamen im 2. Jahrtausend v. Chr. in Gebrauch. Diese Räder drehten sich auf der Achse und ermöglichten dadurch auch das Kurvenfahren. Neben die Holzräder traten im Laufe der Bronzezeit auch aus Bronze gegossene vier- bis achtspeichige Räder. Aus der La-Tène-Zeit (5.–1. Jahrhundert v. Chr.) stammende Wagen besaßen schon in die Radnabe eingebaute Gleitrollenlager. In Altamerika fand sich das Rad nur in Veracruz (Mexiko) 200–800 n. Chr. und in El Salvador 200–1000 n. Chr. als Scheibenrad aus Ton an kleinen Tierfiguren. Sonst fehlte es, wahrscheinlich aus Mangel an Zugtieren.

Sportwagen werden auch Leichtmetallguss-R. verwendet. Schwere Nutzfahrzeuge werden v.a. mit Stahlguss-Speichen-R. ausgerüstet, bei denen der gegossene Speichenkörper (»R.-Stern«) mit der Nabe eine Einheit bildet. Für Zweiradfahrzeuge werden meist Drahtspeichen-R. mit vielen Stahldrahtspeichen verwendet. Eisenbahn-R. tragen am Umfang des R.-Körpers einen stählernen Spurkranz, der mit seiner erhöhten inneren Kante das R. in den Schienen hält. Zahn-R. und Reibungs-R. dienen zur Kraftübertragung.

Rad

Das Rad der Geschichte zurückdrehen

Das Rad der Zeit oder das Rad der Geschichte sind seit dem 18. Jahrhundert im Deutschen gebräuchliche Bilder für den Wechsel durch die Zeitläufe und den Fortgang der geschichtlichen Entwicklung. Eine daran angelehnte Formulierung ist möglicherweise durch das »Kommunistische Manifest« (1848) von Karl Marx und Friedrich Engels bekannt und gebräuchlich geworden. Dort heißt es im Abschnitt I (»Bourgeois und Proletarier«): »Die Mittelstände, der kleine Industrielle, der kleine Kaufmann, der Handwerker, der Bauer, sie alle bekämpfen die Bourgeoisie, um ihre Existenz als Mittelstände vor dem Untergang zu sichern. Sie sind also nicht revolutionär, sondern konservativ. Noch mehr, sie sind reaktionär, sie suchen das Rad der Geschichte zurückzudrehen.« – Wenn heute gesagt wird, dass das Rad der Geschichte sich nicht zurückdrehen lässt, so drückt man damit aus, dass historische Entwicklungen nicht rückgängig gemacht werden können.

Rad: Onager-Viergespanne auf der »Standarte von Ur« ziehen Wagen mit Rädern aus zusammengesetzten Holzscheiben; gefunden in einem Fürstengrab in Ur (Mitte des 3. Jt. v. Chr.; London, Britisches Museum)

Älteste R.-Darstellungen stammen aus dem sumer. Ur etwa 2600 v. Chr. Wagen-R. mit Speichen finden sich um 2000 v. Chr. in N-Mesopotamien und um 1600 v. Chr. bei dem ägypt. Streitwagen. In Europa ist das R. (als Scheiben-R.) seit etwa 2000 v. Chr. nachweisbar, seit der späten Hallstattzeit mit Felge, Speichen und eisernen Reifen. Im vorkolumb. Amerika war das R. unbekannt. – Kult. Bedeutung hat das R. als Bewegungs- und Sonnenzeichen, im Christentum als Symbol des Kosmos.

Radar [auch 'ra:-; engl. Kw. aus **ra**dio **d**etecting **a**nd **r**anging, eigtl. »Funkermittlung und Entfernungsmessung«] *der* oder *das* (früher Funkmesstechnik), Verfahren und Einrichtungen, die mittels gerichteter und reflektierter elektromagnet. Wellen das Auffinden sowie die Orts-, Entfernungs- oder Geschwindigkeitsbestimmung von Objekten ermöglichen. – Beim **Impuls-R.** sendet ein R.-Gerät eine period. Impulsfolge im Zenti- oder Dezimeterwellenbereich über eine rotierende Richtantenne aus, die oft gleichzeitig als Empfangsantenne für die vom Objekt reflektierten Echos dient. Nach Mischung, Verstärkung und Demodulation steuern die Empfangsimpulse die Helligkeit einer Elektronenstrahlröhre und werden als nachleuchtende Punkte dargestellt. Aus der Impulslaufzeit wird die Entfernung und aus dem Antennenwinkel die Richtung des Objekts ermittelt (Rückstrahlortung). – Beim **Rundsicht-R.** werden mittels PPI-Anzeige (PPI = Abk. für engl. plan position indication, »Polarkoordinatendarstellung«) Objekte zweidimensional (Entfernung und Azimut) oder Geländestrukturen landkartenähnlich dargestellt. Bei Festzielunterdrückung werden nur bewegte Objekte abgebildet. Die Kombination von Rundsicht- und Höhenmess-R. ermöglicht eine dreidimensionale Ortsbestimmung. Der Einsatz erfolgt am Boden und an Bord in der See-, Luft- und Raumfahrt, in der Meteorologie (Wetter-R.) sowie für militär. Zwecke. – Beim **Dauerstrich-R.** mit amplitudenkonstanter und frequenzmodulierter Trägerwelle wird die Frequenzdifferenz zw. reflektiertem und eingestreutem Sendesignal zur Entfernungsmessung genutzt. Zur Geschwindigkeitsmessung dient das **Doppler-R.,** bei dem der →Doppler-Effekt ausgenutzt wird (Anwendung u. a. im Verkehrs-R.). – Die Verfahren der passiven Rückstrahlortung, bei denen sich die Objekte wie passive Reflektoren verhalten, bezeichnet man als **Primär-R.;** dagegen sind beim **Sekundär-R.** die Zielobjekte mit einem aktiven Antwortimpulsgeber ausgerüstet.

🕮 BAUR, E.: *Einführung in die Radartechnik. Stuttgart 1985.* – DETLEFSEN, J.: *Radartechnik. Berlin u. a. 1989.*

Radarastronomie [auch 'ra:-], Disziplin der Astronomie, die die Verfahren der Radartechnik zur Untersuchung erdnaher astronom. Objekte (Mond, Planeten, Meteore) verwendet.

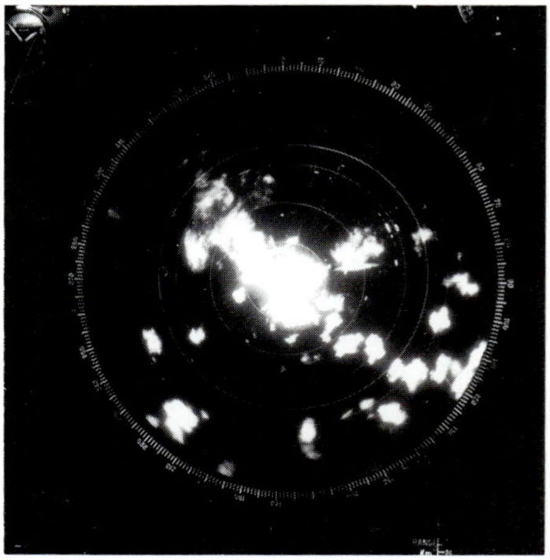

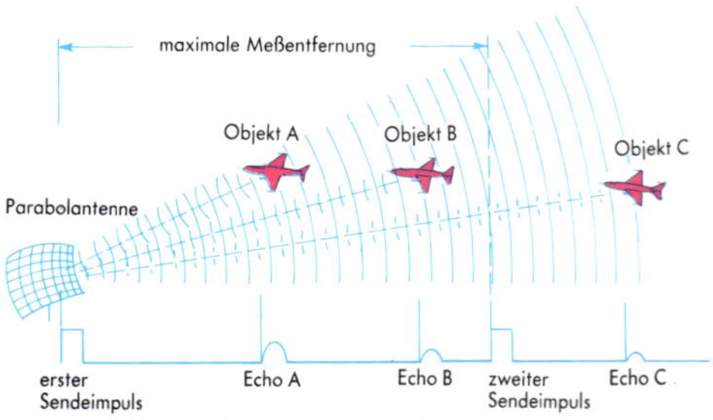

Radar: auf dem Schirm eines Rundsichtgeräts werden mithilfe der Radarwetterkarte Gewitterwolken sichtbar; darunter schematische Darstellung eines als Primärimpulsradar arbeitenden Rundsichtradars in der Flugsicherung

Radball (Hallenradball), Torspiel von zwei Zweiermannschaften auf Fahrrädern. Das Spielfeld misst 9 × 11 bis 12 × 14 m, die Tore sind 2 m breit und hoch, Spielzeit 2×7 min; der Vollball (Durchmesser: 16–18 cm; Gewicht: 500–600 g) wird nur mit Rädern oder Körper (nicht mit Füßen und Händen) berührt.

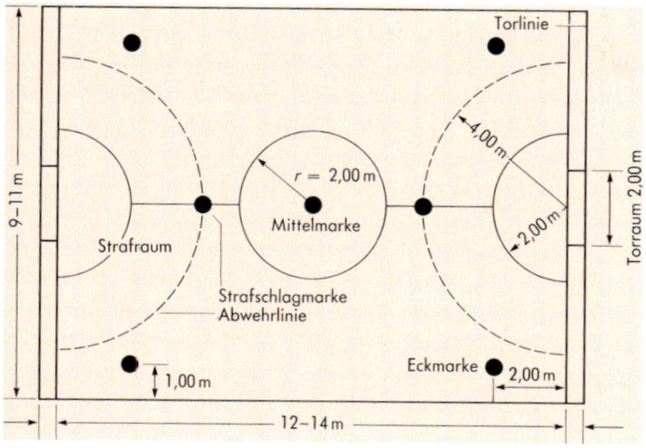

Radball: Spielfeld

Radbruch, Gustav, Jurist und Politiker, *Lübeck 21. 11. 1878, †Heidelberg 23. 11. 1949; Prof. in Königsberg, Kiel und Heidelberg; 1920–24 MdR (SPD), 1921/22 sowie 1923 Reichsjustizminister. R. war Vorkämpfer einer humanen und sozialen Strafrechtspflege. Seine Rechtsphilosophie stellt den letzten Entwurf einer klassischen rechtsphilosoph. Gesamtkonzeption dar. Oberste Rechtswerte seiner Rechtsphilosophie waren Rechtssicherheit, Gerechtigkeit, soziale Zweckmäßigkeit.

Werke: Einführung in die Rechtswiss. (1910); Grundzüge der Rechtsphilosophie (1914).

📖 SCHUMACHER, B.: *Rezeption u. Kritik der R.'schen Formel. Diss. Göttingen 1985.* – KAUFMANN, A.: *G. R. Rechtsdenker, Philosoph, Sozialdemokrat. München u. a. 1987.*

Radcliffe ['rædklıf], Ann, geb. Ward, engl. Schriftstellerin, *London 9. 7. 1764, †ebd. 7. 2. 1823; Autorin von Schauerromanen (»Gothic Novels«), u. a. »Udolphos Geheimnisse« (4 Bde., 1794).

Radcliffe-Brown ['rædklıf 'braʊn], Alfred Reginald, brit. Ethnologe, *Birmingham 17. 1. 1881, †London 24. 10. 1955; betrieb Feldforschungen auf den Andamanen und in Westaustralien; einer der Begründer des →Funktionalismus in der Völkerkunde.

Rad|dampfer, ein durch Schaufelräder am Heck oder an den Seiten angetriebenes Dampfschiff.

Rade (Agrostemma), eine Gattung der Nelkengewächse; bekannte Art die →Kornrade.

Radeberg, Stadt im Landkreis Kamenz, Sachsen, nordöstlich von Dresden am Rand der Dresdner Heide, 15 700 Ew.; Brauerei, Herstellung zahntechn. Produkte, Küchenmöbelbau, Gießerei, Maschinen- und Anlagenbau. – Schloss Klippenstein (16. Jh.; Museum). – Im 13. Jh. gegr., 1344 erstmals genannt.

Radebeul [auch 'ra:-], Stadt im Landkreis Meißen, Sachsen, in der Lößnitz, an der Elbe, 31 000 Ew.; Justizschule; Karl-May-Museum, Heimatmuseum, Landesbühnen Sachsen; pharmazeut. Ind., Herstellung von Druckmaschinen, Spezialwaagen, Verpackungsmitteln, Elektroarmaturen, Schuhen u. a.; Weinbau, Wein-, Sektkellereien. – Adels- und Weinberghäuser (17. Jh.). – 1349 erstmals erwähnt; entstand aus neun selbstständigen Gemeinden; Stadtrecht 1923.

Radebeul
Stadtwappen

Radecki [ra'dɛtski], Sigismund von, Schriftsteller, *Riga 19. 11. 1891, †Gladbeck 13. 3. 1970; schrieb zeit- und kulturkrit. Essays und Feuilletons und wurde unter dem Einfluss seines Freundes K. Kraus zum Meister der literar. Kleinform.

Gustav Radbruch

Radek, Karl, eigtl. K. Sobelsohn, sowjet. Politiker, *Lemberg 1885, †in einem sowjet. Straflager 1939; war 1918 am Aufbau der KPD beteiligt; wurde 1919 Mitgl. des ZK der russ. KP, 1920 Sekretär des Exekutivkomitees der Komintern, dort bis 1923 verantwortlich für die polit. Ausrichtung der KPD; 1924 als Trotzkist abgesetzt, 1927 und erneut 1936 aus der KPdSU ausgeschlossen; 1927–29 verbannt, anschließend u. a. Redakteur der »Prawda«; 1937 zu zehn Jahren Haft verurteilt. 1988 rehabilitiert.

Karl Radek

Radekrankheit, Krankheit des Weizens und des Roggens, verursacht durch das Weizenälchen (Anguina tritici); bildet zw. den Spelzen der Ähren rundl., dunkle Gallen, die wie Samen der Kornrade aussehen.

Rädelsführer, derjenige, der geistig oder körperlich eine führende Rolle in einer rechtswidrig handelnden Gruppe von Personen einnimmt; im StGB strafbegründendes (z. B. §§ 84 f. Abs. 1) oder strafverschärfendes (z. B. §§ 129 f.) Tatbestandsmerkmal. – Auch das *österr.* Strafrecht kennt diesen Strafschärfungsgrund.

Rädergetriebe, Getriebe mit zwei Rädern zur Drehmomentenübertragung und -wandlung durch Reibschluss (Kraftschluss) mithilfe von Reibrädern (Reibradgetriebe) oder Formschluss mithilfe von Zahnrädern (Zahnradgetriebe). Die Drehmomentenwandlung wird durch die unterschiedl. Durchmesser der Räder erreicht. Bei den Zahnradgetrieben unterscheidet man Stirn-R. mit parallelen, Kegel-R. mit sich schneidenden und Schrauben-R. mit sich kreuzenden Drehachsen. Umlauf-R. haben mindestens drei Zahnräder. Am bekanntesten sind die →Planetengetriebe.

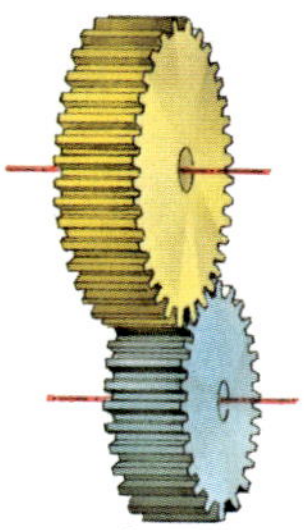

Stirntrieb

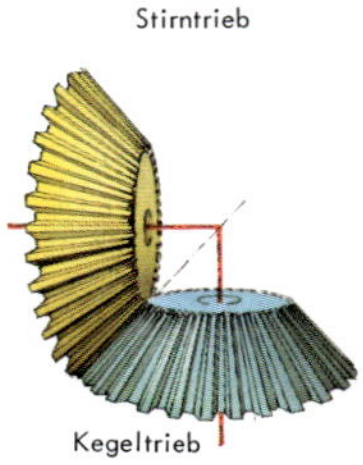

Kegeltrieb

Rädergetriebe

Rädern, Vollstreckungsart der Todesstrafe bis ins 19. Jh., v. a. bei Mord und Raub; die Glieder wurden mit einem Rad zerschlagen, der Körper sodann in die Speichen des Rades »geflochten«.

Rädertiere (Rotatoria), Klasse der Schlauchwürmer, meist mikroskopisch kleine, durchsichtige Wassertiere; teils frei schwimmend, teils fest-

Josef Graf Radetzky (Ausschnitt einer zeitgenössischen Lithographie)

Sarvepalli Radhakrishnan

Raymond Radiguet (Kohlezeichnung von Pablo Picasso, 1920)

sitzend. Am Vorderende dient ein Räderorgan der Fortbewegung und dem Herbeistrudeln von Nahrung; Wechsel zw. parthenogenet. und bisexueller Fortpflanzung.

Radetzky, Joseph Graf R. von Radetz, österr. Feldmarschall (seit 1836), *Trebnitz (heute Třebenice, bei Litoměřice) 2. 11. 1766, †Mailand 5. 1. 1858; hatte als Stabschef von Fürst K. von Schwarzenberg in den Befreiungskriegen 1813/14 am Feldzugsplan entscheidenden Anteil. 1831–57 war R. Oberbefehlshaber in der Lombardei und Venetien; durch die Siege bei Custoza (25. 7. 1848) und Novara (23. 3. 1849) sicherte er die österr. Herrschaft in Oberitalien; nach ihm ist der **R.-Marsch** (1848) von Johann Strauß (Vater) benannt.

📖 HERRE, F.: *R. Eine Biographie. Köln 1981.*

Radevormwald, Stadt im Oberberg. Kr., NRW, im Berg. Land, 24 400 Ew.; Kleineisen und andere Metall verarbeitende Betriebe, elektrotechn. Ind., Textilfabriken, Kunststoffverarbeitung. – Bed. Bauten der Industriearchitektur aus dem frühen 19. Jahrhundert. – R. gehörte zum Herzogtum Berg und ist 1363 als Stadt bezeugt.

Radfenster, *Baukunst:* speichenartig gegliedertes Rundfenster spätroman. und got. Kirchen, frühe Form der →Fensterrose.

Radhakrishnan [-ʃ-], Sarvepalli, ind. Philosoph und Politiker, *Tiruttani (Tamil Nadu) 5. 9. 1888, †Madras 16. 4. 1975; 1936–52 Prof. in Oxford, 1962–67 Präs. der Rep. Indien; schrieb viele Werke über ind. Philosophie und Religion und ihre Beziehungen zur geistigen Welt Europas. Er vertrat eine moderne Form der Vedanta-Philosophie; 1961 Friedenspreis des Dt. Buchhandels.

radial [lat.], den Radius betreffend; von einem Mittelpunkt (strahlenförmig) ausgehend oder auf ihn hinzielend; Ggs.: axial.

Radialgeschwindigkeit, 1) *Astronomie:* die Geschwindigkeitskomponente eines Gestirns in Richtung der Sehlinie des Beobachters; bei positiver (negativer) R. entfernt (nähert) sich das Gestirn. R. werden mithilfe des →Doppler-Effekts aus der Verschiebung der Spektrallinien bestimmt.

2) *Physik:* in Richtung des Radiusvektors weisende Geschwindigkeitskomponente.

Radialislähmung, Schädigung des Radialisnervs (Speichennerv) durch Verletzungen oder Vergiftungen (z.B. Druckeinwirkung im Schlaf oder Bleivergiftung). Die Folge sind Lähmungen im Bereich der Streckmuskulatur am Ober- und Unterarm; charakteristisch ist die »Fallhand«.

Radialturbine, Turbine, deren Laufrad vom Arbeitsmedium in radialer Richtung durchströmt wird; Ggs.: Axialturbine.

Radiant [lat.] *der,* **1)** *Astronomie:* scheinbarer Ausstrahlungspunkt der Meteore eines Meteorstroms an der Himmelssphäre.

2) *Mathematik:* Einheitenzeichen **rad,** die SI-Einheit des ebenen Winkels im →Bogenmaß, der aus dem Kreisumfang einen Bogen von der Länge des Radius herausschneidet: 1 rad = 1 m/m = $180°/\pi \approx 57{,}29578°$.

Radiästhesie [lat.-grch.] *die,* die Lehre von angebl. Strahlenwirkungen, die von belebten und unbelebten Objekten ausgehen und von bes. empfindl. Menschen (»Radiästheten«) durch Wünschelrute oder Pendel feststellbar sein sollen.

Radiator [lat.] *der,* Heizkörper aus Gusseisen oder Stahlblech bei Zentralheizungen. (→Heizung)

Radić ['ra:ditɕ], Stjepan, kroat. Politiker, *Trebarjevo Desno (bei Rijeka) 11. 7. 1871, †(nach einem Attentat) Zagreb 8. 8. 1928; gründete 1904 die kroat. Bauernpartei, bekämpfte nach 1918 den großserb. Zentralismus; 1925–26 Unterrichtsminister.

Radicchio [ra'dikjo, italien.] *der,* →Chicorée.

Radierung [zu lat. radere »kratzen«, »schaben«] *der,* →Kupferstich.

Radieschen [von lat. radix »Wurzel«] *das,* →Rettich.

Radiguet [-'gɛ], Raymond, frz. Schriftsteller, *Saint-Maur-des-Fossés (bei Paris) 18. 6. 1903, †Paris 12. 12. 1923. Seine autobiographisch bestimmten Romane (»Den Teufel im Leib«, 1923; »Der Ball des Comte d'Orgel«, hg. 1924), in denen er seine Ansichten zu Problemen und Erscheinungsformen der Liebe darstellte, zeichnen sich durch differenzierte psycholog. Analysen aus.

radikal [von lat. radix »Wurzel«], **1)** *allg.:* bis auf die Wurzel, vollständig, rücksichtslos, extrem.

2) *Politik:* eine extreme (polit. oder ideolog.) Position einnehmend (→Radikalismus).

Radikal *das, Chemie:* Atom oder Molekül mit einem ungepaarten Elektron (gekennzeichnet durch einen Punkt) und dadurch mit paramagnet. Eigenschaften. R. können unter Einwirkung von UV-Licht oder Wärme gebildet werden. Sie sind meist sehr reaktiv und reagieren miteinander unter Kupplung **(R.-Rekombination),** mit ungesättigten Verbindungen unter Addition oder mit anderen Molekülen unter Abspaltung eines Atoms. Bei den Reaktionen entstehen häufig neue R., die in einer Kettenreaktion weiterreagieren. Relativ stabil sind R. mit konjugierten Doppelbindungen oder aromat. Ringsystemen (z.B. das Triphenylmethyl-R.). Wichtige chem. Reaktionen wie radikal. →Polymerisation, therm. →Cracken und Chlorierung laufen über R. ab.

Radikalenerlass, Übereinkunft des Bundeskanzlers (W. Brandt) und der Reg.chefs der Bundesländer vom 28. 1. 1972, Bewerber für den öffentl. Dienst bereits vor dem Eignungsverfahren regelmäßig auf eine Mitgliedschaft in extremist.

Organisationen hin zu überprüfen (auch **Extremistenbeschluss** gen.). Auf der Grundlage einer Entscheidung des Bundesverfassungsgerichts von 1975, in der die Treuepflicht zu den Grundlagen der Verf. betont, aber auch festgestellt wurde, dass die Mitgliedschaft in einer extremist. Partei als alleiniges Kriterium für die Ablehnung eines Bewerbers für den öffentl. Dienst i. d. R. nicht ausreicht, wurden neue Richtlinien für die Durchführung der Einstellungsüberprüfungen entwickelt. In der Praxis findet eine Überprüfung erst statt, wenn ein Bewerber aufgrund fachl. Qualifikation eingestellt werden soll und tatsächlich begründete Zweifel an seiner Verfassungstreue bestehen.

Radikalismus *der,* Bez. für Theorien oder auf sie bezogene politisch-soziale Bewegungen, die bestehende Verhältnisse grundsätzlich verändern wollen. Im 19. Jh. nannten sich die entschiedenen Verfechter demokrat. Vorstellungen gegen Absolutismus und Aristokratie Radikale. Im letzten Drittel des 19. Jh. wurden sie von der Arbeiterbewegung in Richtung polit. Mitte gedrängt. Nunmehr galten die Verfechter des Sozialismus ihrerseits als radikal. Ende des 19. Jh. entwickelte sich ein Rechts-R. mit antidemokrat. Zielsetzungen. In dieser Traditionslinie standen die faschist. Bewegungen im 20. Jh. auf extrem rechtsradikalen Positionen. – Die Abgrenzung zw. R. und **Extremismus** ist problematisch; in der polit. Alltagssprache werden die Begriffe oft synonym verwendet. Extremismus bezeichnet insbesondere polit. Haltungen oder Richtungen an den äußeren Rändern des polit. Spektrums, wobei Rechtsextremismus durch autoritäre, nationalist. oder rassist. Gesinnung gekennzeichnet ist, Linksextremismus eine sozialrevolutionäre, zugleich doktrinär verengte Gesellschaftsauffassung vertritt. In der polit. Diskussion in Dtl. werden Personen, Gruppen oder Organisationen als extremistisch bezeichnet, denen verfassungsfeindl. Bestrebungen gegen die freiheitl. demokrat. Grundordnung nachgesagt werden.

📖 GREBING, H.: *Linksradikalismus gleich Rechtsradikalismus. Eine falsche Gleichung. Stuttgart u. a. ²1973.* – BOCK, H. M.: *Geschichte des linken R. in Dtl. Ein Versuch. Frankfurt am Main 1976.* – *Kampf um Wörter? Polit. Begriffe im Meinungsstreit, hg. v.* M. GREIFFENHAGEN. *München u. a. 1980.*

Radikaloperation, vollständige chirurg. Entfernung eines erkrankten Organs oder Gewebes unter Mitnahme von umgebendem gesundem Gewebe.

Radikalsozialismus, politische Bewegung in Frankreich, die im 19. Jh. seit dem Julikönigtum die jakobin. Forderungen der Frz. Revolution wieder aufnahm (u. a. allg. Stimmrecht, Trennung von Staat und Kirche). Ihre 1901 gegr. Partei (Parti républicain radical et radical-socialiste) spielte in der Dritten Rep. eine bedeutende Rolle. Durch die →Dreyfusaffäre wurde sie 1902 stärkste Fraktion in der Abgeordnetenkammer; einflussreichster Vertreter war G. Clemenceau. Auch nach dem 1. Weltkrieg war die Partei mit einem Programm sozialer Forderungen an den Regierungen beteiligt (E. Herriot, É. Daladier). In der Volksfrontreg. bildete sie den rechten Flügel. Unter dem Vichy-Regime gespalten, beriefen sich die Radikalsozialisten 1945 erneut auf die Ideale der Dritten Rep. Zwar konnten sie nicht ihre volle polit. Macht zurückgewinnen, doch blieben sie in der Vierten Rep. für Mehrheitsbildungen unentbehrlich. In der Fünften Rep. spielt der R. nur noch eine untergeordnete Rolle. Die Partei spaltete sich 1972 erneut, die Mehrheit schloss sich 1978 dem Parteienbündnis der Union für Demokratie (UDF) an.

📖 BERSTEIN, S.: *Histoire du parti radical, 2 Bde. Paris 1980–82.*

Radikand [lat.] *der,* Zahl, aus der eine →Wurzel gezogen wird, z. B. ist 5 der R. von $\sqrt{5}$.

radio... [von lat. radius »Strahl«], 1) Strahl, Strahlung; 2) Rundfunk.

Radio [Kurzform von engl.-amerikan. **radiotelegraphy**] *das,* gebräuchl. Bez. für →Rundfunk und Rundfunkempfänger.

radioaktive Abfälle (umgangssprachlich Atommüll), Rückstände, die bei der Verarbeitung und Anwendung radioaktiven Materials (z. B. in der Kerntechnik, Nuklearmedizin), bes. beim Betrieb von Kernreaktoren und bei der Aufbereitung ausgedienter Kernbrennelemente entstehen und aufgrund ihrer Radioaktivität besondere Probleme bei ihrer Beseitigung und Lagerung aufwerfen. R. A. sind ohne →Wiederaufarbeitung nicht weiter nutzbar. Gasförmige und flüssige r. A. werden i. d. R. in eine feste Form überführt. Sie müssen zunächst in ihrer Aktivität abklingen, ehe sie der eigentl. →Entsorgung und →Endlagerung zugeführt werden. Die rechtl. Grundlagen zu ihrer Behandlung finden sich v. a. im →Kernenergierecht und in der Strahlenschutz-Verordnung.

radioaktiver Niederschlag, Niederschlag, der radioaktive Partikel natürl. oder künstl. Ursprungs enthält. Letztere gelangen bes. als Folge von Kernwaffenexplosionen und Reaktorunfällen in die Atmosphäre. Auch Kernkraftwerke und kerntechn. Anlagen geben radioaktive Edelgase und Aerosole an die Atmosphäre ab. Das Freisetzen fester Teilchen (Staub) heißt **Fall-out;** das Ausscheiden der Aerosole über die atmosphär. Niederschläge wird als **Rain-out** (Aerosole wirken als Kondensationskeime bei der Wolkenbildung) und **Wash-out** (bei Anlagerung an Niederschlagströpfchen) bezeichnet.

Radioaktivität *die,* Eigenschaft bestimmter Atomkerne oder allg. Nuklide **(Radionuklide),**

Radioaktivität
Gefahrensymbol

sich spontan, d.h. ohne äußere Einwirkung, in andere Atomkerne umzuwandeln **(radioaktiver Zerfall),** wobei Energie in Form von Teilchen (wie Alphateilchen [α-Teilchen] und Betateilchen [β-Teilchen]) und/oder elektromagnetischer Strahlung (Gammastrahlung [γ-Strahlung]) frei wird. Ursache der R. ist stets eine Instabilität der Kerne infolge eines Überschusses an Protonen oder Neutronen, der durch Aussendung der für die versch. Zerfallsarten charakterist. Teilchen oder durch Elektroneneinfang beseitigt wird. Je nachdem, ob die radioaktiven Nuklide oder Isotope in der Natur vorkommen oder künstlich durch Kernreaktionen erzeugt werden, unterscheidet man **natürl.** und **künstl. Radioaktivität.**

Der radioaktive Zerfall verläuft nach statist. Gesetzen: Welcher Atomkern aus einer Anzahl radioaktiver Atomkerne in einem Zeitabschnitt zerfallen wird, lässt sich nicht voraussagen, jedoch zerfällt je Zeiteinheit bei einem einheitl. radioaktiven Stoff stets der gleiche, der vorhandenen Gesamtmenge proportionale Bruchteil; von N_0 radioaktiven Atomkernen zur Zeit $t_0 = 0$ sind zur Zeit t nur noch $N = N_0 e^{-\lambda t}$ vorhanden. Die Zahl λ heißt **Zerfallskonstante** oder **-rate.** Sie gibt an, welcher Bruchteil einer Menge von Atomen eines Isotops in der Zeiteinheit radioaktiv zerfällt; auf die Halbwertszeit $T_{1/2}$ bezogen gilt: $T_{1/2} = \ln 2/\lambda$.

Radioaktivität

Uran-Radium-Reihe		Thoriumreihe		Uran-Actinium-Reihe	
Isotop	Halbwertszeit	Isotop	Halbwertszeit	Isotop	Halbwertszeit
$^{238}_{92}\mathrm{U}$	$4{,}51 \cdot 10^9$ a			$^{235}_{92}\mathrm{U}$	$7{,}13 \cdot 10^{-8}$ a
$\downarrow -\alpha$				$\downarrow -\alpha$	
$^{234}_{90}\mathrm{Th}$	24,10 d	$^{232}_{90}\mathrm{Th}$	$1{,}39 \cdot 10^{10}$ a	$^{231}_{90}\mathrm{Th}$	25,6 h
$\downarrow -\beta$		$\downarrow -\alpha$		$\downarrow -\beta$	
$^{234}_{91}\mathrm{Pa}$	1,18 min	$^{228}_{88}\mathrm{Ra}$	6,7 a	$^{231}_{91}\mathrm{Pa}$	$3{,}43 \cdot 10^4$ a
$\downarrow -\beta$		$\downarrow -\beta$		$\downarrow -\alpha$	
$^{234}_{92}\mathrm{U}$	$2{,}48 \cdot 10^5$ a	$^{228}_{89}\mathrm{Ac}$	6,13 h	$^{227}_{89}\mathrm{Ac}$	21,773 a
$\downarrow -\alpha$		$\downarrow -\beta$		$\downarrow -\beta$	
$^{230}_{90}\mathrm{Th}$	$8{,}0 \cdot 10^4$ a	$^{228}_{90}\mathrm{Th}$	1,91 a	$^{227}_{90}\mathrm{Th}$	18,17 d
$\downarrow -\alpha$		$\downarrow -\alpha$		$\downarrow -\alpha$	
$^{226}_{88}\mathrm{Ra}$	1 600 a	$^{224}_{88}\mathrm{Ra}$	3,64 d	$^{223}_{88}\mathrm{Ra}$	11,7 d
$\downarrow -\alpha$		$\downarrow -\alpha$		$\downarrow -\alpha$	
$^{222}_{86}\mathrm{Rn}$	3,823 d	$^{220}_{86}\mathrm{Rn}$	55,6 s	$^{219}_{86}\mathrm{Rn}$	4,0 s
$\downarrow -\alpha$		$\downarrow -\alpha$		$\downarrow -\alpha$	
$^{218}_{84}\mathrm{Po}$	3,05 min	$^{216}_{84}\mathrm{Po}$	0,16 s	$^{215}_{84}\mathrm{Po}$	$1{,}8 \cdot 10^{-3}$ s
$\downarrow -\alpha$		$\downarrow -\alpha$		$\downarrow -\alpha$	
$^{214}_{82}\mathrm{Pb}$	26,8 min	$^{212}_{82}\mathrm{Pb}$	10,64 h	$^{211}_{82}\mathrm{Pb}$	36,1 min
$\downarrow -\beta$		$\downarrow -\beta$		$\downarrow -\beta$	
$^{214}_{83}\mathrm{Bi}$	19,7 min	$^{212}_{83}\mathrm{Bi}$	60,6 m	$^{211}_{83}\mathrm{Bi}$	2,15 min
$\downarrow -\beta$		$\downarrow -\beta$		$\downarrow -\alpha$	
$^{214}_{84}\mathrm{Po}$	$1{,}64 \cdot 10^{-4}$ s	$^{212}_{84}\mathrm{Po}$	$3 \cdot 10^{-7}$ s	$^{207}_{81}\mathrm{Tl}$	4,78 min
$\downarrow -\alpha$		$\downarrow -\alpha$		$\downarrow -\beta$	
$^{210}_{82}\mathrm{Pb}$	21 a	$^{208}_{82}\mathrm{Pb}$	∞	$^{207}_{82}\mathrm{Pb}$	∞
$\downarrow -\beta$					
$^{210}_{83}\mathrm{Bi}$	5,0 d				
$\downarrow -\beta$					
$^{210}_{84}\mathrm{Po}$	138,4 d				
$\downarrow -\alpha$					
$^{206}_{82}\mathrm{Pb}$	∞				

Natürliche R.: Die von natürl. Strahlern ausgesandte Strahlung besteht aus Heliumkernen (→Alphastrahlen), Elektronen (→Betastrahlung) und γ-Quanten (→Gammastrahlung). Da die Heliumkerne die Massenzahl 4 und die positive Ladung von zwei Elementarladungen haben, verwandelt sich ein α-Strahler beim radioaktiven Zerfall in ein Nuklid eines neuen Elements, dessen Ordnungszahl um zwei und dessen Massenzahl um vier Einheiten geringer ist als die des Ursprungskerns. Bei einem β-Strahler tritt praktisch kein Massenverlust ein; die Ordnungszahl wird jedoch um eine Einheit erhöht. γ-Strahlen werden von angeregten Kernen, die z.B. nach Aussendung eines α- oder β-Teilchens zurückbleiben, beim Übergang in einen energetisch tieferen Zustand emittiert.

Man kann vier Zerfallsreihen für die radioaktiven Elemente mit Ordnungszahlen größer als 80 aufstellen, in denen die durch radioaktiven Zerfall auseinander entstehenden Kernarten angeordnet sind: die **Uran-Radium-Reihe** (Ausgangs- oder Mutternuklid ^{238}U) und die **Thoriumreihe** (Ausgangsnuklid ^{232}Th), die **Uran-Actinium-Reihe** (Ausgangsnuklid ^{235}U) und die **Neptuniumreihe.** Letztere kommt in der Natur nicht vor, da ihr längstlebiges Glied und Ausgangsnuklid, ^{237}Np, seit Entstehung des Sonnensystems praktisch vollständig zerfallen ist. In Uranerzen stehen sämtl. Folgeprodukte des Urans mit diesem und untereinander in radioaktivem →Gleichgewicht. Die drei in der Natur vorkommenden Zerfallsreihen enden alle bei stabilen Isotopen des Bleis. Aus der Menge des Bleis in Uranerzen kann man auf die Menge des zerfallenen Urans und damit auf das Alter des betreffenden Erzes schließen. Dies erlaubt Rückschlüsse auf das Alter der Erde überhaupt. Geolog. Bedeutung hat auch die R. des Kaliumisotops ^{40}K (Halbwertszeit 1,28 Mrd. Jahre). Wegen seiner großen Häufigkeit in Gesteinen ist die bei seinem Zerfall entstehende Wärme eine Hauptquelle der Erdwärme. Zur Altersbestimmung von organ. Stoffen wird das Kohlenstoffisotop ^{14}C benutzt (→Radiocarbonmethode). Auch der Zerfall der durch Wechselwirkung der Höhenstrahlung mit der Atomsphäre und mit Meteoriten erzeugten kurzlebigen Nuklide sowie die spontane Kernspaltung kann zur natürl. R. gerechnet werden.

Künstliche R.: Die weit über 1000 künstlich erzeugten Nuklide (z.B. durch Kernreaktionen mit hochenerget. Teilchen in Beschleunigern) sind fast durchweg β- und γ-Strahler; zusätzlich emittieren jedoch viele solcher Kerne Positronen (Positronenstrahler [β^+-Strahler]), wodurch sich ihre Ordnungszahl um eine Einheit vermindert. Daneben gibt es bei künstlich radioaktiven Nukliden den K-Einfang (→Einfangprozesse). Relativ selten sind Neutronen- und Protonenstrahler, bei denen der radioaktive Zerfall durch verzögerte Neutronen oder Protonen erfolgt.

Messung: Die SI-Einheit der →Aktivität eines radioaktiven Stoffes ist das →Becquerel (ältere Einheit Curie). Die physikal. Wirkung der radioaktiven Strahlung wird gekennzeichnet durch die Ionendosis (→Dosis), gemessen in Coulomb/Kilogramm (ältere Einheit Röntgen), und die Energiedosis, gemessen in →Gray (ältere Einheit Rad), die biolog. Wirkung am menschl. Körper durch die Äquivalentdosis, gemessen in →Sievert (ältere Einheit Rem). Jede der emittierten Strahlungsarten kann (feste) Materie mehr oder weniger gut durchdringen und ionisieren. Zur Messung der R. ermittelt man z.B. mit Elektrometern die Ionisation einer Luftmenge, oder man zählt die Teilchen einzeln im Zählrohr oder macht ihre Bahnen in der Nebelkammer sichtbar. Auch die Schwärzung von Fotoplatten (Kernspurplatten) sowie die Dichte und Zahl der Szintillationen auf fluoreszierenden Oberflächen bilden ein Maß für die Radioaktivität.

Biologische Wirkung: Die Wirkung radioaktiver Strahlung auf lebende Organismen, die stark von der Intensität und Reichweite abhängt, zeigt sich z.B. in einer Herabsetzung der Keimungsfähigkeit von Samen und in Entwicklungshemmungen und Missbildungen bei Mensch und Tier. Durch geringe Dosen kann das Wachstum jedoch auch angeregt werden. Gewebe sind umso empfindlicher, je jünger ihre Zellen und je größer deren Teilungsgeschwindigkeit ist. Daher werden v.a. Keimdrüsen und Blut bildende Organe bei zu hoher Strahlungsdosis geschädigt, aber auch schnell wachsende Geschwulstbildungen (Krebs, Sarkom). Hierauf beruht die Strahlentherapie bei Krebs. α-Strahlen sind wegen ihrer kurzen Reichweite weitgehend unschädlich, solange nicht alphastrahlende Substanzen in den Körper gelangen; →Strahlenschäden werden daher v.a. von den durchdringenden γ-Strahlen und energiereichen β-Strahlen verursacht. (→Strahlenschutz)

Geschichte: Natürl. R. wurde zuerst 1896 von A. H. Becquerel am Uran nachgewiesen; 1898 fanden P. und Marie Curie in der Pechblende Polonium und Radium. Die künstl. R. wurde 1934 von F. und Irène →Joliot-Curie entdeckt.

📖 POHLIT, W.: *R. Mannheim u. a. 1992.* – STOLZ, W.: *R. Grundlagen, Messung, Anwendungen. Stuttgart u. a. ³1996.* – *Umweltradioaktivität, hg. v.* A. SIEHL. *Berlin 1996.*

Radio|astronomie, Teilgebiet der Astronomie, das sich mit der von kosm. Objekten (sog. →Radioquellen) und aus dem interstellaren Raum kommenden →Radiostrahlung befasst. Zur Untersuchung dieser Strahlung, die im Wellenlängenbereich von etwa 1 mm bis 20 m **(Radiofenster)** auf die Erde gelangt, dienen →Radioteleskope. Da Radiowellen im Unterschied zum Licht auch Wolken interstellaren Staubes durchdringen, sind der R. Bereiche zugänglich, die mit opt. Mitteln nicht erforscht werden können. Sie vermag insbesondere Informationen über die interstellare Materie zu geben, in der inzwischen über 60 versch. Molekülarten nachgewiesen wurden. – Die R. geht zurück

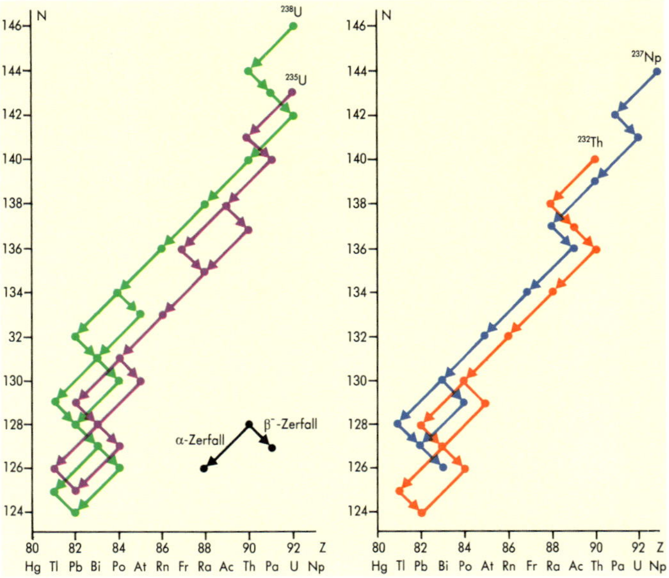

Radioaktivität: schematische Darstellung von vier radioaktiven Zerfallsreihen für Elemente mit Ordnungszahlen größer als 80; grün Uran-Radium-Reihe, violett Uran-Actinium-Reihe, blau Neptuniumreihe, rot Thoriumreihe, Z Ordnungszahl (Kernladungs-, Protonenzahl), N Neutronenzahl; die Summe aus Ordnungs- und Neutronenzahl ergibt die Massenzahl

Radioaktivität: Apparatur von Marie und Pierre Curie zur indirekten Messung der Radioaktivität (München, Deutsches Museum)

Radio Bremen

auf die Entdeckung der Radiostrahlung der Milchstraße 1931 durch K. G. Jansky. Die 1951 nachgewiesene 21-cm-Strahlung des interstellaren neutralen atomaren Wasserstoffs hatte für die Klärung der Spiralstruktur des Milchstraßensystems besondere Bedeutung. 1960 wurde der erste →Quasar, 1967 der erste →Pulsar entdeckt. Die 1965 nachgewiesene →kosmische Hintergrundstrahlung ist für das Verständnis der kosmolog. Entwicklung des Weltalls entscheidend.

Radiobiologie, die →Strahlenbiologie.

Radio Bremen, Abk. **RB,** eine ARD-Rundfunkanstalt, gegr. 1948; Sitz: Bremen.

Radiocarbonmethode (Radiokarbonmethode, Kohlenstoffmethode, C-14-Methode, C-14-Datierung), von W. F. Libby 1947 entwickeltes Verfahren zur Altersbestimmung geolog. und histor. Gegenstände organ. Ursprungs durch Ermittlung ihres Gehaltes an dem radioaktiven Kohlenstoffisotop ^{14}C (Halbwertszeit 5730 ± 40 Jahre). Dieses stammt aus dem Kohlendioxid der Luft und verringert sich in toten Organismen gesetzmäßig durch radioaktiven Zerfall, da nicht durch Stoffwechselprozesse fortwährend neues ^{14}C aus der Luft aufgenommen werden kann.

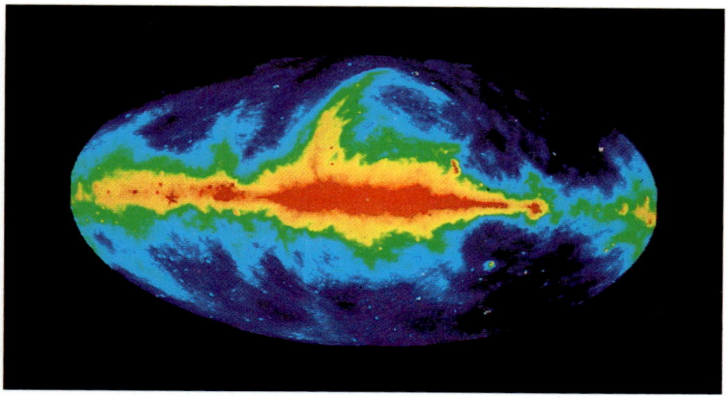

Radioastronomie: Strahlung der Wellenlänge 73,5 cm (408 MHz) des gesamten Himmels mit dem galaktischen Zentrum in der Mitte; in der Darstellung der Falschfarbenfotografie erscheinen die Gebiete schwächster Emission dunkelblau, diejenigen stärkster Emission rot

Radiochemie, Teilgebiet der Kernchemie, das sich mit der Herstellung und dem chem. Verhalten von →Radionukliden beschäftigt. Zur R. gehören auch die Aufbereitung von Brennelementen, die Herstellung von Strahlungsquellen (z. B. Röntgenröhren) und von markierten Verbindungen. – Radiochem. Methoden werden heute in nahezu allen Bereichen der Naturwiss. und Medizin eingesetzt, z. B. in der Archäologie zur Altersbestimmung metall. Gegenstände. Mittels Isotopenindikatoren (Tracer) werden Reaktionsmechanismen in Chemie und Biochemie sowie Stoffwechselprozesse in der klin. Chemie aufgeklärt.

Radio|elemente, Bez. für chem. Elemente, die keine stabilen, sondern nur radioaktive Isotope haben. R. sind neben Technetium und Promethium alle Elemente mit Ordnungszahlen von 84 an aufwärts.

Radio Free Europe/Radio Liberty ['reɪdɪəʊ fri: 'jʊərəp, 'reɪdɪəʊ 'lɪbətɪ], Abk. **RFE/RL,** amerikan. Rundfunksender, Sitz: Prag (seit 1995, vorher München), gegr. 1949; spielte als Informationsmedium mit seinen Hörfunkprogrammen für die unter kommunist. Herrschaft stehende Bev. in O- und SO-Europa eine wichtige Rolle.

Radiogalaxie, Galaxie, deren Strahlungsleistung im Radiobereich etwa millionenfach stärker ist als die gewöhnl. Sternsysteme, z. B. die des Milchstraßensystems. Im Unterschied zu diesen ist die Emission einer typ. R. meist in zwei riesigen **Radiolobes (Radioblasen)** konzentriert, deren Ausdehnung bis über 16 Mio. Lichtjahre betragen kann. Solche **Riesen-R.** sind die größten bekannten Objekte im Universum.

Radio|immunassay [reɪdɪəʊɪm'ju:nəseɪ, engl.], Abk. **RIA** (Radioimmuntest), spezifische und empfindliche immunolog. Nachweismethode der Nuklearmedizin für kleinste Mengen (bis etwa 10^{-14} g) antigen wirkender Substanzen (z. B. Enzyme, Serumproteine, Hormone, Vitamine, Pharmaka, Tumorantigene u. a.).

Radio|indikator, radioaktiver Isotopenindikator (→Isotope).

Radio|interferometer, →Radioteleskop.

Radio|isotope, natürl. oder künstl. radioaktive →Isotope eines bestimmten chem. Elements. R. sind →Radionuklide gleicher Kernladungszahl (Protonenzahl), aber unterschiedl. Massenzahl (z. B. Deuterium, ^{2}H, und Tritium, ^{3}H).

Radiojodtherapie, Behandlung der Schilddrüse durch die Gabe von Radiojod (^{131}J), das selektiv im Schilddrüsengewebe angereichert wird, z. B. bei der Basedow-Krankheit. Durch Betastrahlung wird dabei gezielt Schilddrüsengewebe zerstört, z. B. bei Schilddrüsenkrebs.

Radiolari|en [lat.] (Radiolaria, Strahlentierchen), in allen Meeren verbreitete Klasse sehr formenreicher, meist mikroskopisch kleiner Einzeller; Zellkörper meist kugelig, bildet aus Kieselsäure oder Strontiumsulfat häufig kugel- oder helmförmige Gehäuse, die mit zahlr. Öffnungen durchsetzt sind. R. ernähren sich entweder von Mikroorganismen oder durch Symbiose mit Algen; Fortpflanzung erfolgt ungeschlechtlich durch Zweiteilung. Die Skelette abgestorbener R. sinken auf den Meeresboden und bilden dort rote, tonige Ablagerungen **(Radiolarienschlamm).**

Radiolarit *der,* kieseliges, oft tonhaltiges Sedimentgestein, das aus den Skeletten der Radiolarien entstanden ist.

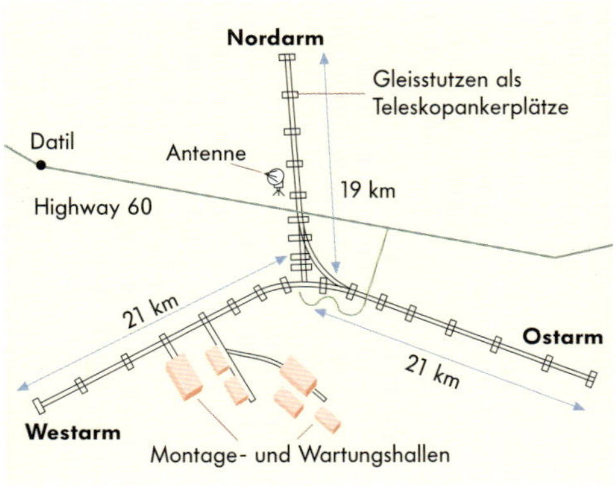

Radioteleskop: Die Antennenanlage Very Large Array (VLA) bei Socorro in New Mexico (USA) besteht aus 27 Y-förmig angeordneten Radioteleskopen, deren Durchmesser jeweils 25 m beträgt, daneben Schemazeichnung der Antennenanlage Very Large Array

Radiologie *die,* medizin. Fachgebiet, das sich mit den Beziehungen zw. ionisierender Strahlung und menschl. Organismus befasst; Teilgebiete sind Röntgendiagnostik, Strahlentherapie, Nuklearmedizin, Strahlenphysik und -biologie.

Radiolyse [zu grch. lýsis »(Auf)lösung«] *die,* Bez. für alle Vorgänge, die in einem chem. System Veränderungen durch ionisierende Strahlung hervorrufen, z.B. die Bildung von Radikalen, Ionen oder angeregten Molekülen.

Radiometer *das,* sehr empfindliches Strahlungsmessgerät, bes. im Infrarotbereich; besteht aus einem kleinen, in einem nahezu luftleeren Glaskolben an einem Quarzfaden aufgehängten leichten Balken, der ein einseitig geschwärztes Metall- oder Glimmerplättchen und ein Gegengewicht trägt. Bei Bestrahlung erwärmt sich die geschwärzte Seite stärker als die blanke und erteilt den dort reflektierten Gasmolekülen einen größeren Impuls. Die daraus resultierende Auslenkung des Balkens ist ein Maß für die einfallende Strahlungsintensität. Die **crookessche Lichtmühle** ist ein physikal. Spielzeug auf gleicher Grundlage.

Radiometrie *die,* Sammelbez. für Methoden der qualitativen und quantitativen Analyse von Substanzen aufgrund der von ihnen emittierten radioaktiven Strahlung. Anwendung findet die R. bes. als Verfahren der Geophysik zur Untersuchung der natürl. Radioaktivität, z.B. für die mineral. Lagerstättenerkundung.

Radionuklide, radioaktive, instabile Nuklide (Atomkerne) künstl. oder natürl. Herkunft; sie wandeln sich beim Zerfall in stabile Nuklide um.

Radionuklidtherapie (Isotopentherapie), Anwendung von Radionukliden zur Behandlung bösartiger Geschwülste. Die R. verwendet umschlossene Gammastrahler (z.B. Radiokobalt) zur Fern- oder Nahbestrahlung. Offene Radionuklide werden von außen oder durch aktive Stoffwechselvorgänge an den Wirkungsort gebracht, z.B. bei der Radiojodtherapie der Schilddrüse.

Radioquelle, extraterrestr. Gebiet relativ starker →Radiostrahlung. **Galakt. R.** sind neben Sonne und Jupiter z.B. Supernova-Überreste (Crabnebel, Cassiopeia A); zu den **extragalakt. R.** gehören Quasare und Radiogalaxien.

Radiosonde, wichtiges Beobachtungsgerät der Aerologie, besteht aus einem wasserstoffgefüllten Ballon mit Messgeräten (für Luftdruck, Temperatur und Luftfeuchte), der bis in 40 km Höhe aufsteigt, und einem Kurzwellensender zum Übermitteln der Messwerte. Durch Anpeilen der R. von der Erde kann auch der Höhenwind genau gemessen werden. Im Rahmen des Wetterdienstes werden auf der Erde von über 700 Stationen aus täglich zweimal (00 und 12 Uhr Weltzeit) Aufstiege mit R. durchgeführt.

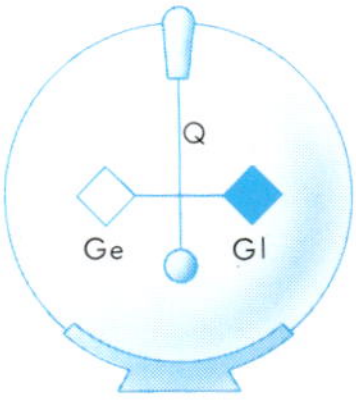

Radiometer: Ge Gegengewicht, Gl Glimmerplatte, Q Quarzfaden

Radiostrahlung, in der →Radioastronomie untersuchte elektromagnet. Strahlung im Kurz-, Ultrakurz- und Mikrowellenbereich (über 0,3 m), die im Wellenlängenbereich von etwa 1 mm bis 20 m **(Radiofenster)** von der Erdatmosphäre kaum absorbiert wird. Quellen von R. sind die örtlich begrenzten kosm. →Radioquellen sowie die (weitgehend) isotrope →kosmische Hintergrundstrahlung. R. tritt auch als Linienstrahlung auf, z.B. die 21-cm-Strahlung von atomarem Wasserstoff.

Radioteleskop, Instrument der →Radioastronomie zum Empfang der von kosm. Objekten (Radioquellen) oder aus dem Weltraum (→kosmische Hintergrundstrahlung) kommenden Radiostrahlung. **Einzelteleskope** empfangen mit einem metall. Parabolspiegel die Radiostrahlung, die auf einen Dipol oder ein Antennensystem im Brennpunkt fokussiert und anschließend verstärkt und aufgezeichnet wird. Sie können frei schwenkbar montiert, unbeweglich (wie das R. von Arecibo) oder nur im Meridian schwenkbar sein. Das größte frei schwenkbare R. (Durchmesser 100 m) steht bei Effelsberg südlich von Bonn. Das Auflösungsvermögen eines Einzelteleskops ist vom Reflektordurchmesser und der benutzten Wellenlänge abhängig und beträgt beim 100-m-Spiegel von Effelsberg maximal rd. vier Bogenminuten. Eine wesentl. bessere Auflösung haben Interferometeranordnungen **(Radiointerferometer).** Dabei werden die von mindestens zwei getrennten Antennen empfangenen Signale elektronisch überlagert. Bei **Arrays** oder **Syntheseteleskopen** werden mehrere mittelgroße R. auf Schienen gegeneinander verschoben. Das bei Socorro in New Mexico (USA) errichtete **V**ery **L**arge **A**rray (Abk. **VLA**) besteht aus 27 bewegl. Parabolantennen (Durchmesser je 25 m), die in Form eines Y angeordnet sind; die Einzelteleskope können längs der 21 km langen Arme des Y verschoben werden. Es erreicht das Auflösungsvermögen einer Parabolantenne von rd. 35 km Durchmesser. Mit dem interkontinentalen Radiointerferometer **VLBA** (engl. **V**ery **L**ong **B**aseline **A**rray), einem 1993 fertig gestellten Netz aus zehn R. im Abstand von je etwa 8 000 km, lässt sich eine Auflösung bis max. 0,00021 Bogensekunden erzielen. Weitere BILDER Arecibo, Effelsberg

Radischtschew, Alexandr Nikolajewitsch, russ. Schriftsteller, *Moskau 31. 8. 1749, † (Selbstmord) Sankt Petersburg 24. 9. 1802. Sein Hauptwerk »Reise von Petersburg nach Moskau« (1790) ist eine scharfe Anklage gegen die gesellschaftl. Missstände (z.B. die Leibeigenschaft). R. wurde nach Sibirien verbannt, 1796 begnadigt.

Radium

1903 erhielten Pierre und Marie Curie den Nobelpreis für die Entdeckung des Radiums. P. Curie schloss seine Rede bei der Preisverleihung mit folgenden Worten:

»Es ist nicht auszuschließen, dass Radium in den Händen von Verbrechern zu einer großen Gefahr werden kann, und so darf man wohl fragen, ob es für den Menschen vorteilhaft ist, die Geheimnisse der Natur aufzudecken, ob er imstande ist, Nutzen daraus zu ziehen oder ob er mit diesen Erkenntnissen Schaden anrichtet. Nobels Entdeckung liefert ein charakteristisches Beispiel dafür. Dank der starken Sprengstoffe hat der Mensch bewundernswerte Werke vollbracht. Umgekehrt aber können sie in den Händen der großen Verbrecher, die die Völker in den Krieg treiben, zu einem entsetzlichen Mittel der Zerstörung werden. Dennoch gehöre ich zu jenen, die mit Nobel glauben, dass neue Entdeckungen der Menschheit mehr Gutes als Böses bringen.«

Radium [zu Radius] *das,* chem. Symbol **Ra,** radioaktives Element aus der zweiten Hauptgruppe des → Periodensystems der chemischen Elemente (Erdalkalimetalle); Ordnungszahl 88, relative Atommasse 226,0254, Dichte 5,5 g/cm^3, Schmelzpunkt 700 °C, Siedepunkt 1140 °C. Von den mehr als 20 meist künstlich hergestellten Isotopen kommen einige auch in natürl. Zerfallsreihen vor (→ Radioaktivität). Das wichtigste und langlebigste Isotop ist ^{226}Ra (Halbwertszeit 1600 Jahre), das in der Uran-R.-Zerfallsreihe auftritt und letztlich zu Blei (^{206}Pb) zerfällt (»Uranblei«). R. kommt daher in allen Uranmineralen vor. Zur techn. Gewinnung dient v.a. die Pechblende (→ Uranpecherz), die etwa 0,14 g R./t enthält. R. ist in seinen Eigenschaften dem Barium sehr ähnlich. Das elementare R. ist ein weiß glänzendes Schwermetall, das z.B. durch Elektrolyse von R.-Chlorid ($RaCl_2$) an Quecksilberkathoden und therm. Zersetzung des dabei gebildeten Amalgams gewonnen werden kann.

Radiumbestrahlung, Anwendung von Radium (v.a. ^{226}Ra als Sulfat) zur Strahlentherapie von bösartigen Geschwülsten **(Radiumtherapie),** wobei bes. die Gammastrahlen genutzt werden. Das Radium wird als umschlossenes Präparat in Form von Radiumnadeln verwendet und entweder in Organhöhlen eingebracht, unmittelbar in das erkrankte Gewebe eingestochen (Spickmethode) oder an der Oberfläche aufgelegt (Moulage). Die R. ist heute weitgehend durch die → After-Loading-Technik ersetzt. I.w.S. gehört auch die → Emanationstherapie zur Radiumtherapie.

Radius [lat. »Strahl«] *der,* **1)** *Anatomie:* (Speiche) ein Unterarmknochen (→ Arm).

2) *Mathematik:* Abk. *r,* der → Halbmesser eines Kreises oder einer Kugel.

Radiusvektor, der Ortsvektor zu einem Punkt von einem festen Punkt aus, insbesondere dem Ursprung im Polarkoordinatensystem (→ Koordinaten).

Radix [lat. »Wurzel«] *die,* **1)** *Anatomie:* Ursprungsteil oder Befestigungsstelle eines Organs, z.B. R. dentis (Zahnwurzel), R. pili (Haarwurzel).

2) *Botanik:* → Wurzel.

radizieren [zu Radix], *Mathematik:* die Wurzel aus einer Zahl oder einem Term berechnen (»ziehen«).

Radkarten (T-O-Karten), mittelalterl. Weltkarten, auf denen die Erde als rings vom Weltmeer umgebene runde oder ovale Scheibe dargestellt ist, die in Form eines T-förmigen Kreuzes in drei Erdteile (Asien als oberer Halbkreis, Europa und Afrika als die beiden unteren Viertelkreise) gegliedert ist. (→ Ebstorfer Weltkarte)

Radkersburg, Bad, → Bad Radkersburg.

Radnetzspinnen (Araneidae), Familie der Spinnentiere, deren Netze aus radialen Fäden mit aufgewebter Spirale von Fangfäden bestehen, u.a. die → Kreuzspinne.

Radolfzell am Bodensee, Stadt (Große Kreisstadt) im Landkreis Konstanz, Bad.-Württ., am

Zeller See, einer Bucht des Bodensees, 28100 Ew.; Vogelwarte im Schloss Möggingen; Textilind., Pumpenfabrik und elektrotechn. Ind.; Kneippkurort (Anlagen auf der z.T. unter Naturschutz stehenden Halbinsel **Mettnau**). – Spätgot. Stadtkirche (sog. Münster, 15. Jh., barockisiert); Österr. Schlösschen (1626 ff.); ehem. Ritterschaftshaus (17. Jh., heute Amtsgericht); Scheffelmuseum im Scheffelschlösschen auf der Halbinsel Mettnau. – Um 826 gegr., erhielt um 1100 Markt-, 1267 Stadtrecht; fiel 1298 an Habsburg, gehörte 1454–1806 zu Vorderösterreich; kam 1806 an Baden.

Radom [Abk. für engl. **ra**dar **dom**e »Radarkuppel«], für elektromagnet. Strahlung durchlässige, aerodynam. Kunststoffverkleidung der Radarantennenanlagen am Bug von Flugzeugen **(Radarbug, Radarnase)**; auch Bez. für den kuppelförmigen Wetterschutz von Boden- oder Schiffsantennenanlagen.

Radom, Hauptstadt der Wwschaft R., Polen, 231600 Ew.; TH; botan. Garten; elektrotechn., Metall- (bes. von Näh- und Schreibmaschinenbau), Textil-, Tabakindustrie. – Got. Bernhardinerkirche und Pfarrkirche. – 1155 erstmals erwähnt, seit 1350 Magedeburger Stadtrecht.

Radon ['ra:dɔn, ra'do:n] *das,* chem. Symbol **Rn,** radioaktives Element aus der achten Hauptgruppe des →Periodensystems der chemischen Elemente (Edelgase); Ordnungszahl 86, relative Atommasse 222, Schmelzpunkt −71,1 °C, Siedepunkt −62,1 °C. R. ist ein farbloses Gas, das im festen Zustand phosphoresziert. Es sind mehr als 20 Isotope bekannt, die z.T. in den natürl. radioaktiven Zerfallsreihen (→Radioaktivität) auftreten und dann nach ihren Mutterelementen bezeichnet werden, z.B. ^{219}Rn **(Actiniumemanation, Actinon),** ^{220}Rn **(Thoriumemanation, Thoron),** ^{222}Rn **(Radiumemanation).** Die Gewinnung von R. erfolgt durch Abpumpen aus radioaktiven, R. bildenden Elementen. Verwendung findet das in vielen Heilquellen, Heilschlämmen und Höhlen mit radioaktivem Gestein vorkommende R. als Heilmittel in der →Emanationstherapie.

Radrennbahn (Velodrom), meist 333 m lange Rundbahn (Hallen-R. bis 250 m) für den Bahnrennsport; mit überhöhten Kurven und nach innen geneigten Geraden, oft mit Holzbelag.

Radsatz, der aus der Achswelle und den beiden aufgepressten Rädern bestehende Rollkörper der Schienenfahrzeuge. Die Räder bestehen aus dem **Radkörper** (Radnabe, Radscheibe, Felgenkranz) und dem warm aufgezogenen **Radreifen** (mit →Spurkranz), der durch den eingewalzten Sprengring befestigt ist.

Radscha [Sanskrit »König«, »Fürst«] *der* (Raja), bis zur Unabhängigkeit Indiens Titel der Hindufürsten, in erhöhter Form **Maharadscha** (»Großkönig«). Den Titel R. führen auch Fürsten des Malaiischen Archipels.

Radolfzell am Bodensee: Das ehemalige Ritterschaftshaus aus dem 17. Jahrhundert wird heute als Amtsgericht genutzt

Radschputen, →Rajputen.

Radsport, Sammelbez. für alle mit speziellen, den entsprechenden Wettbewerben angepassten Fahrrädern betriebene Sportarten, unterteilt in Bahnrennen, Straßenrennen (einschließlich Crosscountry, also Querfeldeinrennen mit Mountainbikes), Kunst-R. und Ballspiele (z.B. Radball); ferner gehören zum R. auch Freizeitsportarten wie z.B. Radwandern und Radtourenfahren. R. war eine der ersten Sportarten, die zw. Profis und Amateuren unterschied. Olymp. Disziplinen des R. gibt es für Rennen auf Straße und Bahn. Der Amateursport kennt zahlr. v.a. lokale und regionale Veranstaltungen. Im Berufsfahrer-R. sind unter den Straßenrennen v.a. die großen, mehrere Tage dauernden Etappenfahrten mit etappenweiser und Gesamtwertung (Tour de France, Giro d'Italia, Tour de Suisse und die span. Vuelta) bekannt. Im Straßeneinzelfahren gibt es berühmte Klassiker (z.B. Paris–Nizza, Mailand–San Remo), die ebenso wie die Rundfahrten jährlich ausgetragen werden.

Radolfzell am Bodensee
Stadtwappen

Radstadt, Stadt im Pongau, Salzburg, Österreich, 4200 Ew.; Maschinen- und Gerätebau; Fremdenverkehr. Ausgangspunkt zum Pass über die **Radstädter Tauern** (1739 m ü.M.). – Stadtpfarrkirche (14. und 15. Jh.), Stadtmauer (16. Jh.).

Radstand, bei Kraftfahrzeugen der Abstand zw. den Radmitten der Vorder- und Hinterräder; bei Schienenfahrzeugen →Achsstand.

Radula [lat.] *die* (Reibzunge), mit Chitinzähnchen besetzte gewölbte Reibeplatte in der Mundhöhle von Weichtieren (bes. bei Schnecken).

Radziwill, Franz, Maler und Grafiker, *Rodenkirchen (heute zu Stadland, Kr. Wesermarsch) 6. 2. 1895, †Wilhelmshaven 12. 8. 1983; orientierte sich nach expressionist. Frühwerk an der Neuen Sachlichkeit; landschaftlich-kosm. Visionen. BILD S. 286

Franz Radziwill (von links): »Die Inselbrücke bei Wilhelmshaven mit der ›Deutschland‹« (1934; Privatbesitz); »Flugzeugabsturz Karl Buchstätters« (1928; Essen, Museum Folkwang)

Radziwiłł [ra'dʑiviu̯] (eingedeutscht Radziwill, litauisch Radvila), poln. Magnatengeschlecht litauischer Herkunft, im 16. Jh. in den Reichsfürstenstand erhoben. Bed. Vertreter: Fürst Antoni Henryk (Anton Heinrich), preuß. Statthalter, *Wilna 13. 6. 1775, †Berlin 7. 4. 1833; 1815–31 Statthalter des Großherzogtums Posen; er förderte F. Chopin und war selbst Komponist.

Raeder ['rɛː-], Erich, Großadmiral (seit 1939), *Wandsbek (heute zu Hamburg) 24. 4. 1876, †Kiel 6. 11. 1960; 1935–43 Oberbefehlshaber der Kriegsmarine; 1946 in Nürnberg zu lebenslängl. Gefängnishaft verurteilt, 1955 entlassen.

Raetz [rɛː-], Markus, schweizer. Maler, Grafiker und Bildhauer, *Büren an der Aare (bei Biel) 6. 6. 1941; experimentiert bei seinen sehr unterschiedlich strukturierten Arbeiten (Gemälde, Zeichnungen, Grafiken, Plastiken, Objekten, Installationen) mit der menschl. Wahrnehmungsfähigkeit.

RAF, Abk. für: **1)** → **R**oyal **A**ir **F**orce.

2) → **R**ote-**A**rmee-**F**raktion.

Raff, Joseph Joachim, Komponist, *Lachen (Kt. Schwyz) 27. 5. 1822, †Frankfurt am Main 24. 6. 1882; schrieb, in der Melodik von F. Mendelssohn Bartholdy und in der Satztechnik von F. Liszt beeinflusst, Opern, Orchesterwerke (u. a. 11 Sinfonien), Kammer- und Klaviermusik, Chorwerke.

Raffael (Raphael), eigtl. Raffaello Santi (Sanzio), italien. Maler und Baumeister, *Urbino vermutlich 6. 4. 1483, †Rom 6. 4. 1520; war Gehilfe seines Vaters Giovanni Santi (†1494), dann Schüler P. Peruginos, ging 1504 nach Florenz und 1508 nach Rom, wo er seit 1514 Bauleiter der Peterskirche und Konservator der antiken Denkmäler war. – Sein frühes Hauptwerk, »Die Vermählung Mariä« (1504; Mailand, Brera), zeigt noch den Einfluss von Perugino. R. schulte sich v. a. an der Kunst Leonardo da Vincis und Michelangelos; seine Figuren entwickeln Beweglichkeit und fügen sich in ein meist pyramidales Ordnungsgefüge ein. Die monumentalen künstler. Aufgaben in Rom führten zu seinen gestalterischen Höhepunkten. In den Stanzen des Vatikans entfaltete er in seinen Fresken in weiten, perspektiv. Schauplätzen eine souveräne Regie vielfiguriger Kompositionen. In der Stanza della Segnatura (1509–11) sind die weltanschaul. Vorstellungen seiner Zeit in der Verbindung von christl. und antikem Gedankengut v. a. mit der »Schule von Athen« (BILD griechische Philosophie) und der »Disputa« umfassend formuliert. Während sie und auch die Fresken der Stanza d'Eliodoro (1512–14) weitgehend eigenhändig ausgeführt sind, waren an der Stanza dell'Incendio (1514–17) Gehilfen beteiligt. Gleichzeitig war R. mit den Kartons für Wandtep-

Raffael

Raffael wäre ein großer Maler geworden, selbst wenn er ohne Hände auf die Welt gekommen wäre.

Das Zitat geht auf Gotthold Ephraim Lessings »Emilia Galotti« (I, 4) zurück. Der Maler Conti sagt dort zum Prinzen von Guastalla: »Oder meinen Sie, Prinz, dass Raffael nicht das größte malerische Genie gewesen wäre, wenn er unglücklicherweise ohne Hände wäre geboren worden?« Er stellt damit die Konzeption über die handwerkliche Ausführung eines Kunstwerks, um zugleich seine Unzufriedenheit mit der eigenen Malerei zu rechtfertigen, die er zuvor so beschrieben hat: »Auf dem langen Wege, aus dem Auge durch den Arm in den Pinsel, wie viel geht da verloren! – Aber ... dass ich es weiß, was hier verloren gegangen und wie es verloren gegangen und warum es verloren gehen müssen: darauf bin ich ebenso stolz und stolzer, als ich auf alles das bin, was ich nicht verloren gehen lassen. Denn aus jenem erkenne ich mehr als aus diesem, dass ich wirklich ein großer Maler bin, dass es aber meine Hand nur nicht immer ist.«

piche der Sixtin. Kapelle beschäftigt (1515/16). Um 1511/12 schuf R. in der Villa Farnesina das mytholog. Wandbild »Triumph der Galatea« und entwarf 1517 die Dekoration für die Loggia der Villa mit den Deckenbildern »Hochzeit von Amor und Psyche« und »Rat der Götter«. R.s Mariendarstellungen wie die »Sixtin. Madonna« (um 1513/14, 1516 fertig gestellt; Dresden, Gemäldegalerie) haben klassisch-vorbildhafte Bedeutung erlangt. Auch seine späteren Porträts sind durch das Streben nach einer geschlossenen Großform bestimmt (»Baldassare Castiglione«, um 1515, Paris, Louvre; »Donna Velata«, um 1516, Florenz, Palazzo Pitti). Für das Gruppenbild wurde »Leo X. mit den Kardinälen Giulio de' Medici und Luigi de' Rossi« (um 1518; Florenz, Uffizien) wegweisend. R.s letztes großes Altarbild, die »Verklärung Christi« (1517 begonnen; Rom, Vatikan. Sammlungen), wurde von Giulio Romano vollendet. – Als Architekt war R. v.a. entwerfend tätig; ausgeführt wurden die Chigi-Kapelle in Santa Maria del Popolo (1512–16) und die Villa Madama (um 1516/17, abgeändert), beide in Rom. Weitere BILDER Chariten, Groteske, Papst Julius II., Papst Leo X., Renaissance

📖 OBERHUBER, K.: *Raphaels »Transfiguration«. Stil u. Bedeutung. Stuttgart 1982.* – FALCK-YTTER, H.: *Raphaels Christologie. Stuttgart 1983.* – *Raphael – die Zeichnungen, bearb. v.* E. KNAB *u.a. Stuttgart 1983.* – BÉGUIN, S.: *Les peintures de Raphael au Louvre, Ausst.-Kat. Musée National du Louvre. Paris 1984.* – FROMMEL, C. L. *u.a.: R. Das architekton. Werk. A.d. Italien. Stuttgart 1987.* – ULLMANN, E.: *R. Leipzig* ³*1997.*

Raffination *die,* allg. das Veredeln von Rohstoffen, insbes. die Reinigung und Veredelung von chem. Produkten, Nahrungsmitteln (bes. Zucker) u.a.; auch die Verarbeitung von Erdöl.

Raffinerie *die,* techn. Anlage zum Reinigen und Veredeln von Naturprodukten (z.B. Zuckerrüben); i.e.S. Industriebetrieb zur Verarbeitung von Erdöl.

Raffinose *die* (Melitose), ein Zucker (Trisaccharid) aus Fructose, Glucose und Galaktose (v.a. in der Melasse des Rübenzuckers).

Rafflesiengewächse (Schmarotzerblume, Rafflesiaceae), trop. bis subtrop. zweikeimblättrige Pflanzenfamilie; fleischige Parasiten auf Holzpflanzen mit sehr großen Blüten.

Rafsandjani [-dʒ-], Ali Akbar Hashemi, iran. Politiker, *Rafsandjan (Prov. Kerman) 25. 8. 1934; 1980–89 Parlaments- und 1989–97 Staatspräsident.

Ali Akbar Hashemi Rafsandjani

Ragaz, Bad, →Bad Ragaz.

Ragaz, Leonhard, schweizer. evang. Theologe, *Tamins (Kt. Graubünden) 28. 7. 1868, †Zürich 6. 12. 1945; Mitbegründer und Führer der religiös-sozialen Bewegung in der Schweiz.

Raglan [engl. 'ræglən; nach Lord Raglan, *1788, †1855] *der,* Schnittform von Ärmeln, die die Schulterpartie einschließen und deren Nähte schräg in die Kragennaht verlaufen. INFO S. 288

Ragnarök [altnord. »Götterverhängnis«] *die, altnord. Mythos:* der Kampf des Göttergeschlechts der Asen mit den feindl. Mächten, ihr Untergang und die Vernichtung der Erde. Odin fällt im Kampf gegen den Fenriswolf (→Fenrir), Thor erschlägt die Midgardschlange, stirbt aber an ihrem giftigen Hauch; Freyr wird vom Feuerriesen Surt getötet, der die Erde und den Sitz der Götter mit Feuer vernichtet. Der Mythos findet sich u.a. in der Völuspá. R. Wagner knüpft in seinem »Ring des Nibelungen« (»Götterdämmerung«) daran an.

Raffael (von oben): »Madonna Terranuova« (um 1505; Berlin, Gemäldegalerie); die Gartenhalle der um 1516/17 erbauten Villa Madama in Rom geht auf einen Entwurf von Raffael zurück

Ragout [raˈgu, frz.] *das,* Gericht aus gewürfeltem, geschmorten Fleisch, auch Fisch, in pikanter Soße, mit Champignons, Trüffeln u.a.; **Ragout fin,** Kalb- oder Geflügelfleisch in feiner weißer Soße (bes. als Pastetenfüllung).

Raglan

Lord Raglan hatte in der Schlacht von Waterloo einen Arm verloren und war Feldmarschall im Krimkrieg. Bei diesem Feldzug trug er einen Mantel, bei dem die Ärmel nicht an den Schultern angesetzt, sondern schräg an der Kragennaht befestigt waren. Seine Modebewusstheit und der Einfall seines Schneiders machten ihn unsterblich. Seine leichte Kavallerie dagegen erlebte ein vollständiges Desaster.

Ragtime [ˈrægtaɪm, engl.] *der,* ein etwa um 1870 in den USA von schwarzen Pianisten entwickelter Klaviermusikstil; gilt als Vorläufer des Jazz. Charakteristisch für den R. ist u.a. die stark synkopierte Spielweise der Oberstimmenmelodie.

Ragusa, 1) Provinz im S von Sizilien, Italien, 1614 km², (1995) 296700 Einwohner.

2) Hauptstadt von 1), auf der Hochfläche der Monti Iblei, 68900 Ew.; archäolog. Museum; Erdölraffinerie (südlich von R. Asphalt- und Erdölgewinnung), Kunststoff-, Zementindustrie. – Barocker Dom (1706–60), got. Portal der Kirche S. Giorgio Vecchio.

3) italien. Name der Stadt →Dubrovnik.

Ragtime: Anfang des von dem legendären Vertreter des Ragtime, Scott Joplin, komponierten Stücks »The entertainer« (1902), charakteristisch ist der durchlaufende Beat im $^2/_4$-Takt (linke Hand, unten) sowie die nachschlagenden Synkopen in der Melodiestimme

Ragwurz (Ophrys), Orchideengattung in Mitteleuropa und in Vorderasien; bes. auf Kalkböden wachsende Erdorchideen; einheim. Arten sind u.a. **Fliegen-R. (Fliegenorchis,** Ophrys insectifera), bis 30 cm hoch, und **Hummel-R.** (Ophrys holoserica), bis 50 cm hoch, Blüten hummelähnlich; beide Arten sind geschützt.

Rah (Rahe, Raa), am Mast von Segelschiffen horizontal schwenkbar angebrachtes Rundholz zum Befestigen und Handhaben der viereckigen R.-Segel; auch Rundholz am Mast zur Aufnahme von Antennen und Leinen für Flaggensignale (Funk-, Flaggenrah).

Rahel [hebr.] (Vulgata Rachel), Gestalt des A.T.; Tochter Labans, Lieblingsfrau Jakobs.

Karl Rahner

Rahm (Sahne), durch Abschöpfen oder Zentrifugieren von Milch gewonnener fettreicher Anteil der Milch, besteht aus 28–35% Milchfett, 3,5% Eiweiß, 4,5% Milchzucker, 0,5% Mineralsalzen sowie Wasser; Ausgangsstoff für Butter, Käse, Schlagsahne, Kaffeesahne. Durch Milchsäuregärung entsteht **Sauerrahm** (saure Sahne).

Rahmen, 1) *allg.:* Umfassung, Einfassung, z.B. von Bildern, Spiegeln, auch von Fenstern, Türen.

2) *Bautechnik:* tragende Konstruktion **(R.-Tragwerk)** aus in den Knotenpunkten biegefest miteinander verbundenen waagerechten, senkrechten und schrägen Stäben. R.-Tragwerke bilden v.a. im Stahlskelettbau das Rohbauskelett.

3) *Maschinenbau:* tragendes oder stützendes gerüstartiges Bauteil einer Maschine oder eines Fahrzeugs, das die bewegl. Teile trägt und die auftretenden Kräfte aufnimmt.

Rahmen|erzählung, Erzählform, bei der eine umschließende ep. Einheit eine fiktive Erzählsituation darstellt, die zum Anlass einer oder mehrerer in diesen Rahmen eingebetteter Erzählungen wird. Man unterscheidet die gerahmte Einzelerzählung, deren Rahmen oft als fingierte Quelle (Chronik, Tagebuch, Brief u.a.) Authentizität vortäuschen soll, und die zykl. R., in der mehrere Einzelerzählungen eine geschlossene Einheit bilden.

Rahmengesetz, Gesetz des Bundes, das ein bestimmtes Sachgebiet (nach Art. 75 GG z.B. Hochschulwesen) nicht vollständig, sondern nur durch Rahmenvorschriften regeln darf. In Landesgesetzen werden dann die Einzelheiten geregelt.

Rahner, Karl, kath. Theologe, *Freiburg im Breisgau 5. 3. 1904, †Innsbruck 30. 3. 1984; Jesuit, Prof. in Innsbruck, München und Münster; führender Konzilstheologe auf dem 2. Vatikan. Konzil. Sein wiss. Werk stellt den Versuch dar, die Denkmuster der Neuscholastik zu überwinden und die traditionelle kath. Dogmatik auf der Grundlage des neuzeitl. Menschen- und Existenzverständnisses zu formulieren.

Raiatea, zweitgrößte der Gesellschaftsinseln, Frz.-Polynesien, 194 km², bis 1032 m ü.M., 6400 Ew.; Hauptort: Uturoa.

Raiff|eisen, Friedrich Wilhelm, Sozialreformer, *Hamm/Sieg (Kr. Altenkirchen, Ww.) 30. 3. 1818, †Neuwied 11. 3. 1888; schuf das auf solidar. Selbsthilfe beruhende ländliche Genossenschaftswesen, bes. die ländl. Kreditgenossenschaften (1864 Heddesdorfer Spar- und Darlehenskassenverein).

Raiff|eisenbanken [nach F. W. Raiffeisen], ländl. Kreditgenossenschaften, i.d.R. regionale Universalbanken von vergleichsweise kleiner Betriebsgröße. Seit 1972 mit den Volksbanken im Dt. Genossenschafts- und Raiffeisenverband zusammengeschlossen; Spitzeninstitut ist die »DG Bank Deutsche Genossenschaftsbank«.

Raigras, *Botanik:* → Lolch.

Raimondi, 1) Marcantonio, italien. Kupferstecher, * bei Bologna um 1480, † ebd. gegen 1530/34; bildete sich nach den graf. Werken Dürers. Um 1510/27 arbeitete er in Rom v. a. nach Zeichnungen Raffaels; erfand den Reproduktionsstich.

2) Ruggero, italien. Sänger (Bassbariton), * Bologna 3. 10. 1941; Interpret des italien. Opernrepertoires; seit 1986 auch Opernregisseur.

Ferdinand Raimund als Aschenmann in »Das Mädchen aus der Feenwelt oder der Bauer als Millionär« (1826), Litographie nach einer Zeichnung von Moritz von Schwind (um 1827)

Raimund, Ferdinand, eigtl. Raimann, österr. Schauspieler und Schriftsteller, * Wien 1. 6. 1790, † (Selbstmord) Pottenstein 5. 9. 1836; zunächst Schauspieler, u. a. am Theater in der Josefstadt in Wien; mit J. N. Nestroy Protagonist des Wiener Volkstheaters (»Das Mädchen aus der Feenwelt oder der Bauer als Millionär«, 1826; »Der Alpenkönig und der Menschenfeind«, 1828).

Rainald von Dassel, Erzbischof von Köln (1159–67), * um 1120, † bei Rom 14. 8. 1167; führte als Reichskanzler (1156–59) die Amtsgeschäfte Kaiser Friedrichs I. Barbarossa, danach dessen engster Berater; er befürwortete auch als Erzbischof von Köln und Reichskanzler für Italien die Unterwerfung Reichsitaliens, später des Papsttums unter die kaiserl. Gewalt. Er war maßgeblich an der Unterwerfung der Lombardei (1158) und an der Zerstörung Mailands (1162) beteiligt. Er initiierte die Heiligsprechung Karls d. Großen.

Rainer, 1) Arnulf, österr. Maler und Zeichner, * Baden (bei Wien) 8. 12. 1929; wurde bekannt mit Übermalungen eigener bzw. fremder Bilder, auch des eigenen Körpers; Arbeiten zur Todesthematik.

2) Roland, österr. Architekt und Stadtplaner, * Klagenfurt 1. 5. 1910; erwarb sich durch den Bau der Stadthallen in Wien (1958), Bremen (1964) und Ludwigshafen (1965) sowie des ORF-Zentrums bei Wien (1973 und 1983/84) und der Planung der »Gartenstadt Puchenau« bei Linz internat. Ruf.

Rainfarn (Chrysanthemum vulgare), Korbblütler mit kleinen gelben Blütenköpfen in Schirmrispen, häufig an Wegen.

Rainier, Mount ['maʊnt 'reɪnɪə] (auch Mount Tacoma), 4392 m hoher Vulkankegel im Staat Washington, USA, in der Cascade Range; **Mount-Rainier-Nationalpark,** 953 km² groß.

Rainier III. [rɛ'nje], Fürst von Monaco (seit 1949), * Monaco 31. 5. 1923; heiratete 1956 Grace Kelly (→ Gracia Patricia).

Rainkohl (Lapsana), Gattung der Korbblütler; heimisch der **Gemeine R.** (Lapsana communis), bis 1 m hoch, mit Milchsaft und kleinen blassgelben Blütenköpfen. BILD S. 290

Rain-out [reɪn'aʊt, engl.] *das,* → radioaktiver Niederschlag.

Rainwater ['reɪnwɔːtə], Leo James, amerikan. Kernphysiker, * Council (Id.) 9. 12. 1917, † New York 30. 5. 1986; lehrte seit 1947 an der Columbia University in New York. Für Arbeiten über die Struktur deformierter Atomkerne erhielt er 1975 mit A. N. Bohr und B. Mottelson den Nobelpreis für Physik. BILD S. 290

Rainweide, Pflanzengattung, → Liguster.

Raipur, Stadt in Madhya Pradesh, Indien, auf dem nordöstl. Dekhan, 437 900 Ew.; Univ.; Nahrungsmittel-, Holz- u. a. Industrie.

Rais [rɛ], Gilles de Laval, Baron von R., Marschall von Frankreich, * Schloss Champtocé (bei Angers) 1404, † (hingerichtet) Nantes 26. 10. 1440; kämpfte bei Orléans an der Seite der Jeanne d'Arc; beschäftigte sich später mit schwarzer Magie und wurde wegen Mordes an geraubten Kindern zum

Ferdinand Raimund (zeitgenössische Lithographie)

Rainier III., Fürst von Monaco

Arnulf Rainer: »Blind und stumm« (1969; Fredensborg-Humlebæk, Louisiana, Museum for Moderne Kunst)

Raketen in der Startphase (von links): Mit dem Vorgängermodell der Sojus-Wostok A-2 gelang 1961 der erste bemannte Raumflug überhaupt (UdSSR); die dreistufige Saturn V war Teil des 1968 begonnenen Apollo-Programms (USA); mit der Ariane I stiegen die Europäer in den 1980er-Jahren in die Raumfahrt ein; die Militärrakete Pershing II wurde 1991 im Zuge von Abrüstungsverträgen außer Dienst gestellt (USA)

Leo J. Rainwater

Rainkohl

Feuertod verurteilt. Gelegentlich auch als histor. Vorbild des →Blaubart gedeutet.

Raiser, 1) Konrad, evang. Theologe, *Magdeburg 25. 1. 1938; seit 1992 Gen.-Sekr. des Ökumen. Rates der Kirchen.

2) Ludwig, Jurist, *Stuttgart 27. 10. 1904, †Tübingen 13. 6. 1980; profilierter Zivilrechtslehrer, 1970–73 Präses der Synode der EKD.

Raisting, Gemeinde im Landkreis Weilheim-Schongau, Oberbayern, südlich des Ammersees, 1900 Ew.; Erdefunkstelle der Dt. Telekom AG.

Raj (Rai, Ray, Rey), schiit. Wallfahrtsort in Iran, im südl. Vorortbereich von Teheran, an einer stark schüttenden Karstquelle; Textilind., Zement-, Transformatorenfabrik, Ziegelei. – Moschee aus dem 19. Jh.; R. steht an der Stelle des antiken →Rhagai.

Raja [-dʒa], ind. Fürst, →Radscha.

Rajahmundry [ˈrɑːdʒəmʌndrɪ, engl.], Stadt in Andhra Pradesh, Indien, an der Spitze des Godavarideltas; 326 100 Ew.; Bibliothek (alte Palmblattbücher); Tabakforschungsinstitut; Papier-, Zucker-, Tabak-, Jutefabriken.

Rajasthan [ˈrɑːdʒəstɑːn], Bundesstaat im NW von Indien; Hptst. ist Jaipur. – Das Gebiet von R. war das Kernland der →Rajputen (»Rajputana«), die in zahlr. Fürstenstaaten lebten; geriet im 16. Jh. unter die Herrschaft des Mogulreichs, im 18. Jh. unter die der Marathen; ab 1818 unter brit. Oberhoheit (Bewahrung weitgehender Selbstständigkeit). 1948 wurde aus zehn Fürstenstaaten der ind. Gliedstaat R. gebildet; 1949 kamen weitere vier Fürstenstaaten hinzu.

Rajk [rɔjk], László, ungar. Politiker, *Székelyudvarhely (Siebenbürgen) 8. 3. 1909, †(hingerichtet) Budapest 15. 10. 1949; seit 1945 Mitgl. des ZK und des Politbüros der KP; 1946–48 Innenmin., seit 1949 Außenmin.; am 30. 5. 1949 als »imperialist. Agent« und »Titoist« verhaftet und in einem Schauprozess **(R.-Prozess)** zum Tod verurteilt; 1956 rehabilitiert.

Rajkot [ˈrɑːdʒkəʊt], Stadt in Gujarat, Indien, auf der Halbinsel Kathiawar, 556 100 Ew.; Univ.; Wirtschaftszentrum (Textilind.); Flugplatz.

Rajneesh [ˈrɑːdʒniːʃ], Candra Mohan, *Kuchwada (Madhya Pradesh) 11. 12. 1931, †Pune 19. 1. 1990; gründete die →Bhagvan-Bewegung; von seinen Anhängern als religiöser Lehrer verehrt.

Rajputen [-dʒ-; aus altind. rajaputra »Königssohn«] (Radschputen, Rajputs), große indoarische Stammeskaste in N-Indien und Nepal (rd. 120 Mio. Angehörige), die sich in der Tradition der altindischen Kriegerkaste (→Kaste) der Kshatriya sah; heute meist Grundbesitzer und Ackerbauern. Viele ind. Fürstenfamilien gehören zur Kaste der Rajputen.

Rajputmalerei [-dʒ-], nord- und zentralindische Malerei an den Fürstenhöfen der Rajputen, die seit dem 16./17. Jh. bis ins 19. Jh. blühte; v.a. Wandmalereien, Porträts und Miniaturen zu religiösen, oft lyr. Dichtungen.

Rakel [frz. racle »Schabeisen«] *die,* meist messerartige Vorrichtung (R.-Messer) zum Abstreifen einer Flüssigkeit oder zum Glattstreichen pastenartiger Schichten, z.B. von überschüssiger Farbe am Druckzylinder von Tiefdruckmaschinen.

Rakete [italien.] *die,* Flugkörper, der seinen Vortrieb durch den Rückstoß (Schub) eines Antriebsstrahls erhält. R. führen alle zur Erzeugung der Vortriebsenergie (des Schubes) erforderl. Mittel mit sich. Sie dienen zum Transport von Nutzmassen für wiss. Zwecke (Forschungs-R., Raumfahrt-Träger-R.) oder von Kampfmitteln (R.-Waffen). R. setzen sich im Wesentlichen zusammen aus dem R.-Körper als der eigentl. Tragekonstruktion, dem aus Brennstoffkammern und Strahlaustrittsdüsen bestehenden R.-Triebwerk, den meist in den R.-Körpern integrierten Treibstoffbehältern und dem Treibstoffférdersystem; dazu kommt die Instrumentenausrüstung mit elektron. Geräten für die Überwachung, Regelung u. Ä. Die zu transportierende Nutzlast wird meist als selbstständiges System konstruiert.

Nach dem techn. Aufbau unterscheidet man Einstufen- und Mehrstufen-R., nach der Funktionsweise des Triebwerkes chemotherm., elektr. oder nukleare Antriebe (→Raketentriebwerk). Zur Schubsteigerung werden R.-Triebwerke parallel oder gebündelt angeordnet und gleichzeitig gezündet (Lateral- oder Bündel-R.). Zur Erhöhung der Endgeschwindigkeit werden anstelle von Einstufen-R., die aus nur einem R.-System bestehen, Mehrstufen-R. eingesetzt (v.a. bei Träger-R. der Raumfahrt), bei denen jede Stufe eine selbstständige Einheit darstellt. Da jede Stufe nach Verbrauch ihrer Treibstoffe eine ihr eigene Endgeschwindigkeit erreicht, die für die nachfolgende Stufe bereits die Startgeschwindigkeit ist, addieren sich die Endgeschwindigkeiten. Die letzte Stufe bringt die Nutzlast (z.B. Satelliten) auf die erforderl. Höhe und Geschwindigkeit. Zur Verminderung des aerodynam. Widerstands erhalten von der Erde startende R. eine aerodynamisch günstige Form, was für ausschl. im freien Weltraum einzusetzende R. jedoch bedeutungslos ist. Die Steuerung der R. innerhalb der Atmosphäre kann durch aerodynam. Ruder erfolgen. Im außeratmosphär. Raum muss sie durch Ablenken der ausströmenden Verbrennungsgase mithilfe eines Strahlruders, durch einseitige Beeinflussung der Gasströmung, durch Schwenken des R.-Triebwerks u. Ä. erfolgen. Für die Lageregelung werden meist sog. Lageregelungstriebwerke verwendet. Hierbei werden neben chemotherm. bereits elektr. Raumflugtriebwerke eingesetzt. R. bewegen sich nach Abschalten der Haupttriebwerke oder Verbrauch der Triebstoffe nach ballist. und/oder himmelsmechan. Gesetzen.

Geschichte: R. sind seit dem 12. Jh. in China bekannt, seit dem 13. Jh. in Europa. Seit 1925 wurden Versuche mit R. als Antrieb für Wagen (1928) und Flugzeuge (1929) durchgeführt. Mit Beginn der Grundlagenforschung in den 1930er-Jahren setzte die systemat. Entwicklung der R. ein, die im 2. Weltkrieg stark vorangetrieben wurde und zu den R.-Waffen führte. Seit 1945 wurden bes. in den USA und der UdSSR Forschungs- und Träger-R. für die Raumfahrt und Interkontinental-R. mit Nuklearsprengköpfen entwickelt; in Europa setzte die R.-Entwicklung Anfang der 1960er-Jahre ein, die seit Gründung der ESA 1975 stark fortgeschritten ist (→Ariane). Wichtige R.-Forscher im 20. Jh. sind u.a. K. E. Ziolkowski, R. H. Goddard, H. Oberth, W. von Braun.

📖 NEBEL, R.: *Die Narren von Tegel. Düsseldorf 1972.* – BRAUN, W. VON *u.* ORDWAY, F.: *R.n. Aus dem Amerikan. München 1979.* – HORNIK, A.: *Beiträge zur Optimierung von Trägerraketen. München 1995.* – NEUFELD, M. J.: *Die R. u. das Reich. Wernher von Braun, Peenemünde u. der Beginn des Raketenzeitalters. Berlin 1997.*

Raketen|abwehr, Maßnahmen zur Abwehr im Flug befindl. gegner. Raketenwaffen, v.a. durch spezielle Boden-Luft-Raketen, auf Schiffen durch Rohrwaffensysteme. Kampfflugzeuge schützen sich durch »passive« R., indem sie anfliegende Boden-Luft-Raketen durch elektron. Maßnahmen ablenken. Zur Abwehr strateg. Interkontinentalraketen wurden →ABM-Systeme entwickelt.

Raketenstartanlagen, spezielle Vorrichtungen (z.B. Abschussrampen) oder bes. ausgestattete Gelände zum Start von Raketen; aus Sicherheitsgründen meist in dünn besiedelten Gebieten. Äquatornähe ist bei Raumfahrtraketen vorteilhaft (Ausnutzen der Erddrehung). R. sind u.a.: Baikonur (Kasachstan), Tanega Shima (Japan), Kourou (Französisch-Guayana), Wallops Island, Cape Canaveral, Vandenberg (alle USA).

Raketentreibstoff, chem. Substanz, die durch Verbrennung oder Zerfallsreaktion in der Brennkammer des Raketentriebwerks das Arbeitsgas liefert. Bei den **festen R.** unterscheidet man homogene und heterogene Mischungen. **Flüssige R.** bestehen i.d.R. aus zwei getrennten Treibstoffkomponenten **(Diergole):** einem Brennstoff (z.B. Hydrazin und dessen Derivate, flüssiger Wasserstoff) und einem Oxidator (z.B. flüssiger Sauerstoff). **Monergole** bestehen aus einer einzigen Flüssigkeit (z.B. Hydrazin oder Wasserstoffperoxid), die thermisch oder katalytisch **(Katergole)** zersetzt wird. Als **Lithergole (Hybrid-R.)** bezeichnet man R., die aus einer flüssigen Komponente (i.d.R. der Oxidator, z.B. Wasserstoffperoxid) und einer festen Komponente (i.d.R. der Brennstoff, z.B. Polyäthylen) mit Zusätzen (z.B. Aluminium) bestehen. Die Zündung erfolgt spontan beim Zusammentreffen der Komponenten **(Hypergole),** oder sie wird elektrisch oder durch eine Zündflamme eingeleitet **(Ahypergole).**

Raketentriebwerk, Antriebsvorrichtung von Raketen, die durch Ausstoß eines unabhängig von

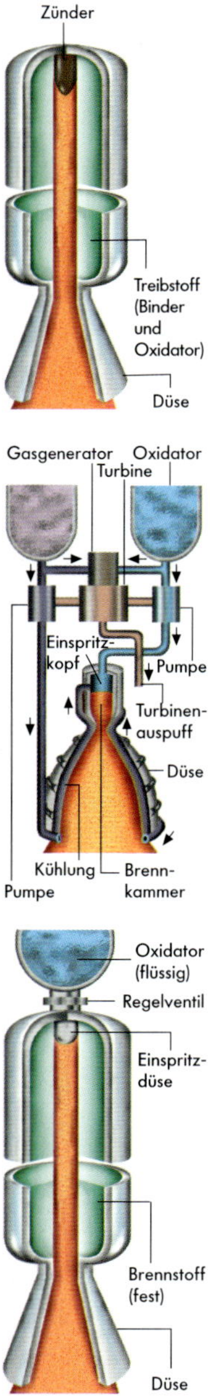

Raketentriebwerk (von oben): schematische Darstellung eines Feststoff-, Flüssigkeits- und Hybridraketentriebwerks

der Umgebung erzeugten Masseteilchenstroms (Antriebsstrahl) eine Vortriebskraft (Schub) liefert. – Wichtigster R.-Typ ist das **chemotherm. R.** Bei ihm entsteht der Antriebsstrahl durch kontinuierlich ablaufende Verbrennung fester oder flüssiger Brennstoffe mit Sauerstoff oder einem Sauerstoffträger in der Brennkammer. Im **Feststofftriebwerk** werden überwiegend gießbare oder plast. Treibstoffe (Treibsätze, Mischung von Brennstoff und Sauerstoffträger) verwendet, wobei der Treibstoffbehälter gleichzeitig als Brennkammer dient. Bei **Flüssigkeitstriebwerken** werden die Treibstoffkomponenten (Brennstoff, z. B. flüssiger Wasserstoff, Benzin oder Hydrazinverbindungen, und Oxidator, z. B. flüssiger Sauerstoff oder Stickstofftetroxid) in getrennten Behältern mitgeführt und durch das Treibstoff-Fördersystem mittels Druckgas oder Pumpen in die Brennkammer gefördert. Die hier infolge chem. Reaktion erzeugten Verbrennungsgase werden durch die Schubdüse ausgestoßen und erzeugen den der Richtung des Masseteilchenstroms entgegengesetzt wirkenden Schub. **Hybrid-R.** benutzen feste Brennstoffe und flüssige Oxidatoren. In **Kernenergie-R.,** die bisher in der Raumfahrt noch nicht zum Einsatz kamen, wird ein meist als Stützmasse bezeichneter Treibstoff durch Kernenergie aufgeheizt und so wie bei den chem. R. durch eine Schubdüse zum Ausströmen gebracht. **Elektrische R.** benötigen eine leistungsstarke Energieversorgungsanlage (Kernreaktor) oder benutzen externe Energiequellen (solarelektr. Triebwerke). Man unterscheidet elektrotherm. R., bei denen der Treibstoff (Ammoniak, Stickstoff, Wasserstoff) durch ein Widerstandselement (Resistojet) oder einen Lichtbogen (Arcjet) aufgeheizt wird, elektrostat. R., bei denen elektrisch geladene Teilchen, meist Ionen **(Ionenantrieb),** in einem elektr. Feld beschleunigt werden, und elektromagnet. R., bei denen ein Plasma durch elektromagnet. Felder beschleunigt wird **(Plasmatriebwerk).** Ein noch rein hypothet. R. ist der **Photonenantrieb,** bei dem der Schub durch einen gebündelten Strahl elektromagnet. Wellen erzeugt und mit Lichtgeschwindigkeit abgestoßen werden soll.

📖 KÖHLER, H. W.: *Feststoffraketenantriebe, 2 Bde. Essen 1972.* – SCHMUCKER, R. H.: *Hybridraketenantriebe. München 1972.* – URLAUB, A.: *Flugtriebwerke. Berlin u. a.* ^{2}*1995.*

Rakẹtenwaffen, mit Gefechtsköpfen versehene Flugkörper mit Raketenantrieb, die ungelenkt oder gelenkt sein können. Als Antriebe werden chem. Raketentriebwerke verwendet (vorzugsweise Feststofftriebwerke). Die Steuerung von R. erfolgt heute oft in Kombination von Fern- und Eigenlenkung, wobei die Rakete in der letzten Phase des Zielanfluges durch ihren Radar- oder Infrarotsuchkopf gesteuert wird. Als Abschussvorrichtungen dienen Startschienen und leichte Führungsrohre sowie bei vertikaler Startrichtung auch Starttische oder Startschächte (verbunkerte Startanlagen für interkontinentale Fernwaffen). Gegenüber den aus Rohrwaffen verfeuerten Geschossen ist die Treffgenauigkeit ungelenkter R. meist geringer, diejenige gelenkter R. bei großen Schussweiten größer. Je nach Einsatzzweck werden konventionelle oder nukleare Gefechtsköpfe verwendet, bei R. für interkontinentale Reichweiten auch Gefechtsköpfe mit mehreren einzeln lenkbaren Sprengköpfen.

Rakẹtenwerfer, Abschussgestell für militär. Raketenwaffen, meist Mehrfachwerfer für bis zu 40 (ungelenkte) Raketen je Salve; auch das Fahrzeug mit einer solchen Startvorrichtung.

Rạki [türk.] *der,* Branntwein mit 43–50 Vol.-% Alkohol aus Rosinen, auch aus Feigen; mit Anissamen destilliert.

Rákóczi ['ra:ko:tsi], ungar. Adelsgeschlecht, 1756 im Mannesstamm ausgestorben. Bed. Vertreter: **1)** Franz II., Führer des sog. R.-Freiheitskampfes 1703–11 gegen die Habsburger, *Borsi 27. 3. 1676, †Rodosto (heute Tekirdağ) 8. 4. 1735, Urenkel von 2); wurde 1704 zum Fürsten von Siebenbürgen, 1705 auch zum Fürsten von Ungarn gewählt; 1713 emigrierte er nach Frankreich und 1717 nach Konstantinopel.

2) Georg I., Fürst von Siebenbürgen (1630–48), *Szerencs 8. 6. 1593, †Sárospatak 11. 10. 1648, Urgroßvater von 1); eroberte ganz Oberungarn und sicherte im Frieden von Linz (16. 9. 1645) die Glaubensfreiheit der Protestanten in Ungarn.

Rákosi ['ra:koʃi], Mátyás, ungar. Politiker, *Ada (Wojwodina) 9. 3. 1892, †Gorki (heute Nischni Nowgorod) 5. 2. 1971; ab 1945 Gen.-Sekr. der KP, 1945–52 stellv. MinPräs., 1952/53 MinPräs.; 1956 als Stalinist seiner Ämter enthoben; ging in die UdSSR.

RAL Deutsches Institụt für Gütesicherung und Kennzeichnung e. V., Abk. **RAL,** aus dem 1925 gegr. **R**eichs**a**usschuss für **L**ieferbedingungen hervorgegangenes Institut (Sitz: Sankt Augustin), das u. a. für die Förderung und Betreuung des Gütezeichenwesens zuständig ist; es führt eine Gütezeichenliste und vergibt das Umweltzeichen »Blauer Engel«.

Raleigh ['rɔ:lɪ], Hauptstadt des Staates North Carolina, USA, auf dem Piemontplateau, 208 000 Ew.; Univ.; Handels-, Verw.-, Bildungs- und Forschungszentrum (Hightech-Forschungseinrichtungen); vielfältige Industrie.

Raleigh ['rɔ:lɪ], Sir Walter, engl. Seefahrer, *Hayes Barton (Cty. Devon) um 1554, †(hingerichtet) London 29. 10. 1618; Günstling Elisabeths I.; unternahm zahlr. gegen die span. See- und Kolonialmacht gerichtete Raub- und Entdeckungsfahrten nach Übersee. Sein früher Versuch (1584–89), engl. Kolonisten in Virginia (= North Carolina) anzusiedeln, schlug fehl; 1595 landete er auf der Suche nach dem Eldorado in Guayana. Unter Jakob I. wurde er wegen Hochverrats 1603–16 im Tower eingekerkert, wo er eine (bis 130 v. Chr. reichende) »Weltgeschichte« verfasste; nach Scheitern einer weiteren Fahrt nach Guayana (1617) wurde er im Interesse der spanienfreundl. Politik Jakobs I. hingerichtet.

📖 Lacey, R.: *Sir W. R. London 1973.*

Rallen [frz.] (Rallidae), Familie weltweit verbreiteter, meist im dichten Pflanzenwuchs sumpfigen Geländes lebender Kranichvögel; meist großfüßige und oft langschnäblige Bodenbewohner, die sich von Insekten, Weichtieren, teilweise auch von Gräsern ernähren. An stehenden Gewässern Eurasiens die bis 30 cm lange **Wasser-R.** (Rallus aquaticus; → Blässhuhn).

Rallen: Das Purpurhuhn gehört zu den farbenprächtigen Arten der Familie

rallentando [italien.], Abk. **rallent.** oder **rall.**, musikal. Vortragsbez.: langsamer werdend.

Rallye ['rali, frz.] *die,* Orientierungs- und Geschwindigkeitswettbewerb für Automobile. Der Start erfolgt einzeln, in Abständen von einer Minute von einem festgelegten Standort aus; Sonderprüfungen auf (abgesperrten) Straßen und Wegen; im öffentl. Verkehr gilt die Straßenverkehrsordnung; Wertung nach Gruppen und Klassen; bekannt v. a. R. Paris–Dakar und R. Monte Carlo.

RALU [Abk. für engl. **r**egisters and **a**rithmetic and **l**ogic **u**nit], bei einem Mikrocomputer ein Chip, der die Operationseinheit und die Register zur schnellen Zwischenspeicherung enthält.

RAM [Abk. für engl. **r**andom-**a**ccess **m**emory], in der elektron. Datenverarbeitung benutzte Schreib-Lese-Speicher, → Speicher.

Rama [Sanskrit] (Ramanchandra), Held des altindischen Epos → Ramayana; gilt im Hinduismus als siebte Verkörperung Vishnus; heute eine der Hauptgottheiten der Hindus.

Ramadan [arab. »der heiße Monat«] *der,* der 9. Monat des islam. Mondjahres; Fastenmonat, in dem den Muslimen von Morgengrauen bis zum Sonnenuntergang jeder leibl. Genuss untersagt ist.

Ramadier [rama'dje], Paul, frz. Politiker (Sozialist), * La Rochelle 17. 5. 1888, † Rodez 14. 10. 1961; war 1928–40 Abg., zw. 1938 und 1957 wiederholt Min., 1947 MinPräs.; schloss im Mai 1947 wegen Gegensätzen u. a. in der Indochinapolitik die Kommunisten aus seinem Kabinett aus.

Ramakrishna [-ʃ-], eigtl. Gadadhar Chattopadhyaya, hinduist. Reformer, * Kamarpukur (Bengalen) 18. 2. 1836, † Kalkutta 16. 8. 1886; Brahmane, Tempeldiener der Göttin Kali, Heiliger der Hindus; lehrte die Alleinheit des Göttlichen, wonach alle Religionen gleichberechtigte Wege zu Gott (dem Göttlichen) seien. Sein bedeutendster Schüler Vivekananda (* 1863, † 1902) gründete 1897 die **R.-Mission,** die sich seither in Indien v. a. der sozialen Arbeit, in Europa und den USA der Verbreitung der Philosophie des Vedanta im Geist von R. widmet.

📖 Lemaître, S.: *Ramakrischna. A. d. Frz. Reinbek 25.–27. Tsd. 1986.*

Raman, Sir (seit 1929) Chandrasekhara Venkata, ind. Physiker, * Trichinopoli (heute Tiruchirapalli) 7. 11. 1888, † Bangalore 21. 11. 1970; seit 1911 Prof. in Kalkutta und Bangalore, Präs. der Ind. Akademie der Wiss.; für seine Arbeiten zur Streuung von Licht und Röntgenstrahlen (→ Raman-Effekt) erhielt er 1930 den Nobelpreis für Physik.

Raman-Effekt (Smekal-Raman-Effekt), die von A. G. Smekal 1923 vorausgesagte und 1928 von C. V. Raman nachgewiesene Erscheinung, dass das Streulichtspektrum von mit monochromat. Licht bestrahlten chem. Verbindungen neben der Linie aus der elast. Streuung bei der Frequenz ν_0 des anregenden Lichtes **(Rayleigh-Streuung)** zusätzlich schwächere Linien **(Raman-Linien)** der Frequenzen $\nu_0 \pm \nu$ enthält. Diese sind auf Schwingungen und Rotationen (Frequenz ν) der unelastisch streuenden Moleküle zurückzuführen **(Raman-Streuung).** Wird beim Streuprozess Energie auf das Streumedium übertragen, beobachtet man Strahlung geringerer Frequenz **(Stokes-Linie);** ist das Medium bereits angeregt, kann es Energie abgeben, sodass das gestreute Photon die Frequenz $\nu_0 + \nu$ **(Anti-Stokes-Linie)** aufweist. Der R.-E. wird in der **Raman-Spektroskopie** v. a. zur Aufklärung der Konstitution komplizierter organ. Moleküle ausgenutzt.

Ramanujan [-dʒ-], Srinivasa, ind. Mathematiker, * Erode 22. 12. 1887, † Kumbakonam 26. 4. 1920; Arbeiten zur analyt. Zahlentheorie. R. wurde als erster Inder Fellow der Royal Society und des Trinity College der Cambridge University.

Ramat Gan, Stadt östlich von Tel Aviv-Jaffa, Israel, 122 700 Ew.; Univ.; Rosengarten, zoolog. Garten; Textil-, Elektroind., Obst- und Gemüsekonservierung; Diamantenbörse. – 1922 als Gartenvorstadt von Tel Aviv gegründet.

Walter Raleigh (Kupferstich nach einem zeitgenössischen Ölgemälde)

Paul Ramadier

Chandrasekhara Venkata Raman

Srinivasa Ramanujan

Jean-Philippe Rameau: Bildnis des zeitgenössischen französischen Malers Jacques André Aved (Dijon, Musée des Beaux-Arts)

Ramayana [Sanskrit »Ramas Lebenslauf«] *das,* das zweite große Nationalepos der Inder neben dem Mahabharata, dem myth. Weisen Valmiki zugeschrieben. Es entstand zw. dem 4./3. Jh. v. Chr. und dem 2. Jh. n. Chr. (später erweitert) und umfasst 24000 Doppelverse. Das R. erzählt, wie der Königssohn Rama, eine Verkörperung des Gottes Vishnu, seine von dem Dämonenkönig Ravanua geraubte Gattin Sita mithilfe des Affenkönigs Hanuman wiedergewinnt. Die Rama-Sage ist auch im gesamten Südostasien verbreitet.

📖 SMITH, WILLIAM L.: *Rāmāyaṇa traditions in Eastern India: Assam, Bengal, Orissa. Stockholm 1988.* – *Rāmāyaṇa and Rāmāyaṇas, hg. v.* M. THIEL-HORSTMANN. *Wiesbaden 1991.*

Günther Ramin

Rambouillet [rãbu'jɛ], Stadt im Dép. Yvelines, Frankreich, südwestlich von Paris, 25400 Ew.; der 13000 ha große Staatswald **Forêt de R.** ist Erholungs- und Ausflugsgebiet für die Region Paris. – Das Schloss (14. Jh., unter Ludwig XVI. im 18. Jh. ausgebaut) ist heute Sommerresidenz des frz. Staatspräsidenten.

Santiago Ramón y Cajal

Ramboux [rã'bu], Johann Anton, Maler, *Trier 5. 10. 1790, †Köln 2. 10. 1866; Schüler von J. L. David in Paris, schloss sich in Rom den Nazarenern an; schuf v. a. Landschaftsbilder und Porträts; ab 1844 Konservator der Wallrafschen Sammlung in Köln.

Rambutan [malaiisch] *der* (Nephelium lappaceum), Seifenbaumgewächs in Süd- und Südostasien; großer Baum mit Fiederblättern, pflaumengroßen, dicht mit langen, roten Stacheln besetzten essbaren Früchten.

Rameau [ra'mo:], Jean-Philippe, frz. Komponist und Musiktheoretiker, getauft Dijon 25. 9. 1683, †Paris 12. 9. 1764; wirkte zunächst als Organist, ab 1745 als königl. Kammerkomponist. R., der an die »Tragédie lyrique« J.-B. Lullys anknüpfte, wurde zum wichtigsten Vertreter der frz. Oper der 1. Hälfte des 18. Jh. (»Hippolyte et Aricie«, 1733; »Castor et Pollux«, 1737) und des Balletts; leistete auch auf dem Gebiet der Cembalomusik Bedeutendes (»Pièces de clavecin«, 3 Bde. 1706–47). Als Theoretiker ist R. Begründer der neueren Harmonielehre.

📖 KINTZLER, C.: *J.-P. R. Paris [2]1988.* – KLINGSPORN, R.: *J.-P. R.s Opern im ästhet. Diskurs ihrer Zeit. Stuttgart 1996.*

Ramesseum *das,* Totentempel Ramses' II. am W-Ufer des Nils in der Totenstadt von Theben, war zugleich dem Gott Amun geweiht und mit einem Königspalast verbunden; u. a. Funde von Papyri aus dem Mittleren Reich; Reliefdarstellungen, (gestürzte) Kolossalstatue des Ramses (17,5 m).

Ramessiden, die ägypt. Könige mit Namen →Ramses; i. w. S. alle Könige der 19. und 20. Dynastie (1306–1070 v. Chr.; **Ramessidenzeit**).

Ramie [malaiisch] *die* (Chinagras), Bastfaser der Nesselgewächsgattung **Boehmeria,** die im subtrop. Asien, in Afrika und Brasilien angebaut wird. Die R.-Faser ist sehr fest. Aus R. werden v. a. Nähzwirne, Spitzen und Schlauchgewebe, z. T. auch Haushaltsstoffe hergestellt.

Ramin, Günther, Organist und Chordirigent, *Karlsruhe 15. 10. 1898, †Leipzig 27. 2. 1956; war ab 1918 Organist an der Leipziger Thomaskirche, seit 1940 Thomaskantor; bed. Bach-Interpret.

Rambutan: Die weißen, sehr saftigen Samenmäntel der Früchte sind essbar

Ramler, Karl Wilhelm, Lyriker, *Kolberg (heute Kołobrzeg) 25. 2. 1725, †Berlin 11. 4. 1798; 1748–90 Prof. der Logik an der Kadettenanstalt in Berlin, ab 1790 Leiter des Nationaltheaters ebd.; galt mit seinen Oden in antiken Versmaßen vielen Dichtern seiner Zeit als Vorbild.

Ramme, *Bautechnik:* Gerät zur Bodenverdichtung, zum Eintreiben von Pfählen und Profilen von Spundwänden u. Ä.; Schlagwerkzeug ist der **Bär** (Rammbär), der, durch den **Mäkler** am Rammgerüst geführt und entsprechend dem Antrieb nach oben befördert, dann im freien Fall auf das Rammgut schlägt. Man unterscheidet Hand-, Diesel-, Dampf-, Druckluft- sowie Vibrationsantrieb (mit Elektro- oder Verbrennungsmotor), der die Reibung zw. Erdreich und Rammgut herabsetzt.

Ramesseum: Teilansicht mit Osirispfeilern (nach 1290 v. Chr.)

Rạmmelsberg, Berg im Oberharz, Ndsachs., südlich von Goslar, 636 m ü. M., mit reichen Erzlagerstätten (u. a. Blei, Zink, Kupfer, Silber, Gold), die von 968 bis 1988 abgebaut wurden. Das Bergwerk ist UNESCO-Weltkulturerbe; Bergbaumuseum (Projekt der Expo 2000).

Rạmmler, Bez. für das Männchen bei Hase und Kaninchen.

Râmnicu Vâlcea ['rimniku 'viltʃəa], Hptst. des Kreises Vâlcea in S-Rumänien, am Alt, 114 300 Ew.; Museen; chem., Leder-, Möbel-, Nahrungsmittel- u. a. Industrie. – 1388 erstmals bezeugt.

Ramọn y Cajal [-i ka'xal], Santiago, span. Histologe, *Petilla de Aragón (Navarra) 1. 5. 1852, †Madrid 7. 10. 1934; ihm gelang 1889 die erste präzise Darstellung der nervalen Bahnen in der grauen Substanz des Gehirns und Rückenmarks; entwickelte als Ergebnis seiner morpholog. Arbeiten die Neuronenlehre. 1906 erhielt er mit C. Golgi den Nobelpreis für Physiologie oder Medizin.

Rampal [rã'pal], Jean-Pierre, frz. Flötist, *Marseille 7. 1. 1922; war 1955–64 Soloflötist an der Pariser Oper. Zu seinem Repertoire gehören neben der klass. Flötenlit. auch weniger bekannte Werke.

Rampe [frz., zu ramper »klettern«, »kriechen«], **1)** *allg.:* flach ansteigende Auffahrt zur stufenlosen Überbrückung von Höhenunterschieden, auch waagerechte, oft bewegl. Vorrichtung (Laderampe).

2) *Theater:* der vorderste Rand des Bühnenbodens.

Ramsar-Konvention [-'sær; nach dem Ort Ramsar in Iran], internat. Abkommen zum Schutz von Feuchtgebieten, bes. als Lebensraum für Wat- und Wasservögel; im Dez. 1975 in Kraft getreten. Mittlerweile sind in Dtl. 32 Gebiete ausgewiesen (u. a. Steinhuder Meer, Ammersee, Chiemsee, Starnberger See, Krakower Obersee).

Rạmsau *die,* **1)** Hochfläche auf der S-Seite des Dachsteins, in der Steiermark, Österreich, 1 000 bis 1 200 m ü. M., mit dem Fremdenverkehrsort **R. am Dachstein.**

2) Talweitung der Ramsauer Ache im Berchtesgadener Land, Bayern, 650–850 m ü. M., mit dem Fremdenverkehrsort **R. bei Berchtesgaden.**

Rạmsauer, Carl Wilhelm, Physiker, *Osternburg (heute zu Oldenburg/Oldenburg) 6. 2. 1879, †Berlin 24. 12. 1955; arbeitete v. a. zur Physik der Gasentladungen; führte 1915 den Begriff des Wirkungsquerschnittes ein und fand 1920 im **R.-Effekt** die erste Andeutung für die Wellennatur des Elektrons. R. gründete 1944 die »Physikal. Blätter«.

Carl Wilhelm Ramsauer

William Ramsay

Ramsay ['ræmzı], **1)** Allan, schott. Dichter, *Leadhills (South Lanarkshire) 15. 10. 1686, †Edinburgh 7. 1. 1758; leitete die Renaissance der volkssprachl. Dichtung in Schottland ein; schrieb das Hirtenspiel »The gentle shepherd« (1725).

2) Sir (seit 1902) William, brit. Chemiker, *Glasgow 2. 10. 1852, †High Wycombe 23. 7. 1916; entdeckte 1894 mit J. W. Rayleigh das Argon, 1895 das Helium, 1898 mit seinem Mitarbeiter Morris William Travers (*1872, †1961) Krypton, Neon und Xenon. 1904 erhielt er den Nobelpreis für Chemie.

Rạmses (ägypt. Ramesse) [»Re hat ihn geboren«], Name von elf ägypt. Königen der 19. und 20. Dynastie (1306–1070 v. Chr.), den Ramessiden; bed. v. a.:

1) Ramses II., König (1290–1224 oder 1279–1213 v. Chr.) der 19. Dynastie, Sohn von Sethos I.; kämpfte gegen die Hethiter, denen er im 5. Jahr seiner Reg. bei Kadesch unterlag. Im 21. Reg.-Jahr schloss er einen in Hieroglyphen und in Keilschrift erhaltenen Vertrag mit ihnen. R. war einer der größten Bauherren Altägyptens (Abu Simbel, Abydos, Luxor, Ramesseum u. a.; BILDER). Seine Hauptgemahlin war →Nofretiri. INFO S. 296

2) Ramses III., König (etwa 1184–1155 v. Chr.) der 20. Dynastie, ließ seine Siege über Libyer und Seevölker auf den Wänden seines Totentempels bei →Medinet Habu verewigen. Unter ihm kam es zum 1. nachgewiesenen »Streik« der Geschichte.

Ramses II., ägyptischer König; Sitzfigur aus schwarzem Granit (13. Jh. v. Chr.; Turin, Museo d'Arte Antica)

Norman F. Ramsey

Charles Ferdinand Ramuz

Ramsey ['ræmzɪ], Norman Foster, amerikan. Physiker, *Washington (D. C.) 27. 8. 1915; seit 1966 Prof. an der Harvard University; erhielt für seine Arbeiten im Bereich der atomaren Präzisionsspektroskopie 1989 mit H.-G. Dehmelt und W. Paul den Nobelpreis für Physik.

Ramsgate ['ræmsgɪt], Hafenstadt und Seebad an der O-Küste der Cty. Kent, SO-England, 39 600 Ew.; Jachthafen, Leichtindustrie; Hovercraft-Fährverkehr nach Calais.

Ramstein-Miesenbach, Stadt (seit 1991) im Landkreis Kaiserslautern, Rheinl.-Pf., 8 900 Ew.; ehem. bed. Stützpunkt der amerikan. Luftwaffe.

Ramtill [Hindi] *der* (Gingellikraut, Nigersaat, Guizotia abyssinica), Art der Korbblütler im trop. Afrika und in Indien, deren Früchte **(Gingellisamen)** ein Speiseöl liefern.

Ramu *der,* Fluss in Papua-Neuguinea, rd. 650 km lang, entspringt im östl. Bismarckgebirge und mündet in die Bismarcksee.

Ramus, Petrus, eigtl. Pierre de la Ramée, frz. Humanist und Philosoph, *Cuts (Dép. Oise) 1515, † (Opfer der Bartholomäusnacht) Paris 26. 8. 1572; trat 1562 zum Kalvinismus über und lehrte zeitweise in Heidelberg; schuf eine nichtaristotel. Logik (Verschmelzung von Logik und Rhetorik); schrieb auch Mathematiklehrbücher.

Ramses II.

Ramses II. war einer der bedeutendsten Pharaonen Ägyptens. Zu Beginn seiner Regierungszeit (seit 1290 v. Chr.) versuchte er, die Hethiter aus Nordsyrien zu verdrängen, musste sich aber nach der Schlacht bei Kadesch (1285) zurückziehen. In seinem 21. Regierungsjahr beendete er die Kriege mit den Hethitern durch einen (in Hieroglyphen und Keilschrift erhaltenen) Bündnisvertrag, der das nördliche Syrien dem hethitischen Einfluss überließ. Seine Hauptgemahlin war Nofretiri; neben ihr stand Isisnofret, die Mutter seines Sohnes und Nachfolgers Merenptah. 1257 heiratete Ramses II. eine Tochter des Hethiterkönigs Hattusili III., später eine ihrer Schwestern. Von Ramses II. sind mindestens 40 Töchter und 45 Söhne bekannt.

Ramses II., unter dem das Land eine wirtschaftliche Blüte erlebte, war einer der wichtigsten Bauherren Altägyptens. Er baute u. a. in Karnak, Luxor und Abydos und ließ die Felsentempel von Abu Simbel errichten. Seine Residenz war die »Ramsesstadt« im Nildelta, von der heute nur noch Spuren erhalten sind. Sein Grab im »Tal der Könige« ist stark zerstört; seine Mumie befindet sich im Ägyptischen Museum in Kairo.

Ramuz [ra'my], Charles Ferdinand, schweizer. Schriftsteller frz. Sprache, *Cully-sur-Lausanne 24. 9. 1878, † Pully (bei Lausanne) 23. 5. 1947; lebte 1901–14 in Paris (verarbeitet u. a. in »Aimé Pache, ein waadtländ. Maler«, R., 1911); befreundet mit I. Strawinsky. Spätere Romane behandeln v. a. den Kampf der Bergbewohner gegen die Naturgewalten: »Das große Grauen in den Bergen« (1925); »Der Bergsturz« (1934) u. a. Die Dichtung »Die Geschichte vom Soldaten« wurde von Strawinsky vertont (Urauff. 1918).

📖 *Ich bin R. – nichts weiter. Materialien zu Leben u. Werk, hg. v.* G. Froidevaux. *A. d. Frz. Zürich 1987.*

Ran, im altnord. Mythos Göttin des Meeres, Gattin des Ägir.

Rancagua, Provinz-Hptst. in Chile, im Chilen. Längstal, 187 100 Ew.; Verw.sitz der Kupfermine → El Teniente, am Panamerican Highway; Gemüse- und Obstkonservenfabriken.

Rance [rãs] *die,* Fluss in der Bretagne, Frankreich, 110 km lang, mündet bei Saint-Malo in den Ärmelkanal. In seinem Mündungstrichter wurde 1960–67 das erste → Gezeitenkraftwerk errichtet; es nutzt den hohen Tidenhub (8,5 m, bei Springflut 13,6 m) aus.

Ranch [ræntʃ; amerikan., aus span. rancho »einzeln liegende Hütte«] *die,* in den USA und Kanada landwirtsch. Großbetrieb mit Viehzucht. **Rancher,** Viehzüchter, Besitzer einer Ranch.

Ranchi ['rɑːntʃɪ], Stadt im Gliedstaat Bihar, Indien, auf dem Chota-Nagpur-Plateau, 598 500 Ew.; Erzbischofssitz; Univ. und Landwirtschaftsuniv.; Zentrum der Schwerindustrie in Bihar.

Rändeln, das Eindrücken von Rillen mit dem Rändel (Stahlrädchen) auf dem Umfang von Stellschrauben, bei gekreuzten Rillen Kordieren gen.; auch das Prägen von Schrift oder Ornamenten auf die Kante von Münzen.

Randen *der,* Teil des Jura nordwestlich von Schaffhausen, beiderseits der dt.-schweizer. Grenze, im Hohen R. 924 m ü. M.; bildet den Übergang vom Schweizer zum Schwäb. Jura.

Randers ['ranɔrs], Hafenstadt in O-Jütland, Dänemark, 61 400 Ew.; Nahrungsmittel-, Metallind., Maschinenbau, Waggonfabrik. – Got. Mortenskirche mit Rokokoorgel.

Randgruppen, *Sozialwissenschaften:* eine Form der → Minderheiten.

Randstad Holland, Ballungsgebiet in den Niederlanden mit den Städten Utrecht, Amsterdam, Haarlem, Leiden, Den Haag, Rotterdam, Dordrecht. Hier sind rd. zwei Drittel des Wirtschaftspotenzials und fast die Hälfte der niederländ. Bev. konzentriert.

Randwertproblem, *Mathematik:* in der Theorie der Differenzialgleichungen die Aufgabe, Lösungen einer gegebenen Differenzialgleichung zu finden, die am Rand eines Gebietes (Grundgebiet) vorgeschriebene Werte, die Randwerte, annehmen.

Rang [frz. »Reihe«, »Ordnung«], **1)** *allg.:* Stellenwert, Stufe, Stellung.

2) *Militärwesen:* frühere Bez. für → Dienstgrad.

3) *Soziologie:* Position einer Person oder Gruppe innerhalb der Hierarchie eines sozialen Systems.

Rangun: Der mit Gold überzogene Bau der 112 m hohen Shwe-Dagon-Pagode aus dem Jahr 1564 wurde nach einem Erdbeben 1930 originalgetreu wiederhergestellt

4) *Theater:* von den oberen Stockwerken aus erreichbare Sitzplätze, die sich an der Rück- und den Seitenwänden des Theaters befinden.

5) *Verhaltensforschung:* hierarch. Stellung eines Tieres innerhalb einer Tiergesellschaft, festgelegt durch (ritualisierte) R.-Kämpfe. Die einmal erreichte R.-Ordnung (vom Alphatier bis zum Omegatier) wird durch Beschwichtigungs- und Demutsgebärden aufrechterhalten; Änderungen gibt es durch erneute Kämpfe oder Bündnisse.

6) *Zivilrecht:* Position in einer Reihenfolge von Rechten, bes. von Grundstücksrechten (z.B. Hypothek, Grundschuld); wichtig für die Reihenfolge der Befriedigung der Gläubiger bei der Zwangsversteigerung des Grundstücks. Die R.-Ordnung beruht auf dem Grundsatz der (zeitl.) Priorität, d.h., das frühere Recht geht dem späteren vor. Bei Eintragungen innerhalb derselben Grundbuchabteilung entscheidet die räuml. Reihenfolge der Eintragungen, bei Eintragungen in versch. Abteilungen das Datum der Eintragung (§ 879 BGB).

Rangabzeichen, → Dienstgrad.

Ranger ['reɪndʒə, engl.] *der,* in den USA Bez. für speziell ausgebildete Soldaten für Sondereinsätze sowie für die Angehörigen der Polizei in einigen Staaten (›Texas-R.‹) und des Forstüberwachungsdienstes; auch für Aufseher in Nationalparks.

Rangkrone (Standeskrone), die Krone des jeweiligen Adelsranges, zur Kennzeichnung des Adelsgrades über dem Wappenschild oder dem Monogramm.

Rangström, Anders Johan Ture, schwed. Komponist, *Stockholm 30. 11. 1884, †ebd. 11. 5. 1947; war der Spätromantik verpflichtet; bed. Liederkomponist; Opern, Sinfonien, sinfon. Dichtungen.

Rangun (engl. Rangoon, birman. Yangon), Hauptstadt von Birma , an einem Mündungsarm des Irawadi, 2,5 Mio. Ew.; Sitz eines kath. Erzbischofs und eines anglikan. Bischofs; Univ., TH, buddhist. u.a. Forschungsinst.; chem., Holz-, Textil-, pharmazeut. Ind., Reifenfabrik, Erdölraffinerien; Handelshafen, internat. Flughafen. – Wallfahrtsziel ist die Shwe-Dagon-Pagode (112 m hoher, mit Gold überzogener Bau, urspr. 588 v.Chr. errichtet, heutiger Bau von 1564, nach Erdbeben 1930 wiederhergestellt). – 1753 um ein buddhist. Heiligtum entstanden, im 19. Jh. von Briten erobert. R. wurde 1886 Sitz der brit. Kolonialverw. und 1948 Hptst. des unabhängigen Birma.

Ranke, ein fadenförmiges, reizempfindl. Befestigungsorgan der Kletterpflanzen (→ Lianen).

Leopold von Ranke (Ausschnitt eines Ölgemäldes des zeitgenössischen Malers Julius Friedrich Anton Schrader, um 1860)

Ranke, Leopold von (seit 1865), Historiker, *Wiehe (Kyffhäuserkreis) 21. 12. 1795, †Berlin 23. 5. 1886; 1825–71 ebd. Prof., ab 1841 Historiograph des preuß. Staates. R. hatte entscheidenden Anteil am Entstehen der modernen Geschichtswiss. auf der Grundlage strenger Quellenkritik und unbedingter Sachlichkeit (histor. Methode). Das Individualitätsprinzip wandte er auf die polit. Welt (Staaten, Völker) an und suchte die Vergangenheit aus sich heraus zu verstehen. Im Luthertum wurzelnd, suchte R. letztlich Gott in der Geschichte. Die dt. Geschichtswiss. blieb bis um 1950 dem von ihm geprägten Historismus verpflichtet.

Werke: Die röm. Päpste ... (3 Bde., 1834–36), Dt. Gesch. im Zeitalter der Reformation (6 Bde., 1839–47), Neun Bücher preuß. Gesch. (5 Bde., 1874), Weltgesch. (bis ins MA.; 9 Tle. in 16 Bdn., 1881–88).

🕮 METZ, K. H.: *Grundformen historiograph. Denkens. Wissenschaftsgeschichte als Methodologie, dargestellt an R., Treitschke u. Lamprecht. München 1979.* – *L. von R. u. die moderne Geschichtswissenschaft, hg. v.* W. J. MOMMSEN. *Stuttgart 1988.*

Uta Ranke-Heinemann

Ranke-Heinemann, Uta, kath. Theologin, *Essen 2. 10. 1927; Tochter von G. Heinemann; 1953 Übertritt zur kath. Kirche; Prof. in Neuss und Duisburg, seit 1985 in Essen; 1987 Entzug der kirchl. Lehrbefugnis; kritisiert die kath. Lehre von der Jungfrauengeburt Jesu sowie die »sexual- und frauenfeindl.« Tendenzen in der kath. Kirche (»Eunuchen für das Himmelreich. Kath. Kirche und Sexualität«, 1988).

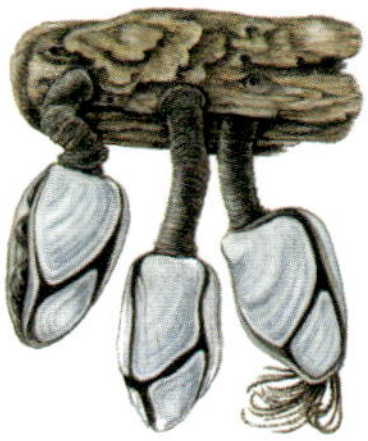

Rankenfüßer: Gemeine Entenmuschel (Länge des Stiels bis 80 cm)

Rankenfüßer (Rankenfußkrebse, Cirripedia), Unterklasse der Krebstiere mit bis 80 cm langen, fast ausnahmslos meerbewohnenden, meist zwittrigen Arten; fest sitzend oder parasitär; Körper von der typ. Krebstiergestalt stark abweichend;

Adam Rapacki

Christoph Ransmayr

Brustbeine zu rankenartigen Fangarmen umgestaltet; z. B. Entenmuscheln (z. B. die Gemeine Entenmuschel, Lepas anatifera) und →Seepocken.

Ranker, flachgründiger, stark vom silikat. Muttergestein abhängiger Boden mit kaum sichtbarer Humusbildung.

Rankine ['ræŋkın], William John Macquorn, brit. Ingenieur und Physiker, *Edinburgh 5. 7. 1820, †Glasgow 24. 12. 1872; einer der Begründer der Thermodynamik und der Theorie der Wärmekraftmaschinen. R. führte 1854 die später mit der →Entropie identifizierte thermodynam. Funktion ein.

Rankine-Skala ['ræŋkın; nach W. J. M. Rankine], →Grad Rankine.

Ranković [-vitç], Aleksandar, jugoslaw. Politiker, *Draževac (bei Belgrad) 28. 11. 1909, †Dubrovnik 19. 8. 1983; seit 1941 einer der Organisatoren des Partisanenkrieges; baute als Innenmin. (1945–53) die Geheimpolizei auf, 1963–66 Vizepräs.; 1966 aller Ämter enthoben und aus der KP (Mitgl. seit 1928) ausgeschlossen.

Ranküne [frz.] *die,* Groll, heiml. Feindschaft; Rachsucht.

Rank Xerox Ltd. [ræŋk 'zıərɔks 'lımıtıd], bed. Hersteller von Kopier- und Vervielfältigungstechnik, Sitz: London, gegr. 1956; dt. Tochterges. ist die Rank Xerox GmbH, Düsseldorf.

Ransmayr, Christoph, österr. Schriftsteller, *Wels 20. 3. 1954; hatte nach seinem Debüt mit dem Fakten und Fiktion verbindenden Roman »Die Schrecken des Eises und der Finsternis« (1984) großen Erfolg mit dem Ovid-Roman »Die letzte Welt« (1988); schrieb ferner u. a. »Morbus Kitahara« (R., 1995), »Der Weg nach Surabaya« (Reportagen und Prosa, 1997).

Ransom ['rænsəm], John Crowe, amerikan. Schriftsteller und Kritiker, *Pulaski (Tenn.) 30. 4. 1888, †Gambier (Ohio) 3. 7. 1974; ein Hauptvertreter der Literatur des amerikan. Südens; als Kritiker gehörte er zum →New Criticism. R. schrieb ironisch-desillusionierende Gedichte.

Rantzau, holstein. Adelsgeschlecht, 1226 erstmals erwähnt, 1650 in den Reichsgrafenstand erhoben; ihm entstammte u. a. U. Graf von →Brockdorff-Rantzau.

Ranunkelstrauch, die →Kerrie.

Raoult [ra'ul], François Marie, frz. Chemiker, *Fournès-en-Weppes (Dép. Nord) 10. 5. 1830, †Grenoble 1. 4. 1901; entwickelte das nach ihm benannte Gesetz der Dampfdruckerniedrigung (→Dampfdruck) sowie die Methoden der Molekülmassenbestimmung durch →Kryoskopie und →Ebullioskopie.

Rap [ræp, engl.] *der,* Ende der 1970er-Jahre in der Diskoszene New Yorks entwickelte Ansagetechnik, bei der in Kombination mit schnell gesprochenen Satzfetzen vom Diskjockey eine Schallplatte hin- und herbewegt (scratching) wird, sodass im Wechsel mit Musik rhythmisch prägnante, perkussive Geräusche entstehen. Der hieraus entwickelte Musikstil basiert auf Bass- und Schlagzeugfiguren und einem rhythm. Sprechgesang.

Rapacki [-tski], Adam, poln. Politiker, *Lemberg 24. 12. 1909, †Warschau 10. 10. 1970; war 1956–68 Außenminister; 1957 legte er der UN-Vollversammlung den Plan einer kernwaffenfreien Zone in Mitteleuropa vor **(Rapacki-Plan).**

Rapallo, Stadt in Ligurien, Italien, an der Riviera di Levante, 29 500 Ew.; Seebad und Winterkurort. – Im Hafen liegt das Kastell (1550/51), das im 17. Jh. ausgebaut wurde.

Rapallovertrag, 1) Vertrag zw. Italien und Jugoslawien (12. 11. 1920) über die Bildung des Freistaats Fiume (→Rijeka).

2) dt.-sowjet. Vertrag (16. 4. 1922), in dem das Dt. Reich und die Russ. Sozialist. Föderative Sowjetrep. (im Nov. 1922 auf die anderen Sowjetrep. ausgedehnt) auf Ersatz ihrer Kriegskosten und -schäden verzichteten, die sofortige Aufnahme diplomat. und konsular. Beziehungen vereinbarten und wirtsch. Annäherung nach dem Meistbegünstigungsrecht beschlossen.

Rapa Nui, polynes. Name der →Osterinsel.

Rapfen (Schied, Aspius aspius), bis 90 cm langer, räuberisch lebender Karpfenfisch Mittel- und Osteuropas.

Rapfen (Länge bis 90 cm)

Raphael [hebr. »Gott hat geheilt«], einer der Erzengel; Reisebegleiter des jungen Tobias (Tob. 5 und 6); Schutzpatron der Pilger, Reisenden und Apotheker; Tag: 29. 9.

Raphael, italien. Maler, →Raffael.

Raphael, Günter, Komponist, *Berlin 30. 4. 1903, †Herford 19. 10. 1960; gelangte in seinem Werk (Orchestermusik, geistl. Chorwerke, Konzerte, Kammermusik, Orgel- und Klavierwerke) von einem spätromant. Stil über neoklassizist. Tendenzen zur Zwölftontechnik.

Raphia [frz.-madegass.] (Raphiapalme), Palmengattung v. a. im trop. Afrika; vielgestaltige, oft baumförmige Palmen mit fiederartigen Blättern. Viele Arten sind v. a. als Lieferanten von Fasern (R.-Bast, Piassave) von Bedeutung; die Blattstiele dienen als Bambusersatz.

Rapid Prototyping ['ræpıd 'prəʊtəʊtaıpıŋ, engl.] *das,* Sammelbegriff für Verfahren zur schnellen Herstellung von Prototypen, Abgussvorlagen, industriellen Mustern ohne Verwendung von Formen oder Werkzeugmaschinen. Voraussetzung ist ein digitaler Datensatz der gewünschten Geometrie, der in einem dreidimensionalen CAD-System vorliegt. Ein Prozessrechner formatiert diese Daten zu einzelnen Schichten des Werkstücks und steuert damit z.B. einen Laserstrahl, der die Werkstückkonturen schichtweise aus einem flüssigen lichthärtenden Polymer aufbaut (Stereolithographie). Andere Verfahren bauen das Muster aus thermoplast. Material auf, das über eine beheizte Düse extrudiert wird, oder schmelzen mit einem Laserstrahl schichtweise granuliertes Material auf.

Rappbode *die,* rechter Nebenfluss der Bode, im Ostharz, Sa.-Anh., mit der R.-Talsperre, 8 km langer Stausee (3,9 km²; seit 1959 in Betrieb).

Rappe [mhd. »Rabe«], schwarzes Pferd.

Rappen *der,* kleine Währungseinheit in der Schweiz und in Liechtenstein; 100 R. (Rp) = 1 Schweizer Franken (sfr).

Rappen|antilope, Art der →Pferdeböcke.

Rappenau, Bad, →Bad Rappenau.

Rapperswil, Stadt im Kanton St. Gallen, Schweiz, am N-Ufer des Zürichsees, 7400 Ew.; Technikum; städt. Rosengarten; Weinbau; Textil-, Nahrungsmittel-, elektrotechn. Industrie, Apparatebau. – Schloss (13./14. Jh.; Polenmuseum), Rathaus (15. und 19. Jh.), Kapuzinerkloster (1603–05).

Rappoltsweiler (frz. Ribeauvillé), Stadt im frz. Dép. Haut-Rhin, Oberelsass, am Rand der Vogesen, 4900 Ew.; Textilind.; Weinbau; Fremdenverkehr. – Altstadt mit Resten der Befestigung, got. Kirche (13.–15. Jh.), Rathaus (18. Jh.). Bei R. liegen die drei Burgruinen Rappoltstein, Ginsberg und Ulrichsburg. Die Herren von Rappoltstein waren im MA. als »Pfeiferkönige« die Schutzherren der elsäss. Spielleute. Die Herrschaft kam 1673 an Pfalz-Birkenfeld, 1734 an Pfalz-Zweibrücken, 1789/1801 zum übrigen Elsass.

Rapport [frz.] *der,* **1)** *allg.:* Bericht, (dienstl.) Meldung.

2) *Textiltechnik:* regelmäßige Wiederkehr des Bindungsbildes in Kett- und Schussrichtung bei textilen Flächen **(Bindungsrapport).**

Raps [lat.] (Kohlsaat, Brassica napus var. napus), 60–120 cm hoher Kreuzblütler mit gelben Blüten und blaugrünen Blättern; in Kultur einjährig als **Sommer-R.** oder als **Winter-R.** ausgesät; wichtige Ölpflanze. Die Samen enthalten etwa 40 % Öl (**R.-Öl, Rüböl;** Verwendung als Speiseöl sowie zu techn. Zwecken); der als Rückstand anfallende **R.-Kuchen** ist ein eiweißreiches Futtermittel. Aus R.-Samen wird ein Biokraftstoff hergestellt.

Raptus [lat.] *der,* plötzlich einsetzender Erregungszustand, z.B. bei Depression.

Rapunzel [zu lat. radix »Wurzel«], **1)** der Gemeine →Feldsalat.

2) die Pflanzengattung →Teufelskralle.

Rarotonga, die bedeutendste der →Cookinseln, im südwestl. Pazifik, 67 km² groß, (1991) 10900 Einwohner.

Ras [arab. »Kopf«] *der,* **1)** *Geographie:* arab. Bez. für Gipfel, Kap.

2) *Geschichte:* in Äthiopien früher Titel für den 3. Fürstenrang.

Ras Algethi [arab. »Kopf des Knienden«], der veränderliche Doppelstern α im Sternbild Herkules.

Ras Alhague [arab. »Kopf des Schlangenträgers«], Hauptstern im Sternbild Schlangenträger.

Ras al-Khaima [-ˈxaɪma] (Ras al-Chaymah), Scheichtum der →Vereinigten Arabischen Emirate; Hauptstadt ist Ras-al-Khaima.

Rasamala [malaiisch] *die* (Altingia excelsa), bis 60 m hoher Baum, Zaubernussgewächs, vom östl. Himalaja bis Java, liefert Edelholz und Balsamharz.

Raschelmaschine, spezielle Kettenwirkmaschine mit in Nadelbarren oder Legeschienen zusammengesetzten, gemeinsam bewegten Zungen- und Lochnadeln.

Raschi, eigtl. Salomo ben Isaak, jüd. Gelehrter, * Troyes 1040, † ebd. 30. 7. 1105. Seine Kommentare zur hebr. Bibel und zum babylon. Talmud gelten im Judentum als klassisch und werden in den rabbin. Textausgaben mit abgedruckt.

Rasdan, *der,* Fluss in Armenien, →Sewansee.

Ras Daschan [-daʃɛn] *der,* der höchste Berg Äthiopiens, im Amharenhochland, 4620 m ü. M.

Rasen, 1) *Biologie:* der gleichförmige, dichte, niedrige, flächendeckende Bewuchs, z.B. von Bakterien, Algen.

2) *Landschaftsgärtnerei:* künstlich zusammengestellte Grasdecke für Zier- und Nutzzwecke in Parks, Anlagen, Gärten, auf Sport- und Spielplätzen.

3) *Vegetationskunde:* Bez. für v.a. aus Gräsern gebildete Pflanzengesellschaften, z.B. Trocken- und Mager-R. auf flachgründigen, trockenen Felsen.

Rasen|eisen|erz (Sumpferz, Wiesenerz), meist unreines, dunkelbraunes bis schwarzes, amorphes Eisenerz (Brauneisen), oft manganhaltig, am Boden flacher, sumpfiger Senken; früher abgebaut.

Rasenmäher, hand- oder motorgetriebene Maschine zum Mähen von Rasenflächen. Der **Spindelmäher** besteht aus einer um eine horizontale Achse umlaufenden Spindel mit schraubenartig gewundenen Messern und einer geraden Gegenschneide in Bodennähe. Bei den **Sichelmähern** rotiert ein propellerähnl. Messer; es arbeitet ohne Gegenschneide im »freien Schnitt« und wirft gleichzeitig das Gras aus.

Rasenplaggen (Grassoden), aus Rasenflächen gewonnene, verwurzelte Rasenstücke, etwa 25 × 25 cm groß und 6–8 cm stark, zum schnellen Befestigen oder Ausbessern von Böschungen.

Raps
(Höhe 60–120 cm)

Rạsgrad (Razgrad), Stadt in NO-Bulgarien, in der Donauebene, 58100 Ew.; Theater, Museum; pharmazeut., Glas-, Porzellan- u.a. Industrie.

Rasht [-ʃt], Stadt in Iran, → Rescht.

Rasi̱erwasser, Rasierhilfsmittel zur Vorbereitung der Elektrorasur (**Preshave,** fett- und schweißlösend, hautstraffend) und zur Nachbehandlung der Haut nach der Nass- oder Trockenrasur (**Aftershave,** neutralisierend, rückfettend, adstringierend). Letzteres enthält meist 30–50% Äthanol, schwache Säuren und Aluminiumsalze.

Rạsin, Stepan Timofejewitsch, gen. Stenka R., Kosakenführer, * Staniza Simoweiskaja-na-Donu um 1630, † (hingerichtet) Moskau 16. 6. 1671; unternahm 1662/63 an der Spitze der Donkosaken Streifzüge gegen Krimtataren und Türken, 1667–69 einen Raubzug in die pers. Küstengebiete des Kasp. Meeres; 1670/71 Führer eines Volksaufstandes am Don und an der unteren Wolga.

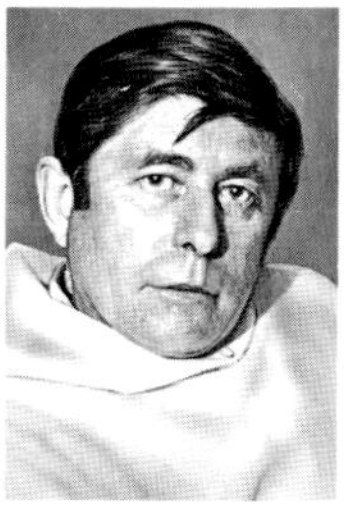

Knud Rasmussen

Rạsk, Rasmus Kristian, dän. Sprachforscher, * Brœndekilde (auf Fünen) 22. 11. 1787, † Kopenhagen 14. 11. 1832; Prof. der Literaturgeschichte und der oriental. Sprachen ebd.; neben F. Bopp einer der Begründer der vergleichenden indogerman. Linguistik.

Raskọlniki [von russ. raskol »Spaltung«], die nach den Reformen des Patriarchen → Nikon von der russisch-orth. Kirche abgespaltenen Gruppen (Selbstbez. **Altgläubige,** auch **Altritualisten**), die auf der altruss. Tradition in Brauchtum, Liturgie und Riten beharrten. Führer der R. war der Priester → Awwakum. Der Kirchenbann über die R. (1667) wurde 1971 aufgehoben.

Grigori Rasputin

Rạsmussen, Knud, dän. Polarforscher, * Jakobshavn (Grönland) 7. 6. 1879, † Kopenhagen 21. 12. 1933; leitete 1912–33 von seinem Stützpunkt Thule in NW-Grönland aus sieben Polarexpeditionen, auf deren fünfter (1921–24) er von der Hudsonbai bis zur Beringstraße vordrang.

Raspụtin, 1) Grigori Jefimowitsch, russ. Mönch, * Pokrowskoje (bei Tjumen) 1864 oder 1865, † Petrograd 30. 12. 1916; Wanderprophet, seit 1907 am russ. Kaiserhof; gewann durch seine angebl. Fähigkeit, dem an der Bluterkrankheit leidenden Thronfolger durch magnet. und hypnot. Kräfte helfen zu können, steigenden Einfluss auf Kaiser Nikolaus II. und dessen Gemahlin Alexandra Fjodorowna; wegen seiner Machtgier und Ausschweifungen von Angehörigen der Hofges. ermordet.

Walentin Rasputin

📖 STEIN, F. N.: *R. Teufel im Mönchsgewand? München 1997.*

2) Walentin Grigorjewitsch, russ. Schriftsteller, * Ust-Uda (Gebiet Irkutsk) 15. 3. 1937; begann mit Dorfprosa, sieht sich zunehmend als Vertreter russisch-nat. Kräfte. Er schildert die Natur und die einfachen Menschen seiner sibir. Heimat (Erz.: »Geld für Maria«, 1968; »Die letzte Frist«, 1970; »Leb und vergiß nicht«, dt. Ausw. 1979; »Abschied von Matjora«, 1976; »Der Brand«, 1985; »Sibir«, 1991).

Rạs Schạmra, Ruinenstätte von → Ugarit.

Rasse [frz.], Gruppe von Lebewesen, die sich durch ihre gemeinsamen Erbanlagen von anderen Artangehörigen unterscheiden. In der *zoolog. Systematik* wird der Begriff R. synonym mit Unterart (Subspezies) gebraucht. Die Angehörigen versch. R. sind untereinander fruchtbar. Als **geograph. R.** bezeichnet man lokale Populationen, die versch., voneinander getrennte Areale besiedeln. Populationen, die im gleichen geograph. Gebiet, aber unter versch. Standortbedingungen leben, werden als **ökolog. R.** (Ökotypen) bezeichnet. – In der *Tier-* und *Pflanzenzucht* sind R. (Zucht-R.) aufgrund künstl. Auslese und sexueller Isolation gezüchtete Formengruppen mit (erwünschten) gleichen charakterist. Merkmalen. In der Tierzucht wird die Einteilung der R. vorgenommen nach Entwicklungsgrad (Natur-R., Land-R., Kultur-R.), nach morpholog. Merkmalen (z.B. beim Rind behornt und unbehornt), nach Nutzungsrichtung (z.B. Woll- und Fleisch-R. beim Schaf), nach der Anpassung an natürl. Standortverhältnisse (z.B. Niederungs- und Höhen-R.) und nach geograph. Verbreitung. In der Pflanzenzucht wird der Begriff R. nicht einheitlich gebraucht, gebräuchlicher sind die Begriffe Form und Sorte. – In der *Anthropologie* steht für R. heute oft der Begriff »typolog. Kategorie« (→ Mensch).

Rassel, Geräuschinstrument, das durch Schütteln zum Klingen gebracht wird. Man unterscheidet Reihen-R. (z.B. → Sistrum mit Klirrscheiben), Rahmen-R. (z.B. Sistrum mit bewegl. Stäben) und Gefäß-R. (z.B. Maracas).

Rassemblement Démocratique Africain [rasɑ̃blə'mɑ̃ demokra'tik afri'kɛ̃; frz. »Afrikan. Demokrat. Sammlungsbewegung«], Abk. **RDA,** 1946 gegründete (erster Präs. F. Houphouët-Boigny), stärkste überregionale polit. Organisation im ehem. Frz.-Westafrika und Frz.-Äquatorialafrika, befürwortete eine Zusammenarbeit mit Frankreich; zerfiel seit 1958 in ihre Landesverbände.

Rassemblement pour la République [rasɑ̃blə'mɑ̃ pur la repy'blik; frz. »Sammlungsbewegung für die Republik«], Abk. **RPR,** frz. polit. Partei, gegr. 1976 als Organisation des → Gaullismus.

Rassenfrage, ungenaue und umstrittene Sammelbez. für gesellschaftl. Probleme, die damit erklärt werden, dass Menschen, die als zu versch. Rassen zugehörig eingestuft werden, in einer Gesellschaft zusammenleben. Da dieses Zusammenleben häufig mit wirtsch., sozialen oder polit. Spannungen verbunden ist, entwickeln sich aus der Zuordnung dieser Probleme zu angenommenen Rassenmerkmalen oftmals unterschiedl. Formen des → Rassismus.

Rassengesetze, Bez. für Gesetze zur Verwirklichung rassenideolog. Vorstellungen durch Diskriminierung von Angehörigen bestimmter ethn. oder rass. Gruppen, v.a. im nat.-soz. Dtl. (→Nürnberger Gesetze, →Euthanasie).

Rassenkunde, Gebiet der Anthropologie, das sich v.a. mit der Entstehung, (geograph.) Verbreitung, Charakterisierung bzw. Typisierung und Klassifizierung der Rassen (typolog. Kategorien) des →Menschen befasst. Grundlage der Rassengliederung ist das gehäufte Vorkommen bestimmter Kombinationen biologischer Merkmale in Fortpflanzungsgemeinschaften (Populationen), die in Zeit und Raum veränderlich sind.

Rassismus *der,* Gesamtheit der Theorien und polit. Lehren, die versuchen, kulturelle Fähigkeiten und Entwicklungslinien der menschl. Geschichte nicht auf polit. und soziale, sondern auf biologisch-anthropolog. (d.h. typolog.) Ursachen zurückzuführen; i.e.S. alle Lehren, die aus solchen Zusammenhängen eine Über- bzw. Unterlegenheit einer menschl. Rasse gegenüber einer anderen behaupten, um Herrschaftsverhältnisse zu rechtfertigen sowie mithilfe dieser Ideologie Massen für objektiv andere (z.B. polit. oder wirtsch.) Interessen zu mobilisieren. Der R. liefert innenpolitisch die Begründung für Diskriminierung, Unterprivilegierung oder Unterdrückung ethn. Gruppen (oft Minderheiten), die als Vertreter anderer Rassen bezeichnet werden. Außenpolitisch wird der R. zur Rechtfertigung von Imperialismus und Kolonialismus herangezogen.

Ideengeschichte: Seit dem Aufkommen der Ideale der bürgerl. Aufklärung – Freiheit, Gleichheit und Brüderlichkeit – bedurften Sklaverei und Kolonialismus einer Rechtfertigungsideologie, die die »rassische« Überlegenheit der Europäer über die Weltbev. beweisen sollte. In anthropolog. Theorien über den Zusammenhang von Kultur und rass. Beschaffenheit wurde dabei der biolog. Begriff der Rasse mit dem ethnisch-soziolog. Begriff »Volk« vermengt. Verbreitung erreichte der R. v.a. im 19. Jh., als die Theorien C. R. Darwins von der natürl. Auslese in sozialdarwinist. Interpretation in die Rassentheorien übernommen wurden. J. A. Graf von Gobineau entwickelte die Lehre von der Ungleichheit innerhalb der weißen Rasse, deren reiner Kern die »arische« Rasse sei. Beeinflusst von dieser Theorie einer zur Herrschaft berufenen Eliterasse waren F. Nietzsche und H. S. Chamberlain. Ähnliche Rassenlehren entstanden im 19. Jh. auch in den USA. Im 20. Jh. verschmolzen nationalist. und rassentheoret. Gedankengänge zu rassist. Ideologien, v.a. im →Antisemitismus (obwohl die Juden keine eigenständige biolog. Rasse darstellen) während des Nationalsozialismus. Neuerdings bedient sich der R. z.B. verhaltensbiolog. Argumente.

📖 MICKSCH, J.: *Kulturelle Vielfalt statt nat. Einfalt. Eine Strategie gegen Nationalismus u. R. Frankfurt am Main 1989.* – MOSSE, G. L.: *Die Geschichte des R. in Europa. A. d. Amerikan. Frankfurt am Main 1990.* – GEISS, I.: *Geschichte des R. Frankfurt am Main ³1991.* – MILES, R.: *R. Einführung in die Geschichte u. Theorie eines Begriffs. A. d. Engl. Hamburg u.a. 1991.* – BALIBAR, É. *u.* WALLERSTEIN, I.: *Rasse, Klasse, Nation. Ambivalente Identitäten. A. d. Frz. Hamburg u.a. ²1992.* – MEMMI, A.: *R. Aus dem Frz. Neuausg. Hamburg 1992.* – *Theorien über R. Eine Tübinger Veranstaltungsreihe, hg. v.* O. AUTRATA *u.a. Hamburg u.a. 5.–6. Tsd. 1992.* – POLIAKOV, L.: *Der arische Mythos. Zu den Quellen von R. u. Nationalismus. A. d. Frz. Hamburg 1993.*

Rastatt 2): Das im Stadtteil Niederbühl gelegene, 1710–12 erbaute Lustschloss Favorite beherbergt heute ein Museum

Rastafari, afroamerikan. Religion, auch Bez. für ihre Anhänger; in den 1930er-Jahren in Anknüpfung an Ideen M. M. Garveys (Befreiung der Schwarzen aus ihrer »babylon. Gefangenschaft« in Amerika) in Jamaika entstanden; ben. nach Ras (»Fürst«) Tafari (dem späteren äthiop. Kaiser Haile Selassie I.), der als unsterbl. »Jah (Gott) R.« verehrt wird; weltweit mindestens 5 Mio. Anhänger.

Rastatt, **1)** Landkreis im RegBez. Karlsruhe, Bad.-Württ., 739 km², (1996) 218 900 Einwohner.

2) Kreisstadt (Große Kreisstadt) von 1), im Oberrhein. Tiefland, an der Murg, 46 900 Ew.; Institut für Europäisch-Amerikan. Studien, Museen; elektro- und kühltechn. Ind., Automaten- und Fahrzeugbau, Metall-, Papier- u.a. Ind., Druckereien und Verlage. – R. wurde im 18. Jh. nach einheitl. Plan im Barockstil neu angelegt: Schloss (1697–1707; Erinnerungsstätte für die Freiheitsbewegungen der dt. Geschichte, wehrgeschichtl. Museum) nach Versailler Vorbild, Schlosskirche (1719–21); Stadtkirche Sankt Alexander (1756–64), Rathaus (1750). Im Stadtteil Niederbühl das Lust-

Rastatt 2)
Stadtwappen

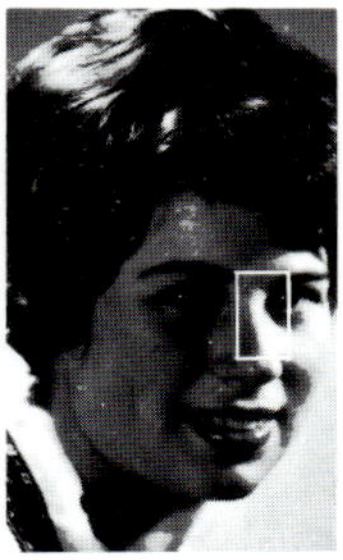

Raster 3): gerastertes Porträt, darunter die Vergrößerung eines Ausschnitts zur Sichtbarmachung des Rasters

schloss **Favorite** (1710–12). – 1085 erstmals erwähnt; ab 1700 Stadt; 1705–71 Residenz der Markgrafen von Baden-Baden; 1841–69 zur Festung des Dt. Bundes ausgebaut (ab 1888 geschleift); 1848/49 Mittelpunkt der Revolution in Baden.

Der **Rastatter Friede** vom 6. 3. 1714 bestätigte den Utrechter Frieden von 1713 und beendete den Span. Erbfolgekrieg auch zw. Österreich und Frankreich. – Der **Rastatter Kongress** vom 9. 12. 1797 bis 23. 4. 1799 bewilligte die Abtretung des linken Rheinufers an Frankreich durch das Hl. Röm. Reich; ungeklärt blieb die Ermordung zweier frz. Gesandter am 28. 4. 1799 (Rastatter Gesandtenmord).

Rastede, Gemeinde im Landkreis Ammerland, Ndsachs., 19 300 Ew.; Metall- und Kunststoffverarbeitung, Herstellung von Industrierobotern; Baumschulen, Gartenbau. – Ulrichskirche (gegr. 1059) mit roman. Krypta (um 1100); im engl. Park frühklassizist. Schloss (Ende 18. Jahrhundert).

Rastelli, Enrico, italien. Jongleur, * Samara 1896, † Bergamo 12. 12. 1931; gilt als der berühmteste Jongleur seiner Zeit.

Rastenburg, Stadt in Polen, → Kętrzyn.

Raster [von lat. rastrum »Hacke«], **1)** *der, Bauwesen:* Liniennetz aus sich rechtwinklig kreuzenden Linien; die Abstände der Linien entsprechen einem Grundmaß der Baumaßordnung.

2) *das, Datenverarbeitung* und *Elektronik:* ein Punktmuster, das durch sich kreuzende Linienscharen, die in einer Fläche verlaufen, erzeugt wird. Ein R. dient der digitalen Zerlegung oder Darstellung eines Bildes im weitesten Sinn. Dabei ist jeder R.-Punkt ein → Pixel.

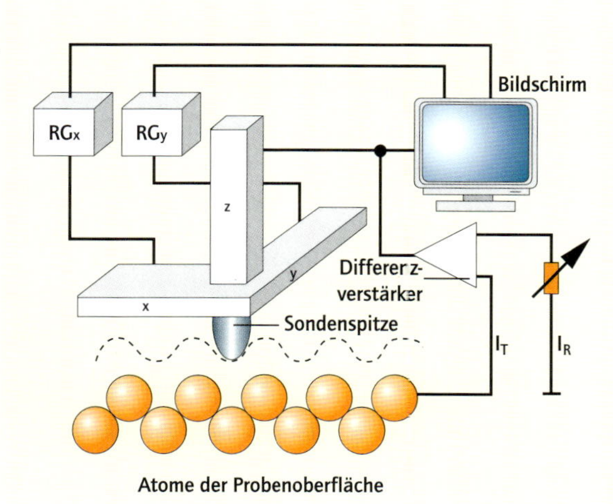

Rastertunnelmikroskop: Funktionsprinzip; die Höhe der Abtastspitze über der Probe wird durch die Differenz zwischen der Stärke des Tunnelstroms (I_T) und der Stärke des einstellbaren Lichtstroms (I_R) geregelt; aus den Signalen der Rampengeneratoren (RG_x, RG_y) werden die für die Darstellung benötigten Daten (x- und y-Koordinaten, z-Signal für Helligkeit) gewonnen

3) *der, Drucktechnik:* bei der Druckformherstellung verwendete Folie (früher Glasplatte) mit Gittersystem. Mit R. lassen sich Halbtonvorlagen in druckfähige Bildelemente zerlegen: Entsprechend

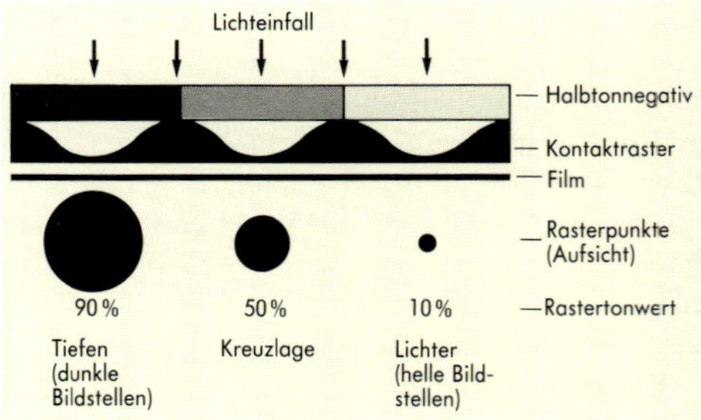

Raster 3): Entstehung der Rasterpunkte bei der Übertragung eines Halbtonnegativs auf einen Film mithilfe eines Kontaktrasters

den Abstufungen der Tonwerte entsteht auf dem Rasternegativ eine mehr oder weniger dichte Ansammlung von Punkten (→ Autotypie). Kontakt-R. (R.-Folie) werden unmittelbar auf die lichtempfindl. Schicht gelegt. Sie weisen Punkte mit vom Zentrum nach außen abnehmender opt. Dichte oder sich kreuzenden Linien auf.

Rasterfahndung, → Fahndung.

Rastertunnelmikroskop, Abk. **RTM**, engl. **STM** (von **s**canning **t**unnel **m**icroscope) (Tunnelmikroskop), Mikroskop, das zur Abbildung der Oberfläche eines Objekts den Tunnelstrom (→ Tunneleffekt) zw. Festkörper und Abtastspitze des Mikroskops ausnutzt; durch punktweises Abtasten der Probenoberfläche mit der Sonde sind Strukturen im atomaren Bereich auflösbar. Neben der Strukturanalyse von Oberflächen ist das R. zur Manipulation einzelner Atome auf Kristalloberflächen und zur Erzeugung kleinster Strukturen geeignet, wodurch eine neue Speichertechnologie im atomaren Maßstab möglich wird. – Das Prinzip des R. kann auf die verschiedensten Wechselwirkungen zw. zwei Körpern übertragen werden. Daraus resultiert eine Anzahl von **Rastersondenmikroskopen,** die dem R. analog sind, aber statt auf den Tunnelstrom auf andere Parameter reagieren. So werden beim **Rasterkraftmikroskop** die bei Kontakt zw. Sonde und Probenoberfläche auftretenden abstoßenden Kräfte, chem. oder Austauschkräfte, Van-der-Waals-, Coulomb- oder magnet. Kräfte ausgenutzt. Weiterhin sind opt. Nahfeldmikroskopie, Mikroskopie auf der Basis der Wärmeleitung, Kapazitätsänderung oder ion. Leitfähigkeit möglich.

Rastral [zu lat. rastrum »Hacke«] *das,* Gerät mit fünf Zinken, beim → Notenstich verwendet.

Rastrelli, Bartolomeo Francesco Graf, russ. Baumeister italien. Herkunft, * Paris 1700, † Sankt Petersburg 1771; seit 1736 Hofarchitekt am Zarenhof; entwickelte eine russ. Sonderform des Spätbarock. – *Werke:* Smolny-Kloster (1748–54) und Winterpalais (1754–63) in Sankt Petersburg; Andreaskathedrale in Kiew (1747–52); Schloss in Zarskoje Selo (Puschkin; 1752–57); Stadtplanung von Sankt Petersburg.

Raszilen (serb. Raška), Bergland im südl. Serbien und östl. Montenegro, Jugoslawien; das Kerngebiet des serb. Reiches der Nemanjiden im MA. (Zentrum Novi Pazar).

Rat, *Staats-* und *Verwaltungsrecht:* kollegiale Behörde oder parlamentar. Versammlung sowie deren (gewählte oder ernannte) Mitgl., z. B. Ministerrat, Staatsrat, Stadtrat, Bundesrat.

Rät [nach den Rätischen Alpen] *das* (Rhät), *Geologie:* Stufe des → Keuper.

Rat der EKD, → Evangelische Kirche in Deutschland.

Rat der Volksbeauftragten, in Dtl. die während der Novemberrevolution gebildete vorläufige Regierung (9. 11. 1918 bis 10. 2. 1919); ihr gehörten an: F. Ebert, P. Scheidemann und O. Landsberg (alle SPD) sowie H. Haase, W. Dittmann und E. Barth (alle USPD). Ende Dez. 1918 schieden die USPD-Vertreter aus und wurden durch die SPD-Mitgl. G. Noske und R. Wissell ersetzt.

Rat der Volkskommissare (russ. Sowjet Narodnych Komissarow, Kw. Sownarkom), 1917–46 in Sowjetrussland bzw. der UdSSR das oberste Regierungsorgan; hieß danach **Ministerrat.**

Ratdolt, Erhard, Drucker, Verleger, * Augsburg 1447, † ebd. 1527 oder 1528; druckte in Venedig und Augsburg. Die Typographie und Illustration seiner Drucke machten die venezian. Buchkunst der Renaissance in Dtl. bekannt. R. wendete als Erster Mehrfarbenholzschnitt und Golddruck an.

Rate [lat.], **1)** *Physik:* durch Bezug auf die Zeit gebildete Kenngröße bei zeitlich stochast. Vorgängen (mittlere Zahl der Ereignisse pro Zeiteinheit), z. B. die **Zerfalls-R.** in der Radioaktivität, die **Reaktions-R.** bei chem. Reaktionen.

2) *Wirtschaft:* regelmäßig wiederkehrender Teilzahlungsbetrag im Abzahlungsgeschäft (→ Verbraucherkreditgesetz).

Rätesystem (Rätedemokratie), radikale Form der direkten Demokratie, in der Wählervollversammlungen der Basiseinheiten (Betriebs-, Wohn- und Verwaltungseinheiten) als Vertreter die an ihr Mandat gebundenen und jederzeit abwählbaren Räte wählen. Die Räte besitzen gesetzgebende, ausführende und Recht sprechende Gewalt. Die Räte der Basiseinheiten wählen ihrerseits jeweils die Vertreter zu einem Rat auf höherer Ebene (indirekte Wahl). – Die polit. Theorie des R. geht auf P. J. Proudhon, M. Bakunin und v. a. auf K. Marx und Lenin zurück, die mit ihrer Deutung der Pariser Kommune (1871) die modernen Erscheinungsformen des Rätegedankens prägten. Seit 1890 spielte dieser im frz. und span. Syndikalismus eine Rolle, ebenso in den russ. Revolutionen 1905 und 1917 (Arbeiter- und Soldatenräte); er hatte aber nach der Oktoberrevolution nur noch formale Bedeutung. Während der Novemberrevolution 1918 bildeten sich vorübergehend in Dtl. und Ungarn Räterepubliken. Neu belebt wurde die Räteidee durch die → neue Linke.

📖 *Theorie u. Praxis der direkten Demokratie. Texte u. Materialien zur Räte-Diskussion, hg. v.* U. Bermbach. *Opladen 1973.* – Kevenhörster, P.: *Das*

Rat der Volksbeauftragten: Fotopostkarte von 1919 mit den sechs Mitgliedern des Rates: Hugo Haase, Otto Landsberg, Wilhelm Dittmann (links) sowie Friedrich Ebert, Philipp Scheidemann und Emil Barth (rechts), das Bild dazwischen zeigt die Ausrufung der Republik am 9. November 1918 vom Reichstagsgebäude aus

Erhard Ratdolt: Druckerzeichen

Bartolomeo Francesco Graf Rastrelli: Die 1747–52 erbaute spätbarocke Andreaskathedrale in Kiew zählt zu den Hauptwerken des Baumeisters

R. als Instrument zur Kontrolle polit. u. wirtschaftl. Macht. Opladen 1974. – DÄHN, H.: *Rätedemokrat. Modelle. Studien zur Rätediskussion in Dtl. 1918–1919. Meisenheim am Glan 1975.* – KOLB, E.: *Die Arbeiterräte in der dt. Innenpolitik, 1918–1919. Neuausg. Frankfurt am Main u. a. 1978.*

Jörg Ratgeb: Innenseite des linken Außenflügels des Herrenberger Altars (1518/19; Stuttgart, Staatsgalerie)

Rat für gegenseitige Wirtschaftshilfe, Abk. **RGW** oder **RgW** (engl. Council for Mutual Economic Assistance, Abk. Comecon, COMECON), ehemalige Wirtschaftsorganisation kommunist. Staaten zur wirtsch. Integration auf der Basis der Koordination der nat. Volkswirtschaftspläne sowie der Spezialisierung und Kooperation der industriellen Produktion im Rahmen der internat. Arbeitsteilung zw. den Mitgl.staaten; gegr. am 25. 1. 1949, Sitz: Moskau. Gründungsmitgl.: UdSSR, Polen, Tschechoslowakei, Ungarn, Rumänien, Bulgarien; weitere Mitgl.: DDR (1950), Mongol. VR (1962), Kuba (1972), Vietnam (1978), Albanien (23. 2. 1949; stellte 1962 seine Mitarbeit ein). Der RGW wurde als Reaktion auf die Integrationsprozesse in Westeuropa und als Gegenstück zur OEEC (heute OECD) gegr. und sollte sich als östl. Gegenmodell zur EWG profilieren. Die den RGW dominierende UdSSR war für alle RGW-Länder wichtigster Handelspartner als Hauptlieferant von Energie und Rohstoffen. Als Gegenleistung wurden vorwiegend industrielle Erzeugnisse geliefert. Der Außenhandel zw. den Mitgl.staaten erfolgte weitgehend auf bilateraler Basis; der Zahlungsverkehr wurde mit Transferrubel (nicht frei konvertierbar) über die Internat. Bank für wirtsch. Zusammenarbeit (gegr. 1963; Moskau) abgewickelt. Die Internat. Investitionsbank (1970; Moskau) finanzierte gemeinsame Investitionsprojekte. Die paritätisch zusammengesetzten RGW-Organe waren keine supranat. Behörden mit übergeordneter Entscheidungsfunktion; ihre nur empfehlenden Beschlüsse bedurften der Bestätigung durch nat. Instanzen. Die Ratstagung war formell das höchste Organ. – Der RGW wurde am 28. 6. 1991 aufgrund der tief greifenden polit. Umgestaltungen und der wirtsch. Probleme in den Ländern Mittel- und Osteuropas aufgelöst.

📖 STEFFENS, R.: *Integrationsprobleme im R. f. g. W. (RGW). Hamburg 1974.* – *Lexikon RGW, hg. v.* M. ENGERT *u. a. Leipzig 1981.* – ZWASS, A.: *Der R. f. G. W. 1949 bis 1987. Wien 1988.*

Ratgeb, Jörg, Maler, *Schwäbisch Gmünd um 1480/85, † (hingerichtet) Pforzheim 1526; war u. a. in Stuttgart, Frankfurt am Main (Wandgemälde im Karmeliterkloster, 1514–17) und Herrenberg (Herrenberger Altar, 1518/19; Stuttgart, Staatsgalerie) tätig; kämpfte im Bauernkrieg aufseiten der Bauern, 1526 gefangen genommen, zum Tode verurteilt und gevierteilt. In seinen Bildern steigert R. die realist. Malerei der Spätgotik zu einem expressiven Frühmanierismus. Seine Werke lassen auf Einflüsse von H. Holbein d. Ä., M. Grünewald und der oberitalien. Malerei schließen.

📖 FRÄNGER, W.: *J. R. Ein Maler u. Märtyrer aus dem Bauernkrieg. München [2]1981.* – LANG, K.: *Die Farbe bei J. R. Frankfurt am Main 1982.*

Rathaus, Gebäude für die Gemeindeverwaltung und die städt. Ämter. – Bereits im alten Griechenland entstanden Bauten für Ratsversammlungen (Buleuterion), in der Anlage oft Theatern ähnlich (Priene, Milet). Im Röm. Reich war das R. (Curia) häufig ein längl. rechteckiger Raum mit ansteigenden Rängen. Im MA. wurde das R. meist als repräsentatives Gebäude am Marktplatz errichtet. In Italien entstand der zweigeschossige R.-Bau mit offener Erdgeschosshalle (Markt- oder Gerichtshalle) und Saal im Obergeschoss (mit Balkon oder Erker für Ansprachen), häufig mit Turm (Siena, 1288 ff., BILD; Florenz, 1298 ff.). Im mittelalterl. Dtl. entstanden fast ausschl. Saalbauten; zu den bedeutendsten zählen das R. von Münster (um 1335 ff.), das R. von Lübeck (1298 ff., letzter Anbau 1570/71), das R. von Stralsund (15. Jh.), auch Fachwerkbauten wie das R. von Michelstadt (1448) oder Alsfeld (1512–16, BILD). Bes. repräsentativ wurde in den Niederlanden gebaut (Löwen,

Walther Rathenau
(um 1920)

1448–63, BILD). Renaissance- und Barockzeit orientierten sich am Palast (R. in Augsburg von E. Holl, 1615–20, BILD; Schwäbisch-Hall, 1732–35). In der 2. Hälfte des 19. Jh. entstanden historisierende große Bauten, meist um Innenhöfe (Berlin, Wien, München), im 20. Jh. neben zahlr. kastenförmigen Verwaltungsbauten auch einige neue architekton. Lösungen, z. B. in Stockholm (R. Östberg, 1909–23, BILD), Hilversum (W. M. Dudok, 1928–31), Säynätsalo/Finnland (A. Aalto, 1949–52), Tokio (Tange Kenzo, 1952–57), Bensberg (G. Böhm, 1965–67), Mainz (A. Jacobsen, 1970–73), Stopera in Amsterdam (W. Holzbauer, 1982–87, BILD). Weitere BILDER u. a. Altenburg, Backsteinbau, Bamberg, Basel, Chemnitz, Delft, Gouda, Oslo, Potsdam, Rudolstadt

📖 *Polit. Architektur in Europa vom Mittelalter bis heute, hg. v.* M. WARNKE. *Köln 1984.* – DAMUS, M.: *Das R. Architektur- u. Sozialgeschichte von der Gründerzeit zur Postmoderne. Schwerpunkt: Rathausbau 1945–1986 in der Bundesrepublik Dtl. Berlin 1988.*

Rathenau, 1) Emil, Großindustrieller, *Berlin 11. 12. 1838, † ebd. 20. 6. 1915, Vater von 2); gründete 1883 die Dt. Edison-Ges. für angewandte Elektricität, aus der 1887 die Allg. Elektricitäts-Ges. (AEG) hervorging, 1884 die Berliner Elektrizitätswerke und 1903 zus. mit W. von Siemens die Telefunken Ges. für drahtlose Telegraphie m. b. H.

2) Walther, Politiker und Industrieller, *Berlin 29. 9. 1867, † (ermordet) ebd. 24. 6. 1922, Sohn von 1); seit 1915 Präs. der AEG; 1919 bei den Vorbereitungen zur Friedenskonferenz in Versailles tätig; ab 1922 Reichsaußenmin., schloss den → Rapallovertrag mit der UdSSR ab; durch ehem. Offiziere der Organisation Consul ermordet. – Als sozial- und kulturphilosoph. Schriftsteller war R. einer der meistgelesenen Autoren seiner Zeit (u. a. »Zur Kritik der Zeit«, 1912; »Die neue Gesellschaft«, 1919).

📖 KESSLER, H. GRAF: *Gesammelte Schriften, hg. v.* C. BLASBERG *u.* G. SCHUSTER, *Bd. 3: W. R. Sein Leben u. sein Werk. Neuausg. Frankfurt am Main 1988.* – *»Ein Mann vieler Eigenschaften« – W. R. u. die Kultur der Moderne, Beiträge v.* T. P. HUGHES *u. a. Berlin 1990.*

Rathenow
Stadtwappen

Rathenow [-no], Kreisstadt des Landkreises Havelland, Brandenburg, an der Havel, 28 300 Ew.; Herstellung von Brillen, Mikroskopen u. a. opt. Geräten, von Heizgeräten und Behältern, Metallwaren- u. a. Ind.; Flusshafen. – Stadtpfarrkirche (13., 15. und 17. Jh.). – 1288 erstmals als Stadt bezeugt; 1733 um die Neustadt erweitert.

Lutz Rathenow

Rathenow [-no], Lutz, Schriftsteller, *Jena 22. 9. 1952; 1980 wegen der in der Bundesrep. Dtl. erfolgten Veröffentlichung des krit. Prosabandes »Mit dem Schlimmsten wurde schon gerechnet« verhaftet; konnte bis 1989 in der DDR nur vereinzelte Arbeiten publizieren; Lyrik »Zangengeburt« (1982), »Sterne jonglieren« (1989), »Die lautere Bosheit« (Satiren, 1992).

Ratibor, Stadt in Polen, → Racibórz.

Rätilen (lat. Raetia), im Altertum das von **Rätern,** einer Volksgruppe unsicherer Herkunft (mit vermutlich vorindogerman. Sprache), bewohnte Gebiet. Es umfasste Graubünden, Tirol und das Alpenvorland zw. Schwäb. Alb und Inn. R. wurde unter Augustus 15 v. Chr. römisch und unter Einbeziehung der kelt. Vindeliker bis zur Donau ausgedehnt (prokonsular. Provinz **Raetia et Vindelicia,** Hptst. Augusta Vindelicorum, d. h. Augsburg). Im 5. Jh. n. Chr. besetzten die Alemannen den westl., die Bajuwaren den östl. Teil; die christianisierte rätoroman. Bev. erhielt sich in gebirgigen Rückzugsgebieten. (→ Rätoromanen, → rätoromanische Sprache)

📖 SCHÖN, F.: *Der Beginn der röm. Herrschaft in R. Sigmaringen 1986.* – *Beiträge zur Raetia Romana. Voraussetzungen u. Folgen der Eingliederung R.s ins Röm. Reich, hg. v. der Historisch-antiquar. Gesellschaft von Graubünden. Chur 1987.*

Ratifikation [lat.] *die* (Ratifizierung), *Völkerrecht:* die an die Partner eines völkerrechtl. Vertrages gerichtete Mitteilung, dass der Vertrag innerstaatlich nach Durchlaufen des R.-Verfahrens in

Rathenau

An diesem Tage hätte die Weltgeschichte ihren Sinn verloren.

Diesen Satz hat Walther Rathenau beim Ausbruch des Ersten Weltkriegs im Hinblick auf dessen Ausgang einem Freund gegenüber ausgesprochen. Rathenau, der spätere Außenminister, hielt den damals regierenden Wilhelm II. für einen zwar sympathischen Menschen, aber auch für einen zum Regieren völlig untauglichen Kaiser, der den Krieg niemals gewinnen könnte. Würde jedoch ein solcher Kaiser dennoch als Sieger zurückkehren, so Rathenau, dann hätte die Weltgeschichte ihren Sinn verloren.
In ähnlichem Sinne wird, etwa angesichts einer absurden Situation, einer für unsinnig gehaltenen Entwicklung, der Ausspruch Rathenaus auch heute noch zitiert.

Kraft gesetzt worden ist. Da völkerrechtl. Verträge im Verhältnis der Vertragsparteien an sich bereits mit der Unterzeichnung verbindlich werden, bedarf der Vorbehalt der R. einer entsprechenden Klausel im Vertrag. Dieser wird dann erst durch Austausch der R.-Urkunden verbindlich.

Rätikon *das,* auch *der* (früher Rhätikon), südwestlicher Teil der Nördl. Kalkalpen in Vorarlberg (Österreich), Graubünden (Schweiz) und Liechtenstein, in der Schesaplana 2965 m ü. M.

rationale Architektur: Die Kathedrale von Évry bei Paris wurde 1991–95 von Mario Botta erbaut

Rating ['reɪtɪŋ, engl.] *das,* Einstufung von Ländern **(Länder-R.),** internat. tätigen Banken **(Banken-R.)** und Geld- bzw. Kapitalmarktpapieren **(Emissions-R.)** nach ihrer Fähigkeit, Kredite fristgerecht zurückzuzahlen (Bonität), in ein Klassifikationssystem durch neutrale R.-Agenturen wie Standard & Poor's Corporation und Moody's Investors Service. Emissions-R. zielt in erster Linie auf die Wahrscheinlichkeit der fristgerechten und vollständigen Zins- und Tilgungsleistungen durch die Emittenten, es werden aber auch andere Komponenten (z. B. Ertrag, Kapitalausstattung, Qualität von Forderungen) einbezogen. R. dient der Markttransparenz und hat für Emittenten mit hoher Einstufung den Vorteil, Kapital zu Vorzugskonditionen zu erhalten.

Ratingen, Stadt im Kreis Mettmann, NRW, nordöstlich an Düsseldorf anschließend, 89 300 Ew.; Dampfkesselbau, keram., elektron. und elektrotechn. Ind.; geolog. Naturdenkmal »Blauer See« mit Naturbühne; am Autobahnkreuz die Miniaturstadt »Minidomm«. – Pfarrkirche St. Peter und Paul mit zwei roman. Türmen und got. Hallenlanghaus (vor 1300). – R. wurde 1276 Stadt.

rational [lat., zu ratio »Vernunft«], verstandesmäßig, vernünftig, zweckmäßig, begrifflich fassbar, schlüssig abgeleitet; Ggs.: irrational.

rationale Architektur, zu Beginn der 1960er-Jahre von A. Rossi begründete Richtung der Architektur, die die Beziehung zw. Stadtform und Gebäudetypologie zur Grundlage der Planung erhebt. Rossi führt alle architekton. Formen auf elementare Typen zurück, die sich aus der Stadtentwicklung ableiten lassen; Vertreter: J. P. Kleihues, O. M. Ungers, M. Botta, R. und L. Krier (BILD).

rationale Zahlen, → Zahl.

Rationalisierung [frz.], **1)** *Betriebswirtschaft:* zweckmäßige Gestaltung von Arbeitsabläufen mit dem Ziel, das Verhältnis von Aufwand und Nutzen zu optimieren, insbesondere durch effektiveren Einsatz von Arbeitskraft und Sachmitteln. R. kann erfolgen durch organisator. Maßnahmen (z. B. Verbesserung der Koordination zw. verschiedenen Teilprozessen; Leanproduction), mittels Wertanalyse (Verringerung des Rohstoff-, Material- und Energieeinsatzes) sowie v. a. durch Mechanisierung, d. h. Ersatz menschl. Arbeit durch Maschinenarbeit bis hin zur Automatisierung. Stetige R. ist Voraussetzung für die Steigerung der Produktivität und damit für die Erhaltung der Konkurrenzfähigkeit der Unternehmen sowie Basis für die Verbesserung der Arbeits- und Lebensbedingungen. Negative Folgen der R. sind u. a. Entwertung erworbener Qualifikation und Verlust von Arbeitsplätzen, die einen besonderen Schutz der Arbeitnehmer (R.-Schutz) erforderlich machen.

📖 *Technikentwicklung u. Arbeitsteilung im internat. Vergleich, hg. v.* K. DÜLL *u.* B. LUTZ. *Frankfurt am Main u. a. 1989.* – KERN, H. *u.* SCHUMANN, M.: *Das Ende der Arbeitsteilung? R. in der industriellen Produktion. München* [4]*1990.* – *Systemische R. als sozialer Prozeß, Beiträge v.* J. BERGSTERMANN *u. a. Bonn 1990.*

2) *Psychologie:* das unbewusste Verdrängen unverständl. oder moralisch negativ bewerteter Motive durch vorgeschobene rationale Gründe.

Rationalisierungs-Kuratorium der Deutschen Wirtschaft e. V., Abk. **RKW,** gemeinnütziger Verein zur Steigerung der Leistungsfähigkeit der dt. Wirtschaft durch Beratung, Information und Weiterbildung; gegr. 1921 als Reichskuratorium für Wirtschaftlichkeit in Ind. und Handwerk (RKW); 1947 Neugründung als **Rationalisierungs-Ausschuß der Dt. Wirtschaft (RAW);** seit 1950 jetziger Name; Sitz: Eschborn. Mitgl. sind Spitzenorganisationen aus Wirtschaft, Wiss. und Technik, Unternehmen und Gewerkschaften.

Rationalisierungsschutz, Schutz der Arbeitnehmer vor nachteiligen Auswirkungen von Rationalisierungsmaßnahmen. R. wird aufgrund von tarifvertragl. Vereinbarungen (R.-Abkommen) und begrenzt durch gesetzl. Regelungen (z. B. Betriebsverfassungsgesetz, → Interessenausgleich, → Sozialplan) gewährt. Zumeist besteht der R. in einer Verlängerung von Kündigungsfristen oder Abfindungszahlungen.

Rationalismus [zu lat. ratio »Vernunft«] *der,* die Überzeugung, dass die Struktur der Welt der Vernunft gemäß, d.h. von logischer, gesetzmäßig berechenbarer Beschaffenheit, sei. Der **metaphys. R.** behauptet eine Identität von Vernunft (Denken) und Wirklichkeit (Sein; so Parmenides, Platon, G. W. F. Hegel). Der **erkenntnistheoret. R.** geht, im Ggs. zum →Empirismus (J. Locke, D. Hume), davon aus, dass es Vernunftwahrheiten gebe, die nicht aus der Erfahrung geschöpft, ihr vielmehr, sie ermöglichend, zugrunde liegen, und dass auf ihnen das Gebäude der Philosophie zu errichten sei (I. Kant). Als Vorbild reiner Vernunfterkenntnis gelten die Mathematik und die Naturwiss. Nach rationalist. Auffassung sind auch alle geschichtl. Erscheinungen, bes. die Kulturgebilde, aus vernunftgeleiteten Erwägungen und Entschlüssen der handelnden Menschen entstanden, z.B. der Staat aus bewusster Vereinbarung, Sprache und Kunst aus absichtsvoller Erfindung, Religion ohne Offenbarung. – Gegen die in der neuzeitl. Philosophie mit R. Descartes beginnenden und in der Philosophie von G. W. Leibniz und C. Wolff gipfelnden rationalist. Systeme wandte sich Kants Kritik; er sprach der Vernunft lediglich eine die menschl. Erfahrung konstituierende bzw. regelnde Funktion zu **(method. R.),** ihr dabei jedes Ausgreifen auf das Sein an sich verbietend. Die Auswirkungen des R. waren vom 17. bis zum 19. Jh. groß, bes. in der Religionswiss. und prot. Theologie (Überprüfung der Glaubenslehre an den Maßstäben der Vernunft, Umdeutung der Dogmen in Vernunftwahrheiten, der Wunder in natürl. Vorgänge). →kritischer Rationalismus

📖 ZELENÝ, J.: *Dialektik der Rationalität. Köln 1986.* – BACHELARD, G.: *Die Bildung des wiss. Geistes. A. d. Frz. Frankfurt am Main 1987.* – BÖHME, G.: *Wirkungsgeschichte des Humanismus im Zeitalter des R. Darmstadt 1988.*

Rationierung, 1) *Börsenwesen:* →Repartierung. **2)** *Wirtschaftspolitik:* (Bewirtschaftung) behördl. Verteilung von knappen Gütern und Vorräten für den Konsum (v.a. Lebensmittel) oder die Produktion (z.B. Rohstoffe). Die R. ist meist mit staatlich verordneten Höchstpreisen verbunden. Sie wird in Notzeiten oder im Rahmen einer Kriegswirtschaft mithilfe von Bezugsscheinen durchgeführt. Eine R. verursacht meist schwarze Märkte.

Rätische Alpen, die ostschweizer. Gebirgsgruppen nördlich des Veltlin und östlich des Hinterrheins, mit der →Bernina.

Ratke (Ratich, latinisiert Ratichius), Wolfgang, Pädagoge, *Wilster (Kr. Steinburg) 18. 10. 1571, †Erfurt 27. 4. 1635; wollte »natürl. Unterricht«, gegründet auf Anschauung und Muttersprache, forderte die Verantwortung des Staates für die Schulen; hatte starken Einfluss auf J. A. Comenius.

Rätoromanen, roman. Volksgruppen mit eigener Sprache im Alpengebiet: die **Bündnerromanen** im schweizer. Kanton Graubünden, die **Ladiner** in Südtirol, die **Friauler** in Friaul. Die R. sind Nachkommen der frühzeitig romanisierten Räter (→Rätien, →rätoromanische Sprache).

📖 KRAAS, F.: *Die R. Graubündens. Stuttgart 1992.*

rätoromanische Sprache (bes. in der italien. Forschung: Ladinisch), roman. Sprache, die in drei Gruppen unterteilt wird; in anderer Auffassung, v.a. aus soziolinguist. Perspektive, handelt es sich jedoch um drei selbstständige roman. Sprachen, die enge Beziehungen untereinander und nach Oberitalien aufweisen. Die typolog. Zusammengehörigkeit der drei räumlich getrennten Gruppen wurde erst im 19. Jh. erkannt: 1) in Graubünden (Schweiz) **Bündnerromanisch** (Graubündnerisch, in der Schweiz Rätoromanisch, in Italien Westladinisch, Eigenbezeichnung Romontsch/Rumantsch) mit fünf schriftsprachl. Dialekten: Surselvisch, Sutselvisch, Surmeirisch/Oberhalbsteinisch, Unterengadinisch/Vallader und Oberengadinisch/Putér sowie das Münstertalische; die gemeinsame, künstlich geschaffene Schriftsprache ist das Rumatsch Grischun; 2) in Südtirol (NO-Italien) **Friaulisch** (Furlanisch, Ostladinisch) mit Karnisch, Innerfriaulisch und der Mundart der friaul. Ebene; 3) **Dolomitenladinisch** (Zentralladinisch, Sellaladinisch, Ladinisch) mit den vier Dialekten Gadertalisch, Grödnerisch, Fassanisch und Buchensteinisch, bisweilen auch mit Cadore.

📖 *Raetia antiqua et moderna. W. Theodor Elwert zum 80. Geburtstag, hg. v.* G. HOLTUS *u.* K. RINGGER. *Tübingen 1986.* – *»Rätoromanisch« heute, hg. v.* G. HOLTUS *u.* J. KRAMER. *Tübingen 1987.*

Ratsche, *Technik:* Zahnkranz mit ein- oder ausschaltbarer Sperrklinke zum Feststellen eines Getriebeteils, z.B. der Handbremse beim Kraftwagen.

Rätsel, Denkaufgabe; verschlüsselte Umschreibung eines Gegenstandes, eines Vorgangs, einer Person u.a., die zu erraten sind. – Formen des R. sind das Silben-R. (→Scharade), das Zahlen-R. (Arithmogriph), bei dem anstelle der Buchstaben Zahlen stehen, und das Buchstaben- oder Wort-R. (Logogriph), bei dem ein Wort durch Hinzusetzen oder Wegnehmen eines oder mehrerer Buchstaben jedes Mal eine andere Bedeutung erhält; ein durch Bilder und Zeichen dargestelltes R. ist das Bilder-R. (Rebus), verwandt damit der Rösselsprung; als R. können →Anagramm, →Homonyme und →Palindrom behandelt werden. Eine bes. beliebte Form ist das →Kreuzworträtsel.

Ratte (Rattus), Gattung der Mäuse mit zahlreichen urspr. ost- und südostasiat. Arten; Körper-

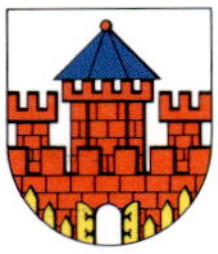

Ratzeburg Stadtwappen

länge etwa 10–30 cm, Schwanz meist länger. Viele R.-Arten sind äußerst anpassungsfähig und extrem wenig spezialisiert, daher sind einige Arten heute weltweit verbreitet. R. besiedeln Lebensräume jegl. Art. Verschiedene R.-Arten sind gefürchtete Vorratsschädlinge und Überträger von Krankheiten (z.B. Pest). Die meisten R. sind ausgeprägte Allesfresser. Einheim. Arten: **Haus-R.** (**Dach-R.**, Rattus rattus), Kopf-Rumpf-Länge 18–22 cm, fast rein dämmerungs- und nachtaktiv, lebt gesellig; sie gräbt kaum, klettert und springt sehr gut; **Wander-R.** (Rattus norvegicus), Kopf-Rumpf-Länge 18–26 cm, an und in menschl. Siedlungen (auch in Gebäuden), aber auch völlig frei lebend (v.a. an Gewässern, Gräben, Mülldeponien u.Ä.), gesellig, vorwiegend dämmerungs- und nachtaktiv, kann sehr gut schwimmen und springen. – Die R.-Bekämpfung erfolgt durch chem. Mittel, mechanisch mithilfe von Fallen (Ködergifte), im Freiland auch durch Einsatz von Räucherpatronen.

Rattenberg, Stadt in Tirol, am Inn, mit 600 Ew. kleinste Stadt Österreichs; Glasveredelungsbetriebe; Fremdenverkehr. – Maler. Stadtbild mit typ. Innstadthäusern, spätgot. Pfarrkirche (um 1730 barockisiert, Wessobrunner Stuckaturen).

Terence Rattigan

Rattenbisskrankheit (Rattenfieber, Sodoku), durch Rattenbiss auf den Menschen übertragene Infektionskrankheit (Erreger: Spirillum minus); trat urspr. in Japan auf, inzwischen weltweit verbreitet. 1–3 Wochen nach dem Biss kommt es zur Entzündung der bereits verheilten Wunde sowie zu hohem Fieber, Schwellung der zugehörigen Lymphknoten u.a.; Behandlung mit Tetracyclinen.

Rattenfänger von Hameln, Sagengestalt aus der Mitte des 16. Jh., ein Pfeifer, der 1284 130 Kinder aus Hameln entführt haben soll. Die Historizität der Geschichte wurde seit dem 17. Jh. angezweifelt.

Friedrich Ratzel

Rattenkönig, Bez. für junge Ratten, deren Schwänze vom Nestleben her miteinander verschlungen und verklebt sind; können sich aus eigener Kraft nicht mehr voneinander lösen.

Rattigan ['rætɪgən], Sir (seit 1971) Terence Mervyn, engl. Dramatiker, *London 10. 6. 1911, †Hamilton (Bermudainseln) 30. 11. 1977; schrieb Gesellschaftslustspiele, zeitnahe Problemstücke: u.a. »Liebe in Müßiggang« (1944), »Der Fall Winslow« (1946), »Tiefe blaue See« (1952).

Joseph Ratzinger

Rattle [rætl], Simon, brit. Dirigent, *Liverpool 19. 1. 1955; seit 1980 Chefdirigent, seit 1991 Musikdirektor des City of Birmingham Symphony Orchestra; ist v.a. mit Aufführungen zeitgenöss. Musik hervorgetreten.

Ratzeburg, Kreisstadt des Kr. Herzogtum Lauenburg, Schlesw.-Holst., 13 000 Ew.; Luftkurort auf einer Insel im **Ratzeburger See** (14 km²), die durch drei Dämme mit den Vorstädten am W- und O-Ufer verbunden ist; A.-Paul-Weber-Museum, Barlachmuseum, Ruderakademie, Segelzentrum; Fremdenverkehr. – Romanischer Backsteindom (1170–1220). – Entstand um 1060, wurde gleichzeitig Bischofssitz (Fürstbistum R. um 1060–66, 1154 wieder errichtet; 1648 säkularisiert als Fürstentum R. an Mecklenburg-Schwerin, 1701 an Mecklenburg-Strelitz); 1261 Stadtrecht; 1616–89 Residenz der Herzöge von Sachsen-Lauenburg.

Ratte (von oben): Hausratte (Kopf-Rumpf-Länge 18–22 cm, Schwanzlänge 18–24 cm) und Wanderratte (Kopf-Rumpf-Länge 18–26 cm, Schwanzlänge 15–22 cm)

Ratzel, Friedrich, Geograph, *Karlsruhe 30. 8. 1844, †Ammerland (heute zu Münsing, Kr. Bad Tölz-Wolfratshausen) 9. 8. 1904; hat v.a. die Anthropogeographie gefördert; begründete die polit. Geographie.

Ratzinger, Joseph, kath. Theologe, *Marktl (Kr. Altötting) 16. 4. 1927; Konzilstheologe auf dem 2. Vatikan. Konzil, seit 1977 Kardinal; 1977–82 Erzbischof von München-Freising, seit 1981 Präfekt der Kurienkongregation in Rom für die Glaubenslehre.

Rau, 1) Johannes, Politiker, *Wuppertal 16. 1. 1931; 1952 Mitbegründer der Gesamtdt. Volkspartei, trat 1958 der SPD bei; seit 1958 MdL in NRW, dort 1970–78 Min. für Wiss. und Forschung, 1978–98 MinPräs.; seit 1982 auch stellv. Vors. der SPD.

2) Karl Heinrich, Nationalökonom, *Erlangen 29. 11. 1792, †Heidelberg 18. 3. 1870; begründete

die bis heute gültige Einteilung der Nationalökonomie in Wirtschaftstheorie, -politik und Finanzwissenschaft.

Raub, der durch Gewalt gegen eine Person oder mittels Drohungen mit gegenwärtiger Gefahr für Leib oder Leben begangene Diebstahl. Er wird nach §249 StGB mit Freiheitsstrafe nicht unter einem Jahr bestraft. Gleich dem R. werden bestraft die räuber. Erpressung (§255 StGB) und der räuber. Diebstahl (§252 StGB), bei dem der Dieb, auf frischer Tat angetroffen, Gewalt gegen eine Person verübt oder gefährl. Drohungen anwendet, um sich im Besitz des gestohlenen Gutes zu erhalten. Schwerer R. (§250 StGB, z.B. R. mit Schusswaffe) wird mit Freiheitsstrafe nicht unter fünf Jahren, R. mit leichtfertig verursachter Todesfolge mit Freiheitsstrafe nicht unter zehn Jahren bestraft (§251 StGB). – Die StGB *Österreichs* (§§142ff., 277ff.) und der *Schweiz* (Art. 139) enthalten ähnl. Bestimmungen.

Raub|bau (Raubwirtschaft), Wirtschaftsführung, die möglichst hohen Ertrag anstrebt, ohne Rücksicht auf die Erhaltung der Erzeugungsgrundlagen.

Raubdruck, unerlaubter →Nachdruck geschützter Werke.

Räuber|romane, verbreitete Gattung des Unterhaltungsromans im Ausgang des 18. Jh. Sie wurde zus. mit den Ritterromanen, die dem neu erwachten Interesse am MA. ihre Beliebtheit verdankten, gefördert durch Goethes Drama »Götz von Berlichingen mit der eisernen Hand« (1773) und Schillers Schauspiel »Die Räuber« (1781). Die R. bevorzugen das sich in Schillers Karl Moor verkörpernde Sturm-und-Drang-Ideal des edlen Verbrechers und »großen Kerls«, der sich gegen Gesetze und Willkür auflehnt und für Gerechtigkeit und Unterdrückte eintritt. Die Romanfigur dieses »ritterl.« Räubers gipfelt in H. Zschokkes »Abällino, der große Bandit« (1793) und C. A. Vulpius' »Rinaldo Rinaldini, der Räuberhauptmann« (4Tle., 1797).

📖 MÜLLER-FRAUREUTH, C.: *Die Ritter- u. R. Halle 1894, Nachdr. Hildesheim 1965.*

Raubfisch, Fisch, der sich von anderen Fischen, auch kleineren Vögeln oder Säugetieren, ernährt, z.B. Hai, Hecht.

Raubfliegen (Jagdfliegen, Asilidae), Fliegenfamilie, meist behaart, mit kräftigen Beinen, 5–30 mm lang; jagen vorbeifliegende Insekten, die sie im Flug ergreifen und aussaugen.

Raubkäfer, →Kurzflügler.

Raubmöwen, überwiegend braun gefärbte Möwenvögel der nord. Tundren, die außerhalb der Brutzeit über das Meer weit nach S wandern; gewandte Flieger, die räuberisch u.a. von Fischen, Vögeln und Säugern leben. Skua, Spatel-, Schmarotzer- und Falken-R. erscheinen auf dem Zug oder als Irrgast auch in Mitteleuropa.

Raubritter, Angehörige des Ritterstandes, die im sozialen und wirtsch. Umbruch des 14. und 15. Jh. (wachsende Bedeutungslosigkeit der Ritterheere, allmähl. Zurückdrängung der Natural- durch die Geldwirtschaft, steigendes Gewicht bürgerl. Kaufmanns- und Gelehrtenschichten, letzterer auch an den fürstl. Höfen) entwurzelt waren und ihre Notlage durch Straßenraub mit Erpressung von Lösegeld zu ändern suchten. Ihre ungesetzl. Fehden einzudämmen war ein wesentl. Ziel der →Landfrieden.

Johannes Rau

Raubmöwen: Skua (Größe 58 cm)

Raubtiere, i.w.S. alle Tiere, die sich von lebendig ergriffener Beute ernähren; i.e.S. die **Karnivoren (Carnivora),** eine Ordnung der Säugetiere mit den beiden Unterordnungen →Robben und **Land-R.** (Fissipedia). Landlebende R. haben starke Zehenbewaffnung (Krallen), kegelförmige Eckzähne (Fangzähne), weiter hinten in den Kiefern beiderseits oben und unten einen scharfzackigen Reißzahn. Das Gehirn und bes. Geruchs- und Gehörsinn sind meist hoch entwickelt; ihre Jungen werden als Nesthocker geboren. Zu den R. gehö-

Ratzeburg: Blick auf die auf einer Insel im Ratzeburger See gelegene Altstadt ren: Katzen, Schleichkatzen, Hyänen, Hunde, Marder, Bären, Kleinbären.

Raubvögel, veraltete Bez. für →Greifvögel.

Christian Daniel Rauch: Sarkophag der Königin Luise von Preußen (1811–15; Berlin, Mausoleum im Park von Schloss Charlottenburg)

Rauch, Gas, bes. Luft, mit fein verteilten flüssigen oder festen Partikeln (Schwebstoffen). Das Gas-Schwebstoff-Gemisch kann als kolloides System mit dem Gas als Dispersionsmittel aufgefasst werden. Sind die Schwebeteilchen flüssig, so spricht man auch von Nebel (→Aerosol). I.w.S. werden mit R. die **R.-Gase,** d.h. die Abgase aus Feuerungen, bezeichnet, die v.a. aus Kohlendioxid, Stickstoff, Wasserdampf, unverbrauchter Luft, Schwefeldioxid und -trioxid bestehen, aber auch fein verteilte Schwebeteilchen wie Ruß, Flugasche, Flugkoks, Flugstaub, Teertröpfchen enthalten; bei unvollständiger Verbrennung enthalten sie auch Wasserstoff, Kohlenmonoxid und Kohlenwasserstoffe. R.-Gase vermindern die Sonneneinstrahlung und begünstigen die Nebelwirkung, z.B. durch →Smog. (→Rauchgasentschwefelung, →Rauchgasentstickung)

Rauch [mhd. ruch »haarig«], das dichte und lange Haar bei Pelzen.

Rauch, 1) Christian Daniel, Bildhauer, *Arolsen 2. 1. 1777, †Dresden 3. 12. 1857; nach Schadow Hauptvertreter des Berliner Klassizismus. R. schuf in Marmor und Bronze Porträtbüsten, Denkmäler (Reiterdenkmal Friedrichs d. Gr., 1839–51, heute »Unter den Linden« in Berlin; Max-Joseph-Denkmal, 1825–35, in München) und Grabmäler (Sarkophag der Königin Luise, 1811–15, Berlin).

2) Hans-Georg, Zeichner, *Berlin 21. 6. 1939, †Worpswede 23. 12. 1993; satir. Zeichnungen, u.a. für die Wochenzeitschriften »Die Zeit« und »Der Spiegel«.

Rauchbier, aus geräuchertem Malz gebrautes obergäriges Bier.

Rauchen, das aktive, auch passive Aufnehmen von Tabakrauch in die Mundhöhle und Atmungsorgane. Am verbreitetsten ist das R. von Tabak in Form von Zigaretten und Zigarillos, in geringerem Umfang als Zigarren oder in Pfeifen; auch manche Rauschmittel (z.B. Haschisch) werden in Form des R. aufgenommen. Die gesundheitsschädigenden Folgen des R. beruhen nur z.T. auf Wirkungen des Alkaloids Nikotin über das vegetative Nervensystem; beim Abbrennvorgang des Tabaks werden eine große Anzahl Krebs erzeugender u.a. toxisch wirkender Stoffe freigesetzt, z.B. aliphat. und aromat. Kohlenwasserstoffe, niedere Alkohole, Kohlenmonoxid, Ammoniak, Stickoxide, Blausäure sowie Spuren von Chrom und Arsen, die mit fortschreitendem Abbrennen des Tabaks in steigender Konzentration inhaliert werden.

Nikotinwirkungen: Nikotin verengt die Herzkranzgefäße, steigert die Herzfrequenz, erhöht den Blutdruck und führt zu einer Erhöhung des Cholesterinspiegels im Blut, was als Risikofaktor für arteriosklerot. Gefäßerkrankungen und Herzinfarkt gilt. Kinder von rauchenden Schwangeren sind bei der Geburt im Durchschnitt 250 g leichter und dadurch auch krankheitsanfälliger. Außerdem kommt es bei Raucherinnen etwa doppelt so häufig wie bei Nichtraucherinnen zu Frühgeburten.

Nikotinunabhängige Wirkungen: Der eingesogene Tabakrauch streicht durch Mundhöhle, Nasen-Rachen-Raum, Kehlkopf und die Bronchien mit ihren feinsten Verzweigungen bis zu den Lungenalveolen. Dabei kondensieren die im Rauch enthaltenen Abbrandprodukte und schlagen sich größtenteils als Teer auf der Schleimhaut der Luftwege nieder. Die Folgen sind häufig wiederkehrende, schließlich chronisch werdende Entzündungen im Bereich von Rachen, Kehlkopf, Bronchien (Raucherbronchitis, →Bronchitis). Etwa 90% der Lungenkrebspatienten sind Raucher.

📖 HESS, H.: *R. Geschichte, Geschäfte, Gefahren. Frankfurt am Main u.a. 1987.* – NIEDERBERGER, J. M.: *R. als sozial erlerntes Verhalten. Stuttgart 1987.* – TÖLLE, R. *u.* BUCHKREMER, G.: *Zigarettenrauchen. Epidemiologie, Psychologie, Pharmakologie u. Therapie. Berlin u.a.* ^{2}*1989.*

Rauchen

*Der deutsche Gelehrte und Handelsdiplomat Adam Olearius (*1599, †1671) berichtete in seiner »Newe Orientalische Reise« (1647) über die Maßnahmen des Tabakgegners Zar Michail Fjodorowitsch:*

»Weil aber bei Dienern und Sklaven dabei viel Zeit von der Arbeit abging, und durch Feuer und Funken viele Häuser in Rauch aufgingen, hat der Großfürst auf Anraten des Patriarchen den Tabakhandel und -gebrauch im Jahre 1634 neben dem Bierschenken gänzlich verboten. Die Verbrecher werden hart bestraft, nämlich mit Nasenaufschlitzen und Staupenschlägen, wie wir dann solche Bestrafung an Mann und Weibes Person gesehen.« Der persische Schah Abbas I. ließ Rauchern die Lippen abschneiden.

Raucherbein, volkstüml. Bez. für arterielle Durchblutungsstörungen der Beine infolge des beim Tabakrauchen aufgenommenen Nikotins.

Räuchern, Verfahren zur →Konservierung von Fleisch, Fisch und Wurstwaren, die vorher stets einer Salzbehandlung unterworfen werden, durch Einwirken von Rauch aus schwelenden Hölzern (meist Laubhölzer). Die Lebensmittel trocknen von der Oberfläche her aus, der Wassergehalt sinkt um 10–40%; gleichzeitig dringen bakterizid bzw. bakteriostatisch wirkende Substanzen (u.a. Ameisensäure, Acetaldehyd, Phenole) ein und bilden Geschmacksstoffe. Durch Ablagerung von Rußteilchen kommt es zu einer Dunkelfärbung der Oberfläche, bes. bei dem stark rußenden **Katenrauch.** Man unterscheidet **Kalträuchern** (40 Tage bei 18°C, z.B. Nussschinken), **Heißräuchern** (wenige Stunden, bis 80°C, z.B. Kasseler) und **Feuchträuchern** (bis zwei Tage bei 20–40°C), bei dem durch Zufuhr von Luftfeuchtigkeit die Räucherverluste verringert werden.

Rauchfass (Rauchpfanne, Räuchergefäß), ein an Ketten hängendes Metallgefäß für liturg. Räucherungen.

Rauchgase, →Rauch.

Rauchgas|entschwefelung, techn. Verfahren zur Reduktion des Schwefeldioxid- und Schwefeltrioxidgehalts in Rauchgasen. Der Schwefelgehalt eines Rauchgases hängt vom Schwefelgehalt des Brennstoffs (Steinkohle im Mittel 1,5%) und vom Schwefelbindungsgrad der Asche (bei Steinkohle 5%, bei Braunkohle 10–40%) ab. Bei Kohlekraftwerken haben Waschverfahren mit Suspensionen von Kalkhydrat (Löschkalk) oder Kalkstein weltweit die größte Bedeutung. Bei diesen **Nassverfahren** werden die Rauchgase nach Kühlung in Sprühtürmen mit der verdüsten Waschsuspension behandelt, wobei Schwefeldioxid als Calciumsulfat (Gips) gebunden wird. Heute kann dabei ein Entschwefelungsgrad von über 95% erreicht werden. Beim **Trockenverfahren** verwendet man meist als Adsorptionsmittel wirkende Substanzen (u.a. Aktivkohle, Zeolithe), an die das Schwefeldioxid vorübergehend gebunden und anschließend durch Erwärmen oder Auswaschen wieder freigesetzt wird. Das **Trocken-Additiv-Verfahren** verwendet als Additive Calciumverbindungen, die fein vermahlen in den Feuerungsraum (Wirbelschichtfeuerungen) eingeblasen werden. Das Schwefeldioxid wird dabei umso vollständiger gebunden, je größer die reagierende Oberfläche bzw. je kleiner die Korngröße des Additivs ist.

Rauchgas|entstickung, techn. Verfahren zur Entfernung von Stickoxiden (NO_x) aus Rauchgasen. Als Primärmaßnahme der R. gilt eine Verringerung der Entstehung von Stickoxiden direkt im Feuerungsraum durch Verminderung der Temperatur und Sauerstoffzufuhr sowie durch Verkürzung der Verweilzeit der Brennstoffe im Bereich hoher Temperaturen (NO_x-arme Feuerungen). Großtechnisch wird die Rauchgasentstickung mit der **selektiven katalytischen Reduktion (SCR-Verfahren)** durchgeführt. Der NO_x-Gehalt der Rauchgase wird dabei durch katalyt. Umsetzung mit Ammoniak reduziert, das in den Rauchgasstrom eingedüst wird. Stickstoff und Wasserdampf sind dabei die Reduktionsprodukte. Die **selektive nichtkatalytische Reduktion (SNCR-Verfahren)** arbeitet ohne Katalysator bei Temperaturen um 900°C; das Reduktionsmittel wird direkt in den Feuerraum gesprüht.

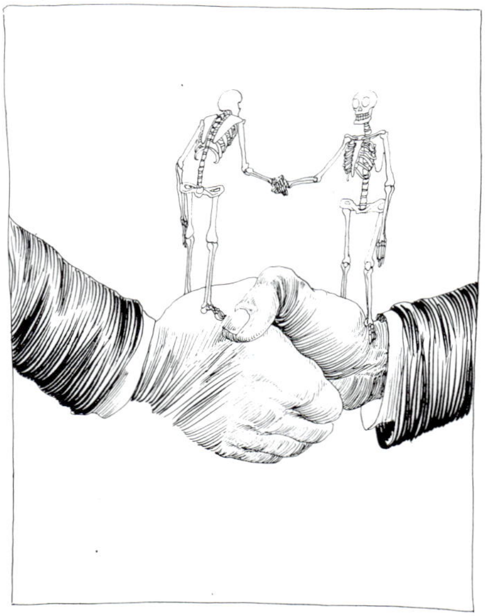

Hans-Georg Rauch: »Beendigung der Abrüstungsgespräche in Genf oder Abschied von der Vernunft« (1983)

Rauchmantel, liturg. Gewand, das →Pluviale.

Rauchmüller (Rauchmiller), Matthias, Bildhauer, Maler und Baumeister, *Radolfzell am Bodensee 11. 1. 1645, † Wien 15. 2. 1686; ein hochbarockes Gesamtkunstwerk ist seine Piastengruft in

Rauchen

Die erste Nichtraucherkampagne wurde von dem englischen König Jakob I. gestartet, der in seiner Schrift »Misokapnos« (deutsch: Rauchfeind) das Tabakrauchen als wahres Teufelswerk anprangerte. Den Seefahrer Sir Walter Raleigh, Freibeuter Königin Elisabeths I., der 1586 das Rauchen in England bekannt gemacht hatte, ließ Jakob I. 1618 hinrichten – allerdings aus politischen Gründen.

Obwohl viele Ärzte den Tabak als Heilmittel gegen Pest, Zahnschmerzen, Gicht, Kolik und Tetanus empfahlen, wurde er in vielen Ländern verboten, im Osmanischen Reich sogar unter Androhung der Todesstrafe. In Deutschland war das Rauchen auf der Straße bis 1848 untersagt.

Raufußhühner: Auerhuhn, Henne (links) und Männchen in Balzstellung

Liegnitz (1677/78, Johanneskirche). Sein Terrakotta-Bozzetto für den hl. Nepomuk auf der Karlsbrücke in Prag (1681; Prag, Národní Galerie) ist das Urbild der Darstellungen des Brückenheiligen.

Rauchquarz, Mineral, →Quarz.

Rauchschäden, gebräuchliche (jedoch nicht korrekte) Bez. für die durch →Luftverschmutzung (v. a. durch Rauchgase) auftretenden Schäden an Organismen und Sachgütern.

Rauchtopas, Handelsbezeichnung für Rauchquarz (→Quarz).

Rauchvergiftung, Vergiftung durch Einatmen von Rauchgasen; äußert sich v. a. in Schleimhautreizungen, Erstickungsanfällen, Bewusstseinstrübung und Folgekrankheiten, bei Schwelbränden v. a. in einer →Kohlenoxidvergiftung.

Rauchwacke (Rauwacke, Zellenkalk, Zellendolomit), ein zellig-poröser →Dolomit, der durch selektive Herauslösung leicht lösl. Bestandteile entsteht.

Rauchwarenveredlung, das Zurichten, Färben und Veredeln von Pelzfellen (**Rauchwaren;** →Pelz) durch Verfahren und Methoden der Lederind. und Textilveredlung. Unter Zurichtung versteht man in diesem Fall die spezielle →Gerbung roher Pelzfelle.

Rauke: Wegerauke (Höhe 30–60 cm)

Räude, durch viele Arten hautschmarotzender Krätzmilben hervorgerufene übertragbare Hauterkrankung bes. der Haustiere; Symptome sind hochgradiger Juckreiz, Knötchen- und Bläschenbildung, Schorfkrusten und stellenweiser Haarausfall. Die R. der Schafe (**Dermatocoptes-R.**) und die R. der Pferde (**Sarcoptes-** und **Psoroptes-R.**) sind meldepflichtig. Wichtigste Bekämpfungsmittel sind Kontaktinsektizide. – Die oft eitrig verlaufende **Ohr-R.** (v. a. bei Hund, Katze, Kaninchen) wird durch Ohrmilben hervorgerufen und ist bei rechtzeitiger Behandlung heilbar.

Raudnitz an der Elbe, Stadt in der Tschech. Rep., →Roudnice nad Labem.

Raufußhühner (Tetraoninae), Unterfamilie der Hühnervögel mit befiederten Läufen; in Europa leben Auer-, Birk-, Hasel- und Schneehuhn.

Raugewicht (Schrot), das Bruttogewicht einer Münze im Unterschied zum Feingewicht (→Feingehalt).

Rauhe Alb, →Schwäbische Alb.

Rauhes Haus [eigtl. »Ruges (des Erbauers?) Haus«], Anstalt der Inneren Mission zur Betreuung gefährdeter männl. Jugendlicher, 1833 von J. H. Wichern in Hamburg-Horn gegr., mit angeschlossener Ausbildungsanstalt für die Erzieher (Brüderhaus). 1943 zerstört; 1947 Wiederaufbau.

Rauke (Sisymbrium), Gattung der Kreuzblütler auf der Nordhalbkugel und in Südamerika; die **Wege-R.** (Sisymbrium officinale; Höhe 30–60 cm), mit gelben Blütentrauben, wächst auf Äckern und Ruderalstellen.

Raum, 1) *Mathematik:* urspr. (sowie in der Elementargeometrie) ein sich in drei Dimensionen (Länge, Breite, Höhe) ohne feste Grenzen ausdehnendes Gebiet (**Anschauungs-R.**); i. w. S. jede mit einer bestimmten Struktur versehene Menge von Elementen, z. B. Punkte, Vektoren (Vektor-R.), Funktionen (Funktionen-R.), zw. denen bestimmte Relationen bestehen (**abstrakter R.**). Dem Anschauungs-R. am nächsten kommt der dreidimensionale **euklid. R.** $\mathbb{R}^3$, dessen Weiterentwicklung der *n*-dimensionale euklid. R. $\mathbb{R}^n$ ist. Der $\mathbb{R}^n$ lässt sich darüber hinaus mit der Struktur eines →Vektorraumes versehen; eine Verallgemeinerung führt vom $\mathbb{R}^n$ zum Begriff des abstrakten Vektor-R., dessen Dimension nicht mehr endlich sein muss. Zu den aus der nichteuklid. Geometrie entwickelten **nichteuklid. R.** gehört der **riemannsche R.** Der Begriff des Abstandes zweier Elemente in einem **metr. R.** (→Metrik) führt zur Definition eines Umgebungsbegriffs, der in **topolog. R.** (→Topologie), der allgemeinsten Form des R., definiert ist.

2) *Philosophie:* In der Antike wurde der R. zunächst endlich gedacht, umgrenzt vom myth. R., dem Apeiron. Erst seit der Renaissance wurde allmählich die Vorstellung des unendl. astronom. Raumes vorherrschend. – In der R.-Theorie von Demokrits Atomismus wird der R. als Leere bestimmt, in der sich die Atome bewegen. Die philosoph. R.-Theorien des MA. sind an Aristoteles' Anschauung vom R. als dem Begrenzenden der Körper orientiert; der R. könne daher nicht leer sein. Während Thomas von Aquin von einem engen Zusammenhang zw. R. und Materie ausgeht, identifiziert R. Descartes R. (Ausdehnung) mit Materie (Körperlichkeit). – Ansätze zu einer im eigentl. Sinn wiss. Theorie des R. finden sich v. a. bei G. W. Leibniz, der den bisher herrschenden Begriff des absoluten R., den auch Newton vertritt, durch den des R. als Inbegriff von Ordnung und Beziehung abgelöst wissen will. Erkenntnistheoretisch bestimmt I. Kant den R., wie die Zeit, als reine Anschauungsform und damit als eine der Möglichkeitsbedingungen jeder Erfahrung; der Wirklichkeit unabhängig vom Erfahrenden spricht er somit Räumlichkeit ab.

📖 Reichenbach, H.: *Gesammelte Werke, Bd. 2: Philosophie der R.-Zeit-Lehre. Braunschweig u. a. 1977.* – Jammer, M.: *Das Problem des R. Die Entwicklung der Raumtheorien. A. d. Engl. Darmstadt [2]1980.*

3) *Physik:* grundlegender Begriff der Physik, mit dem man v. a. die Ausdehnung, gegenseitige Anordnung und Wechselwirkung von Körpern und Feldern erfasst; urspr. nur der von materiellen Objekten ausgefüllte dreidimensionale physikal. R. Die von der klass. Physik angenommene Existenz eines **absoluten R.,** der isotrop und homogen und dessen Eigenschaften unabhängig von den darin vorhandenen materiellen Gegenständen und deren Veränderungen sein sollten, wurde von der →Relativitätstheorie widerlegt. Nach der speziellen Relativitätstheorie hängen die Ergebnisse von Längen- und Zeitmessungen vom relativen Bewegungszustand des Beobachters bezüglich des Messobjekts ab; ein absolutes Bezugssystem existiert nicht, ebenso wenig eine absolute Zeit. Die drei R.-Dimensionen werden mit der Zeit als vierte Koordinate zu einem vierdimensionalen metr. R. **(R.-Zeit, R.-Zeit-Kontinuum, R.-Zeit-Welt)** vereinigt, der in der speziellen Relativitätstheorie durch den →Minkowski-Raum beschrieben wird **(ebene R.-Zeit).** Nach der allg. Relativitätstheorie hängen die Maßverhältnisse im R. von der in ihm enthaltenen Materie ab (experimentell durch die Lichtablenkung in starken Gravitationsfeldern bestätigt). Den Massen und ihrer Gravitation entspricht eine von der jeweiligen Materieverteilung abhängige Krümmung der nun nichteuklid. R.-Zeit **(gekrümmte R.-Zeit, R.-Krümmung),** die durch eine vierdimensionale →riemannsche Geometrie beschrieben wird. Der R. kann dabei endlich oder unendlich sein und selbst dynam. Verhalten wie Expansion oder Kontraktion zeigen. Nach der modernen →Kosmologie ist das Weltall (analog einer Kugeloberfläche) ein endlicher, aber unbegrenzter R., dessen Radius und Volumen endlich sind, der aber durch seine Krümmung in sich selbst zurückläuft und daher unbegrenzt ist. Im Bereich sehr kleiner Entfernungen (von der Größenordnung der planckschen →Elementarlänge) scheint das R.-Zeit-Kontinuum ständigen Fluktuationen unterworfen zu sein, die nach der Quantentheorie der Gravitation dem leeren R. (Vakuum) in Form »virtueller Teilchen« zugeschrieben werden und z. B. zu dessen Polarisation führen. – Für die theoret. Physik von großer Bedeutung sind abstrakte R. als mehrdimensionale Zustands-R. physikal. Systeme, wie der **Phasen-R.** der statist. Mechanik und der **Hilbert-R.** der quantenmechan. Zustandsfunktionen.

Rauma (schwed. Raumo), Hafenstadt in der Prov. Turku-Pori, Finnland, am Bottn. Meerbusen, 38 100 Ew.; Kunst-, Stadtmuseum; Werft, Holz-, chem. Industrie. – Gut erhaltenes altes Stadtbild mit zahlreichen Holzhäusern des 18. und 19. Jh. (UNESCO-Weltkulturerbe).

Raum|akustik, Teilgebiet der Akustik, das sich mit der Ausbreitung von Schall (Sprache, Musik) in geschlossenen Räumen beschäftigt. Für die Deutlichkeit von Sprache bzw. für die Durchsichtigkeit von Musik (Klarheit rhythm. Strukturen) ist das Verhältnis zw. direktem und an den Raumwänden bzw. an der Decke reflektiertem Schall sowie das zeitl. Abklingen des mehrfach reflektierten Schalls (Nachhall) wichtig. Der Nachhall vermittelt dem Hörer u. a. das akust. Empfinden für den Raum.

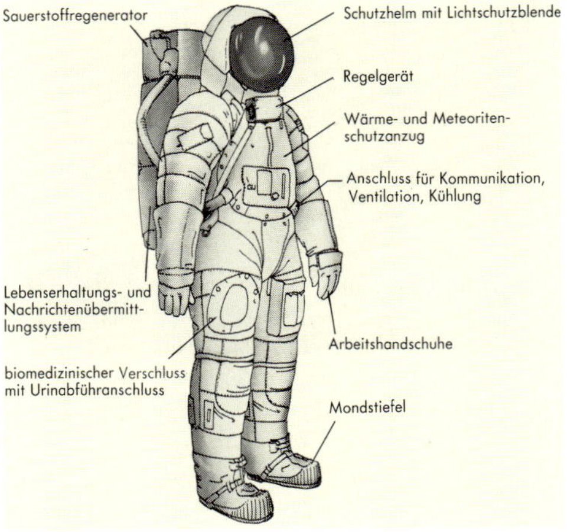

Raumanzug des Apollo-Programms

Raum|anzug, hermetisch abgeschlossene Schutzkleidung für Raumfahrer. Anforderungen an den R. sind: weitgehender Schutz vor Strahlung, Temperatur und Mikrometeoriten; relative Unempfindlichkeit gegenüber mechan. Beschädigungen bei ausreichender Beweglichkeit; An-

Raumfahrt

1

2

3

| **1** Die insgesamt vierte erfolgreiche Mondlandung des Apollo-Programms durch Apollo 15 fand am 30. Juli 1971 statt; in der Mitte die Mondlandefähre Falcon, rechts der Elektrowagen Rover, im Hintergrund die Mond-Apenninen | **2** Die Mondlandefähre Eagle mit den beiden Astronauten Neil Armstrong und Edwin Aldrin nähert sich nach der abgeschlossenen ersten bemannten Mondlandung vom 16. Juli 1969 der Apollo-11-Kapsel; im Hintergrund die Erde | **3** Modell der unbemannten sowjetischen Raumsonde Venera 4, die 1967 beim Anflug auf die Venus in 28 km Höhe zerstört wurde

schließbarkeit an eine Atemluft- und Verständigungsanlage; Ausrüstung mit einem Lebenserhaltungssystem, mit dessen Hilfe im Anzug ein ird. Bedingungen entsprechendes Klima von 0,25 bis 0,4 bar Innendruck aufrechterhalten wird.

Raum|ausstatter, Ausbildungsberuf des Handwerks (drei Jahre). R. verlegen Teppichböden, dekorieren Fenster- und Wände und fertigen Polstermöbel an.

Raumbildverfahren, → Stereoskopie.

Räumen, Verfahren der spanenden Bearbeitung von Werkstücken zur Herstellung von beliebigen Oberflächen. In die **Räummaschine** (bis einige Meter lang) eingespannte **Räumwerkzeuge**

4

5

4 Das Raumlabor Spacelab wird im Mai 1996 in der Ladebucht des Spaceshuttles Endeavor für materialwissenschaftliche Versuche eingesetzt; auf der Erde ist Kalifornien mit der San Francisco Bay zu sehen | **5** Start des Raumtransporters »Challenger« auf Kap Canaveral am 4. April 1983

haben hintereinander liegende Schneiden, die einen Vorschub erhalten. Die Höhe der Schneiden ist dabei von Schneide zu Schneide um einen Span gestuft, sodass das Endmaß erst von der letzten Schneide des Räumwerkzeugs hergestellt wird. Durch R. kann bei hoher Oberflächengüte eine hohe Zerspanungsleistung erreicht werden. Man unterscheidet **Außen-R.** zur Bearbeitung von Flächen oder Profilen an der Außenseite von Werkstücken und **Innen-R.** zur Profilierung von Durchgangsbohrungen, z.B. mit der verzahnten **Räumnadel,** die durchgezogen wird **(Zieh-R.),** oder dem **Räumdorn,** der durchgedrückt wird **(Stoßräumen).**

Raumer, Friedrich von, Historiker, *Wörlitz 14. 5. 1781, †Berlin 14. 6. 1873; Prof. in Breslau (seit 1811) und 1819–59 in Berlin. Seine romantisch verklärte Darstellung der Stauferzeit »Geschichte der Hohenstaufen und ihrer Zeit« (6 Bde., 1823–25) wirkte weniger auf die Geschichtsschreibung als auf die dramatische Literatur. In der Frankfurter Nationalsammlung gehörte er dem rechten Zentrum an.

Friedrich von Raumer
(Ausschnitt eines zeitgenössischen Stahlstichs)

Raumfähre, andere Bez. für →Raumtransporter. (→Spaceshuttle)

Raumfahrer (Astronaut, Kosmonaut), der Teilnehmer an bemannten Raumfahrtunternehmen.

Raumfahrt (Weltraumfahrt, Astronautik, Kosmonautik), alle Bemühungen, durch Einsatz techn. Hilfsmittel dem Menschen andere Himmelskörper direkt erreichbar zu machen, um sie zu erforschen und zu erschließen, bzw. ihm den Aufenthalt im Weltraum zu ermöglichen. Die Forschungen und Entwicklungen zur Verwirklichung der R. werden unter dem Begriff **R.-Forschung** zusammengefasst, alle Bewegungen künstl. Körper im Weltraum als **Raumflug.** Die Flugkörper nennt man **Raumflugkörper.**

Im eigentl. Sinn umfasst die R. die Erforschung und Erschließung des erdnahen Weltraums sowie des Sonnensystems mithilfe unbemannter Geräte und durch den Menschen im Raum selbst. Die Beschränkung der R. auf diese Bereiche hat ihre Ursache in den großen Entfernungen der nächsten Sterne ($4{,}07 \cdot 10^{13}$ km = 4,3 Lichtjahre für den erdnächsten Fixstern Proxima Centauri) und der damit verbundenen Flugzeit, die bei der heute verfügbaren Höchstgeschwindigkeit rd. 100 000 Jahre für nahe Fixsterne betragen würde.

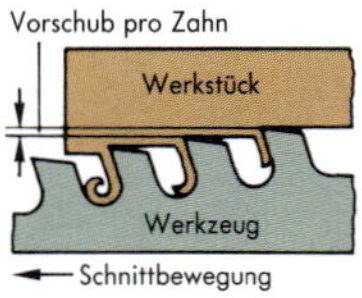

Räumen:
Außenräumen

Gegen Ende des 19. Jh. begannen v.a. der Russe Nikolai Iwanowitsch Kibaltschitsch (*1854, †1881) und der Deutsche Hermann Ganswindt (*1856, †1934) mit Überlegungen, wie man Rückstoßapparate für die R. einsetzen könnte. Techn.-wiss. Arbeiten folgten um die Wende zum 20. Jh. durch den Russen K. E. Ziolkowski, den Amerikaner R. H. Goddard und den Deutschen H. Oberth. Grundsätzl. Überlegungen und Untersuchungen zu Raumflugbahnen sowie die Erkenntnis, dass nur Raketen für die R. infrage kommen, sind v.a. mit den Namen E. Sänger, S. P. Koroljow, W. von Braun, M. Valier und R. Nebel verbunden.

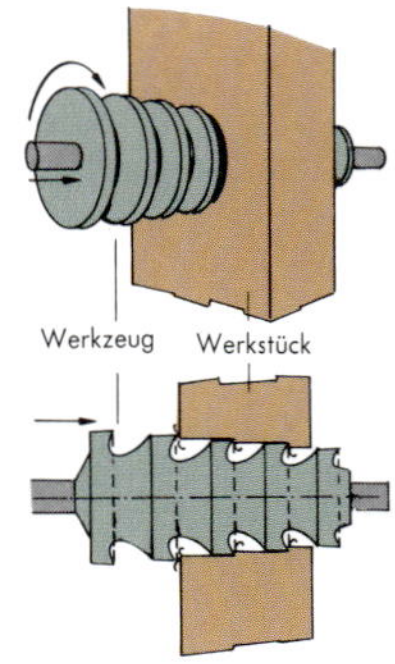

Räumen:
Innenziehräumen

Der Beginn der eigentl. R. war der Start des sowjet. Satelliten Sputnik 1 am 4. 10. 1957. Wichtige

Geschichte der Raumfahrt*) (Auswahl)

4. 10. 1957	erster künstl. Erdsatellit, Sputnik 1 (UdSSR)
1. 2. 1958	Entdeckung des Van-Allen-Strahlengürtels durch Explorer 1 (USA)
12. 9. 1959	Mondaufschlag von Lunik 2 (UdSSR)
10. 8. 1960	erste wiedergewonnene Bergungskapsel (militärischer Satellit), Discoverer 13 (USA)
12. 4. 1961	erster bemannter Raumflug (Juri Gagarin), Wostok 1 (UdSSR)
27. 8. 1962	Mariner 2 passiert Venus in 34 830 km Abstand (USA)
28. 11. 1964	Mariner 4 passiert Mars in 9 844 km Entfernung, erste Nahaufnahmen (USA)
18. 3. 1965	erster »Weltraumspaziergang« durch Alexej Leonow während der Mission Woschod 2 (UdSSR)
31. 1. 1966	erste weiche Mondlandung, Luna 9 (UdSSR)
16. 7. 1969	erste bemannte Mondlandung, Apollo 11 (USA)
17. 8. 1970	erste weiche Venuslandung, Venera 7 (UdSSR)
19. 4. 1971	erste Raumstation, Saljut 1 (UdSSR)
3. 3. 1972	erster Raumflugkörper, der das Sonnensystem verlässt; Pioneer 10 (USA)
14. 5. 1973	erste US-Raumstation, Skylab 1
10. 12. 1974	Erkundung des sonnennahen interplanetaren Raums, Helios 1 (Rakete USA, Sonde Bundesrep. Dtl.)
15. 7. 1975	erstes Apollo-Sojus-Kopplungsmanöver in der Erdumlaufbahn (USA, UdSSR)
20. 8. 1975	erste Marslandung, Viking 1 (USA)
20. 8. 1977	Voyager 2, Vorbeiflug an den großen Planeten (Jupiter, Saturn, Uranus) des Sonnensystems (USA)
12. 4. 1981	Erstflug des wiederverwendbaren Raumtransporters (Spaceshuttle) Columbia (USA)
28. 11. 1983	amerikan.-europ. Mission Spacelab-1 mit dt. Beteiligung (ESA, USA)
2. 7. 1985	Untersuchung des Halleyschen Kometen durch die Kometensonde Giotto (ESA)
31. 10. 1985	erste Spacelab-Mission (D1) unter dt. Leitung (Bundesrep. Dtl., ESA, USA)
20. 2. 1986	Inbetriebnahme der permanent bemannten Raumstation Mir (UdSSR)
18. 10. 1989	Raumsonde Galileo zur Untersuchung des Planeten Jupiter (USA, Bundesrep. Dtl.)
24. 4. 1990	Hubble Space Telescope (USA, ESA)
1. 7. 1990	Röntgensatellit ROSAT (Bundesrep. Dtl., USA)
26. 4. 1993	zweite Spacelab-Mission (D-2) unter dt. Leitung (Bundesrep. Dtl., ESA, USA)
4. 10. 1994	russ.-europ. Mission Euromir '94 (ESA, Russland)
29. 6. 1995	erstes Andockmanöver eines amerikan. Spaceshuttle (Atlantis) an Mir (USA, Russland)
3. 9. 1995	zweite russ.-europ. Mission Euromir '95 (ESA, Russland)
4. 12. 1996	Marssonde Pathfinder (USA)
15. 10. 1997	Saturnsonde Cassini (USA)

*) die angegebenen Daten sind die Starttermine der jeweiligen Raumfahrtunternehmungen

Höhepunkte der R.: 3. 11. 1957 erstes Lebewesen im Weltraum (Hündin Laika); 1. 2. 1958 Entdeckung des Van-Allen-Strahlungsgürtels (Explorer 1); 12. 9. 1959 erste (harte) Mondlandung (Luna 2); 4. 10. 1959 erste Fotos der Mondrückseite (Luna 3); 19. 8. 1960 erste sichere Rückführung eines (unbemannten) Raumfahrzeugs zur Erde (Korabl-Sputnik 2); 12. 4. 1961 erster Mann im Weltraum (J. A. Gagarin, Wostok 1); 16. 6. 1963 erste Frau im Weltraum (V. W. Tereschkowa, Wostok 6); 28. 11. 1964 Beginn der Marserkundung (Mariner 4); 18. 3. 1965 erster Ausstieg eines Raumfahrers in den Weltraum (A. A. Leonow, Woschod 2); 31. 1. 1966 erste weiche Mondlandung und Fotos des Mondbodens (Luna 9); 18. 10. 1967 erste weiche Landung auf der Venusoberfläche (Venera 4); 30. 10. 1967 erstes vollautomat. Kopplungsrendezvous zweier unbemannter Raumflugkörper (Kosmos 186 und Kosmos 188); 24. 12. 1968 erste Umkreisung des Mondes durch ein bemanntes Raumfahrzeug (Apollo 8); 16. 1. 1969 erste Kopplung zweier bemannter Raumfahrzeuge (Sojus 4 und Sojus 5); 16. 7. 1969 erste Landung eines bemannten Raumfahrzeugs auf dem Mond (von Apollo 11 abgesetzter Lander Eagle; N. Armstrong und E. Aldrin betreten als erste Menschen den Mond); 24. 9. 1970 erste (automat.) Gewinnung und Rückführung von Mondbodenproben mittels eines unbemannten Raumflugkörpers (Luna 16); ab 17. 11. 1970 erstes ferngesteuertes Mondmobil eingesetzt (Lunochod 1); 19. 4. 1971 erste wiss. Raumstation durch Kopplung von Sojus 11 mit Saljut 1 und Umstieg der Besatzung gebildet; 14. 5. 1973 bemannte amerikan. Raumstation Skylab; 10. 12. 1974 Beginn der Sonnennaherkundung (Helios 1, Dtl.); 20. 8. 1976 erste weiche Landung eines unbemannten Raumflugkörpers auf dem Mars, Entnahme und Analyse von Bodenproben (Viking 1); 11. 1. 1978 nach Ankopplung von Sojus 27 an die Raumstation Saljut 6 erster Flug von drei Raumflugkörpern als Raumflugeinheit (Orbitalkomplex Saljut 6/Sojus 26/Sojus 27); 12. 4. 1981 erster Start des mehrmals verwendbaren Raumtransporters Spaceshuttle Columbia; 1. 3. 1982 erste Farbfotos der Venusoberfläche, Entnahme und Analyse von Bodenproben (Wenera 13); 13. 6. 1983 Pioneer 10 verlässt als erste Raumsonde unser Planetensystem; 2. 8. 1985 Untersuchung des Halleyschen Kometen (durch die ESA-Sonde Giotto); 31. 10.–6. 11. 1985 erste Spacelab-Mission unter dt. Leitung (D1) mit den Deutschen R. Furrer und E. Messerschmid; 28. 1. 1986 Spaceshutttle Challenger explodiert 73 Sekunden nach dem Start mit sieben Astronauten an Bord; 20. 2. 1986 Start der permanent bemannten sowjet. Raumstation Mir; am 5. 5. 1989 setzt Spaceshuttle Atlantis die amerikan. Venussonde Magellan aus; 25. 8. 1989 Neptunpassage der amerikan. Raumsonde Voyager 2; 18. 10. 1989 Start der amerikan. Jupitersonde Galileo; 24. 4. 1990 Start des amerikan. Hubble Space Telescope als größtem Teleskop im All (umfangreiche Reparaturen während einer Spaceshuttle-Mission vom 2. bis 13. 12. 1993); am 6. 10. 1990 setzt Spaceshuttle Discovery die europ. Raumsonde Ulysses zur Erforschung der Sonne aus; 26. 4.–6. 5. 1993 zweite Spacelab-Mission unter dt. Leitung (D-2) mit den Deutschen H. W. Schlegel und U. Walter; 8. 1. 1994 Start des Russen W. Poljakow zum – mit 438 Tagen an Bord der Mir – längsten Aufenthalt eines Menschen im All;

4. 10.–4. 11. 1994 russ.-europäische Mission Euromir '94 mit dem Deutschen U. Merbold; am 29. 6. 1995 dockt mit Atlantis das erste amerikan. Spaceshuttle an die russ. Raumstation Mir an; 3. 9. 1995–29. 2. 1996 zweite russ.-europäische Mission Euromir '95 mit dem Deutschen T. Reiter; 4. 12. 1996 Start der Marssonde Pathfinder.

📖 *Mondlandung. Dokumentation der Weltraumfahrt USA u. UdSSR, bearb. v.* M. MAEGRAITH. *A. d. Amerikan. Stuttgart* ^{3}*1969.* – BUEDELER, W.: *Geschichte der R. Künzelsau u. a.* ^{2}*1982.* – BLOCK, T.: *Bemannte R. 30 Jahre Menschen im All. Goslar 1992.* – FREEMAN, M.: *Hin zu neuen Welten. Die Geschichte der dt. Raumfahrtpioniere, bearb. v.* W. LILLGE. *A. d. Amerikan. Wiesbaden 1995.*

Raumfahrtmedizin, Teilgebiet der Medizin, das sich mit den körperl. Anforderungen und Auswirkungen des Raumfluges befasst und zus. mit der Flugmedizin auch als **Aerospace-Medicine** bezeichnet wird. Wichtige Aspekte sind die Auswirkungen der Beschleunigung und Schwerelosigkeit auf die Organsysteme, die Strahlenbelastung, die Erhaltung der Lebens- und Leistungsfähigkeit der Astronauten im Weltraum und die Gestaltung der hierfür erforderl. Geräte, einschl. der Ausrüstung für die erste Hilfe. Zu den Hauptauswirkungen der Raumfahrt auf den Organismus gehört ein Symptomenkomplex, der bei den meisten Astronauten nach einer Anpassungsphase von 3 bis 5 Tagen auftritt und in Schwindel, Übelkeit, Appetitlosigkeit, auch Erbrechen besteht und an dem das Gleichgewichtsorgan beteiligt ist.

Raumflugkörper, i. d. R. unbemanntes Raumfluggerät für wiss., wirtsch. und militär. Zwecke. R. auf Umlaufbahnen im Schwerefeld von Himmelskörpern werden als **(Erd-)Satelliten, Mond-Satelliten** und **Planeten-Satelliten** bezeichnet; R., die das Schwerefeld der Erde verlassen, als →Raumsonden.

Raumforschung, *Wirtschaft:* Erforschung der naturräuml. Daten und der wirtschaftl., sozialen und kulturellen Rahmenbedingungen eines geograph. Gebietes im Hinblick auf die Raumnutzung. Die R. baut auf der Raumwirtschaftstheorie auf und ist Teil der →Raumordnung.

Raumgitter, →Kristallgitter.

Raumgleiter, der →Raumtransporter.

Raumgruppen, →Kristall.

Raum|inhalt, das →Volumen.

Raumkapsel, 1) instrumentiertes, unbemanntes Kleinraumflugsystem, das gegenüber dem Weltraum hermetisch verschlossen ist; 2) **Raumkabine,** autonomes oder teilautonomes, bemanntes Raumflugsystem, das die Raumfahrer vor schädl. Einflüssen des Weltraums (Strahlung, Temperatur) schützt und Anlagen zur Energie- und Klimaversorgung, Hygiene sowie Bordverpflegung umfasst. (→Raumstation)

Raumklang (Raumton), die räuml. Wirkung von Schallereignissen (horizontale Auflösung, Tiefenstaffelung, Richtungsinformationen), die bei Lautsprecherwiedergabe durch →Stereophonie und →Quadrophonie erzielt wird.

Raumkrümmung, *Relativitätstheorie:* physikalischer →Raum.

Raumkurve, *Mathematik:* →Kurve.

Raum|meter (Ster), Einheitenzeichen **Rm, st,** veralteter Name für Kubikmeter geschichtetes Holz einschließlich Zwischenräumen, im Unterschied zum →Festmeter.

Raum|ordnung, die fachübergreifende, übergeordnete Planung, die über das Gebiet der kleinsten Verwaltungseinheit (Gemeinde, →Bauleitplanung) hinausgeht. Das Raumordnungs-Ges. i. d. F. v. 28. 4. 1993 legt als Aufgaben und Ziele der

Raumordnung

Raumtransporter: Der russische Raumtransporter »Buran« mit der Trägerrakete »Energia« auf einem Tiefladewaggon im Oktober 1988

R. fest, das Bundesgebiet in seiner allg. räuml. Struktur einer Entwicklung zuzuführen, die der freien Entfaltung der Persönlichkeit in der Gemeinschaft am besten dient, wobei die natürl. Gegebenheiten sowie die wirtsch., infrastrukturellen, sozialen und kulturellen Erfordernisse zu berücksichtigen sind. Ein besonderes Schwergewicht der R. liegt auf der →Landesplanung.

📖 *Handwörterbuch der R.*, *hg. v.* P. Treuner. *Neuausg. Hannover 1995.*

Raumsonde, unbemannter Raumflugkörper für wiss. Messungen im Weltraum. Zu den R. rechnet man die zur Erforschung des Mondes gestarteten **Mondsonden** (zuletzt Lunar Prospector) sowie die R. (i. e. S.) zur Erforschung des interplanetaren Raums **(interplanetare Sonden)** und der Planeten (z. B. Pioneer, Voyager, die **Marssonden** Mars, Mariner, Viking und Pathfinder, die **Venussonden** Mariner und Venus), der Sonne (**Sonnensonden** Helios A und B) und der Kometen (z. B. Giotto).

Raumstation (Weltraumstation, Orbitalstation, engl. Spacestation), Raumflugkörper, der die Erde in einer stabilen Satellitenbahn längere Zeit umkreist und als wiss. oder raumflugtechn. Stützpunkt dient. R. werden als komplette Einheit oder in einzelnen Baugruppen in eine Umlaufbahn um die Erde transportiert (und dort montiert). Sie können im Wechsel bemannt oder unbemannt sein. Die ersten R. waren »Saljut 1« (1971) und »Skylab 1« (1973). Seit 1987 ist die R. »Mir« ständig durch verschiedene, einander ablösende Besatzungen bemannt. Im Nov. 1998 begann die bis 2002 vorgesehene Montagephase für die »International Space Station Alpha«, an der 15 Staaten, darunter die USA, die ESA, Japan und Russland beteiligt sind. Die Kernstation kann frühestens ab 1999 mit drei Personen ständig besetzt werden. Der Routinebetrieb mit einer siebenköpfigen Mannschaft und die eigentl. Nutzung der R. ISS Alpha ist für 2004 vorgesehen und soll mindestens bis zum Jahr 2013 dauern.

Raumtransporter (Raumfähre, Raumgleiter), Raumfahrzeug für (niedrige) Erdumlaufbahnen, das mithilfe einer mehrstufigen Trägerrakete auf eine Umlaufbahn gebracht wird, von dort zur Erde zurückkehren und mehrfach verwendet werden kann. Bis Ende 1996 führte die NASA insgesamt 80 Starts mit den als →Spaceshuttle bezeichneten R. durch. Im Juli 1996 wurde die neue R.-Generation »Venture Star« (X-33) vorgestellt, die ab 2012 Spaceshuttle ablösen soll. Vom russ. R. »Buran«, der bis auf die fehlenden Haupttriebwerke im Heck technisch weitgehend dem Spaceshuttle gleicht, wurden drei Einheiten gebaut. Getragen von einer ebenfalls wieder verwendbaren »Energia«-Trägerrakete, startete am 15. 11. 1988 erstmals ein Buran-R. zu einem unbemannten Testflug. Das Programm wurde jedoch später eingestellt. Weiteres Bild Raumfahrt

Räumung, *Recht:* Herausgabe eines gemieteten Raumes, zu der der Mieter nach Beendigung des Mietverhältnisses (→Miete) verpflichtet ist (§ 556 BGB). Für die R. von Wohnraum (nicht Geschäftsraum) kann das Gericht auf Antrag oder nach **R.-Klage** eine angemessene **R.-Frist** (bis zu einem Jahr) oder **R.-Aufschub** bewilligen (§§ 721, 794 a ZPO).

Räumungsverkauf, zeitlich befristeter Verkauf von Warenvorräten zu verbilligten Preisen wegen einer Räumungszwangslage (Feuer-, Wasser-, Sturmschäden), erforderl. Umbaumaßnahmen oder infolge der Aufgabe des gesamten Geschäftsbetriebes. Der R. ist gemäß Ges. gegen den unlauteren Wettbewerb (§ 8) anmeldepflichtig.

Raumwelle, *Funktechnik:* der Anteil der von einem Sender unter einem solchen Winkel abgestrahlten elektromagnet. Wellen, dass sie von der Erdoberfläche nicht beeinflusst werden (Ggs.: →Bodenwelle). Die direkte R. kann nur in einem Bereich empfangen werden, der etwa dem Sichtbereich entspricht. Die Bedeutung der R. liegt darin, dass sie von den Ionosphärenschichten reflektiert werden und dass durch Mehrfachreflexionen zw. Ionosphäre und Erdoberfläche Funkfernverbindungen möglich sind.

Raumwinkel, Formelzeichen Ω, ω, das Verhältnis der Oberfläche der Kugelhaube, die ein (beliebig geformter) Kegelmantel aus einer um den Scheitel gelegten Kugel ausschneidet, zum Quadrat des Radius dieser Kugel. SI-Einheit des R. ist der →Steradiant.

Raum-Zeit (Raum-Zeit-Kontinuum), physikal. →Raum.

Raunheim, Stadt im Landkreis Groß-Gerau, Hessen, am unteren Main, 11 900 Ew., Mainhafen;

chem., Textil-, Baustoff-, Metall verarbeitende Ind., Erdölraffinerie.

Raupe, die Larve der Schmetterlinge, die unter mehrfacher Häutung heranwächst und sich zuletzt in die →Puppe verwandelt, aus der mit einer weiteren Häutung der Schmetterling wird. Die R. leben meist von Pflanzenteilen; sie haben kauende Mundwerkzeuge; die Unterlippe trägt einen Spinnapparat, aus dem das zur Seide erhärtende Sekret der umgewandelten Speicheldrüsen austritt. Einige R. ernähren sich z.B. von Haaren, Federn oder Horn. R. besitzen meist drei Brustbeinpaare, vier Bauchbeinpaare (Afterfüße) und am letzten Hinterleibsring ein weiteres Paar, die »Nachschieber«.

Raupenfahrzeuge, die →Gleiskettenfahrzeuge.

Raupenfliegen (Schmarotzerfliegen, Tachinidae, Larvaevoridae), weltweit verbreitete Familie der →Fliegen; die Larven entwickeln sich im Körper anderer Gliedertiere, bes. in Schmetterlingsraupen; viele R. sind Forstnützlinge.

Rauschbeere

Raureif, körnige, weiße, kristalline Nebelablagerung, die durch Gefrieren unterkühlter Nebel- und Wolkentröpfchen an Bäumen, Gebäuden u.a. Gegenständen auftritt.

Rausch, leichte Trunkenheit; ein Zustand (meist) glückhafter Erregung, v.a. nach Genuss von Alkohol und Drogen (LSD, Morphin u.a.); in abgestufter und individuell unterschiedl. Weise kann der R. von Wahrnehmungsstörungen, Bewusstseinsveränderungen, Verminderung der Selbstkontrolle u.a. begleitet sein. Der **patholog. R.** ist ein mit Bewusstseins- und Orientierungsstörungen verbundener alkohol. Vergiftungszustand.

Rausch, Albert H., →Benrath, Henry.

Rausch|abstand, das in Dezibel (dB) angegebene Maß für das Verhältnis der Nutzspannung eines Signals zur Rauschspannung, gemessen z.B. am Ausgang eines Verstärkers.

Rauschbeere (Moorbeere, Trunkelbeere, Vaccinium uliginosum), Heidekrautgewächs im nördl. Europa, in Asien und Nordamerika; sommergrüner, bis fast 1 m hoher Strauch mit schwarzblauen, süßlich schmeckenden Beeren, die, in größeren Mengen genossen, Schwindelgefühl und Lähmungserscheinungen hervorrufen können.

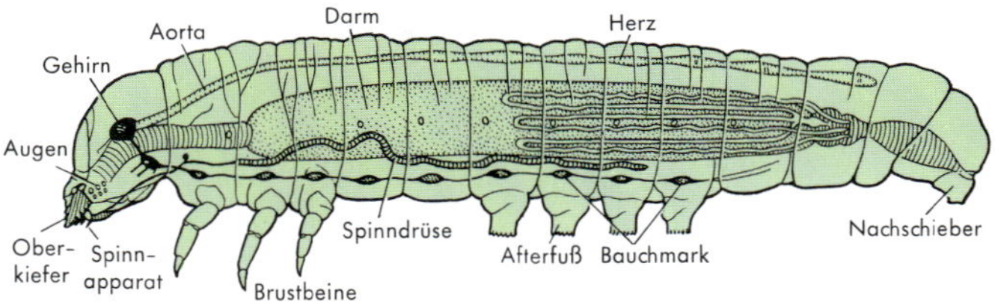

Raupe: Schnittzeichnung (Seitenansicht)

Rauschbrand, bes. bei Rind und Schaf vorkommende anzeigepflichtige Infektion mit Bakterien (Clostridium chauvoei), die im Körpergewebe Giftstoffe und Gas bilden. Der R. tritt regional begrenzt auf; die Sporen des Erregers bleiben im Boden jahrelang infektionsfähig.

Rauschen, *Elektronik:* aus der Akustik übernommene Bez. für einen ständigen, aber nichtperiod. Schwingungsvorgang. R. tritt als Störeffekt bei der elektr. Nachrichtenübertragung auf, hauptsächlich infolge der Elektronenbewegung in Widerständen **(Widerstands-R., therm.** oder **Nyquist-R.),** Elektronenröhren (→Schrotrauschen) und Halbleitern sowie infolge statist. Schwankungen bei der Erzeugung der Ladungsträger und der Stromverteilung. Beim Fernsehen macht sich das R. als »Schnee« oder »Grieß« in der Bildwiedergabe bemerkbar. Zu dem R., das durch Empfangsantennen aufgefangen wird, gehören das **atmosphär. R.,** das durch Entladungen in der Atmosphäre erzeugt wird (z.B. in Gewittern), das durch die Technik erzeugte R. (z.B. durch Entladungen in Hochspannungsnetzen) und das R. der Radiostrahlung **(kosm. R.).** Das **Quanten-R. (opt. R.)** der Photonen ist Ausdruck der spontanen Emission übl. Lichtquellen, in Lasern bestimmt es die erreichbare Frequenzstabilität. Rauschprozesse begrenzen die Mess- und Nachweisempfindlichkeit elektr. und opt. Signale; Signale unterhalb des R. sind nicht nachweisbar.

Rauschenberg, Robert, amerikan. Maler und Grafiker, *Port Arthur (Tex.) 22. 10. 1925; schuf in seinen »Combinepaintings« gen. Collagen die Grundlagen einer über die Malerei hinausgehen-

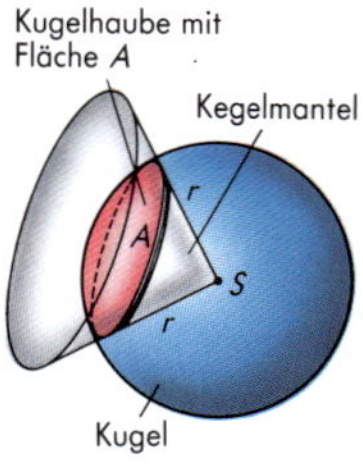

Raumwinkel: Der von einem Kegelmantel mit dem Kegelscheitel S begrenzte Raumwinkel, definiert als Quotient der Fläche A einer Kugelhaube und des Quadrats des Kugelradius r, $\omega = A/r^2$

den neuen Bildgattung, die auch frei stehende Objekte einschließen kann. Durch die Einbeziehung realer Gegenstände, meist Abfallprodukte, wurde er formal wie ikonographisch bahnbrechend für die Pop-Art. Mit dem Komponisten J. Cage und dem Choreographen M. Cunningham gestaltete er in den 50er- und 60er-Jahren Multimediashows.

📖 *R. R. im Gespräch mit Barbara Rose. A. d. Amerikan. übers. v.* L. GORRIS. *Köln 1989.*

Robert Rauschenberg: »Third time painting« (1961; Privatbesitz)

Hermann Rauschning

Rauschgelb, das Mineral → Auripigment.

Rauschgifte (Rauschmittel, Rauschdrogen), biologisch aktive Substanzen, die durch Wirkung auf das Zentralnervensystem den Bewusstseinszustand so ändern, dass rauschartige Zustände, mitunter mit Wahnvorstellungen, auftreten. R. sind natürlich (z. B. Haschisch, Kokain, Opium), halbsynthetisch (z. B. Alkohol, Heroin) oder künstlich hergestellte (z. B. Weckamine wie Ecstasy, Barbiturate) Drogen. Teilaspekte der R.-Wirkung sind Enthemmung, Verschiebung der affektiven Gleichgewichtslage, Unterdrückung von Schmerzen und Unlustgefühlen, Erzeugung einer Euphorie (bes. bei Opiaten), Halluzinationen (bes. bei Halluzinogenen wie LSD). Wiederholte Anwendung führt zu psych. und/oder phys. Drogenabhängigkeit mit Gewöhnungs- und Abstinenzerscheinungen. Alle R. können Gesundheit und Leistungsfähigkeit des Menschen gefährden; Dauergebrauch führt zu geistigem und körperl. Verfall.

In Dtl. regelt das Betäubungsmittel-Ges. i. d. F. vom 1. 3. 1994 die Erlaubnispflicht für Anbau, Ein- und Ausfuhr, Abgabe und Verteilung von R. sowie die Modalitäten der Verschreibung und der Abgabe auf Verschreibung. Verstöße gegen das Betäubungsmittel-Ges. sind mit Strafe bedroht. Die Strafvorschriften wurden durch das Ges. zur Bekämpfung des illegalen R.-Handels u. a. Erscheinungsformen der organisierten Kriminalität vom 15. 7. 1992 verschärft. Die internat. Bekämpfung des illegalen R.-Handels ist Aufgabe von Interpol und Europol; in Dtl. arbeiten Polizei und Zoll beim Vorgehen gegen die R.-Kriminalität zusammen.

📖 HOPPE, H. A.: *Drogenkunde, 3 Bde. Berlin* ^{8}*1975–87. – Drogen u. Drogenpolitik. Ein Handbuch, hg. v.* S. SCHEERER *u.* I. VOGT. *Frankfurt am Main u. a. 1989.* – THAMM, B. G. *u.* KATZUNG, W.: *Drogen – legal – illegal. Von Kaffee bis Koks, von Alkohol bis Amphetamin. Daten, Fakten, Hintergründe. Hilden* ^{2}*1994.* – BÖLLINGER, L. *u. a.: Drogenpraxis, Drogenrecht, Drogenpolitik. Leitfaden für Drogenbenutzer, Eltern, Drogenberater, Ärzte u. Juristen. Frankfurt am Main* ^{4}*1995.* – HURRELMANN, K. *u.* BRÜNDEL, H.: *Drogengebrauch – Drogenmißbrauch. Darmstadt 1997.*

Rauschgold (Flittergold, Knittergold), Bez. für Folien aus gewalztem Messingblech von 10–15 µm Stärke; Verwendung für Dekorationszwecke.

Rauschmaß, die logarithmierte Rauschzahl *F*, angegeben in Dezibel (dB) oder in Neper (Np), definiert als $a_\mathrm{F} = 10\,(\lg F)$ dB $= 0{,}5\,(\ln F)$ Np.

Rauschmittel, die → Rauschgifte.

Rauschning, Hermann, Politiker, * Thorn 7. 8. 1887, † Portland (Oreg.) 8. 2. 1982; trat 1926 der Danziger NSDAP bei, wurde 1933 Präs. des Senats der Freien Stadt Danzig, legte 1934 sein Amt nieder und emigrierte 1936 in die Schweiz; schrieb krit. Bücher über den Nationalsozialismus (u. a. »Die Revolution des Nihilismus«, 1938).

Rauschrot, das Mineral → Realgar.

Rauschtat, die Begehung einer Straftat in einem die Schuldfähigkeit ausschließenden (Voll-)Rausch, der vorsätzlich oder fahrlässig durch Genuss alkohol. Getränke oder anderer Rauschmittel herbeigeführt wurde. Bestrafung erfolgt nach den Bestimmungen über die R. (Freiheitsstrafe bis zu fünf Jahren oder Geldstrafe; § 323 a StGB), nicht nach denen über das eigtl. begangene Delikt (z. B. Körperverletzung). – Ähnl. Regelungen gelten in *Österreich* (§§ 81, 287 StGB) und der *Schweiz* (Art. 263 StGB). Von der R. zu unterscheiden ist die → Actio libera in causa.

Rausch|unterdrückungssysteme, elektron. Einrichtungen zur Unterdrückung oder Dämpfung von Störspannungen (Rauschen) bei der Aufnahme und Wiedergabe von Schallereignissen, bes. bei Kassettenrekordern und Tonbandgeräten.

Eingesetzt werden Rauschfilter und Kompander. **Rauschfilter** sind Tiefpassfilter, mit denen hohe Frequenzen und damit störendes Rauschen bei der Wiedergabe unterdrückt werden. Ausführungsformen der R. mit Rauschfiltern sind die DNL-Schaltung (→DNL) und die DNR-Schaltung (**d**ynamic **n**oise **r**eduction). DNR-Systeme arbeiten ähnlich wie DNL-Schaltungen, jedoch setzt die Filterwirkung bereits bei sehr niedrigen Nutzpegeln (1 kHz) ein. Mit steigendem Nutzpegel wird die untere Grenzfrequenz der Filterwirkung in Richtung höherer Frequenzen verschoben. **Kompander** sind komplementäre R., die die Tonsignale vor der Aufnahme beeinflussen. Nach dem Kompanderprinzip arbeiten die Dolby-Systeme®, das ANRS und die →High-Com-Systeme. Beim **Dolby-A-System** wird das gesamte Tonfrequenzspektrum in vier Teilbereiche aufgespalten und einzeln weiterverarbeitet, das vereinfachte **Dolby-B-System** arbeitet anstelle der Aufspaltung in vier Teilbereiche mit nur einem Nebenzweig mit Hochpassfilter, das **Dolby-C-System** ist im Prinzip aus zwei hintereinander geschalteten Dolby-B-Systemen aufgebaut und wirkt auf Frequenzen oberhalb 200 Hz ein. Das **Dolby-HX-System** kann nur aufnahmeseitig eingesetzt werden. Bei ihm wird der Vormagnetisierungsstrom in Abhängigkeit von der aufzunehmenden Frequenz geregelt. Das **ANRS** (**a**utomatic **n**oise **r**eduction **s**ystem) ist ein Kompandersystem, das in der Wirkungsweise dem Dolby-B-System ähnelt und mit dem Frequenzen oberhalb 500 Hz beeinflusst werden können. Die höherfrequenten Tonsignale werden um so stärker angehoben, je niedriger ihr Pegel ist. Mit dem ANRS kann eine Rauschminderung bis zu 10 dB erreicht werden, mit der Variante **Super-ANRS** sogar bis 16 dB.

Rautavaara ['raʊtava:ra], Einojuhani, finn. Komponist, *Helsinki 9. 10. 1928; seit 1976 Prof. für Komposition an der Sibelius Akademie in Helsinki; schrieb in gemäßigt modernem Klangstil unter Einbeziehung der Zwölftontechnik Opern (u. a. »Thomas«, 1985; »Vincent«, 1990), Ballette, Orchesterwerke (fünf Sinfonien; Konzerte für Violoncello, Klavier, Violine, Orgel, Kontrabass) sowie Kammer- und Vokalmusik.

Raute, auf der Spitze stehender →Rhombus.

Raute [lat.] (Ruta), Gattung der Rautengewächse v. a. im Mittelmeergebiet; Kräuter oder Halbsträucher mit Öldrüsen enthaltenden Blättern und gelben oder grünl. Blüten. Die bekannteste Art ist die **Wein-R.** (**Garten-R.,** Ruta graveolens), bis 50 cm hoch, aromatisch duftend mit gelben Blüten; Heil- und Gewürzpflanze.

Rautek-Griff [nach dem österr. Sportlehrer Franz Rautek, *1902, †1989], Rettungsgriff zur Bergung Bewusstloser (BILD →erste Hilfe).

Rautengewächse (Rutaceae), bes. in S-Afrika und Australien verbreitete Pflanzenfamilie mit zwei- bis fünfzähligen Zwitterblüten; meist Bäume oder Sträucher, selten Kräuter; mit Öldrüsen, die ein stark riechendes äther. Öl absondern. Bekannte Gattungen sind Raute und Citrus.

Rautenkranz, *Heraldik:* ein oben mit (Rauten-)Blättern besetzter grüner Schrägbalken, z. B. im Wappen von Sachsen.

Rautenstrauch, Franz Stephan, kath. Theologe, *Blottendorf (bei Böhmisch-Leipa) 29. 7. 1734, †Erlau (Ungarn) 30. 9. 1785; wurde 1750 in Braunau (Tschechoslowakei) Benediktiner, 1762 Prof. für Philosophie, Theologie und Kirchenrecht, 1773 Abt in Braunau. Als Direktor der theolog. Fakultät in Prag und Wien reorganisierte R. im Zuge der theresianisch-josephin. Studienreform ab 1774 das theolog. Studium in den kaiserl. Erblanden; ab 1782 gründete er im Auftrag Josephs II. die Generalseminarien. Sein bis 1857 gültiger »Entwurf zur Einrichtung der theolog. Schulen ...« (1782) ist von der Aufklärungspädagogik geprägt.

Weitere Werke: Anleitung u. Grundriss der systematisch-dogmat. Theologie (1774); Synopsis juris ecclesiastici publici et privati ... (1776).

Rautenstrauch-Joest-Museum für Völkerkunde [-'jo:st-], eine der bedeutendsten Sammlungen dieser Art in der Bundesrep. Dtl., 1901 in Köln gegr.; geht auf das Mäzenatentum Kölner Bürger zurück. 1898 kam der Nachlass des Ethnographen Wilhelm Joest (*1852, †1897) durch seine Schwester Adele (*1850, †1903) an die Stadt Köln. Diese veranlasste mit ihrem Ehemann Eugen Rautenstrauch (*1842, †1900) den 1904–06 erfolgten Bau eines Museumsgebäudes. Die Sammlung gibt einen umfassenden Überblick über außereurop. Kulturen in der Vergangenheit und Gegenwart.

Rauwacke, →Rauchwacke.

Rauwolfia serpentina [nach dem Arzt und Botaniker L. Rauwolf, *um 1540, †1596], südasiat. Strauch der Hundsgiftgewächse, dessen Wurzeln bes. in Indien Volksheilmittel sind; sie enthalten viele Alkaloide mit unterschiedl. Wirkung, u. a. das arzneilich gebrauchte **Reserpin;** es dämpft die Erregbarkeit des Zentralnervensystems und setzt Pulszahl und Blutdruck herab.

Rauzzini, Venanzio, italien. Sänger (Kastrat) und Komponist, *Camerino 18. 12. 1746, †Bath 8. 4. 1810; debütierte als Sopranist 1765 in Rom, wurde 1766 an den Münchner Hof engagiert, von wo aus er Konzertreisen unternahm; ging 1774 nach London und 1781 u. a. als Konzertagent nach Bath. R. komponierte Opern, eine Sinfonie, Kammermusik und Vokalwerke.

Ravaillac [rava'jak], François, *Touvre (Dép. Charente) 1578, †(hingerichtet) Paris 27. 5. 1610; ermordete aus religiösem Fanatismus am 14. 5. 1610

König Heinrich IV. von Frankreich. Er wurde durch Vierteilung hingerichtet.

Ravel [ra'vɛl], Maurice, frz. Komponist, *Ciboure (Dép. Pyrénées-Atlantiques) 7. 3. 1875, † Paris 28. 12. 1937; war neben C. Debussy führender Vertreter des frz. Impressionismus; nahm auch Anregungen von I. Strawinsky, von span. und bask. Folklore und vom Jazz sowie von der Musik der Barockzeit auf. Später neigte er zu einem auf klass. Klarheit bedachten Musikstil.

Maurice Ravel (um 1925)

Werke: Opern: L'heure espagnole (1907–09); L'enfant et les sortilèges (1920–25). – Ballette: Daphnis et Chloé (1909–12); Boléro (1928). – Orchesterwerke: Rhapsodie espagnole (1907); La valse (1920); Kammermusik, Klaviermusik (Miroirs, 1905; Gaspard de la nuit, 1908; Valses nobles et sentimentales, 1911), Lieder.

📖 HIRSBRUNNER, T.: *M. R. Laaber 1989.* – LECHLEITNER, G.: *Klangfarbenétude. Studien zum »Bolero« von M. R. Tutzing 1989.*

Ravenala [Malagasy] *die,* Gattung der Bananengewächse auf Madagaskar mit der einzigen Art **Baum der Reisenden** (Ravenala madagascariensis), 3–6 m hoch, mit fächerartig ausgebreiteten Blättern.

Ravenna 2) Stadtwappen

Ravenna, 1) Provinz in der Region Emilia-Romagna, Italien, 1859 km^2, (1995) 349 800 Einwohner.

2) Hauptstadt von 1), im Podelta, 137 000 Ew.; Erzbischofssitz; Kunstakademie mit Pinakothek, Biblioteca Classense, Antikensammlung; Erdölraffinerie, Gummi-, Kunststoff-, Düngemittel-, Schuh-, Bekleidungs-, Nahrungsmittelind.; Hafen (Kanalverbindung zum Meer). An der Küste das Seebad Marina di Ravenna. – Noch stärker als Venedig ist R. durch ansteigendes, brackiges Grundwasser und Überflutung von Landflächen durch Meerwasser gefährdet (Landsenkung in 100 Jahren etwa 80 cm). – R. ist reich an bed. frühchristlich-byzantin. Bauten, z. T. mit prächtigen Mosaiken: San Vitale (geweiht 547; BILD byzantinische Kunst), Dom (urspr. 5. Jh., Neubau 1734 ff.) mit Baptisterium der Orthodoxen (um 458; BILD frühchristliche Kunst). Theoderich d. Gr. ließ um 500 die Kirche Sant'Apollinare Nuovo erbauen; nahebei die Kirche Sant'Apollinare in Classe (549 geweiht; Mosaiken aus dem 6. und 7. Jh.). Das sog. Mausoleum der Galla Placidia (1. Hälfte des 5. Jh.) hat die vermutlich ältesten Mosaiken Ravennas. Am N-Rand der Stadt das Grabmal Theoderichs d. Gr. (um 520); an der Kirche San Francesco Erinnerungskapelle mit Grabmal Dantes (1780). – R. lag früher am Meer und wurde durch Augustus zum Standort der röm. Adriaflotte, 402 n. Chr. Sitz des weström. Kaisers Honorius; es wurde 476 Hptst. des Reichs Odoakers, 493 Sitz des Ostgotenkönigs Theoderich d. Gr. und seiner Nachfolger, Mitte des 6. Jh. der byzantin. Statthalter (→Exarchat). 751 wurde R. von den Langobarden erobert, 754 durch die →Pippinsche Schenkung dem Papst zugesprochen. Durch Versandung des Hafens sank R. zur Provinzstadt herab. 1441–1509 in der Hand Venedigs, gehörte R. bis 1860 zum Kirchenstaat.

📖 DEICHMANN, F. W.: *R. Hauptstadt des spätantiken Abendlandes, 3 Bde. in 7 Teilen. Wiesbaden 1969–95, teilw. Nachdr.*

Ravensbrück, Ortsteil (seit 1951) von Fürstenberg/Havel. – In dem nat.-soz. Konzentrationslager (1939–45) fanden etwa 92 000 Frauen und Kinder den Tod (seit 1959 Gedenkstätte).

Ravensburg, 1) Landkreis im RegBez. Tübingen, Bad.-Württ., 1632 km^2, (1996) 261 400 Einwohner.

Ravensburg 2) Stadtwappen

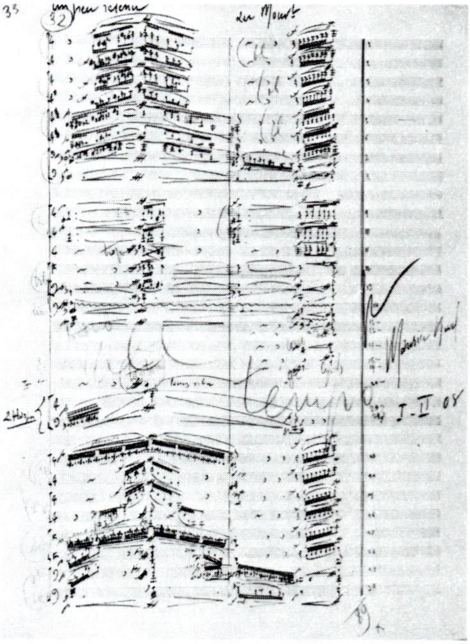

Maurice Ravel: Autograph einer Seite aus dem Orchesterwerk »Rapsodie espagnole« (1907)

2) Kreisstadt von 1) in Bad.-Württ., an der Schussen, 46600 Ew.; Große Kreisstadt; FH R.-Weingarten, landwirtsch. Versuchsstation, Außenstelle des Astronom. Instituts der Univ. Tübingen; Maschinenbau, Textil-, elektrotechn., feinmechan. u.a. Ind., Verlag. – Mittelalterl. Stadt mit Stadttoren, -türmen, spätgot. Rathaus (14.–16. Jh., im 19./20. Jh. verändert) und vier got. Kirchen (14. Jh.). – Entstand bei einer Burg (um 1080 erbaut); Stammsitz der Welfen; 1122 erstmals erwähnt; kam um 1180 an die Staufer, wurde vor 1276 Reichsstadt; 1380–1530 Blüte durch die »Große Ravensburger Handelsgesellschaft«; kam 1802 an Bayern, 1810 an Württemberg.

Rawalpindi, Stadt in Pakistan, im NW-Pandschab, bildet mit Islamabad eine Doppelstadt, 928000 Ew.; Sitz militär. Behörden; techn. FH; Textil- und chem. Ind., Erdölraffinerie.

Rawlings ['rɔːlɪŋs], Jerry John, Offizier und Politiker in Ghana, *Accra 22. 6. 1947; übernahm nach einem blutigen Putsch im Juni 1979 die Macht und übergab sie nach Wahlen im Sept. 1979 an zivile Organe; seit seinem erneuten Militärputsch um die Jahreswende 1981/82 als Vors. des Provisor. Nat. Verteidigungsrates Staatsoberhaupt; leitete nach diktator. Herrschaft 1992 Schritte zur Demokratisierung des Landes ein; im Nov. 1992 von der Bev. als Staats- und Reg.chef bestätigt.

Rawlinson ['rɔːlɪnsn], Sir (seit 1855) Henry Creswicke, britischer Assyriologe und Diplomat, *Chadlington (Cty. Oxfordshire) 11. 4. 1810, †London 5. 3. 1895; lieferte Beiträge zur Entzifferung der altpers. Keilschrift (bes. anhand der Inschrift Dareios' I. am Felsen von Behistun; →Bisutun) und der babylon. Keilschrift.

Rawls [rɔːlz], John, amerikan. Philosoph, *Baltimore (Md.) 21. 2. 1921; seit 1962 Prof. an der Harvard University; Vertreter einer gegen log. Positivismus und analyt. Sprachphilosophie gerichteten normativen Philosophie. In seinem Hauptwerk »A theory of justice« (1971) sucht R. Prinzipien für gerechte ökonom. Verteilung und gerechte soziale Chancenzuteilung aufzustellen und zu begründen, indem er auf die →Vertragslehren der neuzeitl. politischen Philosophie zurückgreift.

Rax *die* (Raxalpe), plateauartiger Gebirgsstock der Nördl. Kalkalpen, nordwestlich vom Semmering, Niederösterreich/Steiermark, in der Heukuppe 2007 m ü.M. hoch; Seilbahn von Hirschwang (bis auf 1547 m ü.M.).

Ray [reɪ], **1)** Man, amerikan. Maler und Fotograf, *Philadelphia (Pa.) 27. 8. 1890, †Paris 18. 11. 1976; Mitbegründer der New Yorker Dadaistengruppe; lebte 1921–40 und ab 1951 in Paris. Mit Fotomontagen und Photogrammen (»Rayographien«) erschloss er neue Ausdrucksmittel. Seine surreal verfremdeten Objekte nehmen die Entwicklung der 1960er-Jahre vorweg. Dada und Surrealismus prägen auch seine Gemälde und Collagen sowie seine experimentellen Filme. BILD S. 324

Ravenna 2): Die 549 geweihte Kirche Sant'Apolllinare, eine dreischiffige Basilika mit Campanile aus dem 10. Jh., liegt 5 km südlich der Stadt in Classe

2) Nicholas, eigtl. Raymond Nicholas Kienzle, amerikan. Filmregisseur, *La Crosse (Wis.) 7. 8. 1911, †New York 16. 6. 1979; drehte u.a. »... denn sie wissen nicht, was sie tun« (1955).

3) Satyajit, indisch-bengal. Filmregisseur, *Kalkutta 2. 5. 1921, †ebd. 23. 4. 1992; erfolgreich mit ep. Filmen, die von der Ästhetik des Neorealismus beeinflusst sind. Die Apu-Trilogie »Auf der Straße« (1955), »Der Unbesiegbare« (1956), »Apus Welt« (1959) berichtet über die sich auflösenden traditionellen Strukturen in Indien; »Ferner Donner« (1973), »The Stranger« (1991).

Jerry John Rawlings

Raygraben, *Wasserbau:* Abzugsgraben zur Vorentwässerung bei der Moorerschließung.

Raygras [aus engl. rye »Roggen«], der →Lolch.

Rayleigh ['reɪlɪ], John William Strutt, 3. Baron (seit 1873) R., brit. Physiker, *Langford Grove (Cty. Essex) 12. 11. 1842, †Witham (Cty. Essex) 30. 6. 1919; Prof. in Cambridge und London, Mitgl. und Präs. der Royal Society. R. lieferte wichtige Beiträge auf vielen Gebieten der klass. Physik, v.a. zur Schwingungs- und Wellenlehre sowie zur Akustik; weitere Arbeiten betrafen die Wärmestrahlung und Lichtstreuung **(R.-Streuung).** Mit W. Ramsay entdeckte R. 1894 das Argon, wofür er 1904 den Nobelpreis für Physik erhielt.

John William Strutt, 3. Baron Rayleigh

Rayleigh-Kriterium ['reɪlɪ; nach J. W. Rayleigh], ein Kriterium für den Mindestabstand zweier Spektrallinien, wenn diese als zwei Linien aufgelöst, d.h. als solche erkannt werden sollen. Es besagt, dass die Linien mindestens so weit auseinander liegen müssen, dass das nullte Maximum des Spaltbeugungsbildes der einen Wellenlänge mit dem ersten Minimum des Beugungsbildes der anderen Wellenlänge zusammenfällt. BILD S. 324

Rayleigh-Streuung ['reɪlɪ-; nach J. W. Rayleigh], Streuung von Licht an kugelförmigen Teil-

Man Ray (von links): »Geschenk« (1921–23; Privatbesitz); »Dada« (1916; Privatbesitz)

chen (bes. Luftmolekülen), deren Radius klein gegen die Wellenlänge λ des Lichts ist. Die Intensität des Streulichts ist dabei richtungsunabhängig und proportional zu λ^{-4}. Die stärkere Streuung des kurzwelligen Lichts bewirkt die Blaufärbung des Himmels und die Rotfärbung des direkten Sonnenlichts bei Sonnenauf- und Sonnenuntergängen. Die R.-S. ist der Grenzfall der →Mie-Streuung für kleine Teilchen.

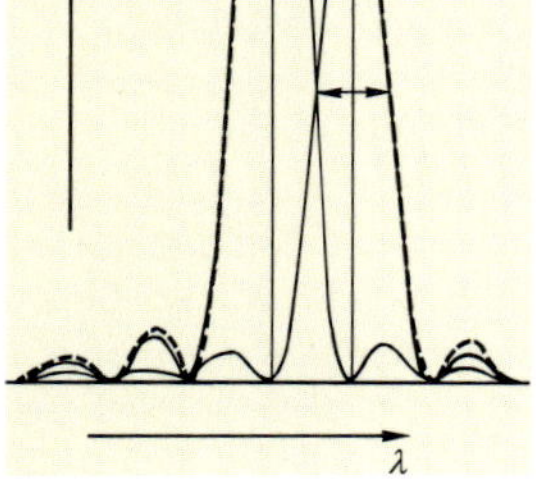

Rayleigh-Kriterium: Verlauf der Intensität I der mit Licht zweier verschiedener Wellenlängen λ erzeugten Spaltbeugungsbilder (durchgezogene Linien) und deren Summe (gestrichelt); das Maximum des einen Bildes liegt jeweils am Ort des ersten Minimuns des anderen (die Doppelpfeile deuten die Halbwertsbreite an)

Raymond ['rai-], Fred, eigtl. Friedrich Vesely, österr. Komponist, *Wien 20. 4. 1900, †Überlingen 10. 1. 1954; schrieb Schlager (»In einer kleinen Konditorei«) und Revue-Operetten, u. a. »Ich hab' mein Herz in Heidelberg verloren« (1927); »Maske in Blau« (1937).

Raynal [rɛ'nal], Paul, frz. Dramatiker, *Narbonne 25. 7. 1885, †Paris 20. 8. 1971; wurde v. a. mit seinen formal in der Tradition der frz. klass. Tragödie stehenden antimilitarist. Dramen über den 1. Weltkrieg bekannt, u. a. »Das Grabmal des unbekannten Soldaten« (1924, verfilmt).

Raynaud-Krankheit [rɛ'no:-, nach dem frz. Arzt Maurice Raynaud, *1834, †1881] (Raynaud-Syndrom), arterielle Durchblutungsstörung der Finger. Auf Kältereiz, psych. Erregung u. a. sind die feinsten Blutgefäße verkrampft, der blutleere Bezirk wird empfindungslos; die wieder einsetzende Durchblutung ruft starke Schmerzen und Blaufärbung (Zyanose) der Haut hervor. *Behandlung* v. a. durch physikalisch-therapeut. Maßnahmen, durchblutungsfördernde, krampflösende Arzneien sowie Reizvermeidung (Rauchverbot).

Rayon [rɛ'jɔ̃, frz.] *der,* **1)** österr., sonst veraltet für Bezirk, (Dienst-)Bereich.

2) unterster Verwaltungsbezirk in Russland u. a. Republiken der GUS.

3) auch *das,* Textilfaser, →Reyon.

Rayonismus [rɛjɔn-; zu frz. rayon »Strahl«] *der,* von M. F. Larionow und seiner Frau N. S. Gontscharowa ab 1910 entwickelte Richtung der russ. Malerei, die vom Primitivismus der Künstlergruppe »Karobube« ausging und Anregungen des Kubismus und Orphismus verarbeitete.

Rayski, Louis Ferdinand von, Maler, *Pegau 23. 10. 1806, †Dresden 23. 10. 1890; Offizier, lebte nach Studien 1834–35 in Paris; Wegbereiter des dt. Impressionismus.

Raysse [rɛs], Martial, frz. Maler und Objektkünstler, *Golfe-Juan (heute zu Vallauris, Dép. Alpes-Maritimes) 12. 2. 1936; Mitbegründer des →Nouveau Réalisme (1960), dessen Parallelität zur angloamerikan. Pop-Art er am deutlichsten belegt; entwickelte später eine tachistisch wirkende figurative Malerei.

Razzia [frz., zu arab. »Kriegszug«] *die,* großangelegte, überraschende polizeil. Fahndungsaktion nach verdächtigen Personen.

Rb, chem. Symbol für →Rubidium.

RCDS, Abk. für **R**ing **C**hristlich-**D**emokratischer **S**tudenten, →studentische Vereinigungen.

RC-Glied, aus einem Widerstand R und einem Kondensator C gebildeter frequenzabhängiger Vierpol, z.B. als Filter, Differenzierglied.

rd, Einheitenzeichen für →Rad.

RDS, Abk. für **R**adio-**D**aten-**S**ystem, europaweit genormte Methode für die Übertragung von Daten zur Information oder/und Steuerung von Empfängern im UKW-Rundfunk parallel zum laufenden Programm. Die RDS-Signale werden digital codiert, mit der Niederfrequenz der Trägerfrequenz aufmoduliert und im Empfangsgerät decodiert. Mit RDS lassen sich u.a. Programmarten, -zeiten und Sender vorwählen und die Einschaltung automatisch steuern, z.B. der Empfang regional differenzierter Verkehrsmeldungen über den Traffic Message Channel (TMC). Hat der Empfänger eine Anzeige, können mit dem RDS auch zusätzl. Informationen, z.B. Warn- und Suchmeldungen, Uhrzeit, eingeblendet werden.

re, *Musik:* italien. und frz. Bez. für den Ton D; die 2. Silbe in der →Solmisation.

Re, 1) chem. Symbol für →Rhenium.

2) *Mathematik:* Zeichen für den Realteil einer →komplexen Zahl.

Rayonismus: Michail Fjodorowitsch Larionow, »Blauer Rayonismus« (1912; Privatbesitz)

Re (Ra), ägypt. Name der Sonne und des Sonnengottes (→ägyptische Religion). Wird oft menschengestaltig, in seiner früheren Verbindung mit Horus zur Gestalt des Harachte auch falkenköpfig dargestellt. In der 4. Dynastie nahm der ägypt. König den Titel »Sohn des Re« an. BILD S. 326

Ré, Île de [ildə're], Insel an der W-Küste Frankreichs, Dép. Charente-Maritime, 85 km², 14000 Ew.; Fischerei, Austernzucht, Salzgärten; Frem-

Martial Raysse: »Life is so complex«, Flachrelief aus Plexiglas (1966; Grenoble, Musée de Peinture et de Sculpture)

denverkehr; Hauptort ist Saint-Martin-de-Ré; 2926 m lange Brücke zum Festland.

re... [lat. »zurück«, »wieder«], Vorsilbe für zurück..., wieder..., von neuem erfolgend u.Ä.

Re: Der die Sonnenscheibe tragende falkenköpfige Sonnengott Re-Harachte hält Sethos I. das Lebenszeichen an die Nase, Relief aus einem Tempel des Sethos in Abydos

Ronald Reagan

Read [ri:d], **1)** Grantly, britischer Gynäkologe, →Dick-Read, Grantly.

2) Sir (seit 1953) Herbert Edward, engl. Schriftsteller, Kunsthistoriker und -kritiker, *Kirkbymoorside (Cty. North Yorkshire) 4. 12. 1893, †Malton (Cty. North Yorkshire) 12. 6. 1968; stilistisch elegante Lyrik sowie wiss. Publikationen zu Literatur, Philosophie und bildender Kunst.

Reader ['ri:də; engl. »Leser«, »Lesebuch«], **1)** *Buchwesen:* →Lesebuch.

2) *Hochschulwesen:* Titel brit. Hochschuldozenten.

Reader's Digest ['ri:dəz 'daıdʒəst; engl. »Auszug für den Leser«], amerikan. Monatsschrift, 1922 gegr. als Nachdruckblatt für Auszüge aus Zeitschriften und Büchern, später auch mit Originalbeiträgen; dt. Ausgabe »Das Beste«, gegr. 1948.

Reading ['redıŋ], Hptst. der Cty. Berkshire, England, an der Themse, 123 700 Ew.; Univ., europ. Zentrum für mittelfristige Wettervorhersage, Inst. für Landwirtschaftsgesch.; Museen; Maschinenbau, Nahrungs- und Genussmittel-, Druckindustrie. – Das Benediktinerkloster (1121 gegr., 1539 aufgehoben) diente als königl. Begräbnisstätte.

Readymade ['redımeıd; engl. »gebrauchsfertig«] *das,* Gebrauchsgegenstände, die, ihrer eigentl. Funktion entfremdet, als Kunstwerke ausgestellt sind, erstmals 1913 durch M. Duchamp.

Re|afferenzprinzip, *Sinnesphysiologie:* Erklärungsprinzip für die Regelungsvorgänge zw. den Sinnesorganen und den Bewegungsvorgängen (Motorik), wonach über die Ausführung einer Körperbewegung eine Rückmeldung **(Reafferenz)** an das Zentralnervensystem erfolgt.

Reagan ['regən], Ronald Wilson, 40. Präs. der USA (1981 bis 1989), *Tampico (Ill.) 6. 2. 1911; Film- und Fernsehschauspieler; erst Demokrat, dann Republikaner; 1967–75 Gouv. von Kalifornien; im Nov. 1980 zum Präs. gewählt (Wiederwahl 1984). Seine Wirtschaftspolitik (»Reaganomics«) war bestrebt, durch Abbau von Steuerbelastungen und Deregulierung Investitionen und Wachstum zu fördern, durch eine Hochzinspolitik die Inflation zu bekämpfen sowie durch Kürzung öffentl. Ausgaben (bes. Sozialausgaben) das Defizit im Staatshaushalt zu begrenzen. Im außenpolit. Bereich verfolgte er eine Politik der Stärke (starke Erhöhung der Rüstungsausgaben; Invasion in Grenada; SDI). In der 2. Hälfte der 80er-Jahre suchte er insbesondere im militär. Bereich einen Ausgleich mit der Sowjetunion (INF-Vertrag 1987).

📖 DALLEK, R.: *R. R. Cambridge, Mass., 1984.* – WILLS, G.: *R.'s America. London 1988.* – *The R. years, hg. v.* J. HOGAN. *Manchester 1990.*

Reagenz [lat.] *das* (Reagens), chem. Stoff besonderer Reinheit, der chem. Reaktionen bewirkt und zum qualitativen und/oder quantitativen Nachweis von Substanzen oder Substanzgruppen dient.

Reagenzglas (Probierglas), zylindrisches, einseitig geschlossenes Röhrchen aus dünnwandigem Geräteglas für chem. Umsetzungen mit kleinen Mengen.

Reaktand *der* (Reaktant), Ausgangsstoff einer chem. Reaktion.

Reaktanz *die,* der →Blindwiderstand im Wechselstromkreis.

Reaktion [von lat. reagere »zurücktreiben«, zu agere »handeln«, »tun«], **1)** *allg.:* durch etwas ausgelöste Aktivität, (Gegen)wirkung, Rückschlag.

2) *Chemie:* die →chemische Reaktion.

3) *Medizin, Physiologie:* phys. Antwortverhalten eines Organismus auf einen ihn betreffenden Reiz (physikal. oder chem. Einwirkungen); z.B. Überempfindlichkeits-R. bei Allergie infolge Pollenflugs.

4) *Physik:* nach dem Wechselwirkungsprinzip (→newtonsche Axiome) die Gegenwirkung, Gegenkraft.

5) *Politik:* polit. Schlagwort für das Streben, zu überholten, veralteten Anschauungen und Einrichtungen oder gesellschaftl. Zuständen zurückzukehren. Vertreter der R. (»Reaktionäre«) gelten als fortschrittsfeindlich. (→Restauration)

6) *Psychologie:* durch einen →Reiz ausgelöstes Verhalten reflexhafter, emotionaler oder rationaler Art, z.T. angeboren, z.T. erlernt. R.-Prüfungen spielen u.a. bei Untersuchung der Berufseignung eine Rolle; hinsichtlich Schnelligkeit, bevorzugtem Wahrnehmungsbereich o.Ä. lassen sich R.-Typen ermitteln.

Reaktionsharze, flüssige oder verflüssigbare Harze, die für sich oder mit **Reaktionsmitteln** (Härter, Beschleuniger u.a.) ohne Abspaltung flüchtiger Komponenten durch →Polyaddition oder →Polymerisation härten, z.B. Epoxidharze, ungesättigte Polyester.

Reaktionskinetik (chemische Kinetik), Teilgebiet der physikal. Chemie, das sich mit dem zeitl. Ablauf von chem. Reaktionen und der Aufklärung von Reaktionsmechanismen beschäftigt. Die R. ist von Bedeutung für die Steuerung chem. Reaktionen, z.B. Beeinflussung des Stoffumsatzes durch Temperatur, Konzentration, Katalysatoren oder Art der Reaktionsführung.

Reaktionsprinzip, eines der →newtonschen Axiome.

Reaktionswärme, die Wärmemenge, die beim Ablauf einer chem. Reaktion freigesetzt (exotherme Reaktion) oder verbraucht wird (endotherme Reaktion); die auf die Stoffmenge von 1 Mol bezogene R. heißt **molare R.** (angegeben in kJ/mol). Die R. ist in Reaktionen bei konstantem Druck gleich der Änderung der →Enthalpie ΔH des Systems **(Reaktionsenthalpie),** bei konstant bleibendem Volumen gleich der Änderung der →inneren Energie ΔU **(Reaktionsenergie).**

Reaktionszeit, die zw. einem Reiz und der darauf erfolgenden Reaktion verstreichende Zeitspanne (Latenz). – Im Verkehrsrecht beginnt die R. mit einem vorhersehbaren Ereignis (z.B. Ampelschaltung) im Unterschied zur Schrecksekunde.

Reaktivität, Maß für das Verhalten eines Kernreaktors hinsichtlich des Ablaufes einer kontrollierten Kettenreaktion. Die R. ρ wird definiert als $\rho = (k-1)/k$ (k Neutronenmultiplikationsfaktor, effektiver Vermehrungsfaktor). Der Reaktor ist kritisch, wenn $\rho = 0$ und $k = 1$ ist; er ist überkritisch, wenn $\rho > 0$ und $k > 1$ ist, d.h. der Neutronenfluss wächst, und er ist unterkritisch, wenn $\rho < 0$ und $k < 1$ ist, d.h. es lässt sich keine Kettenreaktion aufrecht erhalten.

Reaktor [lat.] *der,* **1)** *chem. Technik:* offener oder geschlossener Behälter, in dem Rohmaterialien in das vorgesehene Produkt umgewandelt werden.

2) *Kerntechnik:* Kurzbez. für →Kernreaktor.

Reaktorsicherheit, System von Maßnahmen und Einrichtungen zur Gewährleistung des sicheren Betriebs von →Kernreaktoren, um die Strahlengefährdung von Mensch und Umwelt bei der Erzeugung von Kernenergie zu vermeiden. Die R. umfasst den Schutz vor mögl. Störfällen und enthält passive und aktive Sicherheitseinrichtungen, wie Notstrom-, Notkühl-, Schnellabschaltsystem.

Reaktortechnik, Teilgebiet der Kerntechnik, das sich mit den techn. Problemen in →Kernreaktoren befasst. Die in der kernphysikal. Grundlagenforschung **(Reaktorphysik)** gewonnenen Ergebnisse werden in der R. zur Nutzung der Kernenergie umgesetzt.

real [lat., zu res »Sache«], **1)** *allg.:* in der Wirklichkeit vorhanden, nicht imaginär; der Realität entsprechend; Ggs.: irreal.

2) *Wirtschaft:* unter Berücksichtigung der Kaufkraft ausgedrückt, z.B. das **Realeinkommen** im Ggs. zum Nominaleinkommen.

Real [lat.] *der* (*Pl.* span. Reales, portugies. Reis), seit dem 14. Jh. in Spanien, Portugal und Südamerika geprägte Silbermünze (seit 1534 auch Kupfermünze); in Portugal bis 1910 sowie in Brasilien heute Währungseinheit.

Real: Vorder- und Rückseite einer chilenischen Münze aus dem Jahr 1843 (Durchmesser 19 mm)

Realgar [frz. aus arab.] *der* (Rauschrot), monoklines, rotes Mineral der chem. Zusammensetzung AsS (auch As_4S_4); Mohshärte 1,5–2, Dichte 3,4–3,6 g/cm^3; zerfällt im Sonnenlicht in →Auripigment und Arsenik.

Realgar

Realgymnasium, ehem. Typ des →Gymnasiums.

Realilen, wirkliche Dinge, Tatsachen; im älteren pädagog. Sprachgebrauch die Sachfächer (Mathematik, Naturwiss., lebende Sprachen) im Ggs. zu den alten Sprachen.

Realignment ['ri:ə'laɪnmənt; engl.-amerikan., aus re- »wider« und alignment »Anordnung«] *das,* in einem System fester Wechselkurse (z.B. im Europ. Währungssystem) die Neufestlegung der Wechselkurse zw. den versch. Währungen.

Realisationsprinzip, ein Grundsatz ordnungsgemäßer Buchführung und Bilanzierung, nach dem Gewinne erst dann ausgewiesen werden dürfen, wenn sie durch Umsätze verwirklicht (»realisiert«) worden sind. (→Bewertung)

realisieren, **1)** *allg.:* in die Tat umsetzen, verwirklichen; auch: begreifen, sich bewusst machen.

2) *Wirtschaft, Buchhaltung:* in Geld umwandeln.

Realismus *der,* **1)** *bildende Kunst:* allg. Bez. für die Abbildlichkeit dargestellter Wirklichkeit (oft synonym mit →Naturalismus gebraucht). R. wird präzisiert als prinzipieller Gegenentwurf sowohl zur normativen Ästhetik wie zur idealist. Kunstauffassung. Realist. Kunst bekennt sich zur (kritischen) Darstellung der vorgefundenen alltägl. anstelle einer »höheren« Realität. R. in diesem Sinne gab es schon vor G. Courbets programmat. Ausstellung »Le réalisme« (1855), bes. in der spätmittelalterl. Kunst bei N. Gerhaert von Leiden, H. Bosch, M. Grünewald, J. Ratgeb, dann z.T. im Porträt (A. Dürer, H. Holbein d. J., L. Cranach d.Ä.), später bei P. Bruegel d.Ä., Caravaggio, J. de Ribera, D. Velázquez, J. Callot, W. Hogarth, F. de Goya y Lucientes, T. Géricault. Doch erst im 19.Jh. tritt R. mit demokrat. Selbstbewusstsein als materialist. Antithese zum »aristokrat.« Idealismus auf. Auch jetzt prägt er stärker die theoret. Auseinandersetzung als das allg. Kunstschaffen. Bezeichnend für den R. ist sein Interesse an der Freilichtmalerei und die Wahl bislang ungewöhnl. Themen (arbeitende Menschen, Industrieanlagen). Er diente u.a. unmittelbar sozialen Intentionen (H. Daumier, Courbet, A. Menzel, W. Leibl sowie den Peredwischniki), im 20.Jh. fortgesetzt als soziale Anklage (H. Zille, K. Kollwitz, M. Beckmann, O. Dix, G. Grosz) oder direkt polit. und gesellschaftskrit. Aussage (P. Picasso, R. Guttuso; J. Heartfield, K. Staeck u.a. Vertreter des →Nouveau Réalisme). Im Dienst einer Kunst, die sich häufig mit sozialkrit. oder revolutionären Zügen verbindet, steht der R. beim mexikan. →Muralismo und im →sozialistischen Realismus. Daneben entstanden im 20.Jh. neue, übersteigerte Formen des R., meist als Reaktion auf expressionist. oder abstrakte Tendenzen. Dazu gehören der →Surrealismus, der →magische Realismus der →Neuen Sachlichkeit und vergleichbarer Strömungen sowie der →fantastische Realismus. Die sekundäre Wirklichkeit vorgegebener Bildwelten rückt beim →Fotorealismus an die Stelle der primären Wirklichkeit.

📖 BAUMGART, F.: *Idealismus u. R. 1830 bis 1880. Köln 1975. – R. zwischen Revolution u. Reaktion 1919–1939, hg. v.* I. WALTHER. *A. d. Frz. München 1981.* – WEISBERG, Y. M. *u.* WEISBERG, G. P.: *The realist debate, a bibliography of French realist painting, 1830–1885. New York 1984.*

2) *Literatur:* Stil- und Epochenbegriff. 1) Als **Stilbegriff** umschreibt R. ein R.-Verständnis, das sich durch Mitteilung gegebener Tatsachen und Verhältnisse bestimmt und als überzeitl. Konstante bes. in Spät- und Übergangszeiten beobachtet wird. In diesem Sinn spricht man von einem R. der spätatt. Tragödie (Euripides) und Komödie (Aristophanes), von einem spätröm. R. (Petronius), bes. aber von einem weithin gattungsgebundenen R. des Spät-MA. (Schwank, Fabliau, Novelle, Fazetie, Satire); realist. Züge tragen Oster-, Passions- und Fastnachtsspiele, Meistersingerdichtungen und Werke didakt. Literatur. Als realistisch gilt v.a. die Erzähllit. des 17.Jh. mit detailtreuen Beschreibungen des Lebens der mittleren und niederen Stände (J. J. C. von Grimmelshausen, J. Beer, C. Reuter, P. Scarron). Im 18.Jh. beschreiben H. Fielding und S. Richardson »Innerlichkeitsrealität«. Trotz Schillers grundsätzl. Erörterung der Weltanschauungen »R.« und »Idealismus« blieb der Lit. der Weimarer Klassik und der Romantik die Zuordnung zur realist. Kunst weithin vorenthalten. Die Verwendung des allg. stiltypolog. Begriffs – sieht man von der Epochenbezeichnung im 19.Jh. ab – tritt erst wieder in den Kontroversen des 20. Jh. um Neuromantik, Expressionismus, Surrealismus und Neue Sachlichkeit auf, in denen R. eine polem. Bedeutung erhält. Aus diesen Auseinandersetzungen wurde auch der Terminus →sozialistischer Realismus entwickelt; damit sollte zugleich eine Abgrenzung vom bürgerl. R. des 19.Jh. und vom krit. R. des 20.Jh. (A. Döblin, L. Feuchtwanger, E. Hemingway, R. Rolland, A. Zweig, H. Mann) gewonnen werden. Für den magischen Realismus ist die Wirklichkeit Chiffre und Symbol für eine andere (mag.) Wirklichkeit.

2) Als **Epochenbegriff** bezeichnet R. für nahezu alle europ. Literaturen die Zeit zw. 1830 und 1880. Von Einfluss auf die engl. und die russ. Lit. war der frz. R., geprägt von einer desillusionist. und sozialkrit. Haltung (Stendhal, H. de Balzac, G. Flaubert). – Bestimmend für die Festlegung des Stil- und Epochenbegriffs R. wurden die Aufsätze von J. Champfleury (»Le réalisme«, 1857). In Dtl. wurde der literar. R. erst nach der Revolution von 1848 zur wichtigen Stilrichtung. Der von O. Ludwig eingeführte Begriff des **poet. R.** beschreibt eine Wirklichkeitsdarstellung, die sich durch die Subjektivität der Erzählperspektive auszeichnet (J. Gotthelf, G. Keller, A. Stifter, T. Storm, W. Raabe). Zur stilist. und histor. Unterscheidung der Romane T. Fontanes und T. Manns wurde der Terminus **bürgerl. R.** geprägt. R. als übernat. Erscheinung im 19.Jh. ist belegt mit Werken des vielfach humorist., durch emotional-sozialkrit. Mitleidspathos ausgezeichneten engl. R. (W. M. Thackeray, C. Dickens, G. Eliot) und die sozialutopisch engagierten und zu detaillierter Beschreibung psycholog. Individualwirklichkeit neigenden Romane der russ. Realisten (F. M. Dostojewski, L. N. Tols-

toi, I. S. Turgenjew, I. A. Gontscharow); zum sog. **symbol. R.** gehören bes. die Werke der amerikan. Lit. des 19. Jh. (H. Melville, N. Hawthorne).

🕮 PREISENDANZ, W.: *Wege des R. Zur Poetik u. Erzählkunst im 19. Jh. München 1977.* – HEITMANN, K.: *Der frz. R. Wiesbaden 1979.* – *Europ. R., bearb. v.* R. LAUER *u. a. Wiesbaden 1980.* – AUST, H.: *Literatur des R. Stuttgart* ²*1981.* – *Begriffsbestimmung des literar. R., hg. v.* R. BRINKMANN. *Darmstadt* ³*1987.* – AUERBACH, E.: *Mimesis. Dargestellte Wirklichkeit in der abendländ. Literatur. Tübingen u. a. 1994.*

3) *Philosophie:* 1) diejenigen philosoph. Richtungen, die die Wirklichkeit als außerhalb und unabhängig vom Bewusstsein bestehend auffassen. Der **naive R.** z. B. der Stoa geht von der Identität zw. der Wirklichkeit und dem unmittelbar Erfahrenen aus. Auch der **krit. R.** (K. R. Popper) nimmt eine bewusstseinsunabhängige Realität an, jedoch sind reales Objekt und Erkenntnisobjekt nicht identisch, da der Erkenntnisprozess die Leistung des erkennenden Bewusstseins (im Sinn von »Zutat«) einschließt. – Heute wird der R. u. a. durch den Materialismus vertreten; über den Neo- bzw. Neurealismus der engl. und amerikan. Philosophie →englische Philosophie, →Vereinigte Staaten von Amerika (Philosophie).

2) In der Scholastik (Anselm von Canterbury, Wilhelm von Champeaux) bezeichnet R. die dem Platonismus ähnliche Position, dass den Allgemeinbegriffen eine Wirklichkeit (»Realität«) zukommt (Begriffsrealismus) und sie nicht nur bloße Worte sind (→Universalienstreit, →Nominalismus). In der Tradition der Scholastik steht der Neuthomismus. Moderne Formen des R. (Begriffs-R.) beziehen sich meist auf die unabhängige Existenz mathemat. und log. Gegenstände.

Realität *die,* Wirklichkeit, Tatsache, Gegebenheit. – In der Philosophie bezeichnet R. als Prinzip des philosoph. →Realismus die vom Subjekt unabhängig existierende Außenwelt, als Grundbegriff der kantschen →Transzendentalphilosophie die vom Subjekt mitkonstituierte Erfahrungswelt, das anschaul. Gegebene. Der →kritische Rationalismus betont in der R. als Wirklichkeit das Wirken auf das Subjekt, sodass nicht nur die dingl. Welt, sondern auch Bewusstseinszustände und geistige Gegebenheiten (Werte, Gedankeninhalte usw.) unter den R.-Begriff fallen.

Realkonkurrenz (Tatmehrheit), *Strafrecht:* die Verletzung mehrerer Strafgesetze oder die mehrfache Verletzung desselben Strafgesetzes durch mehrere selbstständige Handlungen (z. B. wenn ein Täter heute A und morgen B beraubt); Ggs.: →Idealkonkurrenz. Bei R. wird durch Erhöhung der schwersten Einzelstrafe eine Gesamtstrafe gebildet (§§ 53, 54 StGB). – Das *österr.* und das *schweizer.* StGB behandeln →Idealkonkurrenz und R. grundsätzlich gleich.

Realkredit (Sachkredit), gegen Verpfändung oder Sicherungsübereignung realer Vermögenswerte (z. B. Immobilien, Waren, Wertpapiere) gewährter →Kredit; Ggs.: Personalkredit.

Realkredit|institute, Spezialkreditinstitute, die durch Grundpfandrechte (Hypotheken, Grundschulden) abgesicherte Kredite zur Finanzierung von Immobilien und Investitionen vergeben sowie im Kommunalkreditgeschäft tätig sind. Die dafür notwendigen Mittel werden durch Ausgabe von Pfandbriefen und Kommunalobligationen beschafft. R. sind private →Hypothekenbanken und öffentlich-rechtl. Grundkreditanstalten.

Realkristalle, die realen Kristalle (mit Gitterbaufehlern bzw. Fehlordnungen) im Unterschied zu den →Idealkristallen.

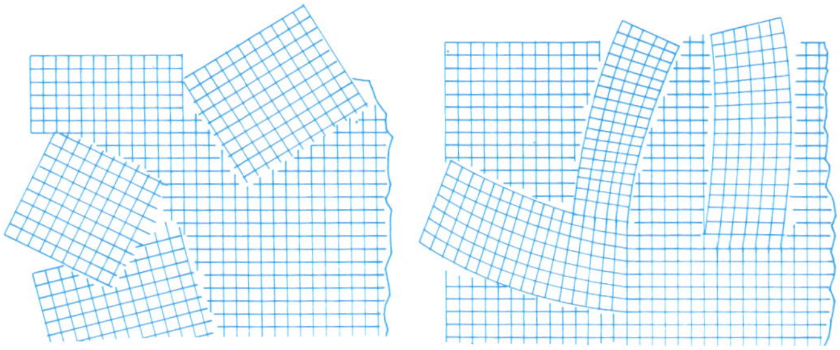

Realkristalle: Fehlordnungen der verschiedensten Arten können Mosaikkristalle (links) und/oder Verzweigungsstrukturen ergeben

Real|last, die Belastung eines Grundstücks, kraft deren dem Berechtigten wiederkehrende Leistungen aus dem Grundstück zu entrichten sind (Naturalien, Geld, Dienstleistungen; §§ 1105 ff. BGB). Die R. kann zugunsten einer Person (subjektiv-persönl. R.) wie auch zugunsten des jeweiligen Eigentümers eines anderen Grundstücks bestellt werden (subjektiv-dingl. R.). Die R. entsteht durch Einigung der Beteiligten und Eintragung ins Grundbuch, der Eigentümer haftet für die R. auch persönlich. Hauptanwendungsfall der R. ist das landwirtsch. Altenteilsrecht. – Im *österr.* Recht ist die R. ähnlich geregelt. Im *schweizer.* Recht haftet für Verpflichtungen aus einer R. **(Grundlast)** immer nur der Wert des Grundstücks (Art. 782 ZGB).

Realpolitik, im 19. Jh. geprägter Begriff, der ein an gegebenen Möglichkeiten orientiertes polit. Handeln bezeichnet; Gegenposition zu einer vorrangig ideenbezogenen, auf abstrakte Programme und Wertpostulate ausgerichteten polit. Linie.

Realpräsenz, *christl. Theologie:* die »wirkl. Gegenwart« Jesu Christi im Abendmahl; wird von den einzelnen Konfessionen unterschiedlich interpretiert: kath. Theologie →Wandlung, evang. Theologie →Abendmahl.

Realrechte, dingl., mit einem Grundstück verbundene Rechte (z.B. Grunddienstbarkeiten, →Dienstbarkeit).

René-Antoine Ferchault de Réaumur: Kupferstich (um 1825) nach einem zeitgenössischen Gemälde

Realschule (früher und in Sachsen heute Mittelschule), in der Bundesrep. Dtl. seit 1964 einheitl. Bez. für eine weiterführende allg. bildende Schule, die mit der 10. Klasse abschließt. Die R. ist 6- oder 4-klassig und schließt an die, je nach Land, 4- bis 6-jährige Grundschule oder an die Orientierungsstufe an (als Aufbauform spätestens an die 7. Klasse der Hauptschule). Ab Klasse 7 kann unter versch. Wahlpflichtfächern gewählt werden. Der Abschluss der R. als mittlerer Bildungsabschluss ist vielfach Voraussetzung einer Lehre (Berufsausbildung) und Befähigungsnachweis für den Besuch der Fachoberschule. In einigen Bundesländern ist die R. durch integrierte Klassen abgelöst.

Realsteuer, →Ertragsteuer.

Realteil, *Mathematik:* →komplexe Zahl.

Realteilung, *Erbrecht:* die gleichmäßige Aufteilung der Erbmasse unter den Erben. Der durch R. verursachten Zersplitterung bäuerl. Anwesen soll das →Höferecht entgegenwirken.

Real|union, die verfassungsmäßig festgelegte Vereinigung zweier völker- und staatsrechtlich selbstständiger Staaten nicht nur unter demselben Herrscher, sondern auch durch Gemeinsamkeit leitender Institutionen; z.B. Schweden-Norwegen (1814–1905).

Realwert, der wirkl. Wert einer Sache, z.B. der Metallwert einer Münze; Ggs.: Nennwert.

Realzeitverfahren, *Datenverarbeitung:* →Echtzeitverfahren.

Re|animation [lat.] *die,* die →Wiederbelebung.

Réaumur [reo'myr], René-Antoine Ferchault de, frz. Naturforscher, *La Rochelle 28. 2. 1683, †Schloss Bermondière (Dép. Mayenne) 18. 10. 1757; verbesserte die Stahlerzeugung, lieferte grundlegende Beiträge zur Biologie der Insekten (bes. zur Kenntnis des Bienenstaates) und der Weichtiere. Bes. bekannt ist die von ihm entwickelte Temperaturskala (→Grad Reaumur).

📖 KANT, H.: *Gabriel Daniel Fahrenheit, R.-A. F. de R., Anders Celsius. Leipzig 1984.*

Rebe, Kurzbez. für →Weinrebe.

Rebekka [hebr.], Gestalt des A. T., Frau Isaaks (1. Mose 24), Mutter von Esau und Jakob (1. Mose 25).

Rebell [lat.] *der,* Aufrührer, Aufständischer.

Rebenstecher (Byctiscus betulae), 5–9 mm langer, metallisch grüner bis blauer Dickkopfrüsselkäfer; die Weibchen drehen zur Eiablage z.B. Weinrebenblätter zu zigarrenförmigen Wickeln.

Rebhuhn (Perdix perdix), europäisch-westasiat., kurzschwänziger Hühnervogel, der im offenen Gelände lebt, 28–30 cm lang. R. leben monogam im Familienverband.

Reblaus (Viteus vitifolii, Phylloxera vastatrix), bis etwa 1,4 mm große, gelbe bis bräunl. Blattlaus (Familie Zwergläuse), die, aus Nordamerika kommend, heute in allen Weinbaugebieten der Erde verbreitet ist und große Schäden anrichten kann. Die Entwicklung vollzieht sich als Generationswechsel mit Wechsel zw. ober- und unterird. Teilen des Rebstocks. Das am Stamm in einer Ritze abgelegte, befruchtete Winterei liefert im Frühjahr die Stammutter (**Fundatrix**), die durch ihre Saugtätigkeit an Blättern bestimmter Sorten (Amerikanerreben) erbsengroße Gallen verursacht (»Maigallen«). Ihre ohne Befruchtung (parthenogenetisch) erzeugten Nachkommen, im mitteleurop. Klima bis zu vier Generationen, bleiben in der Mehrzahl zunächst oberirdisch und erzeugen selber Blattgallen (**Blattgallenläuse,** Gallicolae), während die der nachfolgenden Generationen vermehrt in die Erde an die Wurzeln wandern (**Wurzelläuse,** Radicicolae), wo sie gallenartige Wucherungen hervorrufen; an jungen Wurzeln sind dies Knötchen (Nodositäten), an älteren Wurzeln Knollen (Tuberositäten). Die Wurzelläuse erzeugen im Spätherbst geflügelte Formen (**Sexupa-**

Rebhuhn (Länge 28–30 cm)

res), die auf oberird. Pflanzenteile wandern und dort kleinere und größere Eier ablegen, aus denen ungeflügelte Männchen und Weibchen hervorgehen. Nach der Paarung dieser Geschlechtstiere (**Sexuales**) legt jedes Weibchen ein Ei (»Winterei«) in eine Rindenritze, aus der im Frühjahr die Fundatrix schlüpft. – Durch Verwendung von Pfropfreben mit einer Amerikanerrebe als Unterlage wird der R.-Befall eingeschränkt. – R.-Befall ist meldepflichtig. BILD S. 332

Rebreanu, Liviu, rumän. Schriftsteller, *Târlişiua (Kr. Bistriţa-Năsăud) 27. 11. 1885, †(Selbstmord) Valea Mare (Kr. Argeş) 1. 9. 1944; führte den psychologisch-realist. Roman in die rumän. Literatur ein: »Mitgift« (2 Bde., 1920), »Der Wald der Gehenkten« (1922), »Der Aufstand« (1932).

Rebstock, der Weinstock der Echten →Weinrebe.

Rebus [frz. aus lat.] *der* oder *das,* das →Bilderrätsel.

Recall [rɪˈkɔːl; engl. »Zurückruf«] *der,* die (jederzeit mögl.) Abberufung des Inhabers eines Wahlamtes durch die entsendende Wahlkörperschaft (z. B. die Wählerschaft); kennzeichnend bes. für das Rätesystem; zielt auf die ständige Kontrolle der Gewählten durch die Wähler. In den Verf. repräsentativer Demokratien ist die Möglichkeit des R. z. T. als plebiszitäres Element eingebaut, so z. B. in den Verf. zahlreicher Einzelstaaten in den USA.

Récamier [rekaˈmje], Jeanne Françoise Julie Adélaïde, geb. Bernard, *Lyon 4. 12. 1777, †Paris 11. 5. 1849; ⚭ mit dem Pariser Bankier R., unterhielt einen literarisch-polit. Salon, der zeitweise Treffpunkt der Napoleon-Gegner war, 1811–14 verbannt; befreundet mit Madame de Staël, B. H. Constant de Rebecque und F. R. de Chateaubriand; wurde von bed. Künstlern gemalt (u. a. J. L. David, der sie auf dem nach ihr benannten Möbelstück, einer **Recamiere,** darstellte).

Receiver [rɪˈsiːvə; engl. »Empfänger«] *der,* eine Kombination (Baugruppe) aus Radioempfangsteil (Tuner) und Verstärker (ohne Lautsprecher).

Rechaud [rəˈʃoː, frz.] *das* oder *der,* mit Kerzen, Spiritus oder elektr. Strom beheiztes Gerät zum Warmhalten von Speisen.

Rechenanlage, der →Computer.

Rechenmaschine, mechan. Rechengerät, das die vier Grundrechnungsarten (**Vierspeziesmaschine**) oder nur Addition und Subtraktion (**Addiermaschine**) ausführt. Nach der Art des Antriebs unterscheidet man **Hand-R.** und **elektr. R.** (mit Elektromotor). Nach der Art der Getriebeelemente, mit denen die in die Tastatur eingegebenen Zahlen die entsprechende Schaltung der Mechanik bewirken, unterscheidet man **Proportionalhebelmaschinen** (mit Zahnstangen), **Sprossenradmaschinen** (Zahnräder mit versenkbaren Zähnen) und **Staffelwalzenmaschinen** (Walzen mit achsenparallelen Rippen unterschiedl. Länge). – R. sind weitgehend durch Computer und Taschenrechner verdrängt worden.

Geschichte: Der Tübinger Prof. W. Schickard entwarf 1623/24 die erste mechan. R. für Addition und Subtraktion. Die älteste erhaltene R., eine Addiermaschine, wurde von B. Pascal um 1641 konstruiert. Die erste R. für alle vier Grundrechnungsarten stammt von G. W. Leibniz. Serienmäßig stellte C. X. Thomas in Paris seit 1820 R. her. C. Babbage entwarf um 1834 eine programmgesteuerte Rechenmaschine. BILDER S. 332 und 333

Rechenschaftslegung, →Rechnungslegung.

Rechenschieber (Rechenstab), Rechengerät zum Multiplizieren, Dividieren, Potenzieren und Radizieren, das auf den Regeln des logarithm. Rechnens beruht; Multiplikation bzw. Division werden auf Addition bzw. Subtraktion zurückgeführt, d. h. auf die Addition bzw. Subtraktion der Längen der logarithmisch geteilten Skalen. BILD S. 333

Rechentafeln, tabellierte Aufstellungen von Zahlen (z. B. Quadrate, Kehrwerte) zur Erleichterung des Rechnens. R. waren seit der Antike geläufig; große Bedeutung erlangten Tafeln der trigonometr. Funktionen (Vorformen schon in der Spätantike, z. B. Sehnentafeln des C. Ptolemäus) und ab dem 17. Jh. Logarithmentafeln.

Rechenwerk (engl. Arithmetic and Logic Unit, »Arithmetik- und Logikeinheit«, Abk. ALU), der Teil der Zentraleinheit eines Computers, der die arithmet. Operationen, log. Verknüpfungen, Vergleiche und Schiebebefehle ausführt. R. können in paralleler oder in serieller Arbeitsweise realisiert

Jeanne Françoise Julie Adélaïde Récamier auf der nach ihr benannten Liege, Gemälde von Jacques Louis David (1800; Paris, Louvre)

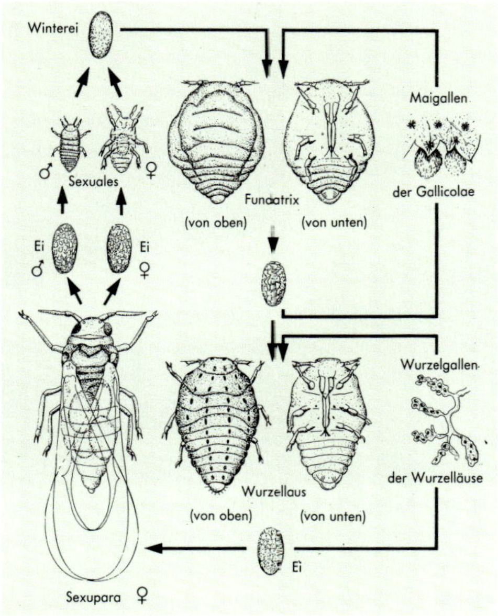

Reblaus: Schema des Entwicklungszyklus

werden; bei Großrechnern arbeiten häufig mehrere R. in einem Prozessor.

Rechenzentrum, Bez. für eine Organisationseinheit in Unternehmen oder Behörden, durch die der Betrieb von Datenverarbeitungsanlagen oder -systemen zusammengefasst wird, die einer größeren Zahl von Benutzern zugänglich sind.

Recherche [rəˈʃɛrʃə, frz.] *die, Journalismus:* Ermittlung, Nachforschung.

Rechnen, das Anwenden der vier Grundrechenoperationen Addition, Subtraktion, Multiplikation und Division und davon abgeleitet der höheren Rechenoperationen wie Potenzieren, Radizieren und Logarithmieren unter Berücksichtigung der Rechengesetze und -regeln. I. w. S. wird auch das Anwenden eines mathemat. Algorithmus bzw. höherer mathemat. Operationen als R. bezeichnet (z. B. Differenzialrechnung).

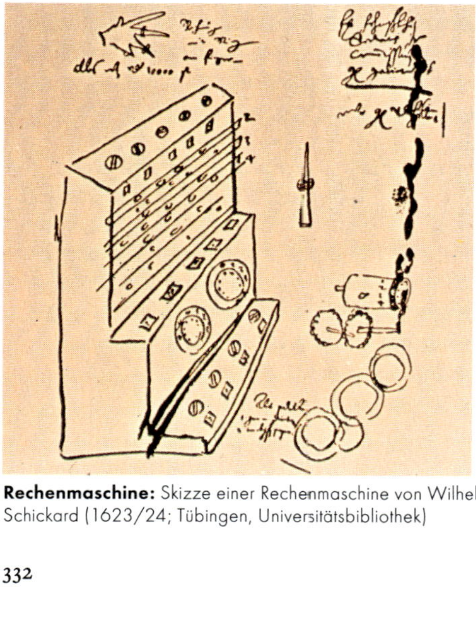

Rechenmaschine: Skizze einer Rechenmaschine von Wilhelm Schickard (1623/24; Tübingen, Universitätsbibliothek)

Rechner, Gerät zur Ausführung von Rechenoperationen (→Computer).

Rechnerverbundnetz, das →Computerverbundnetz.

Rechnung, im Geschäftsverkehr schriftl. Aufstellung über eine Geldforderung für eine Warenlieferung oder sonstige Leistung (Faktura); **offene R.,** nicht abgeschlossene oder beglichene R.; in der Buchführung die Berechnung von Soll und Haben beim Kontokorrent **(laufende Rechnung).**

Rechnungs|abgrenzung, zeitl. Abgrenzung von Einnahmen und Ausgaben, die einen über den Bilanzstichtag hinausgehenden Zeitraum betreffen und in der Bilanz gesondert auszuweisen sind. **Transitor. R.-Posten** sind Geschäftsvorfälle, die das neue Rechnungsjahr betreffen, aber bereits im alten zu Ausgaben/Einnahmen geführt haben; **antizipative R.-Posten** sind Geschäftsvorfälle, die das alte Rechnungsjahr betreffen, aber erst im neuen Ausgaben/Einnahmen auslösen.

Rechnungs|einheit, Abk. **RE,** im Geldwesen eines Landes Einheit, in der Werte und Preise ausgedrückt werden; i. Allg. mit der Münz- und Währungseinheit übereinstimmend. Im internat. Wirtschaftsverkehr Verrechnungsgröße über den beteiligten Einzelwährungen, z. B. die 1975 geschaffene **Europ. R.** (Abk. **ERE**), die 1979 von der Europ. Währungseinheit abgelöst wurde (→Europäisches Währungssystem).

Rechnungshof, selbstständiges, unabhängiges Finanzkontrollorgan, das den Staatshaushalt auf Wirtschaftlichkeit und Ordnungsmäßigkeit überprüft. In Dtl. existieren der →Bundesrechnungshof und für jedes Land ein Landes-R.; analoge Organe für den kommunalen Bereich sind die Rechnungsprüfungsämter.

Rechnungsjahr, Abrechnungszeitraum; in der öffentl. Finanzwirtschaft Haushaltsjahr, in der Betriebswirtschaftslehre →Geschäftsjahr genannt; in Dtl. i. d. R. das Kalenderjahr.

Rechnungslegung (Rechenschaftslegung), die Vorlage einer geordneten Zusammenstellung der Einnahmen und Ausgaben, die sich bei einer Verw. ergeben. R. ist in bestimmten Fällen (z. B. für Beauftragte, § 666 BGB; Vormünder, Vorerben, Testamentsvollstrecker, §§ 1890, 2130, 2218 BGB) vorgeschrieben. Bei begründetem Verdacht mangelhafter R. hat der Verpflichtete eidesstattlich zu versichern, dass er die Einnahmen so vollständig angegeben habe, wie er dazu imstande sei (§§ 259 ff. BGB). – Im betriebl. Rechnungswesen sind Kaufleute vielfältigen R.-Vorschriften v. a. des HGB unterworfen. Die R. des Kaufmanns besteht

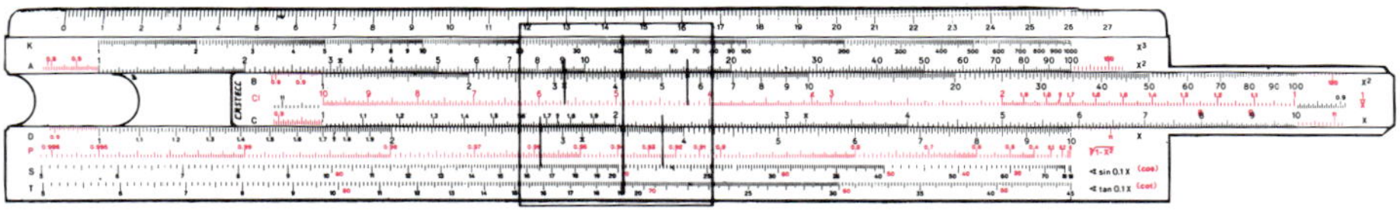

Rechenschieber mit zusätzlichen Skalen zur Errechnung einiger spezieller, zum Beispiel trigonometrischer Funktionen

aus dem →Jahresabschluss (§§242 ff. HGB), bei Kapitalgesellschaften ergänzt um einen →Lagebericht (§§264 ff. HGB). In einigen Fällen (z. B. Kapitalgesellschaften, die eine bestimmte Größe überschreiten) ist die Prüfung der R. gesetzlich vorgeschrieben (§§290 ff., 316 ff. HGB). Teils wird durch Gesetz eine Offenlegung der R. verlangt.

Rechnungsprüfung, *öffentl. Recht:* die Überwachung der Haushalts- und Wirtschaftsführung einer Mittel verwaltenden Stelle durch ein Kontrollorgan (R.-Amt, →Rechnungshof) bzw. der Reg. durch die gesetzgebenden Körperschaften mit Unterstützung der Rechnungshöfe.

Rechnungswesen, *Betriebswirtschaftslehre:* systemat., lückenlose Erfassung und Auswertung quantifizierbarer wirtsch. Beziehungen und Vorgänge in und zw. Unternehmen; dient der Planung, Rechnungslegung, Steuerung und Kontrolle des betriebl. Geschehens. Das **betriebl. R.** wird traditionell in Buchführung und Bilanz, Kosten- und Leistungsrechnung, Betriebsstatistik, Vergleichs- und Planungsrechnung gegliedert, ferner unterscheidet man internes R. (z. B. Kosten-, Leistungs- und Investitionsrechnung) und externes R. (z. B. Finanzbuchführung, Jahresabschluss). Das **gesamtwirtsch. R.** wird als →volkswirtschaftliche Gesamtrechnung bezeichnet.

Recht [ahd. reht, urspr. »aufgerichtet«, »gelenkt«], als **objektives R.** die Gesamtheit staatlich institutionalisierter Regeln, die zueinander in einer gestuften Ordnung (R.-Ordnung) stehen und menschl. Verhalten anleiten oder beeinflussen. Als **subjektives R.** wird dagegen der Anspruch bezeichnet, der für einen Berechtigten aus dem objektiven R. erwächst.

Von anderen Normenordnungen (Moral, Sitte, Brauch) unterscheidet sich das R. durch das Bestehen eines organisierten und institutionalisierten Verfahrens, seine Einhaltung zu erzwingen bzw. seine Nichteinhaltung mit bestimmten Sanktionen zu belegen. R.-Quellen sind neben der förml. R.-Setzung (Verfassung, Gesetz, Verordnung) das →Gewohnheitsrecht und das Richter-R. der Gerichte. Dieses hat insbesondere im angloamerikan. R.-Kreis zentrale Wichtigkeit (Case-Law), gewinnt aber auch im kontinentaleurop. R. angesichts der beschleunigten Veränderung der Lebensverhältnisse an Bedeutung. – Als Hauptzweige des R. werden →öffentliches Recht und →Privatrecht unterschieden. Des Weiteren differenziert man zw. materiellem R. (ordnet das R. als solches, z. B. Zivil-R., Straf-R.) und formellem R. (dient der Durchsetzung des materiellen R., z. B. das Zivilprozess- und Strafprozess-R.). Nach seiner hierarch. Stellung lassen sich Verfassungs-, Gesetzes-, Verordnungs-R. und der staatl. Einzelakt unterscheiden. In föderalen Staaten wie Dtl. gibt es Bundes-R. und Landes-R. Dazu kommt in zunehmendem Maße das R. supranat. Organisationen wie das Europarecht.

📖 →Rechtswissenschaft.

Recht auf Arbeit, Anspruch des Einzelnen gegen den Staat auf Gewährleistung der Möglichkeit, sich den Lebensunterhalt durch Arbeit zu sichern. Das GG gewährt kein R. a. A., da dies ein weitgehendes Recht des Staates auf planer. Wirtschaftslenkung und Arbeitsplatzverfügung voraussetzen würde. Soweit die Länderverf. ein R. a. A. enthalten, ist streitig, ob es sich hierbei um ein Grundrecht oder eine nur programmat. Aufforderung

Rechenmaschine: Gottfried Wilhelm Leibniz baute 1693 eine Staffelwalzenmaschine aus Walzen mit achsenparallelen Rippen unterschiedlicher Länge und einem verschiebbaren Schlitten, die auch Multiplikationen und Divisionen ausführen konnte, Länge 78 cm (Hannover, Niedersächsische Landesbibliothek)

handelt. Zu unterscheiden vom R. a. A. ist das **Recht auf Beschäftigung** (→Beschäftigungspflicht).

Rechte, *Politik:* im Parlament die – vom Präsidentenplatz aus – auf der rechten Seite des Saales sitzenden Parteien; betont im Ggs. zur Linken mehr das Moment der Bewahrung überkommener politisch-sozialer Verhältnisse und Normen.

Recht|eck (Orthogon), ein Parallelogramm mit vier rechten Winkeln. Sind a und b die Seitenlängen des R., so gilt für dessen Umfang $U = 2(a + b)$ und für dessen Flächeninhalt $F = a \cdot b$; die Diagonalen sind gleich lang $d = \sqrt{a^2 + b^2}$ und halbieren einander.

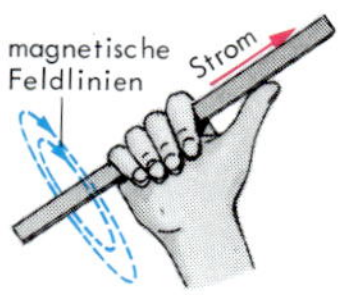

Rechtefaustregel

Rechtefaust|regel, die Angabe des Umlaufssinns der magnet. Feldlinien, die einen stromdurchflossenen elektr. Leiter umgeben, mithilfe der gekrümmten Finger der rechten Hand, wenn der Daumen in (konventionelle) Stromrichtung weist.

Rechtehandregel, *Elektrotechnik:* →Handregeln.

rechter Winkel, Zeichen ⊾, ⊾ oder ∟, ein Winkel, dessen Schenkel aufeinander senkrecht stehen; die Größe eines r. W. beträgt 90°, im Bogenmaß $\pi/2$ [rad].

Rechte und Pflichten nach Altersstufen, →Alter, ÜBERSICHT Lebensalter im Recht.

Rechtfertigung, *christl. Theologie:* die Wiederherstellung des durch die schuldhafte Verstrickung des Menschen in die Sünde (Erbsünde) gestörten Verhältnisses zu Gott durch Gottes Heilshandeln in Kreuz und Auferstehung Jesu Christi; als Begriff (»Gerechtigkeit Gottes«) von Paulus (Röm. 1,17) geprägt. – R. bildet den Mittelpunkt der paulin. und im Anschluss daran durch Luther der reformator. Theologie: »Gerecht« ist der Mensch vor Gott allein durch den ihm von Gott geschenkten Glauben an Jesus Christus (als dem »unverdienten Gnadengeschenk Gottes«), dessen Früchte Frömmigkeit und gute Werke sind; von sich aus kann er R. nicht erlangen. – Die kath. Theologie sieht R. als ein Geschehen an, in dem Gott und Mensch zusammenwirken, wobei die Fähigkeit des Menschen, den Glauben in Freiheit anzunehmen, und die die Gnade Gottes (in den Sakramenten) vermittelnde Rolle der Kirche besonders betont werden. (→Gnade, →Prädestination)

📖 KÜNG, H.: *R. Neuausg. München u. a. 1986.* – PETERS, A.: *R. Gütersloh 1990*

Rechtfertigungsgründe, Umstände, die bei einer Straftat oder unerlaubten Handlung die Rechtswidrigkeit ausschließen, v. a. →Notwehr, rechtfertigender →Notstand, z. T. →Pflichtenkollision oder Einwilligung.

rechtläufig, im Sonnensystem vorherrschende Bewegungsrichtung der Himmelskörper, die, vom Nordpol der Ekliptik betrachtet, gegen den Uhrzeigersinn verläuft; Ggs.: rückläufig.

rechtliches Gehör, in Artikel 103 GG (auch in Artikel 6 der Europ. Menschenrechtskonvention, EMRK) garantierter Anspruch eines jeden von einem Gerichtsverfahren unmittelbar Betroffenen, innerhalb angemessener Fristen mit seinen tatsächl. und rechtl. Ausführungen und Anträgen vor einer Entscheidung angehört zu werden. R. G. ist auch im Verw.verfahren zu verschaffen. In *Österreich* (hier gilt Art. 6 EMRK unmittelbar) und der *Schweiz* (Art. 4 Bundesverf.) gilt Entsprechendes.

Rechtlosigkeit, die vollständige oder teilweise Unfähigkeit, Träger von Rechten zu sein. Im röm. und alten dt. Recht galten Unfreie als absolut rechtlos; seit fränk. Zeit bedeutete R. nur einen mehr oder weniger großen Mangel an Rechten (z. B. Eidesunfähigkeit, Ausschluss vom Erbe).

Rechts|angleichung, die Angleichung der innerstaatl. Rechtsvorschriften von Mitgliedsstaaten der EU. Sie ist erforderlich, wenn sich die Unterschiedlichkeit der innerstaatl. Vorschriften behindernd auf den grenzüberschreitenden Warenverkehr, die Ausübung der Personenfreiheiten (Freizügigkeit, Niederlassungsfreiheit, Dienstleistungsfreiheit) oder auf den freien Wettbewerb auswirkt. Die R. ist Aufgabe der Organe der EG (Art. 3 h EG-Vertrag) und wird überwiegend durch Richtlinien verwirklicht. Die R. vollzog sich z. B. auf den Gebieten der indirekten Steuern, des Umweltschutzes, der Produkthaftung.

Rechts|anwalt, ein Jurist, der aufgrund seiner Zulassung durch die Landesjustizverwaltung zur Wahrnehmung fremder Interessen berufen ist. Einschlägige Bestimmungen enthält die Bundesrechtsanwaltsordnung (BRAO) vom 1. 8. 1959.

Der R. ist unabhängiges und selbstständiges Organ der Rechtspflege, er übt einen freien Beruf aus. Er kann insbesondere handeln als Prozessbevollmächtigter, Verteidiger, Beistand, Vertreter oder Berater in allen Rechtsangelegenheiten. Zum R. kann nur zugelassen werden, wer die Befähigung zum Richteramt besitzt oder als R., der bereits in einem Staat der EU zugelassen ist, die Eignungsprüfung nach dem Ges. über die Eignungsprüfung für die Zulassung zur Rechtsanwaltschaft vom 6. 7. 1990 bestanden hat. Die Zulassung darf nur aus besonderen Gründen versagt werden (Grundsatz der »freien Advokatur«). R., die auf bestimmten Gebieten Spezialkenntnisse nachweisen können, dürfen nach Verleihung durch die R.-Kammer die Bez. **Fachanwalt** (zulässig für Arbeits-, Sozial-, Steuer-, Verwaltungsrecht) führen. In einigen Gebieten üben R. zugleich das Amt des Notars aus (Anwaltsnotar). Zur Berufsausübung vor Gericht ist der R. vor jedem Gericht innerhalb der Bundesrep. Dtl. befugt, in Zivilsachen mit Anwaltszwang (einschließlich amtsgerichtl. Familiensachen) allerdings nur im Landgerichtsbezirk der Zulassung (im Rahmen einer Refom des R.-Berufs soll diese Beschränkung entfallen).

Das Rechtsverhältnis des R. zu seinen Mandanten beruht auf einem Geschäftsbesorgungsvertrag. Zur Annahme eines Mandats ist ein R. nicht verpflichtet. Für seine Tätigkeit erhält der R. eine Vergütung, die sich nach der Bundesgebührenordnung für R. (BRAGO) richtet; danach erhält er bestimmte (Mindest-)Gebühren (in den neuen Bundesländern um 20% vermindert), deren Höhe sich nach dem Gegenstandswert richtet, sofern keine schriftl. Honorarvereinbarung getroffen wurde. Ein Erfolgshonorar ist unstatthaft.

Die R. eines jeweiligen OLG-Bez. gehören der R.-Kammer, einer Körperschaft des öffentl. Rechts, an; auf Bundesebene sind die Kammern zur Bundes-R.-Kammer zusammengeschlossen.

Österreich: Die Voraussetzungen zur Ausübung des R.-Berufes sind in der R.-Ordnung (RAO) 1868 i.d.F. von 1990 geregelt. Grundvoraussetzung ist die Absolvierung des rechtswissenschaftl. Studiums (akadem. Grad Mag. iur.), ferner eine prakt. Verwendung bei Gericht und in einer Anwaltskanzlei von insgesamt sieben Jahren (sechs Jahren, wenn der R.-Anwärter Dr. iur. ist).

Schweiz: Die Ausübung des Berufs des R. **(Fürsprecher, Advokat)** ist abhängig von einer kantonalen Bewilligung, die in fast allen Kantonen nur aufgrund einer Fähigkeitsprüfung erteilt wird. Der Inhaber eines kantonalen Fähigkeitsausweises **(Anwaltspatent)** kann ohne weiteres vor dem Bundesgericht auftreten.

Rechtsbehelf, jedes von der Rechtsordnung zugelassene Vorbringen (Antrag, Gesuch), das die Änderung einer gerichtl. oder behördl. Entscheidung zum Ziel hat. Die R. umfassen als Oberbegriff auch die →Rechtsmittel, führen aber i.d.R. nicht in die höhere Instanz und haben meist auch keine aufschiebende Wirkung. R. sind z.B. Erinnerung, Einspruch, Dienstaufsichtsbeschwerde, Widerspruch. Über die Möglichkeit, R. zu ergreifen, ist zu belehren.

Rechtsbeistand, Berufsbez. für eine Person, der gemäß Rechtsberatungsgesetz alter Fassung die geschäftsmäßige Besorgung fremder Rechtsangelegenheiten gestattet ist, ohne Rechtsanwalt zu sein (Prozessagent). Seit 1981 wird die Zulassung als R. nur noch für einzelne Sachbereiche (z.B. als Rentenberater) erteilt; sie umfasst nicht die Befugnis, vor Gericht mündlich zu verhandeln.

Rechtsberatung, Besorgung von Rechtsangelegenheiten fremder Personen. Die entgeltl. und geschäftsmäßige R. obliegt in erster Linie den zugelassenen Rechtsanwälten, z.T. den Notaren und den Patentanwälten. Andere Personen bedürfen nach dem Rechtsberatungsgesetz vom 13. 12. 1935 einer Erlaubnis, die nur unter begrenzten Voraussetzungen erteilt wird. Im Rahmen ihrer Satzung und ihres Aufgabengebietes können auch bestimmte Vereinigungen (z.B. Gewerkschaften, Mietervereine) für ihre Mitgl. beratend tätig werden. Für Bürger mit geringem Einkommen kommt ferner **Beratungshilfe** nach den Vorschriften des Beratungshilfegesetz vom 18. 6. 1980 in Betracht, die für R. außerhalb gerichtl. Verfahren (sonst →Prozesskostenhilfe) gewährt wird und auf bestimmte Gebiete beschränkt ist (bes. Zivil-, Strafrechts-, Arbeits- und Sozialrechtssachen). Zuständig für den Antrag auf Beratungshilfe ist das Amtsgericht, das dem Antragsteller ggf. eine Bescheinigung ausstellt, die ihn befugt, einen Rechtsanwalt seiner Wahl oder eine amtl. Beratungsstelle aufzusuchen. Der Rechtsanwalt ist zur Beratungshilfe verpflichtet; der Rat Suchende hat ihm i.d.R. eine einmalige Gebühr von 20 DM zu zahlen, die übrigen anwaltl. Gebühren trägt die Staatskasse.

Rechtsbeugung, Verbrechen, dessen sich ein Richter, ein anderer Amtsträger oder Schiedsrichter schuldig macht, der bei Leitung oder Entscheidung einer Rechtssache vorsätzlich zugunsten oder zum Nachteil einer Partei gegen seine Überzeugung und die Vorschriften der Rechtsordnung verstößt; wird mit Freiheitsstrafe von einem bis zu fünf Jahren bestraft (§336 StGB).

Rechtsbücher, im MA. private Darstellungen des geltenden dt. Gewohnheitsrechts, die später z.T. gesetzesähnl. Ansehen erlangten, z.B. der →Sachsenspiegel und der →Schwabenspiegel.

Rechtschreibreform (Orthographiereform), die Änderung des geltenden Schreibgebrauchs, des orthograph. Systems einer Sprache. R. werden in vielen Ländern der Erde als eine staatl. Angelegenheit gehandhabt; sie sind für die Bereiche verbindlich, in denen der Staat Regelungsgewalt besitzt (Behörden, Schulen).

Nach der Durchsetzung einer einheitl. orthograph. Norm für das Deutsche zu Beginn des 20. Jh. (»Regeln für die dt. Rechtschreibung nebst Wörterverzeichnis«, 1902) wurden in den folgenden Jahrzehnten zahlreiche Reformvorschläge entwickelt. Als oberster Grundsatz gilt, dass die Einheitsschreibung im dt. Sprachraum nicht infrage gestellt werden darf und dass eine Reform nur von allen deutschsprachigen Ländern gemeinsam durchzuführen ist. 1986, 1990 und 1994 fanden in Wien Orthographiekonferenzen statt; die wiss. Vorarbeiten wurden von je einer österr. und schweizer. sowie zwei dt. Arbeitsgruppen, die nach 1989 vereinigt wurden, geleistet.

Auf der Orthographiekonferenz vom 22. bis zum 24. 11. 1994 verständigten sich die Vertreter der deutschsprachigen Länder über eine Neuregelung, mit der beabsichtigt ist, die Rechtschreibung in gewissen Bereichen zu erleichtern, ohne das vertraute Schriftbild über Gebühr zu verändern. Betroffen von der Neuregelung sind 1) die Zuordnung von Laut und Buchstaben, 2) die Groß- und Kleinschreibung, 3) die Getrennt- und Zusammenschreibung, 4) die Schreibung mit Bindestrich, 5) die Zeichensetzung, 6) die Worttrennung am Zeilenende. Die erarbeiteten Vorschläge wurden den zuständigen staatl. Stellen zur Annahme empfohlen, in Dtl. stimmte die Ständige Konferenz der Kultusmin. der Reform am 30. 11./1. 12. 1995 zu, am 14. 12. 1995 schlossen sich die MinPräs. der Länder diesem Votum an. Die neue amtl. Rechtschreibung wurde am 1. 8. 1998 eingeführt, bis 2005 gelten Schreibungen nach dem alten Regelwerk im Unterricht nicht als Fehler. Die neue Rechtschreibung wird an zahlreichen Schulen bereits unterrichtet mit Ausnahme von Schlesw.-Holst., wo nach einem Volksentscheid im Herbst 1998 die alten Regeln wieder gelten.

Das Bundesverfassungsgericht erklärte am 14. 7. 1998 den Weg der Einführung der R. für rechtmäßig.

🕮 GALLMANN, P.: *Graph Elemente der geschriebenen Sprache. Grundlagen für eine Reform der Orthographie. Tübingen 1985.* – DROSDOWSKI, G.: *Rechtschreibung u. R. aus der Sicht des Dudens. Mannheim u. a. 1987. – Duden, die neue amtl. R. Mannheim u. a. 1997.*

Rechtschreibung (Orthographie), Regelung der Schreibweise einer Sprache nach verbindl. Regeln. – Die für das heutige Deutsch geltende R. ist in wesentl. Zügen durch die Drucker des 16. und 17. Jh. geformt und durch Grammatiker wie H. Freyer (*1675, †1747) und J. C. Adelung (*1732, †1806) gefestigt worden. Bis in die 2. Hälfte des 19. Jh. hinein war die R. in Dtl. ohne eine übergreifende behördl. Regelung gewachsen. Der entscheidende Anstoß, die R. einheitlich und verbindlich zu regeln, ging 1871 von der Reichsgründung aus. 1875 wurde eine Konferenz zur »Herstellung größerer Einigung in der dt. R.« nach Berlin einberufen. Die Beschlüsse dieser Konferenz wurden jedoch von den Reg. der Länder als zu weitgehend abgelehnt. Nach diesem Misserfolg schrieb K. Duden das »Orthographische Wörterbuch«; er beschränkte sich im Wesentlichen darauf, die Regeln für die preuß. Schulorthographie auf den Wortschatz anzuwenden. Innerhalb eines Jahrzehnts führte Dudens »Vollständiges orthograph. Wörterbuch der dt. Sprache« (1880) die Einheits-R. in Dtl. herbei, die 1902 nach der staatl. Rechtschreibkonferenz 1901 in Berlin für alle Bundesstaaten als verbindlich erklärt wurde; diesem Beschluss schlossen sich Österreich und die Schweiz an. Seither wurden mehrfach Reformvorschläge eingebracht (→Rechtschreibreform).

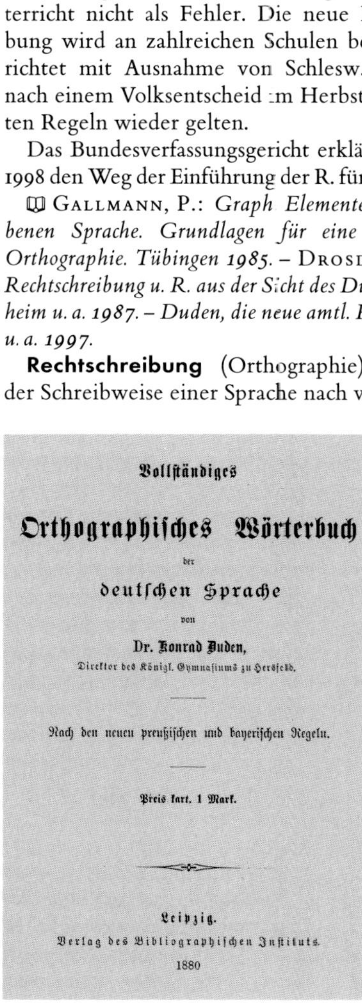
Vollständiges
Orthographisches Wörterbuch
der
deutschen Sprache
von
Dr. Konrad Duden,
Director des Königl. Gymnasiums zu Hersfeld.
Nach den neuen preußischen und bayerischen Regeln.
Preis kart. 1 Mark.
Leipzig.
Verlag des Bibliographischen Instituts.
1880

Rechtschreibung: Titelblatt der Erstausgabe des »Dudens«; das »Vollständige orthographische Wörterbuch« aus dem Jahr 1880 verzeichnete rund 27000 Wörter auf 187 Seiten und kostete eine Mark

🕮 DROSDOWSKI, G.: *Der Duden – Geschichte u. Aufgabe eines ungewöhnl. Buches. Mannheim u. a. 1980. – Theoret. Probleme der dt. Orthographie, hg. v.* D. NERIUS *u. a. Berlin 1980. – Dt. Orthographie, hg. v.* D. NERIUS. *Leipzig 1987.* – KOHRT, M.: *Theoret. Aspekte der dt. Orthographie. Tübingen 1987.*

Rechts|entscheid, die Vorabentscheidung eines Oberlandesgerichts (OLG) oder des BGH in einer bestimmten Rechtsfrage, deren Beurteilung für den Ausgang eines anhängigen Prozesses bedeutsam ist, der vor einem nachgeordneten Gericht, das die Rechtsfrage vorgelegt hat, geführt wird. R. sind in Wohnraummietsachen vorgesehen, wenn das nachgeordnete Gericht von einer Entscheidung des OLG oder des BGH abweichen will oder einer Rechtsfrage grundsätzl. Bedeutung beimisst.

Rechts|erwerb, der Erwerb eines Rechtes aufgrund des Willens des oder der Beteiligten (bes. durch Rechtsgeschäft) oder kraft Gesetzes (bes. bei Vermischung, Verarbeitung). Der R. kann urspr. sein (**originärer R.,** z. B. Aneignung) oder abgeleitet (**derivativer R.,** z. B. Abtretung einer Forderung); Letzterer führt zur →Rechtsnachfolge.

Rechts|extremismus, geistige bzw. polit. Bewegungen, die demokrat. Grundsätzen autoritäre Vorstellungen entgegensetzen und z. T. Gewalt und Neofaschismus gutheißen (→Radikalismus).

Rechtsfähigkeit, die Fähigkeit, Träger von Rechten und Pflichten zu sein; zu unterscheiden von der →Handlungsfähigkeit. Rechtsfähig ist jeder Mensch und jede jurist. Person. Die R. des Menschen beginnt mit der Vollendung der Geburt (§ 1 BGB) und endet mit dem Tod. Jurist. Personen des Privatrechts erlangen die R. durch staatl. Verleihung bzw. Genehmigung oder durch Eintragung in ein Register.

Rechtsgang, im alten dt. Recht das Verfahren zur Aufhebung des Unrechts und zur Wiederherstellung des Rechts. Der R. wurde zunächst außergerichtlich durch Selbsthilfe geübt, da Rechtsschutz und Rechtsverfolgung urspr. Privatsache des Einzelnen und seiner Sippe waren (Fehde, Blutrache). Später bildete sich daneben ein gerichtl. R. aus (Gerichtsverfahren, Prozess), der den außergerichtl. R. bis auf Ausnahmefälle (z. B. Notstand, Notwehr) verdrängte.

Rechtsgebiet, 1) Teilgebiet des Rechts, z. B. Arbeitsrecht; 2) der räuml. Geltungsbereich einer Rechtsquelle. R. und Staatsgebiet fallen nicht immer zusammen.

Rechtsgeschäft, auf mindestens einer Willenserklärung beruhender Tatbestand, der einen bestimmten, mit der Willenserklärung bezweckten Erfolg herbeiführen soll. Das Element des Zweckgerichtetseins unterscheidet das R. von der bloßen →Rechtshandlung. Bei R. unterscheidet man **einseitige** und **zweiseitige (mehrseitige) R.,** je nachdem, ob es sich um die erforderl. Willenserklärung einer Person (z. B. Kündigung) oder um die übereinstimmende Erklärung mehrerer Personen (so beim Vertrag) handelt. Man gliedert des Weiteren in **vermögensrechtl.** und **personenrechtl. R.** (z. B. Eheschließung); vermögensrechtl. R. umfassen dingl. und obligator. R., je nachdem, ob sie eine unmittelbare Rechtsänderung, z. B. Eigentumsübertragung, enthalten oder nur eine schuldrechtl. Verpflichtung, z. B. Lieferungspflicht aus Kauf; ferner in **R. unter Lebenden** und **R. von Todes wegen** (z. B. Testamente); **entgeltl.** und **unentgeltl. R.** (z. B. Schenkung); **formlose** und **formgebundene R.** (z. B. notarielle Beurkundung beim Grundstückskauf).

Rechtsgeschichte, sich im beginnenden 19. Jh. aus der →historischen Schule entwickelnde Wissenschaftsdisziplin zw. Rechts- und Geschichtswiss., deren Gegenstand das Recht der Vergangenheit ist. Die R. versucht aufzuhellen, unter welchen polit., wirtsch. und sozialen Bedingungen sich Rechtssätze bilden und entwickeln konnten, und hilft so, das geltende Recht zu erklären und weiterzuentwickeln.

📖 KÖBLER, G.: *Dt. R. Ein systemat. Grundriß der geschichtl. Grundlagen des dt. Rechts von den Indogermanen bis zur Gegenwart. München [5]1996.* – WESEL, U.: *Geschichte des Rechts. München 1997.*

Rechtsgrund, die →Causa.

Rechtsgut, Gut, in dem sich Lebensinteressen des Einzelnen oder der Allgemeinheit verkörpern und das deshalb von der Rechtsordnung des Staates geschützt wird (z. B. das Leben). Der R.-Schutz ist Hauptaufgabe des Strafrechts.

Rechtshandlung, jedes erlaubte rechtswirksame Handeln, an das sich Rechtsfolgen knüpfen. R. sind geschäftsähnl. Handlungen (Willenserklärungen) und Tathandlungen (z. B. Fund).

Rechtshängigkeit, Rechtslage nach Klageerhebung und Zustellung der Klage an den Beklagten; vor Zustellung der eingereichten Klage spricht man von »Anhängigkeit«. Während der R. ist ein anderweitiger Rechtsstreit über die gleiche Sache unzulässig; die Verjährung des Anspruchs wird unterbrochen, die Haftung des Herausgabepflichtigen verschärft. Die R. endet i. d. R. mit der formellen Rechtskraft der gerichtl. Entscheidung.

Rechtshilfe, die Vornahme einer Amtshandlung durch ein Gericht zur Unterstützung und auf Ersuchen eines anderen Gerichts oder einer anderen Behörde, z. B. Zeugenvernehmung, Beweisaufnahme. Die Pflicht zur Rechts- und →Amtshilfe im Inland ist in Art. 35 Abs. 1 GG normiert. Die zwischenstaatl. R. ist in internat. Verträgen (z. B. →Haager Konventionen) geregelt.

Rechtskraft, die Endgültigkeit von gerichtl. Entscheidungen. Man unterscheidet die **formelle R.** (Unanfechtbarkeit) und die **materielle R.** (bindende inhaltl. Maßgeblichkeit), die das Gericht und die Parteien an die Entscheidung bindet. Ein neuer Prozess über denselben Streitgegenstand ist ausgeschlossen. Die materielle R. setzt stets die formelle R. voraus. Die R. kann unter bestimmten Voraussetzungen wieder beseitigt werden, und zwar durch →Wiederaufnahme des Verfahrens, →Wiedereinsetzung in den vorigen Stand, →Abänderungsklage. Zur materiellen R. in Strafsachen →Strafklageverbrauch. – Die Bestimmungen der Prozessordnungen *Österreichs* und der *Schweiz* enthalten entsprechende Regelungen.

Eine der R. entsprechende Bedeutung kommt bei Verwaltungsakten der **Bestandskraft** zu.

Rechtsmangel, →Mangel.

Rechtsmedizin (forensische Medizin, Gerichtsmedizin, gerichtliche Medizin), Fachgebiet der Medizin, das sich mit der Klärung medizin. und daran angrenzender Fragen sowie mit standesrechtl. Problemen im Rahmen der Rechtsprechung befasst. Die R. ist ein offizielles ärztl. Weiterbildungsgebiet und wird vom **Arzt für R.** (**Rechtsmediziner,** früher Gerichtsarzt) ausgeübt. Zum Aufgabengebiet der R. gehört z. B. die Erstellung von Gutachten (Vaterschaft, Todeszeitpunkt, Zurechnungsfähigkeit), die Blutalkoholbestimmung bei Verkehrsdelikten und die Untersuchung von Leichen auf Gewalteinwirkung.

📖 Dürwald, W.: *Gerichtl. Medizin. Leipzig* [4]*1990.*

Rechtsmissbrauch, die gegen →Treu und Glauben verstoßende und daher unzulässige Ausübung eines an sich bestehenden Rechts. (→Schikane)

Rechtsmittel, spezielle →Rechtsbehelfe, die es ermöglichen, eine für den R.-Führer nachteilige und noch nicht rechtskräftige gerichtl. Entscheidung anzufechten und durch ein höheres Gericht nachprüfen zu lassen. In den Prozessordnungen sind die →Berufung, die →Revision sowie die →Beschwerde vorgesehen. R. sind in bestimmter Form und Frist einzulegen; sie hemmen den Eintritt der formellen Rechtskraft der angefochtenen Entscheidung. Die angefochtene Entscheidung ist i.d.R. mit einer R.-Belehrung zu versehen, d.h., der Adressat ist darüber zu informieren, in welcher Form die Entscheidung angreifbar ist. Fehlt eine vorgeschriebene R.-Belehrung, endet die R.-Frist erst nach einem Jahr.

Rechtsnachfolge (Sukzession), der Übergang von Rechten und Pflichten von einer Person auf eine andere. Im Privatrecht unterscheidet man **Einzelnachfolge (Singularsukzession),** wenn nur einzelne Rechte übergehen, und **Gesamtnachfolge (Universalsukzession),** wenn eine Gesamtheit von Rechten, ein Vermögen als Ganzes übergeht, z.B. bei der Erbschaft. Zum Staats- und Völkerrecht →Staatensukzession.

Rechtsnorm, eine rechtl. Sollensanforderung, die grundsätzlich an jeden gerichtet ist (auch als **Rechtssatz** bezeichnet). Sie besteht im Prinzip aus Tatbestand und Rechtsfolge.

Rechts|öffnung, im schweizer. Recht der Schuldbetreibung die vom Gläubiger durch R.-Gesuch begehrte gerichtl. Beseitigung des vom Schuldner erhobenen → Rechtsvorschlages, um die Fortsetzung der auf Geldzahlung gerichteten Zwangsvollstreckung auf dem Weg der Pfändung, der Pfandverwertung oder des Konkurses zu erreichen.

Rechts|ordnung, →Recht.

Rechtspflege, die den Gerichten zugewiesene Tätigkeit, bes. die Rechtsprechung, auch die freiwillige Gerichtsbarkeit, die Tätigkeit der Staatsanwaltschaft, der Rechtsanwälte und Notare.

Rechtspfleger, Beamter des gehobenen Justizdienstes, dem bestimmte richterl. oder staatsanwaltschaftl. Aufgaben übertragen sind. Hierzu zählen u.a.: Register-, Nachlass-, Grundbuch-, Vollstreckungssachen sowie das Mahnverfahren. Das Amt des R. erfordert einen Vorbereitungsdienst von drei Jahren, einschließlich eines mindestens 18-monatigen Studiengangs an einer Fachhochschule o.Ä. Der R. entscheidet selbstständig und ist nur an das Gesetz gebunden. Er hat die ihm übertragenen Geschäfte in bestimmten Fällen dem Richter vorzulegen. Gegen die Entscheidung des R. steht dem Betroffenen die Erinnerung zu, über die der Richter gleicher Instanz entscheidet, wenn er sie für zulässig und begründet hält; andernfalls legt er sie dem Rechtsmittelgericht vor. R. gibt es auch in Österreich.

Rechtsphilosophie, Wissenschaftszweig, der sowohl der Philosophie als auch der Rechtswissenschaft (so institutionell in Dtl.) und der Politologie zugeordnet werden kann und sich mit Ursprung, Zweck, Struktur, Legitimation, gesellschaftl. Interdependenz und Geltung des Rechts befasst. Von der Rechtsgeschichte und der Rechtssoziologie unterscheidet sich die R. zum einen dadurch, dass sie sich in ihrem beschreibenden Teil nicht auf das histor. Auftreten des Rechts oder sein Verhältnis zur Gesellschaft beschränkt, sondern alle nur erdenkl. Erscheinungsformen und Bezüge berücksichtigt, zum anderen aber fundamentaler dadurch, dass – wie bei der Ethik bezüglich moral. Normen – im Hinblick auf Rechtsnormen Wertungen und Präskriptionen diskutiert werden, die diese stützen können. Die R. ist demnach wie die Ethik nicht nur eine deskriptiv-theoret. Wiss. der Praxis, sondern auch eine abstrakt-prakt. Wiss. Sie sucht so die Brücke zur konkret-prakt. Rechtspolitik und Rechtsdogmatik zu schlagen. Zentrales Problem der R. ist die Frage, wie Normen gerechtfertigt werden können (»Begründungsproblem«). Dabei wird ein Rekurs auf göttl. Gebote, Naturgesetze oder überempir. Werte und Prinzipien (Naturrecht), die menschliche Vernunft (Vernunftrecht), Nutzenerwägungen (Utilitarismus), menschliche Interessen (Subjektivismus), fiktive oder reale Vereinbarungen (Vertragstheorien) oder rationale Diskursbedingungen (Diskurstheorie) propagiert. Das »Geltungsproblem« schließt an das Begründungsproblem und wirft die Frage auf, warum und wann der Einzelne bestimmten Verhaltensanforderungen des Rechts folgen soll. Dabei ist umstritten, ob bei positiven Gesetzen die Einhaltung formaler Rechtssetzungsbedingungen genügt (Rechtspositivismus) oder darüber hinaus auch inhaltl. Begründungsanforderungen gestellt werden müssen, so etwa die Bedingung, dass der Gesetzgeber wenigstens die Absicht hatte, gerechtes Recht zu schaffen.

📖 Radbruch, G.: *R. Stuttgart* [8]*1973.* – Teubner, G.: *Recht als autopoiet. System. Frankfurt am Main 1989.* – *Rechts- u. Sozialphilosophie in Dtl. heute, hg. v.* R. Alexy *u.a. Stuttgart 1991.*

Rechts|positivismus, Richtung der Rechtswissenschaft, die im Unterschied zum Naturrecht das Recht mit den in einem Staat tatsächlich (»positiv«) geltenden Normen (gesetztes Recht und Gewohnheitsrecht) gleichsetzt und seine Rechtfertigung in der staatl. Macht sieht. Als wiss. Methode erschien der R. im 19. Jh. in Form der →Begriffsjurisprudenz, Ende des 19. Jh. spitzte er sich zum Gesetzespositivismus zu (erkannte nur das positive Gesetz als Rechtsquelle an).

📖 LAMPE, E.-J.: *Grenzen des R. Berlin 1988.*

Recht|sprechung, im funktionellen, aufgabenbezogenen Sinne die den Richtern zur Wahrung der Rechtsordnung und zur Gewährung des Rechtsschutzes anvertraute Entscheidung konkreter Rechtsfragen, die in Anwendung geltender Rechtssätze zu treffen ist und die die verbindl. Feststellung umfasst, was im Einzelfall rechtens ist (Art. 92 GG). Im institutionellen Sinne nach dem Grundsatz der Gewaltentrennung neben der Gesetzgebung und der Verwaltung/Regierung der 3. Teilbereich der Staatsgewalt.

Rechtsquelle, Grundlage eines Rechtssatzes, z. B. Verfassung, Gesetz, Rechtsverordnung, Satzung, Gewohnheitsrecht.

Rechtssatz, →Rechtsnorm.

Rechtsschulen, 1) Schulen für Rechtsunterricht, im Altertum bes. die R. von Berytos (Beirut) und Konstantinopel, im MA. die von Pavia (11. Jh.) und Bologna (Blütezeit 13. Jahrhundert).

2) Gruppen von Juristen, die in der Behandlung des Rechts gleichen Methoden folgen; bei den Römern die R. der Sabinianer und Prokulianer, im MA. die der →Glossatoren, in Dtl. z. B. die →historische Schule.

Rechtsschutz, allg. der durch die Rechtsordnung zu gewährleistende Schutz der Rechtsgüter. **R.-Bedürfnis** ist das berechtigte Interesse eines in seinen Rechten Beeinträchtigten nach R. in einem gerichtl. Verfahren. Es ist Prozessvoraussetzung; fehlt es, z. B. weil der Kläger nicht Träger des geltend gemachten Anspruchs sein kann, ist die Klage unzulässig.

Rechtsschutzversicherung, Versicherung gegen die Kosten eines Rechtsstreits (z. B. Anwaltsgebühren, Gerichtskosten), oft als Paket für bestimmte Lebensbereiche von den Versicherungsunternehmen angeboten (z. B. als Verkehrs-, Eigentümer- und Mieter-, Privat- und Berufsrechtsschutzversicherung).

Rechtssicherheit, Beständigkeit und Vorhersehbarkeit der für ein bestimmtes Verhalten eintretenden Rechtsfolgen. Die R. ist ein wesentl. Kennzeichen und Grundwert des →Rechtsstaates und bes. ausgeprägt in den Prozessordnungen, wo er dem Einzelnen die gleiche rechtl. Wertung gleichartiger Einzelfälle und die Durchsetzbarkeit der Entscheidungen garantiert.

Rechtsstaat, ein Staat, dessen Staatstätigkeit einerseits auf die Verwirklichung von Recht ausgerichtet sowie andererseits durch die Rechtsordnung begrenzt ist und in dem die Rechtsstellung des Einzelnen durch garantierte Rechte (z. B. Grundrechte) gesichert ist. Formell bedeutet R. die Bindung der Staatsgewalt an Recht und Gesetz sowie die Überprüfbarkeit staatl. Maßnahmen durch unabhängige Gerichte. Die Einhaltung des **R.-Prinzips** setzt i. d. R. voraus: eine Verf., die die Macht des Staates rechtlich umgrenzt; die Gewaltentrennung; die Sicherung einer unantastbaren staatsfreien Sphäre des Einzelnen durch Grundrechte; den gerichtl. Rechtsschutz gegenüber Eingriffen der Staatsgewalt in subjektive Rechte; die Unabhängigkeit der Gerichte; das Verbot rückwirkender Strafgesetze u. a. Materiell bedeutet R. die Verpflichtung der Staatsgewalt auf die Idee der Gerechtigkeit, ausgeprägt als Prinzip im **sozialen R.** (Sozialstaat; Art. 20, 28 GG). Ziel des sozialen R. ist die Entwicklung einer Ordnung, die den sozialen Frieden wahrt und ein menschenwürdiges Dasein für alle sichert.

📖 KUNIG, P.: *Das Rechtsstaatsprinzip. Tübingen 1986.* – WASSERMANN, R.: *R. ohne Rechtsbewußtsein? Hannover 1988.*

Rechtsstaatsgefährdung, die Staatsschutzdelikte, die einen gewaltlosen Umsturz zum Ziel haben (§§ 84–91 StGB), z. B. Fortführung einer für verfassungswidrig erklärten Partei.

Rechtssubjekt, die natürliche oder juristische →Person.

Rechts|symbole, Gegenstände oder Vorgänge, die einen Rechtsvorgang oder ein Rechtsverhältnis durch Versinnbildlichung anschaulich machen sollen. R. finden sich v a. in frühen Entwicklungsstufen von Rechtskulturen. Sie waren im älteren german. Recht von großer Bedeutung; ihnen wurden mag. Kräfte zugeschrieben. Mit der Entwicklung eines begriffl. und kodifizierten Rechts büßte diese Symbolik ihre Bedeutung stark ein.

Beispiele von R. sind Marktkreuz und Rolandsäule für die städt. Freiheit und Gerichtsbarkeit, Handschlag für den Abschluss eines Rechtsgeschäfts, Zepter und Krone für die Legitimation des Herrschers, gebrochener Stab für ein Todesurteil. BILD S. 341

Rechtsverkehr, Form des Straßenverkehrs, bei dem rechts gefahren und links überholt wird. **Linksverkehr** gibt es in Europa nur in Großbritannien, in Irland und auf Malta.

Rechtsverordnung, Abk. **RVO,** jede allg. verbindl. Anordnung an eine unbestimmte Zahl von Personen zur Regelung einer unbestimmten Zahl von Sachverhalten, die von Organen der vollziehenden Gewalt (Bundes- oder Landesreg.) getroffen wird. R. bedürfen stets einer gesetzl. Grundlage, die ihren Zweck und ihr Ausmaß bestimmt (Art. 80 GG). R. stehen im Rang unterhalb eines förml. Gesetzes und enthalten i. d. R. Detailregelungen. Die R. ist von der **Verwaltungsvorschrift**

Recife: Ansicht der vor der Atlantikküste gelegenen Lagunenstadt mit der Altstadt (Bildmitte)

(Verwaltungsverordnung), einer allg. Anweisung von Behörden an nachgeordnete Stellen und nur diese bindend, zu unterscheiden.

Rechtsverweigerung (Justizverweigerung), Ablehnung der pflichtmäßigen Amtsausübung durch ein in einer Rechtssache angerufenes Gericht. Durch eine R. wird der verfassungsmäßig gewährleistete Justizgewährleistungsanspruch (→Rechtsweg) verletzt. Gegen die R. sind im konkreten Verfahren Dienstaufsichtsbeschwerde, letztlich die Verfassungsbeschwerde zulässig.

Recklinghausen 2) Stadtwappen

Rechtsvorschlag, im schweizer. Recht der Schuldbetreibung die mündl. oder schriftl. Erklärung des Betriebenen (Schuldners), dass er die vom Gläubiger in Betreibung gesetzte Forderung bestreitet. Der R. bewirkt (vorerst) die Einstellung der Betreibung. Der Gläubiger kann den R. entweder auf dem ordentl. Prozessweg oder im summar. Rechtsöffnungsverfahren (Rechtsöffnung) beseitigen lassen.

Recklinghausen 2): Eingang des Festspielhauses (1965) mit einer Bronzeplastik von Henry Moore

Rechtsweg, der Weg, auf dem bei einer Gerichtsbarkeit um Rechtsschutz nachgesucht werden kann. **R.-Garantie** ist das in Art. 19 Abs. 4 GG enthaltene Recht, dass jedermann die Gerichte anrufen kann, der durch die öffentl. Gewalt in seinen Rechten verletzt ist.

Rechtswidrigkeit, Verstoß einer Handlung oder Unterlassung gegen die Verbote oder Gebote des Rechts. Rechtswidriges Tun kann die Unwirksamkeit von Rechtsgeschäften, die Pflicht zur Schadensersatzleistung, auch Strafbarkeit nach sich ziehen. Rechtfertigungsgründe beseitigen die R. (z.B. Notwehr).

Rechtswissenschaft (Jurisprudenz), die Wissenschaft vom Recht. Sie steht in enger Beziehung zu den übrigen Geistes- und Sozialwiss. Die R. umfasst Rechtsphilosophie, -theorie, -geschichte, -dogmatik, -soziologie, -politik und -informatik. Die vergleichende R. stellt die Rechte der nat. Rechtsordnung einander gegenüber.

Geschichte: Die europ. R. erlebte während des Röm. Reichs ihre erste Blüte, die im Corpus Iuris Civilis einen Höhepunkt erreichte. Nachdem diese Tradition im Früh-MA. in Vergessenheit geraten und von den einzelnen Stammesrechten überlagert war, kam es, ab dem Ende des 11. Jh. von Bologna ausgehend, durch die Glossatoren und Kommentatoren zu einer Wiederaneignung und Weiterführung (Rezeption des röm. Rechts), die sich, mit Ausnahme Englands, über ganz Europa ausbreitete. Die im Gedankengut des Humanismus wurzelnde elegante Jurisprudenz (U. Zasius) wurde im 17. und 18. Jh. durch die gemeinrechtl. Jurisprudenz, bes. die Schule der Praktiker (B. Carpzov), abgelöst. Gegen das im 18. Jh. blühende Vernunftrecht (C. Wolff) wandte sich seit Beginn des 19. Jh. die histor. Rechtsschule (F. C. von Savigny). Begriffsjurisprudenz und Rechtspositivismus schlossen sich an, die aber ab der Wende zum 20. Jh. ihrerseits durch Freirechtsschule (E. Ehrlich), soziolog. Jurisprudenz und Interessenjurisprudenz (Ph. Heck) bekämpft wurden. Aus Letzterer entwickelte sich die gegenwärtig im deutschsprachigen Raum – insbesondere für das Zivilrecht – häufig vertretene Wertungsjurisprudenz (K. Larenz, F. Bydlinski), die die im gesetzten Recht und hilfsweise aus anderen Quellen (Gesellschaft, Wertung des Richters, Erkenntnis überzeitl. Werte) gewonnenen Wertungen und Prinzipien bei der Rechtsanwendung berücksichtigen will. Dabei handelt es sich um eine Position, die eng mit der jurist. Hermeneutik verbunden ist, die die Momente von Auslegung und Verstehen der Gesetze bei der Rechtsfindung gegenüber der schöpfer. Tätigkeit des Richters betont.

📖 ZIPPELIUS, R.: *Einführung in das Recht. München [2]1978.* – BAUMANN, J.: *Einführung in die R.*

Rechtssystem u. Rechtstechnik. München [8]1989. – ENGISCH, K.: *Einführung in das jurist. Denken. Stuttgart u. a. [8]1989.* – MAYER-MALY, T.: *R. München u. a. [5]1991.* – COING, H.: *Grundzüge der Rechtsphilosophie. Berlin u. a. [5]1993.* – WESEL, U.: *Jurist. Weltkunde. Eine Einführung in das Recht. Frankfurt am Main [2]1994.*

Rechtszug, die Instanz oder der Verfahrensabschnitt eines Rechtsstreits vor Gericht, in den er v. a. durch Klage (erster R.) oder Rechtsmittel (weitere R.) gelangt.

Recife [re'sifi; portugies. »Riff«] (früher Pernambuco), Hptst. des Staates Pernambuco (in Nachfolge von Olinda), Brasilien, an der Mündung des Rio Capiberibe in eine Lagune vor der Atlantikküste, das »brasilian. Venedig«, 1,30 Mio. Ew.; Erzbischofssitz, zwei Univ., landwirtsch. Hochschule, wiss. Institute, Bibliotheken, Theater; bedeutendste Hafen-, Handels- und Industriestadt NO-Brasiliens (Zucker-, Textil-, Möbel-, Konserven-, chem. Ind.); internat. Flughafen. – Reizvolles Stadtbild mit zahlr. Bauten aus der Kolonialzeit. – R. wurde 1526 als Versorgungsstation für Ostindienfahrer von Portugiesen gegründet. Nach der Eroberung NO-Brasiliens durch die Holländer war es 1630–54 die Hptst. von Niederländisch-Brasilien.

Reck, Turngerät aus einer waagerechten Stahlstange von 28 mm Durchmesser und 2,40 m Länge, angebracht zw. zwei Standsäulen, bei Wettkämpfen in 2,50 m Höhe. Das R. wurde von F. L. Jahn und E. Eiselen 1811 eingeführt.

Recken, 1) *Kunststofftechnik:* bei Folien, Fasern oder Profilen das Erzeugen einer Längsorientierung der Fadenmoleküle durch Ziehen. Durch R. lässt sich die (Zug-)Festigkeit erhöhen.

2) *Umformtechnik:* die schrittweise Verminderung des Werkstückquerschnitts durch Verdrängen des Werkstoffes in Längsrichtung.

Recklinghausen, 1) Kreis im RegBez. Münster, NRW, 760 km², (1996) 662 700 Einwohner.

2) Krst. von 1) in NRW, zw. Emscher und Lippe, Hafen am Rhein-Herne-Kanal, 126 800 Ew.; Landesanstalt für Ökologie, Landesjustizakademie mit Archiv über Strafvollzug im Dritten Reich, Fachbereiche der FH Gelsenkirchen, wiss. Institute, Ikonenmuseum, Kunsthalle, Festspielhaus (jährlich Ruhrfestspiele), Volkssternwarte; Steinkohlenbergbau, Apparate-, Maschinen-, Fahrzeugbau, Chemie-, Textil-, Bauind.; Trabrennbahn. – Kirche St. Petrus (13.–16. Jh.). – R. entstand aus einem karoling. Königshof; 1017 erstmals erwähnt; seit dem 12. Jh. zu Kurköln; 1230/36 Stadtrecht; kam 1815 an Preußen; ab 1868 Entwicklung zur Ind.- und Großstadt.

Recklinghausen-Krankheit [nach dem Pathologen Friedrich Daniel von Recklinghausen, *1833, †1910], **1)** (Osteodystrophia fibrosa generalisata) Systemerkrankung des Skeletts mit Mineralstoffwechselstörungen, Knochenentkalkung (Knochenbrüchigkeit) und vergrößerten Nebenschilddrüsen infolge zentral gestörter Hormonregulation oder durch chron. Nierenversagen.

2) (Neurofibromatose) erbliche Erkrankung mit zahlreichen aus Nervenbindegewebe bestehenden schmerzhaften Knoten in der Haut (Neurofibrome).

Reck-Malleczewen [-malə'tʃe:vən], Friedrich eigtl. F. Reck, Schriftsteller, *Gut Malleczewen (Ostpreußen) 11. 8. 1884, †KZ Dachau 17. 2. 1945; war Offizier, dann Arzt; anthropolog. Studien; 1944 verhaftet. Sein Buch »Bockelson« (1937) ist eine als histor. Studie über die Täufer getarnte massenpsycholog. Analyse des Nationalsozialismus; schrieb auch Romane, Jugendschriften und Essays.

Reclam, Anton Philipp, Verlagsbuchhändler, *Leipzig 28. 6. 1807, †ebd. 5. 1. 1896; erwarb in

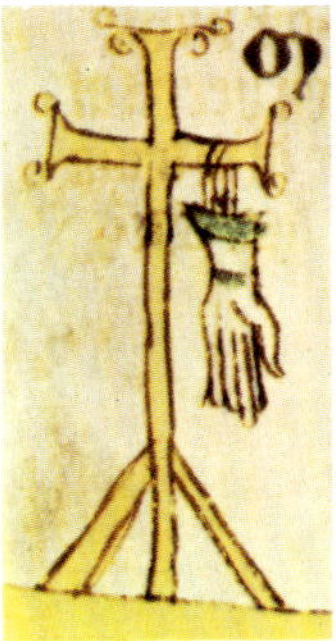
1

2

3

4

5

Rechtssymbole: Darstellungen aus einer Bilderhandschrift des Sachsenspiegels aus dem 1. Viertel des 14. Jh. (Heidelberg, Universitätsbibliothek); 1 Marktkreuz und Handschuh garantieren den Marktfrieden; 2 Schwert und Zepter (des Kaisers) stehen für weltliche Herrschaft; 3 Kündigung des Zinsmannes (der von seinem Herrn aus dem Haus geschickt wird), die nur an Maria Lichtmess (Kerze) ausgesprochen werden darf; 4 Eidzwang (Drohung durch Schwert) auf einen durch den Reliquienschrein in der Hand des Gefesselten symbolisierten Heiligen; 5 Petrus übergibt dem Papst als seinem Nachfolger den Schlüssel, der für weltliche Herrschaft steht

Leipzig 1828 das »Literar. Museum« (Leihbibliothek, Lesezirkel), aus dem der Verlag Philipp R. jun. (seit 1837) und »Reclams Universal-Bibliothek« (gegr. 1867; bis 1945 Gesamtauflage 280 Mio. mit 7600 Titeln) hervorgingen. Der Verlag wurde

Anton Philipp Reclam: Ausschnitt aus einem anonymen Gemälde (um 1830; Privatbesitz)

1947 in Stuttgart neu gegründet. Das Leipziger Stammhaus, 1950 verstaatlicht, betrieb einen der bedeutendsten Verlage in der DDR; 1992 Rückgabe des Leipziger Verlages an die R. GmbH & Co KG in Ditzingen bei Stuttgart.

Reconquista [rekɔŋ'kista, span.] *die,* die Rückeroberung der ab 711 von den Mauren besetzten Iber. Halbinsel durch christl. Heere; sie nahm ihren Ausgang im 10./11. Jh. in Asturien (→Pelayo) und war beendet mit der Eroberung des Königreichs Granada 1492.

Recorder [engl. rɪ'kɔ:də] *der,* →Rekorder.

Recycling [ri:'saɪklɪŋ, engl.] *das,* **1)** *Umwelttechnik:* Wiederverwendung von Abfällen, Nebenprodukten oder (verbrauchten) Endprodukten der Konsumgüterindustrie als Rohstoffe für die Herstellung neuer Produkte. Das R. soll eine Zirkulation der Wertstoffe zw. Produktion und Konsum unter Einbeziehung von Verwendungs- und Verwertungskreisläufen ermöglichen. Dabei lassen

Recyclingquote für 1995 (in %)

Land	Altpapier
Niederlande	77
Deutschland	67
Schweiz	61
Finnland	57
Schweden	54
Spanien	52
Dänemark	44
Frankreich	38

sich versch. R.-Wege unterscheiden: Wiederverwendung, d.h. wiederholte Benutzung (z.B. bei Pfandflaschen), Weiterverwendung in einem neuen Anwendungsbereich (z.B. Altpapier als Dämmmaterial), Wiederverwertung, d.h. Rückführung in die Produktion (z.B. hochwertige Kunststoffe zu niederwertigen Kunststoffen, Flaschen zu Altglas), Weiterverwertung in einem anderen Produktionsprozess (z.B. Stahl aus Schrott). Ziel des R. ist es, den Rohstoffverbrauch und die zu entsorgenden Abfallmengen zu reduzieren. Beide Aspekte haben in den letzten Jahren stark an Bedeutung gewonnen, wobei neben dem R. von Industrieabfällen das R. von Hausmüll mit Einführung des dualen Entsorgungssystems (→Duales System Deutschland) zunehmend in den Mittelpunkt gerückt ist.

📖 BILITEWSKI, B. *u.a.: Abfallwirtschaft. Eine Einführung. Neuausg. Berlin u.a. 1991.* – KOCH, T. C. *u.a.: Ökolog. Müllverwertung. Karlsruhe* ⁴*1992.* – KURSAWA-STUCKE, H.-J. *u.a.: Der Grüne Punkt u. die R.-Lüge. München 1994.*

2) *Wirtschaft:* Rückschleusung von Einnahmeüberschüssen einzelner Länder in den internat. Finanzmittelkreislauf (z.B. Petrodollars der Erdöl exportierenden Länder).

Redakteur [-'tø:r, aus frz.] *der* (schweizer. Redaktor), 1) fest angestellter Journalist in Massenmedien; 2) in Buchverlagen jemand, der Beiträge auswählt, bearbeitet oder auch selbst schreibt.

Redaktion [frz., zu lat. redigere »zurückführen«, »in Ordnung bringen«] *die,* die Gesamtheit der angestellten journalist. Mitarbeiter einer Zeitung, Zeitschrift, einer Hörfunk- oder Fernsehhauptabteilung (auch eines Verlages), die die vom jeweiligen Medium verbreiteten Aussagen beschafft und bearbeitet und die Ergebnisse im Rahmen gegebener (z.T. verleger.) Richtlinien kommentiert.

Redaktionsgeheimnis, das →Pressegeheimnis.

Redaktionsstatut, jurist. Fixierung der Rechte von Verlag und Redaktion (Kompetenzabgrenzung) bei Presseverlagen, aber auch zw. Intendant und Redaktion in den öffentlich-rechtl. Rundfunkanstalten.

Rede, 1) *allg.:* Ansprache, mündl. Darlegung vor einem Publikum über ein bestimmtes Thema oder Arbeitsgebiet; auch Äußerung, Aussage, Meinung. – Zur Kunst der R. →Rhetorik.

2) *Sprachwiss.:* a) Form der Wiedergabe einer Äußerung: als direkte R. (Zitat), indirekte R. (in Gliedsätzen und im Konjunktiv referierte Aussage) oder →erlebte Rede; b) sprachl. Form literar. Texte, z.B. gebundene R. (Verse), ungebundene R. (Prosa); c) Sprechakt (frz. Parole; →Langue).

Redefiguren, Stilmittel zur Verdeutlichung, Veranschaulichung oder Ausschmückung einer sprachl. Äußerung (ÜBERSICHT).

Redemptor hominis [lat. »Erlöser des Menschen«], Enzyklika Papst Johannes Pauls II. vom 4. 3. 1979 über die Verantwortung der Menschen und die Friedensaufgabe der Kirche.

Redemptoristen (lat. Congregatio Sanctissimi Redemptoris), Abk. **CSSR,** 1732 von A. M. di Liguori gegr. kath. Priestergemeinschaft, v.a. in Seelsorge und Mission tätig; weibl. Zweig (bereits 1731 gegr.), mit rein beschaul. Zielsetzung: **Redemptoristinnen.**

Redens|art, verbaler, prägnanter und bildhafter Ausdruck, der im Unterschied zum Sprichwort in einen Satz eingebettet werden muss (z.B. »sie versprach ihm goldene Berge«). (→Redewendung)

Rederijkers [-rɛikərs], →niederländische Literatur.

Redewendung, bildhafter Ausdruck, bei dem Wörter eine feste Verbindung eingegangen sind. Im Unterschied zur Redensart wird sowohl die ursprüngl. als auch die übertragene Bedeutung erfasst (z.B. bei der R. »den Kopf schütteln« die Bedeutungen »etwas verneinen« und »sich über etwas wundern«).

Redford ['redfəd], Robert, amerikan. Schauspieler, *Santa Monica (Calif.) 18. 8. 1937; debütierte 1959 am Broadway; subtile Charakterdarstellungen in Filmen wie »Zwei Banditen« (1969), »Der Clou« (1973), »Der große Gatsby« (1974), »Die drei Tage des Condor« (1975), »Jenseits von Afrika« (1985), »Ein unmoral. Angebot« (1993); auch Regisseur (u.a. »Aus der Mitte entspringt ein Fluß«, 1993; »Quiz Show«, 1994).

Redgrave ['redgreɪv], **1)** Sir (seit 1959) Michael, brit. Schauspieler, *Bristol 20. 3. 1908, †Denham (Cty. Buckinghamshire) 21. 3. 1985, Vater von 2); seit 1936 am Old Vic Theatre; einer der führenden Shakespearedarsteller; Filmrollen: »Die Unschuldigen mit den schmutzigen Händen« (1961), »Die Einsamkeit des Langstreckenläufers« (1962).

2) Vanessa, brit. Schauspielerin, *London 30. 1. 1937, Tochter von 1); Shakespearedarstellerin; Wandlungsfähigkeit und sensibler Spielstil zeigten sich auch in Filmen: »Protest« (1966), »Blow up« (1967), »Die Möwe« (1969), »Maria Stuart, Königin von Schottland« (1973), »Spiel um Zeit – Das Mädchenorchester in Auschwitz« (Fernsehfilm, 1980), »Wetherby« (1985), »Wiedersehen in Howards End« (1992); »Little Odessa« (1994).

Robert Redford

Vanessa Redgrave

Redi, Francesco, italien. Gelehrter und Schriftsteller, *Arezzo 18.2.1626, †Pisa 1.3.1698; Leibarzt der Großherzöge von Toskana, Mitgl. der »Accademia della Crusca« und Mitarbeiter an deren Wörterbuch; dichtete barocke Lyrik. Seine reiche Bibliothek bildet einen Teil der Biblioteca Medicea Laurenziana in Florenz. Er entdeckte die **Redien** (Generation im Generationswechsel der Saugwürmer) beim Leberegel und widerlegte die Vorstellung der →Urzeugung.

Reding von Biberegg, seit 1309 nachweisbares schweizer. Adelsgeschlecht im Kt. Schwyz. Aloys R. von B. (*1765, †1818) war 1801/02 der erste Landammann der Helvet. Republik.

Rediskontierung (Rediskont), Weiterverkauf eines bereits durch eine Bank diskontierten (ange-

Redefiguren (Auswahl)

Figuren durch Abweichung vom regulären Satzbau

1) **Pleonasmus:** überflüssige Häufung sinnverwandter Wörter (z.B. »weißer Schimmel«).
2) **Tautologie:** synonyme Wortwiederholung (z.B. »hegen und pflegen«).
3) **Katachrese:** uneigentl. und fehlerhafter Gebrauch sprachl. Bilder (z.B. »spitzer Schrei«).
4) **Anakoluth:** Satzbruch durch Veränderung der Konstruktion (z.B. »wenn ich bedenke, wie man wenig ist, und was man ist, das blieb man andern schuldig«).

Ersatzbeschreibungen oder Umschreibungen

1) **Metapher:** bildlicher Ausdruck aufgrund von Ähnlichkeitsbeziehungen (z. B. »das Gold ihrer Haare«), u.a. als **Personifikation** (z.B. »stählerne Arme« für »Kran«) und **Synästhesie,** die Umschreibung aus dem Bereich der Sinnesempfindungen (z.B. »schreiende Farben«).
2) **Metonymie:** bildlicher Ausdruck aufgrund von Berührungsbeziehungen (z.B. »der Homer« für »die Werke des Homer«) u.a. **Synekdoche,** die Vertauschung der Beziehungen zw. Teil und Ganzem, wobei oft ein Teil stellvertretend für das Ganze steht, Pars pro toto (z.B. »eigener Herd« für »eigener Haushalt«).
3) **Periphrase, Paraphrase:** Umschreibung durch charakterisierende Eigenschaften (z.B. »Elbflorenz« für »Dresden«).
4) **Epitheton ornans:** Attribut als schmückendes Beiwort (z.B. »die sonnigen Gipfel«).

Figuren der Hinzufügung, Auslassung und Anordnung

1) **Epizeuxis:** ein- bis mehrfache, nebengeordnete wörtliche Wiederholung (z.B. »er kramt und kramt«).
2) **Anapher:** wörtliche Wiederholung an der Spitze mehrerer unmittelbar aufeinander folgender Sätze oder Satzteile (z.B. »Geld war sein Streben, Geld war sein einziger Gedanke«); Ggs. **Epipher.**
3) **Paronomasie:** Wiederholung desselben Wortstammes in anderer syntakt. Funktion (z.B. »betrogene Betrüger«).
4) **Parallelismus:** wiederholter Satzbau (z.B. »sie predigen Verzicht, und nehmen sich doch alles; sie predigen Wasser und trinken Wein«).
5) **Oxymoron:** Kombination von sich logisch ausschließenden Begriffen (z.B. »helldunkel«).
6) **Antimetabole:** paralleler Satzbau und chiastische Wortanordnung (z.B. »entweder ihr wollt, aber ihr könnt nicht – oder ihr könnt, wollt aber nicht«).
7) **Asyndeton:** unverbundene Aufzählung (z.B. »er kam, sah, siegte«).
8) **Polysyndeton:** Verknüpfung durch dieselbe, wiederkehrende Konjunktion (z.B. »und es wallet und siedet und brauset und zischt«).

kauften) Wechsels an die Notenbank unter Abzug eines Diskontsatzes (→Diskont). Oberste R.-Stelle in Dtl. ist die Dt. Bundesbank. Für die R. werden für die Geschäftbanken bestimmte Höchstbeträge **(Rediskontkontingente)** festgelegt. (→Refinanzierung)

Odilon Redon: »Das blaue Cape« oder: Ophelia (Privatbesitz)

Redistribution *die,* Umverteilung des Volkseinkommens oder Volksvermögens durch finanz- oder sozialpolit. Maßnahmen. (→Verteilung)

Rednitz *die,* Oberlauf der →Regnitz.

Redol [rə'ðɔl], António Alves, portugies. Schriftsteller, *Vila Franca de Xira 29. 12. 1911, †Lissabon 29. 11. 1969; führte mit seinen sozialkrit. Romanen den Neorealismus in die portugies. Literatur ein (u. a. »Der Mann mit den sieben Namen«, 1958).

Redon [rə'dɔ̃], Odilon, eigtl. Bertrand-Jean R., frz. Maler und Grafiker, *Bordeaux 22. 4. 1840, †Paris 6. 7. 1916; lebte seit 1871 in Paris und setzte sich mit der zeitgenöss. Kunst und Literatur auseinander; sein Werk, bes. die Grafik, zeigt deutlich symbolist. Tendenzen.

Redoute [re'dut(ə), frz.] *die,* **1)** *Festungsbau:* trapezförmige Schanze.

2) *österr.:* Maskenball, veraltet auch Saal für Tanz- u. a. festl. Veranstaltungen.

Redouté [rədu'te], Pierre-Joseph, frz. Zeichner fläm. Herkunft, *Saint Hubert (bei Bastogne) 10. 7. 1759, †Paris 19. 6. 1840; schuf botanisch getreue Pflanzenzeichnungen; zu den reizvollsten gehören die Lithographien der »Rosen« (1817–24).

Redoxpotenzial, Bez. für das in Volt ausgedrückte Potenzial eines →Redoxsystems gegen die Normalwasserstoffelektrode bzw. eine andere Bezugselektrode.

Redoxsystem (Redoxpaar), aus einem Oxidationsmittel und einem damit korrespondierenden Reduktionsmittel bestehendes chem. System, in dem ein Reaktionsgleichgewicht zw. Oxidations- und Reduktionsvorgängen **(Redoxgleichgewicht)** herrscht, das durch die Redoxpotenziale der Reaktionsteilnehmer bestimmt wird. Die Lage der Redoxgleichgewichte wird i. Allg. durch vergleichende Messung gegen das Normalpotenzial der Normalwasserstoffelektrode bestimmt.

Redpower ['red'paʊə; engl. »rote Macht«] *die,* Protestbewegung der nordamerikan. →Indianer, die sich gegen Überfremdung, Bevormundung und Unterdrückung durch die weißen Amerikaner wendet und sich für mehr polit. Rechte bzw. Selbstbestimmung und kulturelle Eigenständigkeit einsetzt.

Red River ['red 'rɪvə; engl. »Roter Fluss«] *der,* Fluss in den USA, 1966 km lang, entspringt im O New Mexicos; ein Arm (Atchafalaya River) mündet in den Golf von Mexiko, ein anderer (Old River) in den Mississippi.

Reduktasen, zur Gruppe der Oxidoreduktasen zählende Enzyme, die molekularen Wasserstoff zu atomarem Wasserstoff aktivieren und auf geeignete Substrate übertragen.

Reduktion [lat. »Zurückführung«] *die,* **1)** *allg.:* Zurückführung auf Einfacheres, Grundsätzliches; Verminderung, Verkleinerung.

2) *Chemie:* i. e. S. die Entfernung von Sauerstoff aus sauerstoffhaltigen Verbindungen, der entgegengesetzte Vorgang zur →Oxidation; auch die Einführung von Wasserstoff in Verbindungen (→Hydrierung); i. w. S. die Elektronenaufnahme von Elementen, Ionen oder Verbindungen, sodass sich deren Oxidationszahl (→Wertigkeit) erniedrigt; die Elektronen werden dabei von anderen Substanzen, den **R.-Mitteln,** abgegeben, die gleichzeitig oxidiert werden (→Redoxsystem).

3) *Genetik:* Verringerung der Chromosomenzahl um die Hälfte bei der R.-Teilung.

4) *Geschichte:* (Indianerreduktion) von christl. Missionen, meist Jesuiten, in Südamerika, bes. Paraguay (→Jesuitenstaat), seit Ende des 16. Jh. eingerichtetes Gebiet für Indianer mit begrenzter Selbstverwaltung, im 19. Jh. aufgelöst.

5) *Meteorologie:* das Umrechnen von Messwerten (meist Luftdruckwerte) auf gleiches Niveau, meist Normalnull, um bei großräumigen Darstellungen den Einfluss der Höhenlage der Messstellen auszuschalten.

6) *Philosophie:* Zurückführung des Abgeleiteten auf seine Prinzipien; im →logischen Empirismus die Rückführung von komplexen Aussagen auf Aussagen über unmittelbar Erfahrenes.

7) *Sprachwissenschaft:* Sonderform der →Substitution, bei der eine komplexe sprachl. Einheit durch eine einfachere ersetzt wird.

8) *Stammesgeschichte:* Rückbildung urspr. voll entwickelter Organe bei der Einpassung der Lebewesen in ihre Umwelt; z. B. beim Menschen R. der Schwanzwirbel.

Reduktionismus *der,* in der Wissenschaftstheorie die Rückführung komplexer Sachverhalte auf elementare Prinzipien oder Seinsbereiche (z. B. der geistigen Wirklichkeit auf die Materie im Materialismus). Auch krit. Bez. für eine vereinfachende Zurückführung (wenn z. B. der Behaviorismus nur im Rückgang auf psychisch-geistige Prozesse messbare phys. Vorgänge erklärt).

Reduktionsdiät, kalorienarme Diät zur Reduzierung des Körpergewichts bei Übergewichtigen. Die Gesamtenergiemenge soll den Wert von 4000 bis 6000 kJ (etwa 1000–1500 kcal) täglich nicht überschreiten; dabei müssen dem Körper täglich etwa 2–3 l Flüssigkeit (Mineralwasser, ungesüßter Tee) zugeführt werden.

Reduktionsteilung, → Meiose.

Redundanz [lat. »Überfülle«] *die,* **1)** *allg.:* das Vorhandensein von Elementen in einer Nachricht, die keine zusätzl. Informationen liefern.

2) *Informationstheorie:* a) die Erweiterung zu übertragender oder zu speichernder Information durch zusätzl. Signale oder Zeichen, um bei teilweiser Verstümmelung der Nachricht noch deren Bedeutung erkennen zu können. b) bei einem Code eigentlich überflüssige Codewörter oder Zeichen, die nur der Fehlererkennung und -korrektur dienen.

3) *Sprachwiss.:* im Sprachsystem angelegte mehrfache Kennzeichnung derselben Information, z. B. der mehrfach gekennzeichnete Dativ im Plural (*den Kälbern*).

4) *Stilistik:* (Abundanz) Wiedergabe desselben Gedankens durch sinnverwandte oder bedeutungsgleiche Formulierungen.

5) *Technik:* Einfügen von Reserveelementen zur Erhöhung der Zuverlässigkeit techn. Systeme, z. B. von zwei voneinander unabhängigen Stromversorgungen für lebenserhaltende Apparaturen in Krankenhäusern. Ist das zweite System ständig zugeschaltet, liegt **aktive R.** vor. Bei **passiver R.** wird das zweite System (Bauelement o. Ä.) erst aktiviert, wenn das erste ausgefallen ist.

Pierre-Joseph Redouté: Rosa alba Regalis, Lithographie aus der Serie »Rosen« (1817–24; Göttingen, Niedersächsische Staats- und Universitätsbibliothek)

Reduplikation [lat. »Verdoppelung«] *die,* die Wiederholung von Silben oder Wörtern als Mittel der Wort- und Formbildung.

Reduzenten [lat. reducere »zurückführen«] (Destruenten), Bakterien, Pilze und bodenbewohnende Tiere, die abgestorbene organ. Substanz in einfache anorgan. Verbindungen zerlegen und damit den Produzenten neue Nährstoffe liefern; → Produktion, → Nahrungskette.

Redwood ['redwʊd, engl.] *das,* das Holz von Sequoia sempervirens (→ Mammutbaum); mit schmalem Splint und rosarotem Kern, leicht, weich, dauerhaft; geschätztes Bau- und Möbelholz.

Reed [ri:d], **1)** Sir (seit 1952) Carol, brit. Filmregisseur, * London 30. 12. 1906, † ebd. 25. 4. 1976; drehte u. a. »Die Sterne blicken herab« (1939), »Der dritte Mann« (1949), »Oliver« (1967); während des 2. Weltkrieges Dokumentarist.

2) Walter, amerikan. Militärarzt und Bakteriologe, * Harrisonburg (Va.) 13. 9. 1851, † Washington (D. C.) 22. 11. 1902; forschte über den Ansteckungsgang des Gelbfiebers und wies 1900 nach, dass dessen Überträger die Gelbfiebermücke ist.

Reede [niederdt.], Ankerplatz vor einem Hafen.

Reed Elsevier plc [ri:d 'ɛlsəvi:r -], Verlagsgruppe, Sitz: London und Rotterdam; gegr. 1993 durch Fusion der **Reed International plc** (1894 als Papierfabrik gegr., seit 1970 heutiger Name) mit der niederländ. Verlagsgruppe Elsevier N. V., die als jeweils selbstständige Unternehmen fortbestehen. Der Konzern zählt zu den weltweit führenden Fachverlagen u. a. von wiss. Zeitschriften, Fachpublikationen, Nachschlagewerken und entsprechenden elektron. Produkten sowie Programmzeitschriften; auch Dienstleistungen für Management und Geschäftsleben.

Reeder [zu Reede], Eigentümer eines ihm zum Erwerb durch Seefahrt dienenden Schiffes (§ 484 HGB), früher meist eine Einzelperson, heute häufig eine jurist. Person oder eine Mehrheit von Personen (Reederei). Der R. haftet umfassend für die von seinen Schiffen ausgehenden Schäden.

Reederei, Gesellschaftsform des Seerechts; Vereinigung mehrerer Personen (Mitreeder), die ein ihnen nach Bruchteilen gehörendes Schiff auf gemeinschaftl. Rechnung verwendet. Der Anteil eines Mitreeders sowohl am Schiff als auch am R.-Vermögen heißt **Schiffspart.** R. gibt es auch in der Binnenschifffahrt.

Reedereiflagge (Hausflagge, Kontorflagge), private Flagge (im Großtopp) zur Kennzeichnung der Schiffe einer Reederei.

Reed-Kontakt ['ri:d-, engl.] (Schutzrohrkontakt, Schutzgaskontakt), elektromagnetisch betätigter Kontakt, der in einem mit Schutzgas gefüllten Glasröhrchen eingeschmolzen ist und durch ein magnet. Feld direkt geschaltet wird; besitzt eine lange Lebensdauer, gewährleistet eine große Betriebssicherheit und ist unabhängig von atmosphär. Einflüssen.

reelles Bild, *geometr. Optik:* →Abbildung.

reelle Zahl, →Zahl.

Refektorium: neugotischer Speisesaal der 1892 durch Beuroner Benediktiner neu besiedelten Abtei Maria Laach

Reemtsma Konzern, Unternehmen der Nahrungs- und Genussmittelindustrie, hervorgegangen aus »B. Reemtsma & Söhne« (gegr. 1910 in Erfurt; 1936 Umbenennung in H. F. & Ph. F. Reemtsma, 1949 Gründung der Obergesellschaft Reemtsma Cigarettenfabriken GmbH), Sitz (seit 1923): Hamburg. Der R. K. produziert Zigaretten (u.a. Ernte, Peter Stuyvesant, R 1, R 6, Roth-Händle, West) und Feinschnittprodukte; Hauptgesellschafter ist die Tchibo Holding AG. Umsatz (1990): 6,7 Mrd. DM, Beschäftigte: 5 000. – Ein Enkel des Gründers, Jan Philipp Reemtsma (*1952), wurde als Wissenschaftler, als Förderer von gesellschaftskrit. Forschungsprojekten sowie als Mäzen (u.a. von Arno Schmidt) bekannt; er betätigt sich nicht als Unternehmer.

Reengineering [ri:endʒɪ'nɪərɪŋ, engl.] *das* (Business-Reengineering, Restrukturierung), Konzept der Unternehmensführung, das eine grundlegende Neugestaltung sämtl. im Unternehmen ablaufender Prozesse anstrebt, um die Kostensituation und die Handlungsgeschwindigkeit des Unternehmens zu verbessern. Im Mittelpunkt der Betrachtung stehen nicht die verschiedenen organisator. Unternehmenseinheiten, sondern die Geschäftsprozesse. Insbesondere zielt R. darauf, die Geschäftstätigkeit eines Unternehmens auf seine Kernkompetenzen zu beschränken, die Leistungsprozesse (z.B. durch Abbau von Hierarchien und Gruppenarbeit) zu beschleunigen sowie Qualität, Service und Produktivität im Sinne einer Kundenorientierung zu steigern. Enge Verknüpfungen bestehen zum Qualitätsmanagement und zur wertorientierten Unternehmensführung.

Reeperbahn, Hauptstraße des Vergnügungsviertels St. Pauli in Hamburg.

Rees, Stadt im Kr. Kleve, NRW, am Niederrhein, 20 500 Ew.; Bekleidungs- und Pfeifenfabriken, Futtermittel-, keram., Baustoffind.; Rheinbrücke nach Kalkar. – Türme der ehem. Stadtbefestigung aus dem 13. Jh. – Seit 1228 Stadt.

Reet *das,* niederdt. Bez. für das als Dachbedeckung **(R.-Dach)** verwendete →Schilfrohr.

Reeve [ri:v], Clara, engl. Schriftstellerin, *Ipswich 23. 1. 1729, †ebd. 3. 12. 1807; unter dem Eindruck von H. Walpoles »The castle of Otranto« verfasste sie Schauerromane (→Gothic Novel), die zu den wichtigsten Beispielen der Gattung gehören (z.B. »The champion of virtue«, 1777; 1778 u.d.T. »The old English baron«). In der literarhistor. Studie »The progress of romance through times, countries, and manners« (2 Bde., 1785) setzte sie sich mit dem Genre des Romans auseinander.

Refaktile [niederländ.] *die,* Preis- oder Gewichtsabzug für schadhafte oder unbrauchbare Teile einer Warensendung.

REFA-Verband für Arbeitsgestaltung, Betriebsorganisation und Unternehmensentwicklung e. V. (Kw. REFA), gemeinnütziger Verband zur Förderung betriebsorganisator. und arbeitswiss. Forschung sowie zur Ausarbeitung und Verbreitung techn. und wirtschaftswiss. Verfahren zur Rationalisierung industrieller Arbeitsprozesse; gegr. 1924 als **Re**ichsausschuß **f**ür **A**rbeitszeitermittlung, seit 1977 REFA-Verband für Arbeitsstudien und Betriebsorganisation, seit 1995 jetziger Name.

Refektorium [mlat., zu lat. refectorius »erquickend«] *das,* Speisesaal im Kloster.

Referat [lat.] *das,* **1)** *allg.:* Abhandlung, Vortrag.

2) *Verwaltung:* Grundeinheit in der Organisationsstruktur eines Ministeriums, geführt von einem Referatsleiter.

Referendar [nlat. »Berichterstatter«] *der,* im Vorbereitungsdienst für die Beamtenlaufbahn des höheren Dienstes stehender Anwärter (z.B. Berg-, Gerichts-, Studienreferendar) in der Stellung eines Beamten auf Widerruf. Das Beamtenverhältnis endet mit Ablegen der Prüfung.

Referendum [lat.] *das,* wesensgleicher Begriff für Volksentscheid, Plebiszit, Volksabstimmung.

Referent [lat.] *der,* **1)** *allg.:* jemand, der einen Vortrag hält oder Bericht erstattet.

2) *Verwaltung:* zuständiger Sachbearbeiter in einer Dienststelle, dem Referat.

Referenz [frz.] *die,* **1)** *allg.:* Empfehlung, (positive) Beurteilung; auch Person oder Stelle, die diese abgeben kann.

2) *Sprachwiss.:* Bezugnahme auf ein außersprachliches Bezugsobjekt (Denotat) mittels eines sprachl. Zeichens.

Referenz|ellipsoid, als Rechenfläche für die Berechnung →geographischer Koordinaten benutztes, an den Polen abgeplattetes Rotationsellipsoid. Die Geometrie des R.s wird durch seine große Halbachse (Äquatorradius) und die →Abplattung festgelegt.

Referenzzinssatz, Basiszinssatz, an dem sich die Festlegung eines Vertragszinssatzes für Finanzgeschäfte orientiert, auf internat. Finanzmärkten z.B. →FIBOR und →LIBOR.

Refinanzierung, Geldbeschaffung eines Kreditgebers bei Liquiditätsengpässen; so refinanzieren sich Hypothekenbanken durch die Ausgabe von Pfandbriefen. Banken können sich auch Zentralbankgeld bei der Notenbank beschaffen, z.B. durch Rediskontierung von Wechseln oder Beleihung von Wertpapieren (→Diskont, →Lombardgeschäft). Dabei legt die Notenbank die Konditionen für die R. fest und beeinflusst durch die Veränderung der Konditionen (z.B. des Diskont- und des Lombardsatzes) die Geldschöpfungsmöglichkeiten der Banken **(R.-Politik).**

Reflation [lat.] *die,* Korrektur einer →Deflation durch geldpolit. Mittel, v.a. Ausweitung des Geld- oder Kreditvolumens.

Reflektor [lat.] *der,* **1)** *Astronomie:* das →Spiegelteleskop.

2) *Kerntechnik:* neutronenreflektierende Umhüllung des Kernreaktors aus schwerem Wasser, Beryllium oder Graphit zur Verhinderung des Neutronenverlustes.

3) *Lichttechnik:* Vorrichtung in Leuchten und opt. Geräten, von deren Oberfläche Licht diffus oder gerichtet (gebündelt) zurückgeworfen (reflektiert) wird. Mit spiegelnden R. wird eine Erhöhung der Lichtstärke bis zum Zehnfachen erreicht. Ein R. ist auch der →Rückstrahler.

4) *Nachrichtentechnik:* Drahtgeflecht oder Metallfläche nach Art eines Parabolhohlspiegels; bei Dipolantennen Stab in definiertem Abstand hinter der eigentl. Antenne zur Verstärkung der Richtwirkung.

Reflektoskop [lat.-grch.] *das,* ein Ultraschall-Impuls-Reflexionsgerät zur zerstörungsfreien Werkstoffprüfung u.a. auf Risse und Einschlüsse.

Reflex [lat.] *der,* **1)** *Optik:* der von einem beleuchteten spiegelnden Körper zurückgeworfene Widerschein (→Reflexion).

2) *Physiologie:* die über das Zentralnervensystem ablaufende, unwillkürlich-automat. Antwort des Organismus auf einen äußeren oder inneren Reiz. Der Weg, den die Erregung beim Ablauf eines R. von der Einwirkungsstelle eines Reizes (dem Rezeptor) bis zum Erfolgsorgan (Effektor) in vorgegebenen Bahnen im Zentralnervensystem zurücklegt, ist der **R.-Bogen.** Die R. befähigen den Organismus zur raschen und sicheren Einstellung auf Veränderungen der Umweltbedingungen sowie zum wohlkoordinierten Zusammenspiel aller Körperteile. Bei **Eigen-R.** (z.B. Patellarsehnen-R., Achillessehnen-R.) liegen Rezeptoren und Effektoren im gleichen, bei **Fremd-R.** (z.B. Bauchdecken-R., Hornhaut-R.) in versch. Organen. – Neben den **angeborenen R.** (Automatismen, **unbedingte R.**) gibt es **erworbene R.,** die entweder erst mit zunehmender Reifung des Zentralnervensystems auftreten oder erlernt werden müssen (z.B. durch Dressur, Gewöhnung; **bedingter** oder **konditionierter Reflex**).

Reflexion [lat.] *die,* **1)** *Philosophie:* die Rückwendung des Subjekts vom wahrgenommenen Gegenstand auf seine eigenen Wahrnehmungs- und Denkakte; z.B. Kants Vernunftkritik als das Hinterfragen der Möglichkeitsbedingungen von Erfahrung.

2) *Physik:* das Zurückwerfen von mechan. Körpern (→Stoß), Teilchen- oder Wellenstrahlung an Grenzflächen oder Grenzschichten zw. zwei Medien. Bei der **regulären** oder **gerichteten R.** (Spiegelung) an hinreichend glatten Flächen ist der Einfallswinkel, d.h. der Winkel zw. einfallendem Strahl und der im Einfallspunkt errichteten Flächensenkrechten (Einfallslot), gleich dem **R.-Winkel,** d.h. dem Winkel zw. reflektiertem Strahl und der gleichen Senkrechten; einfallender Strahl, Flächensenkrechte und reflektierter Strahl liegen in einer Ebene **(R.-Gesetz).** Das **R.-Vermögen** (der **R.-Grad**) eines Stoffes ist das Verhält-

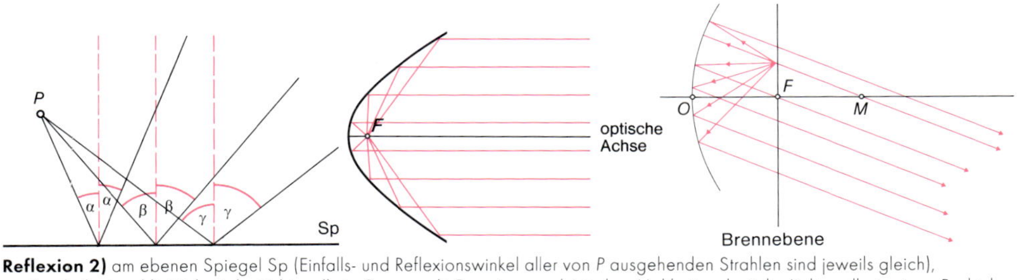

Reflexion 2) am ebenen Spiegel Sp (Einfalls- und Reflexionswinkel aller von *P* ausgehenden Strahlen sind jeweils gleich), am Parabolspiegel (Mitte) mit der Lichtquelle im Brennpunkt *F* sowie am sphärischen Hohlspiegel mit der Lichtquelle in einem Punkt der Brennebene (*O* optischer Mittelpunkt, *M* Krümmungsmittelpunkt)

Reformation in der zeitgenössischen Karikatur: Luther, des Teufels Dudelsack, Holzschnitt (1521), rechts daneben ein gegen die katholische Geistlichkeit gerichtetes Spottblatt

nis der reflektierten zur auffallenden Strahlungsintensität. Es hängt ab vom Material, an das die Stoffoberfläche grenzt, von der Oberflächenbeschaffenheit, vom Einfallswinkel, der Wellenlänge und der Polarisation des Lichts. Beim Übergang von Licht aus einem optisch dünneren (z. B. Luft) in ein optisch dichteres Medium (z. B. Wasser) mit den Brechzahlen n_1 und n_2 wird stets nur ein Teil des Lichts reflektiert, der Rest wird absorbiert oder gebrochen (→Brechung). Beim Übergang aus dem optisch dichteren in das optisch dünnere Medium (Brechzahlen n_1 bzw. $n_2 < n_1$) wird ebenfalls ein Teil des Lichts gebrochen, jedoch nur bis zu einem gewissen Einfallswinkel, dem Grenzwinkel der Total-R. α_T, für den $\sin\alpha_T = n_2/n_1$ gilt; bei größeren Einfallswinkeln α_1 wird das Licht vollständig reflektiert. Diese **Total-R.** wird z. B. in R.-Prismen oder in der Glasfaseroptik ausgenützt. Fällt Licht auf eine raue Fläche, wird es nach allen Seiten gestreut **(diffuse R.)**. – Durch die R. wird i. d. R. der Polarisationszustand der Lichtwelle beeinflusst (→Polarisation). – Auf der R. von Schallwellen beruht das →Echo.

Reflexionsnebel, *Astronomie:* →Nebel.

reflexiv [lat.], *Mathematik:* →Relation.

Reflexivpronomen, das rückbezügl. →Pronomen.

Reflexzone, Bereich der Körperoberfläche, der einem bestimmten Rückenmarksegment entspricht. **R.-Massage** →Bindegewebsmassage.

Reform [frz., zu lat. reformare »umgestalten«] *die,* Umgestaltung, Neuordnung, planmäßige und schrittweise Veränderung bzw. Verbesserung gesellschaftl. Verhältnisse. Die **R.-Politik** nutzt die in einem polit. System liegenden Möglichkeiten, dieses in bestimmten Teilbereichen zu verändern (z. B. Bildungs-, Steuerreform).

Reform|anstalten, Ende des 19. Jh. entwickelte Formen der höheren Schule (Reformgymnasium und Reformrealgymnasium) mit modernen Lehrinhalten (v. a. Fremdsprachen).

Reformatio in peius [lat. »Umgestaltung ins Schlimmere«] *die,* Abänderung einer gerichtl. Entscheidung in höherer Instanz zum Nachteil des Anfechtenden. Die R. i. p. ist im Zivilprozess unzulässig, außer wenn der Gegner seinerseits ein Rechtsmittel eingelegt hat (§§ 536, 559, 521 ZPO). Im Strafprozess darf nach §§ 331, 358, 373 StPO ein nur vom Angeklagten oder nur zu seinen Gunsten mit Rechtsmitteln angefochtenes Urteil in Bezug auf die Höhe der Strafe nicht zum Nachteil des Angeklagten abgeändert werden (wohl aber in Bezug auf die Strafvorschrift). – Auch im *österr.* Recht ist i. Allg. im Rechtsmittelverfahren eine R. i. p. unzulässig. Im *schweizer.* Recht ist die R. i. p. nach den kantonalen Zivil- und Strafprozessordnungen meist verboten, nicht aber bei Beschwerden gegen bestimmte Verwaltungsverfügungen.

Reformation [zu Reform] *die,* seit Ende des 17. Jh. Bez. für die im 16. Jh. von M. Luther vor dem Hintergrund der kirchl. Missstände begründete kirchl. Reformbewegung, deren Kritik sich v. a. gegen die Vernachlässigung des geistl. Amtes durch

Reformation: (von links): Bannbulle Leos X. gegen Martin Luther vom 3. Januar 1521; anonymes Flugblatt, das unter dem Titel »Lutherus triumphans« (über Leo X.) erschien, Holzschnitt (1568)

die Renaissancepäpste, die Verweltlichung und mangelnde theolog. Bildung des Klerus, eine von der Bibel entfernte spätscholast. Theologie und die Finanzpraktiken der Kirche (bes. den Ablasshandel) richtet. Als innerkirchl. Bemühen um Wiederherstellung einer dem Evangelium gemäßen Kirche strebte sie zunächst deren geistl. Erneuerung, verbunden mit einer »Reform an Haupt und Gliedern«, an. – Als Beginn der R. gilt der Tag der Veröffentlichung von M. Luthers Thesen über den Ablass (31. 10. 1517). Gestützt von versch. Reichsfürsten (v. a. Kurfürst Friedrich III. von Sachsen) und dem Stadtbürgertum führte die nachfolgende Entwicklung zur Auflösung der kirchl. Einheit der →lateinischen Kirche, zur Herausbildung eigenständiger »evang.« Kirchen und Gemeinschaften (→lutherische Kirchen, →reformierte Kirchen) und zur Formierung des →Protestantismus als christl. Konfession. Geistige Unterstützung erhielt die R. durch die Humanisten (→Humanismus); politisch verbanden zeitweilig antirömisch-nat. (die Reichsritterschaft) und sozialrevolutionäre Kräfte (die aufständ. Bauern; →Bauernkrieg) ihre Anliegen mit der Bewegung der R., z. T. gegen den erbitterten Widerstand M. Luthers. Nach 1525 wurde die R. ausschließlich Sache der Landesherren (Fürsten-R.); die evang. Landeskirchen entstanden, durch die Säkularisierungen erfuhren die dt. Territorien einen erhebl. Machtzuwachs. Prot. Führungsmächte wurden Kursachsen, Hessen und Brandenburg. – Die theolog. Grundlagen der R. wurden erstmals 1530 in der →Augsburgischen Konfession als dem grundlegenden luth. Bekenntnis und, in Anlehnung daran, für den ref. Zweig der R. im Vierstädtebekenntnis der Städte Konstanz, Lindau, Memmingen und Straßburg niedergelegt. 1531 schlossen sich die prot. Fürsten und Städte im →Schmalkaldischen Bund zusammen. Über das Augsburger →Interim (1548) kam es 1555 im →Augsburger Religionsfrieden zur reichsrechtl. Anerkennung der luth. Reformation. Die weltl. Reichsstände (die Landesherren) erhielten das Recht der freien Wahl der Konfession (→Cuius regio, eius religio), was zur konfessionellen Spaltung Dtl.s führte. Im 16. Jh. breitete sich die R. in ganz Europa aus. Die kath. Kirche leitete in Reaktion auf diese Entwicklung und theolog. Abgrenzung zu den Positionen der R. mit dem Konzil von Trient (1545–63) ihrerseits die Kirchenreform (→katholische Reform) ein. Versuche, die eingetretene Entwicklung umzukehren, hatten im Rahmen der →Gegenreformation in Teilen Dtl.s und Europas

Reformation - Ausbreitung um 1570

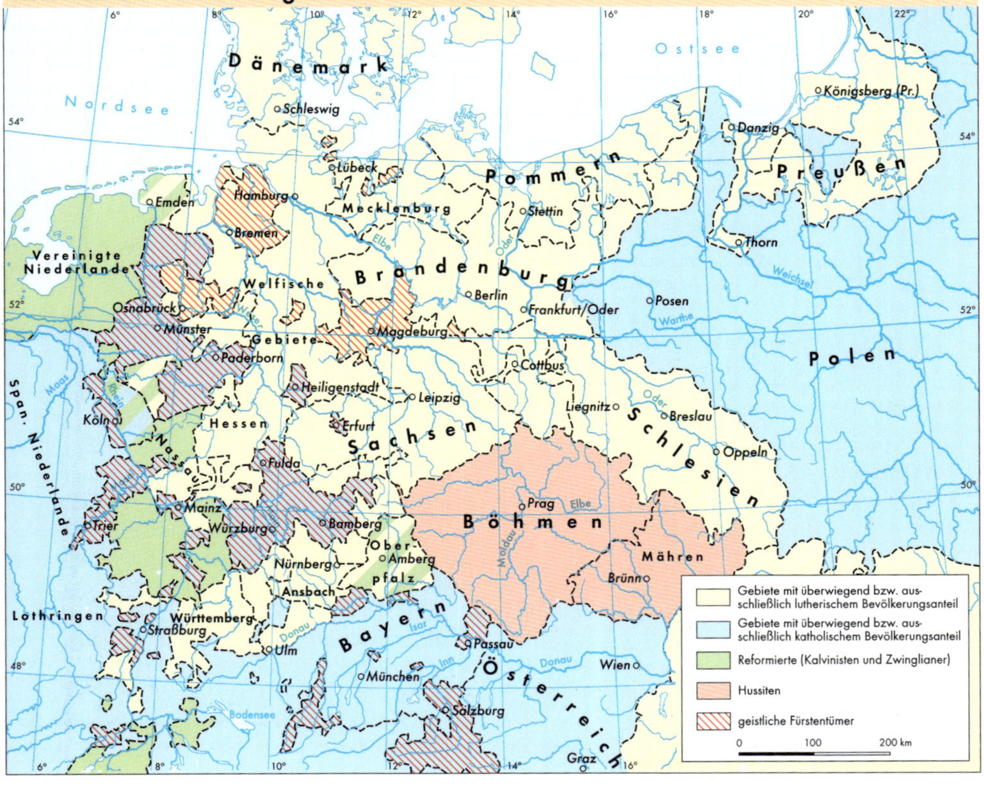

Erfolg (gewaltsam v.a. in Böhmen im →Dreißigjährigen Krieg), erreichten jedoch ihr Hauptziel, die vollständige Rekatholisierung Europas, nicht. Starke prot. Nationalkirchen bildeten sich außerhalb Dtl.s in Skandinavien und im Baltikum. Weltweite Verbreitung fanden die Kirchen der R. später v.a. im Gefolge der engl. und niederländ. kolonialen Expansion. (→deutsche Geschichte)

📖 ISERLOH, E.: *Geschichte u. Theologie der R. im Grundriß. Paderborn* [3]*1985.* – OBERMAN, H. A.: *Die R. Göttingen 1986.* – STUPPERICH, R.: *Die R. in Dtl. Gütersloh* [3]*1988.* – OBERMAN, H. A.: *Werden u. Wertung der R. Tübingen* [3]*1989.* – BÜSSER, F.: *Die Prophezei. Humanismus u. R. in Zürich, hg. v.* A. SCHINDLER. *Bern u. a. 1994.* – LUTZ, H.: *R. u. Gegenreformation. München* [4]*1997.*

Reformationsfest, evang. Fest zum Gedächtnis der Reformation; ab 1667 setzte sich der 31. 10. (Tag der Thesenveröffentlichung M. Luthers) durch; in einigen Bundesländern gesetzl. Feiertag.

Reformatio Sigismundi, Titel einer 1439 von einem unbekannten Verfasser geschriebenen weit verbreiteten Flugschrift. Sie benutzte den Namen des Kaisers Sigismund, um in eindringl. Worten u.a. die Trennung des geistl. und weltl. Bereiches sowie die Aufhebung der Leibeigenschaft zu fordern; beeinflusste die Forderungen des Bundschuhs sowie der Bauern im Bauernkrieg (1524/25).

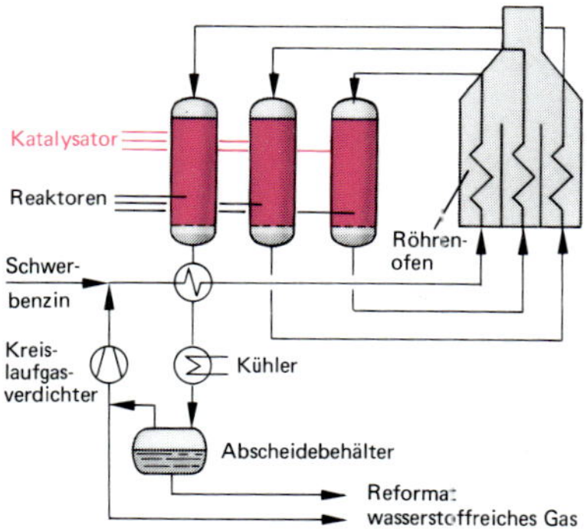

Reformieren: Funktionsschema des Platforming-verfahrens

Reformhaus, →Reformwaren.

Reformieren, *Chemie:* Verfahren der Erdölverarbeitung, bei dem Schwerbenzin in klopffestes Reformat umgewandelt und gleichzeitig Wasserstoff gewonnen wird. Das R. wird bei etwa 500 °C und 10–40 bar an bifunktionellen Katalysatoren durchgeführt. Die klass. Katalysatoren enthalten geringe Mengen Platin auf saurem Aluminiumoxid (wichtigstes Verfahren ist das **Platforming**).

reformierte Kirchen, Sammelbez. für die Kirchen, deren Entstehung v.a. auf das Wirken der oberdt. und schweizer. Reformatoren (T. Beza, M. Bucer, H. Bullinger, J. Calvin, G. Farel, J. Oekolampad, U. Zwingli u.a.) zurückzuführen ist. Die r. K. bilden einen Hauptzweig des →Protestantismus und sind v.a. in der Schweiz, Frankreich (→Hugenotten), Dtl., den Niederlanden (→Arminianer), England, Schottland und den USA (→Independenten, →Presbyterianer) verbreitet. Die Kirchenverf. der r. K. sind presbyterial-synodal und verzichten auf das Bischofsamt. In ihrer äußeren Form zeichnen sich die r. K. durch Schlichtheit der Gottesdiensträume (ohne Bilder und figürl. Darstellungen) aus. Die Theologie der r. K. baut maßgeblich auf den Lehren J. Calvins mit ihrer besonderen Betonung der individuellen Erwählung (→Prädestination) auf. Wichtige ref. Bekenntnisse sind das Vierstädtebekenntnis (1530), die Helvet. Bekenntnisse (Confessio Helvetica) von 1536 und 1566, der Heidelberger (1563) und der Genfer Katechismus (1566). Mittelpunkt des Gottesdienstes ist die Predigt. Kanzel- und Abendmahlsgemeinschaft besteht mit den der →Leuenberger Konkordie (1973) beigetretenen luth. und unierten Kirchen. Schwerpunkte ref. Ethik sind die Heiligung des Alltags, ein hohes Arbeits- und Berufsethos und die bewusste »Bürgerschaft« als Christ auch in der Gesellschaft. In ihrer Mehrheit gehören die r. K. dem →Reformierten Weltbund an.

reformierte Oberstufe, die 1972 neu gestaltete gymnasiale Oberstufe.

Reformierter Weltbund, 1875 in London gegr. Vereinigung ref. Kirchen; seit 1970 »R. W. (presbyterianisch und kongregationalistisch)«; Sitz: Genf; das oberste Organ, die alle 5–7 Jahre tagende Generalversammlung, wählt den Präsidenten. Der R. W. ist der älteste konfessionelle Weltbund. Gegenwärtig gehören ihm 173 Kirchen mit insgesamt rd. 60 Mio. Mitgl. an.

Reformismus *der,* Bewegung zur Verbesserung eines (sozialen) Zustandes oder eines (polit.) Programms; i.e.S. polit. (im kommunist. Sprachgebrauch abwertender) Begriff für eine Strömung in der Arbeiterbewegung, die den Sozialismus bzw. gesellschaftl. Veränderungen ausschließlich durch friedl. Reformen im Rahmen einer demokrat. Verf.ordnung erstrebt. Bereits im 1. Weltkrieg spaltete sich die Arbeiterbewegung in einen revolutionären (kommunist.) und einen reformer. (sozialdemokrat.) Flügel; Versuche, die Theorie der reformer. Praxis anzupassen (→Revisionismus), wie der R. galten für den Marxismus-Leninismus als rechte Abweichung.

Reformjudentum (liberales Judentum), im 19. Jh. entstandene Richtung innerhalb des Judentums, die über die Bildungs- und Sozialreformen der jüd. Aufklärung (Haskala) hinaus religiöse Reformen anstrebte; führte zu gottesdienstl. Änderungen (Kürzung der Liturgie, Einführung der

Landessprache als Gebetssprache) und betonte die prakt. Sozialethik. Viele rituelle Gebote wurden als »nicht mehr zeitgemäß« abgelehnt; bed. v.a. in den USA, Großbritannien und Deutschland.

📖 MEYER, MICHAEL A.: *Response to modernity. A history of the reform movement in Judaism. New York 1988.*

Reformkatholizismus, dem →Modernismus verwandte, jedoch kirchlich gebundene Bestrebungen, Leben und Lehre der kath. Kirche unter Wahrung der unverkürzten Botschaft des Evangeliums in Dialog mit der modernen Wiss. und Kultur zu bringen. Der R. entstand in den letzten Jahrzehnten des 19. Jahrhunderts.

Reformkommunismus, Bez. für Strömungen innerhalb des Kommunismus, die unter Wahrung des Führungsanspruchs der KP die unmittelbare Herrschaft des Parteiapparates abbauen und eine polit. Demokratie auf sozialist. Basis errichten wollten. Dabei sollten nat. Eigenarten und Grundrechte des Bürgers gewahrt werden. Beispiele: Jugoslawien nach 1948, der →Prager Frühling, die →Perestroika (M. Gorbatschow).

Reformkonzili|en (Reformkonzile), Sammelbez. für Konzile des 15. Jh., deren Hauptziele die Behebung kirchl. Missstände und die Beendigung des großen abendländ. →Schismas waren. Das R. von Pisa (1409) blieb erfolglos, das R. von Konstanz (1414–18) beseitigte das Schisma, das R. von Basel (1431–49) scheiterte mit dem Versuch, die päpstl. Rechte im Sinne des →Konziliarismus einzuschränken.

Reformpädagogik, die Bestrebungen zur Reform von Erziehung, Schule und Unterricht in Europa und den USA zw. 1890 und 1930. Die R. beruhte auf einem neuen pädagog. Grundkonzept (Pädagogik vom Kinde aus, individuelle Selbsttätigkeit des Heranwachsenden), führte zu neuen schul. Formen (u.a. Gesamtunterricht, Gruppenunterricht, Schülermitverwaltung, Arbeitsgemeinschaften, Werken, Gymnastik) und entwickelte zusätzl. Erziehungsfelder (Jugendbewegung, Erwachsenenbildung, Kunsterziehung). Wichtige Vertreter: J. Dewey, A. Ferrière, H. Gaudig, P. Geheeb, G. Kerschensteiner, Ellen Key, A. Lichtwark, Maria Montessori, B. Otto, Helen Parkhurst, P. Petersen, H. Scharrelmann. Gedanken der R. werden v.a. in Kindergärten, Grundschulen und Privatschulen weitergepflegt.

📖 *Die Schulen der R. heute. Handbuch reformpädagog. Schulideen u. Schulwirklichkeit, hg. v.* H. RÖHRS. *Düsseldorf 1986.*

Reformwaren (Reformprodukte), Erzeugnisse, die nach Ursprung, Zusammensetzung und Beschaffenheit möglichst naturbelassen sind (z.B. ohne chem. Zusatzstoffe), bes. Nahrungsmittel. R. werden v.a. in Reformhäusern angeboten.

Refrain [rə'frɛ̃, frz.] *der,* →Kehrreim.

Refraktion [lat.] *die,* allg. →Brechung; i.e.S. die Krümmung (Brechung) der Lichtstrahlen von Gestirnen in der Erdatmosphäre **(atmosphär. R.)** und die damit verbundene scheinbare Verschiebung ihres Ortes an der Himmelssphäre. Ursache ist die Abhängigkeit der Brechzahl von der Dichte, die in der Atmosphäre von oben nach unten zunimmt. Im Zenit ist die R. null, im Horizont wird ein Gestirn um rd. 36,5' (Minuten) gehoben, die Sonne also um etwas mehr als ihren scheinbaren Durchmesser.

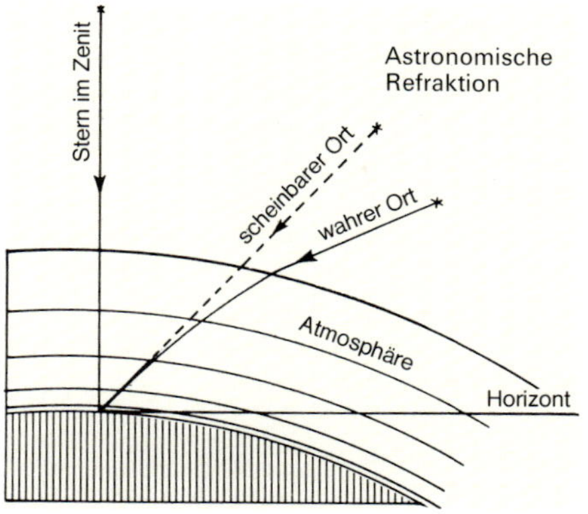

Refraktion: atmosphärische Refraktion

Refraktions|anomalie, der →Brechungsfehler des Auges.

Refraktometer [grch.-lat.] *das,* **1)** *Augenheilkunde:* Messgerät zur Bestimmung der Brechkraft des Auges.

2) *Optik:* Instrument zur Bestimmung der Brechzahl (→Brechung) opt. Substanzen, oft im Rückgang auf die Totalreflexion, z.B. das R. nach

Refraktometer 2) von Ernst Abbe aus dem Jahr 1874

E. Abbe **(Total-R.). Interferenz-R.** sind spezielle Interferometer zur Messung kleiner Brechzahlunterschiede, z. B. bei Gasen, oder zur Beobachtung der räuml. Verteilung von Brechzahlunterschieden durch Vergleich des opt. Weges zweier paralleler Strahlenbündel.

Refraktor [lat.] *der* (Linsenfernrohr), ein →Fernrohr mit einer Sammellinse oder einer Linsenkombination als Objektiv, v. a. als astronom. Instrument, im Ggs. zum Reflektor (→Spiegelteleskop) mit einer Spiegeloptik.

Réfugiés [refy'ʒje; frz. »Flüchtlinge«], die während der Religionsverfolgungen des 16. und 17. Jh. aus Frankreich ausgewanderten →Hugenotten, die in den Niederlanden, in England, Dänemark, der Schweiz, den dt. Territorien (bes. in Brandenburg) und Amerika Aufnahme fanden und dort vielfach eigene frz. Kolonien bildeten.

Rega *die,* Fluss in Polen, Pommern, 168 km lang, mündet westlich von Kolberg in die Ostsee.

Regal *das, Musik:* kleine, tragbare Orgel, die ausschließlich Zungenpfeifen enthält; seit dem 11./12. Jh. nachweisbar; als Begleitinstrument bis zum 18. Jh. verwendet.

Regal des deutschen Instrumentenbauers Michael Klotz (um 1600; Nürnberg, Germanisches Nationalmuseum)

Regalilen [lat. iura regalia »königl. Rechte«], im 11. Jh. geprägte Bez. für die dem König vorbehaltenen Hoheitsrechte, bes. Gerichtsbarkeit, das Befestigungsrecht an Burganlagen und Nutzungsrechte, wie Zoll, Münz- und Marktrecht, Geleitschutz, Forst-, Jagd- und Bergrecht, Judenschutzrecht und das Recht auf erbloses Gut **(R.-Recht).** Die R. waren im MA. das Rückgrat der Reichsfinanzen, ihre Verleihung ein Mittel der Reichsgutsverwaltung und der Politik. R. konnten zur Nutzung vergeben werden. Die Übernahme von R. durch die Landesherren diente in Dtl. dem Ausbau ihrer Landeshoheit. Im 19. Jh. wurden die R. größtenteils beseitigt oder in andere Rechtsformen überführt (z. B. Münz-, Zollhoheit); nur die »niederen« (d. h. wirtschaftlich nutzbaren) R. wurden als dem Staat ausschließlich zustehende Erwerbsrechte weiter genutzt (z. B. Postregal).

Regalilenfeld, *Heraldik:* →Blutfahne.

Regatta [italien. (venezian.) »Gondelfahrt«] *die,* Wettbewerbsveranstaltung in Wasserfahrsportarten auf speziell markierten R.-Strecken (Ruder-, Segel-, Kanu- und Motorbootregatta).

Regel [lat.], **1)** *allg.:* Richtlinie, Vorschrift.

2) *christl. Kirchen:* Vorschriftensammlung eines geistl. Ordens.

3) *Medizin:* die →Menstruation.

Regelation [lat.] *die,* die Druckabhängigkeit des Phasenübergangs zw. festem und flüssigem Aggregatzustand bei Stoffen, deren Schmelze eine höhere Dichte aufweist als ihre feste Phase. Die R. bewirkt die Verflüssigung des Eises bei Druckzunahme und das Wiedergefrieren bei Druckabfall; sie trägt zur Gletscherbewegung bei.

Regeldetri [lat. »Regel von den dreien«] *die,* →Dreisatzrechnung.

regelmäßige Körper, die platon. Körper (→Körper).

Regelsatz, →Sozialhilfe.

Regelschule (integrierte Regelschule), Schulart im Sekundarbereich in Thüringen, in der Haupt- und Realschule zusammenfasst sind. (→integrierte Klassen für Haupt- und Realschüler)

Regelstudilenzeit, nach dem Hochschulrahmen-Ges. i. d. F. v. 9. 4. 1987 die Studienzeit, die für den einzelnen Studiengang bis zum ersten berufsqualifizierenden Abschluss angesetzt ist. Sie ist in den Prüfungs- und Studienordnungen der Länder festzulegen und zz. nur in NRW gesetzlich festgeschrieben.

Regelung, 1) *allg.:* Beeinflussung natürl. oder techn. Vorgänge, die deren ungestörten Ablauf mit möglichst geringen Schwankungen gewährleisten soll (→Regelungstechnik).

2) *Physiologie:* die Regulierung zahlr. Funktionszustände wie Blutdruck, Körpertemperatur, Nahrungsaufnahme in Organismen nach einem Rückkopplungsprinzip. Hierbei werden Abweichungen von einem bestimmten Normalwert durch Gegenreaktionen kompensiert (negative Rückkopplung).

Regelungstechnik, techn. Prozesse mit der Aufgabe, v. a. in techn. Anlagen physikal. Größen (Regelgrößen) trotz des Einflusses äußerer Störungen (Störgrößen) konstant zu halten oder den zeitl. Verlauf vorgegebener Größen (Führungsgrößen) möglichst genau nachzuführen. Im Ggs. zur Steuerungstechnik, die die gleichen Ziele verfolgt, bedient sich die R. des Prinzips der **Rückführung.** Die R. führt die Vielfalt geregelter techn. Systeme auf die Grundform des **Regelkreises** mit nur zwei rückwirkungsfreien Baugliedern zurück: die **Regelstrecke,** die von der vorgegebenen techn. Anlage gebildet wird, und den → Regler, der das Zeitverhalten der Strecke kontrolliert und auf sie korrigierend einwirkt. Dabei kommt ein geschlossener Wirkungsweg zustande. Bindeglied zw. Regler und Regelstrecke ist das Stellglied, das je nach Steuersignal unmittelbar den zu regulierenden Stoff- oder Energiestrom beeinflusst.

🕮 UNGER, J.: *Einführung in die R. Stuttgart* [2]*1992.* – REUTER, M.: *R. für Ingenieure. Braunschweig u. a.* [9]*1994.*

Regel|unterhalt, der Mindestbetrag für den Unterhalt eines nichtehel. Kindes, das sich in der Pflege seiner Mutter befindet, bei einfacher Lebenshaltung (**Regelbedarf,** § 1615 f. BGB). Die Höhe des R. bestimmt sich, nach Alter gestaffelt, nach der von der Bundesreg. erlassenen R.-Verordnung (seit 1996 monatlich zw. 349 DM und 502 DM, in den neuen Bundesländern zw. 314 DM und 451 DM). Der Unterhalt vermindert sich ggf. dadurch, dass Kindergeld und ähnl. Sozialleistungen zur Hälfte angerechnet werden. Der Vater kann jedoch nach § 1602 BGB entsprechend seiner Leistungsfähigkeit auch zu höheren Unterhaltsleistungen verpflichtet werden.

Regen, Niederschlag in flüssiger Form, der dadurch entsteht, dass kleine, schwebende Wolkentröpfchen durch versch. Prozesse zu größeren Tropfen anwachsen, die von der Luftströmung nicht mehr getragen werden, ausfallen und den Erdboden erreichen. Beim gewöhnl. großtropfigen R. (Land-R.) haben die Tropfen einen Durchmesser von mindestens 0,5 mm und fallen mit einer Geschwindigkeit von mehr als 3 m/s zu Boden. Beim Sprüh-R. (Staub-R., Nieseln) beträgt der Tropfendurchmesser weniger als 0,5 mm, die Fallgeschwindigkeit der Tropfen weniger als 3 m/s; er fällt meist aus Nebel oder Hochnebel aus. Beim sog. Wolkenbruch, einem meist kurzen, außerordentlich starken R., treten Tropfengrößen von über 8 mm auf. Als Schwefel-R. und Blut-R. werden durch Staub, Pollen (Blütenstaub) und Kleinlebewesen verfärbte Niederschläge bezeichnet. Eis-R. ist ein R. aus Eiskörnchen (kleiner als → Hagel), der sich gelegentlich bildet, wenn R.-Tropfen aus einer warmen Luftschicht in eine kältere fallen und dabei gefrieren. Unterkühlter R. besteht aus kleinen Wassertropfen, die trotz Temperaturen unter dem Gefrierpunkt noch flüssig sind, bei Berührung des Bodens jedoch gefrieren und zur Bildung von Glatteis führen. (→ saurer Regen)

Regen, 1) *der,* linker Nebenfluss der Donau, in Bayern, 98 km lang, kommt aus dem Hinteren Wald (Böhmerwald). Durch den Zusammenfluss von **Großem R.** (Quelle in der Tschech. Rep.)

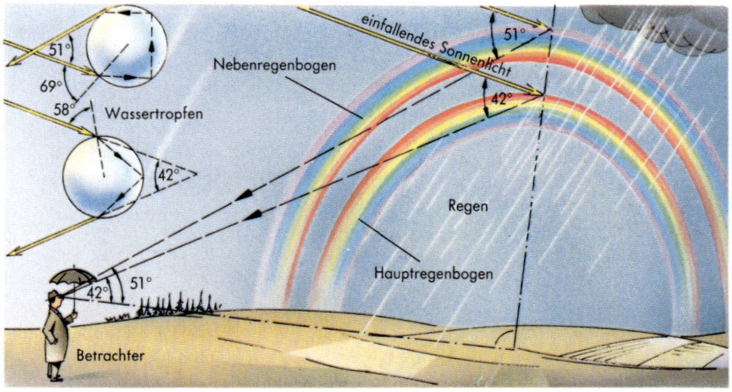

Regenbogen: schematische Darstellung der Entstehung des Haupt- und Nebenregenbogens und die Brechung und Reflexion des Lichts in einzelnen Wassertropfen

und **Kleinem R.** entsteht bei Zwiesel der **Schwarze R.,** der sich nahe Kötzting mit dem **Weißen R.** zum R. vereinigt. Der R. mündet in Regensburg.

2) Landkreis im RegBez. Niederbayern, 975 km², (1996) 82 400 Einwohner.

3) Kreisstadt von 2) in Niederbayern, im Tal des Schwarzen R., 12 400 Ew.; Landwirtschaftsmuseum, Herstellung von opt. Gläsern, Holzindustrie. – Kath. Pfarrkirche St. Michael (13. und 16. Jh.), Johannes- und Heiliggeistkirche (beide 15. Jh., im 18. Jh. verändert). – Im 11. Jh. entstanden, wurde R. vor 1270 Markt, 1932 Stadt.

Regenbogen, atmosphärisch-optische Erscheinung, die entsteht, wenn die im Rücken des Beobachters stehende Sonne eine vor ihm befindl. Regenwolke oder -wand bescheint. Der R. besteht aus einem in den Spektralfarben leuchtenden Bogen von etwa 42° Halbmesser und 1,5° Breite **(Haupt-R.),** oft auch noch aus einem zweiten, lichtschwächeren Bogen von 51° Halbmesser und 3° Breite **(Neben-R.);** zuweilen schließen sich sekundäre Bögen an. Der gemeinsame Mittelpunkt liegt auf der Verlängerung der Geraden, die die Sonne mit dem Auge des Beobachters verbindet. Beim Haupt-R. liegt Violett innen, Rot außen, beim Neben-R. umgekehrt. Der R. entsteht durch Brechung und Reflexion (einmalig Haupt-R., zweimalig Neben-R.) der Sonnenstrahlen in den einzelnen Regentropfen. Die beim Eintritt und Austritt der Strahlen stattfindende Brechung zerlegt das weiße Sonnenlicht in die Spektralfarben, die Reflexion lenkt die Strahlen in das Auge des Beobachters. Fast weiße R. (Tröpfchendurchmesser höchstens 0,05 mm) heißen auch **Nebelbögen.**

Regenbogenforelle, eine Art der → Forellen.

Regenbogenhaut (Iris), Teil des → Auges.

Regenbogenhaut|entzündung (Iritis), Entzündung der Regenbogenhaut des Auges, meist infolge einer Herdinfektion.

Régence: Kommode (um 1730; München, Residenzmuseum)

Regenbogenpresse, Bez. (nach der bunten Aufmachung) für den Zeitschriftentyp der unterhaltenden Wochenblätter; gekennzeichnet v.a. durch Gesellschaftsklatsch.

Régence [reˈʒãs; frz. »Regentschaft«] *die* (Régencestil), Stilphase der frz. Kunst (v.a. in der Innendekoration) zur Zeit der Regentschaft Philipps von Orléans (1715–23); sie bildet den Übergang vom Louis-quatorze (Barock) zum Louis-quinze (Rokoko).

Regenpfeifer: Goldregenpfeifer

Regency [ˈriːdʒənsɪ; engl. »Regentschaft«] *der,* Stilphase der engl. Kunst (um 1810–30) zur Zeit der Regentschaft Georgs IV.

Regener, Erich, Physiker, *Bromberg 12. 11. 1881, †Stuttgart 27. 2. 1955; bestimmte 1909 die elektr. Elementarladung nach einer selbst entwickelten Szintillationsmethode; untersuchte bes. die Höhenstrahlung und die Stratosphäre.

Regeneration [lat.] *die,* **1)** *Biologie:* die Fähigkeit eines Organismus, verletzte, abgestorbene oder verloren gegangene Gewebe und Körperteile durch Neubildung zu ersetzen; z.B. bei Eidechsen, Polypen, Würmern.

2) *Chemie* und *Technik:* Wiederherstellung bestimmter chem. oder physikal. Eigenschaften eines Stoffs (z.B. von Katalysatoren, Ionenaustauschern) sowie die Rückgewinnung chem. Stoffe (Regenerate).

3) *Geologie:* die Rückführung versteifter Erdkrustenbereiche in den bewegl., faltbaren Zustand durch Absinken in tiefere Erdkrustenzonen.

regenerative Energien (erneuerbare Energien, Alternativenergien), Bez. für sich erneuernde, d.h. nachwachsende oder nicht ressourcenabhängige Primärenergiequellen. Die wichtigsten, bereits genutzten r.E. sind Sonne (→Solartechnik, →Solarzelle), Wind (→Windkraftwerk) und Wasser (→Wasserkraftwerk), aber auch geotherm. Energie (Erdwärme) oder Biomasse.

Regenerativfeuerung (Regenerativgasfeuerung), Vorwärmung von Gas und Luft durch Nutzung der Abgaswärme bei Schmelz-, Hoch- und Glasschmelzöfen. Gas und Luft werden getrennt vor ihrer Verbrennung auf 1000–1200 °C erhitzt.

Regengestirn, *Astronomie:* die →Hyaden.

Regenmesser, Niederschlagsmesser (→Niederschlag).

Regenpfeifer (Charadriidae), nahezu weltweit verbreitete Familie lerchen- bis taubengroßer Watvögel auf sumpfigen Wiesen, Hochmooren und an sandigen Ufern; kräftige, schnell fliegende, im Flug häufig melodisch pfeifende, kontrastreich gefärbte Vögel mit ziemlich großen Augen und kurzem Schnabel. Zu den R. gehören u.a. →Kiebitz, →Steinwälzer und die meist kleineren, vielfach auf dem Boden rennenden **Echten R.** (Charadriinae; mit 40 Arten). Bekannt sind: **Fluss-R.** (Charadrius dubius), etwa 15 cm groß; **Gold-R.** (Pluvialis apricaria), etwa 28 cm groß; **Mornell-R.** (Eudromias morinellus), etwa drosselgroß.

Regens [lat.] *der,* **1)** *kath. Kirche:* der geistl. Leiter eines Priesterseminars.

2) *Sprachwiss.:* Bestandteil einer syntaktischen Gruppe, von dem ein anderer (→Rektum) abhängig ist (→Rektion).

Regensburg, 1) Landkreis im RegBez. Oberpfalz, Bayern, 1395 km², (1996) 168 700 Einwohner.

2) kreisfreie Stadt, Verw.sitz des RegBez. Oberpfalz und des Landkreises R., Bayern, an der Mündung von Regen und Naab in die Donau, 125 300 Ew.; Univ., FH, Oberforstdirektion, Verw.- und Wirtschaftsakademie, Fachakademie für kath. Kirchenmusik und Musikerziehung, Stadttheater, Bibliotheken, zahlr. Museen. Automobil-, Maschinen- und Schiffbau; elektrotechn., chem., Textil-, Nahrungsmittelind., Druckgewerbe; Donauhafen am Rhein-Main-Donau-Großschifffahrtsweg.

Regenwald: Der »Caribbean Nationa Forest«, genannt El Yunque, in Puerto Rico rund 40 km östlich von San Juan ist ein subtropischer Regenwald

Der Dom St. Peter ist eine kreuzförmige Basilika mit polygonal schließendem Hauptchor und zwei Nebenchören (um 1250 begonnen, Bauzeit zum großen Teil 14./15. Jh., 1525 Einstellung der Arbeiten; ab 1835 purist. Restaurierung); die Stiftskirche des Benediktinerklosters St. Emmeram (8.–12. Jh.), von den Brüdern Asam barockisiert (1731–33), birgt u.a. die Grabmäler der letzten ostfränk. Karolinger und bayr. Herzöge des 10. Jh., die Klostergebäude sind seit 1812 Residenz der Fürsten von Thurn und Taxis; ehem. Benediktinerinnenstift Niedermünster (12. Jh., 17./18. Jh. erneuert, seit 1821 Bischofsresidenz); Alte Kapelle (Teile von 1002, im Innern Rokoko, 1747–65); ferner die roman. Schottenkirche St. Jakob (1150–1200), die Dompfarrkirche St. Ulrich (1230–50), die frühgot. Kirchen der Dominikaner und der Minoriten (13. und 13./14. Jh.); am Stadtrand die Hallenkirche Karthaus-Prüll (geweiht 1110) und die Abteikirche des ehem. Benediktinerklosters in Prüfening (geweiht 1119). Die wichtigsten weltl. Bauten sind die Reste des Herzogshofs (z.T. 12./13. Jh.), die Steinerne Brücke (1135–46), das Alte Rathaus (14.–18. Jh.) mit dem Reichssaal, das neue Rathaus (im 17. Jh. umgebaut), zahlreiche Patrizierhäuser (12.–14. Jh.) mit Geschlechtertürmen. – Nahe einer kelt. Siedlung **(Radasbona?)** entstand um 80 n. Chr. ein röm. Kohortenkastell, bis 179 n. Chr. das Legionslager **Castra Regina;** unter Diokletian zur Festung umgebaut. Um 535 wanderten Baiern ein; seitdem Pfalz und Residenz der bayr. Herzöge; 788 Königspfalz, 826–911 bevorzugte Residenz der ostfränk. Könige, dann bis um 1250 erneut Residenz der bayr. Herzöge, 1245 Reichsstadt; wirtsch. Blüte im 12. und 13. Jh.; 1663–1806 Tagungsort des Immerwährenden Reichstages; 1803/04 Vereinigung von R., Hochstift, Klöstern und einigen Reichsstiften zum Fürstentum R. unter Fürstprimas Karl Theodor von Dalberg; kam 1810 an Bayern.

📖 FAERBER, S. *u.* SPITTA, W.: *R. Regensburg 1987.* – BAUER, K.: *R. Aus Kunst-, Kultur- u. Sittengeschichte. Regensburg* [4]*1988, Nachdr. ebd. 1994.*

3) Bistum; schon zur Römerzeit bezeugt, 739 von Bonifatius neu organisiert; ab 1805 Erzbistum, 1810 an Bayern; seit 1821 Suffragan von München und Freising.

Regensburger Domspatzen, Chor von Knaben und jungen Männern, hervorgegangen aus dem Regensburger Domchor und der Regensburger Sängerschule (Tradition bis ins 7. Jahrhundert).

Regent [lat.] *der,* das monarch. Staatsoberhaupt oder der Stellvertreter, der bei Ungewissheit über die Person des Monarchen, bei Minderjährigkeit, längerer Verhinderung oder Regierungsunfähigkeit des Staatsoberhauptes die Regierung führt **(Regentschaft).**

Regensburg 2): Blick über die Donau mit der Steinernen Brücke (1135–46) auf die Türme des zum großen Teil vom 14. Jh. bis ins frühe 16. Jh. erbauten Doms Sankt Peter; das zum Dom führende Brückentor stammt aus dem 14. Jahrhundert

Regentenstück, ein → Gruppenbild.

Regenwald, immergrüner Wald in ganzjährig feuchten Gebieten der Tropen (trop. R.), der Subtropen (subtrop. R.) und der frostfreien Außentropen (temperierter R.). Der **trop. Tiefland-R.** ist sehr artenreich, meist mit drei (selten fünf) Baumstockwerken: Das oberste besteht aus 50–60 m hohen Baumriesen, das mittlere aus 30–40 m hohen Bäumen, deren Kronen ein geschlossenes Kronendach bilden, das untere erreicht 15 m Höhe (z.T. Jungwuchs); eine Krautschicht fehlt weitgehend. Der **trop. Gebirgs-R.** in 1000–2000 m Höhe ist etwas artenärmer, mit nur zwei Stockwerken, bis 30 m hohen Bäumen und hohem Anteil (über 50 % der Blütenpflanzen) an Sträuchern und Kräutern sowie vielen Epiphyten (v.a. Orchideen). Der **subtrop. R.** ähnelt dem trop. Tiefland-R., weist aber

Regensburg 2): Stadtwappen

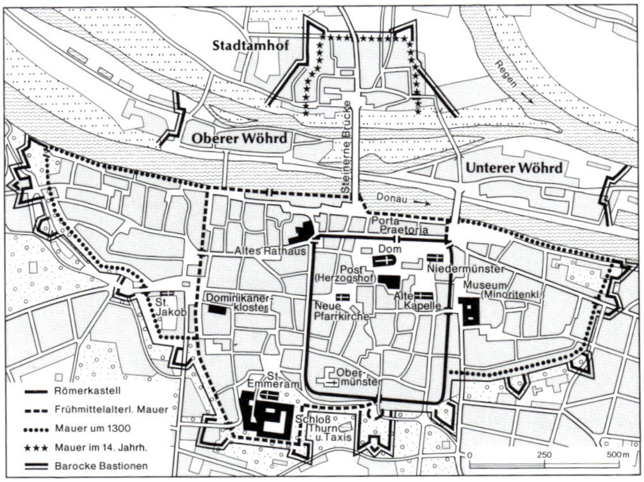

Regensburg 2): historische Entwicklung

Erik Reger
(um 1950)

wenig Lianen und Epiphyten auf; Baumfarne sind häufiger, auch Nadelhölzer treten auf. Der **temperierte R.** wird nur von wenigen Arten gebildet (Scheinbuchen; Baumfarne als Strauchstockwerk). – Rd. 6% der Erdoberfläche werden von trop. R. bedeckt; davon werden (nach Angaben der FAO) jährlich 168000 km^2 vernichtet. Bei gleich bleibendem Ausmaß der Zerstörung wird der trop. R., der die artenreichste Lebensgemeinschaft auf der Erde mit mindestens 40% aller Pflanzen- und Tierarten beherbergt, bis zum Beginn des kommenden Jh. in vielen Regionen kaum noch vorhanden sein. Neben schwerwiegenden unmittelbaren lokalen Folgen (z.B. Versteppung) wird der Schwund des trop. R. langfristig auch zu globalen klimat. Veränderungen beitragen.

📖 CAUFIELD, C.: *Der R. Aus dem Engl. Hamburg 1987.* – *Amazonien im Umbruch, hg. v.* G. HARTMANN. *Berlin 1989.* – REICHHOLF, J. H.: *Der trop. R. München* [2]*1990.* – *Schutz der Tropenwälder, hg. v. der Enquete-Kommission »Vorsorge zum Schutz der Erdatmosphäre« des Dt. Bundestages. Bonn 1990.* – *Das Regenwaldbuch, hg. v.* C. NIEMITZ *u.a. Berlin u.a. 1991.* – *R. Vorstoß in das trop. Universum, bearb. v.* U. GEORGE. *Hamburg* [8]*1994.*

Regenwürmer
kommen bei Regen an die Oberfläche, da sich die kleinen Gänge, die sie gegraben haben, mit Wasser füllen.

Regenwürmer, Bez. für einige Familien bodenbewohnender, zwittriger Ringelwürmer (Ordnung Wenigborster); Länge der einheim. Arten etwa 2–30 cm; vorwiegend in feuchten Böden, unter Laub oder im Moder. R. graben bis zu 2 m tiefe Gänge in den Boden. Die Begattung der R. erfolgt wechselseitig. R. ernähren sich als Reduzenten von sich zersetzendem organ. Material, wozu sie abgestorbene Blätter in ihre Gänge ziehen; unverdaubare Erde wird in Kottürmchen an der Röhrenmündung abgesetzt. – R. sind als Humusbildner sowie für die Durchmischung, Lockerung und Lüftung des Bodens von großer Bedeutung. In Dtl. kommt neben dem **Mistwurm** (Eisenia foetida), 6–13 cm lang, mit purpurfarbener, roter oder brauner Querbinde auf jedem Segment, bes. der bis 30 cm lange **Gemeine Regenwurm (Tauwurm,** Lumbricus terrestris) vor: schmutzig rot, unterseits heller; bevorzugt lehmige Böden.

Regenwürmer:
Gemeiner Regenwurm
(bis zu 30 cm lang)

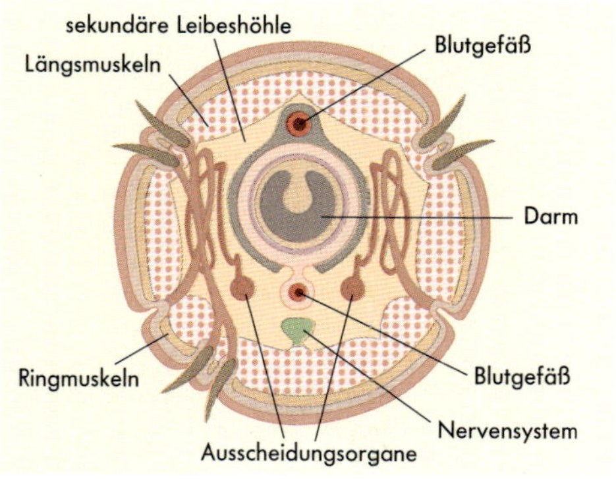

Regenwürmer: Schnittzeichnung eines Regenwurms

Regenzeit, Jahreszeit in den Tropen (zwei R.) und Subtropen mit starken Regenfällen.

Reger, 1) Erik, eigtl. Hermann Dannenberger, Schriftsteller und Publizist, *Bendorf 8. 9. 1893, †Wien 10. 5. 1954; 1945–54 Hg. des Berliner »Tagesspiegels«; sein Roman »Union der festen Hand« (1931, 1933 verboten) schildert die Ereignisse der Jahre zw. 1918 und 1930.

2) Max, Komponist, *Brand (Kr. Tirschenreuth) 19. 3. 1873, †Leipzig 11. 5. 1916; seit 1907 Orgel- und Kompositionslehrer in Leipzig, daneben 1911–14 Hofkapellmeister in Meiningen. R. knüpfte in seinem Schaffen an J. Brahms an und vereinigte moderne Harmonik mit romant. Ausdruck und den Formen des Spätbarock und der Klassik; schuf Orchester-, Klavier-, Orgel- und Chorwerke sowie über 250 Klavierlieder.

📖 WIRTH, H.: *M. R. Reinbek 23.–25. Tsd. 1986.* – CADENBACH, R.: *M. R. u. seine Zeit. Laaber 1991.*

Regesten [lat. regerere »eintragen«], Zusammenfassung des Rechtsinhalts von Urkunden mit Angabe des Datums, des Ortes, der Überlieferung, der Orts- und Personennamen und mit krit. Bemerkungen; auch gedruckte Verzeichnisse von Urkundenauszügen. F. C. Dahlmann und G. Waitz gaben Verzeichnisse der R.-Sammlungen heraus.

Reggae ['regeɪ, amerikan.] *der,* Mitte der 1960er-Jahre entstandene Stilrichtung innerhalb der Rockmusik, bei der Elemente der ursprüngl., volkstüml. Musik Jamaikas mit Rhythm and Blues und Soul verbunden wurden. Charakteristisch sind die Wiederholung fast gleich bleibender Melodiephrasen sowie ein komplexer Rhythmus v.a. mit auffälliger Betonung der schwachen Taktteile.

Reggio di Calabria ['rɛddʒo -], **1)** Provinz in Kalabrien, Italien, 3183 km^2, (1995) 578600 Einwohner.

2) Hauptstadt von 1), an der Straße von Messina, 179400 Ew.; Erzbischofssitz; Univ., Fachschulen, Museo Nazionale (reiche Sammlung von antiken Altertümern), Theater; Verarbeitung landwirtsch. Produkte, Textil-, Metallwarenind.; Landwirtschaftsmesse; Fischerei; Eisenbahnfähre nach Sizilien. – R. di C., grch. **Rhegion,** um 720 v. Chr. von Chalkidiern gegr., kam im 5. Jh. unter byzantin., 1059 unter normann. Herrschaft; 1908 Zerstörung durch ein Erdbeben.

Reggio nell'Emilia ['rɛddʒo -], **1)** Provinz in der Emilia-Romagna, Italien, 2293 km^2, (1995) 428600 Einwohner.

2) Hauptstadt von 1), an der Via Emilia, 135400 Ew.; Fachschulen, Museen, Bibliothek, Gemäldegalerie, Theater; Mittelpunkt einer landwirtschaftlich ertragreichen Gegend, Waggon-, Maschinenbau, Holz-, chem. Industrie. – Dom (im 9. Jh. gegr., im 13./14. Jh. erneuert). – R. nell'E., das röm. **Regium Lepidi,** war im frühen MA. langobard. Herzogtum, dann karoling. Grafschaft; gehörte 1290–1306 und 1409–1769 zum Haus Este.

Max Reger (um 1915)

Regie [reˈʒiː, frz.] *die,* Leitung einer Inszenierung von Schauspiel, Oper, Film, Fernsehsendung und Hörspiel. Zur Aufgabe eines **Regisseurs** gehören neben der inszenator. Werkdeutung die Rollenarbeit mit den Schauspielern (Sängern), die Festlegung des Bühnenbildes, der Kostüme und Requisiten (gemeinsam mit dem Bühnenbildner), der Einsatz der Technik, Zusammenarbeit mit Dirigent und Chorleiter im Musiktheater, die Gestaltung und Leitung der einzelnen Szenen (Szenen-R. und Ensemblespiel) über sämtl. Probenstufen bis zur Premiere, Überwachung der Aufführungen während der Spielzeit. Im Mittelpunkt jeder R. steht die Werkvorstellung des Regisseurs. Seine Möglichkeiten reichen von der originalgetreuen Wiedergabe der Spielvorlage des Autors bis zur Neuinterpretation eines Werkes (R.-Theater). – Neben Rollenbesetzung, Wahl der Drehorte, Zusammenstellung des techn. Teams und Ausarbeitung der R.-Anweisungen des Drehbuchs ist der **Filmregisseur** v.a. für die Dreharbeiten verantwortlich.

Regiebetrieb [reˈʒiː-], öffentlich-rechtl. Unternehmen ohne eigene Rechtspersönlichkeit, bes. der Betrieb ohne eigene Organe, der im Haushalt des Trägers (Bund, Länder, Gemeinden) mit den gesamten Einnahmen und Ausgaben erscheint (Bruttobetrieb, reiner R., Verw.betrieb); heute dominieren in den Kommunen Eigenbetriebe (→öffentliche Unternehmen).

Regierung [lat.], Staatsorgan, das die richtunggebenden und leitenden Funktionen in einem polit. System ausübt; seit der Entwicklung des modernen Verf.staates und der verfassungsrechtl. Verankerung der Gewaltentrennung die Spitze der Exekutive in einem Staat. Aufgaben: Leitung und Überwachung des Vollzugs der bestehenden Gesetze, polit. Gestaltung der inneren und äußeren Verhältnisse eines Staates. Die Regeln, nach denen eine R. bestellt wird, und ihre Befugnisse sind abhängig vom jeweiligen polit. System. Die Bez. der R. ist unterschiedlich, z.B. →Bundesregierung (u.a. Dtl., Österreich) oder Bundesrat (Schweiz).

Regierungs|akt, →gerichtsfreier Hoheitsakt.

Regierungsbezirk, in Bundesländern mit dreistufigem Verw.aufbau der auf der Mittelstufe angesiedelte VerwBez. der allg. Landesverwaltung zur Entlastung der übergeordneten und zur Koordinierung der Aufgaben der nachgeordneten Behörden; Verw.behörde des R. ist die »Regierung«. Sie führt die Bez. **Regierungspräsidium** (Bad.-Württ., Sachsen), **Regierung** (Bayern), **Bezirksregierung** (Ndsachs., Rheinl.-Pf., Sa.-Anh.) oder **Regierungspräsident** (Hessen, NRW). Die Leitung der Behörde obliegt dem Reg.präsidenten. In Thüringen nimmt die Aufgaben des R. ein Landesverwaltungsamt wahr.

Regierungspräsident, 1) →Regierungsbezirk.

2) Bez. für den Landammann in einigen schweizer. Kantonen.

Regierungsrat, 1) Amtsbez. im Eingangsamt des höheren Verwaltungsdienstes; Beförderungsämter: Ober-R., Regierungsdirektor.

2) in vielen schweizer. Kantonen (frz. Conseil d'État) die auf bestimmte Zeit unmittelbar durch das Volk gewählte Kantonsregierung (→Staatsrat, →Großer Rat).

Regierungsstatthalter, in einigen Schweizer Kantonen Amtsbez. für den Vorsteher von Verw. und Polizei in einem Bezirk oder für die Aufsichtsinstanz über Gem. und Vormundschaftswesen.

Max Reger: Autograph der Orgelphantasie »Wachet auf, ruft uns die Stimme« (1900)

Regime [reˈʒiːm, frz.] *das,* meist abwertend für die einem bestimmten polit. System entsprechende Herrschafts- oder Regierungsform.

Regiment [lat.] *das, Militärwesen:* Truppenverband der Landstreitkräfte, geführt von einem **R.-Kommandeur** (Oberst), mit 2–4 Bataillonen.

Regina [rɪˈdʒaɪnə], Hauptstadt der Provinz Saskatchewan, Kanada, 179 200 Ew.; Erzbischofssitz; Univ., Bibliotheken, Museen; Erdölraffinerien, Maschinenbau; Handelszentrum eines Weizenanbaugebietes.

Regiomontanus
(Kupferstich, 1726)

Regiomontanus [latinisiert »Königsberger«], eigtl. Johannes Müller, Mathematiker und Astronom, *Königsberg i. Bay. 6. 6. 1436, †Rom 6. 7. 1476; behandelte Probleme der Zahlentheorie, der Raumausfüllung durch die regelmäßigen Körper sowie höhere Gleichungen, verfasste ein Lehrbuch der ebenen und sphär. Trigonometrie, Sinus- und Tangenstafeln. In der Astronomie suchte R. Jahreslänge und Planetenbewegung genauer zu berechnen.

Regionalausschuss (Ausschuss der Regionen), unabhängiges Organ der EU zur Interessenvertretung der Regionen im Rahmen der Europ. Union; löste 1993 die seit 1988 bestehende Regionalkammer ab.

Regionalforschung, →Regionalwissenschaft.

Regionalismus *der,* Bez. für das Bewusstsein einer besonderen Eigenart (und damit verbundener Sonderinteressen) der Bewohner einer bestimmten Region und für alle Bestrebungen, diese Eigenart zu wahren oder eine bestimmte Region innerhalb eines übergreifenden polit. Verbandes kulturell, wirtsch., sozial und politisch zu fördern; auch in Kunst und Literatur ausgeprägt.

Regionalmetamorphose, die Umwandlung großräumiger Gesteinskomplexe unter erhöhtem Druck und erhöhter Temperatur durch Absenkung in tiefere Erdkrustenbereiche.

Regionalplanung, im Rahmen der →Landesplanung das Aufstellen von Plänen und Programmen der anzustrebenden räuml. Ordnung und Entwicklung einer Region, die über die kommunalen Bauleitpläne hinausgehen. Das Bundesraumordnungs-Gesetz verpflichtet die Länder, Rechtsgrundlagen für die R. zu schaffen. Die R. kann von regionalen Planungsverbänden durchgeführt werden oder rein staatlich organisiert sein.

Regionalpolitik (regionale Strukturpolitik, regionale Wirtschaftspolitik, Raumwirtschaftspolitik), staatl. Handeln im Rahmen der Wirtschaftspolitik mit dem Ziel, regionale Unterschiede in der wirtsch. Leistungsfähigkeit zu verringern und zur Wahrung der Einheitlichkeit der Lebensverhältnisse beizutragen. In Dtl. ist die R. Gemeinschaftsaufgabe von Bund und Ländern; Rechtsgrundlage ist v. a. das Ges. über die Gemeinschaftsaufgabe zur »Verbesserung der regionalen Wirtschaftsstruktur« vom 6. 10. 1969. Die R. muss mit den Grundsätzen der allg. Wirtschaftspolitik sowie mit den Zielen und Erfordernissen der Raumordnung übereinstimmen und hat auf gesamtdt. Belange sowie auf die Erfordernisse der EU Rücksicht zu nehmen. Schwerpunkte sind Förderung der gewerbl. Wirtschaft durch Investitionsanreize und Subventionen, Förderung des Ausbaus der Infrastruktur sowie Ausbau der Ausbildung, Fortbildung und Umschulung von Arbeitskräften. Diese Maßnahmen kommen bes. in Fördergebieten zum Tragen, in denen v. a. die Einkommen unterdurchschnittl. niedrig sind und die Arbeitslosenquote überdurchschnittlich hoch ist. Fördergebiete und -zeitraum sowie Art, Intensität und Ziele regionaler Förderprogramme werden in einem von Bund und Ländern gemeinsam aufgestellten Rahmenplan festgeschrieben, dessen Durchführung bei den Ländern liegt. Bedeutend für die nat. R. ist die Regionalförderung der EU. Diese soll dazu beitragen, wirtschaftlich schwache Mitgl.staaten oder Regionen innerhalb der EU zu fördern und damit das wirtsch. und soziale Gefälle in der EU zu verringern. Zentrales Instrument ist der seit 1975 existierende Europ. Regionalfonds als Teil der Europ. Strukturfonds, ergänzt um den Kohäsionsfonds.

Regionalwissenschaft, Erfassung und Erklärung räuml. Strukturen und Entwicklungen, insbesondere der räuml. Aspekte und Wirkungen wirtschaftl., sozialer und polit. Tätigkeit der Menschen. Fragestellungen der angewandten R. **(Regionalforschung)** sind u. a. die Abgrenzung von Regionen, die Klärung der räuml. Interaktion menschl. Tätigkeiten und ihrer Konsequenzen, Fragen des regionalen wirtschaftl. Gleichgewichts, Bestimmungsgründe der Regionalstruktur und der einzelwirtschaftl. Standortwahl, die Formulierung von Modellen und Prognosen der Raumentwicklung sowie die Einbeziehung ökolog. Aspekte.

Regisseur [reʒiˈsøːr, frz.] *der* (Spielleiter), →Regie.

Register [zu lat. regerere »eintragen«] *das,* **1)** *allg.:* gleichbedeutend mit →Index.

2) *Datenverarbeitung:* kleiner Speicher schneller Zugriffszeit zur vorübergehenden Aufnahme von Informationen während eines Funktionsablaufs, z. B. das Befehls-R., das Index-R. des Leitwerks, der Akkumulator im Rechenwerk sowie das Adress- und das Puffer-R. im Speicherwerk.

3) *Drucktechnik:* bei zweiseitig bedruckten Bogen der einzuhaltende deckungsgleiche Satzspiegel auf beiden Bogenseiten.

4) *Musik:* 1) bei Tasteninstrumenten die Gruppen (Chöre) von Klangerzeugern gleicher oder ähnl. Klangfarbe und unterschiedl. Tonhöhe. Bei der Orgel wird nach der Klangerzeugung zw. Labial- und Lingual-R. unterschieden. R. heißen bei besaiteten Tasteninstrumenten auch jene Vorrichtungen, die eine Änderung der Klangfarbe und Lautstärke eines Saitenchores hervorrufen (z.B. Lautenzug, Fagottzug); 2) bei der menschl. Stimme die durch Brust- oder Kopfresonanz beim Singen der tieferen bzw. höheren Töne entstehende Färbung der Singstimme (Kopf-, Brust-R.); 3) die umgrenzten Tonlagen von Instrumenten mit Tönen ähnl. Klangfarbe (z.B. →Clarino).

5) *Recht:* Verzeichnis, bes. ein amtlich geführtes, bestimmter rechtlich wichtiger Verhältnisse, z.B. das →Bundeszentralregister, das Verkehrszentral-R. sowie die bei den Amtsgerichten **(R.-Gerichte)** geführten Grundbücher, Vereins-, Güterrechts-, Handelsregister.

registered ['redʒɪstəd, engl.], Abk. **reg.**, in ein Register (bes. Patentregister) eingetragen, gesetzlich geschützt; Symbol: ®; bei Wertpapieren: auf den Namen lautend.

Registergericht, →Register.

Registertonne, Abk. **RT,** bis zum 18. 7. 1994 gültige internat. Volumeneinheit zur Bestimmung der Größe von Seeschiffen, bes. von Handelsschiffen; 1 R. = 100 engl. Kubikfuß = 2,832 m^3. Neue Volumeneinheit ist die Netto- bzw →Bruttoraumzahl.

Registerzeichen (Aktenzeichen), bestimmte Buchstaben-Zahlen-Kombination aller Gerichtsakten und der meisten Behördenakten, aus der sich i.d.R. die Art des Vorgangs, die Instanz und der Jahrgang samt laufender Nummer entnehmen lassen.

Registratur *die,* geordnete Ablage von Schriftstücken.

Registriergerät, Gerät zur Erfassung von Messwerten, die meist in Abhängigkeit von der Zeit analog oder digital mit Schreibern, Plottern, Oszillographen, Magnetbandgeräten o.Ä. aufgezeichnet werden.

Registrierkasse, v.a. im Handel eingesetzte Kasse zur Datenerfassung; mit Tastatur, Zählwerk, Druckeinrichtungen (für Kassenbons und Kontrollstreifen) sowie Anzeigevorrichtung. Moderne R. sind (programmierbare) elektron. Kassenterminals, z.T. mit automat. Lesevorrichtungen und an EDV-Anlagen angeschlossen.

Regler, Teil des Regelkreises einer techn. Einrichtung (→Regelungstechnik), der fortlaufend die Regelabweichung misst und auf deren Verminderung hinwirkt. Der R. erzeugt eine Stellgröße, die über ein Stellglied die Regelstrecke beeinflusst. Man unterscheidet stetige und unstetige, kontinuierlich wirkende und Abtastregler. Nach ihrem Zeitverhalten lassen sich die R. in fünf Grundtypen einteilen: **P-Regler** (erzeugt ein der Regelabweichung proportionales Stellsignal), **I-Regler** (bildet ein dem Zeitintegral über die Regelabweichung proportionales Ausgangssignal), **PI-Regler** (Parallelschaltung von P- und I-Regler), **PD-Regler** (P-Regler mit differenzierendem Übertragungsglied) und **PID-Regler** (Parallelschaltung von PD- und I-Regler).

Regnitz *die* (Oberlauf bis Fürth Rednitz), linker Nebenfluss des Mains, Bayern, entspringt in den Quellflüssen Schwäb. und Fränk. Rezat (65 km), mündet unterhalb von Bamberg, 97 km lang; bei Forchheim kanalisiert als Teil des Main-Donau-Kanals.

Regnum [lat.] *das,* Regierung, Regierungszeit, Herrschaft; (König-)Reich.

Regnum Teutonicum (Regnum Teutonicorum), im 10. Jh. amtl. Bez. des aus dem Ostfränk. Reich hervorgegangenen »Reiches der Deutschen« (dt. Regnum), das spätere →Heilige Römische Reich.

Regress [lat.] *der* (Rückgriff), das Recht des in Anspruch genommenen Zweitverpflichteten, für eine von ihm erbrachte Leistung vom eigentl. Schuldner (oder einem anderen Dritten) Erstattung zu verlangen (z.B. im Wechselrecht, bei der Bürgschaft); im Recht der Amtshaftung der Anspruch des entschädigungspflichtigen Staates gegen den verantwortl. Beamten.

Regression [lat.] *die,* **1)** *Geologie:* Zurückweichen des Meeres, verursacht durch Landhebung oder Absinken des Meeresspiegels (→Epirogenese, →eustatische Bewegungen); Ggs.: →Transgression.

2) *Psychologie:* das Wiederauftreten entwicklungsgeschichtlich älterer Erlebnis- und Handlungsweisen. Nach S. Freud ist R. der Rückfall auf frühkindlich gelernte Formen der Triebbefriedigung, wenn die aktuelle Befriedigung eines Triebs versagt wird (z.B. →Autoerotik, →Narzissmus).

3) *Statistik:* Untersuchung der Abhängigkeit zw. zwei (oder mehr) Zufallsvariablen X, Y eines endl. Zufallsversuchs mit n Paaren (x_1, y_1), (x_2, y_2) ... (x_n, y_n) von Merkmalswerten, z.B. Körpergröße und Gewicht der Schüler eines Jahrgangs. Die Menge der in ein Koordinatensystem eingezeichneten Wertepaare (x_i, y_i) bildet eine Punktwolke, die im Fall der linearen Abhängigkeit zw. X und Y **(lineare R.)** durch eine **R.-Gerade** (Ausgleichsgerade) der Form $y = ax + b$ (bzw. $x = \alpha y + \beta$) angepasst werden kann (y abhängige Variable, x unabhängige Variable, a **R.-Koeffizient**). Die Ermittlung der unbekannten Konstanten a und b ist Gegenstand der **R.-Rechnung (Ausgleichsrechnung),** die zu den analyt. Konzepten in der Statistik und ihren Nachbarbereichen, bes. der Ökonometrie, gehört.

4) *Steuerrecht:* die Abnahme des Durchschnittssteuersatzes bei zunehmender Bemessungsgrundlage im Ggs. zur Progression.

Regressus [lat.] *der, Philosophie:* das Rückwärtsschreiten von der Folge zum Grund. Wenn jede Grundbedingung ihrerseits wieder Folge einer anderen Bedingung ist, ergibt sich ein **R. ad infinitum** (»Rückgang ins Unendliche«): Überzeugt von dessen Unmöglichkeit, schließt Aristoteles auf die Existenz Gottes als der ersten Ursache (→Gottesbeweise).

Regula, Heilige, →Felix und Regula.

Regula Falsi [lat. »Regel des Falschen«] (Sekantennäherungsverfahren), Verfahren zur Ermittlung von besseren Näherungswerten für die Nullstellen reeller stetiger Funktionen, das jeweils von zwei weniger genauen Näherungswerten beiderseits einer Nullstelle ausgeht.

Regulare [mlat. regula »Ordensregel«] (Regularkleriker), Mitglieder von Klerikergemeinschaften, die v. a. im 16. Jh. im Zuge der →katholischen Reform als neue Orden entstanden, z. B. Jesuiten, Theatiner; sind nicht zur Ortsbindung an ihr Kloster verpflichtet.

Regulation [lat.] *die, Biologie:* Abstimmung aller Körperfunktionen durch die Tätigkeit des nervalen und endokrinen Systems **(neurohormonale R.).** Durch die R. kann der Organismus trotz zahlr. Störwirkungen aus der Umwelt und dem Innern des Organismus seine Funktionsfähigkeit aufrechterhalten und sogar optimieren.

Regulierung, die Beeinflussung von Unternehmen und Haushalten durch staatl. Vorschriften, um wirtschaftspolitisch erwünschte Marktergebnisse herbeizuführen, bes. staatliche Ge- oder Verbote wie Produktionsauflagen, Zulassungsordnungen für Berufe. (→Deregulierung)

Regulierungsbehörde für Telekommunikation und Post, Abk. **Reg TP,** seit 1. 1. 1998 auf der Grundlage des Telekommunikations-Ges. und des neuen Post-Ges. dem Geschäftsbereich des Bundesministeriums für Wirtschaft zugeordnete Bundesoberbehörde, Sitz: Bonn. Die Reg TP beschäftigt an 57 Standorten ca. 2700 Mitarbeiter, einschließlich der rd. 2500 Mitarbeiter des ehem. →Bundesamtes für Post und Telekommunikation (BAPT), das in die Reg TP integriert wurde. Die zentrale Aufgabe der sektorspezif. Regulierung besteht darin, die Marktstellung dominanter Anbieter zu kontrollieren und neu auf den Markt tretende Wettbewerber zu chancengleichen Bedingungen zu verhelfen. Darüber hinaus hat die Reg TP in Dtl. die flächendeckende Grundversorgung mit Telekommunikations- und Postdienstleistungen sicherzustellen. (→Postreform)

Regulus [lat. »kleiner König«] *der, Astronomie:* Stern 1. Größe, α im Sternbild des Löwen.

Reh, →Rehe.

Rehabeam (Vulgata: Roboam), *A. T.:* ältester Sohn Salomos und dessen Thronfolger; nach der Abspaltung der zehn Nordstämme Israels unter Jerobeam I. (1. Kön. 12) erster König des Südreiches Juda (926–910 v. Chr.).

Rehabilitation [lat.] *die* (Rehabilitierung), **1)** *allg.:* die Wiederherstellung des Ansehens einer Person oder Personengruppe in der Öffentlichkeit, die Wiedereinsetzung in frühere (Ehren-)Rechte.

2) *Recht:* die Beseitigung des ehrenrührigen Vorwurfs einer Straftat. R.-Maßnahmen sind u. a. der Freispruch des Beschuldigten, die Wiederverleihung von bei der Verurteilung aberkannten Fähigkeiten und Rechten, die Tilgung im Strafregister, die öffentl. Bekanntgabe des Urteils gegen den Beleidiger, die nach dem Jugendgerichts-Ges. vorgesehene Beseitigung des Strafmakels. In den neuen Bundesländern ist R. durch Aufhebung von rechtsstaatswidrigen Strafurteilen aus der Zeit vom 8. 5. 1945 bis 2. 10. 1990 und die Gewährung von sozialen Ausgleichsleistungen vorgesehen.

Mit dem 1. SED-Unrechtsbereinigungs-Gesetz vom 29. 10. 1992 ist das Rehabilitierungs-Ges. der DDR vom 6. 9. 1990 aufgehoben und durch das Strafrechtl. Rehabilitierungs-Ges. (StrRehaG) ersetzt worden, das durch das »Ges. zur Verbesserung rehabilitationsrechtl. Vorschriften für Opfer der polit. Verfolgung in der ehem. DDR« vom 1. 7. 1997 geändert und neu bekannt gemacht wurde. Danach sind rechtsstaatswidrige Verurteilungen in der Sowjet. Besatzungszone/DDR auf Antrag (zu stellen bis 31. 12. 1999) aufzuheben, soweit sie mit wesentl. Grundsätzen einer freiheitlichen rechtsstaatl. Ordnung unvereinbar sind. Entsprechendes gilt für Einweisungen in psychiatr. Anstalten. Geldstrafen und Verfahrenskosten werden erstattet. Eingezogene Vermögensgegenstände werden nach dem Vermögens-Ges. zurückgegeben. Die sozialen Ausgleichsleistungen bestehen u. a. aus einer Kapitalentschädigung für die erlittene Freiheitsentziehung (pro Monat 300 DM, teilweise 550 DM); Entschädigungen nach dem Häftlingshilfe-Ges. sind anzurechnen. Beschädigten- und Hinterbliebenenversorgung wird in entsprechender Anwendung des Bundesversorgungs-Ges. gewährt.

Das 2. SED-Unrechtsbereinigungs-Ges. vom 23. 6. 1994, das u. a. das Verwaltungsrechtl. Rehabilitierungs-Ges. (VwRehaG) und das Berufl. Rehabilitierungs-Ges. (BerRehaG) enthält, wurde durch das Ges. vom 1. 7. 1997 neu gefasst. Bis zum 31. 12. 1999 kann auch im Verw.verfahren die Aufhebung grob rechtsstaatswidriger Verw.maßnahmen nach dem VwRehaG beantragt werden. Berufl. Benachteiligungen werden nach dem BerRehaG unter bestimmten Voraussetzungen durch bevorzugte berufl. Fortbildung und Umschulung, monatl. Ausgleichsleistungen und v. a. durch Anrechnung der Verfolgungszeiten in der Rentenversicherung ausgeglichen. Mit der Durchführung der

R.-Maßnahmen sind in den Ländern besondere R.-Behörden beauftragt.

3) *Sozialmedizin* und *Sozialpolitik:* Wiederherstellung der körperl., geistigen und berufl. Fähigkeiten eines durch Krankheit, Unfall oder angeborene Fehler geschädigten Menschen mit ärztl., techn., psycholog., pädagog. und berufsfürsorger. Maßnahmen, einschließlich seiner Wiedereingliederung in das gesellschaftl., meist auch das berufl. Leben. Der wichtigste Träger von R.-Maßnahmen (Reha-Maßnahmen) ist die gesetzl. Rentenversicherung; sie gewährt Leistungen, wenn die Erwerbsfähigkeit »erheblich« gefährdet ist sowie bei verminderter Erwerbsfähigkeit, wenn die Erwerbsfähigkeit durch R.-Maßnahmen »wesentlich« gebessert werden kann. Während der Teilnahme an medizin. oder berufl. R.-Maßnahmen wird ein Übergangsgeld gezahlt. Für nicht rentenversicherte Kranke, z.B. Familienangehörige, ist die Krankenkasse zuständig; sie gewährt jedoch nur medizin. R.-Leistungen. Liegen weder Renten- noch Krankenversicherungsschutz vor, hat das Sozialamt die Kosten der Maßnahmen zu übernehmen. Allerdings werden das Einkommen und Vermögen des Hilfeempfängers bzw. seiner Unterhaltsverpflichteten berücksichtigt.

📖 MROZYNSKI, P.: *Rehabilitationsrecht. München* [2]*1986. – Rehabilitationspsychologie, hg. v.* K. H. WIEDL. *Stuttgart u. a. 1986. – Behinderte in der Arbeitswelt, bearb. v.* H. BETHMANN. *Köln* [2]*1988.*

Rehlau, Stadt im Landkreis Hof, Bayern, am Rande des Naturparks Fichtelgebirge, 10500 Ew.; Kunststoff-, Porzellan-, Lederind., Maschinenbau. – Stadtrecht seit 1472.

Hans José Rehfisch (um 1950)

Rehberg, Hans Michael, Schauspieler, *Fürstenwalde/Spree 2. 4. 1938; gestaltete zunächst Bühnenrollen in München und Hamburg; ab 1984 übernahm er Gastrollen; seit 1971 auch als Regisseur tätig; bekannt als Film- (u.a. »Donauwalzer«, 1985) und Fernsehdarsteller (»Das tödliche Auge«, 2 Tle., 1993).

Rehbock, das männl. Reh, → Rehe.

Rehburg-Loccum, Stadt im Landkreis Nienburg (Weser), Ndsachs., im Naturpark Steinhuder Meer, 10600 Ew.; Gummiverarbeitung. – 1974 durch Zusammenschluss mehrerer Gemeinden, darunter → Loccum (ehem. Zisterzienserabtei, 1163 gestiftet; BILD) und Rehburg (Bad Rehburg mit Mineralquelle, Kuranlagen), entstanden.

Rehe (Capreolus), Gattung der Trughirsche mit einer Art, dem **Reh** (Capreolus capreolus), das mit drei Unterarten von W-Europa bis China verbrei-

Rehe: weibliches Reh (»Ricke«)

tet ist; 100–140 cm körperlange, 60–90 cm schulterhohe Tiere mit schlankem Körperbau, kurzem Schwanz, der von einem weißen »Spiegel« umgeben ist, und großen Augen. Das Fell (»Decke«) ist im Sommer rotbraun, im Winter graubraun. Das Geweih (»Gehörn«) der Böcke hat bis zu sechs Enden, Missbildungen (z.B. Perückengeweih) können auftreten; weibl. R. (»Ricken«) sind geweihlos. – Die R. ernähren sich von Gräsern, Blättern, Trieben und Früchten. Die Brunst (»Blattzeit«) liegt im Juli/Aug.; im Mai/Juni werden meist ein bis zwei Junge (»Kitze«) geboren; ihr Fell ist gelbbraun mit weißen Flecken. R. leben einzeln oder in kleinen Gruppen (»Sprüngen«); im Winter bilden sie größere Rudel. Sie werden 10–12 Jahre alt.

Rehe *die* (Hufverschlag), asept., diffuse Entzündung der Huflederhaut der Huf- und Klauentiere, bes. der Pferde, als Folge von Überanstrengungen, Giften, Arzneimitteln und versch. Erkrankungen. Im akuten Anfall besteht hochgradige Lahmheit, chronisch entwickelt sich der **Rehhuf (Knollhuf)** mit eingesunkener Krone, Ringbildung und knolliger Verdickung der Zehenwand.

Rehfisch, Hans José, Schriftsteller, *Berlin 10. 4. 1891, †Scuol (Kt. Graubünden) 9. 6. 1960; war Theaterleiter in Berlin (Zusammenarbeit mit Piscator), 1933 verhaftet, 1936–50 in der Emigration. R. war mit seinen Gesellschaftssatiren und zeitbezogenen histor. Dramen in den 1920er-Jahren sehr erfolgreich (»Nickel und die 36 Gerechten«, 1925;

»Die Affäre Dreyfus«, 1929; mit W. Herzog); auch Romane und Hörspiele.

Rehoboth ['re:obɔt], Stadt in Namibia, südlich von Windhuk, 12400 Ew., Zentrum der etwa 27000 Rehobother →Baster. – 1845 als Missionsstation gegründet.

Rehovot [rə'xɔvɔt], Stadt in Israel, in der Küstenebene, südlich von Tel Aviv, 83000 Ew.; Weizmann-Inst. für wiss. Forschung, landwirtsch. Fakultät der Hebr. Universität, Weininstitut; chem. und pharmazeut. Ind., Instrumentenbau; Zentrum des Orangenanbaus. – 1890 als landwirtsch. Siedlung gegründet.

Jens Reich

Reibe|laut, →Laut.

Reiben, *Fertigungstechnik:* spanendes Verfahren zur Feinbearbeitung von Bohrungsinnenflächen mit der Reibahle, die in Achsrichtung parallele feste oder einstellbare Schneiden hat.

Reibräder (Reibungsräder, Friktionsräder), zylindr. oder kegelförmige Räder mit glatten Oberflächen (im Unterschied zum →Zahnrad), die gegeneinander gepresst werden, sodass die entstehende Reibung die Übertragung von Kräften oder Drehmomenten ermöglicht; Verwendung im Reibradgetriebe.

Reibtrommel (Rummelpott), einfaches Geräuschinstrument, das aus einem kleinen Topf aus Metall oder Ton besteht, über den eine Membran gespannt ist. Sie wird durch einen in der Membranmitte steckenden Holz- oder Rohrstab (Stab-R.) oder einen dort verknoteten Faden (Faden-R.), die mit Fingern gestrichen werden, in Schwingung gesetzt.

Wilhelm Reich

Reibung, die Hemmung der relativen Bewegung sich berührender Körper **(äußere R.)** oder beim Verschieben eines Körpers in einer viskosen Flüssigkeit sowie von Teilen eines Körpers gegeneinander, z.B. in strömenden Flüssigkeiten und Gasen (**innere R.,** →Viskosität). R. beruht bei festen Körpern vorwiegend auf mikroskop. Unebenheiten der Oberflächen, bei der R. von Flüssigkeiten an Gefäßwänden auf der →Adhäsion. Gleiten ebene Flächen fester Körper aufeinander, spricht man von **Gleit-R.,** rollt ein fester Körper auf einem anderen, von **Roll-R.,** die wesentlich kleiner ist als die Gleitreibung. Die **Haft-R.** ist größer als die Gleit-R. und muss durch eine zumindest gleich große Kraft überwunden werden, um das Gleiten einzuleiten. Bei der R. wird die mechanisch aufgewandte Energie in **R.-Wärme** umgewandelt. Die R. lässt sich durch geeignete Werkstoffe, durch Polieren und v.a. durch Schmieren der R.-Flächen vermindern.

Johann Friedrich Reichardt

Reibungsbahn (Adhäsionsbahn), Schienenbahn, bei der die Fortbewegung durch die Reibung zw. Rad und Schiene ermöglicht wird. R. können Steigungen bis 70% überwinden.

Reibungs|elektrizität, historische Bez. für die durch enge Berührung (Reibung) hervorgerufene entgegengesetzte elektrische Aufladung (Ladungstrennung) zweier elektrisch nicht leitender Körper.

Reich, 1) *allg.* und *Geschichte:* (Imperium, Regnum) Bez. für den mehrere Stämme oder Völker umfassenden Herrschaftsbereich eines Monarchen mit religiös begründetem Anspruch auf Weltherrschaft, v.a. im Altertum (babylon., assyr., pers., ägypt., Röm. R., als dessen Fortsetzung im MA. sich das Hl. Röm. R. sah: →Reichsidee, →deutsche Geschichte); später auch Begriff für frühneuzeitl. Kolonial-R. (Span. R.) und neuzeitl. Großstaaten (Brit., Russ., Osman. R.). Der 1871 geschaffene dt. Nationalstaat hieß bis 1945 offiziell »Dt. Reich«.

2) *Biologie:* (Regnum) höchste systemat. Kategorie im System der Lebewesen (Pflanzen-R. und Tier-R.); wird in Abteilungen untergliedert.

Reich, 1) Jens, Molekularbiologe und Arzt, *Göttingen 26. 3. 1939; seit 1979 Prof. in Berlin; 1989 Mitbegründer des Neuen Forums, 1990 Abg. der Volkskammer der DDR; Essayist. 1993 schlug ihn eine parteiübergreifende Gruppe von Bürgern als Kandidaten für das Amt des Bundespräs. vor; bei der Wahl am 23. 5. 1994 gewann R. im ersten Wahlgang 62 Stimmen, zog jedoch für den nächsten Wahlgang seine Kandidatur zurück.

2) [raɪk], Steve, amerikan. Komponist, *New York 3. 10. 1936; einer der Hauptvertreter der →Minimalmusic; schrieb u.a. »Music for Large Ensemble« (1978), »The Desert Music« (1983; für Chor und Orchester), »Different Trains« (1988; für Streichquartett und Tonband).

3) Wilhelm, amerikan. Psychoanalytiker österr.-ungar. Herkunft, *Dobrzcynica (Galizien) 24. 3. 1897, †Lewisburg (Pa.) 3. 11. 1957; ging 1939 in die USA. R. strebte eine Verbindung zw. Marxismus und Psychoanalyse an. In seiner Charaktertheorie hob er die repressive Funktion der Gesellschaft hervor, die ihre autoritäre Ordnung v.a. durch sexuelle Unterdrückung aufrechterhalte. R. glaubte, eine kosm. Lebensenergie (Orgonenergie) entdeckt zu haben.

Werke: Die Funktion des Orgasmus (1927); Geschlechtsreife, Enthaltsamkeit, Ehemoral (1930; Neuausgabe 1966 u.d.T. »Die sexuelle Revolution«); Der Einbruch der Sexualmoral (1931); Die Massenpsychologie des Faschismus (1933).

Reichardt, Johann Friedrich, Komponist und Musikschriftsteller, *Königsberg (Pr) 25. 11. 1752, †Giebichenstein (heute zu Halle (Saale)) 27. 6. 1814; war 1775–94 königlich-preuß. Hofkapellmeister in Potsdam; komponierte zahlr. Solo- und Chorlieder (u.a. nach Texten von Goethe, Schiller, Klopstock), Singspiele und Liederspiele (eine von ihm geschaffene Form).

Reichel, Hans, Bildhauer, → Reichle.

Reichenau, Insel im Bodensee, 4 km^2, durch einen 1 km langen Damm mit dem Festland verbunden; als Gemeinde (Landkreis Konstanz) umfasst R. mit 4800 Ew. noch Gemarkungsteile auf dem Festland; Heimatmuseum; Gemüseanbau, Fischerei, Fremdenverkehr. – Die 724 gegr. Benediktinerabtei (bis 1525/40 reichsunmittelbar, 1757 aufgehoben, 1803 säkularisiert; Blüte im 9./10. Jh.) war ein bed. Zentrum otton. Kultur und Wissenschaft. – Erhalten sind drei roman. Kirchen: das Münster St. Maria und Marcus (im Wesentlichen 9.–11. Jh.) im Ortsteil Mittelzell mit dem Grab Kaiser Karls des Dicken, die Peter-und-Pauls-Basilika in Niederzell (11./12. Jh.) und die Stiftskirche St. Georg in Oberzell (9./10. Jh., mit Zyklus otton. Monumentalmalerei).

📖 *Mönchtum, Episkopat u. Adel zur Gründungszeit des Klosters R., hg. v.* A. Borst. *Sigmaringen 1974.*

Reichenau: Das Münster Sankt Maria und Marcus in Mittelzell stammt zum großen Teil aus dem 9.–11. Jh.

Reichenauer Malerschule, umfangreiche otton. Handschriftengruppe (etwa 950–1150), deren Entstehung in den Skriptorien der Insel Reichenau vermutet wird. Auftraggeber und Empfänger werden vier Gruppen zugeordnet: Äbten und Klöstern, den otton. und sal. Kaisern, bes. den Kaisern Otto III. und Heinrich II. (nach dem führenden Schreiber Liuthargruppe genannt, mit dem Evangeliar Ottos III., der Bamberger Apokalypse und dem Perikopenbuch Heinrichs II.), dem Hof nahe stehenden Persönlichkeiten (darunter Egbert von Trier) und der hohen Domgeistlichkeit.

Reichenauer Malerschule: Die Seite aus dem Evangeliar Ottos III. stellt die Kreuzigung Jesus Christus mit dem Lanzenstich dar (um 990; Aachen, Domschatz)

Reichenbach, 1) Georg von, Mechaniker und Ingenieur, * Durlach (heute zu Karlsruhe) 24. 8. 1771, † München 21. 5. 1826; baute eine Kreisteilmaschine (1802), mit J. Fraunhofer opt. Geräte (seit 1809), entwickelte Wassersäulenmaschinen zum Heben des Wassers für die Soleleitungen Reichenhall–Rosenheim (1810) und Berchtesgaden–Reichenhall (1817).

2) Hans, amerikan. Wissenschaftstheoretiker dt. Herkunft, * Hamburg 26. 9. 1891, † Los Angeles 9. 4. 1953; 1926–33 Prof. in Berlin, ab 1938 Prof. in Los Angeles. Als Vertreter des → Neopositivismus trat R. bes. durch Beiträge zum Problem der induktivist. Wahrscheinlichkeitslogik und zu den philosoph. Grundlagen der Relativitätstheorie, speziell zur Raum-Zeit-Lehre, hervor.

Reichenbach im Eulengebirge, Stadt in Polen, → Dzierżoniów.

Reichenbach/Vogtl., Stadt im Vogtlandkreis, Sachsen, 24 600 Ew.; Ingenieurschule für Textiltechnik; Neuberinhaus und Gedenkstätte für Friederike Caroline Neuber; Textilind., Maschinen-, Werkzeug-, Armaturen- und Transformatorenbau, Karosseriewerk. – Barocke Stadtkirche (1720) mit Silbermann-Orgel (1723–25). – 1274 als Stadt bezeugt; bis 1995 Kreisstadt.

Reichenberg, Stadt in der Tschech. Republik, → Liberec.

Reichenhall, Bad, → Bad Reichenhall.

Reichensteiner Gebirge (poln. Góry Złote, tschech. Rychlebské hory), Teil der Sudeten beiderseits der Grenze Polen/Tschech. Republik, bildet die nordöstl. Umwallung des Glatzer Kessels, im Fichtlicht 1125 m ü. M.; bewaldet.

Georg von Reichenbach

Reichert, Willy, Schauspieler, * Stuttgart 30. 8. 1896, † Grassau (Kr. Traunstein) 8. 12. 1973; spielte in Heilbronn, München, Stuttgart, wandte sich 1932 dem Kabarett zu. Volkstümlich wurden seine Szenen in schwäb. Mundart, u. a. mit »Herrn Häberle« und »Herrn Pfleiderer«; auch Fernsehrollen.

Reich Gottes, im A. T. das endzeitl. ewige Reich der Gerechtigkeit (→ Eschatologie, → Messianismus); im N. T. die von Jesus Christus verkündete, durch das Heilsangebot und die Heilszusage

Hans Reichle (von links): Die den Kampf des heiligen Michael mit Luzifer darstellende Bronzegruppe (1603–06) ist in die Augsburger Zeughausfassade einbezogen; Putto, der gegen eine Schlange kämpft (1635–38; München, Bayerisches Nationalmuseum)

Gottes charakterisierte neue Wirklichkeit (»Herrschaft Gottes«).

Reichle (Reichel), Hans, Bildhauer und Baumeister, *Schongau um 1565/70, †Brixen zw. 22. 3. und 27. 8. 1642; Schüler und Mitarbeiter des Giambologna in Florenz. R. ging vom Florentiner Manierismus aus, dessen Formen er selbstständig weiterentwickelte und mit neuem, starkem Ausdruck erfüllte. Hauptwerk ist die in die Augsburger Zeughausfassade einbezogene Bronzegruppe des hl. Michael im Kampf mit Luzifer (1603–06).

Reichlin, Bruno, schweizer. Architekt, *Bellinzona 10. 2. 1941; unterhält seit 1970 ein gemeinsames Büro mit F. Reinhart (*1942) in Lugano, beide waren Assistenten von A. Rossi; Hauptvertreter der →Tessiner Architektur. Ihre Bauten und Projekte sind durch strenge Geometrie und Proportionsprinzipien der italien. Renaissance geprägt.

Marcel Reich-Ranicki

Reich-Ranicki [-raˈnɪtski], Marcel, Literaturkritiker poln. Herkunft, *Włocławek 2. 6. 1920; 1938 von Berlin nach Polen deportiert, ab 1940 im Warschauer Getto, 1943 Flucht; 1958 siedelte er in die Bundesrep. Dtl. über; Essayist und Herausgeber (u. a. »Frankfurter Anthologie«, 1976 ff.; Reihe »Romane von gestern, heute gelesen«, 3 Bde., 1989–90; »Kleine Schriften« von A. Polgar, 6 Bde., 1982–86; »Gesammelte Werke« von W. Koeppen, 6 Bde., 1986); schrieb u. a. »Dt. Literatur in West und Ost« (1963), »Literatur der kleinen Schritte« (1967), »Über Ruhestörer. Juden in der dt. Literatur« (1973), »Nachprüfung« (1977), »Entgegnung« (1979), »Thomas Mann und die Seinen« (1987), »Ohne Rabatt. Über Literatur aus der DDR« (1991).

Reichs|abschied (Reichsrezess), im Hl. Röm. Reich die Gesamtheit der auf einem Reichstag gefassten und vom Kaiser verkündeten Beschlüsse. Nach dem »Jüngsten Reichsabschied« von 1654 gab es keine R. mehr, da der Reichstag in Permanenz tagte.

Reichs|acht, vom Kaiser ausgesprochene →Acht.

Reichs|adel, der aus kaiserl. Erhebung in den Adelsstand erwachsene, bis 1806 reichsunmittelbare Adel.

Reichs|adler, →Adler.

Reichs|ämter, im Dt. Reich 1871–1918 die unmittelbar dem Reichskanzler unterstellten, von einem Staatssekretär geleiteten obersten Reichsbehörden; Vorläufer der Reichsministerien.

Reichs|anstalten, die reichsunmittelbaren öffentl. Anstalten im Dt. Reich 1871–1945, z. B. die Dt. Reichspost.

Reichs|apfel, eines der →Reichskleinodien.

Reichs|arbeitsdienst, Abk. **RAD,** im nat.-soz. Dt. Reich der →Arbeitsdienst für Männer und Frauen vom 18. bis 25. Lebensjahr (Ges. vom 26. 6. 1935) mit halbjähriger Dienstpflicht; zunehmend Instrument vormilitär. Erziehung, ab 1939 auf die Erfordernisse der Kriegführung ausgerichtet.

Reichs|archiv, am 1. 10. 1919 in Berlin gegr. erstes dt. Zentralarchiv, Jan. 1920 nach Potsdam verlegt; betreute die Archivalien der dt. Reichsbehörden (ab 1867) sowie bis 1937/38 (Ausgliederung der Heeresarchive) die des Heeres; angegliedert wurden die Archive des Reichskammergerichts, des Dt. Bundes und der Frankfurter Nationalversammlung. Das R. erlitt 1945 erhebl. Verluste; Restbestände verteilen sich auf das Bundesarchiv (Sitz: Koblenz) und seine Außenstelle Potsdam (seit 1990; 1946 als Dt. Zentralarchiv aus dem R. hervorgegangen, bis 1990 Zentrales Staatsarchiv der DDR); die Zusammenführung der Bestände in Potsdam ist geplant.

Reichsbahn, die → Deutsche Reichsbahn.

Reichsbank (Deutsche Reichsbank), Notenbank des Dt. Reiches von 1875 bis 1945, Sitz: Berlin. Die R. war eine öffentlich-rechtl. Körperschaft, als Organe fungierten der Präs. und das R.-Direktorium. Das Ges. vom 26. 5. 1922 über die Autonomie der R. schloss das Reich von der Leitung der R. aus. Entsprechend dem Dawesplan wurde sie durch Ges. vom 30. 8. 1924 eine von der Reichsreg. unabhängige Anstalt. Das Ges. vom 10. 2. 1937 unterstellte sie erneut dem Einfluss des Reiches, das Ges. vom 15. 6. 1939 dem Reichskanzler unmittelbar. 1945 stellte die R. ihre Tätigkeit, außer in der brit. Zone, ein. Ihre Aufgabe übernahmen in West-Dtl. die Landeszentralbanken und 1948 die Bank dt. Länder, seit 1. 8. 1957 die → Deutsche Bundesbank, in der DDR die Dt. Notenbank, ab 1968 die Staatsbank der DDR. Die R. blieb als Rechtssubjekt bestehen; erst das Ges. über die Liquidation der R. und der Dt. Golddiskontbank vom 2. 8. 1961 regelte ihre Auflösung.

Reichsbanner Schwarz-Rot-Gold (kurz Reichsbanner), 1924 gegründeter polit. Kampfverband zur Verteidigung der Weimarer Rep.; Mitbegründer der → Eisernen Front 1931.

Reichsbischof, 1933–35 das faktisch höchste Amt der »Dt. Evang. Kirche«.

Reichsdeputationshauptschluss, Beschluss der letzten außerordentl. Reichsdeputation, bestehend aus Kurmainz, Böhmen (Österreich), Sachsen, Brandenburg (Preußen), Pfalz-Bayern, dem Hoch- und Deutschmeister, Württemberg und Hessen-Kassel, vom 25. 2. 1803 über die Entschädigung der von der Abtretung des linken Rheinufers an Frankreich (1801) betroffenen weltl. Fürsten; die geistl. Fürstentümer wurden aufgehoben mit Ausnahme des Dt. Ordens und des Malteserordens; der erzbischöfl. Stuhl von Mainz wurde auf Regensburg übertragen und bildete mit dem Fürstentum Aschaffenburg das Territorium des Reichserzkanzlers K. Th. von Dalberg (→ Säkularisation), die Reichsstädte (außer Augsburg, Bremen, Frankfurt am Main, Hamburg, Lübeck und Nürnberg) und Reichsdörfer wurden mediatisiert; Preußen, Bayern, Baden und Württemberg (Letztere wurden wie Hessen-Kassel Kurfürstentümer) erfuhren starke Gebietsvergrößerungen.

Reichsdörfer, Landgemeinden, v.a. in SW- und W-Dtl. und im Elsass, auf ehem. Krongut, die Kaiser und Reich unmittelbar unterstanden. Sie besaßen eine Selbstverwaltung, bildeten aber keinen Reichsstand. Im 14. Jh. gab es mehr als 100 R.; die letzten wurden 1803 mediatisiert.

Reichs|erbhofgesetz, → Höferecht.

Reichs|exekution, im Hl. Röm. Reich bis 1806 die Vollstreckung von Urteilen des Reichskammergerichts (z. B. wegen Landfriedensbruchs) und Sicherung des Landfriedens, ggf. durch Truppen der Reichskreise (R.-Ordnung von 1555). Die Reichsverf. von 1871 (Art. 19) sah die R. gegen einen seinen Pflichten nicht nachkommenden Gliedstaat vor; sie wurde vom Bundesrat angeordnet und vom Kaiser durchgeführt. Nach der Weimarer Verf. von 1919 (Art. 48 Abs. 1) standen Anordnung und Durchführung dem Reichspräs. zu. (→ Bundesexekution)

Reichsfarben, → deutsche Farben.

reichsfrei, → reichsunmittelbar.

Reichsfreiherr, der Stand, nicht der Titel der im Hl. Röm. Reich bis 1806 durch kaiserl. Brief dazu Erhobenen (Titel: Freiherr). Die R. gehörten dem niederen Adel an (seit dem 19. Jh. ranggleich mit dem landesherrl. Freiherrnstand).

Reichsfürst, im Fränk. Reich Angehöriger der Spitzengruppe des Adels, im Hl. Röm. Reich (ab 1180) geistl. oder weltl. → Fürst, der als direkter Lehnsmann des Königs zur Gebietsherrschaft, später zur → Landesherrschaft kam.

Reichsgau, im nat.-soz. Dt. Reich (ab 1938) Verwaltungsbezirk in den gewaltsam angeschlossenen Gebieten (Länder Österreichs, das Sudetenland, das Wartheland, Danzig-Westpreußen); unterstand einem → Reichsstatthalter.

Reichsgerichte, die obersten Gerichte des Hl. Röm. Reichs und des Dt. Reiches. – Im MA. war oberstes R. das Reichshofgericht (→ Hofgericht); später bestanden (bis 1806) der → Reichshofrat und das → Reichskammergericht. – Im Dt. Reich 1871 bis 1945 bestanden insbesondere das am 5. 8. 1870 eröffnete **Reichsoberhandelsgericht,** an dessen Stelle am 1. 10. 1879 das **Reichsgericht** als höchstes Gericht des Dt. Reiches trat (Sitz: Leipzig), das **Reichsarbeitsgericht** (1926–45, Sitz beim Reichsgericht), der **Reichsdisziplinarhof** (1873–1937, Sitz beim Reichsgericht, Berufungsgericht bei Dienstvergehen der Reichsbeamten), an dessen Stelle 1937 der **Reichsdienststrafhof** (Sitz: Berlin) trat, der **Reichsfinanzhof** (1919–45, Sitz: München), das **Reichsverwaltungsgericht** (1941 bis 1945, Sitz: Berlin), der **Reichsstaatsgerichtshof** (1920–33, Sitz: Leipzig) und der → Volksgerichtshof (1934–45, Sitz: Berlin).

Reichsgesetzblatt, Abk. **RGBl.,** das amtl. Verkündungsblatt für die Gesetze des Dt. Reiches (1871–1945).

Reichsgraf, im Hl. Röm. Reich reichsunmittelbarer Graf, Angehöriger des hohen Adels.

Reichsgrundgesetze, die für die Verfassung des Hl. Röm. Reiches bis 1806 grundlegenden Reichsgesetze; die wichtigsten waren: Statutum in favorem principum (1232), Goldene Bulle (1356), Ewiger Landfrieden (1495), Reichskammergerichtsordnung (1555), Westfäl. Friede (1648), Jüngster Reichsabschied (1654), Reichsdeputationshauptschluss (1803).

Reichsgut, im Hl. Röm. Reich Grundbesitz des Reiches, der dem König zum Unterhalt des Hofes und für seine Reg.tätigkeit zur Verfügung stand.

Reichshofrat, im Hl. Röm. Reich bis 1806 oberstes kaiserl. Gericht neben dem Reichskammergericht, gegr. 1498; Sitz: Wien. An den R. überwies der Kaiser die an ihn gelangenden Prozesse aus dem Reich. Er war zuständig für Reichslehnsachen, Kriminalklagen gegen Reichsunmittelbare, Streitigkeiten über kaiserl. Reservatrechte und Privilegien sowie für italien. Angelegenheiten.

Reichs|idee, die in einem Herrschaftsbereich bestehenden Vorstellungen, die diesen als universal, mit einer höheren Weihe versehen und in eine bestimmte Tradition eingebunden begreifen und mit denen hegemoniale Ansprüche verbunden werden. Die R. des Altertums erlangte ihre klass. Form im Röm. Reich seit Augustus **(Imperium Romanum);** sie erstrebte die Befriedung des Erdkreises **(Pax Romana)** und die Ausbreitung städt. Zivilisation. Daran knüpfte die abendländ. R. an; sie forderte eine überstaatl. Einheit aller christl. Völker **(Imperium Christianum)** und eine durch den Kaiser als Statthalter Gottes zu wahrende Friedensordnung. Dieser universalistisch-theolog. Zug ist dem Byzantin. Reich eigen geblieben, während im W die R. mit dem Untergang des Weström. Reiches (476) zunächst erlosch. Die Kaiserkrönung Karls d. Gr. (800) bezeichnete die Übertragung des Reiches (»translatio imperii«) auf die Franken, die Kaiserkrönung Ottos I., d. Gr. (962), die Übertragung auf die Deutschen (→ Heiliges Römisches Reich). Die R. umfasste im MA. den Gedanken einer Überlegenheit des Hl. Röm. Reiches gegenüber allen anderen Staaten des Abendlands, seiner übernationalen Zusammensetzung und seiner institutionellen Verbindung mit der röm. Kirche. Trotz des Verfalls der Reichsmacht in der Neuzeit lebte die R. in Gestalt eines Reichspatriotismus bis 1806 fort, auf den großdeutschen Gedanken reduziert auch danach. Der Nationalsozialismus benutzte die R. propagandistisch zur imperialist. Großraumpolitik (»Großdt. Reich«).

📖 Bosbach, F.: *Monarchia Universalis. Göttingen 1988.* – Funder, A.: *R. u. Kirchenrecht. Freiburg im Breisgau 1993.* – Moraw, P.: *Über König u. Reich. Sigmaringen 1995.*

Reichs|insigni|en, die → Reichskleinodien.

Reichsjustizgesetze, die 1879 in Kraft getretenen Gesetzbücher, die die Rechtseinheit des gerichtl. Verfahrens im Dt. Reich begründeten: das Gerichtsverfassungsgesetz vom 27. 1. 1877, die ZPO vom 30. 1. 1877, die StPO vom 1. 2. 1877, die Konkursordnung vom 10. 2. 1877.

Reichskammergericht, im Hl. Röm. Reich bis 1806 das von den Landständen durchgesetzte höchste Reichsgericht, wurde durch den Wormser Reichstag von 1495 als Nachfolger des königl. Kammergerichts errichtet. In die Zuständigkeit des R.s fielen Landfriedensbruch, Reichsacht, alle fiskal. Klagen, Besitzstreitigkeiten zw. Reichsunmittelbaren und Zivilklagen gegen diese; es war das oberste Berufungsgericht für alle Land- und Stadtgerichte. Das R. hatte seinen Sitz urspr. in Frankfurt am Main, nach mehrfachem Wechsel 1527–1689 in Speyer, 1693–1806 in Wetzlar. (→ Reichshofrat)

Reichskanzlei, 1878/79–1945 das Büro des Reichskanzlers.

Reichskanzler, 1) im Hl. Röm. Reich bis 1806 der Erzbischof von Mainz als Erzkanzler für Deutschland.

2) im Dt. Reich 1871–1918 der vom Kaiser ernannte höchste Reichsbeamte, einziger Min. des Reichs, zugleich der Vors. des Bundesrats; er war meist zugleich preuß. MinPräs. und preuß. Außenmin. und bestimmte zus. mit dem Kaiser die Richtlinien der Reichspolitik.

3) im Dt. Reich seit 1919 Leiter der → Reichsregierung; bestimmte die Richtlinien der Politik, wurde vom Reichspräs. ernannt und entlassen; verantwortlich gegenüber dem Reichstag. Mit der Berufung A. Hitlers zum R. (30. 1. 1933) ging das sog. Präsidialsystem in die Diktatur über; ab 1934

Reichskanzler des Deutschen Reichs 1871–1945

21. 3. 1871 – 20. 3. 1890	O. von Bismarck
20. 3. 1890 – 26. 10. 1894	L. von Caprivi
29. 10. 1894 – 15. 10. 1900	C. zu Hohenlohe-Schillingsfürst
17. 10. 1900 – 10. 7. 1909	B. von Bülow
14. 7. 1909 – 13. 7. 1917	T. von Bethmann Hollweg
14. 7. 1917 – 24. 10. 1917	G. Michaelis
25. 10. 1917 – 3. 10. 1918	G. von Hertling
4. 10. 1918 – 9. 11. 1918	Max von Baden
13. 2. 1919 – 20. 6. 1919	P. Scheidemann
21. 6. 1919 – 26. 3. 1920	G. Bauer
27. 3. 1920 – 8. 6. 1920	Hermann Müller
25. 6. 1920 – 4. 5. 1921	K. Fehrenbach
10. 5. 1921 – 14. 11. 1922	J. Wirth
22. 11. 1922 – 12. 8. 1923	W. Cuno
13. 8. 1923 – 23. 11. 1923	G. Stresemann
30. 11. 1923 – 15. 12. 1924	W. Marx
15. 1. 1925 – 12. 5. 1926	H. Luther
16. 5. 1926 – 12. 6. 1928	W. Marx
28. 6. 1928 – 27. 3. 1930	Hermann Müller
30. 3. 1930 – 30. 5. 1932	H. Brüning
1. 6. 1932 – 17. 11. 1932	F. von Papen
3. 12. 1932 – 28. 1. 1933	K. von Schleicher
30. 1. 1933 – 30. 4. 1945	A. Hitler

(Tod Hindenburgs) vereinigte Hitler das Amt des R. mit dem des Reichspräs. (»Führer und Reichskanzler«).

Reichskirchensystem, seit dem 10./11. Jh. die Gesamtheit der reichsunmittelbaren kirchl. Anstalten (Reichskirche) und ihre verfassungsrechtl. Stellung im Hl. Röm. Reich. Ottonen und Salier bauten die Reichskirche (ottonisch-sal. R.) zu einem Gegengewicht gegen die Herzöge aus. Nach dem Investiturstreit gab der König nach und nach seine Rechte preis.

Reichskreiseinteilung im 16. Jahrhundert

Reichskleinodi|en (Reichsinsignien), im Hl. Röm. Reich (u. a. Ländern) die symbol. Schmuckstücke bei der Krönung der Herrscher: Krone (→ Kaiserkrone), Zepter, Reichsapfel (Weltkugel mit Kreuz), dazu die **Reichsheiligtümer** (Heilige Lanze, Reichskreuz, Schwerter u. a.). Die R. (der **Reichsschatz**) wurden zunächst auf Reichsburgen und Pfalzen verwahrt, 1424–1796 und 1938–46 in Nürnberg, seit 1800 bzw. 1813 (außer 1938–46) in Wien. BILD deutsche Geschichte

Reichskommissar, im Dt. Reich 1871–1945 der Inhaber einer höheren oder oberen Amtsstelle, Beauftragter der Reichsreg. (1918–33 auch des Reichspräs.) für besondere Verw.aufgaben (z. B. für Preisüberwachung). Nach 1933 weitete Hitler die Einrichtung des R. aus (ab 1939 auch in den besetzten Gebieten).

Reichskonkordat, das 1933 zw. dem Hl. Stuhl und dem Dt. Reich abgeschlossene Konkordat mit dem Ziel, die kath. Kirche und ihre Einrichtungen in Dtl. gegenüber dem Totalitätsanspruch des nat.-soz. Staates zu sichern. Das R. garantierte die bestehenden Länderkonkordate und regelte darüber hinaus reichsrechtlich die zentralen Fragen zw. Staat und Kirche (Rechtsstellung des Klerus, Besetzung kirchl. Ämter, bes. der Bischofsstühle, Fortbestand der kath. Fakultäten, Militärseelsorge, Schulen, Vereine, Religionsunterricht). Das R. ist nach einer Entscheidung des Bundesverfassungsgerichts von 1957 gültiges Recht, die Bundesländer sind aber nicht an seine Schulbestimmungen gebunden.

📖 VOLK, L.: *Das R. vom 20. Juli 1933. Mainz 1972.*

Reichskreise, im Hl. Röm. Reich bis 1806 die unter Maximilian I. geschaffenen sechs bzw. zehn Reichsbezirke: ab 1500 der Fränk., Bayer., Schwäb., Rhein. (später Oberrhein.), Niederrheinisch-Westfäl. (später Westfäl.) und Sächs. (später Niedersächs.) Kreis; ab 1512 zusätzlich der Kurrhein., Obersächs., Österr. und Burgund. Kreis (→ deutsche Geschichte). Aufgaben der R. waren u. a. Wahrung des Landfriedens, Aufstellung von Kreistruppen, Erhebung von Reichssteuern, Aufsicht über Münze und Zoll.

📖 DOTZAUER, W.: *Die Dt. R. in der Verfassung des alten Reiches u. ihr Eigenleben 1500–1806. Darmstadt 1989.*

Reichskristallnacht, die → Kristallnacht.

Reichskrone, → Kaiserkrone.

Reichskult̲urkammer, 1933–45 die nat.-soz. Zwangsorganisation der »Kulturschaffenden«, überwacht vom Reichspropagandamin., der zugleich Präs. der R. war (Ges. vom 22. 9. 1933).

Reichsland, im Hl. Röm. Reich jedes zum Reich gehörende Gebiet; i. e. S. im Dt. Reich 1871–1918 Bez. für das R. Elsass-Lothringen. In Österreich-Ungarn wurden Bosnien und Herzegowina seit 1908 als R. bezeichnet.

Reichslandbund (Kurzbez. Landbund), wirtschaftspolit. Verband der dt. Landwirtschaft; entstand 1921 aus dem **Deutschen Landbund** (gegr. 1919) und dem **Bund der Landwirte** (gegr. 1893); gehörte seit 1929 der → Grünen Front an. Er vertrat (1930) 5,6 Mio. Mitglieder, ging 1933 im → Reichsnährstand auf.

Reichsmarine, Bez. für die dt. Seestreitkräfte 1919–35.

Reichsmark, Abk. **RM,** Währungseinheit des Dt. Reiches seit 1924 (1 RM = 100 Reichspfennige, Rpf), die die → Rentenmark ablöste. Die RM war 1924–31 in Gold oder Devisen einlösbar, 1 RM entsprach 0,358423 g Feingold. Die RM-Währung wurde mit der → Währungsreform von 1948 für das Gebiet der drei Westzonen und für Berlin (West) durch die → Deutsche Mark abgelöst.

Reichsnährstand, 1933–45 die öffentlich-rechtl. Gesamtkörperschaft, die alle in der Land- und Ernährungswirtschaft tätigen Personen, Be-

Reichskleinodien: Heilige Lanze aus vorkarolingischer oder karolingischer Zeit, 51 cm lang

Reichsmark: 3 Reichsmark 1927 auf den 100. Jahrestag von Bremerhaven, Durchmesser 30 mm (Vorderseite)

Reichsmark (Rückseite)

triebe und Verbände zwangsweise erfasste (erst 1949 offiziell aufgehoben).

Reichspost, →Post- und Fernmeldewesen.

Reichspräsident, das Staatsoberhaupt des Dt. Reichs 1919–34; neben dem Reichstag zweites demokratisch legitimiertes Staatsorgan; unmittelbar vom Volk auf sieben Jahre gewählt; besaß umfassende Machtbefugnisse, u.a. Recht zur Auflösung des Reichstages, zur Ernennung und Entlassung des Reichskanzlers und zur Verhängung des Ausnahmezustandes (Art. 48) sowie den Oberbefehl über die Reichswehr. – R. waren F. Ebert (1919 bis 1925), W. Simons (geschäftsführend Febr. bis Mai 1925), P. von Hindenburg (1925–34). 1934 vereinigte Hitler das Amt des R. mit dem des Reichskanzlers (»Führer und Reichskanzler«).

Reichsrat, 1) im Dt. Reich 1919–34 die Vertretung der Länder bei der Gesetzgebung und Verw. des Reichs mit insgesamt geringen Befugnissen.

2) in Bayern 1818–1918 die erste Kammer des Landtags.

3) in Österreich-Ungarn 1867–1918 Bez. für die gemeinsame Vertretung (Herrenhaus und Abg.haus) der Königreiche und Länder der österr. Reichshälfte.

4) in Dänemark, Norwegen und Schweden eine aristokrat. Körperschaft, die seit dem späten MA. neben dem König an der Reg. teilnahm und bes. während der →Kalmarer Union große polit. Bedeutung hatte.

5) im kaiserl. Russland die 1801 als »ständiger Rat« gegr., 1810 in den R. (»gossudarstwenny sowjet«) umgebildete höchste beratende Zentralbehörde; seit der Verf. von 1906 ein Oberhaus, das mit der Reichsduma (2. Kammer) in der Gesetzgebung gleichberechtigt war.

Reichsrecht, das Recht des Dt. Reiches im Unterschied zum Recht der einzelnen Länder. Das R. gab es sowohl im Hl. Röm. Reich (bis 1806) wie im Dt. Reich seit 1871. Soweit es kein nat.-soz. Gedankengut enthält oder nicht ausdrücklich aufgehoben wurde, gilt es in Dtl. als Bundes- oder Landesrecht fort (Art. 123 ff. GG).

Reichsreform, 1) im Hl. Röm. Reich zunächst auf den Reichstagen von 1434–38 unternommene Bemühungen um ein Mitregierungsrecht der Reichsstände in Reichsangelegenheiten **(Reichsregiment).** Die Reichsstände drängten Maximilian I. (ab 1508 Kaiser) auf den Reichstagen von Worms (1495), Augsburg (1500) und Köln (1512) zu wesentl. Zugeständnissen, u.a. Verkündigung eines Ewigen Landfriedens, Schaffung des Reichskammergerichtes und der Reichskreise, Erhebung einer Reichssteuer (»Reichspfennig«; 1. Reichsregiment 1500–02). Zunächst mit der Wahlkapitulation Karls V. (1519; 2. Reichsregiment) fortgesetzt, scheiterten dessen Versuche, die Reichsverf. im monarch. Sinn umzugestalten (Augsburger Reichstag von 1548), am Widerstand der Fürsten.

2) die 1919 einsetzenden Bestrebungen, die Gebietsgliederung des Dt. Reiches und das Verhältnis der Länder zum Reich umzugestalten; u.a. Aufhebung der engen Verbindung des Reiches mit Preußen, Anschluss des Landes Coburg an Bayern, Vereinigung der thüring. Staaten zum Land Thüringen (1920), Anschluss Waldeck-Pyrmonts an Preußen (1929, Pyrmont schon 1922). Unter dem Nationalsozialismus wurden 1934 die beiden Mecklenburg vereinigt, 1937 Groß-Hamburg gebildet, Lübeck an Preußen angeschlossen, Gebietsteile zw. Preußen und Mecklenburg ausgetauscht. Das staatsrechtl. Verhältnis Reich–Länder wurde von der nat.-soz. Reg. durch die »Gleichschaltung«, Einsetzung von Reichsstatthaltern, Aufhebung der Staatlichkeit der Länder und Bildung von Reichsgauen im unitarisch-zentralist. Sinn umgestaltet.

Reichsregierung, oberstes Exekutivorgan des Dt. Reiches 1919–45. Für die R., die aus dem Reichskanzler, der auch Vors. der R. war, und den Reichsministern bestand, galten Kollegialität, Mehrheitsprinzip und Richtlinienkompetenz des Reichskanzlers. Die R. war vom Vertrauen des Reichstages abhängig, zugleich in wachsendem Maße vom Reichspräs.; die parlamentsunabhängige Handhabung (ab 1930) der Befugnis des Reichspräs., die Mitgl. der R. zu ernennen und zu entlassen, bedeutete den Übergang zum sog. Präsidialsystem. Die R. erhielt durch Ermächtigungs-Ges. vom 24. 3. 1933 die Befugnis zum Erlass von Reichsgesetzen. Ihre letzte Sitzung fand Anfang 1938 statt.

Reichsregiment, →Reichsreform.

Reichsritterschaft, im Hl. Röm. Reich der v.a. aus den Ministerialen hervorgegangene niedere Adel in Schwaben, Franken und am Rhein, der eine reichsunmittelbare Stellung erreichen konnte und sich im 14./15. Jh. zu Ritterbünden zusammengeschlossen hatte. Die R. gliederte sich seit 1577 in drei Ritterkreise (Schwaben, Franken, Rheinstrom), die wiederum in 14 Orte (Kantone) unterteilt waren. Die R. wurde 1803/06 mediatisiert.

Reichs|schulden, Verbindlichkeiten des Dt. Reiches aus der Kreditaufnahme. Nach dem Allg. Kriegsfolgen-Ges. vom 5. 11. 1957 (→Kriegsfolgenrecht) galten grundsätzlich alle vor dem 1. 8. 1945 begründeten Forderungen gegen das Dt. Reich, die Reichspost, die Reichsbahn, das Unternehmen Reichsautobahn sowie gegen das Land Preußen als erloschen. Reichsanleihen wurden im Verhältnis 10:1 umgestellt, vom Bund ab 1. 4. 1955 mit 4% verzinst und von 1960 an getilgt. Die Auslandsschulden des Dt. Reiches wurden im →Londoner Schuldenabkommen geregelt.

Reichs|sicherheitshauptamt, Abk. **RSHA,** interne Organisationsbez. für die mit der Zusammenfassung der Sicherheitspolizei und des Sicherheitsdienstes des Reichsführers SS im Sept. 1939 geschaffene Konzentration im polit. Polizeiwesen in Dtl.; Leiter war bis 1942 R. Heydrich, 1943–45 E. Kaltenbrunner. In den im 2. Weltkrieg besetzten Gebieten setzte das R., dem Mitte 1941 auch die techn. Durchführung der →Judenverfolgungen übertragen wurde, mobile →Einsatzgruppen ein.

📖 BUCHHEIM, H.: *Die SS – das Herrschaftsinstrument. Neuausg. München* [5]*1989. – Topographie des Terrors. Gestapo, SS u. R. auf dem »Prinz-Albrecht-Gelände«, hg. v.* R. RÜRUP. *Berlin* [8]*1991.*

Reichs|städte, im Hl. Röm. Reich bis 1806 reichsunmittelbare, königl. Städte, auf Reichsgut oder Hausgut der Herrscher oder auch auf kirchl. Grund vom König errichtet und ihm zu Diensten und Abgaben verpflichtet. Von diesen (zeitweilig bis zu 83) R. sind zu unterscheiden die **Reichsvogteistädte,** in denen der König nur die Vogtei besaß, die Stadtherrschaft aber von der Kirche ausgeübt wurde, auf deren Grund die Stadt errichtet worden war, sowie die **Freistädte** (→freie Städte); freie Städte und R. wurden später vielfach unter der Bez. »freie R.« zusammengefasst. Sie wurden 1803–10 mediatisiert; 1815 wurden Frankfurt am Main (bis 1866), Bremen, Hamburg und Lübeck (bis 1937) wieder »Freie Städte«.

Reichs|stände, im Hl. Röm. Reich bis 1806 die Reichsfürsten, -grafen, -prälaten und -städte, die das aus der Reichsunmittelbarkeit erwachsene Recht zur Führung einer Virilstimme oder zur Beteiligung an einer Kuriatstimme im Reichstag besaßen **(Reichsstandschaft).**

Reichs|statthalter, durch Gesetz vom 7. 4. 1933 geschaffenes Amt im nat.-soz. Dtl., 1934 dem Reichsinnenmin. unterstellt. Die für die dt. Länder vom Reichspräs., ab 1934 von Hitler zu R. ernannten Gauleiter der NSDAP (Ausnahme: F. Ritter von Epp in Bayern) bildeten als ständige Vertreter des Reichskanzlers in ihrem Amtsbezirk Aufsichtsorgane über die Landesreg. In Preußen lagen die Rechte des R. bei MinPräs. H. Göring.

Reichstadt, Napoléon Herzog von, als Kaiser der Franzosen Napoleon II., *Paris 20. 3. 1811, †Schloss Schönbrunn 22. 7. 1832; einziger Sohn Napoleons I. aus dessen Ehe mit Marie Louise, erhielt bei seiner Geburt den Titel »König von Rom«, nach der Abdankung seines Vaters zu seinen Gunsten (1814/15) in Wien am Hof Kaiser Franz' I. erzogen. 1818 erhielt er die nordböhm. Herrschaft Reichstadt.

Reichstag, 1) im Hl. Röm. Reich bis 1806 die neben dem König/Kaiser stehende ständ. Körperschaft; sie entwickelte sich seit dem 12. Jh. aus den Hof- und Reichstagen zu einer Rechtseinrichtung. Der R. wurde jeweils nach einer Bischofs- oder Reichsstadt berufen, seine Beschlüsse im →Reichsabschied zusammengefasst. Seit 1663 war er ein ständiger Gesandtenkongress mit dem Sitz in Regensburg **(Regensburger R., Immerwährender R.).** Er gliederte sich seit 1489 in drei Kollegien: das **Kurfürstenkollegium,** den **Reichsfürstenrat** (die übrigen Fürsten und die reichsunmittelbaren Grafen und Prälaten) und das **Reichsstädtekollegium.** Zum Zustandekommen eines Reichsgesetzes waren übereinstimmende Beschlüsse aller drei getrennt beratenden Kollegien und die Zustimmung des Königs/Kaisers erforderlich.

Reichstag 1): Der Kupferstich aus dem 17. Jh. zeigt eine Sitzung des Reichstags; im Hintergrund neben dem in der Mitte thronenden Kaiser das Kurfürstenkollegium (links die drei geistlichen, rechts die vier weltlichen Kurfürsten), an den Seiten der Reichsfürstenrat (links die geistliche, rechts die weltliche Bank) und im Vordergrund das Reichsstädtekollegium

2) im Dt. Reich 1871–1918 die Vertretung des Volkes (schon im Norddt. Bund so genannt). Er verkörperte neben dem Kaiser die Einheit des Reiches; gemeinsam mit dem Bundesrat übte er die Reichsgesetzgebung aus und besaß Mitentscheidungsrecht über das jährl. Haushaltsgesetz; der Reichskanzler hatte sich dem R. zu verantworten. Der R. ging aus allg., gleichen und unmittelbaren Wahlen aus geheimer Abstimmung hervor und zählte (seit 1874) 397 in Einerwahlkreisen gewählte Mitgl. Die Abg. waren Vertreter des gesamten Volkes und nicht an Weisungen gebunden; sie genossen parlamentar. Immunität und Indemnität. Die Wahlperiode betrug drei, seit 1888 fünf Jahre. Zur Auflösung des R. war ein Beschluss des Bundesrats unter Zustimmung des Kaisers erforderlich.

3) im Dt. Reich 1919–33 als Vertretung des souveränen Volkes oberster Träger der Reichsgewalt;

wurde in allg., gleicher, geheimer, unmittelbarer Wahl nach dem Verhältniswahlsystem gewählt (ein Abg. auf 60000 Stimmen). Er beschloss die Reichsgesetze und war u.a. zuständig für den Haushaltsplan; er konnte durch den Reichspräs. aufgelöst werden. Reichskanzler und Reichsminister mussten zurücktreten, wenn ihnen der R. durch Beschluss das Vertrauen entzog. Mit der Zustimmung zum Ermächtigungs-Ges. (März 1933) gab der R. den Weg zur Errichtung einer Diktatur frei. Er wurde zum von der NSDAP beherrschten Einparteienparlament, das A. Hitler als Akklamations- und Demonstrationsorgan diente (letzte Sitzung: 26. 4. 1942).

4) in Dänemark (Rigsdag bis 1953) und Japan (Kokkai) die Gesamtheit beider Kammern des Parlaments, in Schweden (Riksdag) und Finnland (Eduskunta) die aus einer Kammer bestehende Volksvertretung.

Reichstagsbrand, die Zerstörung des Reichstagsgebäudes in Berlin durch Brandstiftung am 27. 2. 1933. Der R. wurde von Hitler den Kommunisten zugeschrieben und dazu benutzt, die wichtigsten Grundrechte außer Kraft zu setzen. Im **R.-Prozess** (21. 9.–23. 12. 1933) in Leipzig wurde der niederländ. Kommunist M. van der Lubbe zum Tod verurteilt, die übrigen Angeklagten (E. Torgler, G. Dimitrow u. a.) wurden freigesprochen. Die Alleintäterschaft M. van der Lubbes gilt heute als weitgehend gesichert.

📖 *R. – Aufklärung einer histor. Legende, Beiträge v.* U. Backes *u. a. Neuausg. München 1987.*

Tadeusz Reichstein

Reichstein, Tadeusz, schweizer. Chemiker poln. Herkunft, *Włocławek 20. 7. 1897, †Basel 1. 8. 1996; erhielt für die Isolierung und Strukturaufklärung der Nebennierenhormone 1950 den

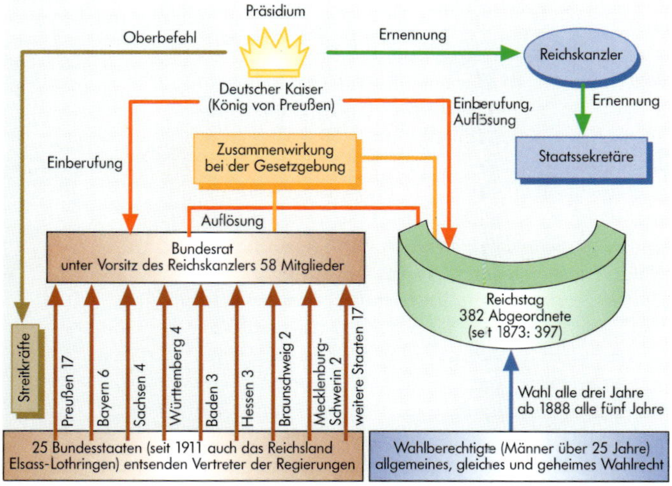

Reichsverfassung 3): Struktur der Reichsverfassung des Deutschen Kaiserreichs von 1871–1918

Reichstagsbrand in Berlin am 27. Februar 1933

Nobelpreis für Physiologie oder Medizin (mit P. S. Hench und E. C. Kendall).

reichs|unmittelbar (reichsfrei), im Hl. Röm. Reich bis 1806 die staatsrechtl. Stellung der Gebiete und Personen, die Kaiser und Reich unmittelbar unterstanden: Reichsfürsten, -städte, -dörfer, -ritter und -beamte.

Reichsverfassung, 1) im Hl. Röm. Reich bis 1806 die staatsrechtl. Ordnung des Reichs, die in den →Reichsgrundgesetzen niedergelegt war.

2) die von der →Frankfurter Nationalversammlung ausgearbeitete R. vom 28. 3. 1849, die zwar nicht in Kraft trat, aber wesentlich auf spätere Verfassungswerke eingewirkt hat.

3) im Dt. Kaiserreich 1871–1918 die R. vom 16. 4. 1871, die in vielen Teilen mit der Verf. des →Norddeutschen Bundes übereinstimmte. Ihre bedeutendste Änderung war das Ges. vom 28. 10. 1918 (Einführung des parlamentar. Systems), das jedoch im Kaiserreich nicht mehr wirksam wurde. Grundrechte enthielt die R. nicht.

4) die Verfassung der Weimarer Republik, **Weimarer R.,** die am 11. 8. 1919 von der Nationalversammlung verabschiedet wurde und am 14. 8. 1919 in Kraft trat. Sie bewahrte den bundesstaatl. Aufbau, stärkte jedoch die Zentralgewalt. Die »Länder« blieben der Sache nach Staaten; nach Art. 17 der R. mussten sie eine »freistaatl. Verf.« mit vom Volk gewählten Landtagen und von deren Vertrauen abhängige Landesreg. haben. Das Reich war für die wesentl. Gegenstände der Gesetzgebung zuständig; die Länder behielten außer der Gerichtsbarkeit v. a. die überwiegende Zuständigkeit in der Verw. (bes. Polizei- und Kultusverwaltung). Reichsoberhaupt war der →Reichspräsident, die ausführende Gewalt stand der →Reichsregierung, die gesetzgebende Gewalt dem →Reichstag zu. Der →Reichsrat stand an Bedeutung weit hinter dem früheren Bundesrat zurück. – Im 2. Hauptteil der Weimarer R. wurden detailliert Grundrechte festgelegt, die jedoch nicht direkt, sondern als Auftrag an den Gesetzgeber galten. Die Weimarer R. bekannte sich zu den Grundsätzen des Rechtsstaats. Der Nationalsozialismus hob die Weimarer R. zwar nicht formell, aber doch praktisch in wesentl. Teilen auf, bes. die rechtsstaatl. Garantien. Die gesetzgebende Gewalt ging vom Reichstag auf die Reichsreg. über. 1934 wurde das bundesstaatl. System beseitigt, der Reichsrat entfiel. Die Länder wurden den →Reichsstatthaltern unterstellt.

Reichsversicherungs|ordnung, Abk. **RVO,** ehemals grundlegendes dt. Sozialversicherungsgesetz vom 19. 7. 1911. Seine Bestimmungen wurden im Wesentlichen in das Sozialgesetzbuch überführt.

Reichsverweser, 1) *allg.:* Inhaber der Staatsgewalt bei Thronvakanz, provisor. oder stellv. Staatsoberhaupt.

2) (Reichsvikar) im Hl. Röm. Reich bis 1806 der Verwalter der Königsgewalt bei Thronvakanz, Reg.unfähigkeit oder längerer Abwesenheit des Königs. Seit der Goldenen Bulle von 1356 war der R. in den Ländern des fränk. Rechts der Pfalzgraf bei Rhein, in den Ländern des sächs. Rechts der Herzog von Sachsen.

3) das von der Frankfurter Nationalversammlung 1848 gewählte Oberhaupt der vorläufigen Zentralgewalt für Dtl. (Erzherzog Johann von Österreich).

Reichswehr, amtl. Name der Streitkräfte des Dt. Reiches 1921–35 (1919–21 **vorläufige R.**); 1935 durch die Bez. »Wehrmacht« ersetzt. Oberbefehlshaber der R. war der Reichspräs., unter dem der R.-Minister die Befehlsgewalt ausübte. Nach dem Versailler Vertrag bestand die R. aus freiwilligen Berufssoldaten (12-jährige Dienstzeit). Das **Reichsheer** (sieben Infanterie- und drei Kavalleriedivisionen) durfte 100 000 Mann, die **Reichsmarine** 15 000 Mann haben, eine Luftwaffe war verboten. Art und Zahl der Waffen waren genau vorgeschrieben, v.a. der Besitz von U-Booten, Panzern, schwerer Artillerie und Kampfgas war untersagt. Die R. begann sich ab Ende 1918 aus Teilen der nach dem Waffenstillstand vom 11. 11. 1918 in die Heimat zurückgeführten Streitkräfte zu formieren. Mit der »Schwarzen R.« bildeten sich zusätzl. militär. Verbände, die seit 1923 rasch an Bedeutung verloren. Die R. verhielt sich prinzipiell staatstreu; aufgrund der bes. im Offizierskorps verbreiteten Vorbehalte gegenüber der parlamentar. Demokratie traten Loyalitätskonflikte auf, was, zus. mit dem Ausschluss vom Wahlrecht, zu einer Abkapselung vom polit. Leben führte; die R. wurde zum »Staat im Staate«. Nach Einführung der allg. Wehrpflicht 1935 wurden die Soldaten der R. beim Aufbau der Wehrmacht eingesetzt.

📖 GEYER, M.: *Aufrüstung oder Sicherheit. Die R. in der Krise der Machtpolitik 1924–1936. Wiesbaden 1980.*

Reichswerke, vom Dt. Reich (1937–41) gegr. Gesellschaften; Hauptgesellschaften: 1) R. AG für Erzbergbau und Eisenhütten »Hermann Göring«, Berlin, Verw.sitz: Salzgitter-Drütte; gegr. 1937. 2) R. Alpine Montanbetriebe, Linz, gegr. urspr. 1881. – Im Zug der Entflechtung wurden die R. liquidiert, die verbliebenen Anlagen und Beteiligungen in Dtl. auf die 1950 gegr. »AG für Bergbau- und Hüttenbetrieb«, seit 1961 Salzgitter AG, seit 1989 zur Preussag AG, übertragen, in Österreich auf die Vereinigten Österr. Eisen- und Stahlwerke VÖEST und auf die Österr.-Alpine Montangesellschaft AG, jetzt VÖEST Alpine Stahl AG.

Reichtum, wirtsch. Situation einer Person oder Gruppe (auch ganzer Gesellschaften), in der die Summe verfügbarer Güter und Werte den zur Befriedigung ihrer Bedürfnisse notwendigen Bedarf wesentlich übersteigt. Die Einschätzung des individuellen R. hängt von der Einkommens- und Vermögensverteilung innerhalb einer Gesellschaft ab; die Festlegung objektiver Kriterien ist problematisch. Die Diskussion über R. im Zusammenhang mit Wohlstand, Lebensqualität und sozialer Gerechtigkeit wird nicht nur innerstaatlich, sondern auch auf internat. Ebene geführt (→Armut).

Reichwein, Adolf, Kulturpolitiker und Pädagoge, * Bad Ems 3. 10. 1898, † (hingerichtet) Berlin-Plötzensee 20. 10. 1944; 1930–33 Prof. in Halle; als religiöser Sozialist Mitgl. der SPD, gehörte der Widerstandsbewegung »Kreisauer Kreis« an.

Reichweite, 1) *Funktechnik:* Entfernung zw. Sender und Empfänger(n), bis zu der eine qualitätsgerechte Übertragung möglich ist.

2) *Luftfahrt:* Strecke, die ein Flugzeug ohne Nachtanken auf direktem Kurs zurücklegen kann.

3) *Militärwesen:* meist Kurzbez. für die eigentl. Bekämpfungs-R. eines Waffensystems, die erheblich unter der maximalen Schussweite liegt.

4) *Physik:* Wegstrecke geladener Teilchen in Materie bis zur völligen Abbremsung infolge Ionisation. So haben z.B. Elektronen bei einer kinet. Energie von 1 MeV in Aluminium eine R. von 1,5 mm, Protonen von 0,013 mm. Für Gammastrahlung und Neutronen gibt man die Distanz an, über die die Intensität um die Hälfte abnimmt (Halbwertsdicke).

5) *Werbung:* Gesamtzahl derjenigen Personen einer Zielgruppe oder Prozentzahl der Gesamtbev., die zu einem bestimmten Zeitpunkt von einem Werbeträger erreicht wird; hängt bei Printmedien von der Auflage, bei Funkmedien von der Einschaltquote ab.

Reid [ri:d], Thomas, schott. Philosoph, *Strachan (Aberdeenshire) 26. 4. 1710, †Glasgow 7. 10. 1796; Prof. in Aberdeen und Glasgow; bekämpfte G. Berkeleys Idealismus und D. Humes Skeptizismus.

Reif, kristalline Eisablagerung, die sich auf festen Körpern aus dem atmosphär. Wasserdampf bei Temperaturen unter 0 °C bildet; bei Temperaturen über 0 °C bildet sich **Tau.**

Reife, Abschluss der Stoffeinlagerung in Früchten und Samen der Pflanzen vor der Ernte. Man unterscheidet versch. **R.-Stadien:** bei Getreide die Milch- oder Grün-R., die Gelb- oder Vor-R., die Voll- oder Tot-R.; bei Obst wird Pflück- oder Baum-R. und Genuss-R. unterschieden.

Reifen, 1) *Fahrzeugtechnik:* der Teil eines Rads, der die Felge umgibt und Umfangskräfte für Antrieb und Bremsen sowie Seitenkräfte bei Kurvenfahrt auf die Fahrbahn überträgt. Der **Luft-R.** besteht aus einem mit Luft füllbaren Schlauch, der von der Decke (Mantel) umschlossen wird. Schlauchlose R. erfordern luftdichte Felgen. Die Lauffläche der Decken ist je nach Verwendungszweck profiliert. Profil und Gummimischung sind wesentlich für den Kraftschluss bei Nässe, Eis und Schnee. Im Unterschied zum früher üblichen Diagonal-R. hat die Karkasse (Unterbau) des **Gürtel-R.** (Radial-R.) radialen Fadenverlauf; außerdem liegt zw. Karkasse und Lauffläche eine Verstärkungseinlage (Gürtel). Gürtel-R. zeichnen sich durch bessere Kraftübertragung, geringeren Rollwiderstand, bessere Bodenhaftung (Hochgeschwin-

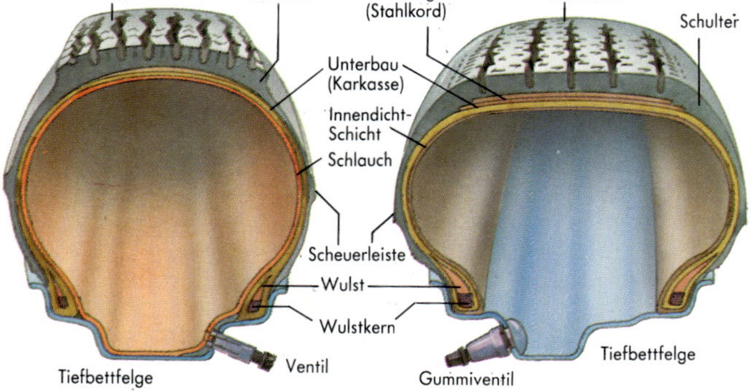

Reifen 1): Querschnitt eines Diagonalreifens (links) mit innenliegendem Schlauch und eines schlauchlosen Stahlgürtelreifens

digkeitsverhalten) und längere Lebensdauer aus, dämpfen Fahrbahnunebenheiten aber etwas schlechter als Diagonal-R. Bei **R.-Profilen** wird gute Seitenführung mit durchlaufenden Längsrillen, Griffigkeit und Verzahnung im weichen

Reifpilze

Boden durch große Stollen erreicht, i. d. R. werden Kombinationen von Rippen und Rillen oder Rillen in Zickzackform angewendet. Für winterl. Fahrbedingungen werden **M+S-Profile** (engl. **m**ud and **s**now) verwendet, auch **Spikes-R.,** bei denen in die Lauffläche Hartmetallstifte (Spikes) zur Übertragung von Kräften auf Eis eingesetzt sind (in der Bundesrep. Dtl. seit 1975 verboten). Bei **Haft-R.** sorgt eine griffige Gummimischung für besseren Kraftschluss. **Regen-R.** mit »Drainage-Düsen« (Aquajets) sollen das Aquaplaning vermindern.

📖 BACKFISCH, K. P. *u.* HEINZ, D. S.: *Das Reifenbuch. Stuttgart* [2]*1994.*

2) *Sport:* Handgerät der rhythm. Sportgymnastik (Durchmesser 80 bis 100 cm; aus Holz, Kunststoff, Leichtmetall).

Reifeprüfung, das →Abitur.

Reifeteilung, die →Meiose.

Reifpilz (Rozites caperata, Pholiota caperata), auf sandigen Böden vorkommender Blätterpilz; der bis zu 12 cm breite, ockerfarbene Hut und der Stiel sind feinflockig bereift; Lamellen lehmgelb; dicker Stiel mit weißl., häutigem Ring; Fleisch fast holzfarben, fest und saftig; guter Speisepilz.

Reifrock, Frauenrock, der durch ein Reifengestell glockenförmig gesteift wurde. Ausgehend von Spanien, hielt sich die Mode bis Anfang des 17. Jh.; erneut kam er gegen 1720 und als →Krinoline um 1840 auf.

Reifträger (poln. Szrenica), der NW-Eckgipfel des Riesengebirges, in Polen, 1362 m ü. M.; Sessellift von Schreiberhau; Wetterstation.

Reifung, *Chemie* und *Physik:* die unter dem Einfluss bestimmter Temperaturen oder von Enzymen bzw. Mikroorganismen stattfindende physikal. oder chem. Veränderung von Stoffen (z. B. bei der Käse- oder Weinherstellung).

Reigate ['raɪgɪt], Stadt in der Cty. Surrey, S-England, an den North Downs, 52 600 Ew., Pendlerwohnvorort von London.

Reigen [aus altfrz. raie »Tanz«], eine der ältesten Tanzarten in Kreis-, Ketten- oder Reihenform, bei der sich die Tänzer schreitend oder hüpfend fortbewegen; urspr. von Gesang begleitet; heute noch in Brauchtumstänzen lebendig.

Reihe, 1) *Mathematik:* eine Folge endlich oder unendlich vieler Glieder **(unendl. R.)** der Form

$$\sum_{i=1}^{\infty} a_i = a_1 + a_2 + \ldots + a_k + \ldots,$$

wobei die Glieder a_i Zahlen oder Funktionen sein können. Die endl. Summen $s_k = a_1 + a_2 + \ldots + a_k$ werden k-te Partialsummen der R. genannt. Man bezeichnet eine unendl. R. als **konvergente R.,** wenn die →Folge ihrer Partialsummen konvergiert, d.h. einen Grenzwert besitzt, ansonsten als **divergente R.** Bekannte Beispiele sind die (divergente) **harmon. R.,** bei der $a_i = 1/i$ ist, und die **geometr. R.,** bei der $a_i = q^i$ gilt ($q \in \mathbb{R}, q \neq 0$); diese konvergiert nur für $-1 < q < 1$. Von großer Bedeutung für die Analysis ist die Entwicklung von Funktionen in R. **(R.-Entwicklung),** insbesondere in Potenz-R. und (bei period. Funktionen) in →Fourier-Reihen.

2) *Musik:* →Zwölftontechnik.

Reiherschnabel: Früchte und Blüten des Gemeinen Reiherschnabels

Reihendorf, →Dorf.

Reihenhaus, Element der geschlossenen Bebauungsweise in Giebel- oder Traufenstellung zur Straße, in Reihen parallel oder in Zeilen senkrecht zur Straße, ohne Bauabstand nebeneinander, auch versetzt oder gestaffelt, ein- oder mehrgeschossig.

Reihenmotor, ein →Verbrennungsmotor mit hintereinander in einer Reihe angeordneten Zylindern; auch als Mehrreihenmotor.

Reihenschaltung (Hintereinanderschaltung, Serienschaltung), elektr. Schaltung, bei der alle Stromquellen und -verbraucher so zu einem Stromkreis geschaltet werden, dass sie vom selben Strom durchflossen werden. Auf jeden Verbraucher entfällt der seinem Widerstand entsprechende Teil der Gesamtspannung.

Reihen|untersuchung, ärztl. Untersuchung bestimmter Personengruppen (z.B. Belegschaften, Schulklassen); dient im Rahmen der Gesundheitsvorsorge v.a. der Früherkennung von Diabetes, Krebs, Zahnkaries oder Tuberkulose.

Reiher (Ardeidae), Familie der Schreitvögel mit langem Hals, kräftigem Schnabel und langen Beinen. In Mitteleuropa brüten: der **Fisch-** oder **Grau-R.** (Ardea cinerea), aufgerichtet nahezu 1 m

Reiher (von links): Silberreiher und Fischreiher

hoch, oben grau, unten weiß, Oberkopf schwarz mit weißer Mitte, nistet gesellig auf Bäumen; ferner zwei Arten der →Rohrdommeln; zuweilen treten auch auf: der **Silber-R.** (Casmerodius albus) mit graubraunen Füßen und der **Seiden-R.** (Egretta garzetta) mit schwarzen Läufen und gelben Füßen. Seltene Besucher Mitteleuropas sind der **Nacht-R.** (Nycticorax nycticorax), klein, Rücken schwarz, Flügel aschgrau, Unterseite weiß, und der **Purpur-R.** (Ardea purpurea), etwas kleiner als der Fisch-R., mit kastanienbrauner Brust und schwarzem Unterkörper.

Reiherschnabel (Erodium), Gattung der Storchschnabelgewächse; meist Kräuter mit gezähnten, gelappten, fiederspaltigen bis gefiederten Blättern und regelmäßigen Blüten. Der rotviolett oder rosafarben blühende **Gemeine R.** (**Schierlings-R.,** Erodium cicutarium) wächst häufig an Wegen und auf Sandäckern.

Reim, Gleichklang des Auslautes mehrerer Wörter (z.B. Leben/schweben), bes. in der Versdichtung (Endreim).

Reim

Das raffinierte Tier tats um des Reimes willen

Dies ist die letzte Zeile eines zu den »Galgenliedern« gehörenden kleinen Nonsensgedichts von Christian Morgenstern, der besonders durch seine witzigen, oft skurrilen sprachlichen Grotesken bekannt und beliebt geworden ist. Das Zitat dient meist dazu, jemandes Handlungsweise, die man nicht nachvollziehen, nicht verstehen kann oder will, zu kommentieren, oder auch einfach dazu, sich eine Antwort zu ersparen. Das Gedicht »Das ästhetische Wiesel« lautet im Ganzen:

Ein Wiesel saß auf einem Kiesel
inmitten Bachgeriesel.
Wisst ihr weshalb?
Das Mondkalb veriet es mir
im Stillen:
Das raffinierte Tier tats um
des Reimes willen.

Aribert Reimann

Brigitte Reimann

Das Wort R. bezeichnete urspr. den einzelnen Vers (so noch in: »Kinder-R.«, »Kehr-R.«), seit Mitte des 18. Jh. den End-R. Der (End-)R. ist auf synagogale jüd. Gebetsformen des 1. Jh. n. Chr zurückzuführen. In Dtl. erschien der (End-)R., von der lat. und mittellat. kirchlichen Hymnendichtung herkommend, im Zusammenhang mit der Christianisierung, die mit der Beseitigung des (bes. altgerman.) Stabreims zugleich die vorchristl. poetischen Gehalte treffen wollte; das erste größere dt. R.-Werk ist Otfrid von Weißenburgs »Evangelienharmonie« (um 870). Die dt. R.-Kunst erreichte Höhepunkte im →Minnesang, im Barock, in der Lyrik Goethes und in der Romantik. Daneben wird seit dem 18. Jh. aber auch reimlose Lyrik nach antikem Vorbild gepflegt (→Ode, →Hymne, →freie Rhythmen). In den roman. Ländern ist der Verzicht auf den R. weitaus seltener, da dort wegen der verhältnismäßig großen Taktfreiheit des Versinnern der R. die erhöhte Aufgabe hat, als Klangfigur den Vers für den Hörer vernehmbar zu machen.

📖 WAGENKNECHT, C.: *Dt. Metrik. Eine histor. Einführung.* München ³1993. – BREUER, D.: *Dt. Metrik u. Versgeschichte.* München ³1994.

Reimann, 1) Aribert, Komponist und Pianist, *Berlin 4. 3. 1936. Seine Werke zeigen expressive Haltung bei modernster Tonsprache; schrieb Opern: Ein »Traumspiel« (1965); »Melusine« (1971); »Lear« (1978); »Troades« (1986); »Das Schloß« (1992); Orchesterwerke, Kammermusik, Ballette, Klavier- und Orgel- sowie Vokalwerke.

2) Brigitte, Schriftstellerin, *Burg bei Magdeburg 21. 7. 1933, †Berlin (Ost) 20. 2. 1973; Lehrerin, wurde bekannt mit der Erzählung »Ankunft im Alltag« (1961); ihr Hauptwerk, der Roman »Franziska Linkerhand« (1974), blieb Fragment.

3) Hans, Schriftsteller, *Leipzig 18. 11. 1889, †Schmalenbeck (heute zu Großhansdorf, Kr. Stormarn) 13. 6. 1969; 1924–29 Hg. der satir. Zeitschrift »Das Stachelschwein«, seit 1952 der Zeitschrift »Literazzia«; schrieb Grotesken, Parodien, Satiren.

4) Max, Politiker, *Elbing (heute Elbląg) 31. 10. 1898, †Düsseldorf 18. 1. 1977; ab 1948 Vors. der

Reim (Auswahl)

I. Reim nennt man den Gleichklang einer oder mehrerer Silben (vom letzten betonten Vokal an) bei verschiedenem Silbenanlaut, z. B. *Jahren* : *Gefahren.* Nach der Zahl der gereimten Silben und Wörter unterscheidet man:

1) einsilbige, stumpfe oder männliche Reime: *Jahr* : *Gefahr, Mut* : *Blut,*

2) zweisilbige, klingende oder weibliche Reime: *Jahren* : *Gefahren, Leben* : *Reben,*

3) dreisilbige, gleitende Reime: *lebende* : *strebende, klingende* : *springende,*

4) reiche Reime, Doppelreime: *dort war* : *fort war, mein Weg* : *dein Steg,*

5) rührende Reime, deren reimende Wörter völlig gleich sind, meist aber verschiedene Bedeutung haben: *erweisen* : *weisen.*

Beim deutschen Reim dürfen im Auslaut einfaches b, d, g auf einfaches p, t, k reimen. Unrein nennt man Reime, bei denen ungerundete Vokale auf gerundete oder umgekehrt reimen: *siegen* : *lügen; Freuden* : *Zeiten.* Sie werden mundartliche Reime genannt, wenn sie nach der Mundart des Dichters nicht unrein sind. Ebenso können verschiedene Konsonanten oder verschiedene Länge der Vokale unreine oder mundartliche Reime ergeben: *Schwung* : *Trunk* klingt für den Norddeutschen rein, für den Süddeutschen unrein, ebenso *an* (norddt.: kurz, süddt.: lang) : *Mann.* Aber *Mann* : *getan* ist immer unrein.

Nach der Stellung im Vers unterscheidet man **End-** und **Binnenreime (Innenreime).** Die Endreime sind die weitaus häufigsten. Beim Binnenreim reimen zwei Wörter innerhalb einer Verszeile aufeinander:

Schnaube, Winterwind, *entlaube*
Nur die Zierden dieser *Flur.*

(Folgen die reimenden Wörter unmittelbar aufeinander, so nennt man dies einen **Schlagreim:** *singen, springen soll die Jugend.*) Zwei reimende Verszeilen nennt man **Reimpaare** oder **paarige Reime:** aa (folgen weitere solche Paare, so spricht man von fortgereihten Reimen: aa bb cc usw.).

Nach der Anordnung der Reime in der Strophe unterscheidet man:

gekreuzte Reime (Kreuzreim): ab ab cd cd ef ef usw. Verse ohne Reim innerhalb einer Strophe heißen **Waisen.** Ist die Reimordnung so angeordnet: abba cddc usw., so hat man **überschlagende** oder **umschlungene Reime.** In einer Strophe können gekreuzte und gepaarte Reime zusammen vorkommen: ab ab cc; ebenso gekreuzte und überschlagende: ab ab cd cd effe (Schillers »Lied an die Freude«). Daneben gibt es noch zahlreiche andere Reimanordnungen. Der **Ghaselreim** (aus dem Persischen) wiederholt nach dem eigentlichen Reimwort immer dasselbe Wort: *heut ein Lied* : *streut ein Lied* : *erneut ein Lied.*

II. Der **Schüttelreim** ist ein Scherzreim, der die anlautenden Konsonanten reimender Silben oder Wörter vertauscht: *Wenn der Wind in Wipfeln geht, Trost dir von den Gipfeln weht.*

III. Der **Anklang (Assonanz)** ist eine Art unvollständiger Reim insofern, als nur die Vokale der Reimsilben reimen: *wachen* : *gaben, kehren* : *Segen.* Er kam in der althochdeutschen Dichtung vor und wurde erneut von den Dichtern der Romantik im Anschluss an spanische Vorbilder verwendet.

IV. Der **Stabreim (Anlautreim, Alliteration)** verlangt Gleichheit des Anlauts mehrerer betonter Silben, im strengen germanischen Stabreim über mehrere Verszeilen verteilt, oft gekreuzt: *sei ohne Sorge, zu sühnen den Freund ist lohnender jedem als langer Jammer.* Die einzelnen Reimwörter nennt man Reimstäbe. – Im alten deutschen Stabreim sind alle Vokale untereinander reimfähig, also a auf e, i usw.

V. Reimprosa: Prosa, die mit Reimen durchsetzt ist (→Makame).

Reims: Die Westfassade der gotischen Kathedrale Notre-Dame (1211 bis um 1300) gliedert sich in die Portalzone mit zahlreichen figürlichen Skulpturen, in die Mittelzone mit Fensterrose und in das Abschlussgeschoss mit einer Galerie von Statuen, darunter Ausschnitt einer Skulptur (Engel der Verkündigung) aus dem mittleren Portal der Westfassade

KPD, 1948/49 Mitgl. des Parlamentar. Rates, 1949–53 MdB; lebte 1954–69 in der DDR; ab 1971 Ehrenvors. der DKP.

Hans Reimann

Reimarus, Hermann Samuel, Theologe und Philosoph, *Hamburg 22. 12. 1694, †ebd. 1. 3. 1768; ab 1728 Prof. für oriental. Sprachen am Akadem. Gymnasium in Hamburg und lehrte hebr. Philologie und Philosophie; vertrat eine auf Vernunft gegründete natürl. Religion (→Deismus) und zeichnete sich durch eine radikale Bibel- und Kirchenkritik aus. In seinem Hauptwerk »Apologie oder Schutzschrift für die wahren Verehrer Gottes« (vor 1747; 1774–78 in Auszügen von G. E. Lessing veröffentlicht: »Wolfenbütteler Fragmente«), deutete er die Auferstehungsberichte des N. T. als zweckgerichtete »Lüge« der Jünger Jesu. Seine Evangelienkritik steht am Anfang der →Leben-Jesu-Forschung.

🕮 Stemmer, P.: *Weissagung u. Kritik. Eine Studie zur Hermeneutik bei H. S. R. Göttingen 1983.*

Reimbrechung, der mhd. erzählenden Dichtung eigene Stilform, bei der in zwei durch Reim zu einem Reimpaar gebundenen Versen der erste Vers zum Satz der vorangehenden, der zweite zu dem der folgenden Zeile gezogen wird. Metrische Grenzen und Satzgrenzen fallen nicht zusammen (→Enjambement).

Re|implantation [lat.], die →Replantation.

Reims
Stadtwappen

Reims [rẽs], Stadt im Dép. Marne, Frankreich, Hptst. der Region Champagne-Ardenne, in der Champagne, 185 000 Ew.; Erzbischofssitz; Univ., Konservatorium, Kunsthochschule, Museen; Textil-, Metall-, Elektro-, Luftfahrt-, Fahrzeug- u. a. Industrie; mit Épernay Zentrum der Champagnererzeugung. – Hochgot. Kathedrale Notre-Dame (1211 bis etwa 1300; prachtvolle W-Fassade, Glasfenster z. T. von M. Chagall), Kloster Saint-Rémi (Abteikirche 1005 ff.), Palais du Tau (16. Jh., Doppelkapelle um 1230, alle UNESCO-Weltkulturerbe). – R., das gall. **Durocortorum,** die röm. **Civitas Remorum,** Hauptort der belg. Remer, wurde die Hptst. der röm. Provinz Gallia Belgica, später neben Metz die Residenz der Könige von Austrasien. Der Erzbischof erlangte 1179 das alleinige Recht, den König von Frankreich zu krönen. 1429 führte Jeanne d' Arc den Dauphin nach R., um ihn dort als Karl VII. von Frankreich krönen zu lassen. (→Hundertjähriger Krieg)

Rein, 1) Heinz, Schriftsteller, *Berlin 9. 3. 1906; war Bankkaufmann, dann Journalist und freier Schriftsteller; nach 1933 Schreibverbot und Inhaftierung. R. wurde v. a. durch seinen realist. Kriegsroman »Finale Berlin« (1947) bekannt.

Weitere Werke: Berlin 1932 (1946); In einer Winternacht Berlin, März 1947 (1952); Zwei Trümpfe in einer Hinterhand. 16 Kriminalstories (1988).

Hermann Samuel Reimarus
(Ausschnitt eines Kupferstichs, um 1740)

2) Johannes Justus, Geograph, *Raunheim 27. 1. 1835, †Bonn 23. 1. 1918; bereiste im Auftrag der preuß. Reg. 1873–75 Japan zum Studium von Industrie und Handel; ab 1876 Prof. in Marburg, ab 1883 in Bonn.

3) Walter, Komponist, *Stotternheim (bei Erfurt) 10. 12. 1893, †Berlin 18. 6. 1955; war Chorleiter und Hochschuldozent, zuletzt 1935–45 an der Akademie für Kirchen- und Schulmusik in Berlin; einer der führenden Vertreter der Jugendmusikbewegung. R. komponierte v. a. Chorwerke,

Lieder, Spiel- und Bläsermusiken sowie Klavierwerke.

4) Wilhelm, Pädagoge, *Eisenach 10. 8. 1847, †Jena 19. 2. 1929; einer der wichtigsten Anhänger J. F. Herbarts; setzte sich für eine sechsjährige Einheitsschule und Erwachsenenbildung ein.

Wilhelm Rein

Reinach [rɛ'nak], Salomon, frz. Archäologe, Kunsthistoriker und Religionswissenschaftler, *Saint-Germain-en-Laye 29. 8. 1858, †Paris 4. 11. 1932; war als Archäologe v. a. in Tunesien und am Bosporus tätig und wurde 1901/02 Direktor des archäolog. Museums von Saint-Germain-en-Laye und Prof. an der École du Louvre in Paris; publizierte u. a. mehrbändige Sammelwerke (»Répertoire des vases peints grecs et étrusques«, 2 Tle., 1899–1900; »Répertoire de la statuaire grecque et romaine«, 5 Tle., 1897–1910); befasste sich bes. mit antiker Mythologie, Kunst und Religion.

Reinbek, Stadt im Kreis Stormarn, Schlesw.-Holst., im SO von Hamburg, 24 600 Ew.; Inst. für Ökonomie der Bundesforschungsanstalt für Forst- und Holzwirtschaft; Verlage, Herstellung von Spirituosen, Maschinen- und Gerätebau. – Renaissanceschloss (um 1570).

Reinbot von Durne, mittelhochdt. Dichter des 13. Jh. aus Bayern; schrieb für Herzog Otto II. von Bayern und dessen Frau den Legendenroman »Der hl. Georg« (6 134 Verse), wobei er den Legendenstoff – noch ohne den Drachenkampf – stark im Stil ritterlich-höf. Epik bearbeitete.

Reinecke, Carl Heinrich Carsten, Pianist, Komponist, Dirigent, *Altona (heute zu Hamburg) 23. 6. 1824, †Leipzig 10. 3. 1910; ebd. 1860–95 Kapellmeister am Gewandhaus; stand als Komponist unter dem Einfluss von F. Mendelssohn Bartholdy und R. Schumann (Sinfonien, Kammermusik, Instrumentalkonzerte, Opern, Chorwerke, Lieder).

Carl Reinecke
(Stahlstich, um 1860)

Reinecke Fuchs (Reineke Fuchs), Hauptgestalt satir. Tierdichtungen, die auf die alte Fabel vom Kampf zw. Wolf und Fuchs (Isegrim und Reinart) zurückgehen; literar. Bearbeitungen: u. a. der altfrz. »Roman de Renart« (zw. 1175 und 1250), der mhd. Versroman »Reinhart Fuchs« (→Heinrich der Glichesaere); in der niederländ. Literatur als »Reinaert« vom 13. bis 15. Jh. mehrfach bearbeitet bzw. erweitert; die populärste Fassung ist »Reynke de Vos« (gedruckt 1498).

Reineclaude [rɛːnə'kloːdə, frz.] *die* (Reneklode), *Botanik:* Unterart des →Pflaumenbaums.

Rein|elemente (anisotope Elemente), Bez. für →chemische Elemente, die in der Natur nur mit einem einzigen Nuklid vertreten sind, also nicht aus mehreren Isotopen bestehen. R. sind z. B. Beryllium, Fluor, Natrium, Aluminium und Phosphor.

Reiner, 1) Fritz, amerikan. Dirigent ungar. Herkunft, *Budapest 19. 12. 1888, †New York 15. 11. 1963; war nach Stationen u. a. in Budapest, Dresden, Cincinnati (1922–31), Pittsburgh (1938–48) und New York (1949–53 Chefdirigent an der Metropolitan Opera), 1953–63 Chefdirigent des Chicago Symphony Orchestra. Schwerpunkte seines Repertoires waren das Schaffen von R. Wagner und R. Strauß.

Reinecke Fuchs: Seite aus der 1498 gedruckten mittelniederdeutschen Fassung des Versepos »Reynke de Vos«, die auf der Grundlage der von Hinrek van Alkmar um 1480 bearbeiteten Fassung des »Reinaert« entstanden ist (Wolfenbüttel, Herzog August Bibliothek)

2) Hans, Philosoph, *Waldkirch 19. 11. 1896, †Freiburg im Breisgau 4. 9. 1991; Schüler E. Husserls, wurde 1939 Prof. in Halle/Saale, 1947 in Freiburg im Breisgau. R. entwarf ein neues System phänomenolog. Wertethik, das (ausgehend von der Unterscheidung nur subjektiv- und objektiv-bedeutsamer Werte) das sittlich Richtige und Falsche vom Guten und Bösen abhebt.

Werke: Pflicht u. Neigung. Die Grundlagen der Sittlichkeit ... (1951); Grundlagen, Grundsätze u. Einzelnormen des Naturrechts (1964); Die philosoph. Ethik. Ihre Fragen u. Lehren in Geschichte und Gegenwart (1964).

3) Imre, Maler, Buchgrafiker und Schriftkünstler, *Werschetz (heute Vršac) 18. 8. 1900, †Ruvigliana (Gem. Castagnola) 22. 8. 1978; arbeitete in den USA, England und Frankreich; lebte ab 1931 in der Schweiz; befreundet mit P. Klee und O. Schlemmer. Neben zahlreichen vorwiegend ornamentalen Buchillustrationen, Zeichnungen und Aquarellen schuf er versch. Druckschriften, z. B.

Corvinus (1932), Symphonie (1948), R. Script (1952).

4) Wenzel Lorenz (auch Václav Vavřinec R.), böhm. Maler, getauft Prag 8. 8. 1689, †ebd. 11. 10. 1743. Sein Werk (Fresken, Altarbilder, Porträts und Landschaften) war von der Helldunkelmalerei in der Nachfolge Caravaggios und von dem Kolorismus nach dem Vorbild venezian. Maler geprägt. Bedeutend sind v.a. seine Wandmalereien (u.a. in der Johann-Nepomuk-Kirche auf dem Hradschin in Prag, 1727) und Landschaftsdarstellungen (»Felslandschaft mit Zigeunerlager«, vor 1740; Hannover, Niedersächs. Landesgalerie).

Rein|ertrag, →Reingewinn.

Reinerz, Bad, Stadt in Polen, →Duszniki Zdrój.

Reines [reɪnz], Frederick, amerikan. Physiker, *Paterson (N.J.) 16. 3. 1918, †Orange (Calif.) 26. 8. 1998; bed. Arbeiten zur Physik der Leptonen. 1956 wies er mithilfe des inversen β-Zerfalls die Existenz des Neutrinos nach und erhielt dafür zus. mit M. Perl 1995 den Nobelpreis für Physik.

Frederick Reines

Reingewinn (Reinertrag), das positive Ergebnis eines Geschäftsjahres; Summe aller Erträge abzüglich der Summe aller Aufwendungen (im Unterschied zum Rohertrag); bei Kapitalgesellschaften der Jahresüberschuss in der Gewinn-und-Verlust-Rechnung. Das negative Geschäftsergebnis wird als Reinverlust bezeichnet.

Reinhardswald, bewaldete Buntsandsteinhochfläche zw. Weser, Fulda, Diemel und Esse, von Basaltkuppen (Staufenberg, Gahrenberg, beide 472 m ü.M.) überragt; Naturschutzgebiet bei der Ruine **Sababurg** (14. Jahrhundert).

Ad Reinhardt: »Yellow Abstraction« (undatiert; Privatbesitz)

Reinhardt, 1) [-ha:t], Ad, amerikan. Maler, *Buffalo (N.Y.) 24. 12. 1913, †New York 30. 8. 1967; entwickelte einen durch räumlich verschränkte Rechtecke bestimmten Bildstil bei zunehmender Farbreduktion. Den Höhepunkt bildet sein Spätwerk, das fast nur aus schwarz abgetönten Nuancen besteht, die erst nach längerer Betrachtung eine dynam. Raumstruktur erkennen lassen; Wegbereiter der →Minimalart.

2) Django, eigtl. Jean Baptiste R., frz. Jazzgitarrist und Komponist, *Liberchies (Belgien) 23. 1. 1910, †Fontainebleau 16. 5. 1953; Angehöriger der Roma; einer der wenigen europ. Jazzmusiker, die auch in den USA stilbildende Einflüsse ausübten.

Django Reinhardt

3) Max, eigtl. M. Goldmann, österr. Schauspieler, Regisseur, Theaterleiter, *Baden (bei Wien) 9. 9. 1873, †New York 31. 10. 1943; zunächst Charakterdarsteller bei O. Brahm, 1901 Mitbegründer des Künstlerkabaretts »Schall und Rauch«, führte als Direktor des Dt. Theaters (1905–20; 1924–33) und der Kammerspiele Berlin eine Theaterreform durch: Er überwand die enge Gegenständlichkeit des naturalist. Spielraums zugunsten eines impressionistisch-mag. Raums, wobei er die neuzeitl. Bühnen- und Beleuchtungstechnik auswertete. Seit 1920 wirkte er für die Salzburger Festspiele (»Jedermann«, 1920, auf dem Domplatz), seit 1924 auch am Wiener Theater in der Josefstadt, wo er die höchste Intensität seiner Klassikeraufführungen erreichte. 1933 ging R. nach Österreich, 1937 emigrierte er in die USA (ab 1940 amerikan. Staatsbürger); seit 1935 ⚭ mit Helene Thimig.

Max Reinhardt

Reinhart, 1) [-ha:t], Carole Dawn, amerikan. Trompeterin, *New York 20. 12. 1951. Ihr Repertoire reicht von Werken der Barockzeit bis zur Moderne.

Carole D. Reinhart

2) Johann Christian, Maler, Zeichner, Radierer, *Hof 24. 1. 1761, †Rom 9. 6. 1847; Schüler von A. F. Oeser, Freundschaft mit F. Schiller ab 1785; 1787–89 tätig in Meiningen und seit 1789 in Rom, wo er, von J. A. Koch beeinflusst, klassisch-heroische Landschaften malte; auch Kunstschriftsteller. BILDER S. 378

Reinheit, 1) *Chemie:* Bez. für die Beschaffenheit von Substanzen bezüglich des Gehaltes an Fremdsubstanzen. Als **R.-Grade** werden unterschieden: roh, technisch rein, reinst, chemisch rein (analysenrein, pro analysi, Abk. p.a.) und spektralrein. **Reinststoffe** (unter 10^{-8}% oder 10^{-4} ppm Fremdstoffe) sind wichtig als Reaktorwerkstoffe und in der Halbleitertechnologie.

2) *Religionsgeschichte:* (kultische R.) in vielen Religionen die Voraussetzung für die Kontaktaufnahme mit dem Göttlichen, das Betreten hl. Stätten und die Teilnahme an kult. (gottesdienstl.) Handlungen; durch spezielle **R.-Vorschriften** (z.B. rituelle Waschungen, Speisevorschriften, Enthaltsamkeit) geregelt. Asket. Leben gilt als rein; kultisch unrein macht der Kontakt mit Schmutz, Blut, Toten, bestimmten Tieren, nicht zur eigenen Kultgemeinschaft gehörenden Menschen oder Tieren u.a. Höher entwickelte Religio-

Johann Christian Reinhart: Villa Doria Pamphili (1832; Essen, Museum Folkwang), daneben »Schiller in Karlsbad«, Zeichnung (1791)

nen verinnerlichen den Reinheitsbegriff. R. wird dann v.a. als seel. R. begriffen.

Reinheitsgebote, dt. Rechtsvorschriften hinsichtlich der Zusammensetzung von Lebensmitteln (z.B. Fleisch, Milch, Bier) oder Lebensmittelgruppen (z.B. Puddingpulver und verwandte Erzeugnisse). Nach in den letzten Jahren vom Europ. Gerichtshof ergangenen Urteilen ist es möglich, Erzeugnisse zu importieren, die nicht den nat. Vorschriften entsprechen. Die R. gelten jedoch weiter für dt. Hersteller. – Ein **R. für Bier** (untergäriges Bier darf nur aus Gerstenmalz, Hopfen und Wasser hergestellt werden) wurde schon 1516 für Bayern erlassen und ist heute noch im Biersteuergesetz enthalten.

Reinickendorf, Bezirk von Berlin mit dem Großflughafen Tegel.

Christa Reinig

Reinig, Christa, Schriftstellerin, *Berlin 6. 8. 1926; siedelte 1964 in die Bundesrep. Dtl. über; schreibt balladeske Lyrik (»Gesammelte Gedichte: 1960–79«, 1985). Ihre Sprache ist provokant, sarkastisch beißend und skurril; neben Romanen (»Entmannung«, 1976; »Die Frau im Brunnen« 1984) Erzählungen und Hörspiele.

Reiniger, Lotte, Filmkünstlerin, *Berlin 2. 6. 1899, †Dettenhausen (Kr. Tübingen) 19. 6. 1981; ab 1918 beim Film. Inspiriert durch das chin. Schattenrisstheater fertigte sie »Silhouettenfilme« mit scherenschnittartigen Figuren mit bewegl. Gliedern vor einem Scherenschnitthintergrund an; meist wählte sie poesievolle Märchenstoffe, u.a. »Die Abenteuer des Prinzen Achmed« (1923–26); auch Musikfilme; Zusammenarbeit mit J. Renoir. 1950 übersiedelte sie nach England, wo sie viel für das Fernsehen arbeitete; verfasste »Shadow theatres and shadow films« (1970).

Reinigung, *Technik:* die Entfernung von Schmutzteilchen, Nebenprodukten u.a.; Gase können z.B. durch Auswaschen oder Adsorption gereinigt werden (Gas-R., Abgas-R., Rauchgas-R.); Textilien durch →chemische Reinigung.

Re|inkarnation [lat.], →Seelenwanderung.

Reinken, Johann Adam (Jan Adams), Organist und Komponist, *Wildeshausen 26. 4. 1623, †Hamburg 24. 11. 1722; gehört zu den großen norddt. Orgelmeistern des Hochbarock.

Reinkens, Joseph Hubert, altkath. Bischof, *Burtscheid (heute zu Aachen) 1. 3. 1821, †Bonn 4. 1. 1896; seit 1853 Prof. für Kirchengeschichte in Breslau. R. gehörte zu den führenden Gegnern des Unfehlbarkeitsdogmas von 1870, wurde suspendiert, später exkommuniziert und war maßgeblich am Aufbau der altkath. Kirche (→Altkatholiken) beteiligt. 1873 wurde er von einer Versammlung altkath. Priester und Laien zum Bischof gewählt und erhielt vom jansenist. Erzbischof von Utrecht (Utrechter Kirche) und damit unter Wahrung der apostol. Sukzession die Bischofsweihe.

Reinkultur, 1) *Landwirtschaft:* (Reinanbau) der Anbau einer einzigen Nutzpflanzenart auf einer bestimmten Anbaufläche im Rahmen einer Fruchtfolge oder einer Monokultur.

2) *Mikrobiologie:* eine auf oder in einem Nährboden gezüchtete Bakterienkultur oder Kultur von Pilzen, einzelligen Algen und Protozoen, die auf ein Individuum oder sehr wenige Individuen einer Art oder eines Stamms zurückgeht.

Reinmar von Hagenau (Reinmar der Alte), Minnesänger, †vor 1210; lebte am Hof Leopolds VI. in Wien. Seine reflexiven, jede Leidenschaft meidenden, formal vollendeten Lieder verkörpern am reinsten den Begriff der »hohen

Minne«. Walther von der Vogelweide parodierte R. v. H.s Dichtung und maß sich mit ihm in literar. Fehden.

Reinmar von Zweter, mhd. Spruchdichter, † vor 1260; stammte vom Rhein, führte ein ruheloses Wanderleben; seine Sprüche entstammen der Zeit zw. 1225 und 1250; gilt als bedeutendster politischer Lyriker des 13. Jh. nach Walther von der Vogelweide.

Reinvermögen, das in der Handelsbilanz ausgewiesene Eigenkapital als Differenz zw. Vermögen (Aktiva) und Fremdkapital **(bilanzielles R.);** steuerrechtlich beim Betriebsvermögensvergleich die Differenz zw. dem Betriebsvermögen zu Beginn und am Ende des Wirtschaftsjahres.

Reis: erntereife Rispen einer Bergreissorte

Re|investition, →Investition.

Reis (Oryza), Gattung der Süßgräser mit rd. 20 Arten in allen wärmeren Ländern. Die wirtschaftlich bedeutendste und bekannteste Art ist **Oryza sativa,** eine bis 1,50 m hohe, einjährige Pflanze mit langen, breiten Blättern und bis 30 cm langer Rispe aus einblütigen Ährchen, Letztere mit großen kahnförmigen, harten Deckspelzen **(R.-Schalen).** Die Früchte sind Karyopsen (Nussfrüchte), deren miteinander verwachsene Frucht- und Samenschale zus. mit der Aleuronschicht das weiß bis violett gefärbte **Silberhäutchen** bilden. – Neben Mais und Sorghumhirse ist R. die wichtigste Getreidepflanze der Tropen und z. T. auch der Subtropen; für mehr als die Hälfte der Menschen ist er (obwohl nicht backfähig) das Hauptnahrungsmittel. Die wirtschaftlich wichtigsten Formen sind der mit künstl. Bewässerung im Terrassenfeldbau oder mit natürl. Überstauung (Ausnutzung des Monsunregens) in den Niederungen angepflanzte **Sumpf-R. (Wasser-R.)** sowie die anspruchslosen Sorten des **Berg-R. (Trocken-R.),** die bis in Höhen von 2000 m ü. M. angebaut werden und nur Regenwasser benötigen.

Vom Einsetzen der Gelbreife an wird der R. geerntet. Zur weiteren Verarbeitung kommt der gedroschene R. in R.-Mühlen, wo für den Handel die Spelzen entfernt werden **(geschälter R.).** In den Verbrauchsländern wird der R. in Spezialmühlen geschliffen (Entfernen des Silberhäutchens), poliert oder gebürstet (geglättet). Die anfallenden äußeren Schichten sind als **R.-Kleie** ein nahrhaftes Futtermittel. Mit der Entfernung des Silberhäutchens verliert der R. Eiweiß und Fett sowie wichtige Vitamine, v. a. Vitamin B_1. Eine einseitige Ernährung mit poliertem R. führt zu →Beriberi. Ernährungsphysiologisch wertvoller sind daher der **Natur-R.** (Braun-R.), bei dem das Silberhäutchen erhalten bleibt, und der **Parboiled-R.** (halbgekochter R.), der vor dem Schleif- und Polierprozess mit warmem Wasser vorbehandelt wird, um einen Teil der Vitamine aus den äußeren Schichten des Korns in das Innere zu bringen. Aus R.-Abfällen (z. B. Bruch-R.) wird u. a. **R.-Stärke** gewonnen, die in der Lebensmittel-, Textil- und Kosmetikindustrie verarbeitet wird. Weiterhin werden aus R. alkohol. Getränke wie Arrak und R.-Wein hergestellt. – Welternte (1994): 534,7 Mio. t, davon China 178,3 Mio. t, Indien 118,4 Mio. t, Bangladesh 27,5 Mio. t und Vietnam 22,5 Mio. t.

Geschichte: Der vermutlich im trop. S-Asien heim. R. wurde schon im 4. Jt. v. Chr. in Thailand und im 3. Jt. v. Chr. in S-China in Monokultur angebaut. Im frühen 1. Jt. v. Chr. gelangten Kenntnisse des R.-Anbaus von Indien über Persien zum Zweistromland, von wo ihn die Griechen während des Alexanderzugs (4. Jh. v. Chr.) übernahmen. Die Araber verbreiteten den R.-Anbau im 8. Jh. von Syrien nach Ägypten, N-Afrika, Sizilien und Spanien, von wo er im 16. Jh. in Italien und S-Frankreich bekannt wurde.

Johann Philipp Reis

Reis, Johann Philipp, Physiker, * Gelnhausen 7. 1. 1834, † Friedrichsdorf 14. 1. 1874; Autodidakt;

Reis: Anbau und Erzeugung der Hauptproduzentenländer

Land	Fläche in 1 000 ha			Ernte in Mio. t		
	1990	1994	1995	1990	1994	1995
China	32 890	30 373	31 109	188,4	178,3	187,2
Indien	41 800	42 034	42 500	112,5	118,4	122,4
Bangladesch	10 600	9 850	9 950	28,1	27,5	24,7
Vietnam	5 900	6 500	6 600	18,4	22,5	24,0
Japan	2 074	2 212	2 100	13,1	15,0	12,6
Brasilien	3 944	4 446	4 381	7,4	10,6	11,2
Philippinen	3 319	3 350	4 145	9,3	7,7	11,0
USA	1 138	1 336	1 257	7,0	9,0	7,9
Welt	145 776	146 452	149 151	518,5	534,7	550,2

konstruierte 1861 das erste Gerät zur Übertragung von Tönen durch elektromagnet. Wellen.

Re'is [re'is], Piri, türk. Kartograph und Admiral, *1470, †1554; fertigte 1513 nach abendländ. Quellen (u.a. C. Kolumbus, C. Ptolemäus) eine Weltkarte auf Kamelleder an. Auf dem erhaltenen Kartenfragment sind Südamerika und die anschließende Antarktis mit einer überraschend genauen (nach damaliger Kenntnis eigentlich nicht möglichen) Lagetreue dargestellt.

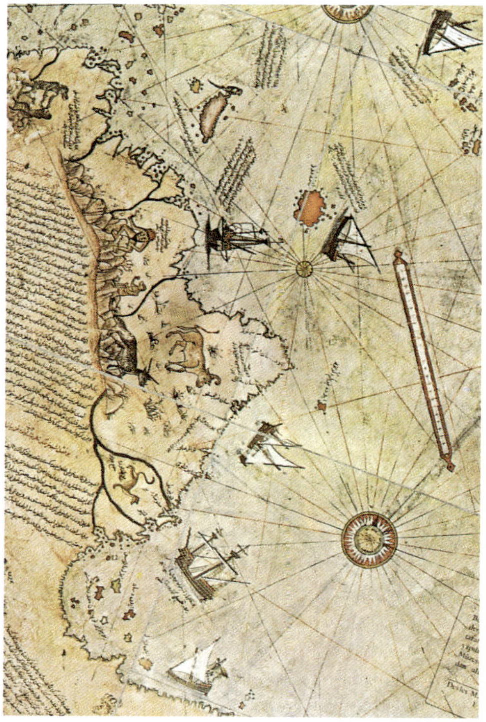

Piri Re'is: Ausschnitt seiner Weltkarte mit dem östlichen Südamerika (1513; Istanbul, Museum im Topkapı-Serail)

Reisebüro, Dienstleistungsunternehmen, das Privat- und Geschäftsreisenden auf der Grundlage von Vermittlungs- und Agenturverträgen mit Verkehrs- bzw. Fremdenverkehrsbetrieben tourist. Dienste anbietet und Verträge zw. diesen Betrieben und seinen Kunden vermittelt. – Als erste R. im neuzeitl. Sinne gelten Thos. Cook & Son (gegr. Leicester 1845), Rominger (gegr. Stuttgart 1842), Riesel (gegr. Berlin 1854), Stangen (gegr. ebd. 1863) und die American Express Company (gegr. New York 1881).

Reiseführer, Ratgeberliteratur, die Empfehlungen für Reiserouten, Unterkunfts- und Einkehrmöglichkeiten gibt, auf Sehenswürdigkeiten aufmerksam macht und/oder kultur-, kunstgeschichtl. und histor. Daten sowie Entfernungsangaben verzeichnet. Vorformen von R. sind seit der Antike bekannt (Reisebericht des Pausanias, 2. Jh. n. Chr.); die röm. R. nennt man Itinerarien (→Itinerar). Aus dem 15. Jh. sind Pilgerführer bekannt. Die R. heutiger Form entwickelten sich seit dem Beginn des 19. Jh., v.a. die R. von Karl Baedeker. (→Reiseliteratur)

Reisegepäckversicherung, eine Versicherung, die Gegenstände des persönl. Bedarfs sowie erworbene Andenken u.a. gegen Diebstahl, Transportmittelunfall, Sturm, Brand, Explosion, höhere Gewalt versichert. Sie gilt vom Verlassen der Wohnung bis zur Rückkehr. Verschiedene Haftungsbeschränkungen sind üblich.

Reisegewerbe (ambulantes Gewerbe, Hausierhandel), Gewerbe, das außerhalb der Räume einer festen Niederlassung oder ohne eine solche Niederlassung ausgeübt wird, wobei ohne vorherige Bestellung Waren oder gewerbl. Leistungen angeboten, Bestellungen aufgenommen, Waren angekauft oder Schaustellungen, Musikaufführungen u.Ä. dargeboten werden. Die Ausübung erfordert eine **R.-Karte** (§ 55–57, 59–61 GewO i.d.F.v. 1.1.1987).

Reisekosten, Aufwendungen, die bei Dienstreisen entstehen (z.B. Fahrt-, Übernachtungskosten). R. sind Arbeitnehmern aufgrund von Tarifverträgen oder Betriebsvereinbarungen vom Arbeitgeber und Beamten nach dem Bundesreisekosten-Ges. von der Beschäftigungsbehörde zu erstatten. Lohnsteuerfrei sind die aus öffentl. Kassen gezahlten R.-Vergütungen, ebenso – bis auf Ausnahmen – die von privaten Arbeitgebern erstatteten Beträge (§ 3 Einkommensteuergesetz).

Reisekrankheit, →Kinetose.

Reiseliteratur, die Literatur über Reisen und Reiseerfahrungen; seit dem MA. ist sie eng mit der Dichtung verknüpft; anfangs nahm sie wesentl. Elemente der Abenteuergeschichte in sich auf und war durchsetzt mit Fabelelementen. Im christl. Abendland gibt es Schilderungen von Reiseerlebnissen, vermischt mit oriental. Fantastik, im »Ruodlieb«, Spielmannsepos, »Amadisroman«; später folgen die Abenteuerromane, Robinsonaden und die fantast. Reiseromane nach Art von J. Verne. Wirklichkeitsbezogene Reisedarstellungen finden sich seit dem Zeitalter der Kreuzzüge; für das europ. Asienbild wurde der Reisebericht des Venezianers Marco →Polo prägend. Doch erst seit der Renaissance, dem Zeitalter der Entdeckungen, wird die Realität genauer erfasst. Seit dem 18. Jh. besteht die R. der Naturforscher und Expeditionsteilnehmer (G. Forster, A.v. Humboldt, später G. Rohlfs, G. Nachtigal, C. Schweinfurth, D. Livingstone, F. Nansen, S. Hedin, W. Filchner u.a.). Dazu kommen die Berichte der Bildungsreisenden, insbesondere der dt. Italienreisenden (Goethe, F. Gregorovius, V. Hehn), die poetisch-gefühlvollen Reisebücher in der Art von L. Sternes »Yoricks empfindsame Reise …« (1768), die feuilletonist. Reisebilder (so von H. Heine, 1826–31), die philosophisch-kulturpsycholog. Reisebücher (Graf Keyserling, E. Grassi) und die Reisereportagen der modernen Journalisten. Erlebnis und Dichtung verbinden u. a. die Reisebeschreibungen und Romane von C. Sealsfield, F. Gerstäcker, R. Kipling, J. Conrad, W. S. Maugham, E. Schnabel, A. Andersch, R. Hagelstange, W. Koeppen.

📖 WUTHENOW, R.-R.: *Die erfahrene Welt. Europ. R. im Zeitalter der Aufklärung. Frankfurt am Main 1980. – Reisen u. R. im Mittelalter u. in der frühen Neuzeit, hg. v.* X. VON ERTZDORFF *u.* D. NEUKIRCH. *Amsterdam u. a. 1992.*

Reisescheck (Travellerscheck), bargeldloses Zahlungsmittel im internat. Reiseverkehr in Form von Schecks oder scheckähnl. Urkunden, das gegen Diebstahl oder gegen Einlösung durch Unbefugte versichert ist. R. werden auf runde Beträge der international wichtigsten Währungen ausgestellt und können u. a. bei Kreditinstituten, Wechselstellen, Hotels im In- und Ausland eingelöst werden; dabei wiederholt der Aussteller auf dem Scheck die Unterschrift, die er bei der Ausgabe der R. geleistet hat. Die ersten R. wurden 1891 von der American Express Company ausgegeben. Mit Verbreitung der Kredit- und Eurochequekarten haben die R. an Bedeutung verloren.

Reisevertrag, Vertrag zw. dem Reiseveranstalter und dem Reisenden über eine Gesamtheit von Reiseleistungen (z. B. Beförderung und Unterkunft, §§ 651 a bis k BGB). Erbringt der Reiseveranstalter die von ihm angebotenen Leistungen nicht mit den im Reiseprospekt zugesicherten Eigenschaften, sondern mangelhaft, kann der Reisende Abhilfe verlangen oder nach einer angemessenen Frist selbst Abhilfe schaffen und Ersatz seiner erforderl. Aufwendungen fordern. Für die Dauer des Mangels mindert sich der Reisepreis. Neben Minderung und Kündigung stehen dem Reisenden auch Schadensersatzansprüche zu, wenn das Reiseunternehmen die aufgetretenen Reisemängel zu verantworten hat.

Reisfink (Padda oryzivora), etwa 15 cm langer Singvogel (Familie Prachtfinken); auf Java und Bali beheimatet, von dort nach S-Asien und O-Afrika eingebürgert; Oberseite und Brust perlgrau, Bauch gelblich braun, Kopf schwarz mit weißen Wangen und rosafarbenem Schnabel.

Reisige [zu mhd. reise »(Heer)fahrt«], im MA. die schwer bewaffneten, i. d. R. berittenen Krieger.

Reislaufen [zu Reisige], der Eintritt als Söldner in fremden Dienst; in der Schweiz vom 13. bis 18. Jh. üblich, 1859 verboten.

Reißbrett, exakt rechtwinkliges Brett, das als Unterlage zum Herstellen von Zeichnungen dient. Parallele Liniensysteme werden mithilfe der **Reißschiene** (flaches Lineal mit Querleiste) gezeichnet, die entlang der R.-Kanten gleiten kann.

Reißeckgruppe, Gebirgsgruppe der südl. Hohen Tauern in Kärnten, Österreich, zw. Möll-, Lieser- und Maltatal, im Reißeck 2965 m ü. M.; zahlreiche Bergseen, auch der benachbarten Kreuzeckgruppe, die zu Speicherseen für die Reißeck-Kreuzeck-Kraftwerke aufgestaut sind. Von Kolbnitz im Mölltal Zahnradbahn bis 2237 m ü. M., anschließende Höhenbahn bis 2287 m ü. M.

Reißen, *Gewichtheben:* beidarmige Schnellkraftübung, bei der die Hantel in einem Zug vom Boden bis über den Kopf zur Hochstrecke gebracht werden muss.

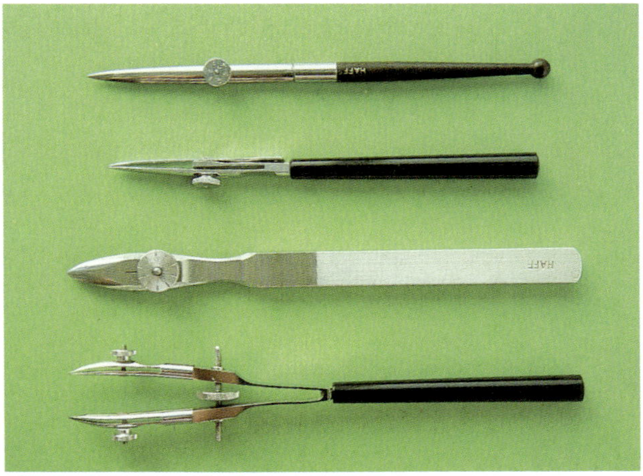

Reißfeder für feine (oben) und starke Linien (zweite von unten), darunter eine Doppelreißfeder für parallele Linien

Reißfeder (Ziehfeder), Zeichengerät zum Ausziehen (Nachziehen) einer Bleistiftzeichnung mit Tusche. Die Tusche befindet sich zwischen zwei Metallbacken, deren Abstand (und damit die Strichbreite) mit einer Stellschraube variiert werden kann. Ein kompletter Satz von R. und Zirkeln wird als **Reißzeug** bezeichnet. R. sind weitgehend von Zeichenstiften verdrängt worden.

Reißlänge, Maß für die Zerreißfestigkeit von Fäden, Seilen u. a.; es ist die Länge, bei der eine frei aufgehängte Probe infolge Eigengewichts reißt.

Reißverschluss, Verschluss, bei der an zwei Bändern befestigte Krampen durch einen Schieber wechselseitig ineinander geschoben werden. Bei Gleitverschlüssen greifen Wendeln ineinander, bei wasserdichten R. (aus Kunststoff) werden keilförmige Nutenpaare ineinander geschoben.

Reißzahn, der vierte obere, vordere Backenzahn (Prämolar) und der erste untere Mahlzahn (Molar) der Raubtiere; dient dem Zertrümmern von Knochen.

Reißzeug, → Reißfeder.

Karel Reisz

Thomas Reiter

Edgar Reitz

Reisz [rɛjs], Karel, tschech. Filmregisseur, *Ostrau 21. 7. 1926; 1938 Flucht nach England; Studium der Naturwissenschaften in Cambridge; Tätigkeit als Filmjournalist; Mitbegründer der gesellschaftskrit. Bewegung des »Free Cinema« (1956). In Hollywood entstanden u. a. »Spieler ohne Skrupel« (1974), »Dreckige Hunde« (1977), »Die Geliebte des frz. Leutnants« (1981).

Reiten (Reitsport), →Pferdesport.

Reiter, Thomas, Luft- und Raumfahrtingenieur, Pilot und Raumfahrer, *Frankfurt am Main 23. 5. 1958; nach Studium der Luft- und Raumfahrttechnik Ausbildung zum Testpiloten und Jagdflieger und ab 1993 zum Astronauten; vom 3. 9. 1995 bis 29. 2. 1996 Teilnahme an der 2. europ.-russ. Mission Euromir '95 (→Mir).

Reiter|abzeichen, →Deutsches Reiterabzeichen.

Reiter Alpe, Hochgebirgsstock der Berchtesgadener und Salzburger Kalkalpen, östlich der Saalach, beiderseits der dt.-österr. Grenze, im Stadelhorn 2286 m ü. M.

Reiter-Krankheit [nach dem Bakteriologen Hans Reiter, *1881, †1969] (Reiter-Syndrom), allerg. Erkrankung nach bakteriellen Infektionen mit Entzündungen der Gelenke, der Bindehaut des Auges und der Harnröhre (Reiter-Trias).

Reiterlein, Stern →Alkor im Großen Bären.

Reiterstandbild, eine in der Antike weit verbreitete Art der Herrscherdarstellung und seither einer der gebräuchlichsten Denkmaltypen. Erhalten ist das R. des Kaisers Mark Aurel auf dem Kapitol in Rom (161–180), das zum Vorbild für das R. des →Gattamelata von Donatello in Padua (1447–53) und für das des →Colleoni in Venedig wurde (1481–88). Im Barock diente das R. dem Repräsentationsanspruch der absolutist. Herrscher, u. a. das Standbild des Großen Kurfürsten in Berlin von A. Schlüter (1697–1700), das R. Peters des Großen von É.-M. Falconet (1782 enthüllt).

Hanna Reitsch wurde 1937 zum ersten weiblichen Flugkapitän ernannt

Reitgras (Calamagrostis), Gattung meist hochwüchsiger Rispengräser, in Mitteleuropa z. B. das **Wald-R.** (Calamagrostis arundinacea) in lichten Laubwäldern und das wurzelreiche, Trockenheit ertragende **Land-R.** (Calamagrostis epigeios) als Forstungsgras.

Reit im Winkl, Gemeinde im Landkreis Traunstein, Bayern, 695 m ü. M., in den Chiemgauer Alpen, 2800 Ew.; Luftkur- und Wintersportort.

Reitsch, Hanna, Fliegerin, *Hirschberg im Riesengebirge (heute Jelenia Góra) 29. 3. 1912, †Frankfurt am Main 24. 8. 1979; Segel- und Motorfliegerin mit zahlr. Weltrekorden; gehörte zu den Pionieren des Hubschrauberflugs; wurde 1937 zum ersten weibl. Flugkapitän ernannt.

Reit- und Fahrturnier, *Pferdesport:* Pferdeleistungsprüfungen mit Reit- und Fahrkonkurrenzen.

Reitz, Edgar, Filmregisseur und Produzent, *Morbach (Landkreis Bernkastel-Wittlich) 1. 11. 1932; begann 1953 mit Kurz- und Experimentalfilmen, drehte dann v. a. Spielfilme (»Mahlzeiten«, 1966; »Reise nach Wien«, 1973); filmkünstlerisch bedeutsam sind seine Filmchroniken »Heimat« (1984) und »Die zweite Heimat – Chronik einer Jugend« (1992); wichtiger Vertreter des »jungen dt. Films«; auch filmwiss. Tätigkeit.

Reiz (Stimulus), Zustandsänderung, die in einem biolog. Objekt eine Erregung auslöst und charakterist. aktive Reaktionen hervorruft. Der R. kann physikal. oder chem. Natur sein und muss, um wirksam zu sein, einen Mindestwert an Intensität und Dauer haben **(R.-Schwelle).** Für die R.-Aufnahme existieren spezielle Strukturen, die Rezeptoren. Sie haben jeweils für eine bestimmte R.-Qualität höchste Empfindlichkeit. Danach werden **adäquate** und **inadäquate R.** unterschieden. So ist Licht bestimmter Wellenlänge der adäquate R. für Photorezeptoren in der Netzhaut des Auges.

Reizbarkeit, Fähigkeit der Organismen, bestimmte Zustandsänderungen (→Reiz) mit Reaktionen zu beantworten.

Reizblase, Überempfindlichkeit der Blase; äußert sich in gehäuftem Harndrang, tritt nach Unterkühlung auf, bes. bei jüngeren Frauen, auch durch hormonale und neurovegetative Störungen.

Reizdarm (Reizkolon), psychisch bedingte Funktionsstörungen des Dickdarms mit Verstopfung oder/und Durchfällen.

Reizker, Pilzgattung, →Milchlinge.

Reizklima, Klima, das starke Reize auf den Organismus ausübt; besteht v. a. im Hochgebirge, an den Küsten der Ozeane und ihrer Nebenmeere (z. B. Nordsee) und im Innern großer Kontinente; gekennzeichnet durch vermehrte UV-Strahlung, kräftigere Winde und größere Schwankungen der meteorolog. Elemente.

Reizkörperbehandlung (Reizkörpertherapie), Bez. für gesundheitsfördernde Verfahren, die Reaktionsweise, Abwehr und gesundheitl. Leistungsfähigkeit des gesamten Organismus auf eine höhere Stufe bringen sollen, z. B. Ernährungs- und Fastenkuren, Erzeugung von Fieber, zahlreiche physikal. und balneolog. Therapien, →Akupunktur und verschiedene naturheilkundl. Verfahren.

Reizleitungssystem, unkorrekte Bez. für das →Erregungsleitungssystem.

Rẹjlander [engl. -lændə], Oscar Gustave, brit. Maler und Fotograf schwed. Herkunft, * in Schweden 1813, † London 18. 1. 1875; wurde mit seinen sorgfältig arrangierten Genreaufnahmen und allegor. Darstellungen (unter Verwendung mehrerer Negative) zum Exponenten der englischen maler. Kompositionsfotografie (Piktoralismus).

Rẹkkared I., westgot. König (586–601) in Spanien, trat 587 vom Arianismus zum Katholizismus über und trug damit zur Annäherung der roman. und german. Bevölkerungsteile seines Reiches bei.

Rekombinatio̱n [lat.], **1)** *Genetik:* die Neukombination der Gene, wodurch bei einem Nachkommen versch. einzelne Eigenschaften der Eltern in einer neuen Konstellation erscheinen. Der einfachste Vorgang einer R. ist die Zufallsverteilung ganzer Chromosomen bzw. Kopplungsgruppen von Genen während der Reduktionsteilung der Meiose. Die eigentliche genet. R. führt dagegen zu einem Genaustausch (→Crossing-over) zw. den Chromosomen. Die In-vitro-R. der DNS ist eine wichtige Methode der Gentechnologie.

2) *Physik:* die Vereinigung von (zuvor getrennten) Teilchen mit entgegengesetzter Ladung, die unter Energiefreisetzung zum Verschwinden freier Ladungsträger führt, z. B. die R. von Ionen und Elektronen in ionisierten Gasen oder von Anionen und Kationen in Elektrolyten; speziell in →Halbleitern die R. von Leitungselektronen und Defektelektronen.

Rekonstruktio̱n [lat.], die Wiederherstellung des ursprüngl. Zustandes untergegangener oder nur in wenigen Teilen erhaltener Kulturdenkmäler. Im Ggs. zur →Restaurierung werden Denkmäler, deren originaler Zustand nicht mehr erkennbar, sondern nur noch erschließbar ist, rekonstruiert. – In der Archäologie stützt man sich bes. auf Ausgrabungsergebnisse, in der Kunstwissenschaft auf literar. Quellen, Urkunden, alte Pläne und Entwurfszeichnungen, Stiche und Fotografien.

Rekonvaleszẹnz [lat.] *die,* die Genesung als Phase des Krankheitsverlaufs.

Rekonziliatio̱n [lat. »Aussöhnung«] *die, kath. Kirchenrecht:* die Wiederversöhnung eines Exkommunizierten mit der Kirche; auch die Wiederheiligung einer geschändeten Kirche.

Rekọrd [von engl. record »Aufzeichnung«] *der, Sport:* unter Einhaltung aller Wettkampfbestimmungen erzielte Höchstleistung in einer Sportart, deren Leistungen messbar sind; der R. muss bei gleichen Bedingungen überall erreichbar sein.

Rekọrder *der* (Recorder), Gerät zur magnet. Aufzeichnung auf Tonbändern (→Magnettonverfahren). Ein →Kassettenrekorder ist ein Tonbandgerät mit einlegbarer genormter Tonbandkassette; ein Radio-R. enthält auch einen Rundfunkempfänger. DAT-Kassetten.-R. dienen zur Wiedergabe von mit **DAT-R.** (Digital-Audio-Tape-Recorder) erfolgten digitalen Tonaufnahmen, wobei das Kassettenformat kleiner ist als das herkömmliche. **DCC-R.** (Digital-Compact-Cassette-Recorder) hingegen arbeiten mit normalem Kassettenformat; Abspielmöglichkeiten sowohl für Ton-

Rekonstruktion: Celsusbibliothek in Ephesos; Zustand nach Beendigung der Ausgrabungen (links) und nach dem 1970–78 erfolgten Wiederaufbau der Fassade bandkassetten als auch für Digital-Kompakt-Kassetten. Ein →Videorekorder speichert Fernsehbild und -ton; zur Wiedergabe dient i.d.R. ein Fernsehempfänger.

Rekristallisation [lat.], *Chemie:* 1) Bez. für die Änderung oder Neuordnung eines bestehenden Kristallgefüges unter mechan. Beanspruchung oder nach Wärmeeinwirkung; 2) Bez. für die Wiederherstellung eines Kristallgefüges nach vorausgegangener Gitterstörung. (→Kristallisation)

Rekrut [frz.] *der,* Soldat in der ersten Ausbildungszeit, der Grundausbildung.

rektal [lat.], *Medizin:* zum Mastdarm (Rektum) gehörend, durch diesen erfolgend.

Rektapapier [lat.] (Namenspapier), ein Wertpapier, das den Berechtigten namentlich nennt, ohne dass eine Übertragung durch Indossament möglich ist, im Unterschied zu Inhaberpapier und Orderpapier. R. eignen sich nicht für den Umlauf. Das Papier gehört demjenigen, dem das verbriefte Recht zusteht. R. sind z.B. Hypothekenbriefe und Grundschuldbriefe.

Rekt|aszension [lat.] *die,* Abk. **AR** (ältere Bez. gerade Aufsteigung), der Winkel auf dem Himmelsäquator, der zw. dem Frühlingspunkt und dem Deklinationskreis eines Sterns liegt, gemessen vom Frühlingspunkt aus nach Osten von 0° bis 360° oder von 0^h bis 24^h (→astronomische Koordinaten).

Rektifikation [lat.] *die,* 1) *Chemie:* Gegenstromdestillation, →Destillation.

2) *Mathematik:* Bestimmung der Bogenlänge einer gekrümmten Kurve.

Rektion [lat.] *die, Sprachwiss.:* Abhängigkeitsverhältnis, wodurch der Kasus eines syntaktisch abhängigen Wortes durch ein übergeordnetes Wort festgelegt wird, z.B. »regiert« die Präposition »mit« im Dt. den Dativ (»mit dem Messer«).

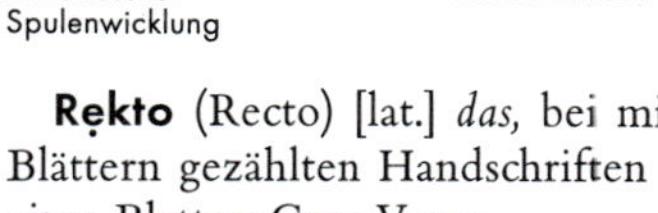

Relais 1)

Rekto (Recto) [lat.] *das,* bei mittelalterl., nach Blättern gezählten Handschriften die Vorderseite eines Blattes; Ggs.: Verso.

Rektor [lat.] *der,* 1) *Hochschulwesen:* (Rector magnificus) an Hochschulen mit Rektoratsverfassung (im Unterschied zur Präsidialverfassung) der Leiter der Selbstverwaltung; früher vom Senat aus den Reihen der Lehrstuhlinhaber für zwei Jahre gewählt, nach dem Hochschulrahmengesetz des Bundes von 1972 auf mindestens fünf Jahre von einem zentralen Kollegialorgan der Hochschule gewählt; ein Lehramt ist nicht Bedingung. R. und Hochschulpräs. haben die gleichen Funktionen.

2) *Schulwesen:* der Leiter einer Grund- oder Hauptschule, z.T. auch von Real- oder Sonderschulen; in der Schweiz auch Bez. für den Lehrer eines Gymnasiums.

Rektoskopie [lat.] *die* (Mastdarmspiegelung), mithilfe eines durch den After eingeführten Spezialendoskops **(Rektoskop)** vorgenommene Untersuchung des gasgefüllten Mastdarms (Rektum). Die R. dient v.a. der Früherkennung eines Mastdarmkrebses, gleichzeitig können Probeexzisionen vorgenommen werden.

Rektum [lat.] *das,* 1) *Medizin:* der Mastdarm (→Darm).

2) *Sprachwiss.:* (Rectum) Wort, das von einem →Regens abhängig ist (→Rektion).

Rekuperator [zu lat. recuperare »wiedergewinnen«] *der,* Wärmeaustauscher aus zwei parallel laufenden, stofflich getrennten Systemen von möglichst dünnwandigen Kanälen, Rohren oder Lamellen für Abgase und Frischluft zur Ausnutzung der Abgaswärme in Feuerungen (Rekuperativfeuerung). Die Wärmeübertragung geschieht direkt durch die Rohr- oder Plattenwand. R. arbeiten kontinuierlich nach dem Gegen-, Gleich- oder Querstromprinzip.

Rekurrensfieber [lat.], das →Rückfallfieber.

Rekurrenslähmung [lat.], die →Kehlkopflähmung.

Rekurs [lat.] *der,* im früheren Verw.recht besondere Art der Verw.beschwerde; an seine Stelle ist der →Widerspruch getreten. – Im *österr.* Recht das Rechtsmittel gegen die in Beschlussform ergehenden gerichtl. Entscheidungen der Zivilgerichte (§§ 514 ff. ZPO). In der *Schweiz* ist das Rechtsmittel des R. in verschiedenen eidgenöss. und kantonalen Prozess-Ges. vorgesehen.

rekursiv [lat.] heißt eine Funktion, deren Werte sich aus einem gegebenen Anfangswert nacheinander durch jeweils die gleiche Formel **(Rekursionsformel)** berechnen lassen.

Relais [rəˈlɛː, frz.] *das,* 1) *Elektrotechnik:* als Schalter zur Steuerung eines Stromkreises wirkendes elektromechan. Bauelement, dessen Arbeitsstromkreis meist durch Änderung elektr. Größen (Spannung, Strom) betätigt wird. Das **elektromagnet. R.** besteht (in der einfachsten Bauform) aus einem Elektromagneten (Relaisspule), einem Anker und dem Kontaktsatz (Kontaktfedern mit Anschluss für Stromkreis). Wird der steuernde Stromkreis von elektr. Strom durchflossen, bewegt sich der Anker des Elektromagneten, sodass sich die elektr. Kontakte schließen oder öffnen.

Das R. ist ein wichtiges Bauelement der Fernmelde- und Steuerungstechnik sowie der Leistungselektronik. In vielen Bereichen sind R. durch Halbleiterbauelemente (Transistoren, Thyristoren) abgelöst worden, v.a. dort, wo es auf hohe Schaltgeschwindigkeiten und geringe Ansprechempfindlichkeit ankommt. Diese Halbleiterschaltungen werden auch als **elektron. R.** (stat. R.) bezeichnet, in denen es keine mechanisch bewegten Teile gibt.

2) *Postgeschichte:* früher ein Ort zum Auswechseln der Pferde bei Postkutschen.

Relaisstation [rəˈlɛ-] (Richtfunkbetriebsstelle), Bestandteil (Betriebsstelle) einer Richtfunkverbindung, die bei terrestr. Verbreitung von gerichteten Dezimeter- oder Zentimeterwellen zur Übertragung von Rundfunk- und Fernsehprogrammen, Fernsprech-, Telegrafie- und Datenmultiplexsignalen erforderlich ist. R. setzen die empfangenen Signale um, verstärken sie und strahlen sie in einer anderen Frequenz wieder ab. Mehrere zu einer Verbindung erforderl. R. bilden eine **Richtfunkstrecke.**

Relation [lat.] *die,* **1)** *allg.:* Beziehung, Verhältnis.

2) *Mathematik:* eine Beziehung zw. den Elementen einer Menge. Eine **binäre (zweistellige) R.** R in einer Menge M ist eine Menge von geordneten Paaren (a,b), z.B. die →Ordnungsrelation; entsprechend bezieht sich eine n-stellige R. auf n-Tupel von Elementen von M. Trifft eine binäre R. auf (a,b) zu, so schreibt man $R(a,b)$ oder aRb (»a steht in R. zu b«). Die zu R **inverse R.** R^{-1} besteht für (a,b) genau dann, wenn R für (b,a) besteht. Eine binäre R. heißt **eindeutig,** wenn jedes a höchstens mit einem b in R. steht. R hat folgende Eigenschaften (Zeichen $\forall$: »für alle«): R ist **reflexiv,** falls aRa gilt $\forall a \in M$, **antireflexiv (irreflexiv),** falls aRa gilt für kein $a \in M$, **symmetrisch,** falls aus aRb stets bRa folgt $\forall a,b \in M$, **asymmetrisch,** falls aus aRb nie bRa folgt $\forall a,b \in M$, **antisymmetrisch (identitiv),** falls aus aRb und bRa stets $a=b$ folgt $\forall a,b \in M$, **transitiv,** falls aus aRb und bRc stets aRc folgt $\forall a,b,c \in M$.

relativ [lat.], nur unter bestimmten Gesichtspunkten zutreffend, je nach Standpunkt verschieden; vergleichsweise, ziemlich; in Beziehung zu etwas stehend.

relative Mehrheit, bei Abstimmung oder Wahl die meisten Stimmen, jedoch nicht mehr als 50%.

relatives Gehör, die Fähigkeit des Erkennens und Bestimmens einzelner Töne in der Aufeinanderfolge (Intervalle) oder im Zusammenklang (Harmonien). (→absolutes Gehör)

relatives Recht, ein Recht, das im Ggs. zu den absoluten, gegen jedermann bestehenden Rechten, nur gegenüber bestimmten Personen wirkt, nur von diesen verletzt und nur ihnen gegenüber durchgesetzt werden kann (z.B. aus Vertrag).

Relativismus [lat.] *der, Philosophie:* 1) die erkenntnistheoret. Haltung, die alle Erkenntnis nur

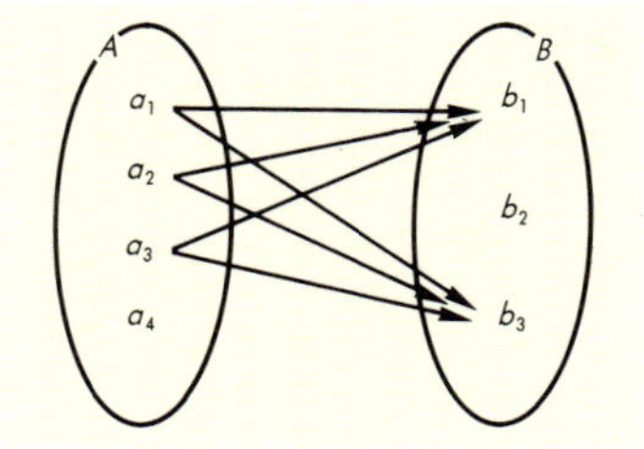

Relation 2): Darstellung einer binären Relation durch ein Pfeildiagramm

als relativ gelten lässt, weil sie durch den Standort des Erkennenden (bes. durch seine Individualität) bedingt sei (→Protagoras); 2) die Lehre, dass nur die Beziehungen der Dinge zueinander, nicht aber diese selbst erkennbar seien (→kritischer Rationalismus).

Relativitätstheorie, von E. Mach, H. A. Lorentz, H. Minkowski und J. H. Poincaré vorbereitete, von A. Einstein (seit 1905) formulierte und von ihm u.a. ausgebaute physikal. Theorie der Struktur des vierdimensionalen Raum-Zeit-Kontinuums (→Raum).

Den Ausgangspunkt der **speziellen R.** bildet das klass. **Relativitätsprinzip,** nach dem es z.B. für einen Beobachter im Innern eines geschlossenen Kastens unmöglich ist, durch mechan. Versuche zu entscheiden, ob der Kasten ruht oder sich gleichförmig-geradlinig bewegt. Bewegungen lassen sich nur relativ zu einem Bezugssystem beobachten und messen; alle relativ zueinander geradlinig und gleichförmig bewegten Systeme **(Inertialsysteme)** sind aber mechanisch gleichwertig: Die mechan. Grundgesetze haben in allen die gleiche Gestalt. Im 19. Jh. wurde die Fragestellung dahingehend erweitert, ob der Bewegungszustand eines Körpers durch optische (elektromagnet.)

Relativitätstheorie

Max Planck über die Relativitätstheorie:

»Sie übertrifft an Kühnheit wohl alles, was bisher in der spekulativen Naturforschung, ja in der philosophischen Erkenntnistheorie geleistet wurde; die nichteuklidische Geometrie ist ein Kinderspiel dagegen. ... Mit der durch dies Prinzip im Bereiche der physikalischen Weltanschauung hervorgerufenen Umwälzung ist an Ausdehnung und Tiefe wohl nur noch die durch die Einführung des kopernikanischen Weltsystems bedingte zu vergleichen.«

(Max Planck: »Acht Vorlesungen über Theoretische Physik«, gehalten an der Columbia University in New York, Frühjahr 1909, veröffentlicht 1910)

Versuche festgestellt werden könne. Solange man glaubte, dass das Licht eine Wellenbewegung in einem feinen Medium (dem »Äther«) sei, musste man erwarten, dass z.B. eine Bewegung der Erde relativ zum Äther durch Messungen der Lichtgeschwindigkeit in versch. Richtungen ermittelt werden könnte. Bei der Ausführung solcher Versuche (bes. A. A. Michelson 1881) zeigte sich, dass das von einem Stern zur Erde kommende Licht relativ zur Erde stets die gleiche Geschwindigkeit besitzt, einerlei, ob die Erde dem Licht entgegenläuft oder nicht. Diese paradoxe Erfahrung machte Einstein zum **Prinzip der Konstanz der Lichtgeschwindigkeit** und baute darauf eine neue Lehre von Raum und Zeit auf. Er zeigte, dass die bis dahin in der Physik übl. Vorstellung von absoluter Gleichzeitigkeit sich nicht aufrechterhalten lässt, sondern dass jede Zeitangabe an ein Bezugssystem gebunden ist (→Lorentz-Transformation). Das führt zu einer vom herkömml. Verständnis abweichenden **Relativierung der Gleichzeitigkeit:** zwei räumlich getrennte, in einem bestimmten Inertialsystem gleichzeitig stattfindende Ereignisse fallen in einem relativ dazu bewegten System zeitlich auseinander. Die Zeit eines in schnelle Bewegung versetzten Gegenstandes vergeht für den ruhenden Beobachter langsamer als für einen mit-

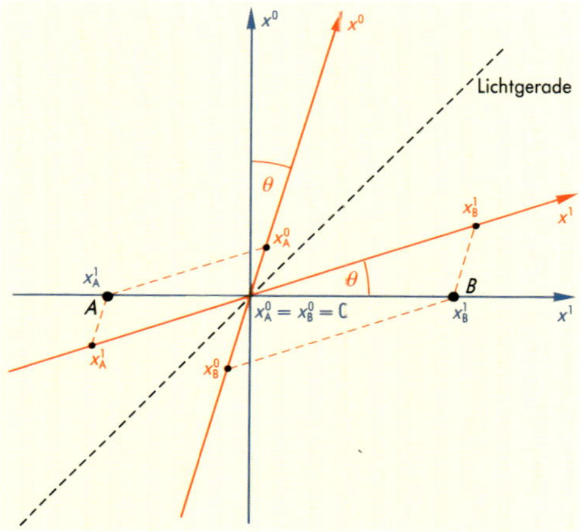

Relativitätstheorie: Gleichzeitigkeit bei zueinander bewegten Bezugssystemen; die Lorentz-Transformation vom »blauen« Bezugssystem in das relativ dazu mit der Geschwindigkeit v bewegte »rote« Bezugssystem stellt sich geometrisch als Drehung der Koordinatenachsen um den Winkel θ dar ($\tan \theta = v/c$, c Lichtgeschwindigkeit; x^1 Ortskoordinaten, $x^0 = ct$ Zeitkoordinaten, t Zeit); zwei im »blauen« System gleichzeitige Ereignisse A und B (gleiche Zeitkoordinaten, hier gleich null) sind im »roten« System zeitlich versetzt (unterschiedliche Zeitkoordinaten)

bewegten Beobachter **(Zeitdilatation).** Zugleich verkürzen sich die in die Bewegungsrichtung fallenden räumlichen Abmessungen des bewegten Gegenstandes, von einem ruhenden Beobachter gemessen, gegenüber der vom mitbewegten Beobachter gemessenen Länge (**Lorentz-Kontraktion,** →Längenkontraktion). Beide Effekte werden jedoch erst bei sehr hohen, mit der Lichtgeschwindigkeit c vergleichbaren Geschwindigkeiten merklich. Damit hängt eng zusammen, dass die Lichtgeschwindigkeit eine für Bewegungen unüberschreitbare Grenzgeschwindigkeit ist. Deshalb verlangt die R. auch, dass es nur Nahewirkung gebe, d.h., dass jeder physikal. Vorgang nur durch Vermittlung einer sich höchstens mit Lichtgeschwindigkeit ausbreitenden Wirkung auf andere, räumlich entfernte Vorgänge einwirken könne. Eine weitere Folgerung aus der speziellen R. ist das Anwachsen der trägen Masse eines bewegten Körpers mit seiner Geschwindigkeit und die Äquivalenz von Masse m und Energie E, $E = mc^2$. Diese Erkenntnis wurde grundlegend für die Kern- und Elementarteilchenphysik; sie umfasst v.a. die Möglichkeit zur Gewinnung von Kernenergie.

Mit der **allgemeinen R.** von Einstein (1915) kann man das Relativitätsprinzip auch für beschleunigte Bewegungen anwenden, wenn man Gravitationsfelder mit in Betracht zieht. Der in einem Kasten eingeschlossene Beobachter kann durch physikal. Versuche grundsätzlich nicht entscheiden, ob der Kasten sich im gravitationsfreien Raum geradlinig-gleichförmig bewegt (oder ruht), oder ob er durch ein Gravitationsfeld beschleunigt wird (in ihm »frei fällt«). Die Ununterscheidbarkeit beruht auf der universellen Gleichheit der schweren und der trägen Masse, woraus Einstein auf eine enge Verknüpfung der Metrik der vierdimensionalen Raum-Zeit-Welt mit dem Gravitationsfeld schloss. Alle durch homogene Gravitationsfelder beschleunigten Bewegungen sind physikalisch gleichwertig den nicht durch Gravitation beschleunigten Bewegungen im feldfreien Raum **(Äquivalenzprinzip).** Das Vorhandensein von Gravitationsfeldern bedingt eine (von Ort zu Ort wechselnde) »Krümmung« des Raums; eine Bewegung unter dem Einfluss von Gravitationskräften ist so nur eine andere Beschreibungsweise für eine kräftefreie Bewegung bei Raumkrümmung. – Während im Rahmen der speziellen R. angenommen wurde, dass die Geometrie des vierdimensionalen Raum-Zeit-Kontinuums unabhängig von der Materie ist, wird sie nach der allg. R. von der Verteilung und Bewegung der Materie im Weltall festgelegt. Wegweisende Anregungen hat die allg. R. für die Vorstellungen vom Aufbau des Universums gebracht (→Kosmologie); sie wird durch eine ganze Reihe experimenteller Tests ihrer Vorhersagen bestätigt (→Periheldrehung der Merkurbahn, →Lichtablenkung im Gravitationsfeld, →Gravitationslinsen, →Rotverschiebung des Lichts im Gravitationsfeld u.a.). Der direkte Nachweis der von der allg. R. – die eine klass. Feldtheorie der Gravitation

(einsteinsche Gravitationstheorie) ist – vorhergesagten Gravitationswellen steht noch aus.

📖 SCHRÖDER, U. E.: *Spezielle R. Frankfurt am Main* [2]*1987.* – CALDER, N.: *Einsteins Universum. A.d.Engl. Stuttgart u.a. 1988.* – FRITZSCH, H.: *Eine Formel verändert die Welt. Newton, Einstein u. die R. München u.a. 20.–29. Tsd.,* [3]*1990.* – HENTSCHEL, K.: *Interpretationen u. Fehlinterpretationen der speziellen u. allg. R. durch Zeitgenossen Albert Einsteins. Basel 1990.* – SEXL, R. U. *u.* URBANTKE, H. K.: *Gravitation u. Kosmologie. Eine Einführung in die allgemeine R. Heidelberg u.a.* [4]*1995.*

Relativpronomen, *Sprachwiss.:* →Pronomen.

Relativsatz, Nebensatz, der durch ein Relativpronomen mit dem Hauptsatz verknüpft ist. (ÜBERSICHT Syntax)

Relaunch [rɪˈlɔːntʃ, engl.] *das, Marketing:* durch gewisse Veränderungen (z.B. Modernisierung eines Produktes, Entwicklung einer neuen Werbekonzeption) unternommener Versuch, stagnierendem oder bereits rückläufigem Absatz entgegenzuwirken. Markenartikel können durch solche Maßnahmen der Produktvariation (»Revitalisierungsmarketing«) trotz veränderter Marktverhältnisse am Markt gehalten werden.

Relaxantilen [lat.], die →muskelerschlaffenden Mittel.

Relaxation [lat.] *die,* **1)** *Chemie:* Wiedereinstellung eines chem. Gleichgewichts nach vorausgegangener plötzlicher Störung durch schnelle Änderung z.B. von Druck, Temperatur oder elektr. Feldstärke.

2) *Physik:* allg. die zeitlich verzögerte Reaktion eines Systems oder einer Messgröße auf eine äußere Einwirkung oder deren Wegfallen (Nachwirkung); i.e.S. die verzögerte Rückkehr eines gestörten oder angeregten Systems in seinen Gleichgewichtszustand aufgrund innerer, dissipativer Prozesse (z.B. Reibung, elektr. Verluste, Streuung). R.-Vorgänge zeigen häufig ein exponentielles Zeitverhalten; die Zeitspanne bis zur Einstellung des Gleichgewichts ist die **Relaxationszeit.**

3) *Psychologie:* Entspannungsübungen (→autogenes Training), die eine vegetative Gleichgewichtslage und seel. Ruhigstellung anstreben.

Releasecenter [rɪˈliːssentə, engl.] *das,* Einrichtung zur Resozialisierung Drogenabhängiger.

Releaserfaktoren [riˈliːzər-, engl.] (Releasingfaktoren, Releasinghormone, Freisetzungshormone), im Hypothalamus gebildete Neurosekrete, die die Produktion und Freigabe der Hypophysenvorderlappenhormone steuern.

Reliabilität [lat.] *die,* die Zuverlässigkeit eines psychodiagnost. Verfahrens, speziell eines Tests, festgestellt durch Testwiederholung, Paralleltests.

Relief [frz.] *das,* **1)** *Bildhauerkunst:* an eine Hintergrundfläche gebundene plast. Darstellung; gearbeitet in Stein, Elfenbein, Metall oder Holz. Je nach Höhe unterscheidet man Flach- oder Bas-R., Halb- und Hoch-R. Schon die alten Hochkulturen weisen eine hoch entwickelte R.-Kunst auf. Charakteristisch ist das ägypt. R. mit seinen flächig ausgebreiteten Figuren. An altoriental. Bauten reihen sich R. in dichter Fülle (BILDER z.B. assyrische Kunst, Felsrelief). Die grch. Tempelbaukunst bindet sie an die Metopen (dor. Tempel) und an den Fries (ion. Tempel). Phidias gilt als Schöpfer des klassischen grch. Reliefs mit virtuos angewandter Verkürzung, Schrägstellung und Staffelung der Figuren (Parthenon, um 440 v.Chr.), weitergeführt in der hellenist. Plastik (Pergamonaltar; BILD). In der röm. Kunst (BILD) wurden Triumphbögen, Sarkophage und Säulen (Trajanssäule) mit R. verziert, auch Elfenbeinarbeiten. Die frühchristl. Bildhauerkunst (BILDER Christentum, frühchristliche Kunst) kennt fast ausschließlich R.-Darstellungen; sie schmücken nach römisch-hellenist. Vorbild vornehmlich Sarkophage und Elfenbeinarbeiten, dazu kommen im frühen MA. Goldschmiedearbeiten, Bronzetüren (bernwardin. Kunst) und Grabplatten (Anfänge im 11.Jh.). Seit dem 12.Jh. gewinnt das R. an Tympanon (u.a. Vézelay, Chartres, Straßburg), Kapitell und Taufbecken, seit dem 13. Jh. an Chorschranken (Naumburger Lettner; BILD Lettner) und Kanzeln (A. und N. Pisano; BILDER) an Bedeutung. L. Ghiberti (BILD)) und Donatello (BILD) entwickeln im 15. Jh. das »maler. Relief«, bei dem die Hintergrundfläche perspektivisch aufgelöst erscheint. Die maler. Tendenzen verstärken sich in der Barockzeit – das R. wird fast vollplastisch ausgebildet (A. Schlüters Bauplastik, Triumphsäulen) – und erfahren bei A. Rodin eine extreme Steigerung. In der Moderne haben zahlr. Bilder und Objekte (Materialmontagen, Assemblagen, Collagen mit Objekten) R.-Charakter. Eine große Rolle spielte die R.-Kunst auch in der ind. Kunst, in den Hochkulturen des vorkolumb. Amerika, in Ozeanien, in der indojavan. und Khmer-Kunst.

📖 KOWALSKI, K.: *Plast. Bilder. Zur Geschichte der Reliefgestaltung. 2 Bde. Bielefeld 1996–97.*

2) *Geomorphologie:* zusammenfassende Bez. für die Oberflächenformen der Erde.

3) *Kartographie:* die maßstabgetreue, meist stark überhöhte plast. Darstellung der gesamten Erde **(R.-Globus)** oder einzelner Gebiete. R. werden in Gips u.a. plast. Stoffe gefräst; hiervon hergestellte Prägungen werden mit einer Kartendarstellung überzogen oder bedruckt **(Karten-R.).** Durch Fotografieren eines R. bei schräger Beleuchtung oder auch durch bloße Schummerung beim Kartenzeichnen wird ein plast. Eindruck auch in Plankarten erzielt **(Reliefkarten).** BILD S. 388

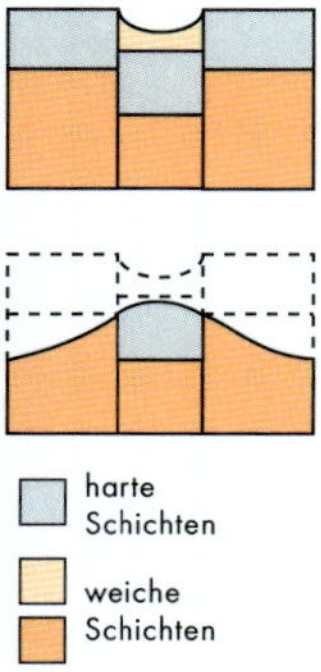

Reliefumkehr: Ein geologischer Graben wird geomorphologisch zu einem Berg

Relief|umkehr (Reliefinversion), geomorpholog. Erscheinung, die entsteht, wenn ehem. tief gelegene Gebiete durch Heraushebung oder unterschiedl. Abtragung zu Erhebungen werden: z.B. geolog. Gräben zu Horsten.

Religion [frz., von lat. religio »Gottesfurcht«] *die,* zusammenfassende Bez. für eine Fülle histor. Erscheinungen, denen ein spezif. Bezug zw. dem »Transzendenten« einerseits und den Menschen andererseits in einer deren Verhalten normativ bestimmenden Weise zugrunde liegt. Gott, das Göttliche, die Götter und Dämonen werden grundsätzlich als existenziell erfahrbar, partiell beschreibbar, jedoch als rationalem Verstehen allein niemals vollständig erschließbar erlebt. Die religiöse Kunst versucht, sie durch →Gottesbilder »sichtbar« zu machen. Wesentl. Unterscheidungsmerkmale der einzelnen R. sind 1) die Art der Anschauung Gottes, des Göttlichen bzw. der »letzten« Wirklichkeit: als personal in Judentum, Christentum und Islam; personifiziert in den antiken Religionen, im volkstüml. Hinduismus, in den Stammesreligionen; als apersonal im Buddhismus, in der christl. und islam. Mystik, im Dschainismus; 2) die Anzahl der verehrten Götter (→Monotheismus, →Polytheismus) und 3) die histor. Entwicklung einzelner Religionen durch Bewahrung eines hl. (Ur-)Wissens mithilfe autorisierter Personen (Brahmanen, Schamanen, Stammesälteste), durch göttl. →Offenbarung über religiöse Mittler).

Grundformen des religiösen Lebens sind das →Gebet, der →Gottesdienst und das →Opfer. – Die v.a. seit Mitte des 19. Jh. entstandenen →neuen Religionen sind überwiegend auf dem Boden des →Synkretismus bzw. exklusiver »Sonderoffenbarungen« gewachsene Konglomerate von Elementen verschiedener (bevorzugt östl.) Religionen. Die R. ist einer der bewusstseinsbildenden Faktoren der Menschheit und hat deren polit., kulturelle und geistige Geschichte nachhaltig beeinflusst. Die gegenwärtige Situation ist einerseits durch einen weltweit schwer zu überblickenden religiösen Pluralismus, andererseits durch eine zunehmende »Entkirchlichung« (Säkularisierung) breiter Bev.gruppen in der westl. Welt gekennzeichnet.

🕮 ELIADE, M.: *Die R. u. das Heilige. A.d.Frz. Salzburg 1954, Nachdr. 1986.* – OTTO, R.: *Das Heilige. Über das Irrationale in der Idee des Göttlichen u. sein Verhältnis zum Rationalen. Sonderausg. München 1979, Nachdr. ebd. 1987.* – ELIADE, M.: *Das Heilige u. das Profane. A.d. Frz. Frankfurt am Main ³1995.*

Religionsdelikte, Straftaten, die sich auf die Religion beziehen: Beschimpfung religiöser Bekenntnisse (§ 166 StGB), Störung der Religionsausübung (§ 167), Störung einer Bestattungsfeier (§ 167a), der Totenruhe und Leichenraub (§ 168). Geschütztes Rechtsgut ist der öffentl. Frieden in seiner religiösen oder weltanschaul. Ausprägung. – Ähnliche Bestimmungen gelten in *Österreich* (§§ 188 ff., 283 StGB) und in der *Schweiz* (Art. 261 StGB).

Religions|edikt, eine staatl. Verordnung, die die öffentlich-rechtl. Stellung einer Religionsgemeinschaft regelt. Wichtige R. waren das Toleranzedikt von Mailand 313 sowie die Edikte von Worms 1521 und Nantes 1598 (→Hugenotten).

Religionsfreiheit, Oberbegriff für die →Glaubens-, Gewissens- und Bekenntnisfreiheit.

Religionsfriede, i.w.S. der friedl. Ausgleich zw. verschiedenen Religionen oder Konfessionen, i.e.S. die rechtl. Sicherung einzelner christl. Konfessionen und ihrer Beziehungen zueinander (→Augsburger Religionsfriede, →Nürnberger Religionsfriede).

Religionsgemeinschaften, →Religionsgesellschaften.

Religionsgeschichte, allg. die histor. Entwicklung einzelner Religionen und die sich in ihr vollziehenden Wandlungen; als wiss. Disziplin der histor. Teil der →Religionswissenschaft.

religionsgeschichtliche Schule, um 1880 entstandene Richtung der evang. Theologie, die die

Relief 3): Kartenrelief

Texte der Bibel methodisch als histor. Zeugnisse im engen Zusammenhang mit dem religiösen Umfeld ihrer Entstehungszeit betrachtete. Von der r. S. gingen wesentl. Impulse auf die →liberale Theologie aus. Bed. Vertreter: W. Bousset (* 1865, † 1920), H. Gunkel (* 1862, † 1932), E. Troeltsch, W. Wrede (* 1859, † 1906), später auch R. Bultmann.

Religionsgesellschaften (Religionsgemeinschaften), Vereinigungen, deren Mitgl. sich zu einer gemeinsamen Religion bekennen und die gemeinsame Religionsausübung pflegen. Die Rechtsstellung der R. in Dtl. bestimmt sich nach Art. 140 GG. Man unterscheidet R. mit privatrechtl. und solche mit öffentlich-rechtl. Stellung (z. B. die kath. Kirche, die evang. Kirche in Dtl.). An den öffentlich-rechtl. Status ist die Befugnis zur Steuererhebung geknüpft. Jede R. ordnet und verwaltet innerhalb der gesetzl. Schranken ihre Angelegenheiten selbst. – Gleichgestellt werden den R. die Vereinigungen, die sich der gemeinschaftl. Pflege einer Weltanschauung widmen.

In *Österreich* garantiert Art. 15 Staatsgrundgesetz 1867 den gesetzlich anerkannten Kirchen und R. das Recht der gemeinsamen öffentl. Religionsausübung und die selbstständige Ordnung und Verwaltung ihrer inneren Angelegenheiten im Rahmen der allg. Staatsgesetze. In der *Schweiz* ist die Freiheit auf Eintritt in bzw. Austritt aus **Religionsgenossenschaften** in Art. 49 Bundesverf. gewährleistet. Religionsgenossenschaften können sich im Rahmen der privatrechtl. Ordnung frei zusammenschließen und organisieren. Nach kantonalem Recht haben bestimmte Religionsgenossenschaften öffentlich-rechtl. Status.

Religionskriege (Glaubenskriege), allg. die vordergründig aus religiösen Motiven geführten Kriege; i. e. S. die Konfessionskriege des 16./17. Jh. in Europa, bes. die Hugenottenkriege in Frankreich (→Hugenotten).

Religionskritik, die krit. Auseinandersetzung mit den Grundlagen und zentralen Aussagen der Religionen, ihrem Wahrheitsanspruch und ihrer postulierten und tatsächl. Rolle innerhalb der Gesellschaft; sie gab als theologisch begründete R. oft den Anstoß zu Reformbewegungen innerhalb der Religionen (z. B. Kritik der Reformatoren an der zeitgenössischen Kirche); als philosophisch begründete R. seit der Aufklärung eine der Wurzeln des neuzeitl. →Atheismus.

Religionsmündigkeit, →religiöse Erziehung.

Religionsphänomenologie, der Teil der Religionswissenschaft, der typ. Ausdrucksweisen und Erscheinungsformen verschiedener Religionen vergleicht und analysiert.

Religionsphilosophie, die philosoph. Beschäftigung mit dem Phänomen der Religion, v. a. mit dem Verhältnis von Vernunft und Offenbarung, mit Wesen und Funktion der Religion, den Gottesbeweisen, den Problemen der Unsterblichkeit und der Theodizee sowie dem Phänomen des Heiligen und der Endlichkeit des Menschen. – R. in krit. Sinn entstand mit B. Spinozas Analysen des A. T. in seinem »Theologisch-polit. Traktat« (1670) und dem Versuch der Aufklärung, die »natürl. Religion« unabhängig von einer übernatürl. Offenbarung rational zu begründen. So führte I. Kant die Religion auf die Postulate der prakt. Vernunft zurück. F. D. E. Schleiermacher versuchte, eine Religionsbegründung aus einem »Gefühl der schlechthinnigen Abhängigkeit« zu liefern. Die Systeme des dt. Idealismus begreifen die Religion als Entwicklungsstufe und Übergangsphänomen des zu sich selbst kommenden Geistes. Die zweite Hälfte des 19. Jh. stand im Zeichen der Religionskritik, v. a. bei L. Feuerbach, K. Marx, F. Nietzsche und S. Freud. Im 20. Jh. vollzieht sich die Entwicklung der R. insbes. unter den Einflüssen der Phänomenologie, der Hermeneutik und der Existenzphilosophie.

📖 Welte, B.: *R. Freiburg im Breisgau [4]1985.*

Religionspsychologie, Zweig der Psychologie und der Religionswiss., der die psych. Strukturen des religiösen Lebens untersucht. Nach amerikan. Ansätzen (u. a. W. James) einer R. i. e. S. wurden experimentelle Methoden zur Untersuchung religiöser Phänomene (z. B. »Urbilder« der Religionen; die religiösen Einstellungen bei versch. Bev.gruppen), die sich auf statist. Erhebungen, Tests u. a. stützen, entwickelt; sie wurden von Verfechtern »verstehender Verfahren« kritisiert. W. Wundt hat die R. mit der Völkerpsychologie verbunden. Bei den Untersuchungen der Psychoanalytiker betont die Tiefenpsychologie C. G. Jungs bes. die funktionale Bedeutung religiöser Vorstellungen für den Individuationsprozess.

📖 Holm, N. G.: *Einführung in die R. A. d. Schwed. München u. a. 1990.*

Religions|soziologie, Teildisziplin der Soziologie; untersucht die sozialen Bedingungen für die Entstehung und Entwicklung von Religionen, die soziale Gestaltung von Religionen und deren soziale Funktionen für Gruppen und Gesellschaften.

Religions|unterricht, die Unterweisung in religiösen Fragen, die im privaten Bereich wie von Kirche und Staat wahrgenommen wird. In Dtl. gemäß Artikel 7 Abs. 3 GG an den öffentl. Schulen mit Ausnahme der bekenntnisfreien Schulen ordentl. Lehrfach, das in Übereinstimmung mit den Grundsätzen der Religionsgemeinschaften erteilt wird. Aufgrund der Religionsfreiheit kann der Erziehungsberechtigte sein Kind abmelden; mit Erreichung der Religionsmündigkeit kann der Schüler zw. R. oder Ersatzfach wählen (meist unter der Bez. Ethik angeboten).

Religionswissenschaft, wiss. Disziplin, deren Gegenstand die empir., histor. und systemat. Erforschung und Darstellung der Religionen und religiösen Phänomene ist.

📖 *R., hg. v.* H. ZINSER. *Berlin 1998.*

Reliquiar in der Kirche Saint-Taurin in Évreux, Goldschmiedearbeit (13. Jh.)

religiöse Erziehung, *Recht:* formende Einwirkung auf Kinder und Jugendliche im Sinne des religiösen Bekenntnisses durch Familie und Schule. In Dtl. und Österreich gilt das Gesetz über die religiöse Kindererziehung vom 15. 7. 1921, das die selbstständige Entscheidung über die Zugehörigkeit zu einer Religionsgemeinschaft **(Religionsmündigkeit)** an die Vollendung des 14. Lebensjahres bindet. Bis dahin entscheidet über die r. E. die Einigung der Erziehungsberechtigten, bei ihrem Fehlen das Vormundschaftsgericht. In der Schweiz tritt Religionsmündigkeit mit Vollendung des 16. Lebensjahres ein (Art. 49 Bundesverf., 303 ZGB).

Religiosen [lat.], *kath. Kirche:* die Mitgl. eines Ordens (»Ordensleute«).

religiöser Sozialismus, nach dem 1. Weltkrieg entstandene, politisch der Sozialdemokratie nahe stehende Bewegung innerhalb des dt. Protestantismus, die vor dem Hintergrund des sozialen Elends und der gesellschaftl. Umbrüche der Zeit im Sozialismus den Ausdruck des Willens Gottes sah und von der Kirche entschieden die Wahrnahme ihrer im Evangelium gebotenen Verantwortung für die »Schwachen« in der Gesellschaft einklagte. Vorläufer des r. S. war die religiös-soziale Bewegung in der Schweiz (C. Blumhardt). Wichtige Vertreter: E. Fuchs, H. Kutter, L. Ragaz.

Relikt [lat.] *das,* **1)** *allg.:* Überbleibsel.

2) *Biogeographie:* Tier- und Pflanzenart, die sich nur noch in geringer Zahl und Verbreitung in einer Gegend findet, in der sie früher häufig und allg. verbreitet war.

3) *Petrologie:* bei der Metamorphose unverändert bleibendes Mineral oder Gefügemerkmal des Ausgangsgesteins.

Erich Maria Remarque

Reling [mnd.] *die* (Reeling), *Schifffahrt:* Geländer um die freiliegenden Decks von Schiffen.

Reliquiar [lat.] *das,* Behälter zur Aufbewahrung oder Zurschaustellung von Reliquien. Seit dem 4. Jh. kamen Kästen (→ Lipsanothek), Kapseln und Pyxiden aus Elfenbein und Horn auf. Im 12. und 13. Jh. entstanden bes. im Rhein-Maas-Gebiet kostbare Schreine (→ Dreikönigsschrein), die zu den Meisterwerken der Goldschmiedekunst des MA. gehören.

Reliquie [lat. »Überbleibsel«] *die,* Gegenstand einer besonderen Form der Heiligenverehrung, meist Gebeine oder Asche religiöser Autoritäten, auch Gegenstände oder Teile davon, die für ihr Leben bedeutsam waren; in der Volksfrömmigkeit versch. Religionen (Buddhismus, Christentum, Islam) mit der Vorstellung verbunden, dass die religiöse Kraft des Verehrten an seinen R. haftet und für die die R. Verehrenden wirksam ist.

Rellingen, Gemeinde im Kreis Pinneberg, Schlesw.-Holst., 13 500 Ew.; Teil des größten geschlossenen Baumschulgebietes der Erde; Maschinen- und Apparatebau, Flug- und Kraftfahrzeugtechnik, Herstellung von Musikinstrumenten. – Oktogonale Rokokokirche (1754–56) mit umlaufenden Doppelemporen, Kanzel-Orgel-Altar.

Rellstab, Ludwig, Musikschriftsteller, * Berlin 13. 4. 1799, † ebd. 28. 11. 1860; Herausgeber der Zeitschrift »Iris im Gebiete der Tonkunst« (12 Bde., 1830–41); schrieb Opernlibretti, Erzählungen, histor. Romane und Gedichte (u. a. »Leise flehen meine Lieder«; vertont von F. Schubert).

Rem [Abk. für engl. **R**oentgen **e**quivalent **m**an] *das,* Einheitenzeichen **rem,** veraltete Einheit der Äquivalentdosis (→ Dosis): 1 rem = 0,01 J/kg = 0,01 Sv (Sievert).

Remagen, Stadt im Landkreis Ahrweiler, Rheinl.-Pf., unterhalb der Mündung der Ahr in den Rhein, 16 300 Ew.; Röm. Museum; Fahrradfabrik, Schiffbau. – Unterhalb von R. der **Apollinarisberg** mit neugot. Wallfahrtskirche (1839–43). Im Ortsteil **Rolandseck** Ruine der ehemaligen köln. Feste (12. Jh.) mit dem rekonstruierten Rolandsbogen; im klassizist. Bahnhof u. a. eine Arp-Sammlung. – Keltisch-röm. Kastell **Rigomagus,** bis 406 spätröm. Stadt. Neugründung im 11. Jh. erstmals erwähnt, 1226 Stadtrechte, kam 1357 zum Herzogtum Jülich. – Auf der damals einzigen noch intakten Rheinbrücke überquerten am 7. 3. 1945 amerikan. Truppen den Rhein (Friedensmuseum in einem erhaltenen Brückenpfeiler).

Remake [rɪˈmeɪk, engl.] *das,* Neufassung einer künstler. Produktion (Neuverfilmung).

remanent [lat., zu remanere »zurückbleiben«], bleibend, zurückbleibend.

Remanenz [lat.] *die,* die Restmagnetisierung (→ Hysterese).

Rembrandt: »Landschaft mit Windmühle vor einer Stadt«, lavierte Federzeichnung (um 1641; Chantilly, Musée Condé)

Remarque [rə'mark], Erich Maria, eigtl. E. Paul Remark, Schriftsteller, *Osnabrück 22. 6. 1898, †Locarno 25. 9. 1970; war 1916 Kriegsfreiwilliger. Welterfolg errang R. mit dem Weltkriegsroman »Im Westen nichts Neues« (1929), einer desillusionierenden Darstellung des Krieges. Lebte ab 1932 in der Schweiz; 1933 Verbot seiner Werke durch die Nationalsozialisten; 1939 Übersiedlung in die USA (seit 1947 amerikan. Staatsbürger), 1948 Rückkehr nach Europa.

Weitere Werke: Arc de Triomphe (R., engl. 1945, dt. 1946); Der schwarze Obelisk (R., 1956); Die Nacht von Lissabon (R., 1962); Schatten im Paradies (R., hg. 1971).

📖 BAUMER, F.: *E. M. R. Berlin ³1994.*

Rembourskredit [rã'bu:r-, frz.], Form der Finanzierung von Außenhandelsgeschäften. Der Exporteur zieht auf die Bank des Importeurs einen Wechsel und übergibt diesen mit den entsprechenden Versandpapieren seiner Bank zur Diskontierung **(Diskontkredit).** Die Exportbank übersendet die Dokumente und den Wechsel an die Importbank. Nach Akzeptierung schickt diese den Wechsel an die Exportbank zurück **(Dokumentenakkreditiv).** Die Importbank händigt dem Importeur die Dokumente aus und erhält von ihm den Wechselbetrag **(Akzeptkredit).**

Rembrandt, eigtl. R. Harmensz. van Rijn, niederländ. Maler, *Leiden 15. 7. 1606, †Amsterdam 4. 10. 1669; besuchte die Univ. in Leiden und wurde 1623 Schüler von P. Lastman in Amsterdam, wohin er nach seiner ersten Schaffenszeit in Leiden 1631 übersiedelte. 1634 heiratete er Saskia Uylenburgh (†1642). Wohlstand und Selbstbewusstsein des erfolgreichen Künstlers dokumentieren seine Selbstbildnisse (»Doppelbildnis mit Saskia«, um 1636; Dresden, Gemäldegalerie; der Maler als »verlorener Sohn«, »fürstl.« Selbstbildnis, 1640; London, National Gallery). In Saskias Todesjahr vollendete R. die »Nachtwache«, die von den Auftraggebern abgelehnt wurde. Zunehmend konnte und wollte R. die eigenen künstler. Intentionen nicht mehr mit den Repräsentationswünschen des niederländ. Bürgertums in Einklang bringen. Die Bildnisaufträge gingen zurück. Nachdem R. 1656 Bankrott ging, betrieb Hendrickje

Rembrandt: Selbstbildnis, Radierung (1639; Erlangen, Graphische Sammlung der Universitätsbibliothek Erlangen-Nürnberg)

Stoffels (*1626?, †1663), seit 1649 in Gemeinschaft mit R. lebend, zus. mit seinem Sohn Titus (*1641, †1668) einen Kunsthandel. R. lebte in zunehmender gesellschaftl. und künstler. Vereinsamung, 1661/62 wurde sein Wandbild für das neue

Rembrandt (von oben): »Die Blendung Simsons« (1636; Frankfurt am Main, Städelsches Kunstinstitut); »Nachtwache« (1642; Amsterdam, Rijksmuseum)

Amsterdamer Rathaus, »Die Verschwörung des Claudius Civilis« (fragmentarisch erhalten, Stockholm, Nationalmuseum), zurückgewiesen.

Sein Werk gliedert sich in drei stilistisch abgrenzbare Hauptschaffensperioden: die **Leidener Frühwerke** (1625–31) sind bibl. Historienbilder (»Auferweckung des Lazarus«, 1630/31; Los Angeles, County Museum of Art) und stehen in der von P. Lastman vermittelten Elsheimer-Tradition (Dramatik des Lichts und Pathos der Gebärden). Neu ist die psycholog. Eindringlichkeit und die handlungsführende und -deutende Rolle des Lichts.

Frühe Amsterdamer Zeit (mittlere Schaffensperiode, 1631–56): Neben dem bibl. Themenkreis (u. a. »Der blinde Tobias«; um 1645) steht als werkbestimmendes Thema das Bildnis. Zu seinen ersten Aufträgen gehören das große Gruppenbild »Die Anatomie des Dr. Tulp« (1632; Den Haag, Mauritshuis) und fünf Passionsbilder (1633–39; München, Alte Pinakothek). Mitte der 1630er-Jahre entstanden, meist unter dem Einfluss von H. Seghers, auch Landschaften. Der Wettstreit mit Rubens führt zu hochbarocken, effektvoll gesteigerten Werken, wobei ein krasser Erzählstil überkommene Schönheitsvorstellungen durchbricht: »Der Triumph der Dalila« (1636), »Die Blendung Simsons« (1636; beide Frankfurt am Main, Städelsches Kunstinstitut), »Danae« (um 1636; Sankt Petersburg, Eremitage). In den 1640er-Jahren werden Stille des Ausdrucks, einfache Klarheit der Form bestimmend: »Das Opfer des Manoah« (1641; Dresden, Gemäldegalerie). Im Bild »Christus in Emmaus« (1648; Paris, Louvre; BILD Emmaus) erreicht das Licht verinnerlichten Ausdruck. In den 1650er-Jahren erhalten die Werke im neuerl. Rückgriff auf die italien. Hochrenaissance eine neue Monumentalität: »Bathseba mit dem Brief Davids« (1654; Paris, Louvre), »Der Segen Jakobs« (1656; Kassel, Staatliche Kunstsammlung; BILD Helldunkel). Zu den Radierungen aus dieser Zeit gehört das »Hundertguldenblatt« (um 1647/49).

In den Werken der **späteren Amsterdamer Zeit** wird der visionäre Zug der Kunst R.s unübersehbar; Mensch, Raum und Ding werden in einer »myst. Farbhülle« (W. Turner) zugleich verborgen und enthüllt. Es entstehen »Saul und David« (um 1658; Den Haag, Mauritshuis), »Verleugnung Petri« (1660; Amsterdam, Rijksmuseum), »Staalmeesters« (1662 [?]; ebd.), die »Judenbraut« (nach 1665; ebd.), »Die Rückkehr des verlorenen Sohnes« (1669; Sankt Petersburg, Eremitage). R.s über 100 Selbstbildnisse loten, insbesondere im Spätwerk, Fragwürdigkeit und Anspruch menschlichen Daseins aus (Selbstbildnis als Apostel Paulus, 1661, Amsterdam, Rijksmuseum; der »Lachende«, 1663, Köln, Wallraf-Richartz-Museum; der »Königliche« mit Barett, 1669, Den Haag, Mauritshuis).

Untersuchungen zum Umfang seines Werkes sind noch nicht abgeschlossen. Die Trennung von Arbeiten seiner Schüler und Nachahmer ist schwierig. Heute gelten zahlr. Gemälde nicht mehr als eigenhändig, u. a. der berühmte »Mann mit dem Goldhelm«. Von den bis 1957 zusammengestellten etwa 1400 Zeichnungen (O. Benesch) werden heute etwa 75 als authentisch angesehen. Bei den Radierungen liegt die Zahl der gesicherten Arbeiten bei etwa 290.

📖 ERPEL, F.: *R., Berlin [3]1987.* – TÜMPEL, C.: *R. Reinbek 33.–34. Tsd., [7]1995.*

Rembrandtdeutscher, der Schriftsteller J. → Langbehn.

Remedium [lat.] *das,* die bei der Münzprägung zugelassene Toleranz beim Gewicht und Feingehalt. Die Einhaltung des R. ist für die Automatentauglichkeit moderner Münzen von Bedeutung.

Remigius, Bischof von Reims (seit 458), *bei Laon um 436, †Reims 13. 1. 533; taufte wahrscheinlich 498 Chlodwig I.; bed. Organisator der nordfrz. Kirche; Heiliger, Tag: 13. 1.; in Trier: 1. 10.

Reminiscere [lat. »gedenke!«], *kath.* und *evang. Kirche:* 2. Sonntag der Fastenzeit (Passionszeit); ben. nach seinem Introitus mit Psalm 25, 6.

Remisow, Alexei Michailowitsch, russ. Schriftsteller, *Moskau 6. 7. 1877, †Paris 26. 11. 1957; stand dem Symbolismus und Surrealismus nahe; schrieb Erzählungen, Romane, Märchen, Legenden (»Legenden und Geschichten«, Ausw. 1919).

Remission [lat.] *die,* **1)** *Medizin:* vorübergehende Rückbildung von Krankheitserscheinungen.

2) *Optik:* die diffuse Reflexion von Licht.

Remittenden [lat. »die Zurückzusendenden«], *Buchhandel:* Publikationen, für die der Verlag dem Buchhändler für den Fall des Nichtverkaufs nach Ablauf einer bestimmten Frist Rückgabe einräumt (Remissionsrecht); ebenso technisch fehlerhafte oder beschädigte Buchexemplare.

Remittent [lat.] *der,* Wechselnehmer; Person, an die die Wechselsumme zu zahlen ist.

Remonstranten [lat.], die → Arminianer.

Remoulade [-mu-, frz.] *die,* Kräutermajonäse.

REM-Phase [Abk. von engl. **r**apid **e**ye **m**ovement], → Schlaf.

Rems *die,* rechter Nebenfluss des Neckars, entspringt am N-Rand der Schwäb. Alb und mündet bei Neckarrems; 81 km lang. Das **R.-Tal** ist Obst- und Weinbaugebiet.

Remscheid, kreisfreie Stadt im RegBez. Düsseldorf, NRW, im Berg. Land, 121 600 Ew.; Stadttheater, Jugendmusikschule, Akademie für mus. Bildung und Medienerziehung, Versuchsanstalt für Werkzeugind., Werkzeugmuseum, Röntgen-Museum in R.-Lennep (Geburtsort W. C. Röntgens). R. ist Hauptsitz der dt. Werkzeugind., außerdem Maschinenbau, Stahl- und Walzwerke, Elektro-, chem. Industrie. Im SW die Müngstener Brücke (107 m hoch) über der Wupper. – 1173 erstmals erwähnt, 1808 Stadtrecht; 1929 Eingemeindung von **Lennep** (vor 1276 Stadtrecht) und **Lüttringhausen** (1856 Stadtrecht).

Remseck am Neckar (bis 1976 Aldingen am Neckar), Gemeinde im Landkreis Ludwigsburg, Bad.-Württ., an der Mündung der Rems in den Neckar, 18 400 Ew.; Möbelind., Eisengießerei.

Remshalden, Gemeinde im Rems-Murr-Kreis, Bad.-Württ., im Remstal, 13 300 Ew.; Papierwerk, Metallind.; Weinbau.

Rems-Murr-Kreis, Landkreis im RegBez. Stuttgart, Bad.-Württ.; 858 km², (1996) 399 100 Ew.; Krst. ist Waiblingen.

Remuneration [lat.] *die, österr.:* Entschädigung.

Remus, *röm. Mythos:* Zwillingsbruder des → Romulus.

Ren [rɛn, reːn, skandinav.] *das,* → Rentier.

Renaissance [rənɛˈsãːs; frz. »Wiedergeburt«] *die,* die Zeit von etwa 1350 bis in die Mitte des 16. Jh. als die Zeit der Wiedererweckung des klass. Altertums und des Wiederaufblühens der Künste, dann der kulturelle Zustand der Übergangszeit vom MA. zur Neuzeit, bes. in Italien (italien. rinascita). Der Begriff R. steht in Beziehung zu dem des → Humanismus, richtet sich aber auf die Gesamtkultur des Zeitraums. Seit dem 19. Jh. ist er auch gebräuchlich für andere geistige und kulturelle Bewegungen, die nach einer längeren Zeit der Unterbrechung bewusst an ältere Traditionen anknüpfen (z. B. die »karoling. R.« Karls des Großen).

R. als *Epochenbegriff* ist im 19. Jh. u. a. von J. Michelet und J. Burckhardt geprägt worden. Die damit verbundene Vorstellung der »Wiedergeburt« ist bereits im 14./15. Jh. in Italien belegt. Seit dem 18. Jh. (Voltaire, E. Gibbon) galt die gesamte italien. Kultur des 14.–16. Jh. als richtungweisend für die europ. Entwicklung. Für J. Burckhardt schließlich wurde die (weltl.) Ausprägung der Persönlichkeit zum wichtigsten Merkmal der Renaissance. Die Forschung des 20. Jh. (K. Burdach, J. Huizinga, E. R. Curtius) weist wieder auf die Kontinuität der Bewahrung antiker Kultur schon im MA. in den Klöstern hin, dennoch bleibt R. als Epochenbegriff für die Zeit des Übergangs vom MA. zur Neuzeit erhalten.

Seit der 2. Hälfte des 14. Jh. begann bei den selbstbewussten, reichen Fürstenhöfen und Stadtrepubliken N- und Mittelitaliens die Lösung von der mittelalterlichen kirchl. und feudalen Ordnung und damit eine gesellschaftl. Umstrukturierung, in deren Folge eine von Adel und Bürgertum getragene weltl. Kultur entstand. In den Stadtstaa-

Remscheid
Stadtwappen

Alexei Michailowitsch Remisow

Renaissance

Der florentinische Platon-Übersetzer Marsilio Ficino verlieh dem Menschenbild der Renaissance treffend Ausdruck:

»Der Mensch ist an Macht schier vergleichbar der Natur, was Gott in der Welt schafft durch den Geist, das begreift der Mensch im Akt der Erkenntnis, das drückt er durch die Sprache aus und stellt durch die Gestaltung im Stoff der Welt dar ... Der Mensch ist der Gott aller stofflichen Wesen, die er verändert und verwandelt ... Wer könnte also leugnen, dass er den Genius des Schöpfers besitzt?«

Renaissance

1

2

3

4

5

1 Filippo Brunelleschi, Basilika San Lorenzo in Florenz (Baubeginn 1420) | **2** Raffael, »Die Schule von Athen«, Ausschnitt aus einem Fresko in der Stanza della Segnatura des vatikanischen Palastes | **3** Italienischer Saal der 1536–43 erbauten Stadtresidenz in Landshut | **4** Michelangelo, »Der Sieg«, Skulptur für das Grabmal Papst Julius' II. (Florenz, Galleria dell' Accademia) | **5** Andrea del Verrocchio, Marmorbüste einer Dame mit Blumenstrauß (um 1475; Florenz, Museo Nazionale del Bargello)

ten kam eine neue Staatskunst auf, die mit der Lehre von der Staatsräson (N. Macchiavelli) in Europa dem polit. Realismus zum Durchbruch verhalf. Der durch den Handel hervorgebrachte Reichtum hatte verfeinerten Lebensgenuss, Bejahung der Sinnlichkeit, v. a. aber Mäzenatentum zur Folge; die Künstler erhielten Aufträge, um den Ruhm der Herrschenden zu verewigen.

Die R. blieb nicht auf die Stadtstaaten Italiens beschränkt (um 1450 hatte sich auch im päpstl. Rom eine ganz der neuen Kultur verpflichtete Atmosphäre entwickelt), sondern erstreckte sich mit zeitl. Verzögerungen über große Teile Europas. Das R.-Zeitalter war nicht nur das der großen geograph. Entdeckungen (→Entdeckungsgeschichte), sondern auch ein Zeitalter der Bildungsreisen.

Durch die Italienfeldzüge Karls VIII. und Ludwigs XII. kam die R.-Kultur nach Frankreich. Nördlich der Alpen bestimmten die religiösen, polit. und wirtsch. Kämpfe von Reformation und Bauernkrieg die Zeit. Zugleich trugen Gelehrte und Erfinder dort wesentlich zu einem neuen Weltbild bei (Kopernikus, R. Agricola, J. Gutenberg). Maximilian I. förderte im Hl. Röm. Reich umfassend Kunst und Kultur; in Ungarn verkörperte Matthias I. Corvinus den Typ des R.-Fürsten, ähnlich in Polen-Litauen Sigismund I. mit seinem Krakauer Hof. In SO-Europa war die Adelsrepublik Ragusa (Dubrovnik) in Anlehung an Italien ein Zentrum der Renaissance.

Die charakterist. Züge der R. sind am deutlichsten in der *bildenden Kunst* und *Architektur* verwirk-

6

7

8

9

6 Ansicht einer Idealstadt, Gemälde eines unbekannten Meisters des 16. Jahrhunderts (Urbino, Galleria Nazionale) | **7** Fra Filippo Lippi, »Verkündigung« (um 1440; Florenz, Basilika San Lorenzo) | **8** Albrecht Dürer, Ausschnitt aus dem Gemälde »Adam und Eva« (1507; Madrid, Prado) | **9** Paolo Uccello, gemaltes Reiterstandbild des Sir John Hawkwood, eines Condottiere englischer Herkunft, Fresko (1436; Florenz, Dom)

licht, bes. in der Italiens. Hier löste der neue Stil seit etwa 1400 die Gotik ab (Früh-R.), erreichte um 1490–1510 seinen Höhepunkt (Hoch-R.) und erlebte 1510/20–1600 noch eine lange, stilistisch durch neue Merkmale geprägte Phase (Spät-R., meist dem →Manierismus gleichgesetzt). Die Erforschung des Überlieferungsbestandes wird erleichtert durch die reiche Kunstliteratur aus der Zeit. Im Unterschied zum MA. sind nun volle Signaturen und biograph. Fakten bekannt (u. a. durch →Vasari). Schon Vasari spricht von der »Rinascita« (»Wiedergeburt«) der Kunst seit dem 14. Jh. und meinte damit die durch die Überwindung des MA. wieder erstehende Kunst, die sich erstmals seit der Antike wieder am Naturvorbild orientierte. Unter Naturvorbild wird aber nicht getreue Abbildung der Wirklichkeit verstanden, sondern die Veranschaulichung der vollkommenen Natur, der Natur in ihrer Idealität. Für dieses Ziel der R. konnte die Antike Vorbild sein. Der Übergang von der Gotik zur R. war fließend (Vorstufen bilden z. B. die Fresken Giottos oder die Triforiumsbüsten P. Parlers im Veitsdom von Prag). Ausgangspunkt und Zentrum der **Früh-R.** war das republikan. Florenz. Am Beginn der Kunst der Früh-R. steht die Skulptur. Donatello und Nanni di Banco schufen die Statue der Neuzeit, in der nicht mehr das Gewand Ausdrucksträger ist, sondern der in seiner organ. Funktion begriffene menschl. Körper. Dabei wird das antike Prinzip des Ausgleichs zw. Spielbein und Standbein (Kontrapost) wieder aufgenommen. Den Reliefstil der R. prägte Lorenzo

Ghiberti (Paradiestür des Baptisteriums, Florenz, 1425–52; BILD), nachdem F. Brunellesci mit seinem als Wettbewerbsentwurf für das Baptisterium entstandenen Relief (1401–03) eine Vorreiterrolle zuzuweisen ist. Während Donatello den Schritt zur frei stehenden Figur tat (»David«, nach 1427, Florenz, Bargello; Reiterstandbild des Gattamelata in Padua, 1447–53), entwickelte Brunelleschi in der Architektur aus den antiken Elementen eigene Proportions- und Gestaltungsvorstellungen, deren Maß der Mensch ist – im Unterschied zur got. Kathedralbaukunst, die den Menschen übersteigen will. Die Säule wird als das dem menschl. Körper am engsten verwandte Architekturglied verwendet; jedes einzelne Element wird sowohl zu dem benachbarten Element als auch zu dem Gesamten des Baues in ein wohl berechnetes Verhältnis gesetzt. Die bed. Bautätigkeit Brunelleschis in Florenz, wo er seit 1418 wichtige Aufträge erhielt, beeinflussten die gesamte weitere Entwicklung der R.-Architektur. Masaccio übertrug die von Brunelleschi entwickelten Regeln der zentralperspektiv. Projektion auf die Gemäldefläche, Paolo Uccello, Fra Filippo Lippi, Domenico Ghirlandaio und Andrea del Verrocchio prägten die weitere Florentiner Malerei. Außerhalb von Florenz setzten u. a. A. Mantegna, Piero della Francesca, Perugino, L. Signorelli und in Venedig Giovanni Bellini die neue Kunstauffassung um.

In der **Hoch-R.** wurden diese Ideen im Wesentlichen von Bramante in der Architektur, von Leonardo da Vinci und Raffael in der Malerei und von Michelangelo in der Bildhauerei und Malerei weiterentwickelt und in Rom zu höchster Blüte gebracht. Die frühesten Zeugnisse der Hoch-R. waren neben Leonardos Abendmahl (1495–97; Mailand, Santa Maria delle Grazie; BILD) die Skulptur der »Pietà« von Michelangelo (1498–1500; Rom, Peterskirche) und der Zentralbauentwurf Bramantes für den Neubau der →Peterskirche in Rom. In der Architektur lebt die Hoch-R. fort im Gartensaal der von Raffael 1516 entworfenen Villa Madama und den beiden ersten Geschossen des Palazzo Farnese (begonnen 1541 von G. da Sangallo) in Rom. Höhepunkte der R.-Malerei sind die Fresken Raffaels in den Stanzen des Vatikans (1508–17) und die monumentale Deckengestaltung in der Sixtin. Kapelle durch Michelangelo (1508–12). Die Einfachheit und Klarheit dieser Werke werden im Spätstil Raffaels wie Michelangelos (das »Jüngste Gericht« auf der Altarwand der Sixtin. Kapelle, 1536–41) durch einen zunehmend schwierigeren Bildaufbau, eine kompliziertere Formensprache und Themendeutung abgelöst, die auf einen neuen Stil verweisen, den Manierismus. In Venedig fanden die ästhet. Vorstellungen der Hoch-R. in den Gemälden Giorgiones eine poet. Ausformung und blieben im Werk Tizians und Tintorettos länger wirksam. Als 1527 die Truppen Karls V. Rom plünderten (Sacco di Roma), war dort jedoch die Zeit der Hoch-R. bereits vorbei.

Im 15. Jh. sind nördlich der Alpen gewisse Parallelentwicklungen zu den Neuerungen der Kunst in Italien festzustellen. Zentren sind hier bes. die reichen Handelsstädte in Flandern und Süd-Dtl. Einige niederländ. und süddt. Bildhauer (H. Multscher, N. Gerhaert von Leyden) und Maler (R. Campin, Jan van Eyck, Rogier van der Weyden, L. Moser, K. Witz) zeigen die gleiche Leidenschaft für die Darstellung von Körper und Raum sowie deren wechselseitige Beziehung wie die R.-Künstler in Florenz. Allerdings befassen sie sich nicht mit den theoret. Gesetzmäßigkeiten, vielmehr steht die Beobachtung im Vordergrund. Im ersten Drittel des 15. Jh. entsteht hier wie dort, unabhängig voneinander, das individuelle Porträt. Für die Zeit von 1460–70 spricht man von einer »Regotisierung«, was ebenso in Italien zu beobachten ist.

Im 16. Jh. erreichte das Vorbild der italien. R. fast alle europ. Länder. Die souveräne Verarbeitung der italien. R. ist A. Dürer, der sich 1494/95 und 1505–07 in Italien aufhielt, gelungen. Auch die Maler H. Holbein d. J., L. Cranach, M. Grünewald und A. Altdorfer nahmen Elemente der italien. Hoch-R. auf, sehr stark z. B. H. Burgkmair, in der Plastik H. Leinberger, C. Meit, P. Vischer d. J., H. Daucher, L. Hering und P. Flötner. In der Baukunst der dt. R. wird der italien. Einfluss u. a. in der Grabkapelle der Fugger in Augsburg (1509–18) oder im Bau der Landshuter Residenz (1536–43) fassbar. In der Weser-R. und im Ottheinrichsbau des Heidelberger Schlosses (1556 ff.) zeigen sich auch niederländ. Einflüsse. Die durch niederländ. Kupferstecher verbreiteten Stiche italien. Architektur und Gemälde führten im 16. Jh. zum →Romanismus. Bestimmend für die weit ausstrahlende manierist. Bauornamentik der 2. Hälfte des 16. Jh. wurde C. Floris.

Der künstler. Einfluss der italien. R. in Frankreich kam seit dem Aufenthalt Leonardo da Vincis am frz. Königshof (1517) und über den unter Einfluss Bramantes stehenden frz. Architekten und Architekturtheoretiker P. Delorme zur Geltung. Eine Reihe der Loire-Schlösser zeigen den frz. Formenkanon. Die Malerei zeigt bei J. Fouquet, J. Perréal und J. Clouet den Einfluss der klassischen italien. Renaissance, den italien. Manierismus trug die erste Schule von Fontainebleau nach Frankreich. Für die manierist. Architektur wurde der von B. Peruzzi beeinflusste S. Serlio wichtig. In England verschmolzen italien. Einflüsse mit Elementen der Gotik zum Tudorstil und zum elisabethan. Stil. In der Malerei setzte sich die R. seit dem ersten Aufenthalt (1526) von H. Holbein d. J.

in England durch. In Spanien gehören der Palast Karls V. in der Alhambra (1526 ff.) und die Kathedrale in Granada (1523 im got. Stil begonnen und 1528 von D. de Siloé im R.-Stil weitergebaut) zu den Zeugnissen reiner R.-Baukunst sowie aus der zweiten Jh.hälfte der →Escorial. In der Malerei führte P. Berruguete den Stil der italien. R. ein; sein Sohn A. Berruguete ist ein Hauptvertreter des span. Platereskenstils in Dekoration und Baukunst der ersten Hälfte des 16. Jh. – Die Wirkung der R. blieb nicht auf das 16. und z. T. noch das 17. Jh. beschränkt; sie erlangte erneut Bedeutung im Klassizismus (18./19. Jh.) und Historismus (19. Jh.).

Der Geist des Humanismus bestimmte auch die *Literatur* der Renaissance. In Florenz wurde Latein schon im letzten Viertel des 14. Jh. und seit 1397 auch Griechisch gelehrt, es bildeten sich humanist. Zirkel, und 1459 wurde die Platon. Akademie gegründet. Mit F. Petrarca hatte die Rückbesinnung auf das klass. Latein und die Erneuerung der antiken Gattungen begonnen (u. a. Epistel, Ekloge, Biographie, Epos), gleichzeitig die Hinwendung zur Volkssprache, zur Nationalliteratur. L. Ariosto, T. Tasso und L. V. de Camões schufen das Nationalepos. In der Dramatik begann mit dem Rückgriff auf die antiken Tragödien und Komödien das moderne europ. Theater. Eine Neuschöpfung der R. war das höf. Festspiel; die Schäferspiele (Pastoralen) sind aufgrund ihrer oft auch musikal. Aufbereitung Vorläufer der Oper. Einen Höhepunkt erreichte die Literatur der R. mit dem elisabethan. Drama (C. Marlowe, W. Shakespeare). Auch der europ. Roman erlangte durch M. de Cervantes Saavedra und F. Rabelais eine neue Qualität. Seit dem großen Erfolg von G. Boccaccios »Decamerone« verbreitete sich die neue Gattung der volkssprachl. Novelle noch im 14. Jh. in England (G. Chaucer) und dann in Frankreich (Margarete von Navarra) und Spanien (Cervantes). Im 16. Jh. blühte die Satire. In Dtl. ist die Literatur der R. fast ausschließlich von humanist. Gelehrsamkeit bestimmt (K. Celtis, U. von Hutten, N. Frischlin, Erasmus von Rotterdam). Erst die Bibelübertragung Luthers legte den Grund für eine Literatur in der Nationalsprache. Auch in den Ländern O- und SO-Europas war die R. – oft ohne deren weltl. Grundhaltung – entscheidend für die Ausprägung einer eigenen Literatursprache.

Der Begriff *R.-Musik* ist schon insofern problematisch, als die antike Musik in prakt. Beispielen unbekannt war und somit keine »Wiedergeburt« erfahren konnte. Die führenden Komponisten der R.-Musik, d. h. der Musik des 15./16. Jh., standen in der Tradition der niederländ. Musik, die sie nach Italien verpflanzten (mit Ausstrahlungen auch nach Dtl.) und deren Erbe die Meister der venezian. und röm. Schule fortsetzten. Hauptmeister sind Josquin Desprez und A. Willaert; wichtig sind auch dessen Schüler (C. de Rore, A. Gabrieli, N. Vicentino, G. Zarlino). Die bestimmenden Gattungen waren geistl. Natur (Messe, Motette), erst in der Frottola und im italien. Madrigal des 16. Jh. kündigte sich der Beginn der musikal. Neuzeit an. Gleichwohl findet sich am Vorbild der Antike ausgerichtetes Denken bereits in der Musiktheorie seit der 1. Hälfte des 15. Jh., dann bei J. Tinctoris, F. Gaffori, H. L. Glareanus, Vicentino, Zarlino, das schließlich den Boden für die Florentiner Camerata bereitete (V. Galilei, G. Caccini, J. Peri, P. Strozzi), deren Ziel die Wiederbelebung der (antiken) Gesangsmusik als Voraussetzung für einen instrumental begleiteten Sologesang war. Dies führte zur Herausbildung der Monodie und der Oper.

Ausgehend von Liedbearbeitungen (Tabulaturen) für Laute oder Orgel (C. Paumann) entsteht mit der R. erstmals eine sich von den vokalen Formen ablösende Instrumentalmusik (Ricercar, Kanzone und Tokkata, bes. für Tasteninstrumente). Aus der Familie der Violen entwickelten sich im 16. Jh. die Violinen. Eine besondere Ausprägung erfuhr die Orgelmusik (J. P. Sweelinck). Im reformator. Dtl. entstand die evang. Kirchenmusik.

📖 *Allgemeines:* Kristeller, P. O.: *Humanismus u. R., 2 Bde. München 1974–76, Nachdr. ebd. 1980.* –

Renaissance (Musik): Von Ottavio Petrucci 1507 in Venedig gedruckte Tabulatur für Laute (oben) und deren Übertragung in heutiger Notenschrift

GERL, H.-B.: *Einführung in die Philosophie der R. Darmstadt 1989.* – *Lexikon der R., hg. v.* G. GURST *u.a. Leipzig 1989.* – BURKE, P.: *Die R. Aus dem Engl. Frankfurt am Main 1996.*

Bildende Kunst: PANOFSKY, E.: *Die R.n der europ. Kunst. A.d. Engl. Frankfurt am Main 1979.* – MURRAY, P.: *Die Architektur der R. in Italien. A.d. Engl. Stuttgart 1980.* – KADATZ, H.-J.: *Dt. Renaissancebaukunst von der frühbürgerl. Revolution bis zum Ausgang des Dreißigjährigen Krieges. Berlin 1983.* – CHASTEL, A.: *Chronik der italien. Renaissancemalerei 1280–1580. A.d. Frz. Würzburg 1984.* – GOMBRICH, E. H.: *Zur Kunst der R., 4 Bde. A.d. Engl. Stuttgart 1985–87.* – *R., bearb. v.* A. COLE. *A.d. Engl. Stuttgart u.a. 1995.*

Literatur: R. u. Barock, bearb. v. A. BUCK, *2 Bde. Frankfurt am Main 1972.*

Musik: Neues Handbuch der Musikwissenschaft, hg. v. C. DAHLHAUS, *Bd. 3: Die Musik des 15. u. 16. Jh., hg. v.* L. FINSCHER. *Neuausg. Darmstadt 1997.*

Ernest Renan

Renan [rəˈnã], Ernest, frz. Religionswissenschaftler, Orientalist und Schriftsteller, *Tréguier (Dép. Côtes-d'Armor) 27. 2. 1823, †Paris 2. 10. 1892. Nach theolog. Studium (1838–45) löste sich R. unter dem Einfluss der krit. dt. Philosophie und Theologie vom christl. Glauben und wandte sich in zahlr. Veröffentlichungen der Orientalistik und Religionswissenschaft zu; suchte in seinem Hauptwerk »Das Leben Jesu« (1863) Wunder rational und Jesu Leben als Weg zum Anarchismus zu deuten.

Renaud [rəˈno], Madeleine, frz. Schauspielerin, *Paris 21. 2. 1900, †ebd. 23. 9. 1994; eine der bedeutendsten frz. Schauspielerinnen, gehörte 1921 bis 1947 der Comédie-Française an. Mit ihrem Mann J.-L. →Barrault gründete und leitete sie die »Compagnie R.-Barrault«.

Louis Renault

Renault [rəˈno], Louis, frz. Jurist, *Autun 21. 5. 1843, †Barbizon 8. 2. 1918; Völkerrechtslehrer in Dijon und Paris, Mitgl. des Ständigen Schiedshofs in Den Haag; 1907 Friedensnobelpreis.

Renault S. A. [rəˈno sɔsjeˈte anɔnim], Kurzbez. für Régie Nationale des Usines Renault S. A., frz. Unternehmen der Automobilind., Sitz: Boulogne-Billancourt, gegr. 1898 von Louis Renault (*1877, †1944), 1945 verstaatlicht; seit 1990 AG in Staatseigentum.

Rẹnch *die,* rechter Nebenfluss des Oberrheins, Bad.-Württ., 54 km lang, entspringt am Kniebis im Schwarzwald und mündet bei Helmlingen. Im R.-Tal liegen die Bäder Peterstal und Griesbach. Durch die R.-Acher-Korrektion wurde im Maiwaldgebiet (Oberrheinebene) der Abfluss beschleunigt.

Annemarie Renger

Rẹnchen, Stadt im Ortenaukreis, Bad.-Württ., 150 m ü. M., im Oberrhein. Tiefland, an der Rench, (1991) 6200 Ew.; Maschinenbau u.a. Industrie. – Der klassizist. Bau der Kirche Hl. Kreuz wurde 1816–17 nach Plänen von F. Weinbrenner errichtet. – R., aus einem zähring. Ministerialensitz um 1050 entstanden, kam 1228 an das Hochstift Straßburg und fiel 1803 an Baden. 1836 erhielt R. Stadtrecht.

Rendsburg: Die bis Ende der 1980er-Jahre unter der Eisenbahnhochbrücke über den Nord-Ostsee-Kanal an Seilen hängende Schwebefähre für den Pendelverkehr wird zur Jahrhundertwende nach einer Generalüberholung als Industriedenkmal wieder in Betrieb genommen

Rendement [rãdˈmã, frz.] *das,* Ertrag, bes. das Verhältnis, das angibt, welche Ausbeute an Fertigfabrikaten ein Rohstoff zu liefern vermag.

Rendezvous [rãdeˈvuː, frz.] *das,* Verabredung.

Rendezvousmanöver [rãdeˈvuː-], die gezielte Annäherung eines Raumfahrzeugs an ein anderes. Die Beherrschung der R.-Technik ist Voraussetzung für das **Docking,** das Ankoppeln eines Raumfahrzeugs an ein anderes. (→Raumfahrt)

Rendịte (effektive Verzinsung, Effektivverzinsung), der Ertrag einer Kapitalanlage; sie ist abhängig von den laufenden (jährl.) Erträgen, den Kurs- oder Marktpreisveränderungen sowie den Kosten für An- und Verkauf und laufende Verwaltung (z.B. Depotgebühren). Unter Berücksichtigung der Kosten wird aus der Brutto-R. die Netto-R., die dann noch von steuerl. Aspekten beeinflusst wird (R. nach Steuern). Die jährl. Brutto-R. errechnet sich aus dem prozentualen Verhältnis von Kursgewinn bzw. Kursverlust (Differenz zw. Verkaufskurs und Kaufkurs) und jährl. Erträgen (Dividenden, Zinsen) zum eingesetzten Kapital. Als Dividenden-R. wird das prozentuale Verhältnis von zuletzt gezahlter Dividende je Aktie zum aktuellen Börsenkurs bezeichnet. Bei der Berechnung der R. von Anleihen wird auch eine »Faustformel« benutzt:

$$\text{Rendite} = \frac{\text{Nominalzins} + \dfrac{\text{Nennwert} - \text{aktueller Kaufpreis}}{\text{Restlaufzeit in Jahren}}}{\text{Börsenkurs} + \text{Stückzinsen}} \times 100\,\%$$

Für den Schuldner von Krediten ist die effektive Verzinsung das tatsächl. Entgelt für die Inanspruchnahme des Kredits als jährl. Gesamtbelastung in Prozent des Kreditbetrags unter Berücksichtigung u.a. von Nominalzins, Auszahlungskurs, Laufzeit (Festschreibungszeit) und Tilgungsrate. Für Kredite ist nach der Preisangaben-VO der anfängl. effektive Jahreszins anzugeben.

Rendsburg, Krst. des Kr. R.-Eckernförde, Schlesw.-Holst., 30800 Ew.; Hochschule für Berufstätige R. (FH), Fachbereich Landwirtschaft der FH Kiel, Landestheater, Museen; Maschinen- und Werkzeugbau, Dünger-, Möbel-, Drahtfabrik, Gießerei, Betonwerk; Landwirtschaftsmessen, Zentralviehmarkt; Hafen an der Eider und am Nord-Ostsee-Kanal, Eisenbahnhochbrücke und Autobahnbrücke über, Straßentunnel und Fußgängertunnel unter dem Nord-Ostsee-Kanal. – Got. Marienkirche (13. Jh.), Rathaus (Kern 16. Jh.); in der ehem. Synagoge (19. Jh.) jüd. Kulturzentrum (seit 1988). – 1199 erstmals, 1253 als Stadt erwähnt; 1536–41 Ausbau zur Festung (1690–95 erweitert; 1852 aufgegeben).

Rendsburg-Eckernförde, Kreis in Schleswig-Holstein, 2186 km², (1996) 260700 Ew.; Kreisstadt ist Rendsburg.

Rendzina [poln.] *die,* Bodentyp mit humosem, schwarzem bis schwarzbraunem Oberboden auf kalkhaltigem Ausgangsmaterial; ein Übergangshorizont fehlt. Meist flachgründige, gut krümelige Böden, die schnell austrocknen. R. sind erosionsanfällig.

Reneklode [frz.] *die* (Reineclaude), *Botanik:* Unterart des →Pflaumenbaums.

Renette [frz.] *die* (Reinette), Bez. für versch. Apfelsorten, mit saftigem, würzigem, festem Fleisch.

Renfrewshire ['renfru:ʃɪə], Local Authority in Schottland, westlich von Glasgow, 261 km², (1993) 177000 Ew.; Verw.sitz ist Paisley.

Renger, Annemarie, Politikerin (SPD), *Leipzig 7. 10. 1919; 1945–52 enge Mitarbeiterin K. Schumachers, 1953–90 MdB, 1972–76 Präs., 1976–90 Vizepräs. des Bundestags; seit 1990 Präs. des Dt. Rates der Europ. Bewegung.

Renger-Patzsch, Albert, Fotograf, *Würzburg 22. 6. 1897, †Wamel (heute zu Möhnesee, Kr. Soest) 27. 5. 1966; wichtiger Vertreter der Neuen Sachlichkeit in der Fotografie; veröffentlichte über 20 Bildbände.

Reni, Guido, italien. Maler, *Calvenzano (heute zu Vergato, Prov. Bologna) 4. 11. 1575, †Bologna 18. 8. 1642; seit 1600 v.a. in Rom tätig; schuf unter dem Einfluss von Caravaggio Fresken u.a. im Vatikan (1608), in der Kapelle des Quirinals (1610) und im Palazzo Rospigliosi (»Aurora«, 1612–14), die klassizist. Tendenzen mit Helldunkelkontrasten verbinden. Ab 1616 in Bologna, gelangte R. zu einem kühlen, eleganten Barockstil (»Ruhende Venus mit Amor«, um 1639[?]; Dresden, Gemäldegalerie); auch bed. als Radierer.

Renin [lat.] *das,* in der Niere bes. bei Natriummangel und Abnahme der Nierendurchblutung gebildetes Enzym. R. bewirkt indirekt eine Blutdrucksteigerung und eine Freisetzung von Aldosteron, das den Blutdruck erhöht.

Renken (Maränen, Felchen, Coregonidae), den Lachsartigen Fischen zugeordnete Familie eurasiat. Süßwasserfische, die als Wanderfische im Meer leben. Die **Kleine Maräne** (Coregonus albula) der Ostsee sowie der großen ost- und nordeurop. Seen wird bis 35 cm lang; die **Große Ma-**

Rendsburg Stadtwappen

Guido Reni: »Wettlauf der Atalante mit Hippomenes« (undatiert; Neapel, Museo e Gallerie Nazionali di Capomonte); darunter »Der Bethlehemitische Kindermord« (1611; Bologna, Pinacoteca Nazionale)

Rennes: Palais de Justice (1618–55)

räne (Coregonus lavaretus), bis 70 cm lang, ist ein Tiefenfisch großer Seen vom Alpengebiet bis Sibirien. Alle R. sind Speisefische.

Renminbi ¥uan, Abk. **RMB. ¥,** Währungseinheit in China; 1 RMB. ¥. = 10 Jiao = 100 Fen.

Ludwig Renn

Renn, Ludwig, Schriftsteller, eigtl. Arnold Vieth von Golßenau, *Dresden 22. 4. 1889, †Berlin (Ost) 21. 7. 1979; Offizier, trat 1928 der KPD bei; emigrierte 1936 in die Schweiz, Kommandeur einer internat. Brigade im Span. Bürgerkrieg (1936–39); 1939–47 in Mexiko. Sein reportageartiger Roman »Krieg« (1928) wurde ein Welterfolg; außerdem »Nachkrieg« (R., 1930), »Adel im Untergang« (R., 1944), Jugendbücher; »Anstöße in meinem Leben« (hg. 1980).

Karl Renner

Renner, Karl, österr. Politiker, *Untertannowitz (heute Dolní Dunajovice, bei Mikulov, Südmähr. Gebiet) 14. 12. 1870, †Wien 31. 12. 1950; schon vor 1914 einer der Führer der österr. Sozialdemokratie, ab 1907 Mitgl. des Reichsrats; Okt. 1918 bis Juni 1920 Reg.chef (Staatskanzler); Juli 1919 bis Okt. 1920 auch Staatssekretär für Äußeres, Leiter der österr. Abordnung bei den Friedensverhandlungen von Saint-Germain-en-Laye (1919); 1930–33 Präs. des Nationalrats. 1938 trat R. zunächst für den Anschluss Österreichs an das Dt. Reich ein. Am 27. 4. 1945 bildete er als Staatskanzler eine provisor. Regierung; Dez. 1945–50 Bundespräsident.

Rennert, Günther, Regisseur und Theaterleiter, *Essen 1. 4. 1911, †Salzburg 31. 7. 1978; bed. Repräsentant des modernen Musiktheaters. 1946–56 Intendant der Hamburger Staatsoper, 1967–77 Intendant der Bayr. Staatsoper München; daneben Gastregisseur an führenden Bühnen.

Rennes Stadtwappen

Rennes [rɛn], Hptst. der Region Bretagne und des Dép. Ille-et-Vilaine, Frankreich, am Zusammenfluss von Ille und Vilaine, 203 500 Ew.; Erzbischofssitz; zwei Univ., Fachhochschulen, Museen, Theater; Automobilind., Maschinenbau, Elektro-, Textil-, Papier-, Holz- u. a. Ind., Erdölraffinerie; Flugplatz. – Die 1720 durch Brand fast völlig zerstörte Altstadt (erhalten Palais de Justice, 1618–55) wurde im 18. und 19. Jh. neu angelegt (Kathedrale 1787–1844). – R. wurde Ende des 10. Jh. die Hptst. des Herzogtums Bretagne.

Rennin *das,* das → Labferment.

Rennschlittensport (Rennrodeln), Rennen mit Schlitten auf Stahlkufen ohne Lenk- und Bremseinrichtung von höchstens 45 cm Spurweite. Die Rodelbahn für Wettbewerbe ist oft mit der Bobbahn identisch. Olymp. Spiele seit 1964.

Rennstall, alle Rennpferde eines Besitzers; im Radsport Bez. für eine Firmenmannschaft.

Rennsteig (Rennweg), 168 km langer Höhenweg über den Kamm des Thüringer Waldes, von der Werra nordwestlich von Eisenach bis Blankenstein; beliebter Wanderweg; seit 1330 als Grenzweg zw. Thüringen und Franken erwähnt.

Rennwagen, *Automobilsport:* für die Austragung von Rennen nach Kategorien und Gruppen eingeteilte Wettbewerbsfahrzeuge. Formel (Rennformel) bezeichnet die vom Internat. Automobilverband (FIA) oder vom nat. Motorsportverband verbindlich festgelegten Bestimmungen für die einzelnen Kategorien. Unterschieden werden dabei Kategorie A »homologierte Produktionswagen« und Kategorie B »Rennwagen« (Monoposto: einsitzige, offene Rennwagen mit unverkleideten Rädern). Im Einzelnen gelten: **Kategorie A:** Gruppe A (Tourenwagen mit serienmäßiger Karosserie, Produktion mindestens 5 000 Stück im Jahr), Gruppe B (straßentaugl. R., Produktion mindestens 200 Stück im Jahr), Gruppe C (zweisitzige Rennsportprototypen mit höchstens 100 l Tankinhalt), Gruppe N (Serienwagen mit geringfügigen Änderungen, Produktion mindestens 5 000 Stück im Jahr). **Kategorie B: Formel 1:** Monoposto, Hubraum bis 3 000 cm³, ohne Turbolader, Mindestgewicht 600 kg (einschl. Fahrer); **Formel 3000:** Monoposto, Hubraum bis 3 000 cm³, Mindestgewicht 625 kg); **Formel 3:** Monoposto, Motor von einer Großserie abgeleitet, Hubraum höchstens 2 000 cm³). – Seit 1950 werden unter der Kontrolle des FIA Formel-1-Weltmeisterschaften ausgetragen.

Rennwett- und Lotteriesteuer, vom Veranstalter zu entrichtende Steuer auf die Umsätze bei öffentl. Pferdewetten, Lotterien und Ausspielungen. Die Zahlung befreit von der Umsatzsteuer. Das Aufkommen aus der R.- u. L., das den Ländern zufließt, betrug in Dtl. (1995) 2,79 Mrd. DM.

Reno, 1) *der,* Fluss in N-Italien, 211 km lang, entspringt im Etrusk. Apennin, mündet ins Adriat. Meer. Der Unterlauf ist 30 km schiffbar.

2) ['ri:nəʊ], Stadt in Nevada, USA, 1 372 m ü. M. am Fuß der Sierra Nevada; 127 200 Ew.; Staatsuniv.; bed. Fremdenverkehr, Spielkasinos, Wintersportzentrum; elektron. Industrie, Druckereien.

Renoir [rən'wa:r], **1)** Auguste, frz. Maler und Grafiker, *Limoges 25. 2. 1841, †Cagnes-sur-Mer (bei Nizza) 3. 12. 1919, Vater von 2); wandte sich unter dem Einfluss der Schule von Barbizon der Freilichtmalerei zu. Die Zusammenarbeit mit C. Monet 1869 leitete seine impressionist. Phase ein (→Impressionismus): Er begann, die sich im Licht verändernden farbigen Erscheinungen mit zarten, unregelmäßigen Pinselstrichen festzuhalten. In den 1880er-Jahren wurde seine Form im klass. Sinn bestimmter. In seiner letzten Schaffensperiode lockerte sich das Farbgefüge wieder. Es entstanden Landschaften in leuchtenden Tönen und Bilder von Frauen und jungen Mädchen in naturhaft sinnl. Anmut. Bilder S. 402

Werke: Das Ehepaar Sisley (1868; Köln, Wallraf-Richartz-Museum), Die Loge (1874; London, Courtauld Institute Galleries), Die großen Badenden (1884–87; Philadelphia, Museum of Art).

📖 Meier-Graefe, J.: *R. Frankfurt am Main 1994.* – Monneret, S.: *R. Der Mensch, das Leben, das Werk. A. d. Frz. Stuttgart 1995.*

2) Jean, frz. Filmautor und -regisseur, *Paris 15. 9. 1894, †Beverly Hills 12. 2. 1979, Sohn von 1); Vertreter des poet. Realismus.

Filme: Nana (1926), Die große Illusion (1937), Die Spielregel (1939), Der Strom (1951), Die goldene Karosse (1953), Das Frühstück im Grünen (1959), Das Testament des Dr. Cordelier (1959).

Renommee [frz.] *das,* guter Ruf, Leumund. **renommieren,** angeben, prahlen. **renommiert,** angesehen, namhaft, berühmt.

Renouveau catholique [rənu'vo kato'lik; frz. »kath. Erneuerung«] *der,* Strömung im frz. Geistesleben, die nach 1900 dem positivistisch-determinist. Zeitgeist eine verinnerlichte kath. Religiosität entgegensetzte. Ausgehend von der Literatur

Jean Renoir (links) auf einem Szenenfoto aus dem Film »Die Spielregel« (1939)

Rennwagen: Das Formel-1-Rennen auf der Rennstrecke Interlagos bei São Paulo wird am 29. März 1998 von den beiden McLaren-Mercedes angeführt; im Hauptfeld folgen u. a. die roten Boliden von Ferrari

(L. Bloy, C. Péguy, P. Claudel, G. Bernanos, F. Mauriac), hat der R. c. auch auf Musik und Kunst eine tiefe Wirkung ausgeübt. In anderen europ. Literaturen gibt es ähnl. Strömungen, in Dtl. gehören dazu u. a. Gertrud von Le Fort, W. Bergengruen, F. Werfel, Reinhold Schneider und E. Schaper.

Renouvier [rənu'vje], Charles Bernard, frz. Philosoph, *Montpellier 1. 1. 1815, †Prades (Dép. Pyrénées-Orientales) 1. 9. 1903; begründete den Neukantianismus in Frankreich und vertrat einen antimetaphys., eth. Personalismus.

Günther Rennert

Renovatio Imperii Romanorum [lat. »Erneuerung des Röm. Reiches«] *die,* die seit Karl d. Gr. das MA. bestimmende Idee von der Erneuerung der röm. Kaiserwürde und →Reichsidee.

Rentabilität *die,* prozentuales Verhältnis zw. einer Erfolgsgröße (z. B. Gewinn) und einer Bezugsgröße (z. B. eingesetztes Kapital). Die R. ist ein wichtiges Kriterium für die Erfolgskontrolle, den Betriebsvergleich sowie die Entscheidung über Investitionen. Die **Gesamtkapital-R.** ist das Verhältnis von Kapitalgewinn (Jahresüberschuss und Fremdkapitalzinsen) zum gesamten gebundenen Kapital (Eigen- und Fremdkapital), die **Eigenkapital-R.** das Verhältnis von Gewinn und Eigenkapital und die **Umsatz-R.** das Verhältnis von Gewinn und Umsatz. (→Return on Investment)

Jean Renoir

Rente [aus altfrz. rente »Ertrag«, zu lat. reddere »zurückgeben«] *die,* **1)** *Versicherung:* periodisch gezahlter Geldbetrag, der jemandem aufgrund der Erfüllung der Anspruchsvoraussetzungen in der Sozialversicherung (v. a. gesetzl. Rentenversicherung und Unfallversicherung) oder aufgrund einer

Auguste Renoir (von links): »Akt in der Sonne« (um 1876; Paris, Musée d'Orsay; »Die Loge« (1874; London, Courtauld Institute Galleries)

privaten Versicherung (v.a. Lebensversicherung) zusteht.

2) *Volkswirtschaftslehre:* Einkommen, das nicht auf Arbeitsleistung, sondern auf Besitz bzw. Vermögen basiert (z.B. →Grundrente). In der Preistheorie spricht man von **Konsumenten-R.,** wenn der Käufer einen niedrigeren Preis zahlt, als er zu zahlen bereit ist, sowie von **Produzenten-R.,** wenn ein Anbieter aufgrund kostengünstigerer Produktion einen höheren Preis erzielt, als ursprünglich gefordert.

Renten (Rentenwerte), allg. Bez. für festverzinsliche Wertpapiere.

Renten|anleihe, Staatsanleihe, durch deren Zeichnung der Gläubiger nur Anspruch auf Verzinsung, nicht aber auf Rückzahlung des Kapitals erwirbt.

Rentenberechnung, die Ermittlung des Anspruchs aus der gesetzl. →Rentenversicherung nach dem Grundsatz, dass sich die Rente v.a. nach dem Einkommen richtet, für das der Versicherte während seines Erwerbslebens Beiträge gezahlt hat. Der monatl. Rentenbetrag (MR) wird nach der Rentenformel (ab 1992) MR = PEP · RAF · AR berechnet (PEP = persönl. Entgeltpunkte, RAF = Rentenartfaktor, AR = aktueller Rentenwert). Die PEP berücksichtigen das Versicherteneinkommen im Vergleich zum Durchschnittseinkommen aller Versicherten: Entspricht das individuelle Einkommen dem Durchschnittsverdienst in einem Jahr, so wird dafür ein Entgeltpunkt (EP) veranschlagt; liegt das persönl. Einkommen z.B. um 20% über dem Durchschnitt, beträgt der EP 1,2, wenn es um 50% darunter liegt, 0,5 EP. Durch den RAF soll sichergestellt werden, dass die unterschiedl. Renten das sozialpolitisch gewünschte Sicherungsniveau erreichen: Alters-, Erwerbsunfähigkeits- sowie Erziehungsrente je 1,0, Berufsunfähigkeitsrente 0,6667, große Witwenrente (Witwerrente) 0,6, kleine Witwenrente (Witwerrente) 0,25, Vollwaisenrente 0,2, Halbwaisenrente 0,1 RAF-Werte. Der aktuelle Rentenwert (AR) ist der Betrag, der einer monatl. Altersrente aus Beiträgen eines Durchschnittsverdieners für ein Jahr entspricht. Er wird entsprechend der Entwicklung des Durchschnittsentgelts unter Berücksichtigung der Abzüge bei Arbeitseinkommen und Renten durch Steuern und Beiträge zur Sozialversicherung jährlich angepasst.

Eine Besonderheit der Rentenversicherung ist die Berücksichtigung beitragsgeminderter oder beitragsfreier Zeiten. So wird für folgende Beitragszeiten unabhängig von der Höhe der Beitragszahlungen ein Mindestwert festgelegt: Kindererziehungszeiten: 0,0625 EP pro Monat (75% des Durchschnittsentgelts), Berufsausbildung: 0,0625 EP pro Monat (75% des Durchschnittsentgelts; dieser Wert gilt unabhängig von einer Berufsausbildung generell für die ersten drei Jahre der Berufstätigkeit), Wehr- und Zivildienst: 0,80 EP pro Jahr (80% des Durchschnittsentgelts). Zeiten, in denen Lohnersatzleistungen (Arbeitslosengeld, Arbeitslosenhilfe, Krankengeld usw.) bezogen wurden, sind Beitragszeiten, für die die Bundesanstalt für Arbeit bzw. die zuständige Krankenkasse Beiträge an die Rentenversicherung zahlen; die Beitragszahlungen gehen von einem auf 80%

abgesenkten Bruttoarbeitsentgelt aus. Seit 1995 werden für Pflegepersonen Beiträge von den Pflegekassen an die Rentenversicherung entrichtet, wobei je nach Pflegestufe und wöchentl. Dauer der häusl. Pflege fiktive Verdienste zugrunde gelegt werden. Für bestimmte beitragsfreie Zeiten (Kalendermonate mit Anrechnungs-, Ersatz-, Berücksichtigungs- oder Zurechnungszeiten) werden ebenfalls Entgeltpunkte berechnet.

Rentenfonds [-fɔ̃], Investmentfonds, der ausschl. in festverzinsl. Wertpapiere investiert.

Rentenindex, numer. Ausdruck für die Kursentwicklung am Markt für festverzinsl. Wertpapiere, z. B. der Deutsche Rentenindex (→REX®).

Rentenmark, durch Gesetz vom 13. 10. 1923 geschaffene Zwischenwährung zur Stabilisierung der dt. Währung in der Inflation nach dem 1. Weltkrieg. Eine R. entsprach einer Billion Papiermark. Die R. war einlösbar in verzinsliche, auf Gold lautende Rentenbriefe, die durch eine Grundschuld auf den gesamten landwirtsch. Besitz gedeckt waren. Das gesamte Stabilisierungsverfahren lag in den Händen der **Dt. Rentenbank,** die durch VO vom 15. 10. 1923 als öffentl. Bankinstitut errichtet worden war. 1924 wurde die R. durch die →Reichsmark ersetzt.

Rentenmarkt, Börsenmarkt für festverzinsliche Wertpapiere (Rentenwerte) im Ggs. zum Aktienmarkt (Beteiligungspapiere).

Rentenpapiere, festverzinsl. Wertpapiere, bes. staatl. und kommunale Schuldverschreibungen, Pfandbriefe.

Rentenschuld, besondere Form der Grundschuld, bei der zu regelmäßig wiederkehrenden Zeitpunkten eine bestimmte Geldsumme aus dem Grundstück zu zahlen ist (§§ 1199–1203 BGB). – Das *österr.* und das *schweizer.* Recht kennen die R. als besondere Institution nicht.

Rentenversicherung, zum einen als **gesetzliche R.** ein Teil der Sozialversicherung, zum anderen als **private R.** eine besondere Form der →Lebensversicherung. Das Recht der gesetzl. R. wurde durch das Rentenreform-Ges. 1992 (RRG 1992) vom 18. 12. 1989, gültig ab 1. 1. 1992, weiterentwickelt und als sechstes Buch in das Sozialgesetzbuch (SGB VI) eingefügt. Die gesetzl. R. ist eine Pflichtversicherung für Arbeiter, Angestellte, Auszubildende, Wehr- und Zivildienstleistende, Behinderte in anerkannten Werkstätten sowie für Beschäftigte in knappschaftlichen Betrieben (Knappschaftsversicherung); in der Landwirtschaft Tätige sind in der →Alterssicherung der Landwirte pflichtversichert. Pflichtversichert sind auch Pflegepersonen (→Pflegeversicherung) und Bezieher von Lohnersatzleistungen sowie über die Anerkennung von Kindererziehungszeiten auch Mütter und Väter. Die nicht in der R. pflichtversicherten Selbstständigen können – wie fast alle nicht versicherungspflichtigen Personen, die das 16. Lebensjahr vollendet haben – auf Antrag in die R. einbezogen werden. Versicherungsfrei sind Beamte, Richter und vergleichbare Beschäftigte (→Versorgung), Bezieher einer vollen Altersrente und Pensionäre sowie geringfügig Beschäftigte (→geringfügige Beschäftigung). – *Träger* der R. der Arbeiter sind die Landesversicherungsanstalten (daneben die Bahnversicherungsanstalt und die Seekasse), für Angestellte die Bundesversicherungsanstalt für Angestellte und für die im Bergbau Beschäftigten die Bundesknappschaft (→Knappschaft). – Die *Finanzierung* der R. beruht auf R.-Beiträgen der Versicherten und einem Bundeszuschuss. Nach dem Umlageverfahren müssen die Auszahlungen einer Periode in derselben Periode durch Einnahmen gedeckt sein (einschließlich einer finanziellen Schwankungsreserve von einer Monatsausgabe). Dadurch tragen die jeweils Erwerbstätigen zur Finanzierung der Einkommen der nicht mehr Erwerbstätigen bei **(Generationenvertrag).** Die **R.-Beiträge (Pflichtbeiträge),** deren Höhe bis zur jährlich neu festgelegten Beitragsbemessungsgrenze einen bestimmten Prozentsatz des Bruttoeinkommens beträgt, werden bei Pflichtversicherten je zur Hälfte vom Arbeitgeber und Arbeitnehmer gezahlt, bei freiwillig und freiwillig höher Versicherten vom Versicherten allein. Der Beitragssatz beträgt seit 1. 1. 1997 20,3% des Bruttoarbeitsentgelts bis zur Beitragsbemessungsgrenze von (1999) 8500 DM (neue Bundesländer 7200 DM). Der jährlich neu festgelegte Bundeszuschuss wird damit begründet, dass mit der R. auch gesamtgesellschaftl. Ziele verfolgt werden, die nicht nur von den Beitragszahlern finanziert werden sollen (→versicherungsfremde Leistungen).

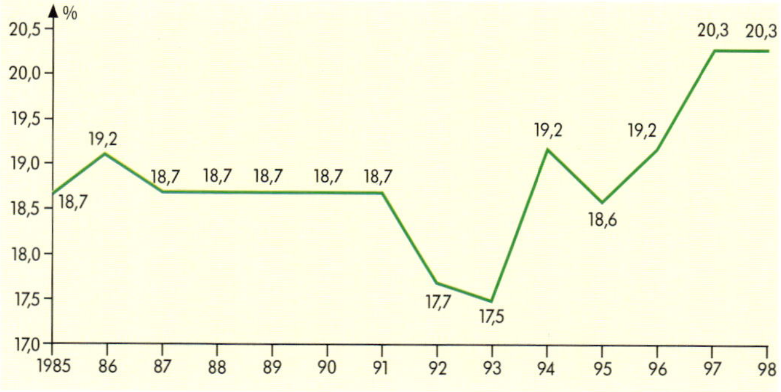

Rentenversicherung Die Entwicklung der Beitragssätze in der Rentenversicherung 1985–98

Leistungen: Ziel der gesetzl. R. ist die Sicherung des im Erwerbsleben erzielten Lebensstandards, Grundvoraussetzung für den Rentenbezug v. a. eine die Beitragspflicht begründende Erwerbstätigkeit, wobei sich die Höhe der Rente prinzipiell an Dauer und Höhe der Beitragszahlungen orientiert (»beitragsbezogene Rente«). Versicherungsfälle sind das Erreichen der Altersgrenze, gesundheitl. Beeinträchtigungen (Berufsunfähigkeit, Erwerbsunfähigkeit) sowie der Tod des Versicherten (Leistungen an Hinterbliebene). In allen Fällen ist Anspruchsvoraussetzung, dass eine bestimmte Wartezeit (Beitrags- und Ersatzzeiten) eingehalten wird; die Regelwartezeit beträgt fünf Jahre. Die R. trägt darüber hinaus zur Wiederherstellung der Arbeitskraft bei verminderter Erwerbsfähigkeit auch Rehabilitationsmaßnahmen.

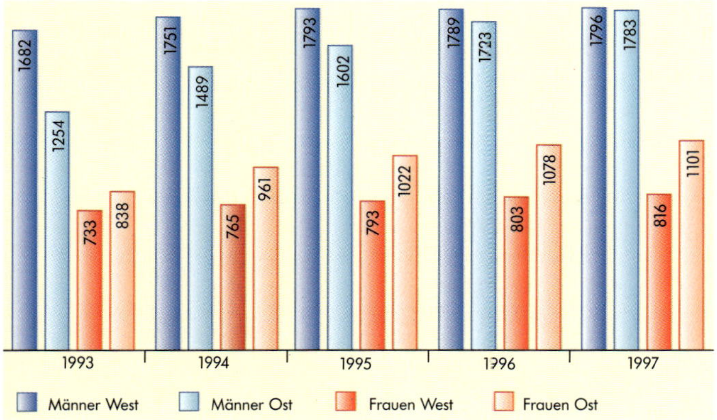

Rentenversicherung: Die Entwicklung der durchschnittlichen Zahlbeträge der Versichertenrente insgesamt von 1993 bis 1997 in DM/Monat

Renten wegen Erreichen einer Altersgrenze **(Altersrenten)** sind: 1) die **Regelaltersrente** nach Vollendung des 65. Lebensjahres; 2) die **Altersrente für langjährig Versicherte** nach Vollendung des 63. Lebensjahres und bei einer Wartezeit von 35 Jahren; 3) weibl. Versicherte erhalten, wenn sie das 60. Lebensjahr vollendet, eine Wartezeit von 15 Jahren erfüllt und nach Vollendung des 40. Lebensjahres mehr als zehn Jahre Pflichtbeitragszeiten haben, auf Antrag eine vorgezogene **Altersrente für Frauen;** 4) bei gleicher Altersgrenze und Wartezeit erhalten Arbeitslose, die innerhalb der letzten 18 Monate mindestens 52 Wochen arbeitslos waren und in den letzten zehn Jahren vor Rentenbeginn acht Jahre Pflichtbeiträge gezahlt haben, sowie Erwerbstätige, die 24 Monate Altersteilzeitarbeit ausgeübt haben eine vorgezogene **Altersrente wegen Arbeitslosigkeit und nach Altersteilzeitarbeit;** 5) anerkannt berufs- oder erwerbsunfähige Schwerbehinderte erhalten nach Vollendung des 60. Lebensjahres bei einer Wartezeit von 35 Jahren eine **Altersrente für Schwerbehinderte, Berufs- und Erwerbsunfähige.** Bis auf die zuletzt genannte Altersrente werden alle **flexiblen Altersgrenzen** ab den Jahren 1997 bzw. 2000 schrittweise auf einheitlich 65 Jahre angehoben, wobei auch eine Vertrauensschutzregelung gilt. Wer weiterhin vorzeitig Rente beziehen will, muss eine Rentenminderung von 3,6% pro vorgezogenes Rentenjahr hinnehmen. Seit 1992 können Versicherte die ihnen zustehende Altersrente auch als **Teilrente** in Höhe von einem Drittel, der Hälfte oder zwei Dritteln der Vollrente bei gleichzeitiger eingeschränkter Berufstätigkeit im Rahmen von Hinzuverdienstgrenzen beanspruchen. Kindererziehungszeiten gelten (bei Geburten ab 1992 drei Jahre, vorher ein Jahr) als Pflichtbeitragszeiten.

Rentenleistungen als Einkommensersatz bei Erwerbsminderung sind die Berufsunfähigkeits- und die Erwerbsunfähigkeitsrente, die bis zur Vollendung des 65. Lebensjahres gezahlt werden (danach Regelaltersrente), wobei die Regelwartezeit erfüllt und in den letzten fünf Jahren drei Jahre lang Pflichtbeiträge gezahlt werden müssen. Eine **Berufsunfähigkeitsrente** erhalten Versicherte bei einer Erwerbsminderung, wenn sie in ihrem oder einem zumutbaren anderen Beruf nur noch weniger als die Hälfte dessen verdienen können, was vergleichbare andere Beschäftigte verdienen könnten. Die **Erwerbsunfähigkeitsrente** wird gezahlt, wenn die Erwerbsminderung so stark ist, dass eine regelmäßige Erwerbstätigkeit nicht mehr ausgeübt werden kann oder nur noch geringfügige Einkünfte erzielt werden können. Beide Renten können auch auf Zeit gewährt werden, wenn zu erwarten ist, dass der Versicherte in absehbarer Zeit wieder vollständig erwerbsfähig wird. **Renten wegen Todes** des Versicherten sind die Witwen- bzw. Witwerrente (→Witwenrente, die →Waisenrente und die Erziehungsrente an den geschiedenen Ehepartner. Für Spätaussiedler werden →Fremdrenten gezahlt.

Rentenhöhe und *Rentenanpassung:* Die Höhe der individuellen Rente wird nach einer Rentenformel unter Berücksichtigung von Beitragszeiten und rentenrechtl. Zeiten ermittelt (→Rentenberechnung). Durch die Rente soll der Lebensstandard des Versicherten während seiner Erwerbstätigkeit auch im Rentenalter erhalten werden. Als Maßstab dient die Rente, die bei 45 Versicherungsjahren mit jeweiligem Durchschnittsverdienst gezahlt wird **(Eckrente).** Dieses Rentenniveau beträgt 1997 in den alten Bundesländern 70,7%, in den neuen Bundesländern 69,1% des aktuellen jeweiligen Nettodurchschnittsverdiensts eines Erwerbstätigen. Da die Erwerbsphase kürzer sein kann oder unterbrochen wird sowie in der Erwerbsphase auch niedrigere Einkommen erzielt werden (z.B. Teilzeitarbeit), liegt das tatsächl. Rentenniveau bes. bei Frauen unterhalb der Eckrente. Infolge besonderer Übergangsregelungen erreicht die Eckrente in den neuen Bundesländern 1997 85,2% der Eckrente in den alten Bundesländern. Um die Entwertung einmal berechneter Renten durch Inflation und steigende Erwerbseinkommen zu verhindern, wurde durch die Rentenreform 1957 die **dynam. Rente** (Produktivitätsrente) eingeführt. Die Rentenanpassung orientierte sich urspr. an der Entwicklung der Bruttoarbeitsentgelte (Bruttolohnanpassung). Mit der Rentenreform 1992 wurde zur nettolohnbezogenen Rentenanpassung übergegangen. Probleme der R. ergeben sich aus der wirtschaftl. Entwicklung (z.B. Beitragsmindereinnahmen aufgrund hoher Arbeitslosigkeit), der demograph. Entwicklung (das zahlenmäßige Verhältnis zw. Beitragszahlern und Rentnern, die »Alterslastquote«, verschlechtert sich zulasten der Beitragszahler; hinzu kommt eine längere Rentenbezugsdauer wegen höherer Lebenserwartung) und der noch fehlenden Harmonisierung der versch. Alterssicherungssysteme (betriebl. und private Alterssicherung, Beamtenversorgung). Hinzu traten in den vergangenen Jahren die Diskussionen um zu hohe Belastungen mit Sozialabgaben und die Finanzierung versicherungsfremder Leistungen überwiegend durch die Beitragszahler. Durch die geplante Rentenreform 1999 soll ohne eine grundlegende Umgestaltung (z.B. in Richtung einer steuerfinanzierten Mindest- oder Grundrente; Einführung des Kapitaldeckungsverfahrens) das bestehende System an veränderte Rahmenbedingungen angepasst werden.

In *Österreich* ist die R. ähnlich wie in Dtl. geregelt. Die Beiträge zur R. der Arbeiter und Angestellten werden je zur Hälfte von Arbeitgebern und Arbeitnehmern gezahlt. Besondere Regelungen gelten für Bauern, Gewerbetreibende und Beamte. In der *Schweiz* gewährt die Alters-, Hinterlassenen- und Invalidenversicherung (AHV/IV) einfache Altersrenten, Ehepaaraltersrenten, Zusatz-, Kinder- und Hinterlassenenrenten. Besonderheiten des Rentensystems sind die Invalidenrente (bei endgültiger Verdienstunfähigkeit oder im Fall einer langen Krankheit bei Verdienstunfähigkeit von mindestens 50% während 360 Tagen) und die außerordentlichen Renten, die gewährt werden, wenn Versicherte keinen oder keinen ausreichenden Versicherungsanspruch erwerben können.

📖 CASMIR, B.: *Staatl. Rentenversicherungssysteme im internat. Vergleich. Frankfurt am Main* [2]*1990. – Handbuch der R., hg. v.* J. ZWENG *u. a., Loseblatt-Ausg. Stuttgart u. a.* [3]*1990ff. – Übersicht über die Soziale Sicherheit, hg. vom Bundesminister für Arbeit u. Sozialordnung. Bonn* [2]*1991. – Meine R. von A–Z, bearb. v.* A. LEIDIGKEIT *u. a. Planegg* [6]*1997.*

Rentier [rɛn-, reːn-] (Ren, Rangifer tarandus), großer Trughirsch v.a. in den Tundren- und Waldgebieten N-Eurasiens, Kanadas und Grönlands; Körperlänge bis über 2 m, Schulterhöhe 1,0–1,2 m; das Fell ist dicht und lang, dunkel- bis graubraun, auch hell oder gescheckt, im Winterkleid sehr viel heller als im Sommer. R. sind die einzige Hirschart, bei der auch die Weibchen ein Geweih tragen; es ist stark verzeigt, mit oft schaufelförmigen Enden. Das R. tritt in großen Rudeln auf, die jahreszeitlich weite Wanderungen durchführen. Das halbzahme, in großen Herden gehaltene **Nordeuropäische Ren** (Rangifer tarandus tarandus) dient den nord. Nomaden als Zug- und Tragtier, als Fleisch-, Milch-, Fell- und Lederlieferant. Im südöstl. Kanada lebt das **Karibu** (Rangifer tarandus caribou), mit bes. großer Schaufelbildung.

Rentier: Das Nordeuropäische Ren dient nordskandinavischen Lappen als Zug- und Tragtier (links); das Karibu hat eine besonders große Schaufelbildung (Kopf-Rumpf-Länge jeweils 1,2–2,2 m)

Rentierflechte [rɛn-, reːn-] (Cladonia rangiferina), strauchförmige Art der Becherflechten auf trockenen Heide- und Waldböden; während des Winters wichtige Futterpflanze für Rentiere.

Rentierflechte

REO-Viren, große, RNS-haltige Viren; neben anderen Viren und Bakterien Erreger des Schnupfens und des Darmkatarrhs.

rep., r, *Börsenwesen:* Abk. für **rep**artiert (→Repartierung).

Reparationen [zu lat. reparare »wiederherstellen«], *Völkerrecht:* Geld-, Sach- und Dienstleistungen, die dem Besiegten eines Krieges meist im Rahmen eines Friedensvertrages zur Wiedergutmachung der von den Siegerstaaten erlittenen Verluste und Schäden auferlegt werden. Früher als **Kriegsentschädigung** bezeichnet (z.B. die Zahlungen Frankreichs an das Dt. Reich nach dem Dt.-Frz. Krieg 1870/71), wird seit dem →Versailler Vertrag die völkerrechtswidrige Kriegseröffnung als Rechtsgrund für R. angesehen. Dem klass. Völkerrecht waren R. fremd.

Ilja Repin: »Burlaken an der Wolga« (1870–73; Sankt Petersburg, Russisches Museum)

Nach dem 1. Weltkrieg wurde dem Dt. Reich die allg. Verpflichtung zu Reparationszahlungen an die alliierten und assoziierten Mächte auferlegt. Ihre Höhe wurde auf den Konferenzen in Boulogne-sur-Mer und Spa (1920) sowie Paris (1921) durch die Reparationskommission bestimmt. Die Forderungen der Pariser Beschlüsse (223 Mrd. Goldmark) lehnte die Reichsreg. unter K. Fehrenbach ab. Die mit dem Londoner Ultimatum vom 5. 5. 1921 durch Großbritannien, Frankreich, Belgien und Japan festgesetzte Reparationsschuld von 132 Mrd. Goldmark und jährlich 26% vom Wert der dt. Ausfuhr wurde anerkannt. Nach dem durch die Reparationsleistungen mitverursachten Zusammenbruch der deutschen Währung versuchten der Dawesplan (1924) und der Youngplan (1930), die Reparationszahlungen der dt. Zahlungsfähigkeit anzupassen. Nach dem Hoovermoratorium (20. 6. 1931), das die R. für ein Jahr stundete, regelte das Abkommen von Lausanne (9. 7. 1932) die endgültige Ablösung der R. durch Abgabe von Schuldverschreibungen in Höhe von 3 Mrd. RM; zur Verwirklichung dieses Abkommens kam es nicht. – In den Friedensverträgen von Saint-Germain-en-Laye, Trianon, Neuilly-sur-Seine und Sèvres wurden auch Österreich, Ungarn, Bulgarien und die Türkei zur Zahlung von R. verpflichtet.

Nach dem 2. Weltkrieg betrugen die dt. R. an die Westmächte aus den westl. Besatzungszonen 517 Mio. $ (Handelsflotte, Auslandswerte, Erträge von Demontagen; andere Werte nicht anerkannt). Die UdSSR zog nach westdt. Angaben Reparationsleistungen im Werte von 13 Mrd. $ aus ihrer Besatzungszone (Demontagen, Beschlagnahmen, Lieferungen aus der laufenden Produktion). 1954 verzichtete sie gegenüber der DDR auf weitere R. Die Pariser Verträge von 1954 beendeten die Reparationsleistungen der Bundesrep. Dtl. – Die Endregelungen für Österreich brachte der Staatsvertrag vom 15. 5. 1955. In den Friedensverträgen von 1947 wurden Finnland, Italien, Ungarn, Rumänien, Bulgarien R. auferlegt, Japan im Vertrag von San Francisco (1951).

🕮 Eichhorn, B. W.: *Reparation als völkerrechtl. Deliktshaftung. Baden-Baden 1992.*

Repartierung [zu frz. répartir »zuteilen«] (Rationierung), die Aufteilung oder Zuteilung von Wertpapieren, wenn Angebot und Nachfrage nicht über den Preis zum Ausgleich kommen (auch bei einer überzeichneten Emission); gekennzeichnet auf dem Kurszettel mit **r, rep.** für repartiert oder **rat.** für rationiert. (→ Kurs)

Ilja Repin: »Tolstoi, im Walde rastend«, Ausschnitt (1891; Moskau, Tretjakow-Galerie)

Repatriierung [lat.], die Rückführung von Personen, die sich außerhalb ihres Heimatstaates befinden, durch den Aufenthaltsstaat und die Wiederaufnahme im Heimatstaat, v. a. im Zusammenhang mit Kriegsereignissen (Kriegsgefangene, Evakuierte, Flüchtlinge); völkerrechtl. Regelungen enthalten u. a. die Genfer Abkommen von 1949.

Repertoire [repɛrˈtwaːr, frz.] *das,* 1) Gesamtheit der von einem Theater gespielten Stücke, auch deren Verzeichnis (Spielplan); 2) die von einem Künstler beherrschten Rollen. **R.-Stück,** Bühnenstück, das längere Zeit auf dem Spielplan steht.

Repetiergewehr, ein Mehrladegewehr (→Gewehr).

Repetitor [lat.] *der,* **1)** *allg.:* Akademiker, der mit Studierenden (bes. jurist. Fachrichtung) auf privater Basis den für eine Prüfung nötigen Wissensstoff wiederholt und einübt.

2) *Musik:* (Korrepetitor) an Opernhäusern ein Musiker, der vom Klavier aus mit den Solisten ihre Gesangspartien einstudiert.

Repin, Ilja Jefimowitsch, russ. Maler, *Tschugujew (Gouv. Charkow) 5. 8. 1844, †Kuokkala (Finnland; heute Repino, nahe Sankt Petersburg) 29. 9. 1930. Sein 1870–73 entstandenes Gemälde »Burlaken an der Wolga« (auch »Wolgatreidler«; Sankt Petersburg, Staatl. Russ. Museum) wurde programmatisch für die →Peredwischniki, denen er sich anschloss. Seine oft soziale Missstände anprangernden Genreszenen, Historienbilder (u. a. »Die Saporoger Kosaken schreiben einen Brief an den türk. Sultan«, 1880/91; Sankt Petersburg, Staatl. Russ. Museum) und Porträts zeigen meisterl. Farb- und Lichtwiedergabe, dramat. Komposition und psycholog. Zeichnung.

Replantation [lat.] *die* (Reimplantation), Wiedereinpflanzen, z. B. eines extrahierten oder durch Unfall herausgeschlagenen Zahns.

Replik [frz. réplique »Antwort«, »Gegenrede«] *die,* **1)** *allg.:* Erwiderung, Entgegnung.

2) *Kunst:* eine vom Künstler selbst hergestellte Wiederholung seines Werks im Unterschied zu der von anderer Hand hergestellten Kopie.

3) *Zivilprozess:* die schriftl. Gegeneinwendung des Klägers auf die Einwendung des Beklagten.

Report [lat.] *der,* **1)** *allg.:* Bericht, Mitteilung.

2) *Börsenwesen:* 1) im Devisenhandel Kursaufschlag des Terminkurses einer Währung gegenüber deren Kassakurs; Ggs.: Deport (→Swapgeschäft); 2) beim Termingeschäft Differenz zw. der höheren Terminnotierung und einem niedrigeren Kassakurs. Im **Prolongationsgeschäft (R.-Geschäft, Kostgeschäft)** ist der R. der Kurszuschlag des Hereinnehmers. Wenn jemand im Börsentermingeschäft Wertpapiere in Erwartung einer Kurssteigerung gekauft hat, diese aber dann nicht erfolgt, so kann er prolongieren, indem er einen Dritten sucht, der für ihn die Stücke abnimmt (Hereinnehmer, Kostabnehmer, Reporteur) mit der Verpflichtung, sie ihm, dem Hereingeber (Kostgeber), am nächsten Ultimo zum gleichen Kurs zuzüglich eines Zuschlags (R.) zurückzuliefern. Entsprechend prolongiert ein Terminverkäufer, indem ein anderer die verkauften Stücke liefert mit der Verpflichtung, sie am nächsten Ultimo zum gleichen Kurs abzüglich eines Kursabschlags (Deport) zurückzunehmen.

Reportage [repɔrˈtaːʒə; frz. »Berichterstattung«] *die,* ein aus der unmittelbaren Situation erwachsener, meist kurzer Augenzeugenbericht eines Ereignisses, der dessen Atmosphäre festhält und weitervermittelt (bes. in Presse, Rundfunk, Film und Fernsehen). Als neue literar. Gattung ab Ende des 19. Jh. erreichte die R. ihren ersten großen Höhepunkt bei E. E. Kisch. (→Feature)

Reporter [engl., zu to report »berichten«] *der,* Berichterstatter, Verfasser von Reportagen.

Repoussoir [rəpusˈwaːr, frz.] *das, bildende Kunst:* Gegenstand oder Figur im Vordergrund eines Bildes oder einer Fotografie zur Steigerung des räuml. Tiefeneindrucks.

Reppe, Walter Julius, Chemiker, *Göringen (heute Eisenach) 29. 7. 1892, †Heidelberg 26. 7. 1969; war 1949–57 Forschungsleiter der BASF AG; arbeitete u. a. über die Chemie des Äthylens, Acetylens und Kohlenoxids. Die von ihm entwickelte Hochdruckchemie des Acetylens wird deshalb auch **Reppe-Chemie** genannt.

Walter Reppe

Repräsentant [lat.] *der,* (offizieller) Vertreter (z. B. eines Volkes, einer Gruppe, eines Unternehmens, auch R. einer Idee); Abgeordneter.

Repräsentantenhaus (engl. House of Representatives), die dem brit. Unterhaus entsprechende Zweite Kammer versch. Parlamente, die gesetzgeber. Funktionen hat; bes. die Zweite Kammer des Kongresses der USA.

Repräsentation [lat.-frz.] *die,* in der Politik Bez. für eine Vertretung, z. B. von Wählern durch Abgeordnete (→Repräsentativsystem) oder von Verbänden durch Funktionäre.

Repräsentativsystem (Repräsentativverfassung), Staatsverfassung, bei der das Volk durch Repräsentation, d. h. durch ein gewähltes Vertretungsorgan (i. d. R. das Parlament), an der Staatsgewalt teilhat. Die in der Praxis der modernen, durch polit. Parteien geprägten R. übl. Bindung der Abg. des Repräsentativorgans an die Disziplin der Fraktion und die Abhängigkeit von Interessenverbänden (→Pressuregroups) hat das R. verändert. Heutige R. sind nicht selten durch Elemente der unmittelbaren Demokratie (Plebiszit) ergänzt.

Repressalie [nlat.] *die,* **1)** *allg.:* Vergeltungsmaßnahme.

2) *Völkerrecht:* die angemessene, also verhältnismäßige, nicht notwendig gleichartige Vergeltungsmaßnahme eines Staates gegen völkerrechtswidrige Handlungen eines anderen Staates, z. B. Boykott, Embargo. R. gegen Kriegsgefangene, Verwundete

Die kleinste **Republik** *der Erde ist Nauru, eine 21 km² große Insel im Pazifik mit 11 000 Einwohnern.*

und Zivilpersonen sind durch die Genfer Konvention vom 12. 8. 1949 verboten (→Retorsion).

Repression [lat.] *die,* **1)** *allg.:* Unterdrückung, Hemmung.

2) *Gesellschaftskritik:* Begriff der Psychoanalyse, der seit den 1960er-Jahren Eingang in die Soziologie und Pädagogik gefunden hat. Ausschlaggebend dafür war die Aktualisierung der marxist. Gesellschaftslehre, u. a. durch die »kritische Theorie« der Frankfurter Schule. Unter R. wird hierbei jede Form der Behinderung der freien Entfaltung der Persönlichkeit durch die ideolog. Ziele einer Gesellschaft verstanden; Ggs.: Emanzipation.

Reprint [engl. rɪˈprɪnt] *der, Buchwesen:* →Nachdruck.

Reprise [frz.] *die, Musik:* Wiederholung, z. B. in der Sonatensatzform die Wiederaufnahme des ersten Teils (Themenaufstellung) nach der Durchführung.

Reproduktion, 1) *Biologie:* →Fortpflanzung.

2) *Drucktechnik:* Wiedergabe, Vervielfältigung von Vorlagen.

3) *Psychologie:* die Wiederhervorbringung von Gedächtnisinhalten, sei es als Vorstellung oder als sprachl. oder sonstige Äußerung.

4) *Wirtschaft:* ständige Wiederherstellung und Erneuerung der Produktionsfaktoren und -bedingungen im gesellschaftl. Produktionsprozess.

Reproduktionsfotografie (Reprofotografie), Verfahren zur Herstellung von Halbton- oder Rasternegativen oder -positiven nach flächigen Vorlagen mit Reproduktionskameras (Reprokameras) zur Verwendung als Kopiervorlagen für die Reproduktionstechnik.

Reproduktionskosten, Kosten für die Wiederherstellung oder -beschaffung eines Wirtschaftsgutes. Für den Faktor Arbeit sind die R. als Aufwand definiert, der zur Regeneration der menschl. Arbeitskraft erforderlich ist. Die R. spielen eine Rolle bei der Bewertung von Wirtschaftsgütern (→Wiederbeschaffungswert) und Unternehmen (→Substanzwert).

Reproduktionsmedizin, Spezialgebiet der Medizin, das die biolog. Grundlagen der menschl. Fortpflanzung erforscht und medizinisch-techn. Verfahren entwickelt, um die menschl. Fortpflanzungsfähigkeit zu sichern und zu verbessern. Zu den im Rahmen der R. entwickelten Verfahren zählen z. B. Embryotransfer, Insemination, In-vitro-Fertilisation sowie Kryokonservierung von Samen und Embryonen.

Reproduktions|technik, die Gesamtheit der fotograf., photomechan., elektromechan. oder chemigraph. Verfahren zur Herstellung von Druckformen für die versch. Druckverfahren.

Reprographie *die,* Sammelbez. für die Kopierverfahren mittels elektromagnet. Strahlung.

REPROM [Abk. für englisch **rep**rogrammable **r**ead-**o**nly **m**emory], *Datenverarbeitung:* →Speicher.

Reptili|en [zu lat. repere »kriechen«] (Reptilia), die →Kriechtiere.

Reptili|enfonds [-fɔ̃], urspr. iron. Bez. für Geldmittel aus dem →Welfenfonds, die Bismarck zur Bekämpfung polit. Feinde, v. a. von Agenten, entnahm, die er als »bösartige Reptilien« bezeichnete. Über Zweck und Summe musste er keine Rechenschaft geben. In Dtl. werden heute Dispositionsfonds im Bundeshaushalt als R. bezeichnet.

Republik [lat. res publica »Gemeinwesen«] *die,* idealtypisch jeder Staat, in dem im Ggs. zur →Monarchie das Staatsvolk als Träger der Staatsgewalt gesehen wird. In der polit. Realität ist R. ein Begriff, der sowohl Demokratien als auch Diktaturen umfasst. In der Antike gab es R. aristokrat. und demokrat. Prägung. Im MA. waren aristokrat. R. mit feudaladeligem oder bürgerlich-patrizischem Regime weit verbreitet (Venedig, die Niederlande in der Zeit der Generalstaaten, die Kantone der Schweiz bis 1798). Neben den unterschiedl. Formen der parlamentarisch-demokrat. R. (→Parlamentarismus, →Präsidialsystem) bildete sich im 20. Jh. auch der Typus der Räterepublik (→Rätesystem) und der →Volksrepublik heraus.

Republikaner, Die, polit. Partei, gegr. 1983, vertritt in nationalistisch bestimmter Deutung des GG u. a. populistisch-rechtskonservative polit. Vorstellungen (z. T. ohne scharfe Abgrenzung zum Rechtsextremismus); lehnt die Schaffung eines europ. Binnenmarktes ab; 1989–90 im Berliner Abgeordnetenhaus, seit 1992 im Landtag von Bad.-Württ., 1989–94 im Europ. Parlament vertreten.

📖 LEGGEWIE, C.: *Die R. Neuausg. Berlin 1990.*

Republikanische Partei (engl. Republican Party), 1854 in den USA gegr. polit. Partei, die durch Zusammenschluss der Free-Soil-Partei (gegr. 1848) mit Gruppen von Demokraten und Resten der Whigs entstand. Die R. P. stellte seit 1861 überwiegend die Präsidenten. Der Wahlsieg A. Lincolns (1860), der das Programm der R. P. (Stärkung der Union gegen die Einzelstaaten, Ablehnung der Sklaverei) durchzusetzen versuchte, löste den →Sezessionskrieg aus; 1872 Abspaltung der Liberalrepublikaner, 1912 der Progressiven Partei. Die R. P. wurde konservative Vertreterin der Interessen von Ind.- und Bankkapital und Verfechterin imperialist. Expansion um die Jahrhundertwende, gab unter T. Roosevelt (1901–09) aber auch Ansätzen einer Reformpolitik im mittelständ. Sinn Raum. Nach Vorherrschaft der Demokraten seit 1933 gelang der R. P. erst 1953 mit D. D. Eisenhower die Rückkehr ins Weiße Haus (bis 1961). Der Wahlsieg R. Nixons 1968 brachte wichtige außenpolit. Weichenstellungen, die →Watergate-Affäre führte aber 1974 zu seiner Amtsniederlegung. 1980 wurde mit R. W. Reagan wieder ein Republikaner zum Präs. gewählt. In die zweite Amtszeit Reagans fiel der Beginn einer Annäherung zw. den USA und der UdSSR (INF-Vertrag). 1993 wurde die R. P. von den Demokraten unter Präs. B. Clinton abgelöst. Doch gewann sie 1994 – zum ersten Mal seit 40 Jahren – die Mehrheit in beiden Häusern des Kongresses.

Republikanischer Schutzbund, 1924–33 sozialdemokrat. Wehrverband in der Rep. Österreich; 1933 von E. Dollfuß aufgelöst, bestand illegal weiter (Aufstand Febr. 1934).

Republikanismus *der,* polit. Richtung, die auf der Basis der Volkssouveränität für liberale und demokrat. Ideen eintritt, in Europa und den USA getragen von Parteien, die urspr. aus der Frontstellung gegen Monarchien hervorgegangen sind und zunächst als Teile der bürgerl. Verfassungsbewegung fungierten. Nach der Durchsetzung der republikan. Staatsform wurden sie meist von »modernen« Parteien, v.a. den sozialist., die ihre spezif. Ziele übernahmen, abgelöst.

Republikflucht, das unerlaubte Verlassen der DDR; gemäß Passgesetz vom 11. 12. 1957 vorübergehend auch gesetzl. Straftatbestand. Das StGB von 1968 kannte den Tatbestand des ungesetzl. Grenzübertritts (§ 213), mit Freiheitsstrafe bis zu zwei Jahren, in schweren Fällen bis zu acht Jahren geahndet; zum 1. 7. 1990 aufgehoben.

Republikschutzgesetz, nach der Ermordung des dt. Außenministers W. Rathenau am 21. 7. 1922 erlassenes Gesetz zur Verteidigung der republikanisch-demokrat. Staatsform, am 25. 3. 1930 in abgeschwächter Form erneuert, 1932 außer Kraft gesetzt. Es ermöglichte das Verbot extremist. Vereinigungen und Presseverbote, v.a. gegen die Linke angewandt. – Heute enthält das StGB z.T. ähnl. Bestimmungen (z.B. §§ 84 ff. StGB).

Repulsivkraft, Kraft, die ein Teilchen von einem Zentrum abstößt; Ggs.: Anziehungskraft.

Reputation [lat.] *die,* Ansehen, guter Ruf.

Requiem [lat.] *das* (früher auch Totenmesse), *kath. Kirche:* die Eucharistiefeier im Rahmen der Begräbnisliturgie, benannt nach deren Introitus: »R. aeternam dona eis, Domine« (»Herr, gib ihnen die ewige Ruhe«). Das R. ist Bestandteil der →Exequien. Im 13. Jh. wurde die Sequenz »Dies irae« eingefügt. Die gregorian. Melodien des R. sind schlichte Schöpfungen des MA. R.-Kompositionen schufen seit dem 16. Jh. u.a. G. P. da Palestrina, O. di Lasso, A. Scarlatti, J. A. Hasse, M. Haydn, W. A. Mozart, L. Cherubini, H. Berlioz, F. Liszt und G. Verdi. J. Brahms verwendete in seinem R. frei gewählte Bibelstellen, nicht den Messetext. – Im 20. Jh. ist die Gattung u.a. vertreten bei B. Britten, G. Ligeti, I. Strawinsky und A. Reimann.

requiescat in pace [lat.], Abk. **R. I. P.,** »er (sie) ruhe in Frieden«; als Grabinschrift weit verbreitet.

Requisiten [lat.], bei Theater, Film-, Fernsehen das in der Inszenierung verwendete Zubehör (Gebrauchsgegenstände, mobile Dekorationsstücke).

Requisition [lat. »Aufsuchung«] *die, Völkerrecht:* die nach der Haager Landkriegsordnung (Art. 52) erlaubte Inanspruchnahme von Sach- und Dienstleistungen (im Unterschied zur →Kontribution) für den Bedarf des Besatzungsheeres aus dem besetzten Lande gegen Bezahlung. (→Kriegsrecht)

Rerum novarum [lat. »nach Neuerungen (begierig)«], Enzyklika Papst Leos XIII. vom 15. 5. 1891 über die soziale Situation der Arbeiter; grundlegendes Dokument der kath. Soziallehre.

RES, Abk. für **r**etikulo**e**ndotheliales **S**ystem (→Monozyten-Makrophagen-System).

Resaieh [rezaiˈje], Stadt in Iran, →Urmia.

Resaiehsee [rezaiˈje-], See in Iran, →Urmiasee.

Resa Schah

Resa Schah, Schah von Iran (1925–41), * Alascht (Prov. Masenderan) 16. 3. 1878, † Johannesburg 26. 7. 1944; 1925 Begründer der Dynastie Pahlewi, leitete weit reichende innenpolit. Reformen ein; musste nach der Besetzung Irans durch brit. und sowjet. Truppen (1941) zugunsten seines ältesten Sohnes →Mohammed Resa Pahlewi abdanken und ging ins Exil nach Südafrika.

Reschenpass (italien. Passo di Resia), Alpenpass an der Grenze von Nord- und Südtirol, Österreich/Italien, 1504 m ü. M., verbindet das Oberinntal (Pfunds) mit dem Vintschgau (Mals). Nördlich des Passes liegt der Fremdenverkehrsort Nauders, südlich der Reschensee (Stausee); vom (1949) überfluteten Ort Graun ragt der Kirchturm aus dem Wasser.

Reschitza, Stadt in Rumänien, →Reşiţa.

Rescht (Rasht), Hptst. der iran. Provinz Gilan, im Küstentiefland am Kasp. Meer; 340 600 Ew.; Univ., Fachschulen; Textil-, elektrotechn., Glas- u.a. Ind.; Mittelpunkt eines Reisanbaugebiets.

Research [rɪˈsəːtʃ, engl.] *das,* Markt-, Meinungsforschung.

Reseda [lat.] *die* (Resede, Wau), Gattung der R.-Gewächse, verbreitet in Europa, Nord- und Ostafrika bis Indien. Bekannte Arten sind: **Garten-R.** (Reseda odorata), bis 60 cm hoch; Blüten grünlich gelb mit roten Staubbeuteln in lockeren oder dichten, endständigen Trauben, wohlriechend; **Färberwau (Gelbkraut, Färber-R.,** Reseda luteola), bis etwa 1 m hoch, blassgelbe, vierzählige Blüten in langen Trauben, schmale, ungeteilte Blätter. Aus Färberwau wurde früher der gelbe Farbstoff **Luteolin** gewonnen. BILD S. 410

Resene [lat.], stark ungesättigte, sauerstoffhaltige organ. Stoffe in Naturharzen.

Reserpin [lat.] *das,* Alkaloid aus →Rauwolfia serpentina.

Reservat [lat. reservare »aufbewahren«] *das, Ökologie:* Gebiet, in dem bestimmte Tier- und/oder Pflanzengemeinschaften vor der Ausrottung durch den Menschen geschützt sind, z.B. Natur- und Vogelschutzgebiete, Nationalparks.

Reservatio mentalis [lat.] *die,* →geheimer Vorbehalt.

Reseda: Gartenreseda (Höhe bis 60 cm)

Reservation [lat. »Vorbehalt«] *die,* **1)** *kath. Kirchenrecht:* das auf den Papst beschränkte Recht der Bischofsernennung.

2) *Völkerkunde:* Siedlungsgebiet, das bestimmten Bev.gruppen vorbehalten ist, bes. in Nordamerika (→Indianerreservationen) und in Australien.

Reservatrechte (lat. Iura [caesarea] reservata), **1)** im Hl. Röm. Reich (bis 1806) die Rechte des Kaisers, die er ohne Mitwirkung des Reichstags ausüben durfte (z.B. Standeserhöhungen).

2) im Dt. Reich 1871–1918 die Sonderrechte, die sich die süddt. Staaten bei ihrem Eintritt in das Dt. Reich durch die Novemberverträge von 1870 »reserviert« hatten. Die wichtigsten R. hatten Württemberg (eigene Post- und Telegrafenverwaltung) und Bayern (außerdem eigene Eisenbahnverwaltung, Oberbefehl über das eigene Friedensheer).

Reservatum ecclesiasticum [lat.], →Geistlicher Vorbehalt.

Reserve [frz.] *die,* **1)** *allg.:* Rücklage, Vorrat; Verschlossenheit, Zurückhaltung.

2) *Militärwesen:* Bez. für die Gesamtheit der Wehrpflichtigen einschl. der länger dienenden Zeitsoldaten, die in den Streitkräften gedient haben. Zus. mit den Aktiven bilden die in die Verfügungsbereitschaft und in die Alarm-R. beorderten Reservisten den Verteidigungsumfang der Bundeswehr. Hinzu kommt eine Personalreserve.

3) *Wirtschaft:* →Rücklage, →Mindestreserven, →Währungsreserve.

Reservedruck, Verfahren des →Textildrucks.

Reservestoffe, im pflanzl. und tier. Organismus in Zellen bzw. in besonderen Speichergeweben oder -organen angereicherte, dem Stoffwechsel vorübergehend entzogene Substanzen, die vom Organismus bei Bedarf (steigender Energiebedarf, ungenügende Nährstoffzufuhr) wieder in den Stoffwechsel eingeschleust werden können; z.B. Öle und Fette, Stärke.

Residenz [lat.] *die,* Sitz eines Staatsoberhauptes, Fürsten oder hohen geistl. Würdenträgers.

Residenzpflicht, die Pflicht der Beamten und Notare, ihre Wohnung so zu nehmen, dass die ordnungsgemäße Wahrnehmung der Dienstgeschäfte nicht beeinträchtigt ist.

Residualgebirge [lat.], *Geologie:* durch Auslaugung von Salzgesteinen gebildeter Rückstand aus Gips, Ton u.a. schwer- oder unlösl. Gesteinen.

Resinate [lat.], die →Harzseifen.

Resinoide [lat.], Extraktstoffe aus harzartigen Rückständen der Wasserdampfdestillation, z.B. Patschuli- oder Vanille-R.; Parfümrohstoffe mit großem Haftvermögen.

Résistance [rezis'tãs, frz.] *die,* frz. Widerstandsbewegung im 2. Weltkrieg gegen die dt. Besatzungsmacht und den mit ihr zusammenarbeitenden »État Français«. Am 18. 6. 1940 rief General C. de Gaulle nach dem militär. Zusammenbruch Frankreichs von London aus zur Fortsetzung des Krieges auf und trat dort an die Spitze des →Freien Frankreich. 1941 gründete er in London das →Französische Nationalkomitee. Parallel dazu entstanden in Frankreich kleine, voneinander unabhängig operierende Widerstandsgruppen, die nach Verbreitung von Druckschriften und einzelnen Sabotageakten auch militär. Aktionen organisierten (→Maquis). De Gaulle versuchte zunächst vergeblich, die politisch heterogene – meist linke – R. zu einen. Im Mai 1943 gelang es J. Moulin im Auftrag de Gaulles, die großen Organisationen (traditionelle Parteien, Gewerkschaften) im »Conseil National de la Résistance« (CNR) zusammenzufassen. Ab Juni 1943 leitete de Gaulle von Algier aus das »Comité Français de Libération Nationale« (CFLN), bemüht um die Einbeziehung der R. auf frz. Boden. Im Frühjahr 1944 schlossen sich die militär. Organisationen »Armée secrète« und die kommunist. »Franc-tireurs et partisans« zusammen. Nach der Befreiung wurde das CFLN (am 23. 9. 1944) von den Alliierten als provisor. Reg. anerkannt. – Die R. fand vielfältigen Ausdruck in der Literatur. Bed. frz. Autoren nahmen in ihren Werken gegen die dt. Besetzung und das

Vichy-Regime Stellung (L. Aragon, P. Eluard, J. P. Sartre, Vercors), einige beteiligten sich auch am bewaffneten Kampf: A. Chamson, R. Desnos (in Theresienstadt umgekommen), M. Druon, A. Malraux, J. Prévost (gefallen).

📖 Dreyfus, P.: *Die R. Geschichte des frz. Widerstandes. A. d. Frz. München 1979.*

Resistanz [lat.] *die,* der Wirkwiderstand im Wechselstromkreis, Zeichen R, SI-Einheit Ω; Kehrwert: Konduktanz.

Resistencia [-sia], Hptst. der Prov. Chaco, Argentinien, 228200 Ew.; Univ.; landwirtsch. Handels- und Ind.zentrum; Hafen (für kleinere Seeschiffe erreichbar).

Resistenz [lat.] *die,* die Widerstandsfähigkeit a) des Organismus gegen Krankheiten und schädl. Wirkungen; b) von Bakterien (Krankheitserregern) gegenüber Antibiotika und Chemotherapeutika; R. entwickelt sich bei zu geringer Dosierung oder längerer Anwendung dieser Mittel; c) im Pflanzenschutz die Widerstandsfähigkeit von Schadorganismen gegen Pflanzenschutz- bzw. Schädlingsbekämpfungsmittel.

Resistenza [italien.] *die,* die italien. Widerstandsbewegung gegen den Faschismus; kämpfte im 2. Weltkrieg gegen die dt. Besatzungstruppen in Italien und gegen die Faschisten der »Republik von Salò« B. Mussolinis.

Resistivität [lat.] *die,* der →spezifische Widerstand.

Resit [zu lat. resina »Harz«] *das,* →Phenolharze.

Reşiţa ['reʃitsa] (dt. Reschitza), Hptst. des Kr. Caraş-Severin, im Banater Gebirge, SW-Rumänien, 96200 Ew.; Maschinenbau, chem., Nahrungsmittel- u. a. Ind.; nahebei Abbau von Steinkohle, Eisen- und Manganerz.

Resitol *das,* →Phenolharze.

Reskript [lat.] *das, röm. Recht:* die kaiserl. gesetzesgleiche Entscheidung eines Einzelfalls.

Resnais [rɛ'nɛ], Alain, frz. Filmregisseur, * Vannes 3. 6. 1922; begann mit Dokumentarfilmen (z. B. »Nacht und Nebel«, 1955), dann Vertreter der »Nouvelle Vague« im frz. Film; drehte u. a. »Hiroshima, mon amour« (1959), »Letztes Jahr in Marienbad« (1961), »Muriel oder Die Zeit der Wiederkehr« (1963), »Der Krieg ist vorbei« (1966), »Providence« (1977), »Mein Onkel aus Amerika« (1980), »Mélo« (1986), »I want to go home« (1989), »On connaît la chanson« (1997).

Resol *das,* →Phenolharze.

Resolution [lat.] *die,* Beschluss, Entschließung.

Resonanz [lat.] *die,* **1)** *Chemie:* die →Mesomerie.

2) *Physik* und *Technik:* urspr. nur das Mitklingen, allg. das Mitschwingen eines schwingungsfähigen Systems (→Resonator), wenn es durch periodisch veränderl. Kräfte mit einer Frequenz erregt wird, die einer Eigenfrequenz (→Eigenschwingung) des Systems gleich oder fast gleich ist; diese Frequenz wird als **R.-Frequenz** bezeichnet. Die Amplitude der so erzwungenen Schwingungen hängt wesentlich von den Dämpfungseigenschaften (z. B. Reibung, elektr. Widerstand) des Resonators und vom Frequenzunterschied zw. erregtem und erregendem System ab. Der größte Wert wird erreicht, wenn die erregende Frequenz gleich der R.-Frequenz des erregten Systems ist. In diesem Fall kann der Resonator so stark schwingen, dass er sich in einer **R.-Katastrophe** selbst zerstört.

Resonanzfähig sind z. B. Metall- und Glasstücke, gespannte Saiten, eingeschlossene Luft, Atome und Moleküle in elektromagnet. Feldern. Die Wirkungsweise vieler Musikinstrumente beruht auf der R. In der Nachrichtentechnik wird die R. elektr. Schwingkreise zur Erzeugung und Trennung von elektr. Schwingungen verwendet. Im Maschinenbau und in der Bautechnik ist die Untersuchung von Anlagen auf mögl. R. wichtig, um eine R.-Katastrophe zu verhindern.

In der *Elementarteilchenphysik* bezeichnet man kurzlebige Zwischen- oder Anregungszustände von Hadronen als R., R.-Teilchen oder R.-Zustände, die bei hochenerget. Stoßprozessen auftreten (→Massenresonanzen).

Alain Resnais

Alain Resnais: Szenenfoto aus dem Film »Letztes Jahr in Marienbad« (1961) mit den Darstellern Giorgio Albertazzi und Delphine Seyrig (rechts)

Resonanz|absorption, die Absorption von elektromagnet. Strahlung bestimmter Frequenz, wenn das dadurch in einen Anregungszustand gebrachte atomare System wieder Strahlung der gleichen Frequenz abstrahlen kann **(R.-Strahlung, R.-Fluoreszenz),** z. B. bei der Kernspinresonanzabsorption und der Fluoreszenz.

Resonanzboden, bei vielen Musikinstrumenten, bes. bei Saiteninstrumenten mit Tasten wie Klavier und Cembalo, eine dünne Holzplatte, die mit den Saiten gekoppelt ist. Der R. bewirkt eine größere Klangstärke.

Resonanzfrequenz, →Resonanz.

Resonanzkatastrophe, →Resonanz.

Resonanzkörper, bei Saiteninstrumenten ohne Tasten (Violine, Gitarre) sowie Schlaginstrumenten ein Hohlkörper, in dem die Schwingungen der Saiten verstärkt werden.

Resonanzkreis, →Schwingkreis.

Resonator [lat.] *der,* ein schwingungsfähiges System, bes. ein System mit einer oder mehreren ausgeprägten Resonanzfrequenzen, das unter Ausnutzung seiner Resonanzeigenschaften verwendet wird (→Resonanz); in der Mikrowellentechnik und Optik finden z.B. Hohlraum-R. Anwendung (→Laser).

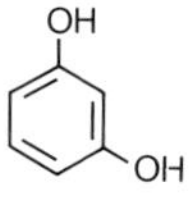

Resorcin

Resorcin *das* (1,3-Dihydroxybenzol), mit Hydrochinon und Brenzcatechin isomeres, zweiwertiges Phenol; farblose, kristalline Substanz, die durch Sulfonierung von Benzol und Alkalischmelze der entstehenden 1,3-Benzoldisulfonsäure hergestellt wird. R. wird überwiegend zu Klebstoffen und Harzen (**R.-Formaldehyd-Harze**) verarbeitet.

Resorption [lat.] *die, Physiologie:* die Aufnahme (Aufsaugung) gelöster Substanzen durch die Zellmembran in das Zellinnere; i.e.S. die Aufnahme von organ. Nahrungsstoffen (Eiweiße, Fette, Kohlenhydrate, Vitamine), von anorgan. Stoffen, z.B. Natrium, Kalium und Eisen, sowie zahlr. anderen Ionensorten in sehr geringer Menge (Spurenelemente, z.B. Kupfer, Mangan, Silicium) und von Wasser durch die Darmschleimhaut. Im Darmlumen oder im Kontakt mit der Schleimhaut werden die hochmolekularen organ. Stoffe enzymatisch zu resorbierbaren Molekülgrößen gespalten, meistens durch Hydrolyse. Die resorbierten Moleküle werden in der Darmwand oder in der Leber zu körpereigenen Eiweißen, Fetten und Kohlenhydraten (Glykogen) resynthetisiert (→Verdauung). – Unterwasserpflanzen resorbieren Wasser mit ihrer ganzen Oberfläche, Landpflanzen über Absorptionsgewebe v.a. an den Wurzeln.

Resozialisierung, Rückgliederung in das soziale Gefüge, insbesondere die Wiedereingliederung von straffällig Gewordenen in das gesellschaftl. Leben bzw. ihre (bereits vor der Entlassung beginnende) allmähl. Befähigung zu einem Leben ohne Straftaten (früher auch als Gefangenenfürsorge bezeichnet). R. gilt in Dtl. als ein wichtiger Strafzweck. Sie wirkt sich auf die Strafzumessung aus. Im Strafvollzug mögl. R.-Maßnahmen sind z.B. Verlegung eines Strafgefangenen mit seiner Zustimmung in eine sozialtherapeut. Anstalt, Arbeit und berufl. Ausbildung in der Vollzugsanstalt, Unterbringung im offenen Vollzug.

Ottorino Respighi

Respighi [rɛsˈpiːgi], Ottorino, italien. Komponist, *Bologna 9. 7. 1879, †Rom 18. 4. 1936; ein Meister der neueren italien. Instrumentalmusik. Seine spätromant. Orchesterkunst weist Einflüsse von R. Strauss auf; komponierte sinfon. Dichtungen (»Fontane di Roma«, 1916; »Pini di Roma«, 1924; »Feste romane«, 1928), Opern, Lieder und bearbeitete Werke alter Meister (J. S. Bach u.a.).

Respiration [lat.] *die,* die →Atmung.

Respiratoren [lat.], Geräte zur künstl. Langzeitbeatmung (→künstliche Atmung).

Responsum [lat.] *das, jüd. Recht:* Gutachten rabbin. Schulen oder Gelehrter auf schriftl. Anfragen über rituelle und rechtl. Problemfälle; seit dem Früh-MA. üblich; bis heute jüd. Rechtsquellen.

Ressentiment [rɛsãtiˈmã, frz.] *das,* aufgrund von Gefühlen, Erfahrungen oder Vorurteilen negativ besetzte Einstellung gegenüber Gruppen, Personen oder Sachverhalten; äußert sich in abweisendem Verhalten, das unbewusst sein kann.

Ressort [rɛˈsoːr, frz.] *das,* Zuständigkeitsbereich, Fach, Geschäftsbereich einer Behörde, bes. eines →Ministers.

Ressource [rəˈsurs, frz.] *die,* i.w.S. Produktionsfaktor (Arbeit, Boden, Kapital); i.e.S. Rohstoff, Energieträger.

Rest, 1) *Chemie:* ein bei der Spaltung eines Moleküls verbleibender Molekülteil aus mindestens zwei Atomen.

2) *Mathematik:* die Zahl, die beim Dividieren übrig bleibt, wenn der Dividend kein Vielfaches des Teilers ist, z.B. 25:6 = 4 Rest 1.

Restant [lat.] *der,* im Bankwesen gekündigtes oder ausgelostes Wertpapier, das vom Inhaber noch nicht eingelöst wurde.

Restauration [lat.] *die,* die Wiederherstellung eines früheren, oft durch eine Revolution beseitigten polit. oder gesellschaftl. Zustandes; bes. die Wiedereinsetzung eines gestürzten Herrscherhauses (z.B. die R. der Stuartdynastie in England 1660–88). – Die Epochenbez. R.-Zeit (so gen. nach dem Hauptwerk des Staatsphilosophen C. L. von Haller) bezieht sich auf die Zeit von 1815 bis 1830 (vom Ende des Wiener Kongresses bis zur Julirevolution in Paris), als in allen europ. Staaten versucht wurde, die polit. Verhältnisse der Zeit vor der Frz. Revolution wiederherzustellen.

Restaurierung [lat.], Wiederherstellung von durch natürliche Alterungsprozesse sowie Abgase u.Ä. geschädigten Werken der bildenden Kunst (einschl. der Architektur) und von kulturhistorisch interessanten Gegenständen, wobei die Wiederherstellung eines ursprüngl. oder auch späteren – gewachsenen – Zustandes beabsichtigt ist. Begrifflich ist R. von **Konservierung,** der rein materiellen Sicherung von Werken der Vergangenheit in einem bestimmten Zustand ihrer Existenz, zu trennen. Heute ergibt sich vielfach eine Mischung von Konservierung und R., sowohl im Bereich der Denkmalpflege wie der Museen und Sammlun-

Restaurierung: Wappentafel des Wilhelm von Effern (Anfang 17. Jh.) am Treppenturm des ehemaligen Bischofhofes in Ladenburg (Zustand im Juli 1976, darüber Zustand im Juli 1970); darunter Pieter Bruegel d. Ä., »Die Elster auf dem Galgen« (1568; Darmstadt, Hessisches Landesmuseum), erforderlich war die Abnahme des alten Firnisses (zweites Bild von unten Teilabnahme des alten Firnisses) und die Entfernung partieller Übermalung

gen. – R. werden außerdem vorgenommen an Büchern (Papyri, Codices, Autographen, Einblattdrucke u. a.), an Musikinstrumenten (Wiederherstellung der Klangfähigkeit des Instruments) und an Textilien (Teppiche, Wandteppiche, Fahnen, Stoffe, Paramente, Kostüme).

Restif de la Bretonne [- də la brəˈtɔn] (Rétif de la Bretonne), Nicolas, frz. Schriftsteller, *Sacy (Dép. Yonne) 23. 10. 1734, †Paris 3. 2. 1806; schrieb Sittenromane mit realist., teils drastisch erot. Darstellungen des ländl. und des Pariser Lebens: »Der verführte Landmann« (4 Bde., 1775); »Anti-Justine oder die Wonnen der Liebe« (1798); auch Verfasser sozialreformer. Schriften.

Nicolas Restif de la Bretonne (Ausschnitt eines zeitgenössischen Stahlstichs)

Restitution [lat.] *die,* **1)** *allg.:* Wiederherstellung, (Rück)erstattung.

2) *Genetik:* die Wiederherstellung der vor Eintritt eines Chromosomen- oder Chromatidenbruchs vorhandenen Struktur von Chromosomen oder Chromatiden durch Wiedervereinigung der freien Bruchflächen.

3) *Völkerrecht:* die Wiedergutmachung völkerrechtswidriger Wegnahmen von Gegenständen durch die Besatzungsmacht in einem kriegerisch besetzten Gebiet in Gestalt der →Rückerstattung **(Natural-R.)** oder durch Schadenersatzleistung. (→Vermögensgesetz)

Restitutions|edikt, Erlass Kaiser Ferdinands II. vom 6. 3. 1629, der die Rückgabe aller seit dem Passauer Vertrag (1552) von den Protestanten eingezogenen Kirchengüter an die Katholiken anordnete, die Reformierten vom Religionsfrieden ausschloss und den kath. Reichsständen gestattete, ihre Untertanen zu rekatholisieren. Das R. wurde im Westfälischen Frieden (1648) bedeutungslos.

Restitutionsklage, die Klage auf →Wiederaufnahme des Verfahrens nach Rechtskraft des Urteils wegen eines Restitutionsgrundes, der im früheren Verfahren noch nicht geltend gemacht werden konnte (§ 580 ZPO), z. B. wenn das frühere Urteil auf einer gefälschten Urkunde beruht.

Restkristallisation, *Petrologie:* letzter Abschnitt bei der Erstarrung eines Magmas, gekennzeichnet durch zunehmende Anreicherung leichtflüchtiger Bestandteile. Die R. umfasst das Stadium der Bildung der Pegmatite, der Pneumatolyse und das hydrothermale Stadium. Hierbei entstehen jeweils auch wichtige Erzlagerstätten.

Restmagnetisierung, *Physik:* die Remanenz (→Hysterese).

Restriktion [lat.] *die,* **1)** *allg.:* Einschränkung, Beschränkung (von Rechten).

2) *Recht:* (restriktive Interpretation) die einschränkende Auslegung einer Rechtsnorm.

Restriktions|enzyme (Restriktionsendonucleasen), bisher nur in Mikroorganismen nachgewiesene DNS-spaltende Enzyme, die die DNS-Sequenz nur an ganz bestimmten Stellen spalten. Die Spaltung erfolgt versetzt, sodass Einzelstrangenden entstehen; sie führt zu unterschiedlich großen, exakt definierten DNS-Stücken, weshalb die R. im Rahmen gentechnolog. Methoden, bei der Genklonierung und der Genomanalyse eine wichtige Rolle spielen. In Bakterien dienen die R. der Abwehr von Bakteriophagen.

Reststickstoff, die Menge der im Blutplasma nach Entfernung aller Eiweißstoffe verbleibenden Stickstoffverbindungen (z. B. Harnstoff, Harnsäure, Kreatinin, Kreatin, Aminosäuren); häufen sich bes. bei Nierenkrankheiten mit Niereninsuffizienz im Blut.

Restwert, nach Abschreibung eines Anlageguts verbleibender Buchwert, der nach Ende der betriebl. Nutzungsdauer dem Schrottwert entsprechen kann.

Resultierende [lat.] *die* (Resultante), die Summe zweier oder mehrerer Vektoren, z. B. zweier nach dem Kräfteparallelogramm oder Krafteck addierter Kräfte (→Kraft).

Alfred Rethel: Entwurf für die Wandbilder aus der Geschichte Karls des Großen im Aachener Rathaus, Bleistiftzeichnung; darunter »Der Tod als Triumphator«, Blatt 6 aus der Holzschnittfolge »Auch ein Totentanz« (1849)

Resümee [frz.] *das,* kurze Inhaltsangabe, Zusammenfassung; Schlussfolgerung.

Retabel [lat.] *das,* Altaraufsatz (→Altar).

Retardation [lat.] *die,* **1)** *allg.:* Verzögerung, Verlangsamung (eines Ablaufs, einer Entwicklung).

2) *Anthropologie:* die Verlängerung des Jugendstadiums beim Menschen im Vergleich mit Tieren.

Retardierung, die zeitl. Verzögerung der von einer Quelle ausgehenden physikal. Wirkung an einem anderen Ort aufgrund der endl. Ausbreitungsgeschwindigkeit der Wirkung; z. B. berücksichtigen **retardierte Potenziale** in der Elektrodynamik die endl. Fortpflanzungsgeschwindigkeit elektromagnet. Wellen.

Retention [lat.] *die,* **1)** *Chemie:* a) bei chem. Reaktionen, bei denen asymmetrische Atome (→Asymmetrie) am Reaktionsgeschehen beteiligt sind, Bez. für das Beibehalten der →Konfiguration am Asymmetriezentrum; b) in der Filtrationstechnik das Zurückhalten der dispergierten Phase im Filtermittel; c) in der Chromatographietechnik das Zurückhalten von Stoffen in der stationären Phase.

2) *Recht:* (Retentionsrecht) das →Zurückbehaltungsrecht.

3) *Wasserregulation:* Rückhaltung, Hemmung von Hochwasserabflüssen durch natürl. (Flussauen) oder künstl. Mittel (z. B. Rückhaltebecken).

Retezatgebirge [-z-] (rumän. Munții Retezatului), Granitmassiv in den westl. Südkarpaten, Rumänien, bis 2509 m ü. M.; im westl. Teil Nationalpark (130 km²).

Rethel, Alfred, Maler und Zeichner, *Diepenbenden (heute zu Aachen) 15. 5. 1816, †Düsseldorf 1. 12. 1859; Schüler von W. von Schadow in Düsseldorf, hatte bereits mit seinen ersten Gemälden und Illustrationszeichnungen großen Erfolg und erhielt 1840 den Auftrag für sein Hauptwerk, die Wandbilder aus der Geschichte Karls d. Gr. im Rathaussaal in Aachen (unvollendet wegen einer 1853 ausbrechenden psych. Erkrankung). Sein künstler. Weg führte vom Nazarenertum zu einem stark von der Zeichnung geprägten Monumentalstil, der histor. Ereignisse mythisch darstellte: u. a. Holzschnittfolge »Auch ein Totentanz«, angeregt durch die Revolution 1848 (1849).

Rethymnon ['rɛθimnɔn], Hptst. des Nomos R., an der Nordküste Kretas, Griechenland, 17700 Ew.; Univ. von Kreta; archäolog. Museum; Hafen. – Bauten aus venezian. (Loggia, Arimondibrunnen) und türk. Zeit prägen das Stadtbild.

Reticulum [lat.] *das* (Netz), Sternbild des südl. Himmels.

Rétif de la Bretonne [-də la brə'tɔn], frz. Schriftsteller, →Restif de la Bretonne.

retikulo|endotheliales System [grch.-lat.], ältere Bez. für →Monozyten-Makrophagen-System.

Retikulose [lat.] *die* (Retikuloendotheliose, Retikulohistiozytose), Sammelbez. für Erkrankungen, die mit einer Wucherung von Zellen des Monozyten-Makrophagen-Systems verbunden sind.

Retina [lat.] *die,* die Netzhaut (→Auge).

Retinitis [lat.] *die,* die →Netzhautentzündung.

Retinol [lat.] *das,* Vitamin A (→Vitamine).

Retorsion [lat. »Zurückdrehung«] *die,* **1)** *Strafrecht:* allg. die Vergeltung; i.e.S. die sofortige Erwiderung von Körperverletzungen und Beleidigungen (§§ 199, 233 StGB), ermöglicht dem Gericht das Absehen von der Strafe oder Strafmilderung.

2) *Völkerrecht:* die Vergeltung für eine nicht rechtswidrige, doch unfreundl. Handlung eines Staates durch eine entsprechende Maßnahme, z.B. Retorsionszoll.

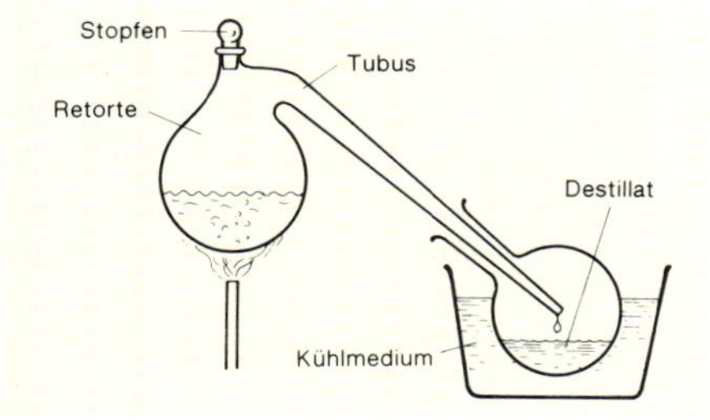

Retorte

Retorte [frz.] *die, Chemie:* 1) früher in chem. Laboratorien und Apotheken v.a. für Destillationen verwendeter Glas- oder Metallkolben mit nach unten gebogenem, zum Ende verjüngtem Tubus; heute Symbol für »chem. Tätigkeit«; 2) in der chem. Industrie zylindr. oder flacher, längl. Reaktionsbehälter, der innen mit feuerfestem Material ausgekleidet ist und von außen beheizt wird; u.a. zur Gaserzeugung aus Kohle verwendet.

Retortenbaby [-be:bi], →Embryotransfer.

retro... [lat.], rück..., rückwärts...

retrograd [lat.] *die, Medizin:* rückläufig, zeitlich oder örtlich zurückliegend.

Retrospektive [lat.] *die,* Rückschau, z.B. die Wiederaufführung alter Filme.

Retroviren (Retroviridae), Familie der Viren mit drei Unterfamilien (Oncovirinae, Spumavirinae, Lentivirinae), die einsträngige RNS als genet. Material besitzen. Zwar sind nicht alle R. onkogen, jedoch gehören alle bisher bekannten tumorerzeugenden RNS-Viren zu den R. Sie besitzen ein spezielles Enzym, die **reverse Transkriptase,** mit deren Hilfe die Virus-RNS bei Infektion der Wirtszelle in DNS übersetzt wird, die dann in das Wirtsgenom eingebaut wird. R. sind ausschl. tier- und humanpathogen. Vertreter der **Lentivirinae** (Lentiviren) erzeugen u.a. bei Schafen chron. Infektionen mit monate- bis jahrelangen Inkubationszeiten (Slow-Virus-Infektionen); auch HIV-1 und HIV-2, die Erreger von Aids, werden den Lentiviren zugeordnet. Zu den **Oncovirinae** gehören u.a. HTLV-1 und HTLV-2 (**h**uman-**T**-**l**ymphotrophic **v**iruses), die beim Menschen die T-Lymphozyten befallen und die bei einem kutanen T-Zell-Lymphom bzw. der Haarzellleukämie nachgewiesen wurden.

Retsina [neugrch., zu grch. rētínē »Harz«] *der,* grch. Weißwein v.a. aus Attika und Euböa (aus Savatianotrauben), dem Harz zugesetzt wurde.

Rettenpacher (Rettenbacher), Simon, österr. Schriftsteller, getauft Aigen (heute zu Salzburg) 17. 10. 1634, † Kremsmünster 10. 5. 1706; Benediktiner, bed. Vertreter des barocken Benediktinerdramas, verfasste lat. Schuldramen und Festspiele mit eigener Musik, daneben lat. und dt. Gedichte.

Rettich [zu lat. radix »Wurzel«], **1)** (Hederich, Raphanus) Gattung der Kreuzblütler in Europa und im Mittelmeergebiet; bekannte Arten sind →Ackerrettich und Garten-R. (R. i.e.S.).

2) (Garten-R., Raphanus sativus) vermutlich aus Vorderasien stammende Kulturpflanze mit weißen oder rötl. Blüten und essbarer Rübe. Häufig angebaute Unterarten sind: **Gewöhnl. Garten-R. (Speise-R., Radi); Öl-R.** mit ungenießbarer Wurzel, die Samen liefern Öl; **Radieschen (Monats-R.).** Der scharfe Geschmack des R. ist auf die schwefelhaltigen äther. Öle zurückzuführen.

Rettich 2) Gewöhnlicher Gartenrettich (rot und weiß), darunter Radieschen

Rettungsboot, zugelassenes Rettungsmittel auf Schiffen, das mittels spezieller Aussetzvorrichtungen zu Wasser gelassen wird und mit allen Einrichtungen und Ausrüstungen versehen ist, um Schiffbrüchigen Schutz zu bieten und ein längeres Überleben zu gewährleisten. Gefordert sind u.a. Luftkästen bzw. Schwimmkörper, die auch dem mit Wasser vollgeschlagenen Boot ausreichend Auftrieb geben, Antriebsmittel (Riemen, Segel, Motor), fester oder aufrichtbarer Wetterschutz, Notproviant und Erste-Hilfe-Ausrüstung.

Rettungs|insel, selbsttätig aufblasbares, überdecktes Gummi- oder Kunststoffboot zur Rettung Schiffbrüchiger; fasst je nach Größe 10–25 Personen und enthält Notproviant, eine Erste-Hilfe-Ausrüstung, Signalmittel und oft einen Notsender.

Rettungsinsel in einer Containerverpackung (links), daneben entfaltet und aufgeblasen

Rettungsmedaille [-medaljə] (Lebensrettungsmedaille), staatl. Auszeichnung für Rettung aus Lebensgefahr unter Einsatz des eigenen Lebens. In Dtl. und in Österreich wird die R. von den Bundesländern verliehen. In der Schweiz dient diesen Zwecken die »Silberne Carnegie-Medaille«.

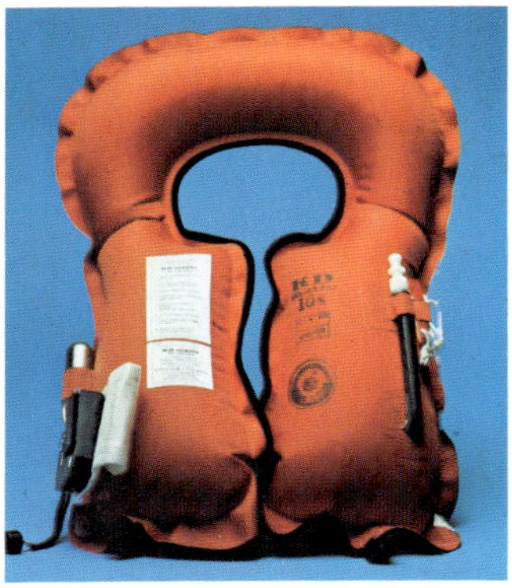

Rettungsweste

Rettungsring, im Wasser tragfähiger Ring aus Kork oder Schaumstoff in Signalfarben, um den eine Greifleine verläuft. R. dienen als Rettungsmittel aus Wassernot; heute oft ersetzt durch die →Rettungsweste.

Rettungsrutsche (Notrutsche), Rettungsvorrichtung von Passagierflugzeugen zur schnellen Räumung der Passagierkabine in Notfällen. R. sind sehr schnell aufblasbare Kunststoffhüllen mit hoher Formstabilität; sie werden aus Kabinen- und Notausgängen ausgeworfen und dienen bei Notwasserungen auch als Rettungsflöße.

Rettungs|schwimmen, Ausbildung in den für die Rettung Ertrinkender notwendigen Maßnahmen (Flossenkraulen, Kleiderschwimmen, Strecken- und Tieftauchen, Befreiungsgriffe, Bergungsgriffe sowie Wiederbelebungsversuche, erste Hilfe); Dachorganisation in Dtl. ist die →Deutsche Lebens-Rettungs-Gesellschaft e.V.

Rettungswesen, Gesamtheit der Maßnahmen und Einrichtungen zur Hilfeleistung bei Katastrophen, Krankheiten, Not- und Unglücksfällen durch öffentl. (Feuerwehren, Techn. Hilfswerk, Bayer. Rotes Kreuz, Bergwacht) sowie private Hilfsorganisationen (z.B. Dt. Rotes Kreuz, Arbeiter-Samariter-Bund, Malteser-Hilfsdienst, Johanniter-Unfall-Hilfe, Dt. Lebens-Rettungs-Gesellschaft). Sie wirken im **Rettungsdienst** zusammen.

Über das **Notrufsystem** (Notrufsäulen v.a. an den Bundesautobahnen und an Bundesstraßen; kostenlose Notrufabfrageeinrichtungen in öffentl. Münzfernsprechern) werden die Feuerwehren und die Rettungsleitstellen als Einsatzzentralen des Rettungsdienstes und Koordinatoren der **Rettungswachen** (Stationen für Rettungs- und Krankentransportwagen sowie für Rettungssanitäter) verständigt. Kreisfreie Städte und Landkreise richten in Zusammenarbeit mit Gesundheitsämtern, Ärztekammern und Krankenhäusern (die für bes. schwere Unfälle teilweise auch Rettungshubschrauber bereithalten) einen **Notarztdienst** ein.

Rettungsmittel: **Krankentransportwagen** sind genormte Spezialfahrzeuge für den einfachen Krankentransport im Sitzen und/oder Liegen; sie sind u.a. mit Krankentrage, Sauerstoffgerät und Infusionseinrichtung ausgestattet. Der **Rettungswagen** verfügt über zusätzl. Geräte, z.B. eine von drei Seiten zugängl. höhenverstellbare Krankentrage, Medikamente, Notfallarztkoffer, Babynotfallkoffer, EKG-Sichtgerät, Defibrillator zur Wiederbelebung und Notamputationsbesteck. Der **Notarztwagen** ist mit einem Notfallarzt (Notarzt) und zwei Rettungsassistenten besetzt. – Besondere Zweige des R. sind die techn. Hilfe (durch die Feuerwehr und das Techn. Hilfswerk geleistet zur Bergung verletzter Personen; die Feuerwehren sind darüber hinaus für den Brandschutz zuständig), die Bergrettung (Bergung von in Bergnot geratenen Personen und Lawinenopfern) und die Wasserrettung (→Seenotrettung).

📖 *Handbuch des R., hg. v.* A. F. Biese *u. a., Loseblatt-Ausg. Hagen 1974 ff. – Krankentransport u. R., bearb. v.* W. Gerdelmann *u. a., Loseblatt-Ausg. Berlin 1978 ff.* – Lippert, H.-D. *u.* Weissauer, W.: *Das R. Organisation – Medizin – Recht. Berlin u. a. 1984.*

Rettungsweste (Schwimmweste), mit Kork oder Schaumstoff gefüllte oder aufblasbare Weste

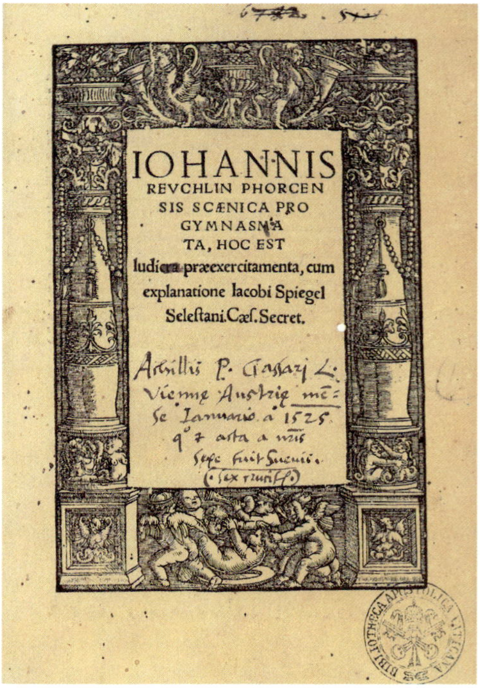

IOHANNIS
REVCHLIN PHORCEN
SIS SCÆNICA PRO
GYMNASMA
TA, HOC EST
ludicra præexercitamenta, cum
explanatione Iacobi Spiegel
Seleſtani.Cæſ.Secret.

Johannes Reuchlin: Titelblatt der Kömodie »Scenica progymnasmata oder Henno« (1497; Rom, Vatikanische Bibliothek)

in Leuchtfarbe (orange); eine Nackenstütze hält das Gesicht bewusstloser Personen über Wasser.

Return [rɪˈtəːn, engl.] *der, Tennis, Tischtennis, Badminton, Squash:* Rückschlag des vom Gegner aufgeschlagenen Balles.

Return on Investment [rɪˈtəːn ɔn ɪnˈvestmənt, engl.], Abk. **ROI,** Kennzahl zur Ermittlung der Rentabilität von Investitionen und damit zur Analyse der Unternehmensrentabilität. Der ROI ist das Produkt aus Umsatzrentabilität (Verhältnis des Gewinns zum Umsatz) und Kapitalumschlag (Verhältnis von Umsatz zum Kapitaleinsatz).

Retusche [frz.] *die, Reproduktionstechnik:* Überarbeitung fotograf. Negative, Positive bzw. (in der Drucktechnik) von kopierten Ätzplatten oder Folien mit unterschiedl. Methoden.

Retz, Stadt im Bez. Hollabrunn, NÖ, 4500 Ew.; altes Weinbauzentrum (ausgedehntes ehem. Weinkellersystem unter der Stadt) mit Fachschule und Messe. – Gut erhaltenes Stadtbild mit großem Hauptplatz. – 1279–90 neben dem Dorf Reczz (heute R.-Altstadt) planmäßig angelegt.

Retz [rɛ, rɛs], **1)** Gilles de Laval, Baron von, →Rais.

2) Jean François Paul de Gondi, Kardinal (seit 1652) von R., frz. Politiker, getauft Montmirail (Dép. Marne) 20. 9. 1613, †Paris 24. 8. 1679; 1648–52 einer der Führer der Fronde gegen Mazarin und die Krone, wurde gefangen gesetzt, entfloh 1654 ins Ausland, kehrte 1661 nach Frankreich zurück. Seine »Mémoires« (1717), die die frz. Ereignisse 1648–55 schildern, sind von histor. und literar. Bedeutung.

Reuchlin (gräzisiert Kapnion, Capnio, Capnion), Johannes, Humanist, *Pforzheim 22. 2. 1455, †Stuttgart 30. 6. 1522; anfangs als Jurist in württemberg. Diensten, zuletzt Lehrer des Griechischen und Hebräischen an den Univ. Ingolstadt und Tübingen. R. gilt neben Erasmus von Rotterdam als das Haupt des dt. Humanismus. Er begründete die hebr. Sprachforschung und alttestamentl. Bibelwiss. In einem jahrelangen, Aufsehen erregenden Streit mit J. Pfefferkorn und der Kölner theolog. Fakultät kämpfte er gegen die Vernichtung des jüd. Schrifttums und im Bündnis mit den Humanisten (→Dunkelmännerbriefe) für die Freiheit der wiss. Arbeit. Mit den Komödien »Sergius sive Capitis Caput« (1496) und »Scenica pro gymnasmata« (»Henno« genannt; 1497) wurde er zum Mitbegründer des Schuldramas in Deutschland.

📖 BENZING, J.: *Bibliographie der Schriften J. R.s im 15. u. 16. Jh. Bad Bocklet u. a. 1955. – J. R. (1455–1522), hg. v.* H. KLING *u.* S. RHEIN. *Sigmaringen 1994.*

Reue, 1) *christl. Kirchen:* wesentl. Akt der Voraussetzung der →Buße.

2) *Strafrecht:* (tätige R.) →Versuch.

Erich Reusch: Bronzeskulptur vor dem nordrhein-westfälischen Innenministerium in Düsseldorf (1978)

Reuental, Neidhart von, mhd. Lyriker, →Neidhart von Reuental.

Reugeld, *Privatrecht:* Geldbetrag, dessen Zahlung den Vertragsparteien vertragsmäßig den Rücktritt vom Vertrag gestattet (§ 359 BGB).

Réunion [reyˈnjɔ̃], Insel der Maskarenen, frz. Überseedép. im Ind. Ozean, 2512 km², (1995) 653400 Ew., meist Kreolen, ferner Inder, Europäer, Chinesen (überwiegend Christen); Hptst. ist Saint-Denis. – R. ist vulkan. Ursprungs (im Piton des Neiges 3069 m ü. M.) mit tätigem Vulkan (Piton de la Fournaise 2631 m ü. M.). Das Klima ist tropisch, im O regenreich. Anbau von Zuckerrohr, Duft- und Gewürzpflanzen (Vanille), Tabak, Mais, Maniok, Bananen, Ananas u. a.; wichtigste Ausfuhrgüter: Zucker, Rum, Vanille, Parfümessenzen; Haupthafen: Le Port; internat. Flughafen bei Saint-Denis. – 1513 von dem Portugiesen P. de Mascarenhas entdeckt, 1638 von Frankreich in Besitz genommen und in der 2. Hälfte des 17. Jh. besiedelt; erhielt 1793 den Namen R.; 1810–16 britisch besetzt, seit 1945 frz. Überseedépartement.

Re|unionen, die Annexionen Ludwigs XIV. an der frz. Ost- und Nordgrenze 1679–81, mit der Begründung, dass diese Gebiete lehnsrechtlich mit den in den Friedensschlüssen von Münster (1648), Aachen (1668) und Nimwegen (1679) an Frankreich abgetretenen Territorien des Hl. Röm. Reichs verbunden seien (insgesamt etwa 600 Herrschaften und Orte). Ohne Rechtsvorwand wurde am 30. 9. 1681 Straßburg einverleibt. Im Frieden zu Rijswijk (1697) musste Ludwig XIV. die R., nicht aber Straßburg und das Elsass, zurückgeben.

Reus [ˈrrɛu̯s], Stadt in Katalonien, Provinz Tarragona, Spanien, 85100 Ew.; Weltmarktzentrum des Trockenfruchthandels, Geflügelzuchtzentrum, Landmaschinenbau, Textil- (bes. Seide) und Nahrungsmittelind. (bes. Olivenöl, Wein).

Reusch, Erich, Bildhauer, Architekt, *Wittenberg 26. 6. 1925; experimentierte 1956 mit horizontaler Plastik, unternahm seitdem Versuche zur

Johannes Reuchlin (zeitgenössische Darstellung)

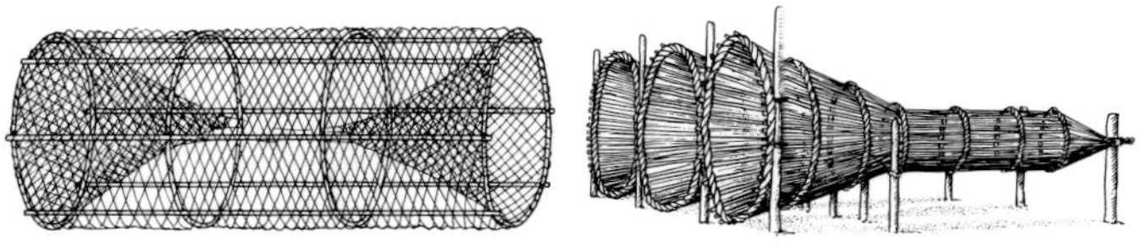

Reuse: Hummerreuse (links) und Garnelenreuse

plast. Aktivierung des Raums (Ruhr-Univ. Bochum, 1971; Olympiagelände München, 1979–82) oder zur Einbeziehung neuer Materialien (Windenergie, Überschallwellen) in die Plastik.

Reuse, stehendes Fischfanggerät, meist tonnen- oder kegelförmig; besteht aus Weiden-, Netz- oder Drahtgeflecht mit trichterförmigem Eingang, durch den eingeschlüpfte Fische nicht wieder hinausgelangen.

Reusner (Reussner), Esaias, Lautenist und Komponist, *Löwenberg in Schlesien (heute Lwówek Śląski, Wwschaft Jelenia Góra) 29. 4. 1636, †Berlin 1. 5. 1679; einer der hervorragendsten dt. Lautenmeister des 17. Jahrhunderts.

Reuß, Adelsgeschlecht sowie zwei ehem. nach ihm benannte Fürstentümer und Bundesstaaten des Dt. Reiches im O Thüringens. Von den Herren und Vögten von Weida (seit 1180 Reichsministerialen; Linie Weida erlosch 1531) spalteten sich 1244 die Linien Gera (erloschen 1550) und Plauen ab. Die ältere Seitenlinie Plauen erlosch 1572; die jüngere Seitenlinie Plauen geht auf Heinrich I. (gen. der Russlandfahrer bzw. der Reuße, †1292) zurück. Sie teilte sich 1564 weiter in eine ältere (erlosch 1927), mittlere (erlosch 1616) und jüngere Linie, die sich noch weiter verzweigten, und erhielt 1673 den Grafentitel. **R. ältere Linie** (seit 1616 R.-Greiz) wurde 1778, **R. jüngere Linie** (R.-Schleiz) 1806 gefürstet. 1918 wurden die Fürstentümer Volksstaaten (1919 vereinigt) und gingen 1920 im Land Thüringen auf.

Ernst Reuter

Reuß *die,* rechter Nebenfluss der Aare in der Schweiz, 159 km lang, entsteht aus der Vereinigung von **Furka-** und **Gotthard-R.,** durchfließt den Vierwaldstätter See, mündet bei Windisch; wichtigster Nebenfluss ist die Kleine Emme.

Fritz Reuter

Reuter, 1) Christian, Dichter, getauft Kütten bei Halle (Saale) 9. 10. 1665, †Berlin (?) nach 1712; studierte Jura in Leipzig, wurde wegen seiner satir. Schriften von der Univ. verwiesen. Die stets anonymen oder pseudonymen Werke sind Charakter- und Typenkomödien, mit denen R. seine Leipziger Wirtin verspottete (»L'honnête Femme oder die Ehrliche Frau zu Plissine«, 1695; »Der ehrlichen Frau Schlampampe Krankheit und Tod«, 1696; erster dt. bürgerl. Schelmenroman: »Schelmuffskys Wahrhafftige Curiöse und sehr gefährliche Reisebeschreibung Zu Wasser und Lande«, 2 Tle., 1696/97).

2) Ernst, Politiker, *Apenrade 29. 7. 1889, †Berlin 29. 9. 1953; seit 1912 Mitgl. der SPD; als Kriegsgefangener in Russland Volkskommissar in der Wolgadt. Republik, baute nach 1918 die Berliner KPD-Organisation auf; 1921 Gen.-Sekr. der KPD, 1922 Parteiausschluss und Rückkehr zur SPD. 1931–33 Oberbürgermeister von Magdeburg, 1932/33 MdR; 1933–35 zweimal im KZ; 1935–46 Reg.berater und Prof. in der Türkei; 1947 zum Oberbürgermeister von Berlin gewählt, bis 1948 durch sowjet. Veto am Amtsantritt gehindert; 1950–53 Regierender Bürgermeister von Berlin; führte den Widerstand gegen die Berliner Blockade 1948/49; ab 1951 Präs. des Dt. Städtetages.

📖 *E. R. Sein Leben in Bildern, 1889–1953, Beiträge v.* L. Kredlau *u. a. Berlin 1989.*

Christian Reuter: »Frau Schlampampe«, Illustration aus der Komödie »L'honnête Femme oder Die Ehrliche Frau zu Plissine« (1695)

3) Fritz, niederdt. Dichter, *Stavenhagen 7. 11. 1810, †Eisenach 12. 7. 1874; als aktiver Burschenschafter 1833 verhaftet, 1836 wegen angebl. Majestätsbeleidigung und Hochverrats zum Tode verurteilt, zu 30 Jahren Festungshaft begnadigt; 1840 aus der Haft entlassen (»Ut mine Festungstid«, R., 1862). Gehört zu den krit. Realisten des 19. Jh.; in seinem Werk, das weit über den niederdt. Raum hinaus wirkte, sind volkstüml. Züge mit sozialkrit. Momenten verbunden. Seine Mundartdichtung zeigt volkstüml. humorist. Züge, doch überwiegt die Kritik an preuß. Militarismus, Adel und patriarchal. Gutsherrschaft. Das sozial anklagende Versepos »Kein Hüsung« (1858) gestaltet den Konflikt zw. einem Tagelöhner und seinem Gutsherrn. »Ut mine Stromtid« (R., 3 Tle., 1862–64) ist ein vielschichtiges Zeitgemälde Mecklenburgs.

4) Gabriele, Schriftstellerin, *Alexandria (Ägypten) 8. 2. 1859, †Weimar 14. 11. 1941. Ihre Romane behandeln die Stellung der Frau in der modernen Gesellschaft und hatten auf die Frauenbewegung großen Einfluss (»Aus guter Familie«, 2 Tle., 1896).

5) Hans-Peter, Maler und Objektkünstler, *Schwenningen (heute zu Villingen-Schwenningen) 3. 9. 1942; gestaltet v.a. menschenleere, vollständig gekachelte Interieurs, die beim Betrachter ein Gefühl des Beengtseins und der Bedrückung hervorrufen; seit 1976 Objekte und Installationen.

Reuters Ltd. [- 'lɪmɪtɪd], brit. Nachrichtenagentur und Informationsunternehmen, gegr. 1849 in Aachen von Paul Julius Reuter (*1816, †1899), neu gegr. 1851 in London als »Mr. Reuter's Office«, seit 1865 »Reuter's Telegram Company«, seit 1916 »Reuters Ltd.«, seit 1941 Gemeinschaftsunternehmen der engl. Presse, seit 1984 AG.

Reutersward, Carl Frederik, schwed. Künstler und Dichter, *Stockholm 4. 6. 1934; studierte in Paris (1952) bei F. Léger, malte zunächst kalligraphisch wirkende Bilder, gestaltete dann neodadaist., ironisch verfremdete Objekte, beteiligte sich an Happenings und Aktionen. Seit 1968 experimentiert er mit Laserlicht; schrieb auch experimentelle Gedichte.

Reutlingen, 1) Landkreis im RegBez. Tübingen, Bad.-Württ., 1094 km², (1996) 272100 Einwohner.

2) Krst. von 1) in Bad.-Württ., an der Echaz, am Fuß der Achalm, 108600 Ew.; Große Kreisstadt; Forschungsinst. für Textiltechnik; Abteilung der

Reutlingen 2): Das Tübinger Tor aus dem 13. Jahrhundert war Teil einer mittelalterlichen Befestigungsanlage

Hans-Peter Reuter: Raumobjekt auf der documenta 6 (1977; Kassel, Museum Fridericianum)

PH Ludwigsburg, FH für Technik und Wirtschaft, evang. FH für Sozialwesen, theolog. Seminar der evangelisch methodist. Kirche; Westdt. Gerberschule u.a. Fachschulen; Museen; Friedrich-List-Archiv; Textil-, Leder-, elektrotechn. Ind., Stahl-, Maschinen-, Fahrzeugbau. – Nach Verlusten durch den Brand von 1726 wird das Stadtbild v.a. von Bauten des 18. Jh. geprägt. Die Marienkirche ist eine der schönsten Schöpfungen der schwäb. Frühgotik (13./14. Jh.; im Innern Taufstein von 1499 und »Heiliges Grab«, 16. Jh.); zahlr. Fachwerkbauten und alte Wehranlagen; von der mittelalterl. Befestigung ist u.a. das Tübinger Tor (13. Jh., 1528 erhöht) erhalten. – 1089/90 erstmals erwähnt; um 1210 erste städt. Rechte; 1216–40 als Stadt ausgebaut; nach 1268 Reichsstadt; im 14. Jh. Mitgl. des Schwäb. Städtebundes, 1531–47 des Schmalkald. Bundes; kam 1803 an Württemberg.

Reutlingen 2) Stadtwappen

Reutte, Bezirkshauptort in Tirol, Österreich, im Lechtal, 850 m ü. M., 5300 Ew.; Textil-, Metallind.; Fremdenverkehr.

Reutter, 1) Hermann, Komponist, *Stuttgart 17. 6. 1900, †Heidenheim an der Brenz 1. 1. 1985; schuf Werke teils volkstüml., teils gemäßigt modernen Charakters, u.a. Opern (»Dr. Johannes Faust«, 1936, Neufassung 1955; »Don Juan und Faust«, 1950; »Hamlet«, 1980), Ballette, Oratorien, Kantaten, Konzerte, Kammermusik und Lieder.

2) Otto, eigtl. O. Pfützenreuter, Vortragskünstler, *Gardelegen 24. 4. 1870, †Düsseldorf 3. 3. 1931; trug u.a. im Berliner »Wintergarten« von humorist. Lebensweisheit geprägte Couplets vor.

Otto Reutter (zeitgenössische Karikatur)

Reval, Hptst. von Estland, → Tallinn.

Revalierungs|anspruch, der Anspruch des Bezogenen gegen den Aussteller eines Wechsels auf Ersatz des zur Einlösung des Wechsels Aufgewendeten oder auf Deckung vor der Zahlung.

Revanche [rə'vãʃ, frz.] *die,* Vergeltung, Genugtuung; auch Gegenangebot.

Viljo Revell: Die 1958–65 erbaute City Hall in Toronto gilt als Wahrzeichen der Stadt

Revanchismus [-vãʃ-, frz.] *der,* polit. Einstellung, deren Ziel die Vergeltung für polit. oder militär. Niederlagen und/oder die Rückgewinnung verlorener Staatsgebiete bzw. die Annullierung aufgezwungener Verträge ist.

Revell, Viljo Gabriel, bis 1961 V. G. Rewell, finn. Architekt, *Vaasa 25. 1. 1910, †Helsinki 8. 11. 1964; Schüler von A. Aalto; errichtete v.a. Wohn- und Verwaltungsbauten; Hauptwerk ist die City Hall von Toronto (1958–65).

Franziska Gräfin zu Reventlow

Reventlow [-lo], holstein. Uradelsgeschlecht, 1223 erstmals erwähnt, 1673 in den dän. Grafenstand erhoben. – Franziska (eigtl. Fanny) Gräfin zu R., Schriftstellerin, *Husum 18. 5. 1871, †Muralto (bei Locarno) 25. 7. 1918; gehörte zur Münchener Boheme; sie schrieb Skizzen, Romane.

Reverdy [rəvɛr'di], Pierre, frz. Schriftsteller, *Narbonne 13. 9. 1889, †Solesmes (Dép. Sarthe) 21. 6. 1960; gehörte zur ersten Gruppe der Surrealisten; schrieb Lyrik, Essays (»Le livre de mon bord«, 1948; dt. Auszüge zus. mit Gedichten u. d. T. »Die unbekannten Augen«), Romane und Erzählungen.

Reverend [engl., von lat. reverendus »Verehrungswürdiger«] *der,* Abk. **Rev.,** Titel und Anrede von Geistlichen im englischsprachigen Raum.

Revers [lat.-frz.], **1)** *der, allg.:* Verpflichtungsschein, schriftl. Erklärung.

2) [rəv'ɛ:r] *das* oder *der, Mode:* an Jacke, Mantel oder Kleid in unterschiedl. Länge und Breite nach außen umgeschlagene Vorderkante, durch eine Naht mit dem Kragen verbunden.

3) [auch rə'vɛ:r] *der, Münzwesen:* Rückseite einer Münze; Ggs.: Avers.

reversibel [lat.-frz.], **1)** *allg.:* umkehrbar.

2) *Physik:* Vorgänge, v.a. in der Thermodynamik, heißen r., wenn sie sich ohne gleichzeitige Zustandsänderungen in der Umgebung vollständig rückgängig machen lassen **(reversible Prozesse),** z.B. bei einem reversiblen →Kreisprozess; Ggs.: irreversible Prozesse. (→Entropie)

revidieren [lat.], überprüfen; nach eingehender Prüfung ändern.

Revier [zu frz. rivière »Fluss«, »Ufergegend«] *das,* **1)** *allg.:* Bezirk, Zuständigkeits-, Tätigkeitsbereich (z.B. Polizeirevier).

2) *Bergbau:* größeres Abbaugebiet.

Review [rɪ'vju:; engl. »Rückblick«, »Überblick«] *die,* Rundschau (häufiger Titel engl. Zeitschriften).

Revision [lat.] *die,* **1)** *allg.:* Überprüfung, Nachprüfung.

2) *Drucktechnik:* letzte Überprüfung einer Druckform vor dem Auflagendruck.

3) *Prozessrecht:* ein auf Fehler in der Rechtsanwendung gestütztes Rechtsmittel. Die Einlegung der R. hemmt den Eintritt der Rechtskraft eines vorangegangenen Urteils und führt bei Zulässigkeit zu einer rein rechtlichen, nicht tatsächlichen Nachprüfung desselben durch eine höhere (letzte) Instanz (R.-Gericht). In Zivilsachen (§§ 545 ff. ZPO) kann R. grundsätzlich gegen die in der Berufungsinstanz von den Oberlandesgerichten erlassenen Endurteile eingelegt werden, wenn die (Revisions-)Beschwerdesumme 60 000 DM übersteigt und die Rechtssache grundsätzl. Bedeutung hat oder das Oberlandesgericht als Vorinstanz die R. in dem Urteil zugelassen hat bzw. als Berufungsgericht die Berufung als unzulässig verworfen hat. Bei bestimmten Verfahrensverstößen ist die R. ohne weiteres zulässig, z.B. bei nicht vorschriftsmäßig besetztem Gericht, Verletzung der Öffentlichkeit des Verfahrens (sog. »absolute R.-Gründe«). In Strafsachen (§§ 333 ff. StPO) findet die R. statt gegen die Urteile der Strafkammern und der Schwurgerichte sowie gegen die erstinstanzl. Urteile der Oberlandesgerichte. Auch das Arbeits-, Finanz-, Sozial- und das Verwaltungsgerichtsverfahren kennen das Rechtsmittel der R. Die **R.-Frist** beträgt grundsätzlich einen Monat ab Zustellung des in vollständiger Form abgefassten Urteils, in Strafsachen eine Woche ab Verkündung des Urteils. Die R. muss innerhalb eines Monats unter Angabe des R.-Antrags begründet werden. Eine besondere Art der R. ist die Sprung-R. (§§ 335 StPO, 566a ZPO), die unter freiwilliger Aufgabe einer Tatsacheninstanz anstelle einer mögl. Berufung zur schnelleren Klärung von Rechtsfragen eingelegt wird. – Im *österr.* Zivilprozessrecht ist die

R. in §§502ff. ZPO geregelt; der R. entspricht im Strafprozess die Nichtigkeitsbeschwerde (§§280ff. StPO). In der *Schweiz* kennen die kantonalen Prozessordnungen i.d.R. die R. als außerordentl. Rechtsmittel zur Wiederaufnahme des Verfahrens, bes. bei Entdeckung neuer Beweismittel. Dem dt. Rechtsmittel der R. entsprechen die Appellation, die Berufung oder die Kassationsbeschwerde (je nach maßgebender Prozessordnung).

4) *Wirtschaft:* nachträgl. Überprüfung von Geschäftsvorfällen auf Richtigkeit, Ordnungs-, Gesetz- und Zweckmäßigkeit durch Angehörige des eigenen Unternehmens **(interne R.)** oder durch Dritte **(externe R.)**; eine externe R. kann freiwillig oder, wie bei der Prüfung des Jahresabschlusses, gesetzlich vorgeschrieben sein (→Wirtschaftsprüfung).

Revisionismus [lat.] *der,* i.w.S. Bemühungen, bestehende polit. oder völkerrechtl. Verhältnisse zu verändern oder ideolog. Positionen zu modifizieren; i.e.S. eine Richtung der internat. Arbeiterbewegung, um 1900 entstanden, die zentrale Aussagen des Marxismus neu zu bewerten suchte. Bedeutendster Theoretiker des R. war E. →Bernstein. Er behauptete, dass die von Marx prognostizierte Verelendung des Proletariats ausgeblieben sei und dass sich die wirtsch. Krisen nicht verschärft hätten, während die durch Druck der Arbeiterbewegung erreichten Sozialreformen zeigten, dass auch im Rahmen der bestehenden Gesellschaftsordnung Verbesserungen erreichbar seien.

📖 GREBING, H.: *Der R. von Bernstein bis zum Prager Frühling. München 1977.*

Revokation [lat.] *die,* →Widerruf (v.a. im Recht).

Revolte [frz.] *die,* Aufruhr, Empörung.

Revolution [frz., zu lat. revolvere »zurückdrehen«, »zurückrollen«] *die,* **1)** *allg.:* Umwälzung, tief greifende Umwandlung.

2) *Astronomie:* der Umlauf eines Himmelskörpers um einen anderen (größeren).

3) *Politik* und *Gesellschaft:* im politisch-sozialen Sinne Bez. für eine grundlegende Umgestaltung der gesellschaftl. Struktur, der polit. Organisation sowie der kulturellen Wertvorstellungen in einem bestimmten geograph. Bereich und damit Bez. für eine besondere Form des histor. Wandels. Nach Inhalten unterscheidet man polit. R., soziale R. und Kultur-R., nach Trägern Bauern-R., bürgerl. R. und proletar. (soziale) Revolution. Die Versuche, eine begonnene oder bereits erfolgreich beendete R. rückgängig zu machen, werden Konter-R. genannt. Im allg. Sprachgebrauch wird als R. sowohl der plötzl. Machtwechsel als auch die diesem Wechsel folgende langfristige Umwälzungs- und Umschichtungsphase bezeichnet. Träger der R. sind i.d.R. benachteiligte Schichten, unterdrückte gesellschaftl. Gruppen usw., auch wenn als Wortführer häufig Angehörige der Oberschicht fungieren. – Bis in die Epoche der Frz. Revolution hinein bedeutete R. eine Veränderung als Ergebnis natürl. Gesetzmäßigkeiten. Erst in der Frz. Revolution erhielt der Begriff R. die Bedeutung einer aktiven, radikalen Abkehr vom historisch Gewordenen und verband sich mit eschatolog. und chiliast. Vorstellungen. Im 19. Jh. suchten Hegel und Marx die R. in die größeren geschichtl. Zusammenhänge einzuordnen; von marxist. Theoretikern wurden unterschiedl. R.-Ideen entwickelt. Für fundamentalistisch-islam. Positionen ist R. ein Weg zum Gottesstaat.

📖 *R. u. Gesellschaft, hg. v.* H. REINALTER. *Innsbruck 1980. – Theorie u. Praxis der R., hg. v.* W. W. ERNST. *Wien 1980. – R., Reform, Restauration. Formen der Veränderung von Recht u. Gesellschaft, hg. v.* H. MOHNHAUPT. *Frankfurt am Main 1988.* – KOSSOK, M.: *Revolutionen der Weltgeschichte. Von den Hussiten bis zur Pariser Commune. Stuttgart u.a. 1989.* – LASKY, M. J.: *Utopie u. R. A.d. Amerikan. Reinbek 1989.* – MARCUSE, H.: *Vernunft u. R. A.d. Amerikan. Frankfurt am Main [8]1990.*

Revolutionsarchitektur: Die Königliche Saline (Teilansicht) in der Salinenstadt Arc-et-Senans, Département Doubs, wurde 1774-79 von Claude-Nicolas Ledoux erbaut

Revolutions|architektur, Richtung der frz. Architektur gegen Ende des 18. Jh., die ein Bauen in nüchtern-monumentalen, stereometr. Formen forderte und sich in vielem an A. Palladio sowie G.B. Piranesi anschloss. Die Bez. meint den Bruch mit der Tradition, nicht das polit. Bekenntnis zur Frz. Revolution. Ihre Hauptvertreter waren E.-L. Boullée, C.-N. Ledoux (weiteres BILD) und J.-J. Lequeu. Im übrigen Europa zeigten u.a. F. Gilly, J. Soane oder A. D. Sacharow analoge Tendenzen.

Revolver [engl., zu to revolve »drehen«] *der,* **1)** Faustfeuerwaffe mit einer Mehrladeeinrichtung in Form einer sich beim Abzug drehenden Trommel mit Patronenkammern **(Trommelrevolver).** BILD S. 422

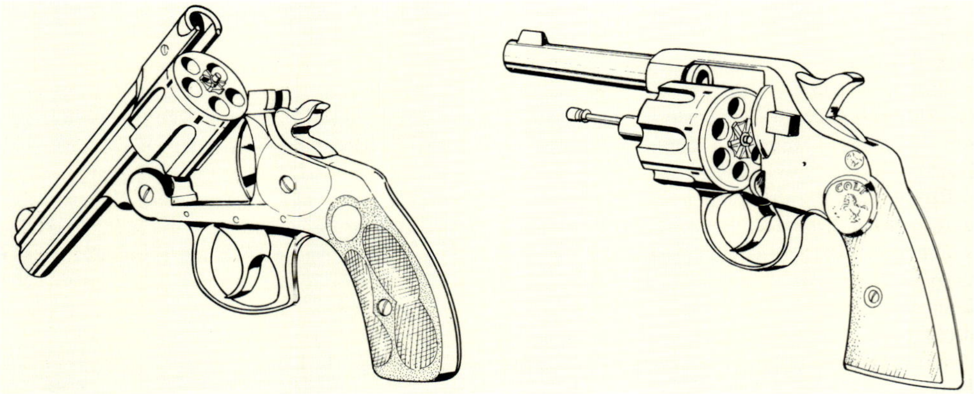

Revolver 1) mit Kipplauf (links) und mit seitlich ausschwenkbarer Walze

2) *Werkzeugtechnik:* (Revolverkopf) drehbare Spannvorrichtung zum schnellen Wechseln von Werkzeugen, z. B. an der Drehmaschine oder von Objektiven am Mikroskop.

Günter Rexrodt

Revolvingkredit [rɪ'vɔlvɪŋ-, engl.] (revolvierender Kredit), Kredit, bei dem der Kreditnehmer zurückgezahlte Kreditbeträge wieder beanspruchen kann. Beim **Revolvinggeschäft (Revolvingsystem)** als Form der Finanzierung langfristiger Projekte durch kurzfristige R. wird der langfristige Effekt dadurch erzielt, dass der kurzfristige Kredit verlängert oder durch neue kurzfristige Kredite ersetzt wird.

Revue [rə'vy:, frz.] *die,* Bühnendarbietung von lose aneinander gereihten Szenen mit gesprochenen Texten, Gesang, Tanz und Artistik **(Ausstattungs-, Tanz-, Eisrevue).**

Revueltas [rrɛ'βu̯ɛltas], Silvestre, mexikan. Komponist, Dirigent und Violinist, *Santiago Papasquiaro (Durango) 31. 12. 1899, †Mexiko 5. 10. 1940; schrieb von der heimatlichen Folklore inspirierte Orchesterwerke, Kammermusik, Lieder und Filmmusik.

Rexkatze

REWE-Gruppe, größtes dt. Unternehmen des Lebensmittelgroß- und -einzelhandels, gegr. 1921, Sitz: Duisburg. Obergesellschaft der genossenschaftl. Handelsgruppe ist seit 1973 die REWE-Zentral-AG, Köln, deren Kapitaleigner die von den selbstständigen Einzelhändlern getragenen Genossenschaften sind. Zur R.-G. gehören neben selbstständigen Einzelhandelsgeschäften Lebensmittelfilialketten, Verbrauchermärkte (z. B. Penny, HL, Minimal, Globus und Toom), Fachmärkte (z. B. Frick Teppichböden, Pro Markt, idea), Touristikunternehmen (Atlas-Reisen, ITS) sowie Beteiligungen u. a. am größten österr. Handelsunternehmen Billa-Gruppe und der Pro Sieben Television AG.

Rex [lat.] *der,* König; urspr. Titel der etrusk. Herrscher Roms.

REX®, Abk. für **Deutscher Rentenindex,** 1991 eingeführter Index für die Kursentwicklung am dt. Rentenmarkt; aus 30 öffentl. Anleihen mit Laufzeiten zw. einem und zehn Jahren und Verzinsungen von 6 %, 7,5 % und 9 % wird ein gewichteter Durchschnittskurs gebildet (REX®-Gesamtindex).

Rexbewegung (Rexisten), von L. Degrelle 1930 gegr. rechtsradikale Bewegung in Wallonien (Belgien); entstand aus jungkath. Erneuerungsbestrebungen um den Rex-Verlag in Löwen (geleitet von L. Degrelle); kollaborierte nach der Besetzung Belgiens (1940) mit der dt. Besatzungsmacht; 1944 verboten.

Rexkatzen, bei Kurzhaarkatzen durch Mutation auftretende Fellvarietät (rezessiver Erbgang) mit gewelltem oder lockigem Haar, das hauptsächlich aus Wollhaaren besteht; auch die Schnurrhaare sind gekräuselt. R. sind bes. widerstandsfähig gegen Krankheiten und daher begehrte Zuchttiere.

Rexrodt, Günter, Politiker, *Berlin 12. 9. 1941; Diplomkaufmann, seit 1980 Mitglied der FDP, 1985–89 Finanzsenator in Berlin (West); 1990–91 Vorstandsvors. der Citibank AG Frankfurt am Main, 1991–93 Vorstandsmitgl. der Treuhandanstalt; 1993–98 Bundeswirtschaftsminister.

Rey ['rrɛi̯], Fernando, eigtl. F. Casado d'Arambillet Veiga, span. Schauspieler, *La Coruña 20. 1. 1912, †Madrid 9. 3. 1994; bes. durch Filme von L. Buñuel bekannt, u.a. »Viridiana« (1961), »Tristana« (1970), »Der diskrete Charme der Bourgeoisie« (1972), »Dieses obskure Objekt der Begierde« (1978), »Nackter Tango« (1990).

Reyes ['rrɛjes], Alfonso, mexikan. Gelehrter und Schriftsteller, *Monterrey 17. 5. 1889, †Mexiko 27. 12. 1959; war umfassend gebildet und von großem Einfluss auf die Erneuerung des geistigen Lebens in Mexiko; schrieb v.a. Lyrik, Erzählungen und Essays.

Reykjavík ['rɛjkjavi:k; isländ. »Rauchbucht«], Hauptstadt und Haupthafen Islands, innerhalb der stets eisfreien Bucht Faxaflói an der Westküste, 103 000 Ew.; Sitz von Reg., Parlament und Oberstem Gerichtshof; Kulturzentrum mit Univ. (seit 1911), Landesbibliothek, -archiv, Museen, wiss. Anstalten; wichtige Ind.- und Handelsstadt, Fischverarbeitung, Werften, Elektro-, Möbel-, Leder- und Textilind., Kfz-Montage, Aluminiumhütte; Flughafen; inmitten der relativ jungen Altstadt nahe dem Hafen liegt der See Tjörnin. Die Stadt wird mit geotherm. Energie beheizt. – Um 874 von norweg. Wikingern gegr.; 1786 Stadtrecht, 1903 Verw.sitz Islands.

Reymont ['rɛjmɔnt], Władysław Stanisław, eigtl. W. S. Rejment, poln. Schriftsteller, *Kobiele Wielkie (bei Radomsko) 7. 5. 1867, †Warschau 5. 12. 1925; schrieb im naturalist. Stil É. Zolas einen Roman über die Fabrikstadt Lodz »Lodz. Das gelobte Land« (1899). Für sein Hauptwerk, den Roman »Die Bauern« (4 Bde., 1904–09; Film von A. Wajda, 1974), in dem er das poln. Dorfleben im Wechsel der Jahreszeiten schildert, erhielt er 1924 den Nobelpreis für Literatur.

Paul Reynaud (1939)

Reynaud [rɛ'no], Paul, frz. Politiker (Unabhängiger Republikaner), *Barcelonette (Dép. Alpes-de-Haute-Provence) 15. 10. 1878, †Paris 21. 9. 1966; mehrfach Min., März bis Juni 1940 MinPräs., wollte nach der frz. Niederlage den Krieg von den

Joshua Reynolds: »Lady Cockburn und ihre drei Söhne« (1774; London, National Gallery)

Kolonien aus fortsetzen, auf Befehl P. Pétains nach Dtl. ausgeliefert, 1942–45 im KZ. Nach 1945 Befürworter der dt.-frz. Verständigung; in der Fünften Rep. an der Ausarbeitung der Verf. beteiligt, später Gegner C. de Gaulles.

Reykjavík Stadtwappen

Reynolds ['renldz], **1)** Burt, amerikan. Schauspieler und Regisseur, *Waycross (Ga.) 11. 2. 1936; bekannt als Darsteller in TV-Serien und Actionfilmen, u.a. »Mein Name ist Gator« (auch Regie, 1975), »Ein ausgekochtes Schlitzohr« (1976), »Sie nannten ihn Stick« (auch Regie, 1985), »Breaking in« (1989), »Der Psychopath« (1994).

2) Sir (seit 1768) Joshua, brit. Maler und Kunsttheoretiker, *Plympton (Cty. Devon) 16. 7. 1723, †London 23. 2. 1792; bildete sich in Italien, wurde 1768 Präs. der neu gegründeten Londoner Akademie, 1784 Hofmaler; schuf etwa 2 000 Porträts. Von A. van Dyck übernahm er die Eleganz, von Rembrandt das Helldunkel. Seine Bildnisse repräsentieren die Oberschicht der engl. Gesellschaft seiner Zeit. In Akademievorträgen und Schriften entwickelte er das Programm des engl. Klassizismus.

Władysław Reymont

3) Osborne, brit. Physiker, *Belfast 23. 8. 1842, †Watchet (Cty. Somerset) 21. 2. 1912; Prof. in Manchester (1868–1905), stellte 1883 das nach ihm benannte hydrodynam. Ähnlichkeitsgesetz bei Vorhandensein von Druck-, Reibungs- und Trägheitskräften auf.

Reynolds-Zahl ['renldz-; nach O. Reynolds], Formelzeichen *Re*, eine dimensionslose Kennzahl für das Verhältnis von Trägheitskräften zu Viskositätskräften in einer strömenden Flüssigkeit.

Burt Reynolds

Reynosa [rrɛi̯'nosa], Grenzstadt in NO-Mexiko, im Staat Tamaulipas, am Rio Grande (Straßenbrücke), 281400 Ew.; starker Fremdenverkehr aus den USA; Zentrum eines Bewässerungsgebietes (Baumwollanbau); bed. Erdöl- und Erdgasfelder; Erdölraffinerie, petrochem. u.a. Industrie.

Reyon [rɛ'jɔ̃] *der* oder *das* (Rayon), 1953–76 Gattungsname für Viskosefilamentgarne; mit dem Textilkennzeichnungsgesetz von 1976 wurde die Bez. R. durch →Viskose ersetzt.

Rēzekne ['re:zekne] (dt. Rositten), Stadt in Lettland, am gleichnamigen Fluss, in Lettgallen, 43100 Ew.; Landmaschinenbau, Holz-, Leder-, Leinen-, Nahrungsmittelind.; Verkehrsknotenpunkt, Flugplatz.

Rezension [lat.] *die,* **1)** *Kommunikationswiss.:* krit. Besprechung neu erschienener Bücher, auch von Theater-, Filmaufführungen, Konzerten.

2) *Textkritik:* das Vergleichen versch. Handschriften zur Wiederherstellung der besten Überlieferung, Grundlage der →Emendation.

rezent [lat.], *Biologie:* gegenwärtig lebend, sich bildend oder auftretend; Ggs.: fossil.

Rezept [lat. »das Empfangene«] *das,* **1)** *Kochkunst:* Anweisung für die Zubereitung von Speisen aller Art.

2) *Pharmazie:* schriftliche (mit Ort, Datum und Unterschrift versehene) ärztliche Anweisung an eine Apotheke zur Abgabe (oder Herstellung und Abgabe) eines Arzneimittels.

Rezeption [lat.] *die,* **1)** *allg.:* Aufnahme, Übernahme.

2) *Dienstleistungswesen:* Empfangshalle, -büro (Hotellerie, Firmen, Krankenhäuser).

3) *Rechtsgeschichte:* die Übernahme eines Rechts oder einer Rechtseinrichtung (z.B. im MA. dt. Stadt- und Landrecht im slaw. Osten); im Besonderen das Eindringen des röm. Privatrechts in Dtl. (14.–16. Jh.). Die R. vollzog sich durch gewohnheitsrechtl. Anwendung des röm. Rechts als Juristenrecht. Die Ursachen der R. waren: a) die Geistesströmungen des Humanismus und der Renaissance; b) das Studium Deutscher an den das röm. Recht pflegenden italien. Rechtsschulen; c) die mittelalterl. Vorstellung, dass das Dt. Reich die Fortsetzung des Röm. Reichs sei; d) die Zersplitterung des einheim. Rechts, der das röm. Recht seine Einheitlichkeit entgegensetzte. Die einheim. Sonderrechte gingen dem röm. (gemeinen) Recht jedoch vor. Seit dem 18. Jh. kamen unter dem Einfluss der Naturrechtsschule und der aufblühenden rechtsgeschichtl. Forschung die deutschrechtl. Gedanken wieder stärker zur Geltung. Mit der Einführung des BGB traten zwar die röm. Rechtsquellen außer Kraft, ihre Sätze aber wurden vielfach übernommen, bes. im Schuld- und Erbrecht.

4) *Wirkungsgeschichte:* die kommunikative Aufnahme und Aneignung von Kunstwerken durch ein Publikum. Literatur-, Kunst- und musikwiss. Untersuchungen befassen sich mit dem Phänomen, dass sich das Verständnis von Kunstwerken im Lauf der Zeit verändert und zudem ein Kunstwerk von einzelnen Personen sehr unterschiedlich aufgefasst werden kann. R. ist offenbar vom Verständnishorizont einer Zeit, von Erwartungshaltungen und Aufnahmebereitschaft bestimmt und differiert nach Bildung, Sensibilisierung durch Kunsterfahrung, sozialer Herkunft u.a. Bedingungen und Konstellationen der Rezipienten.

Rezeptoren [lat.], Strukturen bzw. Zellen, die befähigt sind, bestimmte (spezif.) Reize aufzunehmen und in Erregungen zu transformieren; z.B. Zellen innerhalb von Gewebeverbänden (Haut, Muskulatur, Sehnen u.a.) oder in Sinnesorganen (Netzhaut des Auges, Basilarmembran in der Innenohrschnecke u.a.). R. dienen entweder der Wahrnehmung von Zuständen im Inneren eines Organismus **(Entero-R.)** oder in dessen Umwelt **(Extero-R.).** Nach der Art des Reizes unterscheidet man **Mechano-** und **Dehnungs-R.** (Haut, Muskeln, Gelenke), **Chemo-R.** (Zungen-, Nasenschleimhaut) sowie **Photo-R.** (Netzhaut des Auges). Nach den Wahrnehmungen, die sie vermitteln, werden Berührungs-, Geschmacks-, Geruchs-, Hör-R. u.a. unterschieden.

Rezeptur [lat.] *die,* Zubereitung von Arzneimitteln nach Rezept; auch der entsprechende Arbeitsraum in einer Apotheke.

Rezession [lat.] *die,* konjunkturelle Abschwungsphase (→Konjunktur).

rezessiv, *Genetik:* im Erbgang von anderen Erbanlagen unterdrückt, überdeckt.

Rezidiv [lat.] *das* (Rückfall), das erneute Auftreten einer Krankheit nach völliger Rückbildung der Symptome.

Rezipient [lat.] *der,* **1)** *Kommunikationswissenschaft:* Bez. für den Empfänger von mittels Signalen übermittelten Aussagen, der in der Lage ist, diese Signale so weit zu entschlüsseln, dass er den Sinn dieser Aussage versteht.

2) *Technik:* Gefäß, das vakuumdicht auf eine Unterlage gesetzt und luftleer gepumpt werden kann.

rezipieren [lat.], fremdes Gedanken- bzw. Kulturgut übernehmen; sich ein zeitgenöss. oder älteres Kunstwerk verstehend erschließen, aneignen.

reziprok [lat.], wechselseitig, gegenseitig; aufeinander bezüglich. Der **reziproke Wert** ist der Kehrwert eines Bruches (z.B. Kehrwert von $^3/_4$ ist $^4/_3$).

Reziprozität [lat.] *die,* **1)** *allg.:* Wechselseitigkeit (z.B. gleiches oder umgekehrtes Verhältnis zweier Begriffe).

2) *Recht:* die →Gegenseitigkeit.

Rezitation [lat.] *die,* künstler. Vortrag (eines literar. Werkes).

Rezitativ [von lat. recitare »vortragen«] *das,* auf freie melod. Gestaltung verzichtender, dem Rhythmus und Tonfall der Sprache angepasster dramat. Sprechgesang; er ist in der Oper, im Oratorium (Passion) und in der Kantate der Träger der Handlung. Das **Recitativo secco (Secco-R.,** Kurzbez. →Secco) ist der nur von einzelnen Akkorden des Klaviers (Cembalos) unterstützte, rhythmisch freie Prosasprechgesang, das **Recitativo accompagnato** (→Accompagnato) die musikalisch und dramatisch stärker ausgebildete Form mit Orchesterbegleitung. Das R. entstand mit der Oper Ende des 16. Jh. in Florenz. (→Monodie)

Rezitativ: 1 Recitativo secco aus W. A. Mozarts Oper »Die Hochzeit des Figaro« (1786), 2 Recitativo accompagnato aus Ludwig van Beethovens Oper »Fidelio« (1806)

Rezniček ['resnitʃɛk], Emil Nikolaus Freiherr von, österr. Komponist und Dirigent, *Wien 4. 5. 1860, †Berlin 2. 8. 1945; schrieb stilistisch der Neuromantik verpflichtete Werke, u. a. Opern (»Donna Diana«, 1894; »Ritter Blaubart«, 1920; »Spiel oder Ernst«, 1930), ein Requiem, eine Messe, vier Sinfonien, ein Violinkonzert, vier Streichquartette.

Gregor von Rezzori

Rezzori, Gregor von, eigtl. G. von R. d'Arezzo, Schriftsteller, *Tschernowzy (Ukraine) 13. 5. 1914, †Donnini (bei Florenz) 23. 4. 1998; verfasste geistvoll-witzige und sprachlich virtuose Prosa; schrieb »Maghrebin. Geschichten« (1953), den Roman »Ein Hermelin in Tschernopol« (1958), »1001 Jahr Maghrebinien« (1967), »Der Tod meines Bruders Abel« (R., 1976), »Memoiren eines Antisemiten« (R., 1979), »Über dem Kliff« (Erz., 1991) sowie Märchen und Drehbücher.

rf., rfz., *Musik:* Abk. für →**r**in**f**or**z**ando.

RGW, Abk. für →**R**at für **g**egenseitige **W**irtschaftshilfe.

Rh, chem. Symbol für →Rhodium.

Rhabanus Maurus, Theologe, →Hrabanus Maurus.

Rhabarber [grch.] *der* (Rheum), Gattung großblättriger Knöterichgewächse mit rispigem Blütenstand (1,5–2,5 m hoch); die Blattstiele des aus Ostasien stammenden **Speise-R.** (Rheum rhabarbarum) werden zu Kompott, Most u. a. verwendet. Die einen hohen Oxalsäuregehalt aufweisenden Blätter sollten nicht verzehrt werden. Die Ernte der Blattstiele sollte nur bis Ende Juli erfolgen, da auch sie sonst einen hohen Oxalsäuregehalt haben. Andere Arten werden als Zierpflanzen kultiviert.

Rhagade [grch.] *die* (Schrunde), schmerzhafter Riss der Haut, die durch Entzündung oder Verdickung der Hornschicht verändert ist (Hände, Füße), v. a. auch in der Umgebung der Körperöffnungen (Lippe, After). Am häufigsten wird die **Mundwinkel-R. (Perlèche, Angulus infectiosus)** beobachtet; sie kann ein Hinweis auf innere Erkrankungen, Eisen- oder Vitaminmangel sein.

Rhagai (Rhaga, Rhage, Raga), Frühlingsresidenz der parth. Könige in Medien, 1220 durch die Mongolen zerstört (Ruinen bei →Raj, südlich von Teheran).

Rhapsode [grch.] *der,* im alten Griechenland wandernder Rezitator literar. Werke. Die R. waren bis ins 5. Jh. v. Chr. die wichtigsten Träger der ep. Überlieferung.

Rhapsodie [grch.] *die,* **1)** *grch. Literatur:* das von einem Rhapsoden vorgetragene Gedicht; auch das freirhythm. Gedicht (v. a. im Sturm und Drang).

Syngman Rhee

2) *Musik:* seit Ende des 18. Jh. Bezeichnung für eine Vokal- oder Instrumentalkomposition in freier, gleichsam balladenhaft erzählender Form (J. Brahms); Fantasiestück über nat. Volksweisen (F. Liszts »Ungar. R.«, ferner R. von A. Dvořák, B. Bartók, G. Gershwin u.a.).

Rhea, 1) *Astronomie:* Mond des Planeten →Saturn.

2) *grch. Mythos:* Tochter des Uranos und der Gaia, Schwester und Gemahlin des Kronos, Mutter des Zeus.

Rheda-Wiedenbrück: Fachwerkhäuser aus dem 16.–18. Jahrhundert bestimmen das Stadtbild

Rheda-Wiedenbrück, Stadt im Kr. Gütersloh, NRW, an der oberen Ems, im östl. Münsterland, 42 600 Ew.; Textil-, Möbel-, Fleischwarenind., Holz- und Kunststoffverarbeitung, Wohnwagenbau, Großverlag. – In Rheda Schloss (ehem. Wasserburg); in Wiedenbrück got. Ägidienkirche (13.–16. Jh.), ehem. Franziskanerkloster mit Wallfahrtskirche (15. Jh.), zahlr. Fachwerkhäuser. – Entstand 1970 durch Zusammenschluss von Rheda (seit 1355 Stadt) und Wiedenbrück (952 Marktrecht; noch vor 1200 Stadt) u.a. Gemeinden.

Rhede, Stadt im Kr. Borken, NRW, 18 100 Ew.; Textil-, Bekleidungsind., Herstellung von Geräteelektronik sowie Kupfer- und Glasfaserkabel. – 1050 erstmals erwähnt, seit 1975 Stadt.

Rhee [riː], Syngman, koreanischer Politiker, *Hwanghaebuk-do (Nord-Korea) 26. 3. 1875, †Honolulu 19. 7. 1965; leitete 1919–39 die korean. Exilregierung in Schanghai, 1948–60 Präs. der Rep. Süd-Korea.

Rheiderland (Reiderland), Marschlandschaft in Dtl. und den Niederlanden, zw. der unteren Ems und dem Dollart.

Rhein [wohl vorkeltisch] (frz. Rhin, niederländ. Rijn), der größte und wasserreichste Fluss Dtl.s und einer der wichtigsten Europas, 1320 km lang mit einem Einzugsgebiet von 252 000 km²; Anliegerstaaten sind die Schweiz (375 km), Liechtenstein, Österreich, Dtl. (865 km), Frankreich und die Niederlande. Er entsteht in den Alpen im schweizer. Kanton Graubünden aus **Vorderrhein** und **Hinterrhein.** Beide vereinigen sich bei Reichenau zum **Alpenrhein,** der unterhalb von Rheineck in den Bodensee mündet und diesen bei Konstanz wieder verlässt. Bei Schaffhausen überwindet er die Felsenstufe des Jura im rd. 20 m hohen **Rheinfall** und fließt in westl. Richtung als **Hochrhein** bis Basel, von da als **Oberrhein** (zw. 1817 und 1876 reguliert) durch das Oberrhein. Tiefland nach N, wendet sich zw. Mainz und Bingen nach W und durchbricht dann in nordwestl. Richtung das Rhein. Schiefergebirge **(Mittelrhein).** Bei Bonn beginnt der **Niederrhein;** ab Emmerich, auf niederländ. Gebiet, verzweigt er sich und bildet mit der Maas ein ausgedehntes Delta. Hauptmündungsarm ist der **Waal,** der nach Vereinigung mit der Maas **Merwede, Noord** und **Nieuwe Maas** genannt wird und als **Nieuwe Waterweg** in die Nordsee mündet. Der nördl. Arm **(Pannerdenscher Kanal),** von dem vor Arnheim die IJssel zum IJsselmeer abzweigt, fließt als **Neder-Rijn** und **Lek** weiter und mündet in die Nieuwe Maas. Die Mündungsarme des R.-Maas-Deltas wurden südlich des Nieuwe Waterweg von der Nordsee abgeriegelt (→Deltawerke). Hauptnebenflüsse des Alpenrheins: von rechts Plessur, Landquart und Ill, von links Tamina; des Hochrheins: von rechts Wutach, von links Thur, Aare und Birs; des Oberrheins: von rechts Wiese, Elz, Kinzig, Rench, Murg, Neckar, Weschnitz und Main, von links Ill, Sauer, Lauter und Queich; des Mittelrheins: von rechts Lahn und Sieg, von links Nahe, Mosel und Ahr; des Niederrheins: von rechts Wupper, Ruhr, Emscher und Lippe, von links Erft und Maas.

Rhein

Der Rhein – Deutschlands Strom, nicht Deutschlands Grenze

Dieser patriotische Spruch ist der leicht geänderte Titel von Ernst Moritz Arndts Flugschrift »Der Rhein, Teutschlands Strom, aber nicht Teutschlands Grenze« aus dem Jahr 1813, in der der Dichter leidenschaftlich Partei für die nationale Sache ergriff. Zu dieser Zeit bildete der Rhein zwischen Basel und Wesel die Grenze zwischen Frankreich und den bis zum Oktober 1813 unter französischem Protektorat stehenden, vom Heiligen Römischen Reich Deutscher Nation abgespaltenen »Rheinbundstaaten«. Erst nach den Befreiungskriegen wurden Gebiete wie das heutige Rheinland-Pfalz oder der Westteil des heutigen Nordrhein-Westfalen wieder von Frankreich abgetrennt. Im Hinblick auf die europäische Einigung könnte man das Zitat heute abwandeln: »Der Rhein – Europas Strom, nicht Grenze – in Europa«.

Der R. ist die Hauptader eines ausgedehnten mitteleurop. Wasserstraßennetzes; Binnenwasserstraße ab Rheinfelden. Von den Nebenflüssen sind Main, der seit der Eröffnung (1992) des →Rhein-Main-Donau-Großschifffahrtswegs mit der Donau Verbindung hat, Mosel und Neckar für die Schifffahrt erschlossen. Der R. ist durch Kanäle mit Rhone, Marne, Nordsee und dem mitteldt. Flussnetz sowie mit den Städten Amsterdam und Antwerpen verbunden. Auch der Personenverkehr ist bedeutend (Ausflugs- und Erholungsverkehr). Im Bereich des Hochrheins und des →Rheinseitenkanals wird das Gefälle des R. durch zahlr. Staustufen zur Energiegewinnung genutzt. Das ökolog. Gleichgewicht des R. ist durch Abwässer- und Abwärmeeinleitung, Betriebswasserentnahme sowie Trinkwassergewinnung (5 Mio. m^3 pro Tag) stark belastet. Die Haupteinleiter organ. abbaubarer Schmutzstoffe sind die Gemeinden (Abwässer von etwa 78 Mio. →Einwohnergleichwerten), die chem. Ind. sowie Papier- und Stahlindustrie. Die zw. 1972 und 1984 vorgenommenen Abwasserreinigungsmaßnahmen haben bisher zu einer teilweisen Verbesserung der Qualität des R.-Wassers geführt. Seit 1987 wurden auf Drängen der Niederlande die Chlorideinleitungen reduziert (Übereinkommen zum Schutz des R. gegen Verunreinigungen durch Chloride von 1985). – Die internat. R.-Schifffahrt ist geregelt in der Mannheimer R.-Schifffahrtsakte von 1868, zuletzt revidiert 1979. Oberstes gemeinsames Verwaltungsorgan ist die Zentralkommission für die R.-Schifffahrt in Straßburg, der Belgien, Dtl., Frankreich, Großbritannien, die Niederlande und die Schweiz angehören.

📖 *Der R. Porträt einer europ. Stromlandschaft, hg. v.* W. Ross *u.a. Freiburg im Breisgau [2]1974.* – Böcking, W.: *Die Geschichte der Rheinschiffahrt. Schiffe auf dem R. in 3 Jahrtausenden. Moers 1980.* – Reichelt, G.: *Laßt den R. leben! Düsseldorf u.a. 1986.* – *Franzosen und Deutsche am R. 1789–1918–1945, hg. v.* P. Hüttenberger *u.a. Essen 1989.* – Fenzl, M.: *Der R. Schaffhausen-Nordsee u. zum Ijsselmeer. Hamburg [2]1997.*

Rheinau, Gemeinde im Kt. Zürich, Schweiz, am Rhein, 1200 Ew.; Wasserkraftwerk. – Im ehem. Benediktinerkloster R. (gegr. 778; Bauten v.a. 18. Jh.) kantonale psychiatr. Klinik (seit 1867). Bild S. 428

Rheinbach, Stadt im Rhein-Sieg-Kreis, NRW, am N-Rand der Eifel, 25100 Ew.; Abt. der FH Rhein-Sieg, Glasfachschule, Glasmuseum; keram., Glasveredlungsind., Herstellung von Kerzen; Satellitenbeobachtungsstation. – Erhalten sind Bergfried und Torbau (12. Jh.) der ehem. Burg.

Rheinberg, Stadt im Kr. Wesel, NRW, am linken Niederrhein, 30100 Ew.; chem., Textil-, Spirituosenind., Transportanlagenbau, bed. Salzberg-

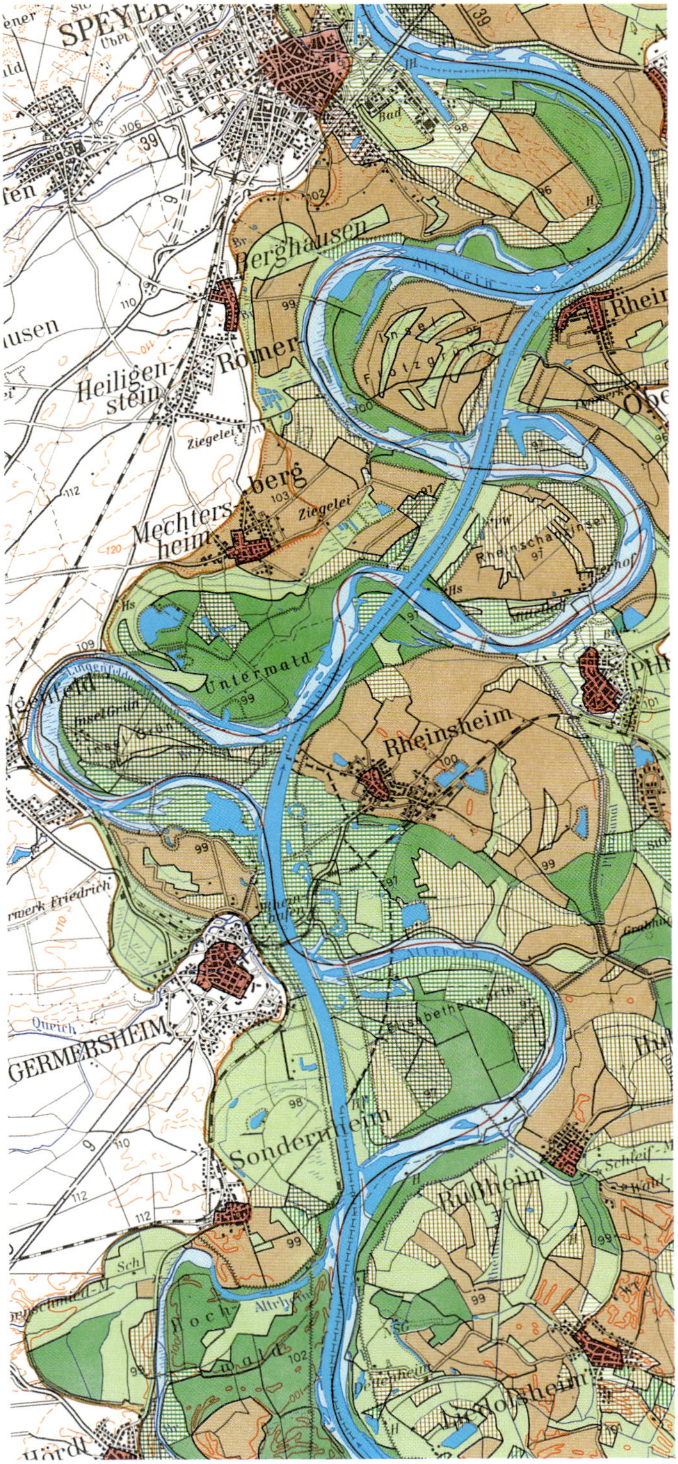

Rhein: Karte des Oberrheins südlich von Speyer nach der 1817 eingeleiteten Rheinbegradigung durch den Bauingenieur Johann Gottfried Tulla

Rheinau: In den zum großen Teil aus dem 18. Jh. stammenden Gebäuden des auf einer Insel gelegenen ehemaligen Benediktinerklosters ist seit 1867 die kantonale Psychatrie untergebracht

werk. – Kath. Pfarrkirche St. Peter mit spätroman. Turm; Rheinhäfen in Ossenberg und Orsoy. – 1232 Stadtrecht.

Joseph von Rheinberger

Rheinberger, Joseph von (seit 1894), Komponist und Dirigent, *Vaduz 17. 3. 1839, †München 25. 11. 1901; ebd. seit 1877 Hofkapellmeister für Kirchenmusik; schrieb u. a. Orgel-, Orchesterwerke, Opern, Kammermusik, geistl. Vokalwerke.

Rheinbund, 1) (frz. Alliance du Rhin) am 15. 8. 1658 in Frankfurt am Main zw. dt. Fürsten (bis 1665 Mainz, Trier, Köln, Pfalz-Neuburg, Münster, Hessen-Kassel, Braunschweig-Lüneburg, Brandenburg u. a.), dem schwed. König (als Herzog von Bremen und Verden) und Frankreich geschlossenes Bündnis; verstärkte den frz. Einfluss im Hl. Röm. Reich; aufgelöst am 15. 8. 1668.

2) (frz. Confédération du Rhin) Konföderation von zunächst 16 dt. Fürsten unter frz. Protektorat. Die **R.-Akte** (12. 7. 1806) ermöglichte es Napoleon I., für seine Feldzüge auf die Truppen der R.-Staaten zurückzugreifen, die ihrerseits von der Mediatisierung bisher unangetasteter Reichsstände profitierten. Die wichtigsten Mitgl. waren die Besitzungen des ehem. Erzkanzlers und Fürstprimas des R., Karl Theodor von Dalberg, die neu erhobenen Königreiche Bayern und Württemberg, die neu erhobenen Großherzogtümer Baden, Hessen-Darmstadt, Kleve, Berg und das zum Herzogtum aufgewertete Nassau. Am 1. 8. 1806 erklärten die R.-Staaten ihren Austritt aus dem Hl. Röm. Reich (6. 8. Niederlegung der Röm. Kaiserwürde durch Franz II.). Bis 1808 traten zahlr. weitere Staaten dem R. bei (u. a. Großherzogtum Würzburg, Königreich Sachsen, Königreich Westfalen). Der R. löste sich im Okt. 1813 auf.

Rheinfelden 2) Stadtwappen

📖 FEHRENBACH, E: *Traditionale Gesellschaft u. revolutionäres Recht.* Göttingen ^{3}1983. – SAUER, P.: *Napoleons Adler über Württemberg, Baden u. Hohenzollern. Südwestdeutschland in der Rheinbundzeit.* Stuttgart u. a. 1987.

Rheine, Stadt im Kr. Steinfurt, NRW, an der Ems, 75 000 Ew.; Fachschule; Technologiezentrum; Textil-, Tiefkühlkostind., Maschinen-, Fahrzeugbau; Hafen am Dortmund-Ems-Kanal. – Falkenhof (15.–18. Jh., Museum); im N Schloss **Bentlage,** ehem. Kloster (1437–1803, z. T. Museum).

Rheinfall, Wasserfall des Rheins bei →Schaffhausen.

Rheinfelden, 1) Bezirkshauptort und Solebad im Kt. Aargau, Schweiz, am linken Ufer des Rheins, 10 000 Ew.; Kurzentrum; größte Brauerei der Schweiz, Waggon-, Maschinen- und Apparatebau, Textilind., Zigarrenfabrik. – Mittelalterl. Stadtbild u. a. mit Stadtmauer, Rathaus (1530), Johanniterkapelle mit Fresken (um 1490). – Entstand 1130, im 12. Jh. Stadtrecht.

2) Rheinfelden (Baden), Stadt im Landkreis Lörrach, Bad.-Württ., am Hochrhein gegenüber 1), 31 000 Ew.; chem., Blechwarenind., Maschinenbau, Aluminiumhütte; Rheinkraftwerk (1898); in R. beginnt die Rheinschifffahrt. – Große Kreisstadt; 1922 Stadtrecht.

Rheinfels, Ruine einer 1245 gegr., 1797 z. T. gesprengten Burg, am linken Rheinufer bei St. Goar; bis 1527 Ausbau zur größten Festung am Rhein.

Rheingau, das vom westl. Taunus (**R.-Gebirge)** zum Rhein zw. Wiesbaden und Rüdesheim abfallende, klimatisch begünstigte, dicht besiedelte Hügelland auf dem rechten Rheinufer, eines der kleinsten, aber bekanntesten Weinbaugebiete in Dtl. Zu den **Rheingauer Weinen** zählen auch die von Lorchhausen, Assmannshausen (Spätburgunder-Rotwein) und Hochheim am Main; überwiegend Rieslingweine. – Der ehem. fränk. R. gehörte 983–1803 zum Erzstift Mainz, kam dann an Nassau, 1866 an Preußen, 1945 zu Hessen.

Rheingau-Taunus-Kreis, Landkr. im RegBez. Darmstadt, Hessen; 811 km^2, (1996) 183 200 Ew.; Krst. ist Bad Schwalbach.

Rheinhausen, Stadtteil von →Duisburg.

Rhein-Herne-Kanal, Schifffahrtsstraße zw. dem Rhein bei Duisburg und dem Dortmund-Ems-Kanal bei Henrichenburg, 45,6 km lang, mit Schleusen und Schiffshebewerk; 1914 vollendet.

Rheinhessen, Landschaft in Rheinl.-Pf., ehem. linksrhein. Prov. des Freistaats Hessen, 1945–68 ein RegBez. von Rheinl.-Pf., seitdem Teil des RegBez. →Rheinhessen-Pfalz; umfasst das fruchtbare Hügelland zw. Rhein und Nahe, das gegen O scharf zum Rheingraben abfällt; Obstbau, größtes Weinanbaugebiet in Rheinland-Pfalz.

Rheinhessen-Pfalz, RegBez. in Rheinl.-Pf., 6851 km², (1996) 1,985 Mio. Ew.; umfasst die kreisfreien Städte Frankenthal (Pfalz), Kaiserslautern, Landau in der Pfalz, Ludwigshafen am Rhein, Mainz, Neustadt an der Weinstraße, Pirmasens, Speyer, Worms, Zweibrücken und die Landkreise Alzey-Worms, Bad Dürkheim, Donnersbergkreis, Germersheim, Kaiserslautern, Kusel, Südliche Weinstraße, Ludwigshafen, Mainz-Bingen, Südwestpfalz; Verw.sitz ist Neustadt an der Weinstraße. Lt. Koalitionsbeschluss Ende 1997 soll der RegBez. R.-P. aufgelöst werden.

rheinhessische Weine, Weine des Anbaugebiets Rheinhessen (25 500 ha Rebland), v.a. aus den Rebsorten Müller-Thurgau, Silvaner, Scheurebe, Kerner.

Rhein-Hunsrück-Kreis, Landkreis im RegBez. Koblenz, Rheinl.-Pf.; 963 km², (1996) 103 500 Ew.; Krst. ist Simmern/Hunsrück.

Rheinisch-Bergischer Kreis, Kreis im Reg.-Bez. Köln, NRW; 438 km², (1996) 271 000 Ew.; Krst. ist Bergisch Gladbach.

Rheinischer Bund (Rheinischer Städtebund), 1254 von Mainz und Worms gegr. Bund, dem sich mehr als 70 Städte, auch geistl. und weltl. Fürsten, anschlossen, um in kaiserloser Zeit den Landfrieden zu wahren; 1257 aufgelöst. Der 2. R. B. (1381) gegen die Ritterbünde wurde 1388 bei Worms geschlagen.

rheinische Richtung, *Geologie:* in Mitteleuropa häufige, der Fließrichtung des Oberrheins entsprechende Streichrichtung (→Streichen und Fallen) Nordnordost nach Südsüdwest von geolog. und/oder tekton. Elementen.

Rheinischer Merkur, 1) polit. Zeitung, 1814 von J. von Görres gegr., gegen Napoleon I. gerichtet; 1816 endgültig verboten; Mitarbeiter waren u.a. die Brüder Grimm, A. von Arnim und Freiherr von und zum Stein.

2) christlich-demokrat. Wochenzeitung, gegr. 1946; 1980 vereinigt mit der »Dt. Zeitung – Christ und Welt« als »Christ und Welt – Rheinischer Merkur«.

Rheinisches Braunkohlenrevier, Teil der →Niederrheinischen Bucht im Raum zw. Neuss, der Ville, Aldenhoven und Eschweiler, NRW; mit 2500 km² größtes zusammenhängendes Braunkohlevorkommen Europas. Bis in 500 m Tiefe lagert die im Tertiär (Oligozän) entstandene Braunkohle, deren abbauwürdige Flöze eine Mächtigkeit bis 80 m erreichen; Großtagebau bei Grevenbroich, Hambach, Eschweiler und in der Ville; die geplante Erweiterung des Abbaugebiets bei Garzweiler ist politisch umstritten. Die Braunkohle dient v.a. der Stromerzeugung (zu rd. 85 %), der Veredelung in der chem. Ind. (13 %) und dem Hausbrand (zu 2 %; Briketts). Mit fünf Großkraftwerken (zus. 9930 MW Leistung) ist das R. B. eines der bedeutendsten Stromerzeugungszentren Europas.

Rheinfels: Die Ruine der 1245 gegründeten und bis 1527 zur größten und stärksten Festung am Rhein ausgebauten Burg liegt über dem linken Rheinufer oberhalb von Sankt Goar

Rheinisches Schiefergebirge, der Westteil der dt. Mittelgebirgsschwelle, beiderseits des Mittelrheins mit durchschnittl. Höhen von 500 bis 650 m ü. M. (Großer Feldberg 879 m ü. M., Kahler Asten 841 m ü. M.), durch die tiefen Einschnitte von Rhein, Nahe, Mosel, Lahn und Sieg gegliedert in: linksrheinisch Hunsrück, Eifel, Hohes Venn und die anschließenden Ardennen, rechtsrheinisch Taunus, Westerwald mit Siebengebirge, Bergisches Land, Sauerland mit Rothaargebirge und Kellerwald. Das R. S. ist im Karbon aufgefaltet worden, im Tertiär z. T. abgetragen und von Vulkanen durchsetzt (Siebengebirge, Westerwald, Eifel); tekton. Störungen schufen die Einbrüche der Kölner Bucht, des Neuwieder und Limburger Beckens, die Triasbucht von Trier; Hebungen und Abtragung ließen dann die weiten Hochflächen

Rheinischer Bund

Die Gründungsurkunde des Rheinischen Städtebundes von 1254 gibt folgende bezeichnende Begründung für die Schaffung des Bundes:

»Weil die Gefahren, die über dem Lande drohen, und die Verbrechen auf den Landstraßen schon viele von uns fast vernichtet haben und gute und tüchtige Leute in großer Zahl an den Ruin gebracht worden sind, weil Unschuldige ohne vernünftigen Grund Gewalt leiden müssen, ist es notwendig zu fragen und zu untersuchen, ob es nicht ein Mittel gibt, sich diesen Sturmwirbeln zu widersetzen, ein Mittel, durch das wenigstens unsere Grenzen und Gebiete zu den Wegen des Friedens zurückgerufen werden könnten, wenn auch sonst keine Billigkeit mehr gilt.«

mit wenig aufragenden Bergkuppen und die Flussterrassen entstehen.

Das atlantisch beeinflusste Klima begünstigt an den S-Hängen den Weinbau, in den geschützten Tälern Obst- und Gemüsebau. Bed. Industrien finden sich in den Randgebieten (Saarland, Wirtschaftsräume Rhein-Main und Rhein-Ruhr). Eine wichtige Verkehrsleitlinie ist das enge Rheintal.

📖 FELIX-HENNINGSEN, P.: *Die mesozoisch-tertiäre Verwitterungsdecke (MTV) im R. S. Berlin u. a. 1990.*

Rheinische Zeitung, liberaldemokrat. Tageszeitung, gegr. 1842 in Köln, geleitet von K. Marx; Mitarbeiter waren u. a. F. Engels, G. Herwegh, A. H. Hoffmann von Fallersleben, F. List. Nach Verbot (1843) 1848 als **Neue R. Z.** neu gegründet.

Rheinisch-Westfälisches Elektrizitätswerk AG, → RWE AG.

Rheinisch-Westfälisches Industriegebiet, das Wirtschaftsgebiet → Rhein-Ruhr.

Rheinisch-Westfälisches Institut für Wirtschaftsforschung e. V., Abk. **RWI,** Essen, eines der führenden → wirtschaftswissenschaftlichen Forschungsinstitute; gegr. 1926. als »Abteilung West« des Inst. für Konjunkturforschung, seit 1943 rechtlich selbstständig. Forschungsschwerpunkte sind Konjunkturforschung, regionalwirtsch. und sektorale Strukturanalysen.

Rheinland-Pfalz
Landeswappen

Rhein-Lahn-Kreis, Landkreis im RegBez. Koblenz, Rheinl.-Pf.; 782 km², (1996) 127 300 Ew.; Krst. ist Bad Ems.

Rheinland, die Gebiete beiderseits des Mittel- und Niederrheins, bes. die ehem. preuß. Rheinprovinz.

Geschichte: Die Eroberung Galliens und des linksrhein. Germanien durch Cäsar machte den Unterlauf des Rheins zur Grenze des Röm. Reiches. Der Schwerpunkt des Frankenreichs, das die Römerherrschaft ablöste, verlagerte sich von Frankreich allmählich an den Rhein. Nach kurzer Zugehörigkeit zum karoling. Mittelreich fiel das R. im Vertrag von Mersen 870 (→ Meerssen) an das Ostfränk. (später Hl. Röm.) Reich, bei dem es seit 925 verblieb. Im hohen MA. zerfiel es in zahlreiche geistl. und weltl. Territorien. Im Westfäl. Frieden 1648 erwarb Frankreich die ersten Gebiete im Elsass, die Ludwig XIV. stark erweiterte (→ Reunionen). 1735–66 gewann Frankreich das Herzogtum Lothringen, 1795–1801 das linke Rheinufer. Der → Rheinbund sollte die Rheingrenze festigen. Nach den Befreiungskriegen wurden aus den an Preußen gekommenen Gebieten die Provinzen Jülich-Kleve-Berg und Niederrhein gebildet, die 1824 zur **Rheinprovinz** vereinigt wurden.

Das 1871 an das Dt. Reich gefallene Elsass-Lothringen kam im Frieden von Versailles (1919) wieder an Frankreich. Danach wurden für 15 Jahre die linksrhein. Gebiete von den Alliierten besetzt, entmilitarisiert und das Saargebiet abgetrennt. Die »Interalliierte R.-Kommission« übernahm die polit. Oberhoheit; 1923 wurden auch große Teile des Ruhrgebiets besetzt. Das besetzte Gebiet wurde 1926 (1. Zone) und 1930 (2. und 3. Zone) geräumt. Das Saargebiet kam durch Volksabstimmung 1935 wieder an das Dt. Reich. 1936 rückten dt. Truppen auf Befehl Hitlers unter Verletzung der Locarno-Verträge (1925) in die entmilitarisierte R.-Zone ein. – Nach dem 2. Weltkrieg wurde das R. im Rahmen der frz. und brit. Besatzungszone auf die neuen Länder Nordrhein-Westfalen, Rheinland-Pfalz, Hessen und das spätere Bad.-Württ. aufgeteilt. Das aus dem dt. Staatsverband 1945 herausgelöste Saargebiet kam 1956/57 als Saarland an die Bundesrep. Deutschland.

📖 *Geschichtl. Atlas der R.e, hg. v.* F. IRSIGLER, *auf zahlr. Tle. ber. Bonn 1982 ff. – Franzosen u. Deutsche am Rhein. 1789–1918–1945, hg. v.* P. HÜTTENBERGER *u. a. Essen 1989.*

Rheinländer (Bayerische Polka, Schottisch), um 1840 aufgekommener, der Polka verwandter Paartanz im ²/₄-Takt.

Rheinland-Pfalz, Land im W der Bundesrep. Dtl., 19 853 km², (1996) 3,983 Mio. Ew.; Hptst. ist Mainz.

Verfassung: Nach der Verf. vom 18. 5. 1947 liegt die Legislative beim Landtag (101 Abg., auf 4 Jahre gewählt) und die Exekutive bei der Landesreg. unter Vorsitz des vom Landtag gewählten MinPräsidenten. Die Verf. räumt die Möglichkeit von Volksentscheiden sowie ein Misstrauensvotum des Parlaments gegen einzelne Min. ein.

Landesnatur: Mittelgebirge und Rhein prägen den vielgestaltigen landschaftl. Aufbau des Landes. Im N liegt das Rhein. Schiefergebirge mit dem größten Teil der Eifel, des Hunsrücks, des Westerwaldes und des Hintertaunus. Der S umfasst das Nordpfälzer Bergland, den Westrich, den waldreichen Pfälzerwald, dessen östl. Gebirgsrand, die Haardt, zum Oberrhein. Tiefland mit Oberrheingraben und Rheinhess. Hügelland abfällt. Die wichtigsten Flüsse sind Rhein, Mosel und Lahn.

Bevölkerung: R.-P. liegt im Bereich der mittel- und rheinfränk. Mundarten. Die Bevölkerung ist zu 54,5 % katholisch, zu 37,7 % evangelisch. Den relativ dünn besiedelten Landschaften der Mittelgebirge stehen die Ballungsräume von Ludwigshafen am Rhein, Mainz, Kaiserslautern, Koblenz und Trier gegenüber; dicht besiedelt sind auch das Rhein- und z. T. das Moseltal. R.-P. hat vier Univ. (Mainz, Kaiserslautern, Trier, Koblenz-Landau), zwei theolog. Hochschulen, eine Hochschule für Verwaltungswiss., die Wiss. Hochschule für Unternehmensführung Koblenz und sieben FH, ferner eine kath. FH und eine evang. FH.

Verwaltungsgliederung Rheinland-Pfalz (Größe und Bevölkerung 31. 12. 1996)

Verwaltungseinheit	Größe in km²	Ew. in 1 000	Ew. je km²	Verwaltungssitz
RegBez. Koblenz*)	8 072	1 450,0	187	Koblenz
Kreisfreie Stadt				
Koblenz	105	109,3	1 041	Koblenz
Landkreise				
Ahrweiler	787	126,3	161	Bad Neuenahr-Ahrweiler
Altenkirchen (Ww.)	642	136,0	212	Altenkirchen (Westerwald)
Bad Kreuznach	864	156,0	181	Bad Kreuznach
Birkenfeld	777	90,9	117	Birkenfeld
Cochem-Zell	720	65,1	90	Cochem
Mayen-Koblenz	817	206,3	253	Koblenz
Neuwied	627	180,2	287	Neuwied
Rhein-Hunsrück-Kreis	963	104,1	108	Simmern/Hunsrück
Rhein-Lahn-Kreis	782	127,9	164	Bad Ems
Westerwaldkreis	989	197,6	200	Montabaur
RegBez. Trier*)	4 923	507,7	103	Trier
Kreisfreie Stadt				
Trier	117	99,8	853	Trier
Landkreise				
Bernkastel-Wittlich	1 178	113,7	97	Wittlich
Bitburg-Prüm	1 626	96,3	59	Bitburg
Daun	911	63,2	69	Daun
Trier-Saarburg	1 091	134,7	123	Trier
RegBez. Rheinhessen-Pfalz*)	6 851	1 993,2	291	Neustadt an der Weinstraße
Kreisfreie Städte				
Frankenthal (Pfalz)	44	48,6	1 105	Frankenthal (Pfalz)
Kaiserslautern	140	101,5	725	Kaiserslautern
Landau in der Pfalz	83	40,1	483	Landau in der Pfalz
Ludwigshafen am Rhein	78	167,1	2 142	Ludwigshafen am Rhein
Mainz	98	184,8	1 885	Mainz
Neustadt an der Weinstraße	117	53,8	460	Neustadt an der Weinstraße
Pirmasens	61	47,7	783	Pirmasens
Speyer	43	49,5	1 151	Speyer
Worms	109	80,5	739	Worms
Zweibrücken	71	35,9	506	Zweibrücken
Landkreise				
Alzey-Worms	588	118,5	202	Alzey
Bad Dürkheim	595	131,6	221	Bad Dürkheim
Donnersbergkreis	645	76,8	119	Kirchheimbolanden
Germersheim	463	120,0	259	Germersheim
Kaiserslautern	640	109,9	172	Kaiserslautern
Kusel	573	79,6	139	Kusel
Ludwigshafen	305	144,6	474	Ludwigshafen am Rhein
Mainz-Bingen	606	189,4	312	Ingelheim am Rhein
Südliche Weinstraße	640	107,6	168	Landau in der Pfalz
Südwestpfalz	954	105,7	111	Pirmasens
Rheinland-Pfalz	19 853	4 000,6	202	Mainz

*) die RegBez. Koblenz, Trier und Rheinhessen-Pfalz sollen aufgelöst werden

Wirtschaft: Die größten wirtsch. Schwerpunkte in R.-P. – Rhein-Main-Gebiet und Rhein-Neckar-Raum (jeweils linksrhein. Teil) sowie Mittelrhein. Becken – liegen alle am Rhein. Der umsatzstärkste Ind.zweig ist die chem. Ind. (Schwerpunkt Ludwigshafen am Rhein); es folgen der Straßenfahrzeugbau, das Nahrungs- und Genussmittelgewerbe, der Bereich Maschinenbau, Büromaschinen, EDV, die Kunststoffwarenherstellung, die Eisen-, Blech- und Metallwarenind. sowie die elektrotechn., die Eisen erzeugende Ind. und die der Steine und Erden. Regionale Schwerpunkte haben die Schuhindustrie (Raum Pirmasens), die Feinkeramik (Westerwald) und das Edelsteingewerbe (Raum Idar-Oberstein). R.-P. hat wenig Bodenschätze, ist aber reich an nutzbaren Steinen und Erden und besitzt zahlr. Mineralquellen. Die Landwirtschaft nutzt (1995) mehr als ein Drittel (712 300 ha) der Landesfläche, davon dienen rd. 60% als Ackerland. Die größte Anbaufläche nimmt Getreide ein. Wichtigste Sonderkultur ist der Weinbau mit (1995) 58 070 ha Anbaufläche. R.-P. erzeugt rd. 70% der dt. Weinernte. Die Viehwirtschaft hat geringe Bedeutung. Wald nimmt 40,1% der Fläche ein. – R.-P. hat Anteil an einer der wichtigsten N-S-Eisenbahnverbindungen Dtl.s, der am Mittel- und Oberrhein verlaufenden Strecke Ruhrgebiet–Alpen; das Pfälzer Gebrüch ist eine wichtige O-W-Verkehrsleitlinie; Autobahnen verbessern die Infrastruktur; Binnenschifffahrt auf Rhein, Mosel und Saar.

Landtagswahlen in Rheinland-Pfalz 1987–96[1]

Parteien	17.5.1987	12.4.1991	24.3.1996
CDU	48; 45,1%	40; 38,7%	41; 38,7%
SPD	40; 38,8%	47; 44,8%	43; 39,8%
FDP	7; 7,3%	7; 6,9%	10; 8,9%
Die Grünen[2]	5; 5,9%	7; 6,5%	7; 6,9%
Andere	–; 2,8%	–; 2,9%	–; 6,9%

[1] Sitzverteilung und Stimmenanteil der Parteien. – [2] seit 1993 Bündnis '90/Die Grünen

Geschichte: Die frz. Militärreg. bildete durch Verordnung vom 30. 8. 1946 aus der ehem. bayer. Pfalz, Rheinhessen, Teilen der preuß. Rheinprovinz und der Provinz Hessen-Nassau das Land R.-P. und setzte im Dez. 1946 W. Boden (CDU) als MinPräs. ein. Die CDU, 1947–91 stärkste Partei im Landtag, regierte 1971–87 allein, 1987–91 mit der FDP und stellte mit P. Altmeier (1947–69), H. Kohl (1969–76), B. Vogel (1976–88) und C. L. Wagner (1988–91) den MinPräs. Seit 1991 regiert eine SPD/FDP-Koalition, 1991–94 unter R. Scharping (SPD), seit 1994 unter K. Beck (SPD).

📖 *Handbuch der histor. Stätten Deutschlands, Bd. 5: R.-P. u. Saarland, hg. v.* L. Petry. *Stuttgart* [3]*1988.* – Fischer, H.: *R.-P. u. Saarland. Eine geograph. Landeskunde. Darmstadt 1989.*

Rhein-Main, wirtsch. Ballungsraum am Zusammenfluss von Rhein und Main, um die Städte Frankfurt am Main, Wiesbaden, Mainz, Darmstadt und Hanau konzentriert. Die hervorragende Mittellage im innerdt. und europ. Verkehr förderte seit Ende des 19. Jh. eine vielseitige (verkehrsabhängige) Industrialisierung.

Rhein-Main-Donau-Großschifffahrtsweg (Europakanal), Binnenwasserstraße, die die Nordsee mit dem Schwarzen Meer (rd. 3 500 km) verbindet. – Nach Ausbau von Rhein und unterem Main wurde ab 1926 der Main oberhalb von Aschaffenburg bis Bamberg ausgebaut (27 Staustufen, 297 km). – 1960 begann der Bau des **Main-Donau-Kanals** (Vorläufer war der → Ludwigskanal), der den Main bei Bamberg mit der Donau bei Kelheim verbindet; Streckenlänge insgesamt 171 km, 16 Schleusen (1992 eröffnet). Der 72 km lange Nordabschnitt des Kanals Bamberg–Nürnberg wurde 1972 vollendet (Inbetriebnahme des Hafens Bamberg 1980). Die anschließende Kanalstrecke erreicht östlich von Hilpoltstein die europ. Hauptwasserscheide (zw. Rhein und Donau) und mit 406 m ü. M. den höchsten Punkt im dt. Wasserstraßennetz. Südlich der Wasserscheide führt der Main-Donau-Kanal durch Sulztal, Ottmaringer Tal und Altmühltal zur Donau. Die Kanalstrecke von Hausen über Nürnberg (Hafen seit 1972) bis Dietfurt a. d. Altmühl muss künstlich gespeist werden. Die Donau (209 km) wurde ab 1922 ausgebaut; im Donauabschnitt gibt es neun Staustufen. Der Nutzen der Anlage wird in der Hebung und Stabilisierung des Grundwasserspiegels sowie in der Wasserstandsregulierung gesehen, die die Hochwassergefahr weitgehend bannt. Die Stauwasserflächen verringern die Nachtfrostgefahr; sie dienen dem Wassersport. Dem stehen schwerwiegende Eingriffe in das Landschaftsbild und in die

Rhein-Main-Donau-Großschifffahrtsweg

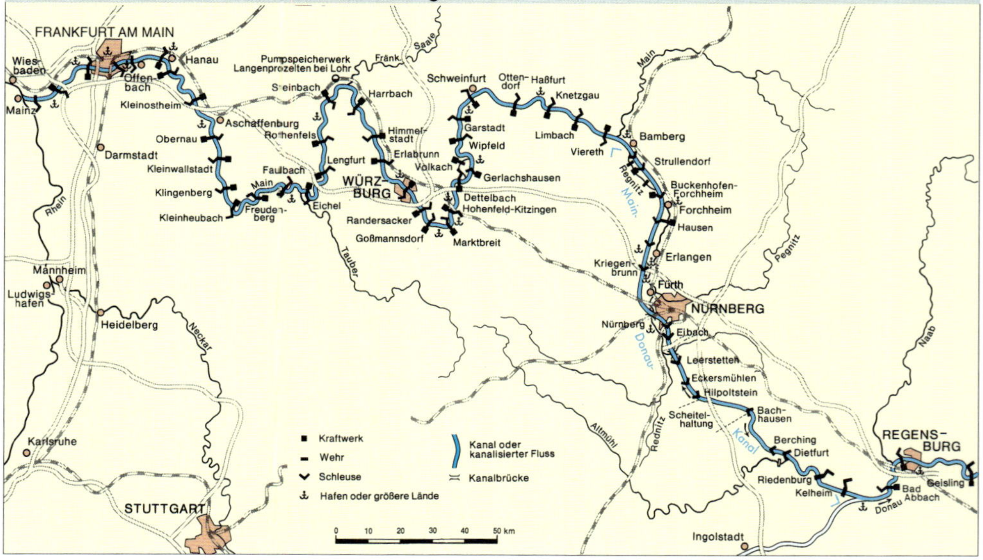

Ökologie gegenüber, bes. im Altmühltal, im Sulztal und im Ottmaringer Tal.

📖 *Das Altmühltal u. die Rhein-Main-Donau-Wasserstraße, Beiträge v.* W. BADER *u. a. Hamburg 1989.*

Rhein-Main-Flughafen (eigtl. Flughafen Frankfurt am Main), nach der Zahl der Fluggäste (1995: 37,4 Mio.) und dem Frachtaufkommen (1995: 1,29 Mio. t) der größte Flughafen Dtl.s und der zweitgrößte in Europa.

Rhein-Marne-Kanal (frz. Canal de la Marne au Rhin), Schifffahrtsstraße in O-Frankreich, 1838–53 erbaut, verbindet die Marne über die Täler von Mosel (Toul) und Meurthe (Nancy) mit dem Hafen von Straßburg, 314 km lang, 156 Schleusen, ein Schiffshebewerk.

Rhein-Neckar, wirtsch. Ballungsraum im Neckarmündungsgebiet mit den Städten Ludwigshafen am Rhein, Mannheim und Heidelberg. Für seine Entwicklung waren bes. die günstige Verkehrslage und Wasserversorgung entscheidend.

Rhein-Neckar-Kreis, Landkreis im RegBez. Karlsruhe, Bad.-Württ.; 1062 km², (1996) 512400 Ew.; Verw.sitz ist Heidelberg.

Rheinpfalz, der südlichste, linksrhein. Teil von Rheinl.-Pf., reicht bis zur N-Grenze der Landkreise Bad Dürkheim und Ludwigshafen. Als Name für das Weinanbaugebiet R. wird heute die Bez. »Pfalz« verwendet.

Rheinprovinz, ehem. preuß. Provinz des →Rheinlands, umfasste die RegBez. Koblenz, Trier, Köln, Aachen, Düsseldorf.

Rhein-Rhone-Kanal (frz. Canal du Rhône au Rhin), Schifffahrtsstraße in O-Frankreich, 1833 eröffnet, 320 km lang (164 Schleusen), von Straßburg zur Saône bei Saint-Symphorien, seit 1967 durch Anschluss an den Rheinseitenkanal verkürzt; nur für Schiffe bis 300 t befahrbar. Die Planungen für einen Neubau wurden 1997 wegen wirtsch. und ökonom. Bedenken eingestellt.

Rhein-Ruhr (Rheinisch-Westfälisches Industriegebiet), größter und wirtsch. bedeutendster Ballungsraum in Dtl., in NRW; etwa begrenzt durch die Städte Aachen, Mönchengladbach, Düren, Bonn, Lüdenscheid, Hamm, Wesel; umfasst das →Ruhrgebiet, das bergisch-märk. Ind.gebiet (spezialisierte Kleineisen- und Textilind.), den Wirtschaftsraum Krefeld–Mönchengladbach (Textil- und Bekleidungsind.), den Aachen-Dürener Raum (Metallwaren-, Papierind.), das →Rheinische Braunkohlenrevier sowie den Raum Köln–Bonn und Düsseldorf (vielseitige Ind., Dienstleistungen und Regierungseinrichtungen).

Rheinsberg, Stadt im Landkreis Ostprignitz-Ruppin, Brandenburg, am Ausfluss des Rhins aus dem Rheinsberger See, 5200 Ew.; Ausflugsort im S der Mecklenburg. Seenplatte; Museum und Kurt-Tucholsky-Gedenkstätte (im Schloss), Naturbühne, Steingutfabrik; nordöstlich von R. das erste Kernkraftwerk der DDR (Inbetriebnahme 1966, 1992 stillgelegt). – 1368 als Städtchen erwähnt; nach einem Stadtbrand (1740) Wiederaufbau nach Plänen von G. W. von Knobelsdorff. Das barocke dreiflügelige Schloss (urspr. mittelalterl. Wasserburg, Renaissancebau von 1566, 1737–39 umgebaut) war Wohnsitz des preuß. Kronprinzen Friedrich (II.), dann seines Bruders Heinrich.

Rheinsberg: Kronprinz Friedrich, der spätere Friedrich der Große, ließ das auf eine mittelalterliche Wasserburg zurückgehende dreiflügelige Renaissanceschloss mit den beiden Rundtürmen am Nord- und Südflügel 1737–39 von G. W. von Knobelsdorff in seiner heutigen Gestalt umbauen

Rheinseitenkanal (frz. Grand Canal d'Alsace), Kanal am Oberrhein, zw. Basel und Straßburg, rd. 112 km lang, dient mit acht Staustufen und Kraftwerken der Großschifffahrt (Schiffe bis 2000 t Tragfähigkeit) und der Energieversorgung (insgesamt 7 Mrd. kWh). Der R. leitet den Oberrhein

Rheinsberg

Die Stadt Rheinsberg in Brandenburg liegt im Süden der Mecklenburgischen Seenplatte am Grienericksee. Das 1368 urkundlich als Städtchen bezeichnete Rheinsberg entstand bei einer 1291 erstmals erwähnten, vermutlich 1214 erbauten Burg. Es fiel 1524 an Brandenburg. Nach einem Stadtbrand 1740 wurde Rheinsberg nach Plänen von Georg Wenzeslaus von Knobelsdorff, dem Baumeister Friedrichs des Großen, planmäßig wieder aufgebaut.

Das Schloss, ursprünglich eine mittelalterliche Wasserburg, wurde 1566 im Stil der Renaissance neu erbaut. 1736–40 lebte Kronprinz Friedrich, der spätere König Friedrich der Große, in Rheinsberg, wo er einen Freundes- und Künstlerkreis um sich scharte; er ließ das Schloss nach seinen eigenen Plänen von Knobelsdorff umbauen. Es gehört neben Schloss Sanssouci und dem Neuen Palais in Potsdam sowie dem Ostflügel des Schlosses Charlottenburg in Berlin zu den wichtigsten Werken des friderizianischen Rokoko. Später war das Schloss Wohnsitz seines Bruders Heinrich.

Theodor Fontane zeichnete die Stadt und ihre Umgebung in seinem Roman »Der Stechlin« (1899), und auch Kurt Tucholsky setzte dem Städtchen mit seiner heiteren Erzählung »Rheinsberg. Ein Bilderbuch für Verliebte« (1912) ein literarisches Denkmal.

unterhalb von Basel streckenweise auf frz. Gebiet ab, was zu einer Senkung des Grundwasserspiegels führte. Der Schifffahrtskanal nutzt daher ab der Staustufe Vogelgrün streckenweise den Hauptfluss und wird nur zu den Schleusen und Kraftwerken abgezweigt.

Rhesusaffe: Weibchen (Kopf-Rumpf-Länge 50–65 cm; Schwanzlänge 20–30 cm) mit Jungem

Rhein-Sieg-Kreis, Kreis im RegBez. Köln, NRW; 1153 km², (1996) 552200 Ew.; Krst. ist Siegburg.

Rheinstein, Burg am linken Rheinufer, gegenüber Assmannshausen (um 1260 begonnen, 1825–29 wieder aufgebaut).

Rheinwaldhorn, der höchste Gipfel des →Adulagebirges.

Rheinweine, Tafel- und Qualitätsweine der Weingebiete Ahr, Hess. Bergstraße, Mittelrhein, Pfalz, Rheingau und Rheinhessen. »Rhein. Landwein« stammt aus Rheinhessen.

Rhema [grch. »Aussage«] *das, Sprachwiss:* semant. Einheit, die eine Äußerung über das →Thema enthält, d. h. in einem Kontext den Informationsgehalt trägt.

Rhenium [lat.] *das,* chem. Symbol **Re,** Element aus der siebten Nebengruppe des Periodensystems der chem. Elemente; Ordnungszahl 75, relative Atommasse 186,207, Dichte 21,03 g/cm³, Schmelzpunkt 3180 °C, Siedepunkt 5870 °C. Das weiß glänzende, sehr harte Schwermetall ist chemisch sehr beständig und hat hervorragende mechan. Eigenschaften. Reine R.-Minerale sind nicht bekannt, jedoch kommt R. in kleinen Mengen (bis 0,3 %) in →Molybdänglanz sowie in Kupfererzen vor und wird v.a. aus den beim Abrösten von Molybdänglanz anfallenden Flugstäuben und aus den Abfallprodukten der Kupferraffination gewonnen. Reines R. wird für opt. Spiegel und elektr. Glühdrähte verwendet. Als Zusatz zu Platin-, Molybdän-, Wolfram- u. a. Legierungen wirkt R. härtend und korrosionsverhindernd; Legierungen finden u. a. Anwendung für Thermoelemente, Elektrokontakte sowie im Elektronen- und Röntgenröhrenbau. R.-Platin-Legierungen dienen als Katalysatoren beim →Reformieren von Erdölfraktionen.

Rhenoherzynische Zone, Teil des →Variskischen Gebirges.

Rhens, Stadt im Landkreis Mayen-Koblenz, Rheinl.-Pf., am linken Ufer des Mittelrheins, 2900 Ew.; Obstverwertung, Rhenser Mineralbrunnen; Fremdenverkehr. – Der Ort war ab 1308 bevorzugter Versammlungsort der Kurfürsten.

Rheologie [grch.] *die, Physik:* die Fließkunde (→Fließen).

Rheopexie [grch.] *die* (Fließverfestigung), Erstarren eines Sols oder einer Suspension bei Bewegung (Schlagen oder Schwingen) zu einer festen Masse; Ggs.: →Thixotropie.

Rheostat [grch.] *der,* einstellbarer elektr. Präzisionswiderstand.

Rheotaxis [grch.] *die,* Einstellung frei bewegl. Organismen zur Strömungsrichtung einer Flüssigkeit.

Rheotron [grch.] *das,* →Betatron.

Rheotropismus [grch.], →Tropismus.

Rhesusaffe (Bunder, Macaca mulatta), in Indien und im südl. China verbreitete Art der Makaken, Kopf-Rumpf-Länge 50–65 cm; der Rhesusfaktor wurde an ihm zuerst entdeckt.

Rhesusfaktor (Rh-Faktor), neben dem AB0-Blutgruppensystem wichtiger Teilfaktor (Hauptantigen) eines Systems erbl. Blutkörperchenmerkmale des Menschen (→Blutgruppen). Der R. wurde 1940 von K. Landsteiner und A. S. Wiener entdeckt. Die häufigsten an der Erythrozytenmembran lokalisierten Rh-Antigene werden als C, D, E, c und e bezeichnet. Entscheidend für die Unterteilung in rhesus-positives und rhesus-negatives Blut ist das Vorhandensein der antigenen Eigenschaft D; die Träger werden als **rhesus-positiv** (Rh oder Rh+) bezeichnet, Genotyp DD oder Dd; rd. 85 % aller weißen Menschen. Individuen mit dem Genotyp dd werden als **rhesus-negativ** (rh oder Rh–) bezeichnet. Die Transfusion von rhesus-positivem Spenderblut auf rhesus-negative Empfänger kann durch die Bildung von Rh-Antikörpern (Anti-Rh; Anti-D) bei späteren Transfusionen zu lebensbedrohl., hämolytischen Transfusionsreaktionen führen. Ebenso kann eine rhesus-negative Schwangere auf das rhesus-positive Blut des Fetus Rh-Antikörper bilden, die v. a. bei einer späteren Schwangerschaft mit einem rhesus-positiven Kind bei diesem zu schweren hämolyt. Krisen führen. Deshalb wird bei rhesus-negativen Müttern von rhesus-positiven Kindern eine →Anti-D-Prophylaxe durchgeführt.

Rhetor [grch.], Redner, auch Lehrer der Beredsamkeit, der Rhetorik.

Rhetorik [grch. »Redekunst«] *die,* die Kunst der Rede als Praxis, zugleich Theorie der Rede. Rede verlangt einen der Absicht des Redners (z.B. Informationsvermittlung, durch Überzeugen Meinungswandel bewirken) entsprechenden Stil und sprachl. Ausdruck, der durch Satzbau, Wortwahl (→Redefiguren) sowie Gedankenführung erreicht wird.

📖 LAUSBERG, H.: *Handbuch der literar. R.* Stuttgart [3]1990. – FUHRMANN, M.: *Die antike R. Eine Einführung.* Zürich u. a. [4]1995.

rhetorische Frage, eine Frage, auf die keine Antwort erwartet wird, die nur um der Wirkung willen gestellt ist.

Rheuma *das,* Kurzbez. für →Rheumatismus.

Rheumafaktoren, Autoantikörper, die bei an chron. Polyarthritis leidenden Patienten im Blutserum oder in der Gelenkflüssigkeit vorkommen.

rheumatisches Fieber (Streptokokkenrheumatismus), sehr seltene entzündlich-rheumatische Folgekrankheit nach Streptokokkeninfektionen; Symptome sind schmerzhafte Gelenkschwellungen, hohes Fieber, auch Herzklappenentzündung.

Rheumatismus [grch.] *der* (Rheuma, rheumatische Erkrankungen, Gliederreißen), Sammelbez. für eine Gruppe sehr unterschiedlich definierter und schwer abgrenzbarer, in den Krankheitsbildern, jedoch nicht in den Krankheitsursachen zusammengehöriger schmerzhafter Krankheitszustände des Muskel- (Weichteil-R.) und des Skelettsystems (→Gelenkkrankheiten). **Weichteil-R.** ist die zusammenfassende Bez. für mit Schmerzen verbundene krankhafte Zustände der Weichteile (v.a. Muskeln, Bänder, Sehnen, Sehnenscheiden) des Bewegungsapparats. Am häufigsten ist der **Muskel-R.,** der akut nach ungeschickten Bewegungen, chronisch bei ungünstigen Witterungsverhältnissen auftritt; Symptome sind Verspanntheit, Druck- und Dehnungsschmerz, schmerzhafte Druckpunkte im Bereich der Muskelansätze; meist ist die stat. Hals-Rücken-Schulter-Muskulatur betroffen.

rheumatoide Arthritis, →Gelenkkrankheiten.

Rheydt, seit 1975 Stadtteil von →Mönchengladbach.

Rh-Faktor, der →Rhesusfaktor.

Rhin *der,* **1)** Nebenfluss der Havel, →Rhinluch.

2) [rɛ̃], frz. Name des Rheins.

rhin... [grch.] (rhino...), Nasen...

Rhine [raɪn], Joseph Banks, amerikan. Parapsychologe, *Juniata County (Penn.) 29. 9. 1895, †Hillsborough (N. C.) 20. 2. 1980; seit 1929 Prof. in Durham (N. C.); umstrittene quantitativ-statist. Untersuchungen über außersinnl. Wahrnehmung und Psychokinese.

Rhingrave [rɛ̃'gra:v, frz.] *die,* knielange Hose mit rockartig weiten, mit Bandschluppen (»Galants«) besetzten Hosenbeinen nach frz. Herrenmode (zw. 1655 und 1680).

Rhinitis [grch.] *die,* der →Schnupfen.

Rhinluch, Niederung im Thorn-Eberswalder Urstromtal südlich von Neuruppin, Brandenburg, am N-Rand des Havellandes. Durch Hochwasserrückstau des **Rhin** (rechter Nebenfluss der Havel oberhalb von Havelberg; 105 km lang) kam es hier zur Bildung großer Flachmoore, die seit dem 18. Jh. z. T. entwässert wurden (der Rhin ist als Rhinkanal ab Finsterwalde kanalisiert) und seitdem als Weideland (v.a. für Rinder) genutzt werden können.

Rhinoviren, kleine, RNS-haltige Viren; neben anderen Viren Erreger von Erkrankungen (bes. Schnupfen) der oberen Luftwege.

Rhinozeros [grch.] *das,* →Nashörner.

Rhizoid [grch. »Scheinwurzel«] *das,* ein- oder mehrzelliges fadenartiges, wurzelähnl. Organ bei Algen, Moosen und Farnvorkeimen zur Verankerung und z.T. Nährstoffleitung.

Rhizom [grch.] *das,* →Wurzelstock.

Rhizopoda [grch.], →Wurzelfüßer.

Rhizosphäre [grch.], bes. von Bakterien und Pilzen besiedelter Bodenbereich der Pflanzenwurzeln.

Rho *das,* der 17. Buchstabe des grch. Alphabets (Ρ, ρ).

Rhetorik

Bei Isokrates erscheint die Rede unter anderem als zentrale Voraussetzung für die Entstehung der Kultur:

»Man darf nun keine Feindseligkeit der Sache gegenüber zeigen, der wir von allen im menschlichen Wesen vorhandenen Fähigkeiten das meiste Gute verdanken. Da es uns nun aber gegeben ist, einander zu überreden und uns gegenseitig zu zeigen, was wir beschlossen haben, wurden wir nicht nur von einer tierischen Lebensweise befreit, sondern wir sind auch zusammengekommen, haben Städte besiedelt, uns Gesetze gegeben und Künste erfunden, und beinahe in allem, was wir ins Werk gesetzt haben, da war es die Rede (»logos«), die uns das bereitet hat. Denn sie hat über das Gerechte und Ungerechte, über das Gute und das Schändliche Satzungen aufgestellt.«
(Über den Vermögenstausch 253 ff.).

Rhode Island [rəʊd'aɪlənd], Abk. **R. I.,** Staat im NO der USA, einer der Neuenglandstaaten, 3144 km², (1994) 989 800 Ew.; Hptst. ist Providence. R. I., der kleinste und mit am dichtesten bevölkerte Staat der USA, umfasst das flache Land um die Narragansett Bay mit mehreren Inseln sowie die westlich anschließenden Teile der New England Uplands. Bed. Textilindustrie, daneben Maschinenbau, Elektronik-, Schmuckwaren-, Gummi- und Kunststoffind.; Milchwirtschaft, Geflügelzucht, Fischerei. Haupthandelsstädte und Häfen sind Providence und Newport. – 1636 von R. Williams gegr. für Siedler aus Massachusetts, die die puritan. Glaubenslehre ablehnten. Am 29. 5.

1790 ratifizierte R. I. als letzte der 13 Kolonien die Bundesverfassung der USA.

📖 McLoughlin, W. G.: *R. I. A bicentennial history. New York 1978.*

Cecil Rhodes

Rhodes [rəʊdz], Cecil, britisch-südafrikan. Kolonialpolitiker, *Bishop's Stortford (bei Hertford) 5. 7. 1853, †Muizenberg (bei Kapstadt) 26. 3. 1902; erwarb sich seit 1878 in Südafrika im Diamantengeschäft ein großes Vermögen und war 1890–96 Premiermin. der Kapkolonie. Er veranlasste 1884 die Eroberung des Betschuanalandes und gründete 1889 die British South Africa Company (→Rhodesien). Zunächst betrieb R. friedlich, im →Jameson Raid mit Gewalt die Angliederung der Burenrepubliken Transvaal und Oranje-Freistaat an das brit. Südafrika.

📖 Flint, J. E.: *C. R. Boston, Mass., 1974.*

Rhodesiamensch, →Kabwe.

Rhodesi|en [nach C. Rhodes], ehem. Gebiet im südl. Afrika. 1889/90 drang die British South Africa Company unter C. Rhodes in das Gebiet zw. Limpopo und Sambesi ein, das 1923 als brit. Kolonie den Namen **Süd-R.** erhielt. Das von derselben Gesellschaft 1899/1901 eroberte Gebiet nördlich des Sambesi wurde 1911 als **Nord-R.** brit. Protektorat und 1924 brit. Kolonie. Nord- und Süd-R. sowie Njassaland waren 1953–63 zur →Zentralafrikanischen Föderation zusammengeschlossen, aus der die Staaten →Sambia, →Malawi und →Simbabwe hervorgingen.

Rhodonit: geschliffener Schmuckstein

Rhodium [zu grch. rhódon »Rose« (nach der meist rosenroten Farbe seiner Verbindungen)] *das,* chem. Symbol **Rh,** ein Element aus der achten Gruppe des Periodensystems der chem. Elemente; Ordnungszahl 45, relative Atommasse 102,9055, Dichte 12,41 g/cm³, Schmelzpunkt 1960 °C, Siedepunkt 3670 °C. R. ist ein silberweißes, gut verformbares, chem. sehr beständiges Edelmetall aus der Gruppe der →Platinmetalle. R. kommt in der Natur gediegen und stets vergesellschaftet mit den anderen Platinmetallen vor. Wegen seines silberähnl. Glanzes und seiner chem. Beständigkeit wird R. galvanisch in dünner Schicht auf Silberschmuck, Spiegel und Reflektoren aufgebracht **(Rhodinieren).** Ferner dient es in Form von Platin-R.-Legierungen zur Herstellung spezieller Laborgeräte, Spinndüsen und Thermoelemente. R. wird auch als Katalysator verwendet.

rhodo..., vor Vokalen **rhod...** [grch.], rot...

Rhodochrosit [grch.] *der,* das Mineral →Manganspat.

Rhododendron [grch. »Rosenbaum«] *der,* auch *das* (Alpenrose), Gattung der Heidekrautgewächse, v. a. in den Gebirgen Zentral- und O-Asiens und im gemäßigten Nordamerika, auch in die Arktis, nach Europa und Australien vordringend. Immergrüne oder Laub abwerfende Sträucher oder Bäume mit ganzrandigen, oft ledrigen Blättern und fünfgliedrigen, meist roten, violetten, gelben oder weißen Blüten; z. T. beliebte Zierpflanzen. Bekannte und geschützte Arten in den Alpen sind die **Behaarte Alpenrose (Steinrose,** R. hirsutum, auf Kalkboden; mit langhaarig bewimperten Blättern) und die **Rostrote Alpenrose (Rostblättrige Alpenrose,** R. ferrugineum, meist auf kalkarmem Boden; Blätter unterseits mit rostroten Drüsenschuppen).

Rhododendron: Rostrote Alpenrose

Rhodonit [grch.] *der,* Mineral der chem. Zusammensetzung $CaMn_4[Si_5O_{15}]$, von licht-fleischroter bis dunkelroter Farbe; Glasglanz.

Rhodopen (Rhodopegebirge), Gebirge in S-Bulgarien und NO-Griechenland, südlich der Maritza steil ansteigend, im NW in das Rilagebirge übergehend; waldreiches, aus Rumpfflächen bestehendes Bergland, im Goljam Perelik 2191 m ü. M.; Bergbau (Blei, Zink, Kupfer); Mineralquellen; Erholungsgebiet.

Rhodonit mit schwarzen, von Manganoxiden erfüllten Adern

Rhodopsin *das* (Sehpurpur, Erythropsin), lichtempfindl. roter Sehfarbstoff in den Stäbchen der Netzhaut des Auges von landbewohnenden Wirbeltieren, des Menschen und der Meeresfische. R. wird durch Licht zersetzt in das zur Vitamin-A-Gruppe gehörende Retinal (Aldehyd des Retinols) und in das Protein Opsin. Bei Dunkelheit findet ein Wiederaufbau zu R. statt, wobei das Vitamin A dem Blut entnommen wird (daher tritt bei Vitamin-A-Mangel Nachtblindheit auf).

Rhodos, 1) größte Insel des Dodekanes, Griechenland, vor der SW-Küste Kleinasiens, 78 km lang, bis 35 km breit, 1398 km², 87800 Ew., hügelig bis gebirgig, im Ataviros 1215 m ü. M.; Ölbaumpflanzungen, Anbau von Reben, Zitrus- u. a. Früchten; Fremdenverkehr. Hauptort ist R., an der N-Spitze der Insel. Bed. Ruinenstätten sind Lindos und Kameiros.

Geschichte: Schon in myken. Zeit besiedelt; um 1000 v. Chr. von Dorern besetzt; die Stadt R. entstand 408/407 v. Chr., um 300 v. Chr. wurde der →Koloss von Rhodos errichtet; Blütezeit der Insel als See- und Handelsmacht und Bundesgenosse Roms im 2./1. Jh. v. Chr.; später Teil des Byzantin. Reichs, in der zweiten Hälfte des 7. Jh. arabisch; kam 1309 an den Johanniterorden, 1522/23 zum Osman. Reich; 1912 mit dem Dodekanes von Italien besetzt, 1923 förmlich durch die Türkei an Italien abgetreten; 1943–45 von dt. Truppen besetzt; fiel 1947 an Griechenland.

📖 ROCHFORD, N.: *Landschaften auf R. Aus dem Engl. London 1987.* – GALLAS, K.: *R. Köln ⁴1988.*

2) Hptst. von 1) und des grch. Nomos Dodekanes, 41400 Ew.; Sitz eines grch.-orth. Erzbischofs, Museen; hydrobiolog. Inst. mit Aquarium; Fremdenverkehr; Handels-, Passagierhafen, internat. Flughafen. – Spärl. Reste der antiken Stadt. Aus der Johanniterzeit blieb die »Ritterstadt« mit neuem Ordenshospital (15. Jh.) und Großmeisterpalast (nach dem 1. Weltkrieg von den Italienern nach alten Stichen im ursprüngl. Zustand des 14. Jh. aufgebaut) erhalten. An der Ritterstraße liegen die »Herbergen« (Versammlungsräume der Ritter-Landsmannschaften). Die mittelalterl. Altstadt ist UNESCO-Weltkulturerbe.

rhomb... [grch.], kreisel..., rauten...

rhombisch (auch orthorhombisch), →Kristallsysteme.

Rhomboeder [grch. »Rautenflächner«] *das,* ein von jeweils sechs kongruenten Rhomben gebildeter geschlossener geometr. Körper; wichtige Kristallform; **rhomboedrisch** heißt eine Abteilung des hexagonalen Kristallsystems.

Rhomboid [grch.] *das,* schiefwinkliges Parallelogramm mit ungleichen Seitenpaaren, speziell das →Drachenviereck.

Rhombus [grch.] *der* (Raute), Parallelogramm mit vier gleich langen Seiten. Die Gegenwinkel im R. sind gleich groß, gegenüberliegende Seiten sind parallel; die Diagonalen halbieren einander und stehen senkrecht aufeinander. Ein spezieller R. ist das Quadrat.

Rhombus|antenne, Sende- und Empfangsantenne (Langdrahtantenne) der Kurzwellentechnik, deren symmetr. Diagonalen die Länge 2λ und 4λ (λ = Wellenlänge) aufweisen. Die Diagonalenenden sind auf vier gleich hohen Masten befestigt und werden auf einer Seite vom Sender gespeist. Auf der anderen Seite verhindert ein Schluckwiderstand stehende Wellen. R. verfügen über eine ausgeprägte Richtwirkung in Richtung der langen Diagonale.

Rhodos 2): Blick über die Stadt auf den um 1400 durch den Johanniterorden erneuerten Mauerring aus byzantinischer Zeit mit Tortürmen und Basteien, der die »Ritterstadt« umschließt

Rhön *die,* Mittelgebirge mit Basaltkuppen und -decken im Buntsandstein- und Muschelkalkgebiet zw. Werra, Fulda und Fränk. Saale, in Bayern, Hessen und Thüringen. Höchster Teil ist die **Hohe R.,** eine wellige Hochfläche mit Wiesen und Hochmooren; in der Wasserkuppe 950 m ü. M. (Segelfluggelände); im S-Teil bereits in Einzelrücken aufgelöst: Dammersfeld-Kuppe (928 m), Kreuzberg (928 m), Schwarze Berge (834 m). Nach N und W schließt sich die **Kuppen-** oder **Vorder-R.** an, in der Milseburg 835 m ü. M., im S die **Süd-R.,** ein stark bewaldetes, von nur wenigen Basaltbergen (Hag Kopf, 514 m) überhöhtes Buntsandsteingebiet. Landwirtschaft, bes. Viehzucht; Fremdenverkehr (Wintersport). 1991 wurde ein Gebiet von 1350 km² von der UNESCO als Biosphärenreservat ausgewiesen. BILD S. 438

📖 RUTTE, E.: *Hundert Hinweise zur Geologie der R. München 1974.*

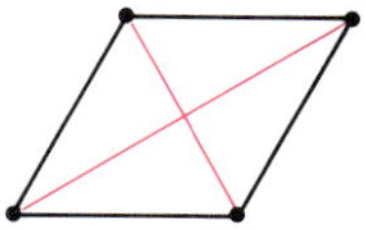

Rhombus

Rhondda ['rɔndə], Bergbau- und Industriestadt in S-Wales, 81700 Ew.; Teil des County Borough **R. Cynon Taff** (424 km², 240000 Ew.); Steinkohlenbergbau, Maschinenbau, Bekleidungs- und elektrotechn. Industrie.

Rhone *die* (frz. Rhône, im Oberlauf Rotten), zweitlängster, wasserreichster Strom Frankreichs,

Rhön: Blick von der Wasserkuppe auf die Kuppenrhön

812 km lang, mit einem Einzugsgebiet von 99000 km². Die R. entspringt im Kt. Wallis, Schweiz (→Rhonegletscher), durchfließt den Genfer See, erreicht unterhalb von Genf frz. Gebiet, wendet sich bei Lyon nach S und mündet in zwei Hauptarmen in den Golfe du Lion; zw. beiden erstreckt sich die Camargue. Die Engtalstrecken, die sich in den Ausläufern des Zentralmassivs mit Weitungen abwechseln, werden mit dem Ausbau der R. seit 1934 zw. Lyon und Arles durch Seitenkanäle umgangen; außerdem wurden zahlr. Staustufen angelegt, verbunden mit Wasserkraftwerken. Zur Bewässerung im R.-Delta und im Languedoc werden Kanäle von der R. abgezweigt. Die Regulierung der R. hat große Bedeutung für die schnelle Industrialisierung der Saône-R.-Furche. Wichtigste Nebenflüsse von links sind Arve, Isère, Drôme, Durance, von rechts Ain, Saône, Ardèche, Gard. Die R. ist ab Lyon schiffbar und durch Kanäle mit dem Rhein, der Seine, der Loire und dem Hafen von Marseille verbunden. – Südlich von Lyon werden in der meist weiten Talebene und an den Hängen auf fruchtbaren Böden v.a. Wein, Obst und Gemüse angebaut.

🕮 RITTER, J.: *Le R. Paris 1973.* – DELETTREZ, J.-M.: *Le Rhône. Grenoble 1974.*

Rhône [ro:n], Dép. im SO Frankreichs, 3249 km², (1995) 1,540 Mio. Ew.; Hptst. ist Lyon.

Rhône-Alpes [ro'nalp], Region in S-Frankreich; umfasst die Dép. Ain, Ardèche, Drôme, Isère, Loire, Rhône, Savoie und Haute-Savoie, 43698 km², (1995) 5,57 Mio. Ew.; Hptst. ist Lyon.

Rhonegletscher, Gletscher der Dammagruppe im NO des Kt. Wallis, Schweiz, 10,2 km lang, 17,2 km² groß, mit großartigem Gletscherabbruch in 2140 m ü.M. endend; dem Gletscherende entfließt der Rotten (→Rhone).

Rhön-Grabfeld, Landkreis im RegBez. Unterfranken, Bayern; 1022 km², (1996) 86400 Ew.; Krst. ist Bad Neustadt a.d. Saale.

Rhönrad, 1925 entwickeltes Turngerät aus einem doppelten Stahlrohrreifen (Durchmesser: Körpergröße plus etwa 25 cm) mit Querstangen und versch. Stand- und Griffmöglichkeiten. Vier- bzw. Sechskampf (Gerad-, Spiralrollen und für Männer Sprung).

Rhotazismus [grch.] *der, Sprachwiss.:* Lautwandel von stimmhaftem s in intervokal. Stellung zu r bei wurzelverwandten Wörtern, z.B. Fro*s*t – frie*r*en, engl. she wa*s*, we we*r*e; i.w.S. Wandel eines Konsonanten zu r.

Rhyolith [grch.] *der* (Liparit), junges (aus dem Tertiär oder Quartär) hellgraues, rötl. oder grünl. Ergussgestein mit Einsprenglingen von Sanidin, Plagioklas, Quarz und Biotit, in einer oft Glas führenden Grundmasse aus denselben Mineralen; bildet Ströme, Decken und Kuppen. Geologisch älterer R. heißt **Quarzporphyr**.

Rhythm and Blues ['rɪðm ənd 'blu:z, engl.] *der,* in den 1940er-Jahren entstandener Stil der afroamerikan. städt. Tanz- und Unterhaltungsmusik, der an Elemente des Blues wie auch des Jazz (u.a. Harlem Jump und Boogie-Woogie) anknüpft; gekennzeichnet durch einen stark akzentuierten Fundamentalrhythmus (Beat) mittleren Tempos und blueshafte Melodik.

Rhythmik [grch.] *die,* **1)** die Lehre vom →Rhythmus in Musik und Literatur.

2) der rhythm. Charakter eines Tonstücks, Tanzes, Gedichts.

3) die regelmäßige Wiederkehr einer bestimmten Abfolge, z.B. beim →Biorhythmus.

rhythmische Erziehung, Form der Musik- und Bewegungserziehung, bei der Melodie, Rhythmus und Ausdruck in Bewegung umgesetzt werden; um 1900 unter Berufung auf J. H. Pestalozzi bes. von E. Jaques-Dalcroze ausgebaut. Einen neuen Anstoß erfuhr die Bewegung durch das Schulwerk von C. → Orff.

rhythmische Sportgymnastik, Gymnastik für Damen, als olymp. Disziplin ein Vierkampf, wobei vier der mit den Handgeräten Reifen, Keule, Seil, Ball oder Band ausgeübten Disziplinen ausgewählt werden.

Rhythmus [zu grch. »fließen«] *der,* **1)** *allg.:* Gleichmaß, gleichmäßig gegliederter Bewegungsablauf; regelmäßige Wiederkehr natürl. Vorgänge.

2) *Literatur:* künstlerisch bewusste Gliederung des Sprachablaufs; in der Prosa gekennzeichnet durch Anordnung der Satzteile und Sprechgruppen, in der Lyrik bestimmt durch die Gesetzmäßigkeiten des Versbaus. ÜBERSICHT Metrik

3) *Musik:* grundlegendes Strukturelement, von gleicher Bedeutsamkeit wie Melodie und Harmonie. Im R. wirken alle Kräfte der Dynamik, der Schwere und des Tempos zusammen: 1) die **Zeitaufteilung,** d.h. das Verhältnis der Dauer der einzelnen Töne zueinander, das, im Ggs. zur Sprache, in der Musik mathematisch ausdrückbar und nach festen Gesetzen geregelt ist; 2) die **Schwere,** d.h. das Verhältnis der Töne nach Gewicht und Betonung (schwer–leicht), das bei der zeitl. Gliederung stets fühlbar mitspricht und auf den körperl. Bewegungsempfindungen (Herz-, Puls-, Schrittgefühl) beruht; 3) das **Zeitmaß,** das die Geschwindigkeit des musikal. Ablaufs und damit die tatsächl. Dauer der einzelnen Notenwerte regelt.

Rhythmusgerät (elektronisches Schlagzeug, Rhythmusautomat), elektron. Gerät, das in Verbindung mit einer Elektronenorgel gängige Rhythmen erzeugt.

Ri., Abk. für das Buch der Richter (A. T.).

R. I., Abk. für den Bundesstaat **R**hode **I**sland, USA.

Ria [span. »Flussmündung«] *die,* tief ins Land reichende, schlauchförmige Meeresbucht geringer Tiefe, die durch Eindringen (Ingression) des Meeres in ein Flusstal entstanden ist. **R.-Küsten** gibt es z.B. in NW-Spanien, in der Bretagne und in SW-Irland; zu unterscheiden von der Fjordküste (→ Fjord).

Rhönrad

RIA, Abk. für → **R**adio**i**mmun**a**ssay.

Riace [ri'atʃe], Ort an der SO-Küste Kalabriens, Italien; vor seiner Küste wurden 1972 zwei gut erhaltene antike Bronzefiguren aus dem Meer geborgen (heute in Reggio di Calabria, Museo Nazionale). Die nackten Kriegerfiguren sind grch. Originalwerke des klass. strengen Stils (um 460 v. Chr.). BILD S. 440

Riad (Rijat, Riyat, Er-Riad), Hauptstadt und größte Stadt von Saudi-Arabien, im Zentrum der Arab. Halbinsel, rd. 2 Mio. Ew.; zwei Univ., TH, Militärakademie; Fort Masmak (heute Museum); Erdölraffinerien, Zementind., internat. Flughafen. – Entstand Mitte des 18. Jh. als befestigte Siedlung (Fort in traditioneller Lehmbauweise erhal-

Rhone: Nach ihrem Austritt aus dem Genfer See fließt die Rhone nach Südwesten und durchbricht die südlichen Ausläufer des Jura in einer Kluse; daneben Blick auf den Rhonegletscher

ten); seit 1824 Stammsitz der Familie Ibn Saud; seit etwa 1950 Großstadt westl. Prägung.

Riade, nicht sicher zu lokalisierender Ort an der thüringisch-sächs. Grenze (vermutlich am Unstrut-Helme-Zusammenfluss), an dem Heinrich I. am 15. 3. 933 die Ungarn besiegte.

Rial [pers.-arab.] *der,* Währungseinheit in Iran, Jemen, Katar, Oman und Saudi-Arabien.

Rialtobrücke (italien. Ponte di Rialto), urspr. hölzerne Brücke über den Canal Grande in Venedig, 1588–91 aus Stein mit zwei Ladenreihen erbaut.

Joachim von Ribbentrop

RIAS Berlin, Abk. für **R**undfunk **i**m **a**merikanischen **S**ektor von Berlin, 1946 von der amerikan. Militärverw. gegründete Rundfunkanstalt; 1994 mit Deutschlandfunk und Deutschlandsender Kultur zum →DeutschlandRadio zusammengeschlossen.

Riau|archipel, Inselgruppe Indonesiens vor der S-Spitze Malakkas (Singapur), zus. mit dem Linggaarchipel 10842 km². Hauptinseln: Singkep (Zinnerz) und Bintan (Bauxit).

Ribalta [ri'βalta], Francisco, span. Maler, *Solsona (Prov. Lleida) 2. 6. 1565, †Valencia 13. 1. 1628. Das Helldunkel, der Realismus und die Ausdrucksstärke seines Spätstils bestimmten die Entwicklung der span. Schule des 17. Jahrhunderts.

Ribatejo [riβa'teʒu], Beckenlandschaft und histor. Prov. in Portugal, am unteren Tejo, ein tertiäres Hügelland, von sandig-kiesigen Ablagerungen bedeckt; Gemüse- und Reisanbau sowie Stier- und Pferdezucht in den überschwemmungsreichen Talböden und Aueninseln; Wein- und Obstbau.

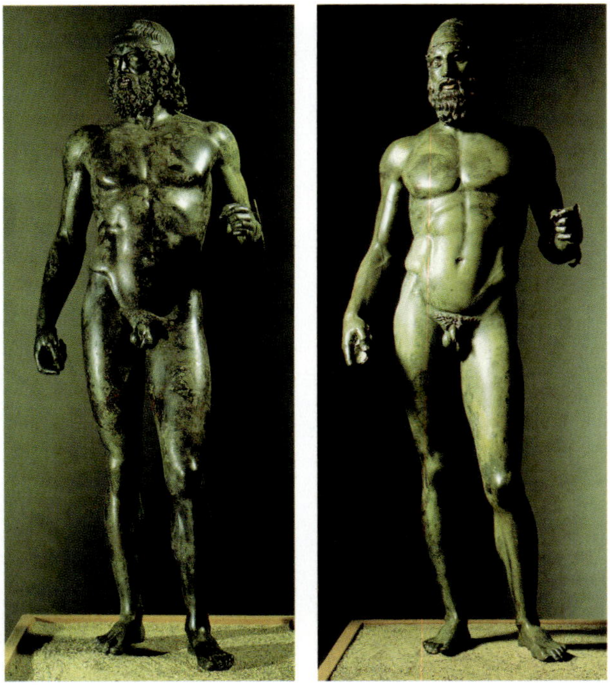

Riace: Die über 2 m großen Kriegerfiguren aus Bronze wurden, 1972 aus dem Meer geborgen, als Originale der klassischen griechischen Bildhauerkunst identifiziert (460 v. Chr.; Reggio di Calabria, Museo Nazionale)

Ribbentrop, Joachim von, Politiker (NSDAP), *Wesel 30. 4. 1893, †(hingerichtet) Nürnberg 16. 10. 1946; schloss 1935 das dt.-brit. Flottenabkommen, 1936–38 Botschafter in London, schloss als Reichsaußenmin. (1938–45) den Dt.-Sowjet. Nichtangriffspakt (1939); 1946 zum Tode verurteilt.

Ribble [rɪbl] *der,* Fluss in NW-England, 121 km lang, entspringt im Pennin. Gebirge und mündet in die Irische See.

Ribe (dt. Ripen), Stadt in Jütland, Dänemark, 18000 Ew.; Kunstmuseum; Metall-, Nahrungsmittel-, Möbelindustrie. – Gut erhaltenes histor. Stadtbild mit roman. Dom (12. Jh.) mit viereckigem Bürgerturm und schlankem Mariaturm (Ende 19. Jh. rekonstruiert), got. Katharinenkirche, zahlr. Fachwerkhäusern. – Im 9. Jh. erstmals erwähnt, seit 948 Bischofssitz; im MA. wichtige Handels- und Schifffahrtsstadt.

Ribeirão Prêto [ribej'rãum 'pretu], Stadt im brasilian. Staat São Paulo, 436100 Ew.; Erzbischofssitz; Mittelpunkt eines Kaffee- und Baumwollanbaugebiets, Textil-, Stahlindustrie.

Ribeiro [rri'βejru], **1)** Aquilino, portugies. Schriftsteller, *Carregal da Tabosa (Distr. Viseu) 13. 9. 1885, †Lissabon 27. 5. 1963. Seine Romane und Novellen aus der bäuerl. Welt der Beira Alta, aus Lissabon und Paris zeichnen sich durch psycholog. Feinheit und lebensvolle Schilderung aus (»Wenn die Wölfe heulen«, R., 1954).

2) João Ubaldo, brasilian. Schriftsteller, *Insel Itaparica (Bahia) 23. 1. 1941; schreibt farbige, teils in der Umgangssprache gestaltete Romane und Erzählungen, deren Schauplatz außer der Insel Itaparica der unterentwickelte brasilian. Nordosten ist (u. a. »Brasilien, Brasilien«, R., 1984; »Das Lächeln der Eidechse«, R., 1989).

Ribemont [rib'mɔ̃], Ort im frz. Dép. Aisne, an der Oise, 2000 Ew. Im Vertrag von R. (880) kam im Ggs. zum Vertrag von →Meerssen (870) auch der westl. Teil Lotharingiens an das Ostfränk. Reich (→Fränkisches Reich).

Ribera [rri'βera], **1)** Jusepe de, in Italien gen. lo Spagnoletto, span. Maler und Radierer, *Játiva (heute Xàtiva, Prov. Valencia), 17. 2. 1591, †Neapel 2. 9. 1652; vermutlich Schüler von F. Ribalta in Valencia, lebte seit 1616 in Neapel. Er übernahm die Helldunkelmalerei M. da Caravaggios und dramatisierte seine überwiegend religiösen Darstellungen in einer typisch span. Auffassung unter besonderer Betonung naturalist. Elemente.

2) Pedro de, span. Baumeister, *Madrid 1683(?), †ebd. zw. 9. und 21. 10. 1742; Hauptmeister des Madrider Barock in der 1. Hälfte des 18. Jh. (ab 1726

Stadtbaumeister), einer der wichtigsten Vertreter des Churriguerismus.

Ribeyro [rri'βejro], Julio Ramón, peruan. Schriftsteller, *Lima 31. 8. 1929, †ebd. 4. 12. 1994; bevorzugte in seinen Romanen und Erzählungen meist Themen aus dem kleinbürgerl. Milieu von Lima oder aus der Welt der Großgrundbesitzer (»Im Tal von San Gabriel«, R., 1960; »Heimatlose Geschichten«, Erz.n, 1975).

Ribnitz-Damgarten, Stadt im Landkreis Nordvorpommern, Meckl.-Vorp., an der Mündung der Recknitz in den Saaler Bodden, 17 400 Ew.; Bernsteinmuseum, Faserplattenwerk, Möbel-, Lederwaren-, Schmuckwarenind.; westlich von R.-D. in Klockenhagen Freilichtmuseum. – In Ribnitz spätgot. Kirche (14. Jh.) des ehem. Klarissinnenklosters mit bed. Ausstattung, u. a. die geschnitzten »Ribnitzer Madonnen« (15./16. Jh.); Rostocker Torturm (15. Jh.). In Damgarten spätgot. Pfarrkirche (15. Jh.) mit got. Chor. – Entstand 1950 aus **Ribnitz** (1257 Stadtrecht) und **Damgarten** (1258 Stadtrecht); war bis 1994 Kreisstadt.

Riboflavin *das,* Vitamin B_2, → Vitamine.

Ribonucleasen (RNasen), Enzyme, die Ribonucleinsäuren zu Oligo- und Mononucleotiden spalten.

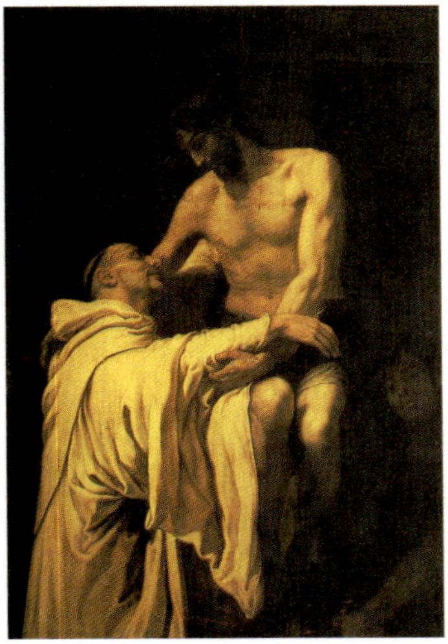

Francisco Ribalta: »Christus umarmt den heiligen Bernhard« (um 1624; Madrid, Prado)

Ribonucleinsäure, Abk. **RNS,** engl. **RNA** (von **ribo**nucleic **a**cid), ein Polynucleotid (→ Nucleinsäuren), dessen Monomereinheiten aus einer Pentose (Ribose), einer Purin- (Adenin, Guanin) oder Pyrimidinbase (Cytosin, Uracil) und einem Phosphorsäurerest im Verhältnis 1 : 1 : 1 bestehen, wobei durch alternierende Verknüpfung von Phosphorsäurerest und Ribose eine unverzweigte Kette entsteht. Die **Transfer-RNS (t-RNA)** fungiert als Aminosäureüberträger bei der → Proteinbiosynthese, die **Boten-** oder **Messenger-RNS**

Jusepe de Ribera: »Jacobs Traum« (1639; Madrid, Prado)

(m-RNA) als Informationsüberträger bei der Proteinbiosynthese, die **ribosomale RNS (r-RNA)** ist Bestandteil von → Ribosomen. Bei RNS-Viren ist eine virale RNS anstelle der DNS Träger der genet. Information.

Ribose *die* (D-Ribose), zu den Pentosen gehörendes → Monosaccharid, das als Baustein u. a. in Coenzymen und in Nucleinsäuren vorkommt. R. wird im Körper aus Glucose gebildet. Die R. liegt in der zyklischen (furanoxiden) Form vor, die α- und β-Formen bilden kann; beide stehen miteinander im Gleichgewicht, wobei ihr Übergang über die offenkettige Form erfolgt.

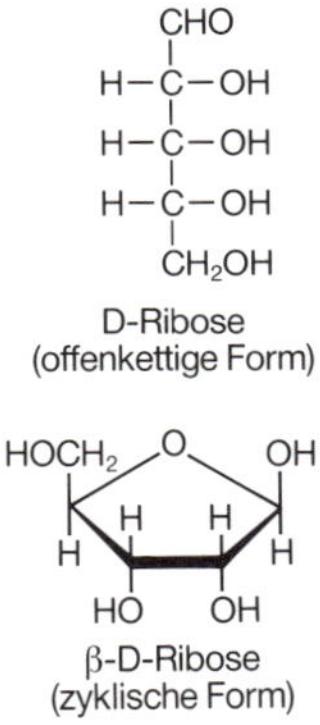

Ribose

Ribosomen, aus zwei Untereinheiten bestehende, elektronenmikroskopisch sichtbare Körnchen mit einem Durchmesser von 15–20 nm, die aus Ribonucleinsäure und Eiweißen aufgebaut sind und v. a. im Zytoplasma der Zellen vorkommen; teils als **Einzel-R.,** teils perlschnurartig auf einem RNS-Molekül (Messenger-RNS) aufgereiht **(Poly-R., Polysomen, Ergosomen).** Beide R.-Formen können, in Abhängigkeit vom Organisationsgrad und Funktionszustand der Zelle, in unterschiedl. Menge frei im Zytoplasma oder reversibel an das endoplasmat. Retikulum gebunden vorliegen. Poly-R. sind die Orte der Proteinsynthese.

Ribulose *die,* zu den Pentosen gehörendes Monosaccharid; als **R.-1,5-diphosphat** in der Photosynthese bedeutend.

Ricardo [rɪ'kɑːdəʊ], David, brit. Volkswirtschaftler, *London 18.(19.) 4. 1772, †Gatcombe Park (Cty. Gloucestershire) 11. 9. 1823; bed. Theoretiker der klass. Nationalökonomie. Ausgehend von A. Smith, entwickelte er ein in sich geschlossenes System der Volkswirtschaftslehre, dessen originäre Grundlagen u. a. eine Werttheorie sowie eine Theorie der Bodenrente (→ Grundrente) und der Einkommensverteilung sind.

David Ricardo (Ausschnitt eines zeitgenössischen Gemäldes)

Sebastiano Ricci: »Bacchus und Ariadne« (um 1717; Privatbesitz)

Katia Ricciarelli

Cliff Richard

Dickinson W. Richards

Ricci ['rittʃi], **1)** Marco, italien. Maler und Zeichner, getauft Belluno 5. 6. 1676, †Venedig 21. 1. 1730, Neffe und Schüler von 4); führte die barocke Landschaftsmalerei in Venedig ein.

2) Matteo, italien. Jesuit, *Macerata 6. 10. 1552, †Peking 11. 5. 1610; begründete die neuzeitl. kath. Chinamission (→Ritenstreit).

3) Nina, eigtl. Marie Nielli, frz. Modeschöpferin, *Turin 1883, †Paris 29. 11. 1970; seit 1905 mit eigenem Salon in Paris.

4) Sebastiano, italien. Maler, getauft Belluno 1. 8. 1659, †Venedig 15. 5. 1734, Onkel von 1); ausgebildet bes. in Bologna und Rom, tätig auch im Ausland, neben G. B. Piazzetta und G. B. Tiepolo der bedeutendste Maler des venezian. Rokoko; malte Fresken, religiöse und mytholog. Gemälde.

Ricciarelli [rittʃa'rɛlli], Katia, italien. Sängerin (Sopran), *Rovigo 16. 1. 1946; wurde v. a. mit Belcantopartien und lyr. Rollen des italien. Fachs bekannt; auch Konzertsängerin.

Riccio ['rittʃo], Andrea, eigtl. A. Briosco, italien. Bildhauer, *Padua um 1470, †ebd. 1532; schuf v. a. Kleinbronzen (bes. von Tieren) und Bronzegerät.

Riccione [rit'tʃo:ne], Seebad an der Adriaküste, Prov. Rimini, Italien, 31 500 Ew.; Fischereihafen; Bekleidungsind., Kunsthandwerk.

Rice [raɪs], Elmer, amerikan. Schriftsteller, eigtl. E. Reizenstein, *New York 28. 9. 1892, †Southampton (England) 8. 5. 1967; schrieb sozialkrit. Dramen (»Die Rechenmaschine«, 1923) und Romane (»Menschen am Broadway«, 1937).

Ricercar [ritʃɛr'ka:r; italien., zu ricercare »suchen«] *das,* Instrumentalkomposition, seit Anfang des 16. Jh. zunächst in der Lautenmusik als Intonationsstück nach dem Stimmen des Instruments belegt; um 1523 von der Orgelmusik aufgegriffen, übernahm das R. zunehmend die Form der durchimitierenden Motette; eine Vorform der Fuge.

Richard, Herrscher:

Hl. Röm. Reich: **1) R. von Cornwall,** König (1257 bis 1272), *Winchester 5. 1. 1209, †Berkhampstead Castle (bei Hemel Hempstead) 2. 4. 1272; Sohn des engl. Königs Johann ohne Land, am 13. 1. 1257 von den rhein. Kurfürsten gegen Alfons X. von Kastilien zum Röm. König gewählt und in Aachen gekrönt; seine Reg.zeit wird als »Interregnum« bezeichnet.

England: **2) R. I.,** gen. R. Löwenherz, König (1189–99), *Oxford 8. 9. 1157, †Châlus (bei Limoges) 6. 4. 1199; Sohn Heinrichs II. und der Eleonore von Aquitanien. R. wurde 1168 Herzog von Aquitanien und 1172 Herzog von Poitiers. Er nahm 1190–92 am 3. Kreuzzug teil und geriet auf dem Rückweg in die Gefangenschaft Herzog Leopolds von Österreich auf Burg Dürnstein und Kaiser Heinrichs VI. auf Burg Trifels (Pfalz); aus ihr konnte er sich erst 1194 durch hohes Lösegeld und Leistung des Lehnseides befreien. Der Bericht von der Befreiung durch den Sänger Blondel ist Sage. R.s Hauptgegner war der frz. König Philipp II. August.

3) R. II., König (1377–99), *Bordeaux 6. 1. 1367, †Pontefract Castle (bei Leeds) 14. 2. 1400; Sohn des »Schwarzen Prinzen« Eduard, letzter Herrscher aus dem Hause Plantagenet; er stand bis 1386 unter der Vormundschaft Johanns von Lancaster. Seine seit 1397 willkürl. Herrschaft führte 1399 zur Erhebung von Johanns Sohn Heinrich IV., der ihn zur Abdankung zwang; wahrscheinlich als Gefangener ermordet.

Richard III., König von England: Gemälde eines unbekannten Künstlers aus dem späten 16. Jh. (London, National Portrait Gallery)

4) R. III., König (1483–85), *Fotheringhay Castle (bei Corby, Cty. Northamptonshire) 2. 10. 1452, ⚔Bosworth Field 22. 8. 1485; jüngerer Bruder Eduards IV., aus der Linie York, seit 1461 Herzog von Gloucester, bahnte sich durch die (von ihm veranlasste oder geduldete) Ermordung seiner jungen Neffen Eduard V. und Richard von York

(1483) den Weg zum Thron, fiel in der Schlacht bei Bosworth gegen Heinrich VII. (Ende der Rosenkriege).

Richard ['rɪtʃəd], Sir (seit 1995) Cliff, eigtl. Harry Roger Webb, brit. Rocksänger und -gitarrist, *Lucknow (Indien) 14. 10. 1940; ist seit Ende der 50er-Jahre mit seinen Songs und religiösen Balladen einer der erfolgreichsten engl. Rockstars.

Samuel Richardson: Ausschnitt eines Gemäldes des englischen Porträtisten Joseph Highmore (1750; London, National Portrait Gallery)

Richards ['rɪtʃədz], **1)** Dickinson Woodruff, amerikan. Physiologe, *Orange (N. J.) 30. 10. 1895, †Lakeville (Conn.) 23. 2. 1973; verbesserte mit A. F. Cournand die Herzkatheterisierung und erhielt mit diesem und W. Forßmann 1956 den Nobelpreis für Physiologie oder Medizin.

2) I. A. (Ivor Armstrong), engl. Literatur- und Sprachwissenschaftler, *Sandbach (Cty. Cheshire) 26. 2. 1893, †Cambridge 7. 9. 1979; versuchte von der Sprachphilosophie her objektive Maßstäbe für die literar. Kritik zu gewinnen (→New Criticism).

3) Theodore William, amerikan. Chemiker, *Germantown (Pa.) 31. 1. 1868, †Cambridge (Mass.) 2. 4. 1928; arbeitete u. a. über Atomgewichtsbestimmungen, Atomvolumina, Neutralisationswärmen und Elektrochemie; erhielt für die exakte Bestimmung von Atomgewichten zahlr. chem. Elemente 1914 den Nobelpreis für Chemie.

Richards Bay ['rɪtʃədz beɪ], Hafen- und Ind.-Stadt in der Prov. KwaZulu-Natal, Rep. Südafrika, am Ind. Ozean, 30 000 Ew.; Tiefwasserhafen, Kohleexport, Düngemittelind., Aluminiumhütte, Erdölraffinerie; Eisenbahnknotenpunkt.

Richardson ['rɪtʃədsn], **1)** Dorothy Miller, engl. Schriftstellerin, *Abingdon (Cty. Berkshire) 17. 5. 1873, †Beckenham (heute zu London) 17. 6. 1957; stellte in dem Romanzyklus »Pilgrimage« (Bd. 1–12, 1915–38; Bd. 13, hg. 1967) unter Verzicht auf äußere Handlung das psych. Erleben einer Lehrerin dar. Sie gilt als Pionier der Erzähltechnik des →Stream of Conciousness.

2) Robert Coleman, amerikan. Physiker, *Washington D. C. 26. 6. 1937; Prof. an der Cornell University in Ithaca (NY); entdeckte 1971/72 bei Tieftemperaturuntersuchungen die suprafluiden Phasen von ^{3}He. 1996 erhielt er dafür mit D. D. Osheroff und D. M. Lee den Nobelpreis für Physik.

3) Sir (seit 1939) Owen Williams, brit. Physiker, *Dewsbury 26. 4. 1879, †Alton (Cty. Hampshire) 15. 2. 1959; untersuchte experimentell und theoretisch die Elektronenemission glühender Metalloberflächen (**R.-Effekt,** →Glühemission) und stellte für sie eine Exponentialformel (**R.-Gleichung**) auf, die die Grundlage für die spätere Theorie der Glühkathodenröhre bildete; erhielt 1928 den Nobelpreis für Physik.

4) Samuel, engl. Schriftsteller, getauft Mackworth (bei Derby) 19. 8. 1689, †Parson's Green (heute zu London) 4. 7. 1761; urspr. Buchdrucker, Schöpfer des empfindsamen, psychologisierenden Briefromans, u. a. »Pamela ...« (2 Bde., 1740), »Clarissa ...« (7 Bde., 1748). R. hat die engl. und europ. Literatur des 18. Jh. stark beeinflusst.

Richelieu [riʃəl'jø], Armand-Jean du Plessis, Herzog von, frz. Staatsmann, Kardinal (seit 1622), *Paris 9. 9. 1585, †ebd. 4. 12. 1642; wurde 1608 Bischof von Luçon, 1616 Staatssekretär, 1624 als Erster Minister Ludwigs XIII. in den Staatsrat berufen. Seine Politik verfolgte drei Hauptziele: Beseitigung der Sonderstellung der →Hugenotten, Entmachtung des Hochadels, Befreiung Frankreichs aus der spanisch-habsburg. Umklammerung. Mit dem Fall von La Rochelle (1628) mussten die Hugenotten ihre Sonderrechte aufgeben; im Gnadenedikt von Alès (1629) gewährte er religiöse Duldung und beließ ihnen ihre kirchl. Organisation. Um den Einfluss des Hochadels zu beschränken, musste R. einer Reihe von Adelserhebungen und Verschwörungen niederschlagen oder im Keim ersticken; mit dem neuen Amt des Intendanten sicherte er die Verw. im Sinne der Krone. Durch das Eingreifen in den Dreißigjährigen Krieg auf prot. Seite 1635 wurde schließlich der Sieg Habsburgs verhindert. R.s Politik setzte den Absolutismus durch und schuf (u. a. durch die Gründung der Académie française 1635) auch die Grundlage für

Theodore W. Richards

Robert C. Richardson

Owen Williams Richardson

Richelieu

Nachruf des als Moralist und Maximenschreiber bekannt gewordenen Herzogs von La Rochefoucauld-Liancourt auf Kardinal Richelieu:

»Viel Blut war in der Zeit seines gestrengen Ministeriums geflossen, die Großen des Reiches waren gedemütigt, das Volk mit Abgaben überlastet worden; aber die Eroberung von La Rochelle, die Vernichtung der Hugenotten als Partei, die Erniedrigung des Hauses Österreich, die Größe seiner Absichten und die Geschicklichkeit, mit der er sie ins Werk setzte, sollten allen privaten Groll ersticken und sein Gedächtnis mit dem Ruhm kränzen, den es gerechterweise verdient.«

die kulturelle Vorrangstellung Frankreichs unter Ludwig XIV.

📖 CARMONA, M.: *R. L'ambition et le pouvoir. Paris 1983.* – BERGIN, J.: *Cardinal R. Power and the pursuit of wealth. New Haven, Conn., 1985.*

Armand-Jean du Plessis, Herzog von Richelieu: Ausschnitt eines Gemäldes von Philippe de Champaigne (um 1635; London, National Gallery), darunter Autogramm

Richet [riˈʃɛ], Charles Robert, frz. Physiologe, *Paris 26. 8. 1850, †ebd. 4. 12. 1935; entdeckte die Anaphylaxie; dafür erhielt er 1913 den Nobelpreis für Physiologie oder Medizin

Charles Richet

Richier [riˈʃje], Germaine, frz. Bildhauerin und Grafikerin, *Grans (bei Arles) 16. 9. 1904, †Montpellier 31. 7. 1959; Schülerin von A. Bourdelle. Sie gestaltete bizarre, häufig mit Draht verspannte Figuren. In späteren Arbeiten führte R. das Körperliche immer mehr auf einfachste, zeichenhafte Elemente zurück. Sie schuf Radierungen und illustrierte u.a. Werke von A. Rimbaud.

Richling, Mathias, Kabarettist, *Stuttgart 24. 3. 1953; spielte 1976 im Stuttgarter »Renitenztheater« sein erstes Soloprogramm; bekannt durch zahlreiche Fernsehsendungen (»Jetzt schlägt's R.« u.a.); erhielt 1987 den Dt. Kleinkunstpreis.

Mathias Richling

Richmond [ˈrɪtʃmənd], **1)** Stadtbezirk von New York, umfasst Staten Island.

2) Hptst. des Staates Virginia, USA, am bis R. schiffbaren James River; 201 100 Ew.; drei Univ.; Tabak-, Bekleidungs-, Papier-, Metallindustrie. – 1737 gegr., im Sezessionskrieg 1861–65 Hptst. der Südstaaten.

3) Richmond upon Thames, Stadtbezirk im W Londons; Observatorium, Parkanlagen.

Richtbake, *Schifffahrt:* ortsfestes Seezeichen, das in Verbindung mit einer Landmarke eine im Fahrwasser einzuhaltende Richtung angibt.

Richtcharakteristik (Richtdiagramm, Strahlungscharakteristik), Kennlinie oder -fläche, die den räuml. Verlauf der Feldstärke bzw. Intensität eines Sende- oder Empfangssystems für elektromagnet. oder Schallwellen in Abhängigkeit von der Richtung zeigt, z.B. bei Antennen.

Richten, *Fertigungstechnik:* Kalt- oder Warmverformung von Werkstücken mit dem Ziel, Ausbeulungen und Verbiegungen von Stäben, Profilen u.a. zu beseitigen bzw. auf die angestrebte Form zurückzuführen.

Richter, ein zur Entscheidung von Rechtsstreitigkeiten berufenes staatl. Organ zur Rechtspflege, dem nach Art. 92 GG die Recht sprechende Gewalt (Judikative) anvertraut ist. – Die Rechtsverhältnisse der R., die nicht Beamte im Sinne des Beamten-Ges. sind, werden durch das Dt. R.-Gesetz und durch Landes-Ges. geregelt. Das Dt. R.-Gesetz unterscheidet zw. Berufs- und ehrenamtl. R. (frühere Bez. Laien-R.). Berufs-R. ist, wer die Befähigung zum R.-Amt hat (→Jurist) und durch Ernennungsurkunde i.d.R. auf Lebenszeit in das R.-Verhältnis berufen worden ist. Ehrenamtl. R. ist, wer, ohne Berufs-R. zu sein, die Recht sprechende Gewalt ausübt (z.B. Schöffen). Nach Art. 97, 98 GG sind R. persönlich und sachlich unabhängig, d.h., sie sind grundsätzlich unabsetzbar und unversetzbar sowie nur an Gesetz und Recht gebunden, d.h., R. sind in ihrer richterl. Tätigkeit keinerlei Weisungsbefugnis unterworfen. Die R. der obersten Bundesgerichte werden durch einen R.-Wahlausschuss gewählt **(R.-Wahl)** und nach Zustimmung des zuständigen Bundesmin. vom Bundespräs. ernannt. Die R. des →Bundesverfassungsgerichts werden in einem besonderen Verfahren gewählt. Einige Bundesländer sehen für die Anstellung der R. ebenfalls R.-Wahlen vor.

R. der ehem. DDR wurden nach der Vereinigung durch R.-Wahlausschüsse auf ihre persönl. und fachl. Eignung überprüft und bei positivem Ergebnis zur Ernennung vorgeschlagen. – In *Österreich* werden die beamteten (Berufs-)R. auf Vorschlag der Bundesreg. vom Bundespräs. oder auf-

Franz Xaver Richter als Kapellmeister am Straßburger Münster, Holzstich (um 1880) nach einer zeitgenössischen Vorlage

Gerhard Richter: »Abstraktes Bild« (1977; Toronto, Art Gallery of Ontario)

grund dessen Ermächtigung vom zuständigen Bundesmin. ernannt. – In der *Schweiz* werden die R. der kantonalen Gerichte vom Volk oder vom Kantonsparlament, die R. der eidgenöss. Gerichte von der Bundesversammlung gewählt.

📖 QUART, P.: *Umfang u. Grenzen polit. Betätigungsfreiheit des Richters. Frankfurt am Main 1990.*

Richter, *A. T.:* zentrale Gestalten des **Buches der Richter** (Abk. **Ri.;** entstanden im 7. oder 6. Jh. v. Chr.), das zw. den sechs »Großen R.«, charismat. Heerführern einzelner israelit. Stämme in vorkönigl. Zeit (z. B. Simson), und den sechs »Kleinen R.«, den Inhabern eines zentralen Amtes im israelit. Stämmeverband, unterscheidet.

Richter, 1) [ˈrɪktə], Burton, amerikan. Physiker, *New York 22. 3. 1931; erhielt 1976 zus. mit S. Ting für die Entdeckung eines neuen Elementarteilchens (→Psiteilchen) den Nobelpreis für Physik.

2) Franz Xaver, böhm. Komponist, *wohl Holešov (bei Zlín) 1. 12. 1709, †Straßburg 12. 9. 1789; bed. Vertreter der Mannheimer Schule; ab 1769 Kapellmeister am Straßburger Münster, schuf Sinfonien, Konzerte, Kammer- und Kirchenmusik.

3) Gerhard, Maler und Grafiker, *Dresden 19. 2. 1932; malte gegen Ende der 1960er-Jahre nach fotograf. Vorlagen Bilder in verwischten Grautönen, Farbtafeln nach dem Vorbild von Farbmusterkarten sowie Serien (»Stadtansichten«, »Gebirgslandschaften«); ab 1976 entstanden auch pastos gemalte abstrakte Bilder von effektvoller Farbigkeit.

4) Hans (János), Dirigent, *Raab (heute Győr, Ungarn) 4. 4. 1843, †Bayreuth 5. 12. 1916; 1875–98 Kapellmeister der Hofoper in Wien, leitete 1876 die erste Gesamtaufführung von R. Wagners »Ring des Nibelungen« in Bayreuth.

5) Hans, Maler und Filmkünstler, *Berlin 6. 4. 1888, †Minusio (bei Locarno) 1. 2. 1976; stand zunächst Kubismus und Expressionismus nahe und schloss sich 1916 in Zürich den Dadaisten an. Über Zeichnungsfolgen, die ein Thema in versch. Zeitphasen festhalten (»Rollen«), kam er 1921 zum experimentellen Film, dessen abstrakte Spielart (Film als musikal. Analogie) er wesentlich weiterentwickelte. R. emigrierte 1941 in die USA.

6) Hans Theo, Zeichner und Grafiker, *Rochlitz 7. 8. 1902, †Dresden 14. 9. 1969; 1947–67 Prof. in Dresden; schuf verhaltene Darstellungen, die sich thematisch bes. der Beziehung zw. Mutter und Kind sowie der Poesie des Alltags zuwenden.

7) Hans Werner, Schriftsteller, *Bansin 12. 11. 1908, †München 23. 3. 1993; Mitbegründer der →Gruppe 47, schrieb realist. Romane über die Kriegs- und Nachkriegszeit: »Die Geschlagenen« (1949), »Du sollst nicht töten« (1955), »Linus Fleck« (1959), »Die Stunde der falschen Triumphe« (1981), »Ein Julitag« (1982); autobiographisch »Reisen durch meine Zeit« (1989). BILD S. 446

8) Horst-Eberhard, Psychoanalytiker, *Berlin 28. 4. 1923; ab 1962 Prof. für Psychosomatik in Gießen; trat bes. mit Arbeiten auf dem Gebiet der Psychotherapie hervor: »Eltern, Kind und Neurose« (1963), »Die Gruppe« (1972), »Zur Psychologie des Friedens« (1982), »Die hohe Kunst der Korruption« (1989).

Burton Richter

Hans (János) Richter

Hans Richter: »Visionäres Porträt« (1917; Privatbesitz)

9) Johann Paul Friedrich, Schriftsteller, →Jean Paul.

10) Karl, Organist und Dirigent, *Plauen 15. 10. 1926, †München 15. 2. 1981; war Organist an der Leipziger Thomaskirche und seit 1951 in München Leiter des Bach-Chores und des Bach-Orchesters.

Ludwig Richter: »Genoveva« (1841; Hamburg, Kunsthalle)

11) (Adrian) Ludwig, Maler, Zeichner und Illustrator, *Dresden 28. 9. 1803, †ebd. 19. 6. 1884; Schüler seines Vaters, des Kupferstechers Carl August R. (*1770, †1848); 1823–26 in Italien zum Maler ausgebildet und dort v.a. von J. A. Koch beeinflusst; 1828–35 Zeichenlehrer an der Porzellanmanufaktur in Meißen, 1836–71 Prof. an der Dresdner Akademie. Zu den bekanntesten Gemälden zählen »Der Watzmann« (1826; München, Neue Pinakothek), »Überfahrt am Schreckenstein« (1837; Dresden, Gemäldegalerie) und »Genoveva« (1841; Hamburg, Kunsthalle). Viele Aufträge für Buchillustrationen führten zur Entfaltung seiner zeichner. Begabung. In Vorzeichnungen für Holzschnitte und Lithographien, auch in frei komponierten Sammelwerken, entstand eine reiche, biedermeierl. Bildwelt volkstüml. Charakters.

Hans Werner Richter

12) Swjatoslaw Teofilowitsch, ukrain. Pianist, *Schitomir 20. 3. 1915, †Moskau 1. 8. 1997; einer der bedeutendsten Klaviervirtuosen der neueren Zeit. Sein Repertoire reichte von der Klaviermusik des Barock über die Klassik und Romantik bis zu Werken zeitgenöss. Komponisten.

Karl Richter

Richteranklage, in Dtl. Anklage gegen einen Bundesrichter vor dem Bundesverfassungsgericht, wenn dieser innerhalb oder außerhalb seines Amtes gegen die Grundsätze des GG oder gegen die verfassungsmäßige Ordnung eines Landes verstößt (Art. 98 GG).

richterliche Selbstbeschränkung, den Organen der Verfassungsgerichtsbarkeit auferlegter Grundsatz, der es den Gerichten verwehrt, in den von der Verf. geschaffenen Raum freier polit. Gestaltung anderer Verf.organe einzugreifen. Namentlich dürfen die Verf.gerichte ihre Wertvorstellungen nicht gegen diejenigen des Gesetzgebers austauschen, solange und soweit die gesetzgeber. Vorstellungen von der Verf. gedeckt sind.

richterliches Prüfungsrecht, das Recht (und die Pflicht) der Gerichte, die Gültigkeit einer von ihnen anzuwendenden Rechtsnorm zu prüfen. Das **formelle r. P.,** das den ordnungsgemäßen Erlass einer Rechtsvorschrift betrifft, steht jedem Gericht zu; das die inhaltl. Gültigkeit betreffende **materielle r. P.** steht bei Gesetzen grundsätzlich nur den Verfassungsgerichten zu (Art. 100 GG; →Normenkontrolle). – In *Österreich* steht das materielle r. P. von Gesetzen und Verordnungen stets dem Verfassungsgerichtshof zu. In der *Schweiz* sind Bundesgesetze, genehmigte Staatsverträge u.a. dem r. P. entzogen; Verordnungen des Bundesrates werden nur auf ihre Gesetzmäßigkeit hin überprüft.

Richterrecht, Rechtsnormen, die nicht durch den staatl. Gesetzgeber, sondern durch Gerichtsurteil geschaffen werden. Diese Rechtsfortbildung kann geschehen durch Ausfüllen von Gesetzeslücken, Auslegung, Grundsatzentscheidungen (von Obergerichten) und die Rechtsneuschöpfung im Rahmen der gesetzl. Leitgedanken. Im angloamerikan. Rechtskreis ist das dem R. ähnliche **Case-Law** (→Fallrecht) von Bedeutung.

Swjatoslaw Richter (um 1965)

Richter-Skala [nach dem amerikan. Seismologen Charles Francis Richter, *1900, †1985], nach oben nicht begrenzte Erdbebenskala zur objektiven Feststellung der bei einem Erdbeben ausgelösten Energie mithilfe von Seismographen. Als Maß dient die **Magnitude.** Erdbeben der Magnitude (M) 2,5 sind fühlbar, solche von M 4,5 richten leichte Schäden an, solche von M 7 können sich zu Katastrophen ausweiten. Aufgrund des logarithm. Stärkemaßes ist ein Erdbeben z.B. von M 7 10-mal stärker als eines von M 6, dem eine freigesetzte Energie von 6×10^{13} Joule entspricht. Die bisher registrierten Magnituden reichen von etwa 0 bis 8,6. (→Mercalli-Skala)

Richterwahl, →Richter.

Richtfunkverbindung, drahtlose Punkt-zu-Punkt-Verbindung zur Übertragung von Fernseh- und Rundfunkprogrammen sowie von Fernsprech-, Telegrafie- und Datenmultiplexsignalen mit gerichteten Dezimeter- oder Zentimeterwellen. Eine R. besteht aus Funksende- und Funkempfangsanlagen, Richtantennen und Funkfeld. Bei **terrestr. R.** (entlang der Erdoberfläche) ist wegen der geradlinigen Wellenausbreitung die Funkfeldlänge auf 20–80 km begrenzt, bei größeren Entfernungen müssen →Relaisstationen zwischengeschaltet werden. Große Entfernungen werden mit **Scattering-R.** (einige 100 km; →Scattering) und **Satelliten-R.** (einige 1000 km) überwunden.

Richtgeschwindigkeit, empfohlene Geschwindigkeit; auf Bundesautobahnen laut Verordnung von 1978 130 km/h, soweit durch Verkehrszeichen (blaues Rechteck, weiße Zahl) nicht niedriger ausgewiesen.

Richtgröße (Direktionsgröße, Direktionskraft), das konstante Verhältnis von rücktreibender Kraft (→Rückstellkraft) und Entfernung aus der Ruhelage bei der Auslenkung eines Körpers aus einer stabilen Gleichgewichtslage.

Richthofen, 1) Ferdinand Freiherr von, Geograph und Geologe, *Carlsruhe in Oberschlesien (heute Polzój, Wwschaft Opole) 5. 5. 1833, †Berlin 6. 10. 1905; bereiste O- und SO-Asien, arbeitete als Geologe in Kalifornien und machte 1868–72 Forschungsreisen durch China. R. baute die phys. Geographie, bes. die Geomorphologie, aus.

Werk: China, 5 Bde. und Atlas (1877–1912).

2) Manfred Freiherr von, gen. »der rote Baron« (nach der Farbe seines Dreideckers), Offizier, *Breslau 2. 5. 1892, ⚔ Vaux-sur-Somme 21. 4. 1918; erfolgreichster dt. Jagdflieger im 1. Weltkrieg. – Autobiographie: »Der rote Kampfflieger« (1917).

Richthofengebirge [nach F. von Richthofen] (chines. Qilian Shan), die nordöstl. Randkette des Nan Shan in China, bis 5394 m ü. M., vergletschert.

Richtkoppler (Richtungskoppler), *Elektrotechnik:* Bauelement, bei dem ein Teil der übertragenen Energie vom Hauptübertragungsweg abgezweigt und auf einen anderen Weg gekoppelt wird; z. B. als Leistungsteiler, Frequenzweiche oder Schalter verwendet.

Richtkraft, *Physik:* die →Rückstellkraft.

Richtlinien, 1) *Europarecht:* rahmengesetzähnl. Rechtsvorschriften des Rates oder der Kommission der EG, die sich an die Mitgl.staaten (nicht an die Einzelbürger) wenden und sie verpflichten, binnen einer Frist die Ziele der R. in innerstaatl. Recht umzusetzen (Art. 189 EG-Vertrag). Der Europ. Gerichtshof lässt allerdings zu, dass sich der Bürger bei zögerl. Umsetzung von R. auf diese berufen kann.

2) *Verwaltungsrecht:* abstrakt-generelle Anordnungen einer vorgesetzten Dienststelle an untergeordnete Verwaltungsstellen, die grundsätzlich nur im Innenverhältnis wirken.

Ferdinand Freiherr von Richthofen

Richtpreis, durch Behörden oder Verbände als angemessen bestimmter Preis, dessen Einhaltung (im Unterschied zum →Festpreis) jedoch nicht erzwungen werden kann; im Sinne des Wettbewerbsrechts der empfohlene Preis (→Preisbindung); im Sinne der →Agrarmarktordnungen der EG der angestrebte angemessene Erzeugerpreis.

Richtscheit (Setzlatte), gerades Lineal mit parallelen Flächen, vom Maurer, Tischler u. a. benutzt zur Herstellung ebener Flächen, auch zum Aufsetzen einer Wasserwaage.

Richtungsleiter, Bauelement der Mikrowellentechnik, das in Durchlassrichtung eine sehr niedrige (<0,5 dB), in Sperrichtung eine hohe Dämpfung (>20 dB) für elektromagnet. Wellen aufweist. R. dienen z. B. in Antennenzuleitungen

Richter-Skala: Magnitudenskala mit Vergleichsgrößen

Magnituden (Näherungswerte)	*Intensitätsgrad*)*	*Stärke*	*Wirkungen auf Personen, Gebäude und Natur*
	I	unmerklich	nur mit Instrumenten nachweisbar
	II	sehr leicht	vereinzelt verspürt
	III	leicht	vor allem von ruhenden Personen deutlich verspürt
	IV	mäßig stark	in Häusern allgemein verspürt, aufweckend; Geschirr, Fenster klirren
	V	ziemlich stark	im Freien allgemein verspürt; hängende Gegenstände pendeln
	VI	stark	erschreckend; Kamine und Verputz beschädigt
um 6,0	VII	sehr stark	viele flüchten ins Freie; mäßige Gebäudeschäden; Kamine fallen herunter
um 6,8	VIII	zerstörend	allgemeiner Schrecken; viele alte Häuser beschädigt; Giebelteile stürzen ein; Erdrutsche; Veränderungen an Quellen
7,0–7,5	IX	verwüstend	Panik; starke Schäden an schwachen Gebäuden; Wände und Dächer können dabei einstürzen; Zerbrechen von unterirdischen Rohrleitungen; Bodenrisse; Bergstürze
um 8,0	X	vernichtend	allgemeine Panik; Backsteinbauten werden zerstört; bis zu einem Meter breite Spalten im Boden; Verbiegen von Schienen
	XI	Katastrophe	nur wenige Gebäude halten stand; umfangreiche Veränderungen des Erdbodens; Flutwelle
	XII	Große Katastrophe	Hoch- und Tiefbauten werden total zerstört; tiefgreifende Umgestaltung der Erdoberfläche; Flutwellen

*) nach der Mercalli-Skala

zur Verminderung von Reflexionen und zum reflexionsfreien (rückkopplungsfreien) Anschluss von Generatoren an das Übertragungssystem.

Heinrich Rickert

Richtungswinkel, *Geodäsie, Kartographie:* der im Uhrzeigersinn gezählte Winkel, den in einem Punkt der Erdoberfläche oder in einer Karte die nach Gitternord weisende Netzlinie des Koordinatennetzes und eine gerichtete Gerade (geodät. Linie) durch den betreffenden Punkt miteinander bilden.

Ricin *das* (Rizin), giftiger Eiweißstoff aus den Samen der Rizinuspflanze (→Rizinus); seine tox. Wirkung beruht auf der Agglutination der roten Blutkörperchen. Beim Pressen von Rizinussamen geht R. nicht in das Rizinusöl über.

Ricinolsäure (Rizinusölsäure), ungesättigte Monohydroxycarbonsäure, →Rizinusöl.

Rick, *Pferdesport:* bei Springprüfungen ein Hindernis aus mehreren übereinander angeordneten Stangen; erfordert einen Steilsprung des Pferdes.

Ricke, ausgewachsenes weibl. Reh.

Rickert, Heinrich, Philosoph, *Danzig 25. 5. 1863, †Heidelberg 30. 7. 1936; begründete mit W. Windelband die südwestdt. (bad.) Schule des →Neukantianismus. R. schrieb u.a. »Kulturwiss. und Naturwiss.« (1899), »System der Philosophie« (1921) und »Grundprobleme der Philosophie« (1934).

George Rickey: Mobile, Stahlskulptur (1969; Berlin, Terrasse vor der Nationalgalerie)

Rickettsien [nach dem amerikan. Pathologen H.T. Ricketts, *1871, †1910], kleine (0,2–1 μm), unbewegl. gramnegative Bakterien; leben im Darm und Darmepithel versch. Gliederfüßer (Läuse, Milben, Zecken, Flöhe) und können durch deren parasitäre Lebensweise auf Mensch und Tier übertragen werden, wo sie z.T. schwere Infektionskrankheiten hervorrufen **(Rickettsiosen),** so beim Menschen →Fleckfieber, →Fünftagefieber.

Rickey ['rɪkɪ], George, amerikan. Bildhauer, *South Bend (Ind.) 6. 6. 1907; gestaltete, ausgehend vom Konstruktivismus, Mobiles mit Stäben, Quadrat-, Rechteck- oder Dreieckflächen, die in den Raum greifen und Licht reflektieren.

Ridderbusch, Karl, Sänger (Bass), *Recklinghausen 29. 5. 1932, † Wels 20. 06. 1997; wurde bes. als Wagner-Interpret bekannt.

Karl Ridderbusch

Ridinger (Riedinger), **1)** Georg, Baumeister, *Straßburg 24. 7. 1568, †vermutlich nach 1628; baute 1605–14 das Schloss Aschaffenburg, ein Hauptwerk der dt. Renaissance-Baukunst.

2) Johann Elias, Maler und Grafiker, *Ulm 16. 2. 1698, †Augsburg 10. 4. 1767; schuf Gemälde und über 1600 Kupferstiche und Radierungen mit Jagdszenen.

Riechgras, das →Ruchgras.

Riechstoffe, die →Geruchsstoffe.

Ried (Rieth, Ryed), Benedikt, auch Meister Benedikt, Steinmetz und Baumeister, *Piesting (bei Wiener Neustadt) (?) um 1454, †Prag 30. 10. 1534; in Prag erstmals 1489 nachweisbar, schuf dort v.a. den Wladislawsaal (1493–1502) im Königspalast auf dem Hradschin, ferner das königl. Oratorium im St.-Veits-Dom (1490–93). R. knüpfte an die Tradition der süddt. Spätgotik an, setzte sich aber auch mit der italien. Renaissance auseinander.

Ried, 1) *Biologie:* grasähnl. Pflanzen der Familie →Riedgräser.

2) *süddt., mitteldt.:* sumpfige Gegend, Moor.

Riedböcke (Wasserböcke, Reduncinae), Unterfamilie bis rothirschgroßer Antilopen mit acht Arten in Afrika; Männchen mit Hörnern. – Zu den R. gehören u.a. Grays Wasserbock, Litschiwasserbock, Kobantilope, Wasserbock (Hirschantilope), Großer Riedbock, Kleiner Riedbock (Isabellantilope).

Riedel [oberdt.], lang gestreckter Rücken zw. benachbarten, meist parallel verlaufenden Tälern.

Riedgräser (Sauergräser, Cyperaceae), weltweit verbreitete Familie der Einkeimblättrigen mit windbestäubten Blüten in der Achsel von Deckspelzen. Die Frucht ist eine Nuss. R. sind landwirtschaftlich minderwertig. Zu den R. gehören →Segge, →Simse, →Wollgras, →Zypergras.

Ried im Innkreis, Bezirkshauptort im Innviertel, in Oberösterreich, am Nordfuß des Hausrucks, 11300 Ew.; Landwirtschaftsmesse; Ski-, Maschinenfabrik, Bekleidungs-, Möbel- u.a. Industrie.

Johann Elias Ridinger: »Hirsch mit 16 Enden«, Kupferstich (um 1740)

Riedl, Josef Anton, Pseud. Józef Mann, Komponist, *München 11. 6. 1927; 1960 Mitbegründer und bis 1966 leitender Mitarbeiter des Studios für Elektron. Musik in München. Mit der von ihm

Riedböcke: Kleiner Riedbock (Körperlänge bis zu 1,4 m)

gegr. Gruppe »Musik/Film/Dia/Licht-Galerie« realisiert er seit 1967 Multimediaaufführungen.

Riedlingen, Stadt im Landkreis Biberach, Bad.-Württ., an der Donau, 9500 Ew.; FH (Kolping-Akademie); Metallwarenfabrik, Textilind.; Fremdenverkehr. – Malerisches Stadtbild mit Rathaus (15./16. Jh.), Georgskirche (14./15. Jh.) und Fachwerkhäusern.

Riefenstahl, Leni, Filmschauspielerin und -regisseurin, *Berlin 22. 8. 1902; drehte »Das blaue Licht« (1932), die Propagandafilme über die Reichsparteitage in Nürnberg »Sieg des Glaubens« (1933) und »Triumph des Willens« (1934), ferner die zweiteilige Dokumentation über die Olymp. Spiele 1936; nach 1945 Fotografin (»Die Nuba«, 1973); »Memoiren« (1987).

Riegel, 1) *Bautechnik:* waagerechter Balken (Fachwerkbau); horizontales oder schräges Konstruktionselement (Rahmentragwerke).

2) *Geographie:* Bergvorsprung vor einer Talenge.

3) *Sicherheitstechnik:* Schließvorrichtung an Tür, Fenster oder Geräten.

Riegl, Alois, österr. Kunsthistoriker, *Linz 14. 1. 1858, †Wien 17. 6. 1905; ab 1897 Prof. in Wien; überwand durch eine streng entwicklungsgeschichtl. Betrachtungsweise die von ästhet. Werturteilen ausgehende Kunstgeschichtsschreibung, kam zu einer neuen Würdigung der »Verfallszeiten« (Spätantike) und klärte wesentl. Fragen der Ornamententwicklung.

Riehen, nördliche Nachbargemeinde von Basel, Schweiz; 19700 Ew.; Beyeler-Museum (Gebäude von R. Piano), Spielzeug- und Dorfmuseum mit Rebkeller, Katzenmuseum. – Bis 1522 Besitz der Bischöfe von Basel.

Riehl, 1) Alois, österr. Philosoph, *Bozen 27. 4. 1844, †Neubabelsberg (heute zu Potsdam) 21. 11. 1924. Als Neukantianer suchte er die Erkenntniskritik Kants in realist. Sinn fortzubilden. R. schrieb »Der philosoph. Kritizismus ...«, 2 Bde. in 3 Tln. (1876–87), »Zur Einführung in die Philosophie der Gegenwart« (1903).

Josef Anton Riedl

2) Wilhelm Heinrich von (seit 1883), Kulturhistoriker und Novellist, *Biebrich (heute zu Wiesbaden) 6. 5. 1823, †München 16. 11. 1897; Redakteur, 1848/49 Mitgl. der Frankfurter Nationalversammlung, seit 1854 Prof. in München, seit 1885 auch Direktor des Bayer. Nationalmuseums; wurde einer der Begründer der wiss. Volkskunde in Dtl. In seiner »Naturgesch. des dt. Volkes ...« (1851–69, 4 Bde.) beschrieb er die materielle und geistig-moral. Situation versch. Volksschichten mehrerer histor. Epochen. Seit den 1860er-Jahren widmete sich R. v. a. der Kulturgeschichte. Populär waren seine biedermännisch-humorvollen Novellen.

Wilhelm Heinrich Riehl (zeitgenössische Radierung)

Riemann, 1) Georg Friedrich Bernhard, Mathematiker, *Dannenberg (Elbe) 17. 9. 1826, †Selasca (heute zu Verbania, Italien) 20. 7. 1866; einer der bedeutendsten Forscher des 19. Jh. auf allen Gebieten der Mathematik und Physik, entwickelte den modernen Integralbegriff, gestaltete bahnbrechend die Funktionentheorie durch Verbindung mit geometr. Hilfsmitteln und arbeitete über die partiellen Differenzialgleichungen der theoret. Physik. Für die Relativitätstheorie bedeutend wur-

Leni Riefenstahl mit ihrem Kameramann Hans Ertl bei Dreharbeiten über die Olympischen Spiele 1936

Bernhard Riemann

Hugo Riemann

Katja Riemann

den R.s Arbeiten über die Grundlagen der Geometrie (→ riemannsche Geometrie).

📖 Bottazini, U.: *The higher calculus. New York 1986.*

2) Hugo, Musikforscher, *Groß-Mehlra (heute zu Obermehler, Unstrut-Hainich-Kreis) 18. 7. 1849, †Leipzig 10. 7. 1919; ab 1895 Univ.lehrer in Leipzig (1901 Prof.), ab 1908 Direktor des von ihm dort gegr. musikwiss. Instituts. R. baute die Musiktheorie (funktionelle Harmonielehre, musikal. Rhythmik und Metrik, Phrasierungslehre) entscheidend aus und förderte die Musikgesch., bes. durch Entdeckung und Auswertung neuer Quellen des 15. Jh., der Mannheimer Schule u. a.

Werke: Musik-Lexikon (1882); Große Kompositionslehre, 3 Bde. (1902–13); System der musikal. Rhythmik und Metrik (1903); Hb. der Musikgesch., 5 Tle. (1904–13).

3) Katja, Schauspielerin, *Kirchweyhe (heute zu Weyhe, bei Bremen) 1. 11. 1963; wurde bekannt mit dem Film »Abgeschminkt!« (1992); auch Theaterdarstellerin. – *Weitere Filme:* »Der bewegte Mann« (1994), »Stadtgespräch« (1995), »Die Apothekerin« (1997).

riemannsche Geometrie [nach G. F. B. Riemann], System geometr. Sätze für *n*-dimensionale Räume, das die nichteuklid. Geometrien als Sonderfälle enthält. Die r. G. beantwortet die Frage nach mögl. Gestaltverhältnissen des Raumes. In ihr wird der Begriff der Geraden, die zwei Punkte verbindet, ersetzt durch den Begriff der kürzesten Linie zw. diesen Punkten (geodät. Linie), der Raum selbst kann eine von Ort zu Ort veränderl. Krümmung haben. Die geometr. Eigenschaften dieses Raumes werden durch den Fundamentaltensor (metr. Tensor) beschrieben. Die r. G. ist das wichtigste mathemat. Hilfsmittel der allg. Relativitätstheorie.

Riemen, 1) *allg.:* Gewebe- oder Lederstreifen, oft mit Schnalle und Löchern zum Schließen.

2) *Maschinenbau:* elast. Band aus Leder, Gummi, Kunststoffen oder Gewebe, meist zur Kraftübertragung zw. Wellen. Die erforderl. Umfangskraft wird dabei durch das Haftvermögen zw. R. und R.-Scheibe aufgebracht.

3) *Rudersport:* (fälschlich Ruder) einseitig von jedem Ruderplatz über die Bordwand ragender, mit beiden Händen zu bewegender Holm mit Ruderblatt; länger als die beidseitig zu bedienenden Skulls.

Riemenblume (Loranthus), Gattung der Mistelgewächse; Schmarotzer auf Bäumen. Die **Eichenmistel (Europ. R.,** Loranthus europaeus) schmarotzt auf Eichen.

Riemengetriebe (Riementrieb), kraftschlüssiges → Zugmittelgetriebe.

Riemenschneider, Tilman, Bildhauer und Bildschnitzer, *Heiligenstadt um 1460, †Würzburg 7. 7. 1531; dort vor 1479 zuerst nachweisbar, 1520/21 Bürgermeister; trat im Bauernkrieg 1525 für die Bauern ein und verlor nach Folterung und Kerker Ämter und Ehren. Seine künstler. Entwicklung wurde entscheidend durch oberrhein. Einflüsse geprägt, wohl auch durch Ulm und die südniederländ. Kunst. Seine Werkstatt schuf Bildwerke für ganz Mainfranken. Die geschnitzten Arbeiten wie der Heiligblutaltar (1501–05, Rothenburg ob der Tauber, St. Jakob) beziehen Licht- und Schattenwirkungen in die Formgebung ein und machen durch zarte Oberflächenbehandlung die farbige Fassung entbehrlich. Die Bearbeitung des Steins glich er der des Holzes an (Adam und Eva, 1491–93, Würzburg, Mainfränk. Museum; Grabmal R. von Scherenberg, 1496–99, ebd., Dom). Durch ausgewogene Gestaltung der einzelnen Figuren wie der Komposition insgesamt suchte R. die Unruhe des spätgot. Stils zu überwinden (v. a. im Marienaltar, um 1505–10, Herrgottskirche in Creglingen). Zugleich tritt das Charakteristisch-Individuelle immer mehr hinter dem idealen Schönen einer nach innen gewendeten, lyrisch-melanchol. Auffassung zurück. Um 1510 erreichte die Kunst von R. ihren Höhepunkt. Von der Renaissance wurden R.s Werke nur äußerlich berührt (Grabmal L. v. Bibra, †1519, Würzburg, Dom). Weitere Bilder Creglingen, deutsche Kunst

Tilmann Riemenschneider: Apostel an dem um 1505–10 geschaffenen Marienaltar der Herrgottskirche in Creglingen

📖 Baxandall, M.: *Kunst der Bildschnitzer. T. R., Veit Stoß u. ihre Zeitgenossen. A. d. Engl. München ³1996.*

Riemenzunge: Die Blüten der Bocksriemenzunge strömen einen unangenehmen, an einen Ziegenbock erinnernden Geruch aus

Riemenwurm (Ligula intestinalis), bis etwa 1 m langer, riemenförmiger Bandwurm, schmarotzt in Süßwasserfischen; Endwirte sind Wasservögel (meist Lappentaucher oder Möwen), in Ausnahmefällen auch der Mensch.

Riemenzunge (Himantoglossum), Orchideengattung mit vier Arten im Mittelmeergebiet und in Mitteleuropa; in Dtl. nur die geschützte **Bocks-R.** (Himantoglossum hircinum), eine 30–90 cm hohe Staude mit oft stark verlängertem, reichblütigem Blütenstand; Blütenblätter (mit Ausnahme der Lippe) helmförmig zusammenneigend, grünlich bis bräunlichweiß, oberseits braunrot geadert; Lippe dreilappig, Mittellappen 3–6 cm lang, an der Spitze gespalten und insgesamt schraubig gedreht, basaler Teil rot gepunktet.

Riemer, Friedrich Wilhelm, Pseud. Silvio Romano, Philologe, Literaturhistoriker und Lyriker, *Glatz (heute Kłodzko) 19. 4. 1774, †Weimar 19. 12. 1845; Hauslehrer bei W. von Humboldt und Lehrer von Goethes Sohn August, zugleich war er dem Dichter, in dessen Haus er neun Jahre lebte, ein wichtiger Berater. Seit 1812 war er Gymnasialprof. und Bibliothekar in Weimar. An der Redaktion der Ausgabe letzter Hand von Goethes Werken und der Besorgung seines Nachlasses war er maßgeblich beteiligt; veröffentlichte »Mitteilungen über Goethe« (2 Bde., 1841).

Riemerschmid, Richard, Architekt, Maler und Designer, *München 20. 6. 1868, †ebd. 15. 4. 1957; bed. Vertreter des Jugendstils. Er war Mitbegründer der Vereinigten Werkstätten für Kunst im Handwerk (1897) in München und des Dt. Werkbundes (1907). Beeinflusst vom engl. Arts and Crafts Movement, gestaltete er Möbel, Tapeten, Stoffe und Gegenstände aus Glas und Porzellan. Bemerkenswert sind ferner seine Entwürfe für den Innenausbau des Münchner Schauspielhauses (Kammerspiele, 1900/01) und die erste dt. Gartenstadt Hellerau (heute zu Dresden).

rien ne va plus [rjɛ̃nəva'ply; frz. »nichts geht mehr«], die Ansage des Croupiers, dass nicht mehr gesetzt werden kann (→Roulett).

Rienz *die* (italien. Rienza), linker Nebenfluss des Eisack in Südtirol, Italien, 90 km lang, entspringt in den Dolomiten, durchfließt das westl. Pustertal, mündet bei Brixen.

Rienzo (Rienzi), Cola di, italien. Staatsmann, *Rom April oder Mai 1313, †ebd. 8. 10. 1354; Humanist, Haupt der Volkspartei im päpstl. Rom. R. vertrieb am 20. 5. 1347 die adligen Senatoren und nahm den Titel »Tribun« an. Sein Ziel war die Erneuerung Roms im Sinne der altröm. republikan. Ideale. Vom Papst gebannt, musste er am 15. 12. fliehen. 1350 ging er nach Prag zu Kaiser Karl IV.; 1352 wurde er dem Papst in Avignon ausgeliefert, von diesem 1354 als Senator nach Rom geschickt, wo er bei einem Volksaufstand umkam.

Ries [aus arab.] *das,* nicht einheitl. Verpackungsmaß (Zählmaß) für sortengleiches Planopapier, in Dtl. ist 1 R. = 1 000 Bogen.

Ries *das* (Nördlinger R.), flaches, fruchtbares Becken zw. Schwäb. und Fränk. Alb, ein fast kreisrunder Kessel von 20 bis 24 km Durchmesser, um 420–430 m ü. M., durch einen Meteoriteneinschlag entstanden; Zentrum ist Nördlingen. Die offenbar beim Aufprall (Impakt) des Meteoriten herausgeschleuderten und wieder in den Krater und seine Umgebung zurückgefallenen Gesteinstrümmer lassen Zeichen von Stoßwellenmetamorphose und Aufschmelzung erkennen (»bunte Trümmermassen« und Suevit mit den Hochdruckmineralen Coesit und Stishovit); aus dem tiefen Untergrund stammende kristalline Gesteine (Granite, Gneise u. a.) bilden einen inneren Wall (»kristalliner

Friedrich Wilhelm Riemer (zeitgenössische Darstellung)

Richard Riemerschmid: »Wolkengespenster I« (1897; München, Städtische Galerie im Lenbachhaus)

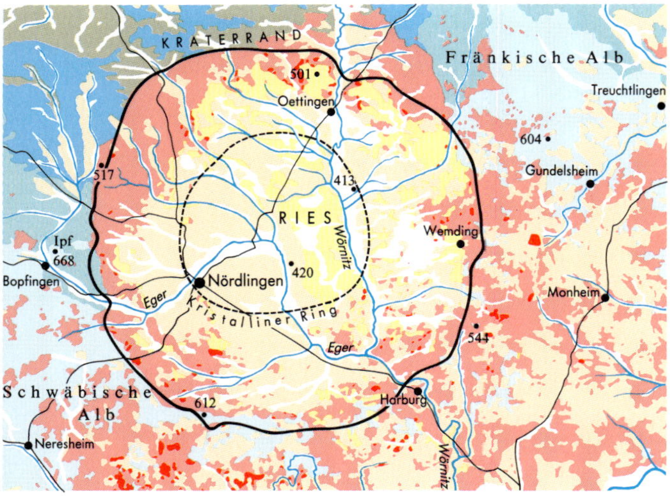

Schichtstufenlandschaft
- Keuper
- Schwarzer Jura (Lias)
- Brauner Jura (Dogger)
- Weißer Jura (Malm)

Ausgeworfene Massen
- Bunte Trümmermassen
- Suevit

Nach dem Einschlag abgelagerte Sedimente
- Tertiär
- Quartär
- junge Talfüllungen

Ries: Die geologische Karte zeigt, dass die beim Einschlag herausgeworfenen Gesteinsmassen auch außerhalb des Kraters liegen; im Innern sind sie teilweise von nach dem Einschlag abgelagerten Sedimenten (Seeablagerungen) überdeckt

Ring«). Der Steinmeteorit selbst verdampfte wahrscheinlich völlig beim Aufprall. Der ebene Beckenboden wird von obermiozänen Süßwasserkalken mit überlagerndem Löss gebildet und von der Wörnitz und ihren Nebenflüssen Eger und Schwalb in flachen Rinnen durchflossen.

Ries, Adam, fälschlich A. Riese, Rechenmeister, *Staffelstein 1492, †Annaberg (heute zu Annaberg-Buchholz) 30. 3. 1559; leitete um 1522 in Erfurt und ab etwa 1525 in Annaberg eine Rechenschule; verfasste mehrere Lehrbücher des prakt. Rechnens, u.a. »Rechenung auff den linihen vnd federn in zal...« (1522) und »Rechenung nach der lenge...« (1550), die lange Zeit erhebl. Einfluss auf den Schulunterricht hatten.

📖 Wussing, H.: *A. R. Stuttgart u. a.* [2]*1992.*

Riesa
Stadtwappen

Riesa, Stadt im Landkreis R.-Großenhain, Sachsen, am linken Elbufer, 42 400 Ew.; Reifen-, Arzneimittel-, Seifen-, Zündwarenwerk, Heizkörperbau, Nahrungsmittel- (bes. Teigwaren, Speiseöle) sowie elektron. und Baustoffind.; Eisenbahnknotenpunkt, Elbhafen. Bis 1990 war R. ein Zentrum der Eisen- und Stahlindustrie (Stahl- und Walzwerk 1991 stillgelegt). – Spätgot. ehem. Klosterkirche St. Marien (heute evang. Stadtpfarrkirche) mit barockem W-Turm. – Urspr. slaw. Siedlung; 1623 und erneut 1859 Stadtrecht; bis 1994 Kreisstadt.

Riesa-Großenhain, Landkreis in Sachsen, 820 km², (1996) 127 600 Ew.; Krst. ist Großenhain.

Rieselanlage, Anlage zur Bewässerung oder Düngung von Feldern und Wiesen, wobei das Wasser den Boden mit mäßiger Geschwindigkeit überfließt (überrieselt).

Rieselreaktor, *Chemietechnik:* Reaktionsapparat, in dem eine fest angeordnete Katalysatorschüttung mit einem flüssigen Reaktionspartner berieselt und gleichzeitig von einem gasförmigen Reaktionspartner durchströmt wird; verwendet u.a. beim Hydrotreating.

Riesen, 1) *Astronomie:* (Riesensterne) Sterne mit großem Radius und großer Leuchtkraft, die im →Hertzsprung-Russell-Diagramm deutlich oberhalb der Hauptreihe liegen (R.-Ast). Nach der Leuchtkraftklasse unterscheidet man zw. Über-R., hellen R., normalen R. und Unter-R., nach der Spektralklasse zw. Weißen R., Gelben R. und Roten R. (→Sternentwicklung).

2) *Mythologie:* übergroße, menschenähnl. Gestalten in den Überlieferungen vieler Völker. Meist verkörpern sie Naturkräfte und werden von den herrschenden Göttern bekämpft, so die Giganten und Titanen der grch. Mythologie. Auch in der german. Mythologie sind die R. Gegner der Götter (Asen), was v.a. im Weltuntergangsmythos (→Ragnarök) deutlich wird. In der Volkssage (hier Hünen gen.) symbolisieren sie dämon. Naturgewalten (z.B. Rübezahl); im Märchen weisen sie z.T. archaische Züge auf.

Riesenbock (Titanus giganteus), bis 16 cm langer, in Brasilien und Guayana lebender Bockkäfer; größter bekannter Käfer.

Riesenburg, Stadt in Polen, →Prabuty.

Riesenchromosomen (Polytänchromosomen), weitgehend entspiralisierte, bes. große, durch schrittweise endomitot. Verdopplung der Einzelchromosomen ohne nachfolgende Trennung entstandene Bündel homogener Chromatiden, z.B. in Speicheldrüsenzellen von Zweiflüg-

Rechenung nach der lenge / auff den Linihen vnd Federn.
Darzu forteil vnd behendigkeit durch die Proportiones / Practica genant / Mit gründtlichem vnterricht des visierens.
Durch Adam Riesen.
im 1550. Jar.

Cum gratia & priuilegio Cæsareo.

Adam Ries: Titelblatt einer 1550 erschienenen Ausgabe von »Rechenung nach der lenge/auff den Linihen und Federn«

lern. Da die homologen Chromomeren in dichter Packung nebeneinander liegen, erscheinen sie optisch als dunkle Querstreifen, in denen es zu zeitlich begrenzten Funktionsstrukturen in Form von Aufblähungen **(Puffs)** oder extremen Auflockerungen unter Ausbildung zahlr. Chromosomenschleifen **(Balbiani-Ringe)** kommt. Diese Strukturen sind Orte hoher Gen- und damit Transkriptionsaktivität, die Gesetzmäßigkeiten über Prozesse der Genaktivierung erkennen lassen.

Riesener [frz. riz'nɛːr], Jean-Henri, frz. Kunsttischler dt. Herkunft, *Gladbeck 1734, †Paris 6. 1. 1806; Schüler von J. F. Oeben, wurde 1774 in Paris »Königl. Kunsttischler«; drei Stilphasen: schwere Prunkmöbel mit reichen Bronzebeschlägen, feingliedrige Rokokomöbel (ab etwa 1775) und Möbel in einfacher Eleganz und strenger Form.

Riesengebirge (poln. Karkonosze, tschech. Krkonoše), höchster Gebirgszug der Sudeten, beiderseits der Grenze Polen–Tschech. Rep., erstreckt sich vom Jakobstaler Pass, der R. und Isergebirge trennt, nach SO bis zur Landeshuter Pforte, etwa 37 km lang und 22–25 km breit; nach N Steilabfall zum Hirschberger Kessel in Polen (Schlesien), nach S allmähl. Abfall zur Tschech. Rep. (Böhmen). Höchster Berg ist mit 1602 m ü. M. die →Schneekoppe, gefolgt vom Hohen Rad (1506 m ü. M.) und Reifträger (1362 m ü. M.). Im R. treten Spuren eiszeitlicher Vergletscherungen auf (Große und Kleine Schneegrube, Großer und Kleiner Teich). Die Waldgrenze liegt zw. 1250 m und 1350 m ü. M.; zahlr. Kur- und Fremdenverkehrsorte; Glasherstellung, Kristallglasschleiferei, Holz- und Viehwirtschaft. Das R. ist Nationalpark, z. T. zum UNESCO-Biosphärenreservat erklärt.

Riesengürteltiere, die →Glyptodonten.

Riesenhuber, Heinz, Politiker (CDU), *Frankfurt am Main 1. 12. 1935; Chemiker und Industriemanager, seit 1976 MdB, 1982–93 Bundesmin. für Forschung und Technologie.

Riesenmuscheln (Tridacnidae), im Ind. und Pazif. Ozean heim. Muscheln, deren dicke, wellig gerippte Schalen z. B. bei der **Mördermuschel** (Tridacna gigas) bis zu 1,35 m lang und mehr als 200 kg schwer werden. Die Schließmuskeln können die Schalen mit großer Kraft schließen. R. liegen im Flachwasser der Korallenriffe mit nach oben gekehrtem Schalenspalt und können auch dem Menschen gefährlich werden.

Riesensalamander (Cryptobranchidae), Familie wasserbewohnender, lidloser Schwanzlurche mit bezahntem Ober- und Unterkiefer. Der **Eigentliche R.** (Megalobatrachus japonicus) lebt in Gebirgsflüssen Japans und Chinas und wird bis zu 1,5 m lang; sein Fleisch wird gegessen. Im O der USA kommt der bis 70 cm lange **Schlammteufel** (Cryptobranchus alleghaniensis) vor.

Riesenschlangen (Boidae), Familie ungiftiger, bis zu 9 m langer Schlangen der Tropen und Subtropen, die ihre Beute durch Umschlingen töten; zu ihnen gehören →Pythonschlangen und →Boaschlangen. R. sind durch Bejagung und Zerstörung ihrer Lebensräume stark bedroht.

Riesenslalom, alpine Skisportdisziplin, Zwischenform von Abfahrtslauf und Slalom, gewöhnlich in zwei Wertungsläufen auf zwei versch. Pisten ausgetragen; Höhenunterschied 250–400 m (Frauen 250–300 m), wenigstens 30 Kontrolltore (Stangenpaare im Abstand von 4–8 m); olymp. Disziplin seit 1952.

Riesensterne, *Astronomie:* →Riesen.

Riesentöpfe (Riesenkessel), *Geomorphologie:* →Strudellöcher.

Riesenwuchs (Gigantismus, Hypersomie), abnorme Körpergröße, die bei der Frau 185 cm, beim Mann 200 cm übersteigt. Der R. wird v. a. durch verstärkte Bildung des Wachstumshormons (Somatotropin) in der Hypophyse vor Abschluss der körperl. Entwicklung bewirkt. Bei Tieren wird R. züchterisch z. T. angestrebt. Bei Pflanzen treten R.-Formen (Gigasformen) durch Kreuzung von Inzuchtlinien auf (→Heterosis).

Riesling (Weißer R.), anspruchsvolle Weißweinrebe, deren spritzige, edle Weine durch feine Säure ausgezeichnet sind; angebaut v. a. im Rheingau, am Mittelrhein, an Mosel, Saar und Ruwer, an der Hess. Bergstraße und im Elsass.

Riesman [-mən], David, amerikan. Soziologe, *Philadelphia (Pa.) 22. 9. 1909; war 1958–81 Prof. an der Harvard University; entwickelte eine Theorie des sozialen Wandels, in der er den traditions-, den innen- und den heute typ. außengelenkten Menschen unterschied. – *Werke:* Die einsame Masse (1950, mit anderen); Wohlstand wofür? (1964).

Riester, Walter, Gewerkschafter und Politiker (SPD), *Kaufbeuren 27. 9. 1943; war 1993–98 2. Vors. der Industriegewerkschaft Metall; wurde 1998 Bundesmin. für Arbeit und Soziales.

Rietberg, Stadt im Kreis Gütersloh, NRW, an der oberen Ems, 26 700 Ew.; Möbel- und Blechwarenfabrik, Orgel-, Landmaschinenbau. – Zahlr. Fachwerkbauten (16.–18. Jh.).

Rieti, 1) Provinz in der Region Latium, Italien, 2 749 km², (1996) 150 000 Einwohner.

2) Hptst. von 1), im fruchtbaren Becken von R., 45 600 Ew.; Bischofssitz (seit etwa 500); Zuckerfabrik, Chemiefaserwerke. – Roman. Dom (1225 geweiht), Bischofspalast (begonnen 1283), Stadtmauern (13. Jh.). – R., das antike **Reate,** war ein Hauptort der Sabiner.

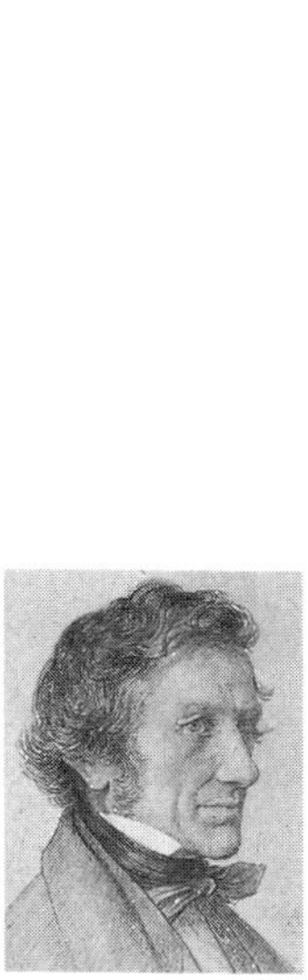

Ernst Friedrich August Rietschel

Rietschel, Ernst Friedrich August, Bildhauer, *Pulsnitz 15. 12. 1804, †Dresden 21. 2. 1861; Gehilfe von C. D. Rauch in Berlin, seit 1832 Prof. an der Dresdner Akademie, begründete dort mit E. Hähnel die Dresdner Bildhauerschule; schuf Denkmäler (u.a. Goethe-und-Schiller-Denkmal in Weimar, 1852–57), Porträts und Bauplastik.

Riga: Ansicht des 140 m hohen Turms der am Rande der Altstadt liegenden Sankt-Petri-Kirche; der aus dem 17. Jh. stammende Turm wurde ebenso wie die auf das 13. Jh. zurückgehende Kirche (Umbau 15. Jh.) nach Zerstörung in den 1940er-Jahren originalgetreu wieder aufgebaut

Rietveld [-fɛlt], Gerrit Thomas, niederländ. Architekt und Möbeldesigner, *Utrecht 24. 6. 1888, †ebd. 26. 6. 1964; gab mit seinen Möbelentwürfen in Holz und Stahl dem Bauhaus entscheidende Impulse. Als Mitgl. der Gruppe De →Stijl gelang ihm mit dem Haus Schröder in Utrecht (1924, mit Truus Schröder-Schräder) ein für den Funktionalismus vorbildl. Bau.

Riga Stadtwappen

Rif *das* (arab. Er-Rif), Kettengebirge im NW Marokkos, Teil des Atlas, an der Mittelmeerküste, erreicht im Djebel Tidirhine 2450 m ü. M.; wird im westl. Teil von Arabern, im mittleren und östl. Teil von Berberstämmen (»Rifkabylen«) bewohnt.

Riff *das,* schmale Bank oder kammartige Klippenreihe im Meer (Sand-, Stein-, Felsen-R.), unter oder nur wenig über der Wasseroberfläche; z.T. durch →Korallenbauten entstanden.

Riff [engl.-amerikan.] *der, Jazz:* eine sich ständig wiederholende, rhythmisch prägnante, meist 2- oder 4-taktige Phrase, die melodisch so angelegt ist, dass sie über einen wechselnden harmon. Grund gelegt werden kann; v.a. von Bigbands oder bei Jamsessions als Hintergrund für die improvisierenden Solisten eingesetzt.

Riffel, Kamm mit langen Eisenzinken zum Abstreifen der Samenkapseln von den Flachsstängeln; heute weitgehend von R.-Maschinen verdrängt.

Riffkalk, seit dem Präkambrium bekannte, ungeschichtete, massige Kalksteine aus riffbildenden Organismen.

Riffkorallen, die →Steinkorallen.

Rift [engl.] *der, Geologie:* Bruch- und Grabenzone; heute oft auf die Großgräben bezogen. **R.-Systeme,** große Bruch- und Grabensysteme, sind v.a. junge tekton. Gebilde, die isostatisch noch nicht ausgeglichen sind und vulkan. und seism. Aktivität aufweisen. – **R. Valleys** sind tiefe, tektonisch gebildete, festländ. (Ostafrikan. Grabensystem) oder ozean. Gräben (Mittelozean. Rücken).

Riga, Hauptstadt von Lettland, an der Mündung der Düna in die Rigaer Bucht der Ostsee, 917 000 Ew.; Sitz eines kath. Erzbischofs; Lett. Akademie der Wiss., Univ. (1919 gegr.), TH, Konservatorium und fünf weitere Hochschulen, Philharmonie, Theater und Museen, botan. und zoolog. Garten; Textil-, Nahrungsmittel-, Holzindustrie, Maschinen-, Waggon-, Moped-, Schiff-, feinwerktechn. Gerätebau, chem. Ind., Druckereien; Hochsee-, Fischereihafen, internat. Flughafen; Schrägseilbrücke über die Düna; nahebei Seebad Jūrmala. – Der im 2. Weltkrieg stark zerstörte Stadtkern rechts der Düna wurde weitgehend wieder aufgebaut und ist heute UNESCO-Welterbe; Dom- oder Marienkirche (um 1220–29, spätroman. Backsteinbau; nach Brand 1595 wiederhergestellt), St.-Petri-Kirche (urspr. 13. Jh., im 15. Jh. umgebaut; Turm 17. Jh.), »Schwarzhäupterhaus« (1330 erbaut, im 17. Jh. im Renaissancestil umgebaut), Schloss des Dt. Ordens (um 1330 begonnen, mehrmals umgebaut), zahlr. Renaissance- und Barockbauten. – Das 1201 von dt. Kaufleuten unter Erzbischof Albert von Livland gegr. R. wurde 1255 Erzbistum; es erlangte für den Handel mit Russland und Litauen große Bedeutung und trat 1282 der Hanse bei. Nach dem Untergang des livländ. Ordensstaats (1561) wurde es freie Reichsstadt, kam 1582 unter poln. Herrschaft, 1621 an Schweden und 1710 an Russland; seit 1918 Hptst. Lettlands.

Rigaer Bucht, weit ins Land greifende Bucht an der lettisch-estn. Ostseeküste, 18 100 km², bis 62 m tief, im N und NW durch die Inseln Saaremaa und Muhu vor der offenen See geschützt, Dezember bis April eisbedeckt; Häfen: Riga und Pärnu.

Rigaud [ri'go], Hyacinthe, eigtl. Hyacintho Francisco Honorat Matias Pere Martir Andreu Joan Rigau y Ros, frz. Maler katalan. Herkunft, getauft Perpignan 18. 7. 1659, †Paris 29. 12. 1743; von A. van Dyck und Tizian beeinflusst; gilt als Hauptvertreter der Porträtmalerei des Louis-quatorze; stellte v.a. Mitglieder des frz. Hofes, Gelehrte und Künstler mit großartigen Gebärden dar.

Rigaudon [rigo'dɔ̃, frz.] *der,* seit dem 17. Jh. bekannter Volkstanz wohl provenzal. Ursprungs in lebhaftem geradem Takt; im 17. und 18. Jh. auch Satz der Suite.

Rigel [arab. »Fuß«] *der,* Stern 1. Größe, β im Orion.

Hyacinthe Rigaud: »Gaspard de Gueidan als Dudelsackpfeifer« (1735; Aix-en-Provence, Musée Granet)

Rigg *das* (engl., zu to rig »auftakeln«), →Takelage eines Segelschiffes.

Riggenbach, Nikolaus, schweizer. Ingenieur, *Gebweiler 21. 5. 1817, †Olten 25. 7. 1899; erfand 1863 die Zahnradbahn mit Zahnstange und baute nach diesem System die Rigibahn, die 1871 in Betrieb genommen wurde.

Right Livelihood Award Stiftelsen [raɪt ˈlaɪvlɪhʊd əˈwɔːd ˈstɪftəlsən, engl.], Stiftung zur Verleihung des alternativen →Nobelpreises.

Rigi *die,* auch *der,* Bergstock der Schweiz zw. Vierwaldstätter See (Küssnachter Bucht) und Zuger See. Der höchste Gipfel, **R.-Kulm** (1798 m ü. M.), ist einer der am meisten besuchten Aussichtsberge der Schweiz; auf die R. führen zwei Zahnradbahnen.

Rigidität [lat. »Starrheit«] *die, Psychologie:* die starre Fixierung auf bestimmte Vorstellungen, Denk- und Handlungsweisen.

Rigor [lat. »Starre«] *der,* erhöhte Muskelspannung, die sich in verstärktem Widerstand bei passiver Bewegung einer Gliedmaße äußert; oft auch als rhythm. Sperrungen auftretend; Symptome v. a. beim Parkinson-Syndrom.

Rigorismus *der,* streng an eth. Grundsätzen ausgerichtetes Handeln. Als eth. R. gilt I. Kants prakt. Philosophie, da alles Tun allein dem →kategorischen Imperativ zu folgen habe; Triebkraft einer Handlung, die als sittl. Handlung gelten könne, sei allein die Pflicht, nicht die Neigung.

Rigorosum (Examen rigorosum) [»strenge Prüfung«] *das,* mündl. Prüfung bei der Promotion (→Doktor).

Rigveda [Sanskrit] *der* (Rigweda), die erste der vier Sammlungen des →Veda.

Wolfgang Rihm

Rihm, Wolfgang Michael, Komponist, *Karlsruhe 13. 3. 1952; studierte u. a. bei K. Stockhausen und K. Huber, seit 1985 Prof. an der Karlsruher Musikhochschule; verbindet spätromant. Stilelemente mit modernen Kompositionstechniken zu einer komplexen Tonsprache von starker Expressivität; schrieb Kammeropern (»Faust und Yorik, 1977, Text von J. Tardieu; »Jakob Lenz«, 1979, nach G. Büchner), Orchesterwerke (u. a. drei Sinfonien), Kammermusik, Klavier- und Vokalwerke sowie Literaturopern (u. a. »Die Hamletmaschine«, 1987, nach Heiner Müller; »Oedipus«, 1987, Text von R. nach Hölderlin, Nietzsche und Heiner Müller). Weiteres BILD Oper

Riis [riːs], Jacob August, amerikan. Fotograf und Schriftsteller dän. Herkunft, *Ripen 3. 5. 1849, †Barre (Mass.) 26. 5. 1914; früher Vertreter einer

Wolfgang Rihm: Anfang des Klavierstücks Nr. 5, »Tombeau« (1975)

sozial engagierten Fotografie. Er veröffentlichte u.a. Berichte über die Lebensverhältnisse in den New Yorker Slums und bekämpfte Kinderarbeit.

Jacob August Riis: »An ancient woman lodger in Eldridge Street Police Station« (um 1890)

Rijeka (italien. Fiume), Stadt am Adriat. Meer, am Kvarner, Kroatien, 206 000 Ew.; Erzbischofssitz; Univ., Marinehochschule, Theater, Museen; Schiffswerft, Maschinenbau, Erdölraffinerie, chem., Tabak-, Papier- u.a. Ind.; wichtigster Hafen Kroatiens; internat. Flughafen auf der nahen Insel Krk. – Röm. Triumphbogen; Dom (12. Jh.) mit Glockenturm von 1377, Stadtturm mit Uhrturm (15. Jh.), Veitskirche (Ende 18. Jh.). – Im 13. Jh. erstmals gen.; ab 1466 zu Österreich, ab 1870 zu Ungarn, wurde 1920 Freistaat, 1924 italien., 1947 zu Jugoslawien (Kroatien).

Rijn [rɛjn], niederländ. Name für den → Rhein.

Rijswijk ['rɛjswɛjk], Stadt in der niederländ. Prov. Südholland, 47 700 Ew.; Patentamt; pharmazeut. Ind., Geräte- und Maschinenbau; Wohnstadt für Den Haag. – Der **Friede von R.** beendete 1697 den → Pfälzischen Erbfolgekrieg.

Rikscha

Das »Mensch-Kraft-Fahrzeug« (so die wörtliche Übersetzung des japanischen jin-riki-sha) wurde 1869 von dem amerikanischen Baptistenpfarrer Reverend Jonathan Scobie erfunden, um seine kranke Frau durch Yokohama bewegen zu können. Das wohlwollende Interesse des Publikums ermunterte den Geistlichen dazu, das Produkt in Serie gehen zu lassen, was sich als geglückte Arbeitsbeschaffungsmaßnahme für seine Gemeindeschäfchen erwies. Schon bald darauf verbreitete sich der pferdlose Einspänner im ganzen Fernen Osten.

Rikscha [japan.] *die,* in Ost- und Südasien leichter zweirädriger Wagen zur Personenbeförderung, der von einem Menschen, heute häufig mithilfe eines Fahrrads oder Motorrads, gezogen wird.

Riksmål [-mo:l, »Reichssprache«], → norwegische Sprache.

Rilagebirge (Rila), höchstes Gebirge der Balkanhalbinsel, in SW-Bulgarien, an das Rhodopegebirge anschließend, in der Mussala 2 925 m ü. M.

Rilakloster, Kloster im Rilagebirge (1147 m ü. M.), rd. 120 km südlich von Sofia. Als Einsiedelei im 10. Jh. gegr., entwickelte sich das Kloster im MA. zu einem bed. geistigen Zentrum. Die Anlage stammt aus dem 14. Jh., sie wurde mehrfach zerstört und nach einem Brand 1816–70 neu erbaut, unter Einbeziehung des noch aus dem Jahr 1335 stammenden Chreljoturms. Das seit 1960 wieder besiedelte Kloster wurde von der UNESCO zum Weltkulturerbe erklärt. BILD S. 458

Riley ['raɪlɪ], **1)** Bridget, brit. Malerin und Grafikerin, * London 24. 4. 1931. Ihre Bilder bestehen im Sinne der Op-Art aus der Verschränkung dynam. und linearer Systeme, die eine illusionäre Raumbewegung suggerieren. BILD Op-Art

2) Terry Mitchell, amerikan. Komponist, * Colfax (Calif.) 24. 6. 1935; einer der Hauptvertreter der → Minimalmusic; schrieb u.a. »Keyboard studies« (1965; für elektron. Tasteninstrumente), »Genesis '70« (1970; Ballett), »Song of the Emerald Runner« (1983; für Singstimme, Klavier, Sitar, Tabla und Synthesizer), Klavierquintett (1993).

Rilke, Rainer Maria, österr. Schriftsteller, * Prag 4. 12. 1875, † Val-Mont (heute zu Montreux) 29. 12. 1926; führte ein unstetes Wanderleben, bereiste mit Lou Andreas-Salomé 1899 und 1900 Russland (Begegnung mit L. Tolstoi), heiratete 1901 die Bildhauerin Clara Westhoff, 1905/06 in Paris Privatsekretär A. Rodins (»Auguste Rodin«, Monographie, 1903), danach Reisen und Gastaufenthalte (u.a. auf Schloss Duino bei Triest 1910); nach 1918 v.a. in der Schweiz, wo er sich, ab 1921 im »Turm« des Schlosses Muzot (bei Siders im Wallis), in die totale Abgeschiedenheit zurückzog. R. starb an Leukämie. – Seine Jugendlyrik, die frühen Dramen und Prosaskizzen hatten impressionist. Jugendstilcharakter und waren der naturalist. Zeitmode verpflichtet (»Larenopfer«, 1896). Seit der Worpsweder (1900) und bes. der Pariser Zeit Verwendung eines neuen plastisch-sachl., malerisch-intensiven Stils in der Lyrik (Dinggedichte), z.B. »Das Stundenbuch« (1905), »Das Buch der Bilder« (1902, erweitert 1906). Bis heute von besonderer Anziehungskraft und Breitenwirkung ist die zykl. Prosadichtung »Die Weise von Liebe und Tod des Cornets Christoph Rilke« (1906); »Die Aufzeichnungen des Malte Laurids Brigge« (2 Bde., 1910) ist der Roman eines jungen Dichters in Paris, ein faszinierender Spiegel eigener Existenzproblematik, Widerspiegelung kierkegaardscher Angst und Verzweiflung. Die »Duineser Elegien« (vollendet 1923) greifen zwar den antiken Elegienvers auf, der Inhalt aber ist das Antiidyll: Verzweifeln am Menschen und seiner Situation in der Welt, an seinem

Rainer Maria Rilke: Gemälde seines Schwagers Helmuth Westhoff (1931; Fischerhude, Rilke-Archiv), darunter Autogramm

Ungenügen, seiner Gebrochenheit. Form- und ideengeschichtlich wichtig ist die Herausbildung einer »neuen Mythologie« des »Engels«, der Liebenden, der jungen Toten. Gleichzeitig entstanden die »Sonette an Orpheus« (1923). Meisterhafte Übersetzungen v. a. aus dem Französischen.

🕮 JONAS, I. B.: *R. M. R. u. die Duse. Frankfurt am Main u. a. 1993.* – *R.s Schweizer Jahre, bearb. v.* H. SCHMIDT-BERGMANN. *Sigmaringen 1994.*

Rilke-Westhoff, Clara Henriette Sophie, geb. Westhoff, Bildhauerin und Malerin, *Bremen 21. 11. 1878, †Fischerhude (heute zu Ottersberg, Kr. Verden) 9. 3. 1954; seit 1901 ⚭ mit R. M. Rilke; begann als Malerin, konzentrierte sich dann v. a. auf die Bildhauerei; erhielt entscheidende Anregungen von A. Rodin in Paris. Ihr plast. Werk umfasst v. a. Porträts, ferner Akte und Tierskulpturen.

Rimbaud [rɛ̃ˈbo], Arthur, frz. Dichter, *Charleville (heute Charleville-Mézières) 20. 10. 1854, †Marseille 10. 11. 1891; brach früh aus dem Provinzmilieu in die Pariser Boheme aus, war 1871–73 eng mit P. Verlaine verbunden (Reisen durch Europa), führte dann ein unruhiges Leben, übte versch. Berufe aus, ab 1880 in Afrika, kehrte schwer krank nach Frankreich zurück. – R. schuf in den Jahren 1869–73/74 ein lyr. Werk, das ein neues Zeitalter der Dichtung eröffnete. Es revoltiert radikal gegen die bürgerl. Welt, setzt ihr die totale Entgrenzung entgegen, die auch in der Sprache sinnfällig wird: rhythm. Prosa in äußerst verknappter Syntax, schrille Dissonanzen zw. Klangmelodie und Aussage, sinnl. Schärfe in irrealen Bildern. R.s Werke »Das trunkene Schiff« (entstanden 1871, veröffentlicht 1883), »Illuminationen« (entstanden vielleicht 1872–74, veröffentlicht 1886), »Eine Zeit in der Hölle« (1873, einziges Werk, das zu seinen Lebzeiten mit seinem Wissen veröffentlicht wurde) sind Schlüsseltexte der Moderne. Ihre Wirkung, die bei den späten Symbolisten einsetzte, dauert noch heute an; dt. Übers. u. a. von T. Däubler, S. George, P. Celan. BILD S. 458

🕮 STARKIE, E.: *Das Leben des A. R. Aus dem Engl. Neuausg. München 1990.* – BONNEFOY, Y.: *A. R. Aus dem Frz. Reinbek 1994.*

Rimini, 1) Provinz in der Emilia-Romagna, Italien, 534 km², (1995) 264 700 Einwohner.

2) Hauptstadt von 1) und Seebad am Adriat. Meer, 129 700 Ew.; Bischofssitz; Museum, Theater, Leichtindustrie; Flughafen. – Aus röm. Zeit sind der Triumphbogen des Augustus (27 v. Chr.) und eine Brücke (21 n. Chr. vollendet) erhalten, aus dem MA. der Palazzo dell'Arengo (1204) und der Palazzo del Podestà (1334), beide mehrfach verändert, sowie die got. Kirche San Francesco (urspr. 13. Jh.; heute Dom). – R., eine umbr. Gründung, wurde 268 v. Chr. röm. Kolonie; gehörte zur byzantin. Pentapolis, dann durch die Pippinsche Schenkung zum Kirchenstaat. Seit dem 13. Jh. stand es unter der Herrschaft der Malatesta, fiel 1503 an Venedig, 1509 wieder an den Kirchenstaat.

Nikolai Rimski-Korsakow

Rimski-Korsakow, Nikolai Andrejewitsch, russ. Komponist, *Tichwin (Gebiet Leningrad) 18. 3. 1844, †Gut Ljubensk (bei Luga, Gebiet Leningrad) 21. 6. 1908; seit 1871 Kompositionslehrer in Sankt Petersburg. Er gehörte seit 1861 dem Kreis um M. A. Balakirew an. Aufgrund seiner außergewöhnl. Instrumentierungstechnik wurde er ein gesuchter Lehrer (u. a. von A. Glasunow, I. Strawinsky, S. Prokofjew). Die Stärke seiner oft von der russ. Volks- und Kirchenmusik angeregten

Clara Rilke-Westhoff: Bronzeporträt von Paula Modersohn-Becker (1908; Langenargen, Museum)

Arthur Rimbaud (rechts) und Paul Verlaine: Ausschnitt des Gemäldes »Un coin de table« von Henri Fantin-Latour (1872; Paris, Musée d'Orsay)

Werke liegt v.a. in der Tonmalerei und meisterhaften Instrumentation.

Werke: Opern: Schneeflöckchen (1882); Sadko (1898); Mozart und Salieri (1898); Das Märchen vom Zaren Saltan (1900); Der goldene Hahn (1909). – Orchesterwerke: 3 Sinfonien, 1. (1865, Neufassung 1884), 2. (1868, Neufassung 1897), 3. (1874, Neufassung 1886); Capriccio espagnol (1887); Suite Scheherazade (1888). – Chorwerke, Kammer- und Klaviermusik, Lieder, Bearbeitungen (u.a. »Boris Godunow« von M. Mussorgski).

📖 KUNIN, I. F.: *N. A. R.-K. Aus dem Russ. Berlin (Ost)* ²*1986.* – SEAMAN, G.: *Nikolai Andreevich Rimsky-Korsakov. New York 1988.*

Rinckart (Rinkart), Martin, Schriftsteller und Theologe, *Eilenburg 23. 4. 1586, †ebd. 8. 12. 1649; seit 1617 Archediakon; Dichter und Komponist von Kirchenliedern (z.B. »Nun danket alle Gott«, 1636). Von sieben geplanten Dramen zur Reformationsgeschichte sind drei erhalten, so »Der Eislebische christl. Ritter« (1613).

Rilakloster: Die mit zahlreichen Galerien versehenen Klostergebäude (14. Jh.; nach Brand 1816–70 neu erbaut) umschließen die Klosterkirche und der Chreljoturm aus dem Jahr 1335

Rind, → Rinder.

Rinde (lat. Cortex), **1)** *Anatomie:* bei Tieren und beim Menschen die äußere Schicht mancher Organe (z.B. Großhirn-, Nebennierenrinde).

2) *Botanik:* bei Pflanzen die äußeren Gewebeschichten von Sprossachse und Wurzel. Anatomisch sind zu unterscheiden: **primäre R.,** Gewebekomplex zw. äußerer Epidermis und den peripheren Leitbündeln; **sekundäre R. (Bast),** die in Spross und Wurzel nach Beginn des sekundären Dickenwachstums vom Kambium nach außen abgegebenen Gewebeschichten; Begrenzung nach außen durch die Borke.

Rindenläuse (Psocidae), Familie der Staubläuse, deren Vertreter an Baumrinden Algen, Flechten oder Schimmelpilze abweiden.

Rinder [ahd. (h)rint, eigtl. »Horntier«] (Bovinae), Unterfamilie der Horntiere mit neun Arten und 21 Unterarten, v.a. in Wäldern und Grassteppen Amerikas und der Alten Welt (nur in Südamerika und Australien gab es urspr. keine Wild-R.); Körperlänge 1,6–3,5 m, Gewicht 150–1350 kg; Wiederkäuer mit breitem Schädel, unbehaartem, feuchtem Flotzmaul und Hörnern bei beiden Geschlechtern (bei den Männchen i. Allg. stärker entwickelt); Gehör- und Geruchssinn sind am besten ausgebildet, ihr Sehsinn lässt sie die Farben Blau, Rot, Grün und Gelb erkennen. Zu den R. gehören die vier Gattungen asiat. und afrikan. Büffel, Echte (Eigentl.) R., Bison und Wisent. Zur Gattung der Echten R. (Bos) gehören die fünf Arten Auerochse, Gaur, Banteng, Kouprey und Yak. – Es gibt weltweit etwa 450 (nach anderer Meinung etwa 800) Rassen von aus domestizierten Wild-R. hervorgegangenen Hausrindern. Die zahlr. europ. R.-Rassen lassen sich alle auf den Auerochsen als Stammart zurückführen. Nach ihrem hauptsächl. Nutzen für den Menschen lassen sich die (v.a. europ.) R.-Rassen in Ein- und Zweinutzungsrassen einteilen. Die Einnutzungsrassen umfassen die Milch-, Fleisch- und Mastrassen. Bei den vorherrschenden Zweinutzungsrassen besteht eine unterschiedlich starke Betonung der Milch- bzw. Fleischleistung. Diese Tiere sind primär aus einseitigen Milchrassen gezüchtet worden. Zu den bedeutendsten Milchrassen zählen Holstein-Friesian, Brown-Swiss, Ayrshire, Jersey- und Guernseyrind. Die wichtigsten europ. Fleischrassen sind Charolaisrind, Limousin und Chianina. Die in den USA, Australien und Argentinien am stärksten vertretenen Mastrassen sind brit. Ursprungs (Aberdeen-Angus, Hereford, Shorthorn sowie die Neuzüchtungen Brangus, Charbrays und Santa-Gertrudis-Rind). Die in Dtl. (v.a. in der Nordhälfte) weitaus häufigste R.-Rasse ist die **Dt. Schwarzbunte,** die auch weltweit die häufigste R.-Rasse ist. Sie ist eine Zweinutzungsrasse mit überwiegender Milchproduktion. Das v.a. in Süd-Dtl. verbreitete **Fleckvieh** ist eine kräftige, braunweiß gefleckte Rasse. Sie wird in Dtl. als Milch- und Fleischrind, in Übersee meist als Fleischrind gehalten. Die v.a. in Nord- und West-Dtl. verbreitete **Dt. Rotbunte** ist dunkelrot und weiß gescheckt mit weißen Abzeichen am Kopf. Sie ist eine Zweinutzungsrasse mit gleichwertiger Nutzung von Milch und Fleisch. Einheitlich braun oder graubraun gefärbt ist das **Braunvieh,** eine Zweinutzungsrasse mit Betonung der Milchproduktion. Das **Gelbvieh,** von dessen zahlr. Schlägen es in Dtl. fast nur noch das **Frankenvieh** gibt, ist eine Dreinutzungsrasse (Milch, Fleisch, Arbeitstier). Das v.a. in Schleswig-Holstein verbreitete **Angler Rotvieh,** ein einfarbig dunkelrotes bis sattbraunes Rind (Zweinutzungsrasse, v.a. Milch), wurde in viele Rassen eingekreuzt.

Kulturgeschichte: Das Rind ist das wichtigste Haustier und das älteste Milch- und Arbeitstier des Menschen. Die Rassen des Hausrinds stammen vom Auerochsen ab, der zus. mit dem Wisent seit dem letzten Interglazial in Europa verbreitet war; als wichtigstes Jagdtier erscheint es auf vielen Felsbildern. Die Ausgrabungen von Çatal Hüyük lassen erkennen, dass Domestikationsversuche bereits um 6500 v. Chr. anzusetzen sind; um die gleiche Zeit sind Stierkulte und Fruchtbarkeitsriten entstanden. – Durch die span. Konquistadoren kamen die R. nach Südamerika; spätere R.-Einfuhren seit Anfang des 17. Jh. v.a. von England aus, 1788 auch nach Australien.

🕮 GOTTSCHALK, A. *u.a.: Rinderzucht u. Rinderhaltung. München u.a. 1983.*

Rinderpest, verlustreiche Virusinfektion des Rindes in Afrika und Asien; gekennzeichnet durch schwerste Allgemeinstörungen und hochgradige Entzündungen der Schleimhäute.

Rinderpocken, die →Kuhpocken.

Rindertrichophytie *die,* die →Glatzflechte.

Rinderwahnsinn, volkstüml. Bez. für →BSE-Seuche.

rinforzando [italien. »verstärkend«], Abk. **rf., rfz., rinf.,** musikal. Vortragsbez.: energ. Crescendo auf einem Ton oder einer kurzen Tonfolge; **rinforzato:** plötzl. Hervortreten einer oder mehrerer Stimmen für kurze Zeit.

Ring, 1) *allg.:* ein in sich geschlossener kreisförmiger Körper; kreisförmige Anordnung; auch ein magisch-symbol. Zeichen. – Der Schmuck-R. trat schon in Vorgeschichte und Altertum als Finger-, Arm-, Bein-, Hals- und Ohrschmuck auf, in afrikan. Kulturen auch als Nasen-R. Im alten Orient, in Ägypten, Griechenland und in röm. Zeit war der Siegel-R. verbreitet; er galt – meist als Finger-R. getragen – als sakrales Würdezeichen und herrscherl. Insigne, ebenso der kostbare Schmuck-R. Bei den Kelten war offenbar der Torques, ein gedrehter goldener Halsring, Würdezeichen. Im MA. und Absolutismus trugen Kaiser und Könige sowie – bis heute – der Papst und die Bischöfe und weltl. und geistl. Würdenträger einen Finger-R. als Zeichen ihres Amtes. – Aus dem Verlobungs-R., der in röm. Zeit der Frau als Empfangsbestätigung für die Mitgift gegeben wurde, entwickelte sich der **Ehe-R. (Trau-R.)** v.a. unter frühchristl. Einfluss als Symbol der Treue; der R.-Tausch ist seit dem hohen MA. nachzuweisen; als unverzierter schlichter Reif fand der R. erst seit dem 16. Jh. Verbreitung. Im Volksglauben, in Sage und Märchen werden dem R. oft mag. Kräfte **(Amulett-R., Zauber-R.)** zugesprochen.

🕮 *Der R. im Wandel der Zeit, Beiträge v.* A. WARD *u.a. Aus dem Engl. München 1981.*

Rinder (von oben): Deutsche Rotbunte, Braunvieh, Deutsche Schwarzbunte

Ringelblume: Gartenringelblume (Höhe bis zu 50 cm)

2) *Mathematik:* eine algebraische Struktur *R* mit zwei zweistelligen, als Addition und Multiplikation bezeichneten Verknüpfungen ihrer Elemente. *R* ist bezüglich der Addition eine abelsche →Gruppe. Die Multiplikation ist assoziativ, bei einem **kommutativen R.** ist sie auch kommutativ. Addition und Multiplikation sind durch die Distributivgesetze verknüpft. Einen kommutativen R. mit Einselement bilden die ganzen Zahlen. R. spielen eine wichtige Rolle in der modernen Algebra und Zahlentheorie.

3) *Meteorologie:* optisch-meteorolog. Erscheinung, →Halo.

4) *Sport:* seilumspannte Wettkampfstätte im →Boxen und Catchen; daneben auch Bez. für Motorsportrennstrecken.

Ring Christlich-Demokratischer Studenten, Abk. **RCDS,** →studentische Vereinigungen.

Ringeltaube (Größe etwa 40 cm)

Ring des Nibelungen, Der, Bühnenfestspiel (Oper) in vier Teilen (für einen Vorabend und drei Tage) von R. Wagner: »Das Rheingold«, Uraufführung München 1869; »Die Walküre«, ebd. 1870; »Siegfried« und »Götterdämmerung«, Bayreuth 1876.

Ringe, *Kunstturnen:* Turngerät, das aus einem 5,50 m hohen Ringgerüst besteht, an dem an zwei Seilen je ein Holzring hängt. An diesen R. wird die aus Schwung- und Halteteilen bestehende Übung geturnt; seit 1896 olymp. Disziplin.

Ringelblume (Calendula), Gattung der Korbblütler, v. a. im Mittelmeergebiet und Vorderasien verbreitet. Die bis zu 50 cm hohe **Garten-R.** (Calendula officinalis) ist eine Zierpflanze mit gelben oder orangefarbenen Blüten.

Joachim Ringelnatz: Karikatur des österreichischen Zeichners Benedikt Fred Dolbin (1926)

Ringelnatter (Natrix natrix), bis zu 1 m lange ungiftige, an ihren gelben Hinterhauptflecken leicht erkennbare Natter in Europa, NW-Afrika und W-Asien; sie lebt im oder am Wasser und ernährt sich von Lurchen und Fischen.

Ringelnatz, Joachim, Pseud. des Schriftstellers Hans Bötticher, *Wurzen 7. 8. 1883, †Berlin 17. 11. 1934; trug als Kabarettist, v. a. in München und Berlin, seine eigenen, aus Absurdem und Tiefsinn, Groteske und Satire gemischten Gedichte im Moritaten- und Bänkelsangton vor (»Turngedichte«, 1920, erweitert 1923; »Kuttel Daddeldu«, 1920, erweitert 1923; »Ein jeder lebt's«, Prosa, 1913; autobiographisch: »Gustav Hester. Als Mariner im Krieg«, 1928; »Mein Leben bis zum Kriege«, 1931); auch Maler naiver Bilder.

Ringelnatter (Länge bis zu 1 m)

Ringelspinner (Malacosoma neustria), bräunlich gelber Schmetterling, dessen Weibchen die Eier in enger Spirale um Laubbaumzweige klebt; die Raupen können an Obstbäumen schädlich werden.

Ringeltaube (Columba palumbus), etwa 40 cm lange, v. a. in Wäldern Europas, NW-Afrikas und SW-Asiens verbreitete Taube mit weißem Halsring und weißen Flügelbinden im blaugrauen Gefieder.

Ringelwürmer (Anneliden, Annelida), artenreicher Stamm der Gliedertiere. Der Körper ist lang gestreckt, röhrenförmig, mit Kopf und mehreren **Segmenten** von gleichem äußerem und innerem Bau (bis auf den vordersten und hintersten Abschnitt), meist mit paarigen Stummelfüßen. Unter der Oberhaut liegen die Bewegungsmuskeln (der Hautmuskelschlauch), in der Leibeshöhle die kettenartig gegliederten inneren Organe und das strickleiterähnliche Nervensystem. Zu den R. gehören: Vielborster, Wenigborster (z. B. Regenwürmer) und Egel.

Ringen, Zweikampfsportart, bei der zwei Kontrahenten ohne Hilfsmittel, allein durch bestimmte Körpergriffe versuchen, den Gegner für 1 Sekunde mit beiden Schultern zu Boden zu bringen (Schultersieg: 4 Punkte) oder nach Punkten für gekonnte Grifftechnik (je 1–4 Punkte) zu besiegen (Kampfzeit: 5 Minuten). Bei einem Vorsprung von 10 Punkten wird der Kampf vorzeitig beendet. Bei Punktgleichstand wird der Kampf in der Verlängerung von 3 Minuten entschieden. Gekämpft wird im **griechisch-römischen Stil** (Griffe bis zur Gürtellinie, nur Männer) oder im **Freistil** (Griffe am ganzen Körper und Angriffe mit den Beinen, Männer und Frauen) auf einer runden Kampffläche (einschl. Schutzfläche) von 9 m Durchmesser. Gekämpft wird bei Männern und Frauen in unterschiedlichen Gewichtsklassen; olymp. Sportart seit 1896 (Männer; zunächst nur

Superschwergewicht, seit 1906 auch Leicht- und Mittelgewicht). R. wird in Dtl. durch den Dt. Ringer-Bund organisiert (Sitz: Frankfurt am Main). – Neben den genannten Wettkampfarten gibt es dem R. verwandte Arten wie Gürtel-R., Schwingen, Sumo und Catchen. – R. ist schon um 2000 v. Chr. in Ägypten bezeugt. Bei den Griechen wurde urspr. nur im Stand gerungen, später verschmolz es mit dem Faustkampf zur →Pankration. Der heutige griechisch-röm. Ringkampf ist v. a. römisch-gall. Urspungs, das Freistil-R. entwickelte sich nach antikem Vorbild in England.

Ringer-Lösung [nach dem brit. Pharmakologen Sidney Ringer, *1835, †1910], in Konzentration und Mischung der Blutflüssigkeit entsprechende isoton. Salzlösung aus Natriumchlorid, Kaliumchlorid, Calciumchlorid und Natriumhydrogencarbonat; heute nur noch zur Erstversorgung von Unfallopfern als Plasmaersatz verwendet; dient auch als Nährmedium für Gewebekulturen.

Ringfläche, *Mathematik:* der →Torus.

Ringgau, waldreiches, teilweise verkarstetes Muschelkalkplateau zw. Werra und Sontra in NO-Hessen, am NW-Rand des Thüringer Beckens; höchste Erhebung ist die Graburg (522 m ü. M.).

Ringkøbing ['reŋkø:beŋ], Stadt in Westjütland, Dänemark, am **R.-Fjord,** einem 30 km langen und 15 km breiten Strandsee (bei Hvide Sande künstl. Verbindung zur Nordsee), 17 000 Ew.; Museum; Bootswerft, Druckerei, Möbelherstellung, Fischverarbeitung; Fremdenverkehr. – Got. Stadtkirche, stattl. Bürgerhäuser am Markt. – Erhielt 1443 Stadtrecht.

Ringmodulator *der, Elektrotechnik:* aus zwei Übertragern und vier ringförmig angeordneten Dioden aufgebaute Schaltung zur Modulation von elektromagnet. Schwingungen.

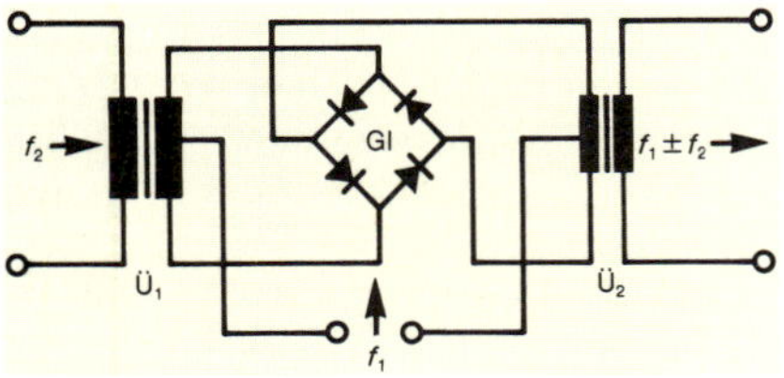

Ringmodulator: Schaltung von zwei Übertragern $Ü_1$ und $Ü_2$ mit Mittelanzapfung und vier Dioden, Gl in Ringschaltung (f_1 und f_2 = Frequenz der Seitenbänder)

Ringnebel, i. w. S. Bez. für planetar. Nebel, i. e. S. der planetar. Nebel im Sternbild Leier.

Ringrichter, *Boxen:* unparteiischer Leiter des Kampfes, der diesen im Profiboxen auch mitbeurteilt.

Ringstrom, die Erde von O nach W im Abstand von einigen Erdradien in der Ebene des magnet. Äquators umfließender elektr. Strom veränderl. Stärke. Für den **R.-Effekt** sind nach Satellitenbeobachtungen niederenerget. Protonen und Elektronen verantwortlich, deren Dichte während eines magnet. Sturms bis auf das 30fache ansteigen kann.

Ringen: Freistilringen

Ringwaage, spezielles →Manometer zum Messen niedriger Gasdrücke und, in Verbindung mit Drosselgeräten, für die Durchflussmessung von Niederdruckgas.

Ringwaldt, Bartholomäus, Dichter und evang. Theologe, *Frankfurt (Oder) 28. 11. 1532, †Langenfeld (heute Długoszyn, Wwschaft Gorzów) 9. 5. 1599; schrieb geistl. Lieder, Dramen und satir. Lehrgedichte, wendete sich gegen die beginnende kath. Gegenreformation.

Ringwall, vor- und frühgeschichtliche Befestigungsanlage mit ringförmigem Wall oder Wallsystem, z. B. auf dem →Altkönig.

Rinke, Klaus, Künstler, *Wattenscheid (heute zu Bochum) 29. 4. 1939; seit 1974 Prof. in Düsseldorf. R. setzt sich in Plastiken, Environments, Zeichnungen und Aktionen mit den Themen Raum-Zeit und Schwerkraft auseinander.

Rinnenseen, lange, schmale, oft tiefe, vom Schmelzwasser unter Gletschern ausgewaschene Seen in Glaziallandschaften.

Rinser, Luise, Schriftstellerin, *Pitzling (heute zu Landsberg a. Lech) 30. 4. 1911; Lehrerin; 1940 Berufsverbot, 1944/45 wegen »Hochverrats und Wehrkraftzersetzung« inhaftiert (»Gefängnis-Tagebuch«, 1946); Journalistin; 1953–59 ⚭ mit C. Orff. R. gestaltet psychologisch differenziert in Romanen (»Mitte des Lebens«, 1950; »Ich bin Tobias«, 1966; »Mirjam«, 1983; »Abaelards Liebe«, 1991) und Erzählungen (»Die gläsernen Ringe«, 1941; »Geschichten aus der Löwengrube«, 1986) meist Frauenschicksale und fragt – vor dem geistigen Hintergrund des Katholizismus – nach gültigen

Luise Rinser

moral. Gesetzen; auch Hörspiele, Autobiographisches (»Grenzübergänge. Tagebuch-Notizen«, 1972; »Kriegsspielzeug. Tagebuch 1972–78«, 1978; »Winterfrühling. 1979–82«, 1982; »Im Dunkeln singen. 1982–85«, 1985).

Rio de Janeiro 2): Blick über die Bucht des Stadtteils Botafogo auf den 395 m hohen Zuckerhut

Rintelen, 1) Anton, österr. Politiker (christlichsozial), *Graz 15. 11. 1876, †ebd. 28. 1. 1946; wiederholt Landeshauptmann von Steiermark und Unterrichtsmin., 1933/34 Gesandter in Rom; 1934 an den Vorbereitungen des Putsches der österr. Nationalsozialisten gegen E. Dollfuß beteiligt.

2) Fritz Joachim von, Philosoph, *Stettin 16. 5. 1898, †Mainz 23. 2. 1979; Prof. in Bonn, München und Mainz; Begründer eines Wertrealismus; setzte sich kritisch mit der Existenzphilosophie auseinander.

Werke: Der Wertgedanke in der europ. Geistesentwicklung (1932); Philosophie der Endlichkeit als Spiegel der Gegenwart (1951); Philosophie des lebendigen Geistes in der Krise der Gegenwart (1977).

Rinteln, Stadt im Kr. Schaumburg, Ndsachs., im Wesertal, 28 400 Ew.; Niedersächs. FH für Verw. und Rechtspflege; Glas-, Getränkeind., Maschinenbau, Dachsteinwerke. – Gut erhaltene Altstadt mit Münchhausenschem Adelshof (1546). – Seit 1239 Stadt, 1621–1809 Sitz einer Universität.

Rio ['rriu, portugies.] *der* (span. Río), Fluss, Strom.

Riobamba [rrio'βamba], Hauptstadt der Prov. Chimborazo, Ecuador, in einem erdbebenreichen Hochbecken, 2 754 m ü. M.; 94 500 Ew.; TH; Handelszentrum. – Spätbarocke Kathedrale.

Rio Branco ['rriu 'braŋku], Hauptstadt des brasilian. Staates Acre im Amazonastiefland, am Rio Acre, 198 900 Ew.; Univ.; Zentrum der Sammelwirtschaft (Kautschuk, Paranüsse, Arzneipflanzen) und Holzgewinnung; Flugplatz.

Rio de Janeiro ['rriu di ʒa'nejru; portugies. »Januarfluss«], **1)** Küstenstaat in →Brasilien; vier Fünftel des Gebiets werden eingenommen von der Serra do Mar und der Serra da Mantiqueira (Agulhas Negras, 2 890 m ü. M.); Weidewirtschaft. In der fruchtbaren Schwemmlandebene im NO wird vielfältiger trop. Feldbau betrieben. Zahlr. Haffe dienen der Salzgewinnung. Volta Redonda ist eines der Zentren der brasilian. Schwerindustrie. – Seit 1975 ist R. d. J. mit Guanabara vereinigt.

2) (kurz meist Rio genannt), Hauptstadt von 1), 6,04 Mio. Ew., nach São Paulo zweitgrößte Stadt Brasiliens (Agglomeration 10,4 Mio. Ew.). Sie liegt an der Guanabarabucht, von Gebirgszügen umrahmt, und grenzt mit den Wohnvororten an den Atlant. Ozean. Erzbischofssitz; Kulturzentrum mit mehreren Univ., Kunst- und Musikhochschule, wiss. Akademien, Instituten, Bibliotheken, Museen, Archiven. Wahrzeichen ist der Zuckerhut (Pão de Açúcar, 395 m ü. M.) mit Drahtseilbahn zum Gipfel, ein typ. Glockenberg; westlich davon liegt ein weiterer Granithärtling, der Corcovado (704 m ü. M.), mit 38 m hoher Christusstatue auf dem Gipfel (Zahnradbahn dahin). R. d. J. besitzt einen der besten Naturhäfen der Welt (neben Santos wichtigster Hafen Brasiliens) und einen internat. bed. Flughafen; U-Bahn. Nach São Paulo ist R. d. J. das bedeutendste Handels-, Finanz- und Ind.zentrum Brasiliens; bed. Fremdenverkehr, Hauptanziehungspunkte sind die Badestrände, u. a. Copacabana, und der berühmte Straßenkarneval. In den Elendsvierteln der Stadt (Favelas) an den erdrutschgefährdeten Steilhängen leben etwa 2 Mio. Menschen. – Die Bucht von R. d. J. wurde seit etwa 1500 von den Portugiesen erkundet, 1555 gründeten Hugenotten eine Niederlassung. Sie wurden 1565–67 von den Portugiesen vertrieben. Aus deren Siedlungen entstand R. d. J., seit 1763 Sitz des portugies. Vizekönigs, 1808–21 Residenz des vor den Franzosen geflüchteten portugies. Königs. 1822 wurde es Hptst. des unabhängigen Brasilien, 1960 von Brasília abgelöst. Weiteres BILD Brasilien

📖 WILHELMY, H. u. BORSDORF, A.: *Die Städte Südamerikas, Tl. 2: Die urbanen Zentren u. ihre Regionen. Berlin u. a. 1985.* – ACHILLES, G. W.: *Strukturwandel u. Bewertung sozial hochrangiger Wohnviertel in R. de J. Tübingen 1989.*

Río de la Plata [span. »Silberstrom«] *der,* gemeinsamer Mündungstrichter der Flüsse Paraná und Uruguay, etwa 300 km lang und 50–200 km breit; bed. Hafenplätze: Buenos Aires, La Plata, Montevideo.

Río de Oro, früherer Name des Südteils von →Westsahara.

Río Gallegos [- ɣaˈjeɣɔs], Hauptstadt der Prov. Santa Cruz, Argentinien, 64 600 Ew.; Hafenort an der Mündung des Río Gallegos; Erdbebenwarte; Fleischfabrik, Wollwäscherei.

Rio-Gipfel (Rio-Konferenz), Gipfeltreffen vom 3. bis 14. 6. 1992 in Rio de Janeiro von Vertretern von über 170 Staaten der Erde zu Fragen der Umwelt und Entwicklung im 21. Jh. Es wurden drei Dokumente angenommen: die Deklaration von Rio, die Leitlinien für den Umgang mit dem Planeten Erde formuliert, die →Agenda 21 sowie eine Erklärung zur Erhaltung der Pflanzenwelt (bes. des trop. Regenwalds). Außerdem wurden zwei völkerrechtlich bindende Konventionen zum Schutz des Klimas und der Artenvielfalt unterzeichnet. – Eine Nachfolgekonferenz fand vom 23. bis 27. 6. 1997 in New York statt; ferner die →Weltklimakonferenz 1997 in Tokio.

📖 FISCHER, W.: *Klimaschutz u. internat. Politik. Die Konferenz von Rio zw. globaler Verantwortung u. nat. Interessen. Aachen 1992. – Ein Gipfel für die Erde. Nach Rio: die Zukunft des Planeten,* hg. v. R. LEICHT. *Hamburg 1992.*

Rio Grande [ˈrriu ˈgrandi; portugies. »großer Fluss«], **1)** linker Quellfluss des Paraná in Brasilien, 1450 km lang.

2) [ˈriːəʊ ˈgrændɪ, engl.] (span. Río Grande del Norte), Strom in Nordamerika, 3034 km lang, entspringt in den südl. Rocky Mountains (Colorado, USA), durchfließt New Mexico. Von El Paso abwärts bildet er die Grenze zw. den USA (Texas) und Mexiko; durch die Anlage des Falcon Dam und des Elephant Butte Dam wurde die stark schwankende Wasserführung ausgeglichen.

3) Stadt im brasilian. Bundesstaat Rio Grande do Sul, wichtiger Hafen am Ausgang der Lagoa dos Patos in den Atlantik, 125 000 Ew.; Univ.; Fleisch-, Textil- u. a. Ind., Erdölraffinerie.

Rio Grande do Norte [ˈrriu ˈgrandi du ˈnɔrti; portugies. »großer Fluss des Nordens«], Staat von →Brasilien an der NO-Ecke Südamerikas, Hptst.: Natal. Von der flachen, sandigen Haffküste steigt das Gebiet zur Randaufwölbung des Brasilian. Berglandes an; Anbau von Baumwolle, Zuckerrohr, Sisal, Mais; im Trockengebiet des Sertão (Caatingavegetation) extensive Viehzucht. – Erste Siedlungen entstanden Ende des 16. Jh. bei Natol.

Rio Grande do Sul [ˈrriu ˈgrandi du ˈsul; portugies. »großer Fluss des Südens«], südlichster Staat von →Brasilien, unter der Bev. viele dt. und italien. Abstammung, Hptst.: Pôrto Alegre. Der N ist ein 800–1 000 m hohes Tafelland; es wurde durch dt. (seit 1824) und italien. Kolonisten (seit 1875) Bauernland: Anbau von Mais, Reis, Weizen, Maniok, Tabak, Zuckerrohr, Wein u. a.; Rinder-, Schweine- und Schafzucht. Die Ind. verarbeitet v. a. Fleisch, Zucker, Tabak. Der Bergbau fördert bes. Steinkohle und Kupfer, ferner Halbedelsteine, Eisen, Zinn-, Blei- und Wolframerz.

📖 RÖNICK, V.: *Das nordöstl. R. G. do S., Brasilien. Paderborn 1981.*

Rioja [ˈrrjɔxa], **1)** autonome Region in Spanien, →La Rioja.

2) berühmtestes span. Rotweingebiet, 46 000 ha, erstreckt sich über 140 km (bei 30–40 km Breite) beiderseits des mittleren Ebro zw. Haro (Sitz des önolog. Instituts) und Alfaro.

Rio-Konferenz, der →Rio-Gipfel.

Río Muni, Landesteil von Äquatorialguinea, seit 1973 →Mbini.

Río Negro [span.] *der,* **1)** [portugies. ˈrriu ˈnegru; »schwarzer Fluss«], größter linker Nebenfluss des Amazonas in Südamerika, etwa 2200 km lang, davon 1370 km in Brasilien; entspringt in O-Kolumbien, bildet z. T. die Grenze zw. Kolumbien und Venezuela und nimmt hier den →Casiquiare auf. Auf brasilian. Gebiet verästelt er sich in viele Arme (Überschwemmungsgebiete) und mündet unterhalb von Manaus.

2) Fluss in S-Argentinien (Patagonien), rd. 650 km lang. Durch einen Damm bei Neuquén wurde ein Teil seines Tals in eine Bewässerungsoase mit Obstbau verwandelt.

Rioni *der* (im Altertum Phasis), Fluss in Georgien, 327 km lang, mündet bei Poti ins Schwarze Meer.

Riopelle [rjɔˈpɛl], Jean-Paul, kanad. Maler und Grafiker, *Montreal 7. 10. 1923; lebt seit 1947 in Paris, Vertreter des Actionpainting; auch Bronzeplastiken in vegetativ wuchernden Formen. BILD Automatismus

Río Tinto [span.], Fluss in SW-Spanien, entspringt im SW der Sierra Morena, mündet im Golf von Cádiz; 93 km lang; an seinem Oberlauf Kupfererzgebiet mit bed. Kupferkieslagern (Tagebau).

R. I. P., Abk. für →**r**equiescat **i**n **p**ace.

Ripen, Stadt in Dänemark, →Ribe.

Ripieno [italien. »voll«, »ausgefüllt«], Abk. **R., rip.,** im 17./18. Jh. Bez. für das volle Orchester (Tutti) im Ggs. zum solist. →Concertino, bes. beim Concerto grosso (→Konzert).

Rippe, 1) *Anatomie:* (Costa) bogenförmiger, teils knöcherner, teils knorpeliger, mit der Wirbelsäule gelenkig verbundener Skeletteil. Zwölf R.-Paare bilden den Brustkorb und umschließen den Brustraum, die oberen sieben sind direkt mit dem Brustbein verbunden. Überzählige R. können am siebten Hals- oder am ersten Lendenwirbel als **Hals-** bzw. **Lenden-R.** auftreten. BILD S. 464

2) *Technik:* ein Konstruktionsteil, das i. Allg. zur Querversteifung flächiger Bauteile dient. Im Flugzeugbau z. B. stellen die R. die formgebenden Teile u. a. des Tragflächenquerschnitts (Profil) dar; in der Bautechnik tragender Teil einer Decke.

Rippelmarken (Rippeln, Wellenfurchen), durch Wasser- oder Windströmung verursachte parallele kleine Kämme und Furchen auf Sand, Schlamm oder Schnee; gerade oder gekrümmt. Fossile R. finden sich in sandigen Gesteinen (Grauwacke, Buntsandstein).

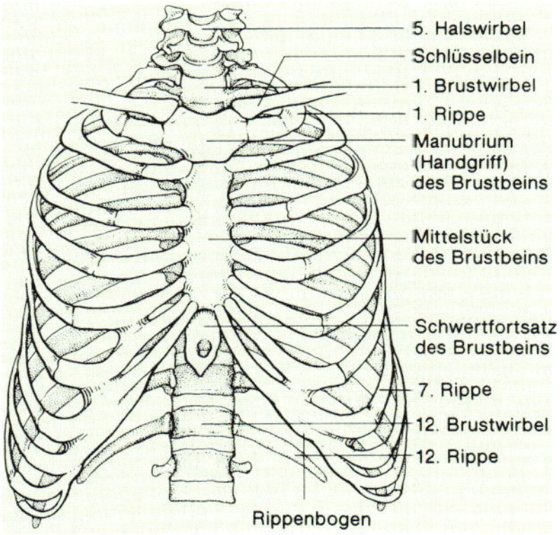

Rippe 1): Brustkorb des Menschen

Rippenbruch, durch Gewalteinwirkung hervorgerufener Bruch einer oder mehrerer Rippen. Beschwerden sind bes. Schmerzen beim Atmen und Husten; mögl. Komplikationen u.a. Lungenverletzungen; *Behandlung* v.a. durch Ruhigstellung (Anlegen eines festen Verbandes).

Rippenfarn (Blechnum spicant), einheim. Farn mit rippenförmig gefiederten Blättern; kommt in feuchten Fichtenwäldern vor.

Rippenfell, →Brustfell.

Rippenfellentzündung (Brustfellentzündung, Pleuritis), Entzündung des Rippenfells bei anderen Grunderkrankungen, z.B. bei Lungenentzündung, Tuberkulose oder Geschwülsten. Symptome sind zum Teil hohes Fieber, Hustenreiz, Atemnot, stechende Schmerzen beim Atmen. Bei der **trockenen R.** bilden sich fibrinöse Auflagerungen auf das Rippenfell mit wahrnehmbaren Reibegeräuschen. Bei der **feuchten R.** kommt es innerhalb des Brustfellraums zu einem Flüssigkeitserguss **(Pleuraerguss)**.

József Rippl-Rónai: »Dorfbewohner«, Farblithographie (um 1890)

Rippenquallen (Kammquallen, Ktenophoren, Ctenophora), einzige Klasse der zu den Hohltieren gestellten Acnidaria mit rd. 80 etwa 5 mm bis 1,5 m langen, rein marinen Arten; glasig durchsichtig, bilateralsymmetrisch, zwittrig; mit Klebzellen an den Tentakeln zum Planktonfang; u.a. die Gattung **Venusgürtel** (Cestus).

Rippl-Rónai [-ˈroːnɔi], József, ungar. Maler, Grafiker und Kunsthandwerker, *Kaposvár 23. 5. 1861, †ebd. 25. 11. 1927; Mitgl. der →Nabis, führte deren Tendenz zur Formverfestigung in die ungar. Kunst ein; späte Bilder (v.a. Porträts) in einem lockeren, spätimpressionist. Stil.

Rippoldsau-Schapbach, Bad, →Bad Rippoldsau-Schapbach.

Rips [aus engl. ribs »Rippen«] *der,* strapazierfähiges Gewebe mit geripptem Aussehen für Kleider-, Möbel-, Dekorationsstoffe u.a. Der R. weist entweder zwei (oder mehr) nebeneinander liegende Schussfäden **(Quer-R.)** oder Kettfäden **(Längs-R.)** auf.

Ripuarier [zu lat. ripa »Ufer«], Teilstamm der →Franken.

Risalit [von italien. risalto »Vorsprung«] *der, Baukunst:* Teil eines Gebäudes, der über dessen Fluchtlinie in ganzer Höhe um ein geringes hervortritt. Man unterscheidet Mittel-, Seiten- und Eckrisalite.

RISC [Abk. für engl. **r**educed **i**nstruction **s**et **c**omputer], Computer mit reduziertem Befehlssatz, die eine hohe Verarbeitungsgeschwindigkeit aufweisen.

Rishi [-ʃ-, Sanskrit] (Rischi), *ind. Religionsgeschichte:* ein hl. Seher der Vorzeit, der den →Veda geschaut und den Menschen übermittelt hat.

Risiko [italien.] *das,* **1)** *allg.:* Wagnis, Gefahr.

2) *Wirtschaft:* Bez. für Verlustgefahren, Unsicherheits- und Zufälligkeitsfaktoren, die mit jeder wirtsch. Tätigkeit verbunden sind. Unterschieden werden natürl. Risiken (z.B. Sturmschäden), techn. Risiken (z.B. Produktmängel), soziale Risiken (z.B. Fluktuation), persönl. Risiken (z.B. Krankheit), polit. Risiken (z.B. Verstaatlichung) und bes. Marktrisiken (z.B. Konjunktureinbruch, Branchenkrise). Den nachteiligen Folgen versucht man bes. in Unternehmen mit **R.-Politik** zu begegnen (z.B. Marktforschung, Reservehaltung, techn. Sicherheitsmaßnahmen, Versicherungen). Risiko-

Rissa: »Jonction« (1991; Privatbesitz)

polit. Maßnahmen sind Teil eines umfassenden **R.-Managements** zur Schadensverhütung (R.-Vermeidung, R.-Verminderung) und -überwindung (R.-Abwälzung, R.-Streuung, R.-Ausgleich, R.-Tragung). – Im Versicherungswesen wird das R. aufgrund von Erfahrung, mathemat. Erhebungen und statistischen Analysen u.a. ermittelt. – Bei Vermögensanlagen mindert eine Streuung das R. (→Portfolio-Selection).

Risikofaktor, krankheitsbegünstigender Faktor (anlage-, umwelt- oder verhaltensbedingt), z.B. begünstigen Bluthochdruck, Übergewicht und/oder Tabakrauchen das Auftreten einer Herz-Kreislauf-Krankheit.

Risikogesellschaft, von U. Beck geprägter Begriff für eine moderne Gesellschaft unter dem Gesichtspunkt, dass die sozialen, polit., ökolog., wirtschaftl. und individuellen Risiken durch einen Fortschritt der Ind.gesellschaft hervorgerufen werden, der sich zunehmend den herkömml. Kontroll- und Sicherungsvorkehrungen dieser Gesellschaft entzieht; als Beispiele werden die Risiken der Atom- und Gentechnik und die globalen Umweltprobleme genannt.

Risikokapital (Wagniskapital, Venture-Capital), i.w.S. jede Form von Eigenkapital ohne fixierten Rückzahlungs- und Zinszahlungsanspruch der Kapitalgeber; i.e.S. besondere Form der Eigenfinanzierung, bei der der Kapitalgeber bewusst ein höheres Risiko eingeht und Gewinne durch die zu erwartende Wertsteigerung und den abschließenden Verkauf seiner Beteiligung erzielen will. R. dient Unternehmen mit einer zu geringen Eigenkapitalausstattung oder Unternehmen in ihrer Gründungsphase z.B. zu Innovationen, die sie nicht aus eigener Kraft realisieren können; bevorzugt sind technologieorientierte Wachstumsbranchen. Der Staat fördert durch die Bereitstellung von R. durch Wagnisfinanzierungsgesellschaften und steuerl. Begünstigungen bes. innovative mittelständ. Unternehmen und Existenzgründer.

📖 ALBACH, H. *u. a.: Finanzierung mit R. Stuttgart 1986.* – DIETZ, J.-W.: *Gründung innovativer Unternehmen. Wiesbaden 1989.*

Risikopapier, Wertpapier (v.a. Aktie), das ein Anteilsrecht an einem Unternehmen verbrieft und damit stärker als festverzinsl. Papiere an die potenzielle Gewinnentwicklung bzw. an mögl. Risiken des Unternehmens gekoppelt ist.

Risø, dän. Kernforschungszentrum bei Roskilde.

Risorgimento [risɔrdʒiˈmento; italien. »Wiedererstehung«] *das,* Epoche der italien. Geschichte (1815–70), gekennzeichnet durch das Streben nach nat. Einheit und Rückgewinnung der kulturellen Bedeutung. Der Name geht auf die von C. B. Cavour 1847 mitgegr. Zeitschrift »Il R.« zurück.

Rispe, Blütenstand mit verzweigten Seitenachsen, die gestielte Einzelblüten tragen, z.B. beim Hafer.

Rispelstrauch (Uferheide, Deutsche Tamariske, Myricaria germanica), Tamariskengewächs auf Flussschotter der europ.-asiat. Gebirge und des Gebirgsvorlandes, heideähnlich, mit endständigen Ähren weißer bis rötl. Blüten.

Rispenfarn (Osmunda), Gattung der Königsfarngewächse, in gemäßigten und trop. Gebieten; Pflanzen mit kurzem, unterird. Stamm und ein- oder zweifach gefiederten Blättern. Bekannteste Art ist der einheim. **Königsfarn** (Osmunda regalis) mit bis zu 1,5m hohen Wedeln; geschützt.

Rispengras (Poa), artenreiche Grasgattung mit ausgebreiteten rispigen Blütenständen; Futterpflanzen sind das **Wiesen-R.** (Poa pratensis), das **Gemeine R.** (Poa trivialis) und auf feuchten Böden das **Sumpf-R.** (Poa palustris).

Rispengras: Gemeines Rispengras (Höhe 30–90 cm)

Riß *die,* rechter Nebenfluss der Donau in Oberschwaben, 53 km lang; nach ihr ist die **R.-Eiszeit** (alpine Vereisungsphase des Pleistozäns) benannt.

Rissa, eigtl. Karin Götz, Malerin, *Rabenstein (heute zu Chemnitz) 22. 6. 1938; gelangte 1964 zu einer eigenständigen gegenständl. Malerei, die sich bewusst im Spannungsfeld von abbildender und abstrakter Kunst situiert; verbindendes und ästhet. Ordnungselement ist die Farbe.

Rist, Fußrücken bzw. Oberseite der Handwurzel.

Johann von Rist (Ausschnitt eines zeitgenössischen Kupferstichs)

Rist, Johann von (seit 1653), Dichter, *Ottensen (heute zu Hamburg) 8. 3. 1607, †Wedel 31. 8. 1667; evang. Pfarrer; Mitgl. u.a. des Nürnberger Dichterkreises; wichtigster norddt. Vertreter der Refor-

Albrecht Ritschl

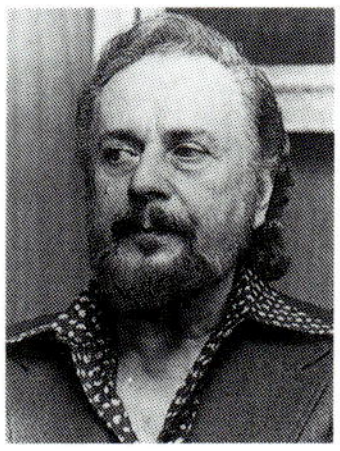

Jannis Ritsos

Carl Ritter

men von M. Opitz; gründete zu deren Förderung 1660 die Sprachgesellschaft »Elbschwanenorden«; Verfasser geistl. und weltl. Lyrik sowie allegor. Dramen und Festspiele zum Zeitgeschehen.

ritardando [italien.], Abk. **rit., ritard.,** musikal. Vortragsbezeichnung: verzögernd, langsamer werdend.

rite [lat.], genügend; geringstes Prädikat bei der Promotion (→Doktor).

Ritenstreit, Kontroverse innerhalb der kath. Kirche im 17./18. Jh. um die Missionspraxis des Jesuitenordens in O-Asien, die traditionelle Sitten, Gebräuche und religiöse Riten respektierte und den neu bekehrten Christen die weitere Teilnahme an ihnen gestattete, um so die christl. Botschaft dauerhaft in der jeweiligen Kultur zu verankern (Inkulturation).

ritenuto [italien.], Abk. **rit., riten.,** musikal. Vortragsbezeichnung: zurückgehalten, zögernd.

Ritornell [italien.] *das,* **1)** *Literatur:* aus der italien. Volksdichtung (Toskana) hervorgegangene lyr. Form; die Strophen, deren Zahl beliebig ist, bestehen aus einem 5- oder 7-silbigen Vers und zwei Elfsilbern, von denen jeweils zwei durch Reim oder Assonanz verbunden sind. R. dichteten in Dtl. u. a. F. Rückert, P. Heyse, T. Storm.

2) *Musik:* der mehrfach wiederholte Teil eines Musikstücks: a) im italien. Madrigal des 14./15. Jh. ein metrisch und musikalisch von den Strophen unterschiedener Abschnitt, steht meist am Ende; b) seit dem Aufkommen des monod. Stils das instrumentale Vor-, Zwischen- und Nachspiel der Arie und des Strophenliedes; c) im Instrumentalkonzert des 18. Jh. Bez. für die Tuttiabschnitte.

Ritschl, Albrecht, evang. Theologe, *Berlin 25. 3. 1822, †Göttingen 20. 3. 1889; seit 1852 Prof. in Bonn, seit 1864 in Göttingen; verband in seinem Werk M. Luthers Verständnis von Evangelium und Rechtfertigung mit dem eth. Anspruch I. Kants; sah in der sittl. Vervollkommnung des Menschen, möglich geworden durch seine Rechtfertigung und das eth. Vorbild Christi, den Schwerpunkt christl. Existenz, die v. a. in der Pflichterfüllung und dem verantwortlichen Handeln für die Gemeinschaft ihren Ausdruck findet; war der prägende prot. Theologe des Wilhelmin. Zeitalters.

Ritsos, Jannis, neugrch. Lyriker, *Monemvasia 1. 5. 1909, †Athen 11. 11. 1990; einer der bedeutendsten grch. Lyriker der Gegenwart; wegen seines linksgerichteten Engagements wiederholt verfolgt; 1948–52 auf versch. Inseln verbannt; 1967 erneut verhaftet, 1968 freigelassen, bis 1972 Zwangsaufenthalt auf Samos. Seine Dichtung umfasst polit. Lyrik, langzeilige Monologe, die Stagnation und Sterilität der Gesellschaft schildern, sowie unpathetisch-prägnante kurze Dichtungen; z. T. von M. Theodorakis vertont. In dt. Auswahl u. a. »Zeugenaussagen« (1968), »Mit dem Maßstab der Freiheit« (1972), »Erotika« (1981).

Ritt, Martin, amerikan. Filmregisseur und Schauspiellehrer, *New York 2. 3. 1920 (?), †Santa Monica (Calif.) 8. 12. 1990. Vielseitigkeit hinsichtlich des Genres sowie glänzende Schauspielerführung zeigen »Der Spion, der aus der Kälte kam« (1965), »Man nannte ihn Hombre« (1966), »Norma Rae« (1978), »Nuts ... Durchgedreht« (1987), »Stanley and Iris« (1988).

Rittberger-Sprung [nach dem Eiskunstläufer W. Rittberger, *1891, †1975] (Rittberger), *Eis-, Rollkunstlauf:* klass. Kürsprung; Anlauf rechtsrückwärts-auswärts, Drehung, Aufsprung rückwärts auf dem Absprungbein, Auslauf rückwärtsauswärts; heute meist mit Doppel- oder (im Eiskunstlauf) Dreifachdrehung.

Ritten (italien. Renon), Teil der Bozener Porphyrhochfläche in Südtirol, 1000–1200 m ü. M., zw. Talfer und Eisack, überragt vom **Rittner Horn** (2260 m ü. M.); mit den Fremdenverkehrsorten Oberbozen, Klobenstein und Lengmoos, die die Gemeinde R. bilden. Am SO-Hang die bis 35 m hohen Erdpyramiden in einer eiszeitl. Moräne.

Ritter [mhd. »Reiter«], **1)** *Adelskunde:* (R. von), in Bayern und Österreich (bis 1918 verliehen) 2. Stufe des niederen Adels.

2) *Geschichte:* im MA. berittener, i. d. R. mit schwerer Rüstung in den Kampf ziehender adliger Krieger; Angehöriger des R.-Standes (→Rittertum). Im antiken Rom →Equites.

3) *Ordenswesen:* Angehöriger eines →Ritterordens; unterste Ordensrangstufe der Verdienstorden.

Ritter, 1) Carl, Geograph, *Quedlinburg 7. 8. 1779, †Berlin 28. 9. 1859; war seit 1820 Inhaber einer der ersten geograph. Professuren in Dtl. an der Univ. Berlin; bemühte sich, angeregt durch A. von Humboldt, Wechselwirkungen zw. Raum und

Ritter

Der Reichsritter und Humanist Ulrich von Hutten schildert sein Ritterleben:

»Die Burg, ob sie auf dem Berg oder in der Ebene liegt, ist nicht als angenehmer Aufenthalt, sondern als Festung gebaut. Sie ist von Mauer und Gräben umgeben, innen ist sie eng und durch Stallungen für Vieh und Pferde zusammengedrängt. (...) Überall stinkt es nach Schießpulver; und dann die Hunde und ihr Dreck, auch das – ich muß schon sagen – ein lieblicher Duft! Man hört das Blöken der Schafe, das Brüllen der Rinder, das Bellen der Hunde (...). Der ganze Tag bringt vom Morgen an Sorge und Plage, ständige Unruhe und dauernden Betrieb. Äcker müssen gepflügt und umgegraben werden, Weinberge müssen bestellt, Bäume gepflanzt, Wiesen bewässert werden; man muß eggen, säen, düngen, mähen, dreschen; jetzt steht die Ernte bevor, jetzt die Weinlese. Wenn aber ein schlechtes Ertragsjahr kommt, wie in dieser mageren Gegend meistens, dann haben wir fürchterliche Not und Armut.«

Mensch aufzudecken; gehört zu den Begründern der wiss. Erdkunde.

Werke: Europa, 2 Bde. (1804–07); Die Erdkunde im Verhältniß zur Natur und Gesch. des Menschen, 2 Bde. (1817/18; 19 Bde., ^{2}1822–59).

2) Gerhard, Historiker, *Sooden (heute Bad Sooden-Allendorf) 6. 4. 1888, †Freiburg im Breisgau 1. 7. 1967; Schüler H. Onckens, ab 1924 Prof. in Hamburg, 1925–56 in Freiburg im Breisgau; gehörte dem Widerstandskreis um C. F. Goerdeler an (1944/45 in Haft); verfasste u.a. »Machtstaat und Utopie« (1940, u.d.T. »Die Dämonie der Macht«, ^{6}1948), »Carl Goerdeler und die dt. Widerstandsbewegung« (1954), »Staatskunst und Kriegshandwerk« (4 Bde., 1954–68).

Gerhard Ritter (um 1955)

3) Gerhard A. (Albert), Historiker, *Berlin 29. 3. 1929; ab 1962 Prof. in Berlin, 1965 in Münster, 1974 in München; schrieb u.a. »Arbeiterbewegung, Parteien und Parlamentarismus« (1976).

4) Joachim, Philosoph, *Geesthacht 3. 4. 1903, †Münster 3. 8. 1974; seit 1943 Prof. in Kiel, seit 1946 in Münster; arbeitete u.a. über die soziopolit. Hintergründe der Ideenentwicklung bei Hegel; Herausgeber (zus. mit K. Gründer) des »Histor. Wörterbuchs der Philosophie« (1971 ff.).

5) Johann Wilhelm, Physiker, *Samitz (heute Zamienice, bei Chojnów) 16. 12. 1776, †München 23. 1. 1810; zeigte den Zusammenhang zw. galvan. und chem. Prozessen und die Gleichartigkeit von galvan. und Reibungselektrizität; zählt zu den Begründern der Elektrochemie. Er entdeckte 1801 die ultraviolette Strahlung.

Ritter 2): Zeichnung von Albrecht Dürer (1498)

Ritter|akademi|en, Bildungsanstalten für den Adel zur Vorbereitung auf den Heeres-, Hof- und Staatsdienst; gegr. Ende des 16. Jh.; erneut in der 2. Hälfte des 17. Jh. Die erste R. war das Collegium illustre in Tübingen (1589). Im 18. Jh. aufgehoben oder in Gymnasien oder Kadettenanstalten umgewandelt.

Ritterbünde (Rittergesellschaften), Vereinigungen des niederen, bes. des südwestdt. Adels im 14./15. Jh. zur Wahrung reichsritterl. Rechte gegen Städte und Territorialfürsten. Sie erhielten 1422 das Recht zum korporativen Zusammenschluss.

Ritterfalter (Ritter, Edelfalter, Papilionidae), weltweit verbreitete Familie bis 25 cm spannender Tagfalter mit rd. 600 v.a. in den Tropen beheimateten Arten; zu ihnen zählen u.a. →Apollofalter, →Schwalbenschwanz, →Segelfalter.

Rittergut, im Hl. Röm. Reich von den Landesherren dem ritterbürtigen Adel gegen die Verpflichtung zum Kriegsdienst übertragene Gutsherrschaft. Damit verbundene Privilegien (1867 endgültig aufgehoben) waren u.a. Steuerbegünstigung, Zollfreiheit, Landstandschaft, niedere Gerichtsbarkeit und Polizeistrafgewalt über die erbuntertänigen Bauern.

Ritterkreuz, im Ordenswesen meist die unterste Klasse im fünfstufigen System; in Dtl. 1939–45 die höhere Stufe des →Eisernen Kreuzes.

Ritterling (Tricholoma), Gattung der Blätterpilze mit fleischigem Fruchtkörper; die hellen Blätter sind um den Stiel ausgebuchtet; der **Grünling** (Tricholoma equestre) mit olivgrünem bis braungelbem Hut, in Kiefernwäldern, ist ein Speisepilz.

Ritterling: Grünling

Ritter|orden, während der Kreuzzüge entstandene Vereinigungen christl. Ritter, deren Mitgl. die Mönchsgelübde ablegten; urspr. aus der Notwendigkeit entstanden, die Pilger in Palästina zu schützen und Kranke und Verwundete zu pflegen. Die R. verfolgten als übergeordnete Ziele die »Befreiung« des Hl. Landes von der Herrschaft der »Ungläubigen« und den Kampf für die Ausbreitung des christl. Glaubens; bed. R. waren der →Deutsche Orden, der →Johanniterorden und der →Templerorden.

Ritterroman, Romantypus vom ausgehenden MA. bis ins 17. Jh., der mit der Prosaauflösung der mittelalterl. Epen aufkam. Stofflich knüpft der R. an die durch die Volksbücher tradierten Heldenstoffe sowie an den Amadisroman (→Amadis von Gaula) an, der vom 14. bis ins 17. Jh. in Portugal, Spanien, Frankreich und Dtl. mit seinen Bearbeitungen und Erweiterungen stets neues Lesepublikum fand. Die Wunder- und Zauberwelt des episodenreichen frühen R. wurde im »Don Quijote« (2 Tle., 1605–15) von M. de Cervantes Saavedra parodiert. Der R. wirkte im →heroisch-galanten Roman der Barockzeit fort und entwickelte sich als trivialer Ritter- und →Räuberroman in der dt. Literatur des 18. Jh. weiter.

Rittersporn (Delphinium), Gattung der Hahnenfußgewächse in der nördl. gemäßigten Zone, in Vorder- und Mittelasien sowie in den Gebirgen des trop. Afrika; Stauden und einjährige Pflanzen mit dreiteiligen bis handförmig gelappten Blättern und gespornten Blüten. Einheimisch ist u.a. der **Feld-R.** (Delphinium consolida), ein 20–40 cm hohes Ackerunkraut mit azurblauen Blüten; Zierpflanzen sind der **Hohe R.** (Delphinium elatum) mit stahlblauen Blüten und zahlr. Sorten des **Garten-R.** (Delphinium ajacis) mit blauvioletten, rosa oder weißen Blüten.

Rittersporn: Feldrittersporn (Höhe 20–40 cm)

Ritterstern (Hippeastrum), Gattung der Amaryllisgewächse, in Savannen oder periodisch trockenen Waldgebieten des subtrop. und trop. Amerika; Zwiebelpflanzen mit röhrigem Schaft und großen, trichterförmigen, gestielten Blüten in einer Dolde; Zimmerpflanzen.

Rittertum, Gesamtheit der durch den mittelalterl. Berufskriegerstand der Ritter entwickelten sozialen, kulturellen, rechtl. und wirtsch. Verhältnisse. Das R. hatte seine Grundlagen im german. Gefolge (→Gefolgschaft), woraus im Hoch-MA. ein schlagkräftiges Heer aus berittenen Berufskriegern in schwerer Rüstung entstand, die durch Überlassung von Grundbesitz als Lehen wirtsch. gesichert waren. Das Bestreben, bes. in den Kreuzzügen christl. Sittengesetz und Waffendienst miteinander zu vereinbaren, führte zur Herausbildung der →Ritterorden. Seine höchste Blüte erlebte das R. im Zeitalter der Kreuzzüge und unter den stauf. Kaisern. – R. und Hofleben beeinflussten, bes. von Frankreich ausgehend, entscheidend die kulturelle Entwicklung des Abendlands. Ritterl. Tugenden waren Zucht, krieger. Tüchtigkeit, Treue zum Lehensherrn und den christlichen Forderungen nach einwandfreiem Lebenswandel, Schutz der Schwachen und Frauendienst (→Minne). Literarisch spiegelten sich diese Idealvorstellungen im →Minnesang und im höf. →Epos. Durch Pagendienst (ab 7 Jahren) und Knappendienst (ab 14 Jahren) wurden Knaben aus ritterl. Geschlechtern standesgemäß herangebildet, bevor sie mit 21 Jahren den **Ritterschlag (Schwertleite, Schwertnahme)** erhielten, durch den sie wehrhaft und mündig wurden. Unehrenhaftes Verhalten führte zum Verlust der Ritterwürde. – Im späteren MA. verloren die Ritterheere infolge der Einführung von Feuerwaffen und veränderter Taktik des Fußvolks an militär. Bedeutung. Aufgrund der wirtsch. Not und des sozialen Abstiegs entstand das Raub-R. (→Raubritter). Durch Zusammenschlüsse in →Ritterbünden erlangten die Ritter im 15. und 16. Jh. in den meisten Territorien Beteiligung an der Landesherrschaft.

📖 Keen, M.: *Das R. Aus dem Engl. Neuausg. Reinbek 1991.*

Rittmeister, bis 1945 Dienstgradbez. der Offiziere im Hauptmannsrang der dt. Kavallerie und Fahrtruppe; noch üblich in Österreich (Bundespolizei, Landesgendarmerie) und Schweden.

Ritual *das,* **1)** *allg.:* jedes (v.a. soziale) Verhalten, das mit Regelmäßigkeit zu bestimmten Anlässen in immer gleicher Form abläuft; meist traditionsbestimmt.

2) *Religionswissenschaft:* →Ritus.

Rituale [lat.] *das, kath. Kirche:* das liturg. Buch, das die vom Priester zu vollziehenden Riten bei der Spendung der Sakramente und Sakramentalien sowie für die Exorzismen enthält.

Ritualisierung, nach J. S. Huxley ein urspr. zweckhaftes tier. Verhalten, das so abgewandelt,

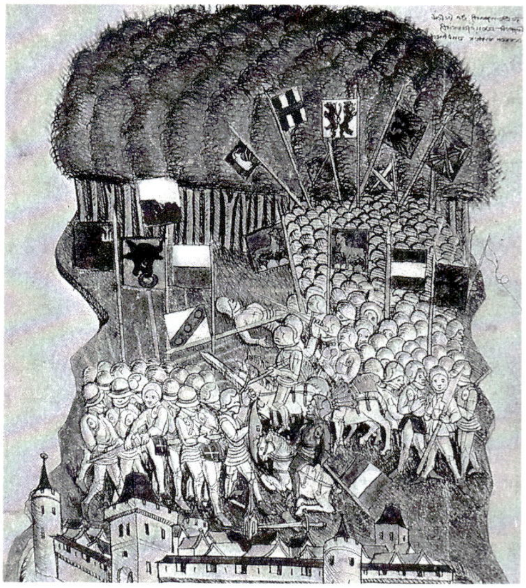

Rittertum: Bei der Schlacht bei Sempach im Jahr 1386 wurde das Ritterheer Leopolds III. von Habsburg von Schweizer Fußtruppen besiegt, zeitgenössische Buchillustration

Diego Rivera: »Der Mensch am Scheideweg«, Ausschnitt eines Wandgemäldes im Palacio de Bellas Artes in Mexiko (1934)

verselbstständigt und unter Umständen auch übertrieben wird, dass es bei Artgenossen ein bestimmtes Verhalten auslöst.

Ritualmord, eine mit kult. oder mag. Zielsetzung vollzogene Tötung von Menschen, die eine Verwandtschaft zum rituellen und symbol. →Kannibalismus aufweist. Dem R. liegt die Vorstellung zugrunde, dass das Blut oder bestimmte Körperteile des Getöteten Träger von dessen Lebenskraft, Seele oder bes. Macht sind, die auf den Tötenden bzw. die in ihm repräsentierte Gemeinschaft übergeht. – Der durch nichts gerechtfertigte Vorwurf des R. an Christen diente u. a. seit dem MA. bis ins 19. Jh. zur »Begründung« und »Rechtfertigung« antijüd. Pogrome.

Ritus [lat.] *der,* **1)** *kath. Kirchenrecht:* teilkirchl. Gemeinschaft, die den gleichen liturg. R. befolgt; →lateinische Kirche (lat. R.), die unierten oriental. Kirchen (oriental. Riten, →Ostkirchen).

2) *Religionswissenschaft:* (Ritual) kult. Handlungsablauf (Worte, Gesten, [symbol.] Handlungen), der mit religiöser Zielsetzung (Verehrung Gottes, der Götter bzw. des als heilig Angesehenen) festgelegten Regeln (Zeremonien) folgt.

Ritz, Cäsar, schweizer. Hotelier, *Niederwald (Bez. Goms, Kt. Wallis) 23. 2. 1850, †Küsnacht (ZH) 20. 10. 1918; richtete als erstes seiner Luxushotels das Hotel Ritz in Paris (Place Vendôme) ein.

Ritzel, Zahnrad mit kleiner Zähnezahl, das ein größeres Zahnrad bewegt.

Riukiu|inseln, Inselgruppe, →Ryūkyūinseln.

Riva del Garda, Kur- und Fremdenverkehrsort in der Prov. Trient, Italien, am Nordende des Gardasees, 13 200 Einwohner.

Riva-Rocci [-ˈrɔttʃi], Scipione, italien. Kinderarzt, *Almese (bei Turin) 7. 8. 1863, †Rapallo 15. 3. 1937; erfand 1896 das nach ihm ben. Blutdruckmessgerät mit Manschette und Quecksilbermanometer (R.-R.-Apparat) zur unblutigen Messung des arteriellen Blutdrucks.

Rive [raɪv], Richard, südafrikan. Schriftsteller, *Kapstadt 1. 3. 1931, †(ermordet aufgefunden) bei Kapstadt 4. 6. 1989; schrieb Romane (u. a. »Das Ausnahmerecht«, 1964; »Buckingham Palace«, 1986, dramatisiert) und Erzählungen (»African songs«, 1963). Sein Werk war in Südafrika wegen der polit. Brisanz lange verboten.

Richard Rive

Rivel, Charlie, eigtl. José Andreu R., span. Clown, *Cubelles (Prov. Barcelona) 28. 4. 1896, †Barcelona 26. 7. 1983; in Dtl. bekannt mit der Nummer »Akrobat-schööön!«.

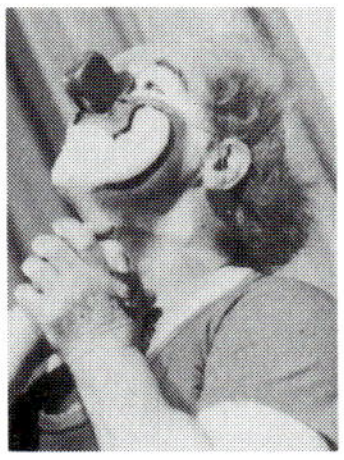

Charlie Rivel (um 1970)

Rivera, Diego, mexikan. Maler, *Guanajuato 8. 12. 1886, †Mexiko 24. 11. 1957; lebte 1907–21 v. a. in Paris, seit 1921 in Mexiko tätig; gehört zu den Begründern des →Muralismo; schuf monumentale Wandmalereien, die, an altmexikan. Kunst anknüpfend, Szenen aus der Geschichte, dem polit. und sozialen Leben Mexikos darstellen; auch Zeichnungen; seit 1929 ⚭ mit der Malerin F. →Kahlo.

Rivers [ˈrɪvəz], Larry, amerikan. Maler, Grafiker, *New York 17. 8. 1923; zunächst Jazzmusiker. Seine Collagen verbinden einen abstrakt-expressionist. Stil mit Motiven der Pop-Art, deren Wegbereiter R. neben R. Rauschenberg wurde.

Riverside [ˈrɪvəsaɪd], Stadt in Kalifornien, USA, Kurort inmitten bewässerter Obstkulturen, 227 000 Ew.; Zweig der Univ. von Kalifornien; Obstversand; Konservenind., Flugzeug- und Maschinenbau.

Rivet [riˈvɛ], Paul, frz. Ethnologe, *Wasigny (Dép. Ardennes) 7. 5. 1876, †Paris 21. 3. 1958; war Militärarzt, betrieb 1901–07 anthropolog. For-

Riviera: Der Badeort La Napoule an der Französischen Riviera liegt südwestlich von Cannes

schungen in Ecuador, seit 1928 Prof. und Museumsdirektor in Paris, gründete dort 1937 das Musée de l'Homme; versuchte prähistor. Beziehungen zw. den australisch-melanes. und den südamerikan. Kulturen nachzuweisen.

Rivette [ri'vɛt], Jacques, frz. Filmregisseur, *Rouen 1. 3. 1928; wichtiger Vertreter der Nouvelle Vague; drehte u.a. »Paris gehört uns« (1961), »Die Nonne« (1966), »Céline und Julie fahren Boot« (1974), »Die schöne Querulantin« (1992).

Riviera [italien. »Küstenland«] *die,* der schmale Küstensaum des Mittelmeers von Marseille bis La Spezia. Der **Frz. R. (Côte d'Azur)** mit Saint-Tropez, Cannes, Antibes, Nizza, Monaco, Menton folgt die **Italien. R.,** westlich von Genua als **R. di Ponente** mit Bordighera, Ospedaletti, San Remo, Alassio, östlich von Genua als **R. di Levante** mit Nervi, Rapallo, Santa Margherita und Portofino. Das im N durch Gebirge geschützte Gebiet hat sonniges, mildes Klima und üppige, subtrop. Vegetation. Die R. ist dicht besiedelt; bed. Fremdenverkehr (seit dem 19. Jh.); ferner Blumenzucht, Gemüsebau, Fischerei sowie Ind. im Raum Genua.

Rizinus: Zweig der Christuspalme

Rivière [ri'vjɛ:r], Jacques, frz. Schriftsteller, *Bordeaux 15. 7. 1886, †Paris 14. 2. 1925; war 1910–14 und 1919–25 Chefredakteur der »Nouvelle Revue Française«; veröffentlichte krit. Aufsätze über zeitgenöss. Kunst, Romane »Aimée« (1922) und »Florence« (hg. 1935, Fragment) sowie Tagebücher.

Riwne, Stadt in der Ukraine, →Rowno.

Rixhöft (poln. Rozewie), nördlichster Punkt von Polen (bei 54° 50' n. Br.); Kap mit Leuchtturm an der pommerschen Ostseeküste.

Rize ['rizɛ], Hauptstadt der türk. Prov. R. und Hafen am östl. Schwarzen Meer, 51 600 Ew.; Anbau- und Verarbeitungszentrum von Tee.

Rizinus [lat.] *der* (Ricinus), Gattung der Wolfsmilchgewächse mit der formenreichen, nur in Kultur in allen wärmeren Gebieten bekannten Art **Christuspalme** (**Wunderbaum,** Ricinus communis); beheimatet im trop. Afrika oder in Indien; bis zu 3 m hohe, halbstrauchige, in den Tropen auch baumartige Pflanzen mit großen, handförmigen Blättern. Die Früchte sind walnussgroße Kapseln mit bunt gefleckten, giftigen Samen. (→Ricin)

Rizinus|öl (Oleum Ricini, Kastoröl), wasserhelles bis gelbl., aus Rizinussamen gewonnenes fettes Öl; besteht v.a. aus dem Triglycerid der Ricinolsäure. Medizinisch wird R. als Abführmittel verwendet (wirksam ist die Ricinolsäure); technisch dient es zur Herstellung von Textilhilfsmitteln, transparenten Seifen und Spezialschmiermitteln.

Rizinus|ölsäure, die →Ricinolsäure.

Rizzi, James, amerikan. Künstler, *Brooklyn (New York) 5. 10. 1950; stellt in fröhlich-naiven, starkfarbigen und detailreichen Bildern, oft auch dreidimensionalen Objekten, meist Themen des Großstadtlebens dar.

Rizzo, Antonio, italien. Bildhauer, *Verona (?) um 1430/35, †Foligno 1499/1500; Vertreter der Frührenaissance, u.a. Marmorstatuen Adams und Evas (vor 1471; Venedig, Dogenpalast), Grabmal des Dogen N. Tron (um 1476–79; ebd., Frari-Kirche); leitete seit 1483 die Erneuerung des Dogenpalastes.

Rjasan, Gebietshauptstadt in Russland, am rechten Ufer der Oka, 515 000 Ew.; drei Hochschulen, Pawlow-, Kunst-, Architekturmuseum; Bau von Funkgeräten und Datenverarbeitungsanlagen, Erdölverarbeitung, chem., Leicht-, Nahrungsmittelind.; südlich von R. Wärmegroßkraftwerk (3 380 MW); Flusshafen. – Kreml mit mehreren Kathedralen des 14. bis 16. Jh., Klöstern und Palästen.

Rjukan, Industrieort in S-Norwegen, in der Gemeinde Tinn, 6 900 Ew.; fünf Wasserkraftwerke, elektrochem. Großindustrie.

RKA [Abk. für russ. **R**ossijskoje **K**osmitscheskoje **A**gentstwo, »russ. Raumagentur«], russ. staatl. Raumfahrtbehörde, gegr. am 25. 2. 1992, Sitz: Moskau; beauftragt mit der Planung und Durchführung der zivilen russ. Raumfahrtprogramme (für militär. Satelliten und Trägerraketen ist seit 1991 das Verteidigungsministerium zuständig). Hauptprojekt der RKA ist derzeit die →Mir.

RKW, Abk. für →**R**ationalisierungs-**K**uratorium der Deutschen **W**irtschaft e. V.

Rm, Einheitenzeichen für →**R**aum**m**eter.

RM, Abk. für →**R**eichs**m**ark.

Rn, chem. Symbol für →Radon.

RNA, Abk. für **R**ibo**n**ucleic **A**cid, die →Ribonucleinsäure.

RNS, Abk. für →**R**ibo**n**uclein**s**äure.

Roa Bastos, Augusto, paraguayischer Schriftsteller, *Asunción 13. 6. 1917; lebte, u.a. als Prof. für Literatur, 1947–76 im Exil (Argentinien und Frankreich), gilt als wichtiger Vertreter des mag. Realismus; schreibt ausdrucksstarke Lyrik, realist. Erzählungen und Romane um soziale und polit. Probleme Paraguays (»Die Nacht der treibenden Feuer«, Erz.n, 1953; »Menschensohn«, R., 1960; »Ich, der Allmächtige«, R., 1974; »Die Nacht des Admirals«, R., 1992).

Roadster ['rəʊdstə; engl., zu road »Straße«] *der,* meist zweisitziger Personenkraftwagen mit maximal zwei zusätzl. Notsitzen und einfachem, zurückklappbarem Verdeck.

Roanne [rɔ'an], Stadt im Dép. Loire, Frankreich, an der Loire, 42 800 Ew.; Baumwoll- u. a. Textilind., Lederverarbeitung, Papier-, Maschinen-, Keramikfabriken.

Roastbeef ['ro:stbi:f, engl.] *das,* Rippenstück vom Rind, nicht ganz durchgebraten.

Robakidse, Grigol, georg. Schriftsteller, *Swiri 1. 11. 1884, †Genf 21. 11. 1962; Romane und Erzählungen, von kaukas. und oriental. Mythen bestimmt.

Robbe-Grillet [rɔbgri'jɛ], Alain, frz. Schriftsteller, *Brest 18. 8. 1922; einer der Hauptvertreter und Theoretiker (»Argumente für einen neuen Roman«, 1963) des →Nouveau Roman, dessen Schreibtechnik er u. a. mit »Der Augenzeuge« (1955), »Die Jalousie oder Die Eifersucht« (1957), »Die Niederlage von Reichenfels« (1959) prägte. Spätere Werke zeigen in ihrem Spiel mit Alltagsmythen postmoderne Züge, z. B. »Ansichten einer Geisterstadt« (1976). R.-G. schrieb auch Drehbücher (u. a. für den Film »Letztes Jahr in Marienbad«, 1961) und autobiograph. Texte (»Der wiederkehrende Spiegel«, 1984; »Angélique oder Die Verzauberung«, 1988, und »Corinthes letzte Tage«, 1992); auch Filmregisseur.

📖 NOWAK, M.: *Die Romane A. R.-G.s. Heidelberg 1982.*

Robben [niederdt., zu Raupe] (Flossenfüßer, Pinnipedia), Ordnung etwa 1,4–6,5 m langer Säugetiere mit rd. 30 Arten in überwiegend kalten Meeren, selten in Binnenseen (v. a. Baikal- und Kaspirobbe); gesellig lebende, ausgezeichnet schwimmende und tauchende, sich v. a. von Fischen ernährende Wasserraubtiere mit dicker Speckschicht, kurzem Haarkleid und flossenartigen Extremitäten. Die R. verlassen das Wasser zur Paarung, teilweise auch zum Schlafen. Wegen der sehr begehrten Pelze (Seal) sind zahlr. Arten in ihren Beständen bedroht. Zu den R. zählen Seehunde, Walrosse und die Familie **Ohren-R.** (Otariidae). Bei ihr unterscheidet man die Gruppen Pelz-R. und Seelöwen. Im Küstengebiet Südamerikas kommt die meist dunkelbraune **Mähnenrobbe** (Patagon. Seelöwe, Otaria byronia) vor; Männchen mit mähnenähnlich verlängerten Nackenhaaren. In antarkt. Gewässern lebt der **Seeleopard** (Hydrurga leptonyx); bis zu 4 m lang; mit starkem Gebiss. Die

Andrea della Robbia: Madonna mit Kind und Heiligen (undatiert; Florenz, Santa Croce)

Bestände der in trop. und subtrop. Meeren lebenden **Mönchsrobben** sind stark gefährdet.

📖 DEIMER, P.: *Das Buch der R. Abenteuer in Arktis u. Antarktis. Neuausg. München 1989.*

Robbia, 1) Andrea della R., italien. Bildhauer, *Florenz 28. 10. 1435, †ebd. 1525, Neffe von 2); entwickelte mit seinen Söhnen Giovanni (*1469, †nach 1529) und Girolamo (*1488, †1566) die Technik der glasierten Terrakotten weiter; schuf neben zahlreichen Madonnenreliefs die Rundreliefs der Wickelkinder am Findelhaus in Florenz (1463–66).

Luca della Robbia schuf zwischen 1431 und 1438 die Sängerkanzel für den Dom in Florenz

2) Luca della R., italien. Bildhauer, *Florenz 1400, †ebd. 10. 2. 1482, Onkel von 1); bed. Vertreter der Frührenaissance; schuf Marmorbildwerke (Sängerkanzel für den Florentiner Dom, 1431–38; Dommuseum), Bronzearbeiten (Reliefs zur Tür der N-Sakristei des Doms, 1464–69) und seit den 1440er-Jahren bes. farbig glasierte Terrakottareliefs, meist mit Madonnendarstellungen.

Alain Robbe-Grillet

Robbins ['rɔbɪnz], **1)** Frederick Chapman, amerikan. Bakteriologe und Kinderarzt, *Auburn (Ala.) 25. 8. 1916; schuf die Voraussetzungen zur

Hubert Robert: »Tivoli« (undatiert; Pau, Musée des Beaux-Arts)

Frederick C. Robbins

Herstellung eines wirksamen Impfstoffs gegen Kinderlähmung; erhielt hierfür 1954 mit J. F. Enders und T.H. Weller den Nobelpreis für Physiologie oder Medizin.

2) Jerome, amerikan. Tänzer, Choreograph und Regisseur, *New York 11. 10. 1918, †ebd. 29. 7. 1998; war 1949–59 künstler. Leiter, 1969–90 Ballettmeister des New York City Ballet; choreographierte u.a. »Fancy free« (1944), »Glass pieces« (1982), »Allegro con grazia« (1991); errang große Erfolge mit den Musicals »West side story« (1957) und »Fiddler on the roof« (1964).

Jerome Robbins

Robe [frz.] *die,* → Amtstrachten.

Röbel/Müritz, Stadt im Landkreis Müritz, Meckl.-Vorp., 6000 Ew.; am W-Ufer der Müritz; Maschinen- und Gerätebau, Herstellung von Compactdiscs u.a. – Frühgot. Backsteinhallenkirchen Sankt Marien und Sankt Nikolai (beide 13 Jh. ff.); Reste der Stadtmauer (Mitte des 13. Jh.) erhalten. – Entstand 1261; bis 1994 Kreisstadt.

Robert, Fürsten:

Apulien: **1) R. Guiscard** [»der Verschlagene«], Herzog (1059–85), *1016, †Kephallenia 17. 7. 1085; Sohn Tankreds von Hauteville aus der Normandie, eroberte seit 1057 fast ganz Unteritalien, das er mit Sizilien, mit dessen Eroberung er seinen Bruder Roger betraute, 1059 als päpstl. Lehen erhielt. R. war seit 1081 gegen Byzanz erfolgreich. 1084 befreite er den von Heinrich IV. in Rom eingeschlossenen Papst Gregor VII., dem er Asyl gewährte, als die Normannen Rom plünderten.

Julia Roberts

Neapel: **2) R. I., der Weise** (R. von Anjou), König (1309–43), *um 1275, †Neapel 19. 1. 1343; Gegner Kaiser Heinrichs VII., beherrschte Mittel- und S-Italien; verfasste theologische Schriften, förderte Wiss. und Kunst des beginnenden Humanismus.

Normandie: **3) R. I.,** Herzog (1027–35), *um 1006, †(auf einer Pilgerfahrt) Nikaia (heute İznik) 1. oder 2. 7. 1035; Vater Wilhelms des Eroberers; im 15. Jh. irrtümlich mit dem Sagenhelden → Robert der Teufel identifiziert.

Robert [rɔ'bɛːr], Hubert, frz. Maler, *Paris 22. 5. 1733, †ebd. 15. 4. 1808; gehört mit seinen italien. Landschafts- und Ruinenmotiven zu den Wegbereitern der frz. Landschaftsmalerei des 19. Jh.; bed. Zeichnungen.

Robert der Teufel, Gestalt der frz. Volkssage; die Prosaerzählung wurde im 13. Jh. zu einem beliebten Versroman; Oper von G. Meyerbeer (1831).

Robert-Koch-Institut, 1891 als Inst. für Infektionskrankheiten gegr. und zuerst von R. Koch geleitetes Inst. in Berlin, das sich v.a. mit der Erforschung, Bekämpfung und Heilung ansteckender Krankheiten befasst; seit 1952 Teil des Bundesgesundheitsamtes.

Roberts ['rɔbəts], **1)** Julia, amerikan. Filmschauspielerin, *Smyrna (Ga.) 28. 10. 1967; übernahm 1986 erstmals eine Filmrolle, mit »Pretty Woman« (1990) avancierte sie zum Hollywoodstar; außerdem u.a. »Flatliners« (1990), »Die Akte« (1993), »Alle sagen: I love you« (1997).

2) Kenneth Lewis, amerikanischer Schriftsteller, *Kennebunkport (Me.) 8. 12. 1885, †ebd. 21. 7. 1957; schrieb nach genauem Quellenstudium histor. Romane zur amerikan. Geschichte (»Nordwest-Passage«, 1937).

3) Richard J., brit. Chemiker und Genetiker, *Derby 6. 9. 1943; erhielt für die Entdeckung der diskontinuierlich aufgebauten Gene 1993 (mit P. A. Sharp) den Nobelpreis für Physiologie oder Medizin.

Maximilien de Robespierre: Punktierstich des Zeitgenossen Gabriel Fiesinger nach einer Zeichnung eines französischen Porträtisten aus dem Jahr 1789

Robespierre [rɔbɛs'pjɛːr], Maximilien de, frz. Politiker, *Arras 6. 5. 1758, †(hingerichtet) Paris 28. 7. 1794; Rechtsanwalt, wurde 1789 als Vertreter des dritten Standes in die Generalstände gewählt. Im Jakobinerklub nahm er als Anhänger radikaler Ziele schnell eine führende Stellung ein. Im Nationalkonvent (seit Sept. 1792) wurde R. einer der

Führer der →Bergpartei. Er betrieb die Hinrichtung Ludwigs XVI. und den Sturz der →Girondisten; seit 1793 im Wohlfahrtsausschuss, sicherte sich dort fast unbeschränkte Macht und setzte die Schreckensherrschaft (»Terreur«) durch. Er führte den »Kult des Höchsten Wesens« als Staatsreligion ein. Seine Gegner J. R. Hébert und G. Danton ließ er hinrichten. Nach der Verschärfung des Terrors am 27. 7. 1794 (9. Thermidor II) wurden er und seine Anhänger durch eine Verschwörung im Konvent gestürzt.

📖 SIEBURG, F.: *R. Neuausg. Frankfurt am Main 1989.*

Robinson Crusoe: Illustration von Grandville in einer 1840 erschienenen Ausgabe des Romans von Daniel Defoe

Robin Hood ['rɔbɪn 'hʊd], Held vieler engl. Volksballaden des 14. und 15. Jh., der als Anführer einer Schar von Getreuen im Sherwood Forest bei Nottingham lebt, wo er reiche weltl. und geistl. Herren ausraubt, um ihren Überfluss an die Armen zu verteilen. Ein histor. Vorbild ist nicht nachgewiesen. In die Kunstdichtung gelangte die Figur durch das elisabethan. Theater; zahlr. Romanbearbeitungen und Verfilmungen.

Robịni|e [nach dem frz. Hofgärtner Jean Robin, *1550, †1629] *die* (Robinia), Schmetterlingsblütlergattung aus Nordamerika, meist dornige Bäume und Sträucher mit unpaarig gefiederten Blättern, traubig sitzenden Blüten und bandförmigen, ledrigen, später klaffenden Fruchthülsen. Die Art **R. (Falsche Akazie, Scheinakazie,** Robinia pseudoacacia), oft mit der Gattung Acacia verwechselt, hat weiße Blüten und ist in der gemäßigten Zone Straßen- und Forstbaum.

Robinson ['rɔbɪnsn], **1)** Edward G., eigtl. Emmanuel Goldenberg, amerikan. Schauspieler rumän. Herkunft, *Bukarest 12. 12. 1893, †Los Angeles (Calif.) 26. 1. 1973; psychologisch differenzierte Rollengestaltung, v. a. in Gangster- und Kriminalfilmen wie »Little Caesar« (1930) oder »Das zweite Gesicht« (1943).

2) Edwin Arlington, amerikan. Lyriker, *Head Tide (Me.) 22. 12. 1869, †New York 6. 4. 1935; schrieb grüblerische, meist melanchol. Gedichte, die Versepen »Merlin« (1917), »Lancelot« (1919), »Tristram« (1927).

3) Joan Violet, brit. Volkswirtschaftlerin, *Camberley (Cty. Surrey) 31. 10. 1903, †Cambridge 5. 8. 1983; Vertreterin des →Keynesianismus; lieferte wichtige Beiträge v. a. zur Wachstums- und Wettbewerbstheorie, setzte sich mit dem Marxismus auseinander.

4) Mary, irische Juristin und Politikerin, *Ballina (Cty. Mayo) 21. 5. 1944; Verfassungsrechtlerin; zeitweilig Mitgl. der Labour Party (1985 Austritt), 1990–97 Staatspräsidentin; im Juni 1997 zur UN-Kommissarin für Menschenrechte ernannt.

5) Ray, »Sugar« Ray, eigtl. Walker Smith, amerikan. Berufsboxer, *New York 3. 5. 1920, †Culver City (Calif.) 12. 4. 1989; war sechsmal Weltmeister (1946–50 im Welter- und 1951 im Mittelgewicht).

6) Sir (seit 1939) Robert, brit. Chemiker, *Rufford (bei Chesterfield) 13. 9. 1886, †Great Missenden (Cty. Buckinghamshire) 8. 2. 1975; Prof. u. a. in Oxford (1930–55); erforschte u. a. biologisch wichtige Pflanzenstoffe, bes. Alkaloide (u. a. Morphin) und Blütenfarbstoffe; hierfür erhielt er 1947 den Nobelpreis für Chemie.

Robinson Crusoe ['rɔbɪnsn 'kru:səʊ], Held des Reise- und Abenteuerromans von D. →Defoe (1719), der damit die Gattung der **Robinsonade** begründete. R. C. verbringt nach einem Schiffsuntergang 28 Jahre auf einer Insel in der Orinocomündung; in dem als »edlen Wilden« bezeichneten Kannibalen Freitag findet er einen getreuen Diener. Die Anregung erhielt Defoe hauptsächlich durch den Bericht (1712) des Kapitäns W. Rogers über das Leben des ausgesetzten Matrosen A. Selkirk 1704–09 auf der menschenleeren Juan-Fernández-Insel Más a Tierra (heute Róbinson Crusoe). Defoe folgte mit der Geschichte des religiös geläuterten, zu Gott und zu bürgerl. Pragmatik zurückfindenden Helden dem Vorbild der puritan. geistigen Autobiographie und legte den Grundstein für den bürgerlich-realist. Roman. Bed. Nachahmer Defoes war J. G. Schnabel.

📖 WATT, I.: *Myths of modern individualism. Faust, Don Quixote, Don Juan, R. C. Cambridge u. a. 1996.*

Richard J. Roberts

Edward G. Robinson

Mary Robinson

Robert Robinson

Robin Hood

Robin Hood wurde 1950 in Indiana, USA, »unamerikanischer Umtriebe« verdächtigt. Daher wurden per gesetzlichen Beschluss alle Bücher über ihn aus dem Handel gezogen und aus den Bibliotheken entfernt. Das Thema der Bücher – das Ausrauben Reicher zugunsten Armer – wurde als kommunistische Propaganda betrachtet. Ein solcher Verdacht kam in der Zeit des verschärften Kalten Krieges und der Untersuchungsausschüsse des »Kommunistenjägers« Senator McCarthy sehr leicht auf …

Robinsonliste, beim Dt. Direktmarketing-Verband (Sitz: Wiesbaden) geführtes Verzeichnis, in das sich jede Privatperson kostenlos eintragen lassen kann, wenn sie keine oder weniger adressierte Direktwerbung erhalten will.

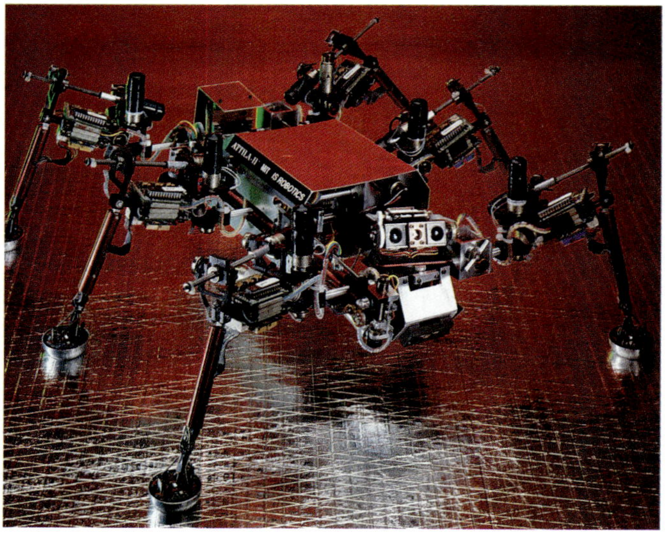

Roboter: Das Funktionsprinzip dieses autonomen, reflexgesteuerten Automaten mit insektenähnlicher Bewegung auf sechs Beinen beruht auf der Aktion mehrerer unabhängiger Prozessoren, die sowohl untereinander als auch mit Sensoren und Aktuatoren verkoppelt sind

Robin Wood [ˈrɔbɪn ˈwʊd], Ende 1982 gegr. Aktionsgruppe, deren Mitgl. durch Öffentlichkeits- und Informationsarbeit (u.a. Waldführungen) sowie durch spektakuläre Aktionen (z.B. die Besetzung von Kraftwerksschloten) auf die Problematik des Waldsterbens und seine Ursachen hinweisen und dagegen angehen. Sitz: Bremen.

Roblès [rɔˈblɛs], Emmanuel, frz. Schriftsteller, *Oran (Algerien) 4. 5. 1914, †Boulogne-Billancourt 22. 2. 1995; war Kriegsberichterstatter und Reporter. Seine sozial und politisch engagierten Dramen (»Montserrat«, 1948), Romane und Erzählungen (u.a. »Les hauteurs de la ville«, 1954; »Es nennt sich Morgenröte«, 1952, verfilmt von L. Buñuel, 1955) spiegeln auch seine Beziehungen zur nordafrikan. und lateinamerikan. Kultur; autobiograph. Essay »Ungestümer Sommer« (1974).

Michel Rocard

Roboter [zu tschech. robota »Fronarbeit«] *der,* von K. →Čapek 1920 geprägte Bez. für einen künstl. Menschen, eine Puppe, die Bewegungen scheinbar selbstständig ausführt, z.B. aufgrund drahtlos übermittelter Befehle. Der erste eigentl. R. war der »Televox« von R. J. Wensley in Pittsburgh (1927). Im allg. Sprachgebrauch wird heute als R. jedes automat. System mit bestimmten sensor. und adaptiven Eigenschaften zur Ausführung manipulator. und ortsveränderl. Vorgänge bezeichnet. – In der Entwicklung der R. stellen die seit Mitte der 1960er-Jahre einsatzfähigen →Industrieroboter sowie die →Manipulatoren die erste Generation dar. R. der zweiten Generation besitzen Sensoren für Tast- und Sehfunktionen. Die als dritte Generation bezeichneten, sich noch in der Entwicklung befindl. »intelligenten R.« (autonome R.) verfügen über eine Sensorik (z.B. Fernsehkameras), die eine entsprechende Kommunikation mit der Umgebung gestattet. Die erfassten Informationen werden von Mikroprozessoren verarbeitet, die dabei erzeugten Signale steuern Aktoren bzw. Effektoren (Wirkorgane, z.B. ein Greifer). Solche R.-Systeme auf der Basis der →künstlichen Intelligenz zeichnen sich durch ihre Lernfähigkeit aus und wiederholen einmal gemachte Fehler nicht. (→lernende Automaten)

📖 JONES, J. L. *u.* FLYNN, A. M.: *Mobile R. Aus dem Engl. Bonn u. a. 1996.* – RANDOW, G. VON: *R. Unsere nächsten Verwandten. Reinbek 1997.*

Robson, Mount [ˈmaʊnt ˈrɔbsn], höchster Gipfel im kanad. Teil der Rocky Mountains, 3954 m ü.M., vergletschert.

Rocaille [rɔˈkaj; frz. »Muschelwerk«] *das* oder *die,* das aus Muschelformen entwickelte, meist asymmetr., namengebende Hauptmotiv der Ornamentik des Rokokostils.

Rocard [rɔˈkaːr], Michel, frz. Politiker (Sozialist), *Courbevoie (Dép. Seine) 23. 8. 1930; war 1983–85 Landwirtschaftsmin. und 1988–91 Premiermin. Im April 1993 übernahm er die Führung der Sozialisten, trat jedoch bereits im Juni 1994 wieder zurück. Im Sept. 1995 wurde er Senator.

Rochade [rɔx-, auch rɔʃ-; frz., von pers. ruḫ »Turm im Schachspiel«] *die, Schachspiel:* nur einmal je Partei mögl. Doppelzug (der König geht dem Turm, der danach auf seine andere Seite gestellt wird, zwei Felder entgegen).

Rochdale [ˈrɔtʃdeɪl], Stadt in der Metrop. County Greater Manchester, England, 92 700 Ew.; Metall verarbeitende, Textil-, Gummi-, Papierindustrie. – R. wurde 1844 durch die Gründung eines Konsumvereins zum Ausgangspunkt der Genossenschaftsbewegung.

Rochea, Gattung der Dickblattgewächse; südafrikan. Halbsträucher mit dicken Blättern und weißen, gelben oder roten Trichterblüten; Zimmerpflanzen.

Rochefort [rɔʃˈfɔːr], Hafenstadt in W-Frankreich, Dép. Charente-Maritime, 26 900 Ew., an der Charente; Marine- und Militärschulen; früher Kriegshafen, heute kleiner Handelshafen; Flugzeugteile-, Maschinen- und Bootsbau, Möbelindustrie. – Die Stadt wurde 1666 schachbrettartig angelegt und zum Kriegshafen ausgebaut.

Rochefort [rɔʃˈfɔːr], Christiane, frz. Schriftstellerin, *Paris 17. 7. 1917, †Le Pradet 24. 4. 1998;

schrieb in ihren Romanen und Essays gegen bürgerl. Wertvorstellungen an (Skandalerfolg mit »Das Ruhekissen«, 1959); weitere Romane, u.a. »Frühling für Anfänger« (1969), »Die Tür dahinten« (1988).

Roche Holding AG [rɔʃ 'həʊldɪŋ -], Unternehmen der pharmazeut. Ind. und eines der größten schweizer. Unternehmen, Sitz: Basel; gegr. 1896 als F. Hoffmann-La Roche & Co., seit 1919 AG; seit 1989 jetziger Name.

Rochellesalz [rɔ'ʃɛl-, frz.], → Weinsäure.

Rochen [aus niederdt., zu rau (nach der Haut)] (Batoidei), Ordnung der Knorpelfische, mit meist vom Rücken zum Bauch stark abgeplattetem Körper. Die helle Unterseite mit Mund und Kiemenspalten liegt dem Boden auf, die meist diesem entsprechend gefärbte Oberseite trägt die Nasenlöcher, die Augen und die Spritzlöcher. Die meisten R. fressen Muscheln, Krebse oder Stachelhäuter und haben Pflasterzähne (»Knackgebiss«). Zu den R. zählen die Familien **Geigen-R.** (Rhinobatidae), vertreten durch **Gemeinen Geigen-R.** (Rhinobatos rhinobatus) und **Schaufelnase** (Trygonorhina fasciata); **Sägefische** oder **Hai-R.** (Pristidae) mit schwertartigem Maul, z.B. bei dem bis 6 m langen **Sägefisch** (Pristis pectinatus), u.a. im Mittelmeer; **Echte R.** (Rajidae), mit dem bis 50 kg schweren, auch in der Nordsee lebenden **Glatt-R.** oder **Fleten** (Raja batis) und dem bis 200 kg schweren **Dorn-** oder **Nagel-R.** (Raja clavata), der selten auch in der Ostsee vorkommt. Die **Zitter-R.** (Tropedinidae), z.B. der **Marmor-Zitter-R.** (Torpedo marmorata), sind elektr. Fische (→ Zitterfische). Die **Stachel-R.** (Dasyatidae) haben einen peitschenartigen Schwanz mit einem starken Stachel, z.B. der **Stachel-** oder **Stech-R.** (Trygon pastinaca), auch **Gift-** oder **Feuerflunder** genannt. Die **Adler-R.** (Myliobatidae) besitzen einen sehr abgeflachten Körper, der breiter als lang ist (bis 4,5 m). Die **Manta-** oder **Teufels-R.** (Mobulidae) haben am Maul ein Paar löffelartiger, drehbarer Fortsätze zur Nahrungsaufnahme; der im O-Atlantik und Mittelmeer beheimatete **Teufels-R.** (Mobula mobular) wird etwa 5 m breit.

Rochester ['rɔtʃɪstə], **1)** Stadt in der Cty. Kent, S-England, am Medway, 52 500 Ew.; Charles Dickens Centre Museum; Zement-, Papierfabriken, Maschinenbau; Hafen. – Kathedrale (604 gegr.; Neubau seit 1077), normann. Burgruine (12. Jh.).

2) Stadt im Bundesstaat New York, USA, 231 200 Ew.; kath. und anglikan. Bischofssitz; Univ., Colleges, Planetarium; opt., Maschinen-, Elektro-, Textil- u.a. Ind.; amerikan. Haupthafen am Ontariosee.

Rọ̈chling-Gruppe, Unternehmensgruppe zur Verw. von Ind.beteiligungen, Sitz: Mannheim, insbes. in den Bereichen Kunststoff- und Kommunikationstechnik, Maschinenbau sowie Mess-, Steuer- und Regelungstechnik, Automobil- und Wehrtechnik. Holdinggesellschaften sind die Gebr. Röchling KG (gegr. 1822) und die Röchling Industrie Verwaltung GmbH. Die R.-G. geht zurück auf das von der Familie Röchling seit 1881 begründete und bes. von Hermann Röchling (* 1872, † 1955) ausgebaute Großunternehmen der Stahl- und Rüstungsind. mit Schwerpunkt in Völklingen.

Rọchlitz, Stadt im Landkreis Mittweida, Sachsen, an der Zwickauer Mulde, 8 000 Ew.; Bau von nachrichtenelektron. und hydraul. Geräten und Einrichtungen; nahebei Porphyrbrüche am **Rochlitzer Berg** (356 m ü. M.). – Spätgot. Kunigundenkirche (vollendet 1476); Petrikirche (vollendet 1499); Schloss (12./13. und 15. Jh.). – In der 2. Hälfte des 12. Jh. planmäßig angelegt; bis 1994 Kreisstadt.

Rọchus, Nothelfer, nach der Legende * Montpellier um 1295, † ebd. 16. 8. 1327; soll seit einer Pil-

Rochen: 1 Mantarochen, 2 und 3 Zitterrochen, 4 Glattrochen, 5 Sägefisch, 6 Stachelrochen, 7 Gemeiner Geigenrochen

John D. Rockefeller

Nelson A. Rockefeller

gerreise nach Rom (1317) Pestkranke gepflegt und geheilt haben und, als er selbst erkrankte, wunderbar geheilt worden sein. Heiliger (nicht kanonisiert); Schutzpatron gegen Pest, Cholera und Seuchen; Tag: 16. 8.

Rock, Kurzbezeichnung für →Rockmusik.

Rockefeller ['rɔkɪfelə], **1)** John Davison, amerikan. Unternehmer, *Richford (N. Y.) 8. 7. 1839, †Ormond Beach (Fla.) 23. 5. 1937, Großvater von 2); gründete 1870 die Standard Oil Company of Ohio und 1882 den Standard Oil Trust, der 95% des Raffineriegeschäftes der USA kontrollierte. Die Gewinne, die R. aus seinen Unternehmen zog, machten ihn zum damals reichsten Mann der Welt; er war Mitbegründer der Univ. von Chicago (1890) und Gründer versch. Stiftungen (→Rockefeller Foundation), in die er über 500 Mio. US-$ einbrachte.

2) Nelson Aldrich, amerikan. Politiker (Republikaner), *Bar Harbor (Me.) 8. 7. 1908, †New York 26. 1. 1979, Enkel von 1); 1954–55 außenpolit. Sonderberater Präs. D. D. Eisenhowers, 1959–73 Gouv. des Staates New York, 1974–77 Vizepräs. unter G. Ford; bekannter Kunstsammler.

Rockefeller Foundation ['rɔkɪfelə faʊn'deɪʃn], 1913 von J. D. Rockefeller in New York errichtete Stiftung, die humanitäre Ziele verfolgt und die Wissenschaften fördert; umfasst seit 1928 die Abteilungen internat. Gesundheitswesen, Medizin, Sozial-, Natur- und Geisteswiss.; gehört zu den größten Stiftungen der Welt.

Rocker *der,* Bez. für Angehörige einer zunächst von Jugendlichen getragenen Subkultur, die in den USA, dann auch in Europa seit den 1950er-Jahren durch einen die bürgerl. Welt provozierenden Lebensstil (Rock-'n'-Roll-Musik, Motorräder, Lederkleidung; aggressives und mitunter gewalttätiges Auftreten) in Erscheinung tritt.

Rockhampton [rɔk'hæmptən], Stadt im O von Queensland, Australien, am Fitzroy River, 61 100 Ew.; Maschinenbau, chem., Nahrungsmittelind.; Hafen, bes. Kohle- und Erzexport, Tiefwasserhafen ist Port Alma.

Rockmusik [zu Rock 'n' Roll], Kw. **Rock,** Sammelbez. für die seit 1950 aus afroamerikan. Folklore (Blues, Rhythm and Blues, Jazz) sowie amerikan. »popular music« und Folklore (u.a. Hillbilly, Country and Western) entstandenen populären Musikstile. Ihre gemeinsamen Merkmale sind naturhaftes Ausdrucksideal, körperhafte Gestik, Bluesdiktion in vokaler wie instrumentaler Melodik, eine standardisierte Grundbesetzung (Gesang, Gitarren, Schlagzeug) und eigenschöpfer. Improvisation, außerdem elektroakust. Aufbereitung und Verstärkung sowie die Vermittlung durch Massenmedien. Der Begriff R. entstand etwa 1968, als die bis dahin synonyme Bez. »Popmusik« infolge Verwischung stilist. Grenzen vieldeutig wurde und seitdem auf jede Art von Unterhaltungsmusik angewendet werden konnte. Die Bez. R. verweist besonders auf die schwarzen Ursprünge dieser Musik: die Rückbindung an den negroiden Blues mit Vorrangigkeit körperlich-sinnl. Qualitäten (→Drive, →Funk) vor musikimmanenten Qualitäten (harmon. Vielfalt, experimentell-avantgardist. Orientierung, formale Komplexität).

Geschichte: Sie beginnt in den 1950er-Jahren mit der Ausbildung des Rock 'n' Roll, der sich in den USA als protesthafte Äußerungsform der Nachkriegsjugend aus dem als schwarze »race music« diffamierten →Rhythm and Blues und dem Country and Western (→Countrymusic) der Weißen gebildet hatte. Neue Impulse gingen um 1962 von der brit. Beatmusik aus, die einer sich internat. etablierenden jugendl. Subkultur musikal. Selbstständigkeit verlieh. In der 2. Hälfte der 60er-Jahre folgte die rasche Ausbildung neuer Stilarten (Folkrock, Soul, Jazzrock, Psychedelic Rock, Politrock, Ragarock, Classicrock, Countryrock, Latinrock). Gleichzeitig entstanden Gegenkulturen (Hippies, Gammler), deren Hauptmerkmal die Protesthaltung gegenüber der etablierten Gesellschaft war. Der antibürgerl. (Musiker-)Held wurde zum Leitbild der rebell. Jugendlichen. Der Protesthabitus der R. wurde jedoch bald kommerzialisiert und entschärft, die (aus Marktzwängen) notwendige Suche nach einem neuen »Sound« führte zur Abkehr vom ursprüngl. Stil der R. und vielfach zu schablonenhafter Massenware. In der 1. Hälfte der 70er-Jahre erreichte der Jazzrock einen Höhepunkt. Daneben bestand eine Vielfalt von Stilen (u.a. Afrorock, Phillysound, Mainstream), es bildeten sich lokale und nat. Strömungen (»Rockrevivals«). In der 2. Hälfte der 70er-Jahre erhielt die Szene mit dem Discosound und dem an die Ursprünge der R. anknüpfenden Punkrock wieder eine zunehmend internat. gleichartige Prägung, die durch die komplexe Weiterentwicklung zum New Wave ab 1978 allmählich wieder verloren ging. Frische Impulse kamen Anfang der 80er-Jahre durch afroamerikan. Musikformen wie Funk, Reggae, Rap, House und Hip-Hop. Hinzu kam eine Wiederbelebung der aggressiven Urform der R. durch »Heavymetal« (Varianten u.a. Speedmetal, Trashmetal), der zur signifikantesten Erscheinungsform des Rock der 80er-Jahre wurde. Seit dem Ende der 80er-Jahre ist die R. geprägt durch eine stilist. Vielfalt, die auch die Wiederbelebung älterer Stile (Revival) und eine Vermischung unterschiedl. Richtungen einschließt. Daneben lassen sich einerseits eine Rückbesinnung auf den Song, z.B. in Form von gefühlvollen Rockballaden bei Hardrock-Gruppen, und andererseits, v.a. in Dtl., eine Vorliebe für eine Techno ge-

Rocky Mountains: Blick vom Snake River auf den 3 839 m hohen Mount Moran im Grand Teton National Park in Wyoming

nannte rein elektron. Tanzmusik, die durch einen peitschenden Rhythmus und ein sehr schnelles Grundtempo charakterisiert ist, erkennen.

📖 WICKE, P. *u.* ZIEGENRÜCKER, W.: *Handbuch der populären Musik. Mainz ³1997.*

Rock 'n' Roll ['rɔkn'rəʊl; engl. »wiegen und rollen«] *der* (Rock and Roll), **1)** Musikstil, der Mitte der 1950er-Jahre in den USA aus dem (schwarzen) Rhythm and Blues und der (weißen) Countrymusic entstand; war Ausgangspunkt für die Entwicklung der Pop- und Rockmusik. Der R. 'n' R. änderte das Ausdrucksideal in der westl. Unterhaltungsmusik grundlegend; auch lief erstmals eine Musikform parallel mit der internat. Ausbildung einer jugendl. Protestkultur (Teddyboys, Rocker u.a.). Stilprägende Interpreten waren u.a. E. Presley, Bill Haley, Chuck Berry und Little Richard. In Cleveland (Oh.) wurde 1994 ein R.-'n'-R.-Museum eröffnet.

2) im Tanzsport eine Wettkampfdisziplin, Turniertanz im ⁴/₄-Takt, bei dem eine Fuß-/Beintechnikrunde und eine Akrobatikrunde (u.a. mit Überschlägen, Würfen, Sprüngen) bewertet werden; entwickelte sich um 1955 aus dem Boogie-Woogie.

Rockloper (Rockmusical), Versuch einer Verbindung der Nummernoper mit Elementen der Rockmusik, z.B. in »Hair« (1968), »Tommy« (1970) oder »Jesus Christ Superstar« (1971).

Rocky Mountains ['rɔkɪ 'maʊntɪnz] (Kurzbez. Rockies, dt. Felsengebirge), der östl. Teil der nordamerikan. Kordilleren, rd. 4500 km lang, von N-Alaska und NW-Kanada bis in den S der USA, ein Faltengebirge, das über 4000 m ansteigt und nach O steil zu den Great Plains absinkt, im W in die intermontanen Becken und Plateaus (in den USA Großes Becken, Colorado- und Columbiaplateau, in Kanada Fraser- und Yukonplateau) übergeht. Höchste Erhebung ist der Mount Elbert (4399 m ü.M., Colorado, USA). Reich an Bodenschätzen: Kupfer, Eisen, Silber, Gold, Blei, Zink, Molybdän, Beryllium, Uran, Erdöl, Erdgas, Kohle und Ölschiefer. Bed. Fremdenverkehr; zahlr. Nationalparks, z.B. Yellowstone National Park und Grand Teton National Park in Wyoming. Im N reich bewaldet; die Niederschläge nehmen von N nach S ab, der Süden ist z.T. steppen- und wüstenhaft. Die R.M. bilden die Hauptwasserscheide zw. dem Atlantik und dem Pazifik; Flüsse sind vielfach zur Energieerzeugung und Bewässerung gestaut.

📖 ROEDER, D. H.: *R. M. Der geolog. Aufbau des kanad. Felsengebirges. Berlin 1967.* – WALKER, B. S.: *Die R. M. Aus dem Engl. Amsterdam 1975.*

Rodach b. Coburg, Stadt im Landkreis Coburg, Bayern, an der Rodach, 6600 Ew.; Heilbad mit Thermalquelle; Kunststoff-, Holz-, Plüschspielwarenindustrie. – 899 erstmals urkundlich erwähnt, seit 1362 Stadt.

Alexander Roda Roda (Ausschnitt einer Karikatur von Olaf Gulbransson, 1901)

Roda Roda, Alexander, eigtl. Sándor Friedrich Rosenfeld, österr. Schriftsteller, *Drnovice (Südmähr. Gebiet) 13. 4. 1872, †New York 20. 8. 1945; urspr. Offizier (bis 1907); 1914–18 Kriegsberichterstatter; emigrierte 1937/38 erst in die Schweiz, 1940 in die USA; mit Anekdoten, Humoresken, Schwänken, satir. Romanen und Komödien (»Der Feldherrnhügel«, 1910, mit C. Rößler) Satiriker der Endphase der Donaumonarchie.

Martin Rodbell

Rodbell, Martin, amerikan. Biochemiker, *Baltimore (Md.) 1. 12. 1925; erhielt 1994 (mit A. G. Gilman) den Nobelpreis für Physiologie oder Medizin für die Entdeckung der G-Proteine und ihrer Bedeutung für die Signalübertragung in Zellen.

Rodbertus (R.-Jagetzow), Johann Karl, Volkswirtschaftler und Politiker, *Greifswald 12. 8. 1805,

†Jagetzow (heute Völschow, Kr. Demmin) 6. 12. 1875; einer der Hauptvertreter des Staatssozialismus. Im Sinne der Arbeitswerttheorie lehnte er die auf Grund- und Kapitalbesitz beruhende Zins- und Rentenbildung ab. Mit der Feststellung, dass dem ständigen Steigen der Produktivität keine entsprechende Lohnerhöhung folgt und damit der Anteil der Arbeiter am Sozialprodukt zurückgeht, begründete er das »Gesetz der fallenden Lohnquote«. Aus der daraus resultierenden Unterkonsumtion erklärte R. die wirtsch. Krisen und forderte die allmähl. Überführung von Boden und Kapital in das Eigentum des Staates.

Auguste Rodin: »Der Denker«, Bronze (1880–1900; Paris, Musée Rodin)

Rodelsport (Rennrodeln), →Rennschlittensport.

Rodenbach [-'bak], Georges, belg. Schriftsteller frz. Sprache, *Tournai 16. 7. 1855, †Paris 25. 12. 1898; schloss sich den Symbolisten an. Bes. bekannt wurde er mit dem Roman »Das tote Brügge« (1892), einem Werk düster-melanchol. Grundstimmung.

Rödental, Stadt im Kr. Coburg, Bayern, 13 400 Ew.; keram. Ind., Spielwarenherstellung.

Rodentizide [lat.], chem. Mittel zur Bekämpfung von Nagetieren, bes. von Ratten und Mäusen; meist in Köder eingearbeitet.

Rodenwaldt, Ernst, Hygieniker und Tropenmediziner, *Berlin 5. 8. 1878, †Ruhpolding 4. 6. 1965; machte sich bes. um die Seuchenbekämpfung in den Tropen verdient; Mitherausgabe eines »Welt-Seuchenatlas« (3 Bde., 1952–61).

Rodeo [engl.] *der* oder *das*, aus der Tätigkeit der Cowboys in den USA abgeleiteter Wettkampf, bei dem es gilt, wilde Stiere oder Pferde mit dem Lasso einzufangen, zu bereiten und sich auf dem Tier eine bestimmte Zeit zu halten.

Röder, Franz-Josef, Politiker, *Merzig 22. 7. 1909, †Saarbrücken 26. 6. 1979; im Saarland ab 1955 MdL, 1957–65 Kultusmin., 1959–79 MinPräs., 1959–73 zugleich Landesvors. der CDU.

Roderich (span. Rodrigo), letzter König (710/711) der Westgoten in Spanien, fiel in der Schlacht bei Jerez de la Frontera (711) gegen die Araber.

Rodewisch, Stadt im Vogtlandkreis, Sachsen, an der oberen Göltzsch, 8 400 Ew.; Schulsternwarte mit Kleinplanetarium, Göltzschmuseum, Textilindustrie. – 1411 erstmals erwähnt.

Rodez [rɔ'dɛs], Hptst. des Dép. Aveyron in Südfrankreich, im Zentralmassiv, 26 800 Ew.; Marktzentrum. – Gotische Kathedrale, Häuser des 15.–18. Jahrhunderts.

Rodgau, Stadt im Landkreis Offenbach, Hessen, zw. Dieburg und Hanau, 42 500 Ew.; Leder- und Metallind., Feinmechanik. – 1977 durch Zusammenschluss von fünf Gemeinden entstanden (seit 1979 Stadt).

Rodgers ['rɔdʒəs], Richard, amerikan. Komponist, *New York 28. 6. 1902, †ebd. 30. 12. 1979; schrieb zahlr. Musicals, von denen die in Zusammenarbeit mit dem Librettisten Oskar II Hammerstein (*1895, †1960) entstandenen zu den erfolgreichsten gehören (u. a. »Oklahoma!«, 1943; »South Pacific«, 1949).

Rodin [rɔ'dɛ̃], Auguste, frz. Bildhauer, *Paris 12. 11. 1840, †Meudon 17. 11. 1917; fand, von Skulpturen Michelangelos und der Gotik beeinflusst, früh seinen eigenen Stil. Bereits seine erste selbstständige Arbeit, »Mann mit der zerbrochenen Nase« (Bronze, 1864), später die Jünglingsgestalt »Das eherne Zeitalter« (Bronze, 1876) zeigen in der Darstellung einen bis dahin unbekannten Realismus. Die Oberfläche seiner Bildwerke ist meist zerklüftet, sodass ein reiches Spiel von Licht und Schatten malerisch impressionist. Wirkungen erzielt, ohne jedoch die Form aufzulösen. Oft suchte er den Reiz des Skizzenhaften und Unvollendeten und arbeitete die Figuren nur z. T. aus dem Block heraus. Seine Bildnisse zeigen das Streben nach genauer Wiedergabe des seel. Ausdrucks. Entscheidend geprägt wurde sein Schaffen von seiner Schülerin, Mitarbeiterin und Geliebten C. →Claudel. R. gab der Entwicklung der modernen Plastik wesentl. Impulse. Die meisten seiner Werke befinden sich im R.-Museum in Paris. Weiteres BILD Balzac

Werke (wenn nicht anders angegeben in Bronze): Das Höllentor (1880 ff., unvollendet; verselbstständigte Details u. a. Eva, um 1881; Der Denker,

1880–1900); Die Bürger von Calais (1884–86, 1895 in Calais aufgestellt); Der Kuß (Marmor, 1886); Der Gedanke (Marmor, 1886); Denkmal für V. Hugo (1896); Denkmal für Balzac (1893–97).

SCHMOLL, J. A., *gen.* EISENWERTH: *R. u. Camille Claudel. München 1994, Nachdr. ebd. 1995.*

Roding, Stadt im Landkreis Cham, Bayern, am Regen, 11200 Ew.; Metall verarbeitende, Textilindustrie; Fremdenverkehr.

Rodoreda [rruðu'rɛðə], Mercè, katalan. Schriftstellerin, *Barcelona 10. 10. 1908, †Girona 13. 4. 1983; lebte 1939–57 im Exil. Ihre Romane und Erzählungen spielen überwiegend im Barcelona der Zeit vor und nach dem Span. Bürgerkrieg und im Milieu der kleinen Leute: »Auf der Plaça del Diamant« (1962), »Der zerbrochene Spiegel« (1974).

Rodrigo [rɔ'ðriɣo], König der Westgoten, →Roderich.

Rodriguez [rru'ðriɣɪʃ], die östlichste Insel der Maskarenen im Ind. Ozean, gehört zum Inselstaat Mauritius, 104 km^2 groß, bis 400 m ü. M., (1990) 37700 Ew., v. a. Kreolen frz. Sprache; Hauptort ist Mathurin. R. ist vulkan. Ursprungs und stark zertalt, hat feuchttrop. Klima; Anbau von Obst, Mais, Gemüse, Zuckerrohr. Fischerei und Rinderhaltung (Fleischexport nach Mauritius).

Rodtschenko, Alexandr Michailowitsch, russ. Maler, Bildhauer, Fotograf und Typograph, *Sankt Petersburg 15. 12. 1891, †Moskau 3. 12. 1956; war als Maler und Bildhauer (modellhafte abstrakte Skulpturen, Kombination versch. Materialien) neben K. Malewitsch und W. Tatlin einer der bahnbrechenden Konstruktivisten in der UdSSR. Ab 1920 wandte er sich der Fotografie zu; war auch als Buch- und Plakatgestalter tätig. Mit seiner Lebensgefährtin, der russischen Künstlerin Warwara Fjodorowna Stepanowa (*1894, †1958), arbeitete er auch an gemeinsamen Projekten.

Rodung, *Agrargeschichte:* das aus gerodetem Waldgebiet hervorgegangene Agrar- oder Siedlungsland; im dt. Raum bes. seit karoling. Zeit, dann v. a. vom 11. Jh. bis Anfang des 13. Jh. entstanden, zunächst westlich, ab dem 12. Jh. östlich der Elbe-Saale-Linie.

Roeder ['rø:-], Emy, Bildhauerin, *Würzburg 30. 1. 1890, †Mainz 7. 2. 1971; schuf Figuren von streng vereinfachter Gestaltung sowie Porträtköpfe von kubisch-plastischer Kraft.

Roemheld-Syndrom ['rø:-; nach dem Internisten Ludwig Roemheld, *1871, †1938] (gastrokardialer Symptomenkomplex), reflektorisch ausgelöste funktionelle Herzbeschwerden (Extrasystolie, Beklemmungsgefühl, Herz- und Magenschmerzen, eventuell sogar Angina-pectoris-Anfälle) bei Magen-Darm-Erkrankungen mit Blähungen im Oberbauch, Zwerchfellhochstand und Verschiebung des Herzens; tritt bes. bei Männern auf.

Roentgen ['rœ-], David, Kunsttischler, *Herrnhaag (heute zu Büdingen) 11. 8. 1743, †Wiesbaden 12. 2. 1807; machte die von ihm 1772 übernommene Werkstatt seines Vaters Abraham R. (*1711, †1793) in Neuwied zu einem Unternehmen von internat. Ruf. Seine frühen Möbel gehören dem Rokoko an, seine späteren dem Louis-seize.

Roer [ru:r] *die,* niederländisch für die →Rur.

Roerich ['rø:-] (Rjorich, Rerich), Nikolai Konstantinowitsch, russ. Maler, *Sankt Petersburg 9. 10. 1874, †Nagar (Punjab, Indien) 13. 12. 1947; war Mitglied und 1910–19 Vors. der Künstlervereinigung Mir Iskusstwa; ab 1920 in den USA, 1936 ließ er sich in Indien nieder; neben flächig ornamentalen Darstellungen aus der russ. Geschichte symbolist. Theaterdekorationen und Landschaften.

Roermond [ru:r'mɔnt], Stadt in der niederländ. Prov. Limburg, an der Mündung der Rur in die Maas, 42500 Ew.; Kunstmuseum; Waffenfabrik, elektrotechn. u. a. Ind., Backofen- und Fahrzeugbau. – Munsterkerk (13. Jh.), gotische Kathedrale St. Christoffel (15. Jahrhundert).

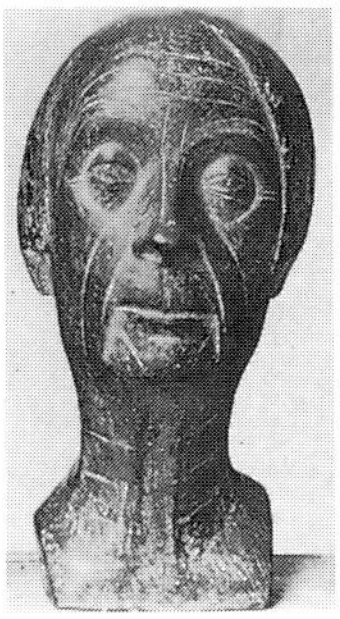

Emy Roeder: Selbstportät in Bronze (1964; Würzburg, Städtische Galerie)

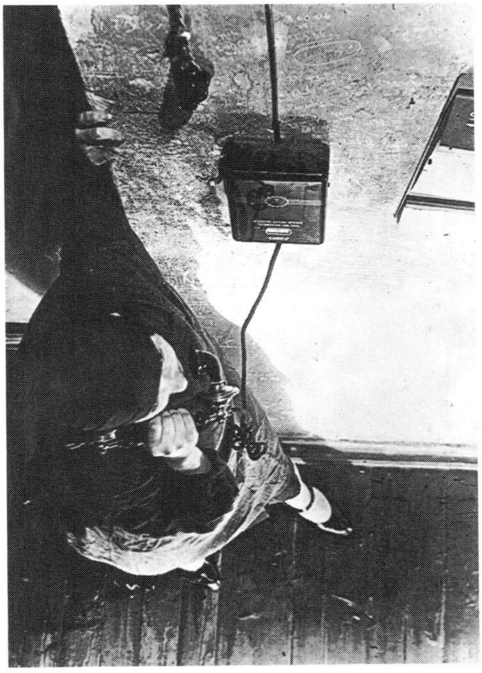

Alexandr Rodtschenko: »Am Telefon«, Fotografie (1928)

Roeselare ['ru:səla:rə] (frz. Roulers), Stadt in der Prov. Westflandern, Belgien, 53600 Ew.; Textil-, Lebensmittel-, chem., Lederindustrie, Maschinenbau, Großdruckereien. – Sint Michielskerk (15. Jahrhundert).

Rogate [lat. »bittet!«], *evangelische Kirchen:* der 5. Sonntag nach Ostern, benannt nach dem Introitus (Joh. 16,24).

Richard Rogers: Das Verwaltungsgebäude von Lloyds in London mit nach außen verlegten Konstruktions- und Versorgungssystemen wurde 1978–86 erbaut

Roggen: Secale cereale (Höhe 65–200 cm)

Richard Rogler

Rogen, die Eier der → Fische. Aus dem R. vom Stör wird → Kaviar hergestellt. – **Rogener,** weibl. laichreifer Fisch.

Rogenstein, sandiger Kalkoolith (→ Oolith).

Roger, normann. Herrscher auf Sizilien:

1) Graf von Sizilien (seit 1061), * in der Normandie 1031, † Mileto (Prov. Vibo Valentia) 22. 6. 1101, Vater von 2), eroberte im Auftrag seines Bruders Robert Guiscard 1060–1091 Sizilien vollständig.

2) seit 1105 Graf, seit 1130 König von Sizilien, * 22. 12. 1095, † Palermo 26. 2. 1154, Sohn von 1); Neffe Robert Guiscards, dehnte seine Herrschaftsgebiete auf Unteritalien aus und nahm es 1130 vom Papst als Königreich zu Lehen. R. errichtete eine Erbmonarchie mit autokrat. Organisation, die 1140 in den »Assisen von Ariano« eine Rechtsordnung erhielt. R.s Erbtochter war → Konstanze.

Roger von Helmarshausen, † 12. 2. nach 1125 in Köln; Goldschmied, tätig um 1100; Mönch des Klosters Helmarshausen (heute zu Bad Karlshafen), wohl als Werkstattleiter; einer der bedeutendsten Goldschmiede des MA., Meister der Niellotechnik. Stilistisch waren für R. byzantin. Quellen und die Bibel von Stavelot (1097; London, Brit. Museum) maßgebend. Sein Werk gruppiert sich um zwei Paderborner Tragaltäre, den Tragaltar der Heiligen Kilian und Liborius im Domschatz (1100) und den Abdinghofer Tragaltar (vor 1100, neuere Datierung: 2. Jahrzehnt des 12. Jh.; Franziskanerkirche). R.s Identität mit Theophilus Presbyter kann heute als erwiesen gelten.

Rogers [ˈrɔdʒəz], **1)** Carl Ransom, amerikan. Psychologe und Psychotherapeut, * Oak Park (Ill.) 8. 1. 1902, † La Jolla (Calif.) 4. 2. 1987; seit 1964 Prof. ebd., Mitbegründer der humanist. Psychologie, entwickelte eine spezielle, nichtdirektive Gesprächstherapie.

2) Richard, brit. Architekt, * Florenz 23. 7. 1933; Vertreter der Hightech-Architektur; war 1970–77 Partner von R. Piano, mit dem er das → Centre National d'Art et de Culture Georges Pompidou in Paris plante; 1978–86 baute er das Verw.gebäude für Lloyds in London, dessen Konstruktions- und Versorgungssysteme ebnfalls nach außen verlegt sind.

Roggen (Secale), Gattung der Süßgräser mit drei Arten in Eurasien. Die wichtigste, als Getreidepflanze angebaute Art ist **Secale cereale** (R. i. e. S.) mit Hauptanbaugebieten in Mittel- und Osteuropa und Sibirien, von 50° bis 65° n. Br. Der R. hat 65–200 cm lange Halme und eine 5–20 cm lange, vierkantige, zur Blütezeit leicht überhängende Ähre aus einzelnen meist zweiblütigen Ährchen und lang begrannter, auf dem Rücken kammförmig bewimperter Deckspelze. Die 5–9 mm langen bläulich grünen Körner lösen sich bei der Reife leicht aus den Spelzen. Der als Grünfutter **(Grün-R.)** abgemähte R. sowie die als Viehfutter verwendeten Körner (fast die Hälfte des R.) werden als **Futter-R.** bezeichnet. Angebaut wird v. a. **Winter-R.,** da er gegenüber dem **Sommer-R.** bessere Erträge bringt. Weitere wirtsch. Bedeutung hat der R. als Brotgetreide. Durch in das Mehl gelangtes → Mutterkorn traten früher schwere Vergiftungserscheinungen auf. Das Stroh dient teilweise zur Herstellung von Matten, Papier und Zellstoff.

Wirtschaft: Der überwiegende Teil der (1994) weltweit geernteten R.-Menge von 22,6 Mio. t entfiel auf Russland (5,9 Mio. t) u. a. GUS-Staaten; Polen erzeugte 5,3 Mio. t, Dtl. 3,5 Mio. t, China 0,57 Mio. t und Kanada 0,39 Mio. t.

Kulturgeschichte: Der R. stammt vom anatol. Wild-R. ab, der in der jüngeren Jungsteinzeit als Unkraut in den Emmer- und Gerstenfeldern nach Westen kam, wo er die Klimaverschlechterung besser überstand als die Edelgetreide. Seit der Hallstattzeit wurde R. vermutlich in Mitteleuropa angebaut. Den Germanen diente der R. als wichtigstes Brotgetreide.

Roggen|älchen (Stockälchen, Stängelälchen, Ditylenchus dipsaci), in Roggenpflanzen schmarotzende, etwa 1–2 mm lange Fadenwürmer.

Rogier van der Weyden [roˈxiːr van dər ˈvɛjdə], niederländ. Maler, → Weyden.

Rogler, Richard, Kabarettist und Schauspieler, * Selb 19. 9. 1949; 1982–86 Autor und Schauspieler am Schauspielhaus Köln; 1986 erstes Soloprogramm »Freiheit aushalten«; Satirebeiträge für Hörfunk und Fernsehen; 1992 Dt. Kleinkunstpreis für das Soloprogramm »Finish«.

J. RIZZI